L'ANNUEL DE L'AUTOMOBILE 2007

Rédacteur en chef : Benoit Charette
Rédacteur en chef adjoint : Hugues Gonnot
Rédacteurs : Pascal Boissé, Jean-Pierre Bouchard, Benoit Charette, Michel Crépault, Nadine Filion, Luc Gagné, Bertrand Godin, Hugues Gonnot, Antoine Joubert, Carl Nadeau
Rédacteurs associés : Laurence Yap, Michael La Fave et John Gilbert
Directeur de la photographie : Luc Gagné
Photographes : Les membres de *L'Annuel*, Bernard Brault, Hugo-Sébastien Aubert, Jeremy Alan Glover, John Gilbert et Brenda Priddy
Supplément voitures d'occasion : *Auto-Occasion* (Michel Doyon et André Chartier)
Fiches techniques : Antoine Joubert et Benoit Charette
Ventes postale et Internet : Denise Allard
Directrice de la comptabilité : Patricia Petit
Directrice de la production graphique : Diane Denoncourt
Coordonnatrice de l'édition : Sylvie Tremblay
Conception graphique : François Daxhelet
Infographie : Johanne Lemay, Mario Paquin et Chantal Landry
Traitement des images : Mélanie Sabourin
Réviseurs : Jacques Gervais, Benoit Charette, et Sylvain Trudel
Révision technique : Hugues Gonnot

Catalogage avant publication de Bibliothèque et Archives Canada

Vedette principale au titre :

L'annuel de l'automobile

Annuel.

1. Automobiles - Achat. 2. Automobiles - Achat - Canada.

TL162.A56 629.222029 C2004-301308-2

Gouvernement du Québec - programme de crédit d'impôt pour l'édition de livres – Gestion SODEC – www.sodec.gouv.qc.ca

L'Éditeur bénéficie du soutien de la Société de développement des entreprises culturelles du Québec pour son programme d'édition.

Nous reconnaissons l'aide financière du gouvernement du Canada par l'entremise du Programme d'aide au développement de l'industrie de l'édition (PADIÉ) pour nos activités d'édition.

Dépôt légal : 2006
Bibliothèque nationale du Québec

ISBN 10 : 2-7619-2000-7
ISBN 13 : 978-2-7619-2000-1

L'équipe de *L'Annuel de l'automobile 2007* tient à remercier :

Doug Clark, Diego Ramos et Matt Bryanton Audi ; Kevin Marcotte et Kyle Wierzbicki BMW ; Daniel Labre et Kerrey Kerr, DaimlerChrysler ; Umberto Bonfa, Ferrari, Maserati Québec ; Christine Hollander, Ford ; Robert Pagé, Tony LaRocca et Natalie Nankil, General Motors ; Nadia Mereb et Richard Jacobs, Honda et Acura ; Tom McPherson et Jules Lacasse, Hyundai ; Barbara Barrett, Jaguar et Land-Rover ; Yves Ladouceur et Cort Nielsen, Kia ; Kelly Strong, Lamborghini ; Rania Guirguis, Alain Desrochers et Gregory Young, Mazda ; Jo Anne Caza, Eva Chang et Rob Tackacs, Mercedes-Benz ; Sophie Desmarais et Susan Elliot, Mitsubishi ; Alexendra Cygal, Johm Lindo et Donna Trawinski, Nissan ; Joe Visconti, Panoz et Saleen Canada ; Robert Carlson et Gary Fong, Porsche ; Elaine Griffin, Michelle Bogle et Marie-Claude Simard, Subaru ; Mike Kurnik et Breanna Gaudet, Suzuki ; Wesley Pratt et Rebecca Wu, Toyota et Lexus ; Patrick St-Pierre, Volkswagen ; Chad Heard, Volvo.

Bernard Durand, représentant chez John Scotti Automotive, pour nous avoir déniché une Lotus Elise pour notre photo de groupe.

François Roy, de Québec Mitsubishi, pour le prêt de la Galant.

Marc Godard, pour sa participation dans les essais du Ford Série E, GMC Savana et Chevrolet Express, de même que Dodge Sprinter.

Pierre Charette, pour avoir la patience de venir chercher des voitures tous les lundis de l'année.

Les auteurs de *L'Annuel* vous invitent cordialement à leur faire part de votre palmarès. Il est possible que vous, les propriétaires de voitures, remarquiez au quotidien des qualités ou des défauts qui nous auraient échappé.

L'Annuel de l'automobile 2007
att. : PALMARÈS, 1730, 55e Avenue
Lachine (Qc)
H8T 3J5
Télécopieur : (514) 631-0591
Internet : www.annuelauto.com

DISTRIBUTEURS EXCLUSIFS :

- Pour le Canada
  et les États-Unis :
  MESSAGERIES ADP*
  955, rue Amherst
  Montréal, Québec
  H2L 3K4
  Tél. : (514) 523-1182
  Télécopieur : (514) 939-0406
  * une division du Groupe Sogides inc.,
  filiale du Groupe Livre Quebecor Média inc.

Pour en savoir davantage sur nos publications,
visitez notre site : **www.edhomme.com**
Autres sites à visiter : www.edjour.com
• www.edtypo.com • www.edvlb.com
• www.edhexagone.com

TABLE DES MATIÈRES

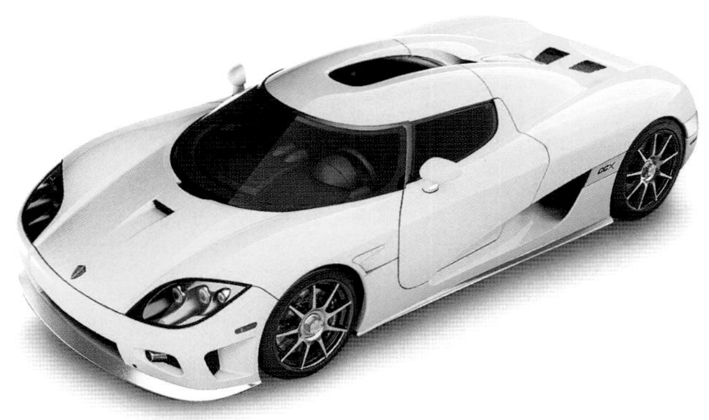

INDEX DES ESSAIS

QUI EST QUI ?

Benoit Charette
Copropriétaire et rédacteur en chef

Bourreau de travail et chroniqueur doté d'une mémoire prodigieuse, Benoit jongle avec les différentes cylindrées et les numéros de téléphone des relationnistes des constructeurs d'automobiles avec une égale aisance. Il produit des textes sur l'automobile depuis plus de quatorze ans. *La Presse*, Transcontinental, Radio-Canada, TQS, les magazines du Groupe Auto Journal, il est de tous les médias.

Luc Gagné
Directeur photographique

Luc est l'un des journalistes de l'automobile les plus expérimentés au Québec. Il excelle tout autant devant son clavier d'ordinateur, à aligner des critiques rigoureuses, que derrière un appareil photographique. Voilà pourquoi il supervise d'un œil aguerri les centaines de photos qui illustrent le présent ouvrage. Il est aussi le rédacteur en chef de la revue *AutoMag*.

Michel Crépault
Copropriétaire

Michel a fondé le Groupe Auto Journal il y a dix ans. Sa belle équipe produit à un rythme soutenu des publications comme *Auto Journal, AutoMag, Auto Passion, Québec Tuning, Motomag, Actif Roulant* et *Driven*. Depuis 2002, *L'Annuel de l'automobile* roule sur la même autoroute du succès. Entre le lancement d'un véhicule et une fin de mois, Michel scrute sa boule de cristal pour aller au-devant des besoins de ses lecteurs.

Bertrand Godin
Auteur

Papa Godin aimait tant l'automobile qu'il en changeait presque comme de chemise... Ne cherchez pas plus loin d'où vient la passion de Bertrand qui, à dix-huit ans, s'est juré de devenir pilote de course. D'abord en karting, puis sur les circuits prestigieux de 14 pays où il a bataillé notamment contre Montoya, Tagliani et Prost. Communicateur hors pair, il partage sa passion à la télé (*Le grand test, 110 %*, etc.) et désormais dans *L'Annuel de l'automobile*.

Pascal Boissé
Auteur

Pascal est passionné d'automobile (tiens, un autre!). Designer industriel de formation, il a fondé Auto-Motive Design & Communication. Quand il n'enseigne pas le design automobile à l'École de design de l'UQÀM, il collabore à *Auto Journal, AutoMag* et *Le Devoir* avec des textes mordants. Ne craignant pas les paradoxes, Pascal est le spécialiste des voitures écologiques et... des grosses camionnettes !

Hugues Gonnot
Rédacteur en chef adjoint

Hugues est un ingénieur qui a bouleversé sa vie professionnelle pour s'adonner à sa passion de l'automobile. Son dada, c'est la technologie. Quand on ne sait pas trop comment fonctionne un machin qu'un constructeur a eu la drôle d'idée de glisser sous un capot, on se tourne vers lui. En plus de diriger la revue *Auto Passion*, il signe entre autres les rubriques « Les prototypes » et « Autour du monde » de *L'Annuel de l'automobile*.

Jean-Pierre Bouchard
Auteur

Jean-Pierre, c'est le « gars de Québec » qui traîne toujours avec lui une rigueur qui n'a d'égale que sa bonne humeur. À douze ans, il écrit son premier texte sur l'automobile. C'est le début d'une carrière vouée aux « machines ». Vingt ans plus tard, après s'être longtemps occupé de consommation automobile au CAA-Québec, Jean-Pierre collabore à *L'Annuel de l'automobile* et aux publications du Groupe Auto Journal.

Antoine Joubert
Auteur

Antoine a prononcé le mot « auto » tout de suite après « papa ». Depuis son enfance, les rayons de sa bibliothèque croulent sous le poids de toutes les publications automobiles qui paraissent dans le monde. Son objectif ultime : participer un jour à la création d'un livre comme *L'Annuel de l'automobile*. C'est maintenant chose faite. En plus d'écrire avec une ferveur sentie, Antoine est responsable des fiches techniques de *L'Annuel*.

Nadine Filion
Auteur

Si Nadine ne s'était pas jointe à *L'Annuel de l'automobile*, il aurait fallu l'inventer. La qualité de ses textes lui a valu au fil des ans une collection de trophées, dont celui du *Journaliste de l'automobile de l'année*. La présence de Nadine reflète bien l'importance croissante des femmes dans l'industrie. Quand elle cesse de terroriser les relationnistes qui pratiquent trop la langue de bois, elle part s'oxygéner en forêt à bord d'un 4X4.

Carl Nadeau
Auteur

À quinze ans, Carl travaille dans un garage pour payer ses études et sa première voiture. Pilote de course, il enfile les succès en rallye, circuit routier et sur glace. Sa sensibilité à déceler les forces et faiblesses d'une voiture l'incite à amorcer une carrière journalistique dans l'imprimé, à la radio et à la télé. Sur une piste, Carl est rapide et spectaculaire. Dans un outil de référence comme *L'Annuel de l'automobile*, sa passion étincelle.

L'ANNUEL DE L'AUTOMOBILE 2007

Une équipe tricotée serré

Avez-vous une petite idée de la quantité de détails qui entrent dans la fabrication de *L'Annuel de l'automobile?* Les mots justes pour décrire nos impressions de conduite. Les statistiques exactes au sujet de l'empattement du véhicule ou de la capacité de son réservoir de carburant. La bonne photographie, celle qui illustre le changement, même mineur, apporté aux phares du nouveau modèle. *L'Annuel de l'automobile* est un travail de passionnés, vous l'avez compris depuis notre toute première mouture (en 2002), mais c'est aussi un travail d'orfèvre.

Nous sommes à la base dix auteurs, dix chroniqueurs spécialisés, et nous parcourons des milliers de kilomètres au volant d'un véhicule différent chaque semaine. Parfois, cela nous vaut des attentes interminables dans les aéroports et, d'autres fois, des conférences techniques encore plus longues, alors que nous tombons de sommeil, mais nous ne céderions pas notre place pour tout le pétrole du monde.

Autour de ce noyau de collaborateurs gravitent d'autres équipiers essentiels. On les voit peut-être moins, mais ils sont là, ils veillent à l'assemblage final des pièces du gigantesque puzzle. De la révision du français à celle des données techniques, de la conception graphique à l'infographie, de la coordination de toute la production jusqu'à l'impression du bouquin, de sa distribution et promotion à travers la Belle Province et même au-delà, une petite armée de personnes qui se connaissent toutes par leur prénom assurent le succès de *L'Annuel de l'automobile.*

Voici la promotion 2007 de L'Annuel de l'automobile. *De gauche à droite : Jean-Pierre Bouchard, Nadine Filion, Carl Nadeau, Antoine Joubert, Michel Crépault, Bertrand Godin, Pascal Boissé, Benoit Charette, Hugues Gonnot, Jacques Gervais (notre réviseur technique) et Luc Gagné.*

Ah, mais il ne faudrait pas oublier un dernier partenaire, celui sans qui ces efforts collectifs resteraient vains, sans qui l'ensemble ressemblerait à un caillou lancé dans le lac, mais tout à coup privé de ses ronds dans l'eau : vous, ami lecteur. C'est pour vous remercier de votre fidélité et de votre propre passion que *L'Annuel de l'automobile 2007* comporte encore plus de pages que le précédent. Donc, plus de mots, de photos, de statistiques, et tout le bataclan !

Nous tenions beaucoup à vous offrir ce supplément d'informations ciselées, polies et vérifiées. Vous nous le demandiez, vous le méritez, nous ne nous ferons jamais prier. Et puis l'industrie automobile est un produit de l'activité humaine qui ne saurait évoluer sans être scruté à la loupe afin que nous évitions le pire et profitions du meilleur.

Bonne lecture !

L'équipe de la rédaction

P.-S. : Comme d'habitude, vos suggestions et commentaires sont les bienvenus à **www.annuelauto.com**

LE MANUEL DU PROPRIÉTAIRE

1

Marque

L' Annuel a compilé les essais de toutes les marques d'automobiles disponibles chez nous !

Modèle

L' Annuel a analysé pour vous plus de 255 modèles. C'est ce qu'on appelle l'embarras du choix…

2

nouveauté

Un modèle tout nouveau pour 2007. *L' Annuel* en contient pas moins de 54 dont la majorité ont mérité 4 pages. (Parce qu'on ne s'est pas contentés de les voir, on les a conduites !)

évolution

Un modèle déjà connu qui a subi quelques retouches pour 2006.

jumeau

Un modèle dérivé d'un autre, lui-même décrit plus en détail dans les pages précédentes (puisque les modèles sont classés par ordre alphabétique).

Le prix de base. Au premier coup d'œil, vous savez si ce modèle convient à votre budget. Pour le prix de toutes les versions, consultez **Tous les prix 2007** (pages 641 à 648). Cette liste ayant été préparée en dernier, les prix qu'on y trouve sont les plus récents de *L' Annuel*.

3

Fiche d'identité

Des données qui expliquent *a priori* à quel genre de véhicule on a affaire.

1 2 5

HONDA

FIT

nouveauté | 14 980 $ à 19 480 $ |
Transport et préparation : 1225 $

www.honda.ca

LA POLYVALENCE EN FORMAT DE POCHE

– Antoine Joubert

3

FICHE D'IDENTITÉ

Version(s) : DX, LX, Sport
Roues motrices : avant
Portières : 4
Première génération : 2007
Génération actuelle : 2007
Construction : Tochigi, Japon
Sacs gonflables : 6, frontaux, latéraux avant et rideaux latéraux
Concurrence : Chevrolet Aveo, Hyundai Accent, Kia Rio, Nissan Versa, Pontiac Wave, Suzuki Swift +, Toyota Yaris

4

AU QUOTIDIEN

Prime d'assurance :
25 ans : 2000 à 2200 $
40 ans : 1200 à 1400 $
60 ans : 1000 à 1200 $
Collision frontale : nd
Collision latérale : nd
Ventes du modèle l'an dernier
Au Québec : nm **Au Canada** : nm
Dépréciation (3 ans) : nm
Rappels (2001 à 2006) : aucun à ce jour
Cote de fiabilité : nm

On le sait, les Québécois ont pleuré la disparition de la Civic Hatchback. Et, même s'il s'agit pratiquement d'un mythe chez nous, la plus petite des Honda s'est aujourd'hui tant embourgeoisée qu'on la compare à l'Accord des années 1990. Donc, depuis six ans, Honda ne proposait plus de modèle dans la catégorie qui l'a fait vivre pendant des décennies, celle des sous-compactes. Le constructeur a affirmé durant des années que les petites voitures n'avaient plus la cote et qu'il n'aurait pas été financièrement viable de commercialiser un modèle à hayon au pays de l'érable. Mais voilà, Honda a vite constaté que le succès des Accent, Yaris, Aveo et autres « éconobox » n'est pas éphémère (cette catégorie représentait en 2005 10 % du marché canadien). Voilà pourquoi Honda nous ramène en 2007 une sous-compacte déjà bien connue en Europe et en Asie, et dont le succès au Québec est certain. D'ailleurs, même si elles ne sont présentes sur les routes que depuis avril dernier, les Fit semblent se multiplier à un rythme effarant.

CARROSSERIE ► Il faut d'abord savoir que la Fit n'est pas une voiture de conception aussi moderne que la dernière Civic (elle a vu le jour en 2001). Voilà pourquoi on lui reconnaît un air de famille avec les produits Honda de la précédente génération. Néanmoins, cette voiture uniquement disponible en modèle à cinq portes affiche, comme toutes les voitures de cette catégorie, une bouille sympathique qui fait sourire. Les excentricités esthétiques n'y sont pas très nombreuses, mais on lui reconnaît tout de même ses petites glaces avant triangulaires, ses ailes arrière élargies et ses garnitures de phares de couleur assortie à la carrosserie. Trois versions de la Fit sont disponibles : DX, LX et Sport. Les deux premières sont extérieurement indissociables, mais certaines teintes sont exclusives à la LX. Quant à la version Sport, elle comporte des phares antibrouillards, des jupes de bas de caisse, un aileron arrière et des jantes en alliage de 15 pouces.

HABITACLE ► Si vous vous présentez chez un concessionnaire Honda, un bon vendeur devrait normalement vanter abondamment la polyvalence de l'habitacle de la Fit. Comme il s'agit là du principal attrait de cette voiture, il serait en effet ridicule de le passer sous silence. Il faut tout de même admettre que les concepteurs ont réussi un tour de force en créant un espace de chargement presque trois fois plus important que celui d'une Yaris ou d'une Aveo à hayon. De plus, en rabattant la banquette, on obtient un volume de chargement de 1186 litres (300 litres de plus qu'une Mazda3 Sport) grâce au plancher extrêmement bas et totalement plat, puisque le réservoir d'essence est situé sous les sièges avant. Le siège du chauffeur n'est malheureusement pas réglable en hauteur, mais le confort et le soutien sont excellents.

Le dégagement pour la tête et les jambes est adéquat et la position de conduite est nettement plus intéressante que celle de la Yaris. La planche de bord est illuminée par une instrumentation bleutée très tendance et se distingue par une chaîne audio qui, sans être d'une grande qualité, est d'un style très moderne. Il est à noter que Honda a fait des économies de bouts de chandelles en n'installant que deux haut-parleurs dans la DX. Il est donc presque nécessaire d'en rajouter deux autres à l'arrière. On complète le tout avec des touches de faux aluminium brossé et, selon qu'il s'agit ou non d'une version Sport, avec différentes teintes de gris ou de noir. Naturellement, l'assemblage et la finition sont irréprochables : cliquetis et craquements sont inexistants.

MÉCANIQUE ► Sous le capot de la Fit, Honda propose une motorisation très similaire à celle de la Yaris. Un moteur quatre cylindres de même cylindrée, avec calage variable des soupapes et seulement 3 chevaux de plus, pour un total de 109. Les performances et la consommation de carburant sont donc comparables, ce qui, tout compte fait, est loin d'être une mauvaise nouvelle. Fait intéressant, on a délaissé la courroie de distribution (qu'il faut normalement remplacer tous les 100 000 kilomètres) pour une chaîne, ce qui fera économiser au propriétaire quelques centaines de dollars en frais d'entretien.

Du côté des boîtes, Honda propose cinq rapports dans la manuelle et dans l'automatique. Cette dernière peut être dotée de palettes dans la version Sport, pour le changement des vitesses au volant. Lors de la présentation technique, on a d'ailleurs tenté de nous convaincre des bienfaits de cette caractéristique, mais à mon sens ce genre de système est inutile : pour éprouver de réelles sensations au volant, rien ne vaut une boîte manuelle.

COMPORTEMENT ► Moins agile qu'une Civic, la Fit ne fera pas l'unanimité chez les tuners. Toutefois, face à ses rivales, elle se débrouille drôlement bien sur le bitume. Quelques kilomètres sur la route suffisent pour constater que la Fit est pourvue d'une structure très

FIT

HONDA

HISTOIRE ▼

Vous avez dit petit ?

La gamme actuelle de Honda comprend toujours des sous-compactes, comme la Life et celle qui vient de lui succéder, la Zest. En outre, celle que l'on connaît ici sous le nom de Fit s'appelle Jazz ailleurs dans le monde, alors que sa consœur à quatre portières et à trois volumes se nomme Aria en Asie, et City en Europe.

Enfin, pour susciter l'intérêt de nos voisins américains, peu friands de petites voitures, on a organisé un marchéage sur le thème de « L'art de rouler » et on a invité des artistes populaires à décorer des Fit. La photo du bas montre l'œuvre du peintre Jack Poppitz.

N360 1968-1972

Civic hatchback 1974 à cinq portières

Life 2004

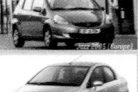

Zest 2006

Jazz 2005 (Europe)

City 2006 (Europe)

Fit décorée par le peintre américain Jack Poppitz

L'ANNUEL DE L'AUTOMOBILE 2007

278

forces

- Comportement routier remarquable
- Construction de très bonne qualité
- Voiture sécuritaire
- Faible consommation d'essence
- Faible dépréciation prévue

faiblesses

- Changement de vitesses au volant inutile
- Certains détails de l'équipement
- Couleurs (DX)

nouveautés en 2007

- Nouveau modèle

4

Au quotidien

Assurances
Pour obtenir les primes d'assurance, nous nous sommes basés sur un cas type :

Sexe : homme ou femme
Âge : 25 ans, 40 ans et 60 ans
Ville : Montréal ou sa banlieue immédiate. L'utilisateur prend son véhicule pour aller au travail et parcourt entre 20 et 30 kilomètres tous les jours.

Type de police :
- Aucun accident dans les cinq dernières années
- Franchise de 250 $
- Responsabilité civile de 1 000 000 $
- Aucun avenant ajouté à la prime de base. Les prix donnés dans *L' Annuel* comprennent les taxes.

Procédures pour les rappels
Les rappels sont basés sur le registre de Transport Canada et portent sur les 5 dernières années de production des véhicules (de 2000 à 2005).

Adresse pour les rappels
http://www.tc.gc.ca/roadsafety/recalls/search_f.asp

Dépréciation
Valeur résiduelle d'un véhicule calculée sur 3 ans (entre 2003 et 2006). Le chiffre indiqué représente le pourcentage de dépréciation : par exemple, 43 % signifie que le véhicule aura perdu 43 % de sa valeur au terme des 3 ans.

Fiabilité
L'équipe de *L' Annuel* s'est basée sur des données du magazine *Consumer Reports*, du CAA et de la revue *Protégez-vous* en combinaison avec le nombre de rappels du véhicule au cours des 5 dernières années.

5/5 – **Excellente** : pas ou très peu de défauts.
4/5 – **Bonne** : peu de défauts.
3/5 – **Moyenne.**
2/5 – **Inférieure** à la moyenne, plusieurs faiblesses, souvent récurrentes.
1/5 – **Très faible.** Nombreux problèmes, véhicule mal assemblé.
nm : nouveau modèle
nd : non disponible

5

En prime

Dès qu'il s'agit d'une nouveauté 2007 (étalée sur 4 pages), l'équipe relate l'historique du véhicule en images ou met en relief un point technique qui caractérise le modèle.

6

À l'aide de quelques mots bien sentis, un second chroniqueur appuie ou contredit ce que son collègue vient tout juste de raconter...

7

Fiche technique

Des données sur à peu près tout ce qui est mesurable dans un véhicule !
La consommation indiquée dans la fiche est basée sur Energuide 2006.
La puissance des moteurs est basée sur une nouvelle charte de la SAE (Society of Automotive Engineers) et explique les différences à la baisse pour la puissance de certains véhicules.

7

HONDA

FIT

GALERIE ▼

1•2•3 : Le siège Magic Seat de la Fit représente la pierre angulaire de ce véhicule. Il s'agit d'un siège arrière divisé 60/40 qui permet aux dossiers de se replier, créant du coup quatre arrangements de siège et d'espace utilitaire différents (mode habituel, mode objet haut, mode objet long et mode pratique). Vous pouvez obtenir jusqu'à 1186 litres d'espace de rangement ce qui en fait la plus spacieuse de sa catégorie.
4 • Le petit aileron arrière distingue la version sport des autres membres de la famille.
5 • De plus en plus répandue, les prises auxiliaires pour le iPod ont la cote auprès des jeunes acheteurs.
6 • La position de conduite est nettement plus intéressante que dans la Toyota Yaris et le tableau de bord très tendance.

4

5

6

280

rigide (un châssis composé de 36 % d'acier à haute teneur en carbone, à propos duquel le constructeur ne tarit pas d'éloges), capable d'encaisser les chocs causés par notre pitoyable réseau routier. Très efficace malgré un pont arrière rigide, la suspension est calibrée pour offrir un bon compromis entre le confort et la tenue de route. Naturellement, le roulis est légèrement moins prononcé dans la version Sport, grâce à ses pneus de 15 pouces.

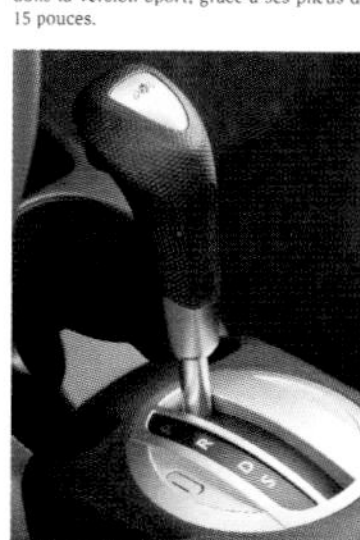

Sur l'autoroute, la voiture nous étonne par une tenue de cap très honnête et, compte tenu de sa forme, par une faible sensibilité aux vents latéraux. La direction à assistance électrique, rapide, précise et bien dosée, transmet un bon feeling de la route au conducteur. Quant au système de freinage, l'une des belles surprises de la Fit, il est extrêmement efficace et plus endurant que la moyenne. Il s'accompagne, en équipement de série, de l'antiblocage avec répartition des forces de freinage, ce qui n'est pas commun dans cette catégorie. D'ailleurs, du côté de la sécurité, la Honda Fit est l'unique sous-compacte équipée en série de six sacs gonflables, et ce, dans toutes les versions. La sécurité n'est donc plus réservée qu'aux nantis.

CONCLUSION ► Même s'il s'agit d'une nouveauté chez nous, la Honda Fit entreprend en 2007 sa sixième année d'existence. On nous a d'ailleurs confirmé que la voiture ferait l'objet d'une refonte complète d'ici deux ou trois ans. Qu'à cela ne tienne, Honda a finalement répondu à l'appel des Québécois et propose désormais un produit d'entrée de gamme qui se situe dans le peloton de tête de la catégorie. Et n'oublions pas qu'elle offre l'avantage d'un habitacle extrêmement logeable, qui la place loin devant les autres au chapitre de la polyvalence.

FIT

HONDA

FICHE TECHNIQUE

MOTEUR
L4 1,5 l SACT 109 ch à 5800 tr/min
couple : 105 lb-pi à 4800 tr/min
Transmission : manuelle à 5 rapports, automatique à 5 rapports en option (avec mode manuel dans version Sport)
0-100 km/h : 10,3 s
Vitesse maximale : 180 km/h
Consommation (100 km) : man. : 6,6 l, auto. : 6,7 l (octane : 91)
Sécurité active
freins ABS, répartition électronique de force de freinage
Suspension avant/arrière
indépendante/essieu rigide
Freins avant/arrière
disques/tambours
Direction
à crémaillère, assistée
Pneus
DX et LX : P175/65R14, Sport : P195/55R15
DIMENSIONS
Empattement : 2450 mm
Longueur : 3999 mm
Largeur : 1682 mm
Hauteur : 1524 mm
Poids : DX : 1091 kg, LX : 1108 kg, Sport : 1124 kg
Diamètre de braquage : 10,5 m
Coffre : 603 l, 1186 l (sièges abaissés)
Réservoir de carburant : 41 l

L'ANNUEL DE L'AUTOMOBILE 2007

281

6

2e opinion
Pascal Boissé • La Fit est une petite voiture pratique, économique, intelligemment conçue, arborant une calandre souriante. On croirait relire la description que l'on faisait de la Honda Civic il y a vingt ans. D'ailleurs, on constate que la Fit vient reprendre un segment que Honda avait abandonné en laissant la Civic s'embourgeoiser. De plus, cette nouvelle venue passe le K.-O. à la Toyota Yaris et aux autres voitures comparables avec son intérieur à la fois spacieux et polyvalent (les sièges arrière sont un pur coup de génie), son tableau de bord fonctionnel et son moteur d'une souplesse extraordinaire. Elle a tous les atouts pour devenir rapidement la reine de sa catégorie.

Marque générale	Garantie générale	Garantie motopropulseur	Perforation	Assistance routière	Nombre de concessionnaires Canada	Québec
Acura	4 ans/80 000 km	5 ans/100 000 km	5 ans/kilométrage ill.	4 ans/kilométrage ill.	47	12
Aston Martin	2 ans/kilométrage ill.	2 ans/kilométrage ill.	2 ans/kilométrage ill.	2 ans/kilométrage ill.	3	1
Audi	4 ans/80 000 km	5 ans/100 000 km	12 ans/kilométrage ill.	4 ans/kilométrage ill.	35	7
Bentley	3 ans/kilométrage ill.	3 ans/kilométrage ill.	3 ans/kilométrage ill.	3 ans/kilométrage ill.	3	1
BMW	4 ans/80 000 km	4 ans/80 000 km	6 ans/kilométrage ill.	4 ans/kilométrage ill.	35	7
Buick	4 ans/80 000 km	4 ans/80 000 km	6 ans/kilométrage ill.	4 ans/80 000 km	259	71
Cadillac	4 ans/80 000 km	4 ans/80 000 km	6 ans/kilométrage ill.	4 ans/80 000 km	158	37
Chevrolet	3 ans/60 000 km	3 ans/60 000 km	6 ans/160 000 km	3 ans/60 000 km	305	79
> Aveo, Cobalt	3 ans/60 000 km	5 ans/100 000 km	6 ans/160 000 km	3 ans/60 000 km	305	79
> Epica, Optra	3 ans/60 000 km	5 ans/100 000 km	6 ans/160 000 km	3 ans/60 000 km	305	79
> Uplander	3 ans/60 000 km	5 ans/100 000 km	6 ans/160 000 km	3 ans/60 000 km	305	79
Chrysler	3 ans/60 000 km	5 ans/100 000 km	5 ans/160 000 km	5 ans/100 000 km	509	116
Dodge	3 ans/60 000 km	5 ans/100 000 km	5 ans/160 000 km	5 ans/100 000 km	509	116
> Sprinter	3 ans/60 000 km	5 ans/100 000 km	5 ans/160 000 km	5 ans/100 000 km	24	5
Ferrari	2 ans/kilométrage ill.	2 ans/kilométrage ill.	2 ans/kilométrage ill.	2 ans/kilométrage ill.	3	1
Ford	3 ans/60 000 km	3 ans/60 000 km	5 ans/kilométrage ill.	3 ans/60 000 km	492	92
> Five Hundred	3 ans/60 000 km	5 ans/100 000 km	5 ans/kilométrage ill.	3 ans/60 000 km	492	92
> Focus, Freestar	3 ans/60 000 km	5 ans/100 000 km	5 ans/kilométrage ill.	3 ans/60 000 km	492	92
> Freestyle	3 ans/60 000 km	5 ans/100 000 km	5 ans/kilométrage ill.	3 ans/60 000 km	492	92
> Mustang, Taurus	3 ans/60 000 km	5 ans/100 000 km	5 ans/kilométrage ill.	3 ans/60 000 km	492	92
GMC	3 ans/60 000 km	3 ans/60 000 km	6 ans/160 000 km	3 ans/60 000 km	259	71
Honda	3 ans/60 000 km	5 ans/100 000 km	5 ans/kilométrage ill.	3 ans/60 000 km	212	62
Hummer	3 ans/60 000 km	3 ans/60 000 km	6 ans/160 000 km	3 ans/60 000 km	8	1
Hyundai	5 ans/100 000 km	5 ans/100 000 km	5 ans/kilométrage ill.	5 ans/100 000 km	164	55
Infiniti	4 ans/100 000 km	6 ans/110 000 km	7 ans/kilométrage ill.	4 ans/kilométrage ill.	27	7
Jaguar	4 ans/80 000 km	4 ans/80 000 km	6 ans/kilométrage ill.	4 ans/80 000 km	29	4
Jeep	3 ans/60 000 km	5 ans/100 000 km	5 ans/160 000 km	5 ans/100 000 km	509	116
Kia	5 ans/100 000 km	5 ans/100 000 km	5 ans/kilométrage ill.	5 ans/100 000 km	143	48

Marque générale	Garantie générale	Garantie motopropulseur	Perforation	Assistance routière	Nombre de concessionnaires	
					Canada	Québec
Lamborghini	2 ans/kilométrage ill.	2 ans/kilométrage ill.	2 ans/kilométrage ill.	2 ans/kilométrage ill.	3	1
Land Rover	4 ans/80 000 km	4 ans/80 000 km	6 ans/kilométrage ill.	4 ans/80 000 km	32	4
Lexus	4 ans/80 000 km	6 ans/110 000 km	6 ans/kilométrage ill.	4 ans/kilométrage ill.	27	5
Lincoln	4 ans/80 000 km	4 ans/80 000 km	5 ans/kilométrage ill.	4 ans/80 000 km	118	19
Maserati	4 ans/80 000 km	4 ans/80 000 km	4 ans/80 000 km	4 ans/80 000 km	3	1
Maybach	4 ans/80 000 km	4 ans/80 000 km	4 ans/80 000 km	kilométrage ill.	3	1
Mazda	3 ans/80 000 km	5 ans/100 000 km	5 ans/kilométrage ill.	3 ans/80 000 km	154	55
> Série B, Tribute	3 ans/80 000 km	3 ans/80 000 km	5 ans/kilométrage ill.	3 ans/80 000 km	154	55
Mercedes-Benz	4 ans/80 000 km	5 ans/120 000 km	5 ans/120 000 km	4 ans/kilométrage ill.	52	11
MINI	4 ans/80 000 km	4 ans/80 000 km	6 ans/kilométrage ill.	4 ans/80 000 km	17	3
Mitsubishi	5 ans/100 000 km	10 ans/160 000 km	5 ans/kilométrage ill.	5 ans/kilométrage ill.	45	12
Nissan	3 ans/60 000 km	5 ans/100 000 km	5 ans/kilométrage ill.	3 ans/kilométrage ill.	143	47
Pontiac	3 ans/60 000 km	3 ans/60 000 km	6 ans/160 000 km	3 ans/60 000 km	259	71
> Montana SV6	3 ans/60 000 km	5 ans/100 000 km	6 ans/160 000 km	3 ans/60 000 km	259	71
> G5, Vibe	3 ans/60 000 km	5 ans/100 000 km	6 ans/160 000 km	3 ans/60 000 km	259	71
> Wave	3 ans/60 000 km	5 ans/100 000 km	6 ans/160 000 km	3 ans/60 000 km	259	71
Porsche	4 ans/80 000 km	4 ans/80 000 km	10 ans/kilométrage ill.	4 ans/80 000 km	11	3
Rolls-Royce	3 ans/kilométrage ill.	3 ans/kilométrage ill.	3 ans/kilométrage ill.	3 ans/kilométrage ill.	2	0
Saab	4 ans/80 000 km	4 ans/80 000 km	6 ans/kilométrage ill.	4 ans/80 000 km	64	18
Saleen						
> S281	3 ans/60 000 km	5 ans/100 000 km	5 ans/kilométrage ill.	3 ans/60 000 km	10	2
Saturn	3 ans/60 000 km	5 ans/100 000 km	6 ans/160 000 km	3 ans/60 000 km	64	18
Smart	4 ans/80 000 km	5 ans/120 000 km	5 ans/120 000 km	4 ans/kilométrage ill.	52	11
Subaru	3 ans/60 000 km	5 ans/100 000 km	5 ans/kilométrage ill.	3 ans/kilométrage ill.	95	29
Suzuki	3 ans/60 000 km	5 ans/100 000 km	5 ans/kilométrage ill.	5 ans/kilométrage ill.	90	36
Toyota	3 ans/60 000 km	5 ans/100 000 km	5 ans/kilométrage ill.	3 ans/60 000 km	206	63
Volkswagen	4 ans/80 000 km	5 ans/100 000 km	12 ans/kilométrage ill.	4 ans/kilométrage ill.	130	18
Volvo	4 ans/80 000 km	4 ans/80 000 km	8 ans/kilométrage ill.	4 ans/kilométrage ill.	43	12

LES VÉHICULES PAR CATÉGORIES

Pour faciliter votre achat en matière automobile, *L'Annuel de l'automobile* vous propose cette petite grille qui regroupe tous les véhicules par catégories. Ainsi, pour respecter votre budget et vos goûts, vous pouvez en un seul coup d'œil comparer les modèles qui vous intéressent et mieux orienter votre lecture. Nous vous invitons également à consulter notre palmarès (page 630) où tous les auteurs ont répertorié les meilleurs choix par catégories.

Voitures sous-compactes

Chevrolet Aveo et Pontiac Wave – Honda Fit – Hyundai Accent – Kia Rio – Nissan Versa – Suzuki Swift+ – Smart Fortwo – Toyota Yaris

Voitures compactes

Chevrolet Cobalt – Chevrolet HHR – Chrysler PT Cruiser – Dodge Caliber – Ford Focus – Honda Civic – Hyundai Elantra – Kia Spectra – Mazda Mazda3 – Mitsubishi Lancer – Nissan Sentra – Saturn ION – Subaru Impreza – Suzuki SX4 – Toyota Corolla – Toyota Matrix et Pontiac Vibe – Toyota Prius – Volkswagen Golf City et Rabbit – Volkswagen Jetta

Voitures intermédiaires

Buick Allure – Chevrolet Malibu / Maxx – Chrysler Sebring – Ford Fusion – Honda Accord – Hyundai Sonata – Kia Magentis – Mazda Mazda6 – Mitsubishi Galant – Nissan Altima – Pontiac G6 – Saturn Aura – Subaru Forester – Subaru Legacy – Toyota Camry – Volkswagen Passat

Voitures pleine grandeur

Buick Lucerne – Chevrolet Impala – Chevrolet Monte Carlo – Chrysler 300 – Dodge Charger – Dodge Magnum – Ford Five Hundred – Hyundai Azera – Kia Amanti – Mercury Grand Marquis – Nissan Maxima – Pontiac Grand Prix – Toyota Avalon

Voitures de luxe moins de 50 000 $

Acura TSX – Audi A3 – Audi A4 – BMW Série 3 – Cadillac CTS – Infiniti G35 – Jaguar X-Type – Lexus ES – Lexus IS – Lincoln MKZ – Mercedes-Benz Classe C – Saab 9³ – Volvo S40 V50 et C70

Voitures de luxe 50 000 à 100 000 $

Acura TL – Audi A6 – BMW Série 5 – Infiniti M45 – Jaguar S-Type – Lexus GS – Mercedes-Benz Classe E – Saab 9⁵ – Volvo S60 et V70

Voitures de luxe 100 000 $ et +

Acura RL – Audi A8 / S8 – Bentley Flying Spur – Bentley Arnage – BMW Série 7 – Cadillac DTS – Cadillac STS – Jaguar XJ berline – Lexus LS 460 – Maserati Quattroporte berline – Maybach 57/62 – Mercedes-Benz CLS – Mercedes-Benz Classe S – Rolls-Royce Phantom – Volvo S80

Voitures sport moins de 50 000 $

Ford Mustang – Hyundai Tiburon – Mazda MX-5 – Mazda RX-8 – Mini Cooper – Mitsubishi Eclipse – Nissan 350Z – Pontiac Solstice – Saturn Sky – Volkswagen EOS

Voitures de 50 000 à 100 000 $

Audi TT – BMW Z4 – Chrysler Crossfire – Chevrolet Corvette – Honda S2000 – Lotus Elise – Mercedes-Benz CLK – Mercedes-Benz SLK – Porsche Boxster – Porsche Cayman

Voitures sport plus de 100 000 $

BMW Série 6 – Cadillac XLR – Dodge Viper – Jaguar XK – Lamborghini Gallardo – Lexus SC 430 – Mercedes-Benz CL – Mercedes-Benz SL – Panoz Esperante – Porsche 911

Voitures sport exotiques

Aston Martin V8 Vantage – Aston martin DB9 – Bentley Continental GT – Ferrari F430 – Ferrari 599 – Ferrari 612 – Lamborghini Murciélago – Maserati GranSport – Mercedes-Benz SLR McLaren

Véhicules utilitaires compacts

Chevrolet Equinox – Dodge Nitro – Ford Escape – Honda CRV – Honda Element – Hyundai Santa Fe – Hyundai Tucson – Jeep Compass – Jeep Liberty – Jeep Patriot – Jeep Wrangler – Kia Sportage – Mitsubishi Outlander – Pontiac Torrent – Saturn VUE – Toyota RAV4 – Kia Sorento – Suzuki Grand Vitara

Utilitaires de luxe compacts

Acura RDX – BMW X3 – Cadillac SRX – Infiniti FX35 / 45 – Lexus RX 350 – Land Rover LR2

Utilitaires intermédiaires

Chevrolet TrailBlazer – Dodge Durango – Ford Explorer / Sport Trac – Ford Edge – Honda Pilot – Hummer H3 – GMC Acadia – GMC Envoy – Jeep Commander – Jeep Grand Cherokee – Mazda CX-7 et CX-9 – Mitsubishi Endeavor – Nissan Murano – Nissan Pathfinder – Nissan Xterra – Saturn Outlook – Subaru B9 Tribeca – Suzuki XL-7 – Toyota FJ Cruiser – Toyota Highlander – Toyota 4Runner

Utilitaires de luxe intermédiaires

Acura MDX – BMW X5 – Buick Rainier – Chrysler Aspen – Land Rover LR3 – Lexus GX 470 – Lincoln MKX – Mercedes-Benz ML – Saab 9⁷ˣ – Volkswagen Touareg – Volvo XC90

Utilitaires pleine grandeur

Chevrolet Suburban – Chevrolet Tahoe – Ford Expedition – GMC Yukon – Nissan Armada – Toyota Sequoia

Utilitaires de luxe pleine grandeur

Audi Q7 – Cadillac Escalade – Hummer H2 – Infiniti QX56 – Land Rover Range Rover – Lexus LX 470 – Lincoln Navigator – Mercedes-Benz Classe G – Mercedes-Benz Classe GL – Porsche Cayenne

Camionnettes compactes

Chevrolet Colorado – Ford Ranger – GMC Canyon – Mazda Série B

Camionnettes intermédiaires

Dodge Dakota – Honda Ridgeline – Nissan Frontier – Toyota Tacoma

Camionnettes pleine grandeur

Cadillac Escalade EXT – Chevrolet Avalanche – Chevrolet Silverado – Dodge Ram – Ford Série F – GMC Sierra – Lincoln Mark LT – Nissan Titan – Toyota Tundra

Fourgonnettes

Buick Rendezvous – Chrysler Pacifica – Ford Freestyle – Buick Terraza – Chevrolet Uplander – Chrysler Town & Country – Dodge Caravan – Ford Freestar – Honda Odyssey – Hyundai Entourage – Kia Rondo – Kia Sedona – Mazda Mazda5 – Mercedes-Benz Classe R – Nissan Quest – Pontiac Montana SV6 – Saturn Relay – Toyota Sienna

Fourgons

Chevrolet Express – Dodge Sprinter – Ford Econoline – GMC Savana

REPORTAGES

LES REPORTAGES

- LA GROSSE SÉDUCTION
- LA PLANÈTE AUTOMOBILE
- JAGUAR ET ASTON MARTIN
- LA HTT LOCUS PLÉTHORE
- COMPARATIF

forfun²

LA GROSSE SÉDUCTION

— Nadine Filion

La belle et la bête

En banlieue d'Athènes, Grèce – ils sont fous, ces Grecs ! On leur présente une voiture de petites dimensions et ils pensent démesure. C'est un champion local de courses 4X4, Stefanos Attart, qui s'est chargé de la conception de la « monster » Smart.

On est loin de la minivoiture deux places qui se faufile mieux que toute autre dans la circulation et qu'on peut garer dans les espaces les plus exigus. En effet, Stefanos a cru bon de faire monter celle qui est à peine plus longue qu'un Hummer n'est large… sur un châssis d'Unimog (!). Lancé durant la période qui a suivi la Seconde Guerre mondiale, l'indestructible Unimog est depuis devenu une légende vivante de l'automobile. Ayant joint la famille Mercedes-Benz en 1953, l'Unimog relève tous les défis, dans les conditions les plus difficiles. L'Unimog peut être utilisé sur des sols extrêmement difficiles, il peut tracter de nombreuses marchandises, c'est à la fois un véhicule routier et un tracteur. La bête comporte de nombreux points de fixation pour divers équipements. Un véhicule de base idéal pour subir une transformation extrême et devenir un camion monstre.

Le tout repose, tenez-vous bien, sur des roues de tracteur hautes de 1,4 mètre. En fait, les pneumatiques sur lesquels repose la Smart ForFun sont plus imposants que la voiture elle-même.

Le projet, entièrement réalisé en Grèce, aura coûté 60 000 euros (environ 86 000 $CA). Vous vous doutez bien qu'un tel engin n'atteindra jamais les salles d'exposition Smart… Ne serait-ce que parce qu'il ne franchirait pas les portes !

Ci-haut : Stefanos Attart a eu la folle idée de ce projet. Il a conçu et construit une Smart ForTwo montée sur un Unimog de série 406. L'assemblage de ce véhicule hors route consistait en bien plus qu'un simple ajout de quatre roues à une Smart Fortwo. Le moteur et la transmission ont aussi été empruntés à l'Unimog et adaptés à la Smart. Mercedes de son côté a financé le projet.

En haut, à droite : Vous voyez ici la version Dr Jeckyll et Mr Hyde de l'automobile. Le châssis d'Unimog voit sa cabine confortable composée de matériaux composites remplacée par celle de la Smart et habillée d'une cage de sécurité.

Ci-contre : Même un Land Rover serait vert de jalousie devant les prouesses que peut réaliser le Smart ForFun. Les roues de tracteurs sont hautes de 1,40 mètre. Toutefois, la vitesse de pointe n'est pas très élevée.

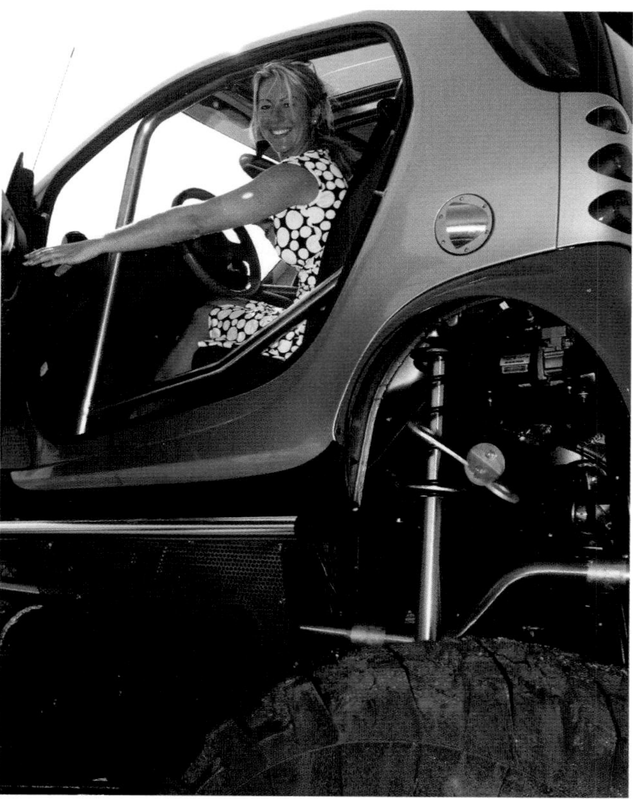

Quelles performances !

À la question «en combien de temps, le 0-100 km/h?», le concepteur éclate de rire. C'est que l'engin ne dépasse même pas les 80 km/h... Personnellement, je ne m'y risquerais pas. Pour l'avoir piloté à plus ou moins 5 km/h à travers les mares d'eau, obstacles rocheux et buttes de terre du Attart Off Road Park, j'ai vite compris que rouler plus vite tiendrait du délire avec ce comportement cahin-caha digne d'un chameau ivre et cette propension à verser sur le côté...

Deux fois plus haute que large, la Smart ForFun, si elle voyait la production (mais n'y rêvez même pas!), remporterait sans doute la palme du véhicule le plus instable de toute l'industrie. Sa garde au sol serait aussi la plus élevée: juchée à plus de deux mètres au-dessus du sol, la Smart ForFun oblige ceux qui souhaitent accéder à l'habitacle à grimper à un escabeau. Je ne vous dis pas à quel point les entrées et les sorties sont élégantes...

Ci-contre : L'auteur au volant après avoir utilisé une échelle pour grimper à bord. Le poste de pilotage est situé à plus de deux mètres du sol et vous avez le mal de cœur simplement en prenant place à bord tellement le véhicule est instable.

En bas, à gauche : La Smart ForFun est à la fois robuste et sympathique. Elle peut affronter des parcours hors route très exigeants. Une chose est certaine, tout comme la Smart ForTwo, la Smart ForFun a fait l'objet de beaucoup d'admiration.

Ci-dessous : Son concepteur voulait donner à la Smart ForFun un maximum de mobilité hors route. Il y a installé des amortisseurs spéciaux, ainsi qu'une suspension pneumatique à contrôle manuel. Le moteur est un six cylindres diesel de 84 chevaux. Les dimensions : jantes de 26 pouces, garde au sol de 65 centimètres et hauteur de 3,7 mètres.

En (tout) terrain connu

Une fois l'ascension réussie, on reconnaît instantanément l'habitacle de la Smart, avec ces petits cadrans tout ronds posés sur la planche de bord. Des ajouts ont cependant été nécessaires. Notamment une cage de sécurité en tubes d'aluminium et une caméra dissimulée dans la calandre qui nous montre les environs sur un écran de navigation. Un gadget indispensable, parce qu'à deux mètres du sol les angles morts ne sont pas latéraux, ils sont frontaux…

À l'arrière des deux sièges, quelques commandes contrôlent la suspension pneumatique. Le conducteur peut ainsi faire varier les amortisseurs de plus ou moins 5 centimètres à l'avant… et 18 centimètres à l'arrière. C'est pas mal, mais au fond assez peu compte tenu de la taille des pneus, mais cela permet à la voiture de «danser».

Oh, n'oublions pas, tout droit sorti d'un trou dans le plancher, le levier de transmission Unimog. En effet, pour propulser cette masse «d'au moins cinq tonnes métriques» selon Stefanos Attart, pas question de compter sur le petit moteur trois cylindres de la Smart. Celui-ci reste en place, mais il ne fait plus qu'actionner deux molettes installées aux extrémités de l'essieu arrière. Ça décore!

C'est donc le six cylindres en ligne diesel de l'Unimog, installé dans l'essieu avant de la Smart et agrémenté d'un compresseur de tank (!), qui produit la puissance requise. C'est-à-dire 84 chevaux, mais surtout 191 livres-pied – c'est deux fois et demie plus de couple que pour la Smart «régulière».

La consommation d'essence? Veut-on réellement le savoir…? Sachez par contre que «la Smart ForFun peut remorquer une maison», soutient son concepteur. Je veux bien le croire…

La bonne recette pour l'Amérique ?

Une chose est sûre: de toute ma carrière de journaliste automobile, jamais je n'aurais pensé un jour aller jouer dans la boue en Smart – et m'en tirer haut la main. Ne reste plus qu'à rêver que ce mastodonte traverse l'Atlantique. Après tout, les États-Unis commenceront la distribution de la mini-urbaine au printemps 2008, dix ans après les premiers tours de roues de la Smart en Europe. Quoi de mieux que la Smart ForFun pour prouver à nos voisins du Sud, qui aiment tout ce qui est gros, que cette voiture sait prendre sa place? *Think big!*

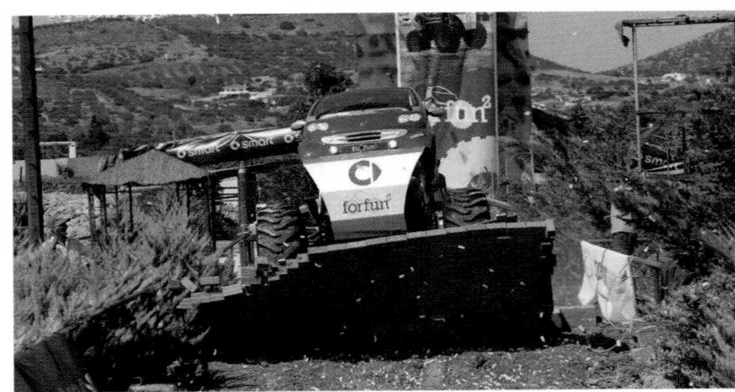

Notre parcours d'essai nous amenait à travers les buttes de terre, les rivières et des obstables insusités comme ce mur de briques à escalader.

FICHE TECHNIQUE

	Smart ForFun	Smart ForTwo CDI
Moteur	six cylindres diesel	trois cylindres diesel
Cylindrée	5,7 litres	0,8 litre
Puissance	84 chevaux	41 chevaux
Couple	191 livres-pied à 1600 tours/minute	74 livres-pied à 1800 tours/minute
Transmission	huit rapports synchronisés	séquentielle six rapports
Pneus	BFGoodrich 18,4 X 26 (jantes de 26 po)	145/65R15 – 175/55R15 (arr.)
Réservoir	60 litres	22 litres
Dimensions:		
Empattement	2150 mm	1812 mm
Longueur	3500 mm	2500 mm
Largeur	2500 mm	1515 mm
Hauteur	3700 mm (!)	1549 mm
Poids	5000 kg (est.)	730 kg
Vitesse max.	80 km/h	135 km/h

Des smarties de toutes les couleurs et pour tous les goûts !

City Individual 1 2002

City Paramedic 2002

City du rallye Londres-Athènes de 2002

Un taxis pour New York (2003) !

Fortwo Cubic Printing 2004

Crossblade 2005

Qui a dit que la Smart n'était pas spacieuse? Les athlètes du Cirque national de Chine ont prouvé le contraire en 2001.

LA PLANÈTE AUTOMOBILE

– Hugues Gonnot

Le nouvel ordre mondial

Il s'est vendu en 2005 près de 68 millions de véhicules à travers le monde. Dire que les choses bougent sur la planète automobile est un doux euphémisme. Les géants d'hier ont des pieds d'argile, des pays émergent comme des superpuissances et l'on discute de nouvelles alliances tous les jours. Portrait rapide et remise en question de quelques idées reçues.

> En 2005, General Motors était encore le numéro un mondial, mais, du train où vont les choses, l'entreprise devra peut-être céder sa position en 2006, et ce, pour la première fois depuis les années 1920. Et pour la première fois depuis les débuts de l'automobile, ou presque, ce ne sera pas un constructeur américain qui sera en tête. Le rouleau compresseur Toyota sera passé par là.

> L'industrie automobile japonaise affiche une grande forme, malgré la récession qui affecte le pays depuis le milieu des années 1990. Il faut savoir que les constructeurs ont délocalisé rapidement leurs outils de production à travers le monde, ce qui leur a permis de mieux absorber les différentes crises. Et, justement, si les États-Unis sont encore au premier rang, c'est grâce aux nombreuses usines qui y ont été construites par des entreprises japonaises et, maintenant, coréennes.

> Les nationalités n'ont plus vraiment de signification : le groupe germano-américain DaimlerChrysler est cinquième mondial ; et, si l'on cumulait ses chiffres, l'alliance Renault-Nissan serait le quatrième constructeur.

> Ceux qui doutent encore que les Coréens pourraient devenir une menace feraient mieux d'ouvrir les yeux. Hyundai-Kia est le sixième constructeur du monde et n'entend pas s'arrêter là. Même constatation pour la Chine. Certes, le premier constructeur chinois n'est qu'au dix-neuvième rang et ne produit que un demi-million de véhicules, mais la Chine est un ensemble de constructeurs de tailles variables. Tous ensemble, ils font déjà de ce pays le quatrième producteur mondial. Il devrait y avoir dans les années à venir de nombreuses consolidations, mais la croissance devrait se poursuivre.

> On avait annoncé il y a quelques années la disparition des «petits» constructeurs, ceux qui produisent moins de 4 millions d'unités par an. Pourtant, Honda et BMW se portent mieux que jamais, alors que Porsche vient de se payer, *cash*, près de 25 % du capital de Volkswagen. Ce concept de la masse critique ne fait d'ailleurs plus beaucoup parler de lui.

> Si beaucoup voient l'Inde comme un eldorado industriel, son industrie automobile reste assez réduite par rapport à la population. Même phénomène en Russie.

> Fiat a longtemps été le plus grand constructeur européen. Les dix dernières années ont cependant été une descente aux enfers avec à la clé la possibilité d'une vente de la division automobile par son principal actionnaire, la famille Agnelli. Heureusement, le groupe a eu d'excellents résultats ces derniers mois. À l'inverse, les constructeurs français, en grandes difficultés au début des années 1980, affichent maintenant une bonne santé.

> Plusieurs pays qui n'ont pas de marques nationales sont pourtant d'importants producteurs. L'Espagne, le Canada (tout de même le sixième pays producteur du monde !), le Brésil, le Mexique et maintenant, comme c'est triste, l'Angleterre (excepté quelques artisans de génie) sont entre les septième et onzième places. En examinant les chiffres de l'Italie, par contre, on se rend compte qu'un gros joueur comme Fiat produit presque la moitié de ses voitures hors de ce pays.

Les principaux producteurs de véhicules

	Producteurs	Pays	2005	2004
1	General Motors[1]	É.-U.	8 338 073	7 959 838
2	Toyota Motor Corp.[2]	Japon	8 232 100	7 548 600
3	Ford Motor Corp.[3]	É.-U.	6 631 718	6 636 329
4	Volkswagen AG[4]	Allemagne	5 219 478	5 093 181
5	DaimlerChrysler AG[5]	Allemagne / É.-U.	4 810 000	4 617 700
6	Hyundai-Kia Automotive	Corée du Sud	3 693 277	3 181 394
7	Nissan Motor Co.	Japon	3 508 005	3 207 217
8	Honda Motor Co.	Japon	3 409 991	3 181 624
9	PSA/Peugeot Citroën SA	France	3 375 500	3 405 100
10	Renault SA[6]	France	2 515 728	2 471 676
11	Suzuki Motor Corp.[7]	Japon	2 124 584	1 986 749
12	Fiat SpA[8]	Italie	2 056 600	2 009 780
13	Mitsubishi Motor Corp.	Japon	1 362 673	1 413 403
14	BMW Group[9]	Allemagne	1 323 119	1 250 345
15	Mazda Motor Corp.	Japon	1 146 145	1 134 421
16	AutoVaz	Russie	721 492	717 985
17	Isuzu Motor Ltd	Japon	626 305	566 238
18	Fuji Heavy Industries Ltd	Japon	588 331	592 676
19	China FAW Group Corp	Chine	464 953	519 515
20	Chongqing Changan Automobile Co.	Chine	460 074	421 438

Notes :

1. Comprend GM Daewoo et Holden.
2. Comprend Daihatsu et Hino.
3. Comprend Aston Martin, Jaguar, Land Rover et Volvo.
4. Comprend Audi, Bentley, Bugatti, Lamborghini, Skoda et Seat.
5. Comprend le groupe Chrysler, Mercedes-Benz et smart.
6. Comprend Dacia, Renault-Samsung.
7. Comprend Maruti (Inde).
8. Comprend Alfa Romeo, Ferrari, Lancia, Maserati et Iveco.
9. Comprend MINI et Rolls-Royce.

Les principaux pays producteurs

	Pays	Voitures 2005	Camions 2005	Total 2005	Total 2004
1	É.-U.	4 325 702	7 692 341	12 018 043	12 021 216
2	Japon	9 016 735	1 782 924	10 799 659	10 511 518
3	Allemagne	5 350 187	407 523	5 757 710	5 569 954
4	Chine	3 111 103	2 537 869	5 648 972	5 201 212
5	Corée du Sud	3 357 094	342 256	3 699 350	3 470 119
6	France	3 112 956	434 883	3 547 839	3 666 319
7	Espagne	2 098 168	655 688	2 753 856	3 013 300
8	Canada	1 406 963	1 257 786	2 664 749	2 698 460
9	Brésil	1 930 608	527 861	2 458 469	2 228 286
10	Royaume Uni	1 596 296	210 063	1 806 359	1 859 768
11	Mexique	1 052 875	639 003	1 691 878	1 567 584
12	Inde	1 204 000	349 194	1 553 194	1 484 041
13	Russie	1 066 520	284 674	1 351 194	1 390 637
14	Thaïlande	243 200	854 100	1 097 300	935 002
15	Italie	725 528	312 824	1 038 352	1 141 944

La production de véhicules par régions

Régions	Voitures 2005	Camions 2005	Total 2005	Total 2004
Afrique	413 015	237 784	650 889	534 920
Asie Pacifique	18 075 585	6 752 812	24 828 397	23 449 543
Amérique du Sud et centrale	2 276 149	776 364	3 052 513	2 704 338
Europe	17 984 183	2 827 263	20 811 446	20 850 182
Moyen-Orient	1 441 313	564 663	2 005 976	1 828 124
Amérique du Nord	6 875 540	9 589 130	16 374 640	16 287 260
Total	**46 975 785**	**20 748 106**	**67 723 891**	**65 654 367**

JAGUAR ET ASTON MARTIN

— Benoit Charette

Jaguar XK 2007

> Entre l'excellence et l'exception

L'excellence se définit comme le degré ultime de la perfection. On parle de l'excellence d'un vin, de l'excellence académique. C'est aussi un titre honorifique que l'on donne aux ambassadeurs, ministres et archevêques. L'exception, unique, n'est pas soumise à la règle habituelle. Ne dit-on pas d'ailleurs que l'exception confirme la règle?

C'est avec cette prémisse en tête que je me suis dirigé vers deux compagnies automobiles anglaises, qui font partie de la même grande famille (celle de Ford), pour démontrer la différence entre l'excellence et l'exception.

Aston Martin Vantage V8 2007

Parcours agité

Premier arrêt : Jaguar et l'usine restaurée de Castle Bromwich, en Angleterre. Chargée d'histoire, cette usine produisait les célèbres chasseurs Spitfire durant la Seconde Guerre mondiale et les énormes bombardiers Lancaster. Le site a ensuite été occupé par Fisher & Ludlow, fabricants de feuilles de métal qui servaient, entre autres choses, à construire des châssis d'automobiles. Cette entreprise est devenue une division de la British Motor Corporation en 1953, qui est plus tard devenue British Layland et qui a racheté Jaguar en 1968. Jaguar a pris le contrôle de l'usine en 1980 pour la production des XJ. Lorsque Ford a racheté Jaguar en 1989, des investissements massifs ont redonné une seconde jeunesse à cette usine où l'on a ensuite conçu la S-Type. Depuis moins d'un an, le site accueille la dernière génération de XK, construite au côté de la XJ et de la S-Type.

En haut à droite : Chaque Jaguar XK est fabriquée sur commande et le matériel doit correspondre aux demandes du client, comme en témoignent ces tableaux de bord de couleurs bien différentes.

À droite : Même si elle ne va pas au même rythme que les usines de production à grand volume, il y a une chaîne de montage organisée chez Jaguar.

En bas : Châssis tout aluminium de la nouvelle Jaguar XK décapotable, remarquez le coupé (en haut à droite).

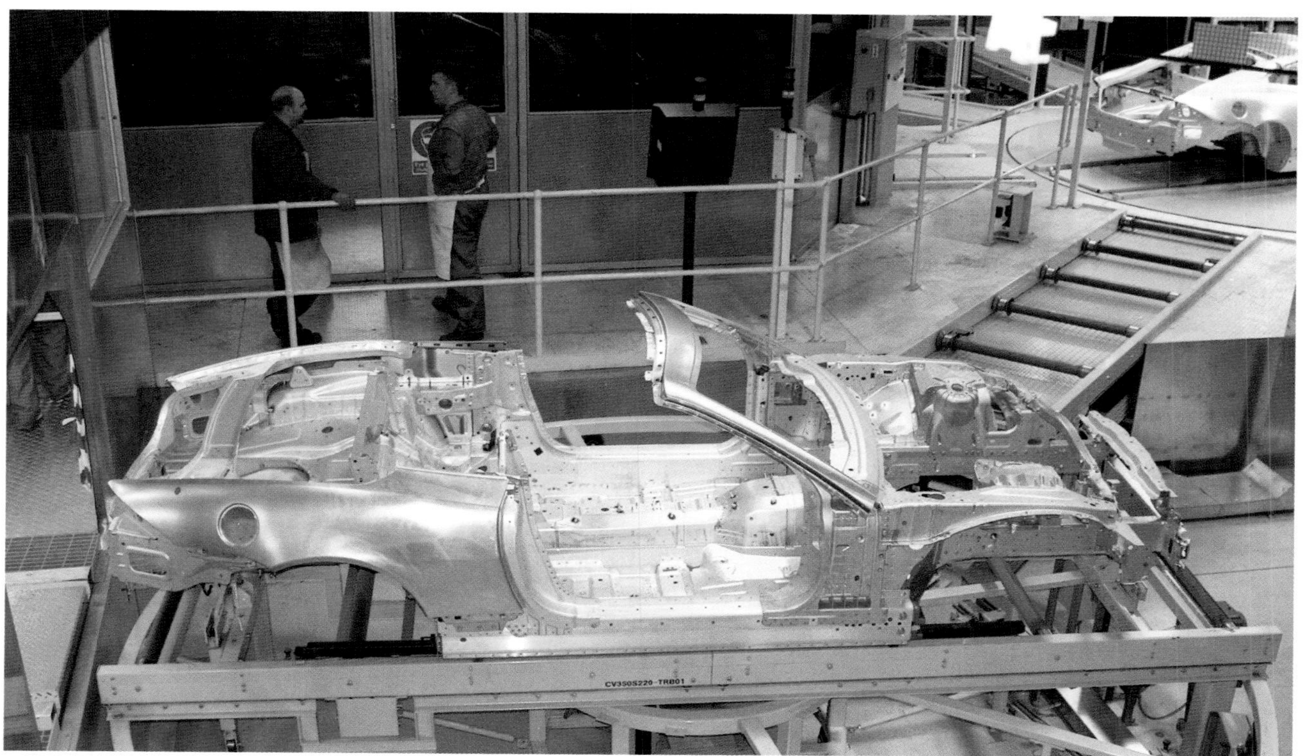

Du (quasi) sur mesure

Ici, le rythme de production est de 25 000 à 30 000 véhicules par année. Pour l'industrie automobile, ces chiffres sont plutôt modestes. Une usine moyenne chez Ford, GM ou Toyota peut produire 200 000 unités par année. Cette vitesse de croisière s'explique par les ventes, qui ne se comparent pas à celles d'une Camry, mais aussi par l'excellence et le souci du détail. Alors que les grandes chaînes de montage sont presque entièrement automatisées, chez Jaguar il y a beaucoup de travail fait à la main. En fait, chaque voiture est fabriquée sur commande. Sur une chaîne de montage typique, il y a une feuille sur laquelle on peut lire le nom du pays où ira la voiture et les exigences du client en ce qui a trait à la couleur de la carrosserie, au fini intérieur, aux essences de bois, au style des jantes, à la couleur du cuir choisie dans un catalogue chez le concessionnaire. Il est donc possible pour un client de savoir exactement quand sa voiture sera fabriquée selon ses spécifications. Naturellement, cette méthode allonge les étapes de la conception. Tous les jours, l'ordinateur des commandes transmet la liste du matériel nécessaire aux différents fournisseurs, selon l'ordre dans lequel les voitures seront conçues. Tout le matériel est ensuite expédié à l'usine et trié par de nombreux employés pour respecter l'ordre de fabrication. À chaque étape de la production, les travailleurs doivent vérifier que la feuille de commande apposée sur le devant du véhicule correspond bien aux composants qui se trouvent dans les bennes. Alors qu'une usine normale produit, par exemple, 1000 Kia Rio bleues pour une journée donnée et selon des spécifications pratiquement identiques, Jaguar ne fabrique jamais deux véhicules semblables. Cela demande beaucoup de temps et une main-d'œuvre efficace pour s'assurer que chaque véhicule correspond à la demande du client.

En haut : Chaque acheteur de XK remplit une feuille avec la liste des équipements désirés. Cette feuille sur le devant de la XK est vérifiée à chaque étape de la chaîne de montage pour s'assurer que tout sur la voiture correspond aux demandes du client.

Au centre : Chaque poste de travail est l'affaire d'une petite équipe spécialisée et l'on travaille dans la bonne humeur chez Jaguar.

En bas : Durant la visite au musée Heritage de Brown's Lane, j'ai eu le privilège de faire l'essai de quelques voitures d'époque comme cette C-Type 1953, une sensation indescriptible.

Du (totalement) sur mesure

Deuxième arrêt de notre visite, la toute nouvelle usine de Gaydon, à proximité de Castle Bromwich. Construite en 2003 sur le site d'une ancienne piste d'atterrissage de la Royal Air Force, il s'agit de la première usine neuve d'Aston Martin en quatre-vingt-dix ans. C'est dans ces bâtiments Art déco ultramodernes que l'on fabrique la Vanquish, la DB9 et la Vantage V8. Ici, on produit tout au plus 5000 voitures par année, une vitesse de tortue dans cette industrie. Contrairement aux grandes usines, il y a si peu de machines que j'ai eu l'impression d'entrer dans l'atelier d'un artiste. Près de 70 % de chaque voiture est faite à la main. Si, chez Jaguar, le client a droit à un vaste choix de couleurs, de textures, de bois et de cuir, il doit tout de même s'en tenir, à quelques exceptions près, à une liste établie par le constructeur. Chez Aston Martin, il n'y a pas de catalogue. Pour bien me faire comprendre ce qu'il veut me dire, un des responsables des communications de l'entreprise, Matthew Clarke, me montre sa cravate: «Un client peut me demander le bleu de cette cravate pour sa voiture, et nous allons le trouver.» Et ce service individualisé est valable pour toutes les facettes de la voiture. «Nous possédons deux troupeaux de vaches en Écosse, poursuit Clarke, et plusieurs teintureries qui se chargent de teindre chaque peau selon les exigences des clients.» L'usine bourdonne de travailleurs hautement spécialisés qui participent à la fabrication d'une voiture sur mesure. Au fil des ans, l'entreprise a reçu toutes sortes de demandes, comme cette dame qui voulait sa Vantage V8 du même rose que son rouge à lèvres préféré. Un couple amateur de yachting a demandé à faire l'intérieur de leur DB9 à l'image de leur bateau, avec les mêmes essences de bois. Aston Martin se plie à chaque requête. «Rien n'est impossible, ajoute Clarke. Si cela existe, nous allons le trouver; sinon, nous le fabriquerons.» Ainsi, presque tout est fait à la main, sauf le châssis, le moteur et les organes mécaniques. Pour un certain prix, Aston Martin vous construira une voiture à votre image. Dans le monde automobile, c'est l'exception.

En bandeau: Siège social d'Aston Martin à Gaydon, Angleterre.

En haut: En lieu et place d'une chaîne de montage conventionnelle, chaque Aston Martin voyage sur un support (en jaune) qui s'arrête à chaque station pour recevoir les pièces nécessaires.

Au centre: Ici la station de travail s'arrête pour laisser le temps au technicien d'assembler à la main l'impressionnant moteur V12 de l'Aston Martin DB9.

En bas: Pas de chaîne de montage chez Aston Martin. Nous sommes plutôt dans un grand atelier d'artisanat moderne où chaque groupe de spécialistes travaille à sa station.

LE ROI LYONS

Pour connaître les origines de cette entreprise britannique, il faut remonter à 1922, alors qu'un jeune amateur de motos, Bill Lyons, qui n'avait pas vingt et un ans, rencontra William Walmsley, qui construisait un side-car plutôt élégant pour les motos remises en état. Leur association donna naissance à la Swallow Sidecar Company. En 1927, la société commença à fabriquer des carrosseries spéciales pour habiller de façon plus élégante des voitures comme l'Austin Seven. L'année suivante, un nouveau siège social fut fondé à Coventry, et c'est en 1931 que la compagnie SS conçut sa première automobile et lança la division SS automobile. Quelques années plus tard, Lyons se rendit compte que les initiales de son entreprise étaient aussi celles des *Schutzstaffel* (les SS), l'organisation paramilitaire du parti nazi en Allemagne, ce qui ne l'enchanta guère. Il consulta des amis et changea le nom de l'entreprise pour Jaguar, un félin qu'il affectionnait particulièrement. Ce n'est toutefois que dix ans plus tard, en 1945, que la société *SS Cars* transforma son état civil en *Jaguar Cars Limited.* En 1960, Jaguar racheta Daimler Cars de Mercedes et obtint la permission de vendre des véhicules sous l'appellation Daimler dans tous les pays du Commonwealth. En 1966 fut signé le premier accord avec BMC (British Motor Corporation) pour former le groupe British Motor Holdings. Deux ans plus tard, BMH et le groupe Leyland fusionnèrent et constituèrent British Leyland Motor Corporation. Ce groupe nationalisé possédait ainsi les marques Jaguar, Rover, Austin, Morris, MG, Triumph, Riley et Wolseley. Il fallut attendre 1984 pour amorcer la privatisation du groupe British Leyland, et Jaguar retrouva son indépendance. La société prit le nom de Jaguar Cars Limited. Le fondateur de la société, Sir William Lyons, mourut le 8 février 1985. Quatre ans plus tard, Jaguar fut rachetée par Ford. Dès l'année suivante, les Jaguar bénéficiaient d'une garantie de trois ans ou 100 000 km.

En haut : William Lyons, fondateur de Jaguar.

En bas : Avant de produire des voitures, William Lyons a débuté par la fabrication de side-cars avec la compagnie Swallow Sidecar dans les années 1920.

LA LÉGENDE

Au volant d'un prototype de sa conception (un ancien châssis Isotta Fraschini mû par un petit quatre cylindres Climax), Lionel Martin remporta en 1913 la course de côtes d'Aston Clinton, dans le Buckinghamshire. Il unira plus tard son nom à celui de cette course pour donner naissance à Aston Martin. En 1914, la première Aston Martin vit le jour, conçue et construite par Lionel Martin et Robert Bamford, mais les acheteurs étaient rares en raison du prix du véhicule et de la Première Guerre mondiale. En 1921, Lionel Martin se classa sixième au Grand Prix des voiturettes, au Mans, avec une Aston 1500. Mais les succès sportifs ne suffisent pas et en 1925 Martin dut vendre son entreprise à deux industriels, Renwick et Bertelli. En 1932, Aston Martin fut de nouveau près de la faillite, mais fut renflouée par Sir Arthur Sutherland, qui plaça son fils Gordon à la direction générale, alors que César Bertelli conserva la direction technique. C'est en 1947 que naquit véritablement l'âme d'Aston Martin. David Brown, un puissant industriel anglais, acheta l'entreprise et commercialisa la DB1 (le nom provient de ses initiales), basée sur un prototype (l'Atom) conçu avant la guerre. L'année suivante, il acquit Lagonda, et dès 1950 il lança un ambitieux programme de compétitions. L'entreprise déménagea son siège social à Newport Pagnell en 1956 (il y est toujours). En 1971, David Brown (devenu Sir David Brown en 1968) vendit Aston Martin Lagonda à la firme Company Developments. Les appellations DB furent supprimées au profit de AM (Aston Martin). L'entreprise fit faillite en 1974 et fut rachetée l'année suivante par le Canadien George Minden et par l'Américain Peter Sprague. La production reprit pendant cinq ans et Aston Martin changea encore une fois de propriétaires. Victor Gaunlett, fondateur de la compagnie pétrolière Pace Petroleum, en prit la direction. En 1985, Gaunlett revendit Aston à Peter Livanos (importateur de la marque aux États-Unis), mais en conserva la direction. Deux ans plus tard, Ford racheta la compagnie. En hommage à David Brown, décédé en 1993, Ford présenta en 1994 la DB7. En 2003, Aston Martin construisit la première usine neuve en quatre-vingt-dix ans d'histoire pour y fabriquer la DB9, la Vanquish et la nouvelle Vantage V8.

ASTON MARTIN

En bandeau : Hall d'entrée très contemporain chez Aston Martin, où les clients peuvent venir prendre livraison de leur voiture et visiter l'usine.

En haut : Lionel Martin, fondateur d'Aston Martin.

En bas : L'homme et sa voiture. Sean Connery et l'Aston Martin DB5 (qui était une DB4 déguisée en DB5) que les gens ont vue dans le film Goldfinger. *Ce film a contribué à la légende de la marque.*

LA HTT LOCUS PLÉTHORE

– Benoit Charette

Une exotique construite au Québec

Non, ce n'est pas le nom d'une divinité grecque, mais la création d'un concepteur québécois du nom de Luc Chartrand, qui dévoilera sa voiture au prochain Salon de l'auto de Montréal. Pour certains, c'est une espèce de savant un peu loufoque qui travaille dans son laboratoire depuis longtemps ; pour d'autres, Chartrand est un concepteur sérieux qui aura enfin sa chance. Une chose est certaine, la traversée du désert a été longue pour ce technicien en électronique.

Des jouets pour grands garçons

Durant les premières années de sa carrière, Luc Chartrand modifiait toutes sortes de véhicules. Il a conçu des répliques de Ferrari, Cobra et Lamborghini Countach, modifié des motos, fabriqué des karts. Bref, c'est un touche-à-tout. Avec l'encouragement de ses amis et vingt-sept ans d'expérience dans les matériaux composites et la technique automobile, il s'est mis en tête de concevoir un véritable véhicule exotique original. Ainsi est né le projet Locus. Mais, au fait, pourquoi ce nom ? Luc Chartrand explique en riant que cela vient tout simplement d'un ami italien qui l'appelait Lucas, mais avec son accent cela ressemblait à Locus.

La première maquette

Avec une idée précise en tête, mais sans beaucoup d'argent, Chartrand se lance dans la réalisation de sa première maquette. Nous sommes en 1995. Il met plus de deux ans à pondre l'idée de la voiture. Dès le départ, il veut fabriquer une voiture exotique, mais conviviale, qui pourra être entretenue par n'importe quel mécanicien compétent. Il veut une mécanique puissante, mais facile à réparer, et de l'espace pour trois passagers. Luc Chartrand n'a jamais caché sa grande admiration pour la McLaren F1 et avoue que cette voiture lui a servi d'inspiration pour sa Locus. Mais il voulait plus d'espace, aussi le Pléthore est-il large de 226 centimètres, soit 23 centimètres de plus que la Ferrari Enzo. Chartrand ajoute qu'on peut faire asseoir confortablement trois adultes de 1,95 mètre à l'intérieur, ce qui n'est pas mal pour une exotique. Le nom Locus a été changé récemment en raison de sa trop forte ressemblance avec Lotus, et la marque s'appelle maintenant HTT Locus. HTT pour « High Tech Toys » (jouets haute technologie). Le nom Locus demeure dans l'appellation, suivi du nom officiel du véhicule, la Pléthore, qui évoque la surabondance, la plénitude. Un véhicule qui veut en offrir plus du côté de la puissance, des équipements, etc.

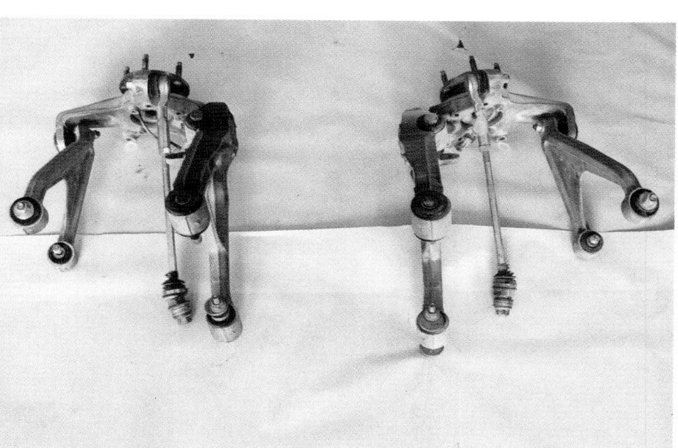

Page de gauche : L'homme derrière la Pléthore, Luc Chartrand pose avec sa première maquette et travaille à terminer sa première voiture (derrière).

En haut : Les phares avant d'origine GM remplacent ceux de la première génération du concept qui provenait de la PT Cruiser.

Au centre : Une cage de sécurité sera intégrée au châssis de la Pléthore, ce qui permettra à la voiture d'aller sur un circuit et sur la route en toute légalité.

En bas : Les suspensions avant et arrière sont empruntées à la Chevrolet Corvette.

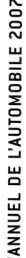

Un homme-orchestre

Mettre au monde une voiture exotique n'est pas une sinécure et, depuis les débuts de l'aventure Locus, Chartrand a fait seul tout le boulot dans la Pléthore. Du dessin du modèle à la conception de la maquette et à la fabrication du premier prototype, c'est véritablement sa voiture. «Ce n'est pas toujours par choix souligne-t-il. Je n'avais pas les moyens de payer des ingénieurs pour concevoir des maquettes, alors je l'ai fait moi-même. J'ai aussi choisi les matériaux, le moteur et tout le reste. Mais j'ai eu de l'aide. Des gens m'ont fait confiance, des gens d'ici m'ont soutenu.» Par exemple Simex, de Saint-Laurent, une entreprise innovatrice dans le domaine des matériaux composites. C'est elle qui fournira le carbone pré-imprégné pour la carrosserie et le châssis. Quant à MF Composite, elle lui procurera le matériel pour construire les moules de la Pléthore. L'entreprise française ELF, fournisseur chez Renault en F1, a contacté Luc Chartrand pour le pourvoir de tous les lubrifiants de la voiture, et ce, à vie. Quant aux pièces, 90 % d'entre elles proviennent de chez GM. Chartrand tient à préciser que GM n'a rien commandité sur la voiture et qu'il a tout acheté lui-même. «J'ai choisi GM en raison de l'abondance des pièces et de leur relative simplicité d'entretien. Ce sont des pièces qu'on trouve partout et un bon mécanicien peut en faire l'entretien, ce qui n'est pas le cas avec la grande majorité des voitures exotiques.» Par exemple, le moteur est un 8,2 litres, avec une boîte manuelle à six rapports, qui développera près de 600 chevaux, mais Chartrand lui ajoutera un compresseur pour porter la puissance à 1300 chevaux, un chiffre qui fait peur. D'ailleurs, la voiture pourra atteindre plus de 400 km/h, selon Chartrand. Les systèmes de suspension et les phares proviennent aussi de compagnies américaines. L'avantage d'utiliser des pièces déjà commercialisées tient au fait que les petits constructeurs n'ont pas à payer de fortes sommes pour faire approuver leur produit, c'est déjà fait on le maquille bien et on lui donne une allure différente. Pour rendre le véhicule plus docile et plus confortable en ville, le châssis se relèvera de quelques centimètres pour éviter de racler le sol, et une suspension à air entrera en jeu pour débrancher les barres antiroulis, selon un concept développé par Luc Chartrand. En conduite plus sportive, les barres antiroulis reprennent leur place, le véhicule se rabaisse sur ses ressorts et la suspension se rigidifie.

En haut : Après de dix ans de travail, le premier prototype roulant sera prêt pour le Salon de l'auto de Montréal en janvier. Notez les phares arrière qui sont empruntés à la défunte Ford Thunderbird.

En bas : Voici le concept tel que présenté par Luc Chartrand en 2003, les lignes de la Pléthore seront réactualisées pour les premiers modèles de production en 2007.

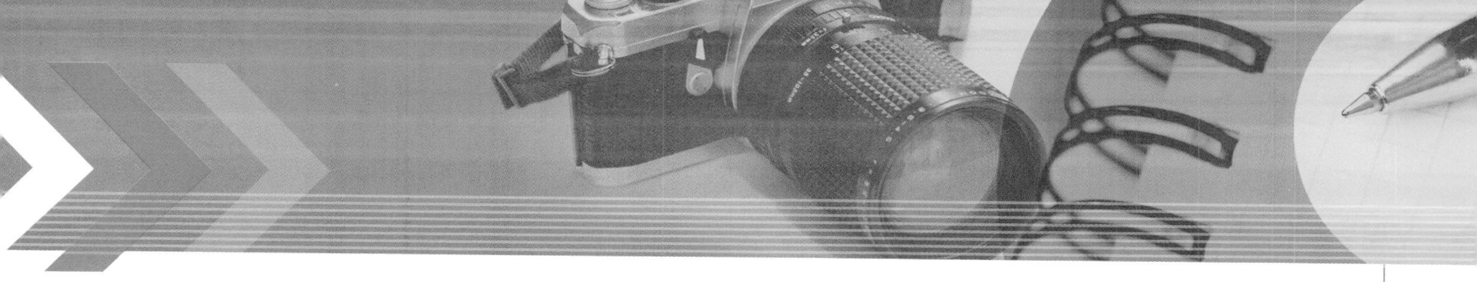

Déjà en demande

Au moment de mettre sous presse, Luc Chartrand avait reçu six commandes de personnes qui ont déjà versé une avance. Il compte d'abord faire connaître la Pléthore sur les marchés canadien et américain. «Mais j'ai aussi une filière à Dubaï, souligne-t-il. Un de mes fournisseurs possède des bureaux au Québec et à Dubaï, il a montré mon concept à plusieurs personnes de son entourage et j'ai reçu beaucoup de demandes. Il y aura sûrement des ventes de ce côté.» Pour le moment, l'entreprise HTT Locus Technologie est située dans un petit local adjacent au circuit de Saint-Eustache. Sous peu, Luc Chartrand aimerait avoir un local de 10000 pieds carrés pour concevoir ses modèles. Il prévoit produire une vingtaine de Pléthore par année et souhaite en secret atteindre le chiffre magique de 100 exemplaires annuellement. Il aimerait bien ajouter d'ici trois ou quatre ans une version décapotable, un modèle dont le toit se replie dans la structure de la voiture. Sous l'action d'un simple bouton, les panneaux des côtés s'abaissent, de sorte que la voiture ne perd rien de sa beauté, avec ou sans toit. Le prix n'a pas encore été établi, mais la Pléthore coûtera sans doute plus de 330000$CA. Si tous ces projets se concrétisent, Luc Chartrand aura prouvé qu'il n'est pas nécessaire de vivre en Italie pour construire des voitures exotiques.

L'intérieur de la Pléthore sera fortement inspiré de celui de la McLaren F1 que l'on voit ici avec trois places dont celle du pilote au centre.

FICHE TECHNIQUE

Structure
- Châssis : fibres de carbone
- Carrosserie : fibres de carbone

Équipements de série
- Suspension : air, ressorts, électronique
- Colonne : réglages électrique et manuel
- Siège conducteur : électrique
- Rétroviseurs : électriques (à mémoire) et chauffants
- Vitres : électriques
- Climatisation : électronique
- Intérieur : cuir, trois places, conduite centrale
- Équipement audio : système 5.1 CD DVD, sept haut-parleurs, GSS
- Ouverture et fermeture des portes : automatiques, électriques, manuelles et par télécommande
- Rétroviseur intérieur : caméra avec écran à cristaux liquides
- Détecteur de proximité : avant, arrière et latéral
- Détecteur de pression des pneus : aux quatre roues

Moteur
- Disposition : longitudinale et centrale
- Marque : GM
- Architecture : V8
- Cylindrée : 8,2 litres
- Puissance : 550 à 1300 chevaux
- Couple : 1000 livres-pied

Transmission
- Architecture : propulsion
- Boîte de vitesse : manuelle à six rapports Tremec (aluminium)
- Différentiel : autobloquant Getrag (aluminium)

Trains roulants
- Direction : crémaillère assistée
- Suspension : roues indépendantes à double triangulation, amortisseurs systèmes LOCUS
- Freins : AP racing avant, disques ventilés 15 pouces, étrier aluminium six pistons
- Arrière : disques ventilés 14 pouces, étrier aluminium quatre pistons

Dimensions
- Empattement : 294 cm
- Longueur : 452 cm
- Largeur : 227 cm
- Hauteur : 112 cm
- Poids : 1250 kg
- Pneus : Michelin pilot sport
  - Avant : 255/40ZR/18 (concept)
  - Arrière : 335/30ZR/18) (concept)
- Jantes : aluminium trois pièces
  - Avant : 18/9
  - Arrière : 18/13

Option
- Transmission : automatique

Prix
- 330 000 $CA et davantage

COMPARATIF

– Antoine Joubert

Huit sous-compactes dans le collimateur

Il y a dix ans à peine, une automobile sous-compacte se définissait comme une voiture-outil qu'on achetait par obligation et non pas par passion. Outre le fait qu'elles étaient abordables, peu gourmandes et, selon le cas, fiables, on ne leur trouvait pas beaucoup de qualités. Ces temps ont bien changé et ce match comparatif, effectué un peu plus tôt cet été, nous l'a prouvé.

L'idée d'évaluer les sous-compactes du marché est pratiquement venue d'elle-même, alors que les auteurs étaient tous réunis autour d'une table pour discuter du contenu de cet ouvrage. D'abord, le marché de la petite voiture est actuellement en hausse constante partout en Amérique du Nord, principalement au Québec. Puis, comme cette catégorie compte cette année cinq nouvelles venues, on ne pouvait faire autrement que de tirer les choses au clair. De toute façon, vu le coût du carburant, nous aurions été à côté de la plaque de publier un reportage sur l'ascension des VUS, n'est-ce pas ?

La meilleure voiture est celle qui vous convient le mieux

D'abord, sachez que les classements de cet ouvrage reflètent les goûts de huit chroniqueurs qui ont chacun des opinions, des besoins et des budgets différents. Donc, ce n'est pas parce qu'un modèle se trouve en cinquième position qu'il ne constitue pas un bon choix. L'évaluation d'un modèle doit toujours tenir compte des besoins de l'acheteur. Par exemple, je pourrais vous dire que la Dodge Charger est la meilleure grande berline du marché, mais, si les voitures à propulsion vous rebutent, ma parole ne tient plus. Alors, pour faire un bon choix, il faut cibler vos besoins pour ensuite les rechercher parmi les candidates. Bon magasinage !

Prix : 16 945 $

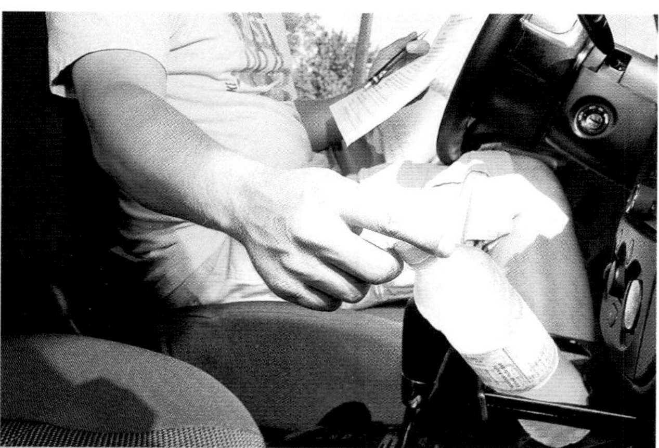

8e position – Suzuki Swift +

Unanimement, dans la cave !

Pauvre petite Swift + ! À l'unanimité, la voiture s'est classée au dernier rang. D'abord, tous l'ont trouvée esthétiquement anonyme, quoique jolie. Les nombreuses nouveautés l'ont cependant fait vieillir prématurément, puisque la majorité a évoqué le besoin d'une refonte esthétique (souvenons-nous que la voiture a été lancée en 2004 !). À bord, les fleurs ne se résument qu'à un confort honnête, à un bon dégagement pour les jambes à l'avant et à une excellente visibilité. Mentionnons également l'ergonomie, qui n'est pas vilaine. En revanche, le pot est constitué d'une surabondance de plastique gris très bon marché, de sièges qui manquent énormément de support et d'une apparence générale presque funèbre. Les porte-gobelets, qui semblent être conçus pour se briser d'eux-mêmes, seraient aussi à corriger.

Côté motorisation, c'est l'ennui. Le petit quatre cylindres est anémique, poussif, rugueux, grognon, vache et engourdi, pour ne citer que quelques termes des essayeurs. Le poids inférieur de la voiture joue cependant en sa faveur, puisque la Swift + n'est pas beaucoup plus lente que certaines rivales plus puissantes. La boîte automatique est, pour sa part, sans histoire, mais le levier coinçait constamment au neutre au moment de passer la position Park. Si la Swift + a mérité la huitième place, c'est certainement en raison de son comportement routier presque dangereux. D'abord, la voiture donne une fausse impression de stabilité, qui s'estompe à l'amorce d'un virage. Dès lors, un roulis épouvantable vient déséquilibrer totalement la voiture. « Une manœuvre d'évitement en de telles circonstances serait d'ailleurs fatale », mentionnait un essayeur. Il faut également se défaire de ces pneumatiques aussi efficaces qu'une peau de phoque.

Sans attraits, ennuyeuse à conduire, plus gourmande que la moyenne et dépourvue de toute qualité routière, la Swift + est à proscrire. Même à prix moindre, elle n'en vaudrait pas la peine.

– Carl Nadeau : « Avec la Swift +, tu ne peux pas éviter un accident sans avoir un accident ! »

Motorisation :
L4 1,6 l 103 ch à 5800 tr/min, *couple :* 107 lb-pi à 3400 tr/min
Transmission : automatique

0-100 km/h : 11,4 s
Vitesse maximale : 170 km/h
Consommation (100 km) : man. : 7,4 l, auto. : 7,7 l (octane : 87)

Prix : 19 975 $

7e position – Chevrolet Aveo

Les améliorations ne suffisent pas

Notre Aveo fraîchement sortie de l'usine affichait un prix de détail de 19 975 $. Il fallait donc qu'elle ait beaucoup à offrir pour justifier une telle facture. Plusieurs commentaires positifs ont été émis à son sujet, mais elle se place néanmoins en septième place. C'est donc dire que, même si de nombreux points ont été améliorés, cette Chevrolet coréenne n'est toujours pas dans le coup. Nouvelle cette année, elle se présente sous une robe plus heureuse, qui marie efficacement le style monochrome aux accessoires comme l'aileron et les feux à lentille claire. À l'intérieur, la présence d'une fausse boiserie et d'un équipement très complet a étonné tout le monde. On a compris pourquoi la voiture est si chère. La qualité générale a été améliorée à bord, tant au chapitre de l'assemblage que des matériaux, et la présentation est plus sérieuse. La très belle planche de bord a également été louangée pour son excellente ergonomie. L'espace intérieur, particulièrement à l'arrière, est toutefois inférieur à la moyenne.

Sous le capot, on retrouve un moteur similaire à celui de la Swift +, ce qui signifie que les performances ne sont pas exceptionnelles. En revanche, les commentaires relatifs au rugissement du moteur de la Suzuki ne concernent pas l'Aveo, preuve d'une insonorisation supérieure. Sur la route, le confort étonne tant en raison des sièges que de la suspension. La tenue de cap est déplorable, principalement à cause d'une forte sensibilité aux vents latéraux, mais les roues de 15 pouces améliorent légèrement l'aplomb de la voiture. Néanmoins, la prise de roulis en virage demeure prononcée. Là aussi, les pneumatiques sont à revoir. La visibilité est pour sa part gênée par une planche de bord qui se reflète dans le pare-brise à la moindre apparition du soleil.

Plus jolie, plus luxueuse et certainement plus séduisante à bord, l'Aveo manque encore d'attraits sur le plan de la mécanique. Une tenue de route plus assurée et une motorisation moins paresseuse lui permettraient de mieux rivaliser avec la concurrence.

– **Benoit Charette :** « Une nette progression face à sa devancière. »

Motorisation :
L4 1,6 l 103 ch à 5800 tr/min, *couple :* 107 lb-pi à 3600 tr/min
Transmission : automatique

0-100 km/h : 12,2 s
Vitesse maximale : 170 km/h
Consommation (100 km) : man. : 7,7 l, auto. : 8,0 l (octane : 87)

Prix : 19 900 $

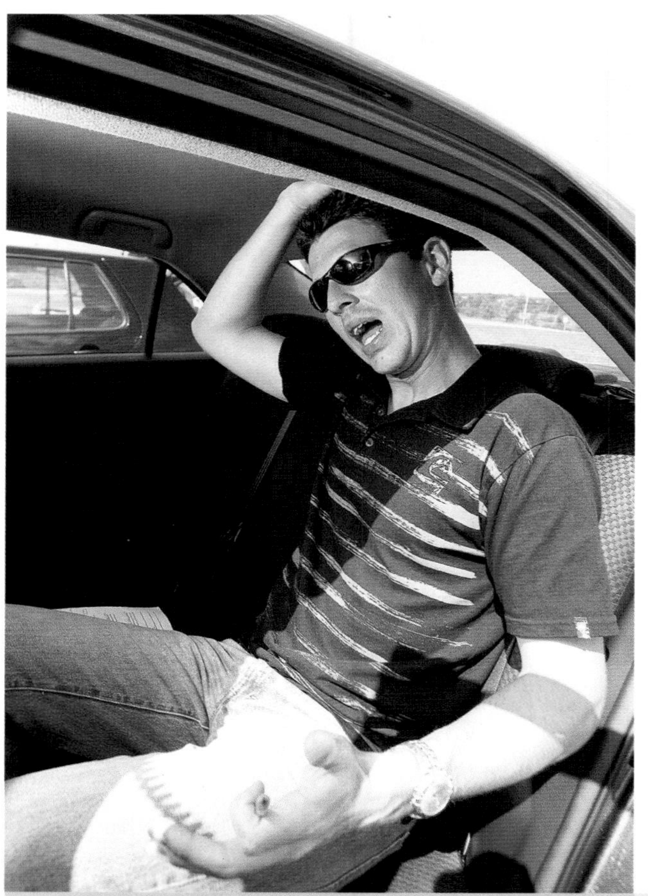

6e position – Toyota Yaris berline

S'asseoir sur sa réputation

Avec la Tercel et même l'Echo, Toyota pouvait se vanter d'offrir la meilleure sous-compacte du moment. On lui accordait notre respect en raison de sa grande fiabilité et de sa consommation d'essence symbolique. Et ces points sont toujours vrais aujourd'hui. Toutefois, le constructeur semble s'être malheureusement endormi sur ses lauriers, croyant sans doute que ces deux critères sont les seuls qui ont de l'importance dans cette catégorie.

En 2007, Toyota nous propose une gamme Yaris plus complète, à laquelle s'ajoute une berline à trois volumes. Cette dernière n'est pas d'une grande beauté, mais se place sur ce plan loin devant l'Echo berline qu'elle remplace. À bord, l'espace généreux s'avère un point positif, contrairement à la position de conduite, inconfortable lors des longs trajets. La finition n'est pas vilaine, mais on se demande bien pourquoi les innombrables compartiments de rangement de la version *hatchback* n'y sont plus.

Sur la route, la Yaris se fait apprécier pour son moteur nerveux, qui n'est toutefois pas discret à grande vitesse. La boîte manuelle est également très appréciable pour son étagement et pour la précision de son levier. Toutefois, la Yaris affiche un comportement routier quelconque, notamment en raison de la direction à assistance électrique imprécise et trop molle. La sensibilité aux vents latéraux est aussi très importante, ce qui oblige le conducteur à corriger constamment sa trajectoire, bien sûr à l'aide de cette damnée direction. On peut toutefois se consoler en mentionnant que la Yaris berline propose un confort très honnête.

Tous ont été déçus par la conduite de cette Yaris. Celle qui constituait auparavant la référence dans cette catégorie se place donc aujourd'hui derrière des modèles qui étaient autrefois ridiculisés. Toutefois, ceux qui avaient fait l'essai par le passé de la Yaris à hayon l'ont tous nettement préférée à la berline, ce qui aurait peut-être pu changer l'ordre des choses. Soulignons que notre Yaris était pourvue du groupe électrique et du climatiseur, ce qui faisait grimper la facture à 19 900 $.

– Jean-Pierre Bouchard : « La direction est floue et nécessite de nombreuses corrections en conduite sur l'autoroute. »

Motorisation :
L4 1,5 l 106 ch à 6000 tr/min, *couple :* 103 lb-pi à 4200 tr/min
Transmission : manuelle

0-100 km/h : 11,1 s
Vitesse maximale : 180 km/h
Consommation (100 km) : man. : 6,2 l, auto. : 6,3 l (octane : 87)

5e position – Hyundai Accent

Un succès mérité

Sachez d'abord que l'Accent et la Kia Rio sont deux voitures qui partagent en tout point les mêmes composantes mécaniques et structurelles. Il est donc normal de les voir classées l'une à la suite de l'autre. Néanmoins, la Hyundai qui nous a été confiée différait passablement de la Kia Rio, ce qui nous a permis de trancher en faveur de sa cousine.

Nous disposions pour cet essai de la nouvelle Accent GS à hayon, la seule du groupe à n'avoir que deux portières. Plutôt dénudée, la voiture n'avait comme seule option que le climatiseur, ce qui lui permettait d'être la moins chère du lot. Malgré cela, tous ont apprécié les équipements de série, comme l'accoudoir rabattable, le siège réglable en hauteur et les multiples espaces de rangement. L'omniprésence du plastique noir n'a toutefois pas fait l'unanimité, pas plus que cette pauvre cuirette qui entoure le sélecteur des vitesses. Extérieurement, on craque pour ses lignes sympathiques qui touchent directement la clientèle ciblée. C'est mignon, efficace et très tendance.

L'Accent a perdu quelques points au chapitre du comportement, principalement en raison de ses horribles pneus de marque Khumo (à remplacer assurément). La suspension, plus souple que celle de la Rio et de l'Accent Sport, occasionnait un roulis assez important dans les courbes, ce qui augmentait par le fait même les risques de perte de contrôle. De plus, on aurait souhaité que la voiture plonge moins vers l'avant en arrêt d'urgence. Fort heureusement, l'équilibre général est nettement meilleur que chez Suzuki. Quant au confort, c'est la position de conduite qui lui fait gagner des points. Cette impression d'être assis sur un tabouret, ressentie dans la Yaris, n'est pas du tout présente dans l'Accent. Sur la route, le moteur répond bien et offre une puissance adéquate. La boîte manuelle manque légèrement de précision, mais rien de vraiment problématique. Notons finalement que la visibilité au trois quarts arrière est réduite, en raison d'un imposant pilier C.

– Daniel Rufiange : « L'Accent propose une belle silhouette, spécialement à l'arrière. On remarque aussi que la qualité est en progression constante chez ce constructeur. »

Prix : 16 045 $

Motorisation :
L4 1,6 l 110 ch à 6000 tr/min, *couple :* 107 lb-pi à 4500 tr/min
Transmission : manuelle

0-100 km/h : 10,6 s
Vitesse maximale : 175 km/h
Consommation (100 km) : man. : 6,9 l, auto. : 7,3 l (octane : 87)

Prix : 16 995 $

4e position — Kia Rio

Une surprise n'attend pas l'autre

Avec son allure européenne très agréable, caractérisée notamment par le mât qui lui sert d'antenne et les larges moulures latérales noires, la Rio a fait l'unanimité au point de vue esthétique. Notre essayeur français n'a d'ailleurs pas pu s'empêcher de faire un parallèle avec la Renault Clio, qui lui ressemble énormément ! Contrairement à l'Accent, la Rio propose une configuration à cinq portières, appréciable pour son côté pratique évident.

À bord, la Rio affiche une allure moins bon marché que l'Accent, sans doute en raison d'une console centrale différente, de couleur argentée. Dans la version Sport, les broderies rouges qui décorent sièges, volant et gaine du levier de vitesses sont du plus bel effet. Côté style et aménagement, c'est toutefois très similaire à ce que l'Accent propose. Voilà pourquoi tous ont apprécié la position de conduite, l'espace intérieur raisonnable et la richesse de l'équipement par rapport à la facture. De bons commentaires ont aussi concerné les baquets avant, plus fermes et plus enveloppants que ceux de l'Accent. Ces derniers ne sont toutefois réservés qu'à la version Sport, notre modèle d'essai.

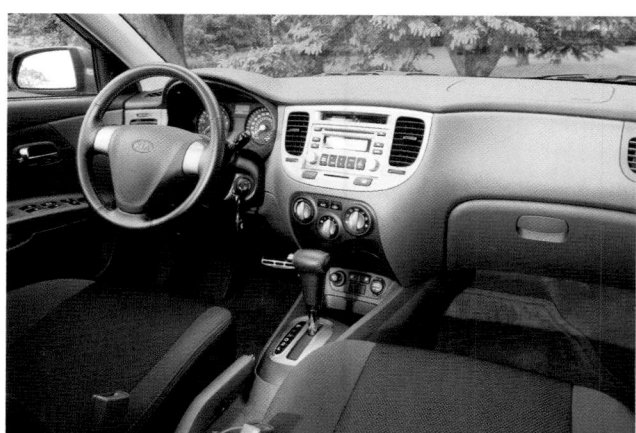

La motorisation de la Rio, identique à celle de la Hyundai, ne s'est fait ni d'amis ni d'ennemis. Les commentaires écrits se résumaient à des termes comme « ok », « bon », « correct » et « ordinaire », ce qui en dit long sur l'excitation des essayeurs. Certains ont décelé une légère hésitation de la boîte automatique, ce qui réduit quelque peu les performances. En revanche, sur la route, la Rio5 Sport a été vivement applaudie pour sa grande stabilité et sa bonne tenue de route. La direction précise et la suspension plus ferme que celle de la Hyundai sont en partie responsables d'un comportement routier supérieur à la moyenne. Pour toutes ces raisons, la Rio a constitué une des plus belles surprises de ce match.

– Luc Gagné : « C'est tout simplement mon coup de cœur ! »

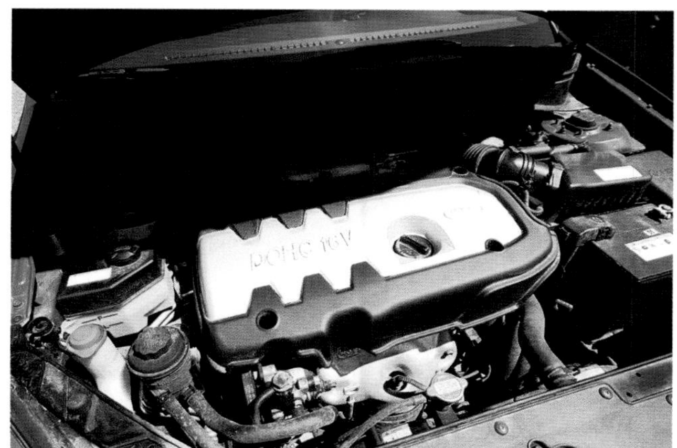

Motorisation :
L4 1,6 l 110 ch à 6000 tr/min, *couple* : 107 lb-pi à 4500 tr/min
Transmission : automatique

0-100 km/h : 11,8 s
Vitesse maximale : 180 km/h
Consommation (100 km) : man. : 6,8 l, auto. : 6,9 l (octane : 87)

3e position – Volkswagen Golf City

La controversée !

Plusieurs estiment que la Golf City n'a rien d'une sous-compacte, et c'est vrai. Toutefois, Volkswagen a choisi en 2007 de nous l'offrir à prix réduit, ce qui explique sa présence dans cette rubrique. En fait, cette voiture est, à peu de chose près, identique à la Golf CL 2006, qui coûtait environ 4000 $ de plus. La plupart des essayeurs ont d'ailleurs été agréablement surpris en prenant connaissance de la facture. En revanche, tous ont des craintes quant à la fiabilité, qui n'a jamais été à la hauteur.

Esthétiquement, c'est la même voiture qu'on connaît depuis bien longtemps. Certes, elle est un peu vieillotte, mais son style plaît encore. À bord, la qualité de la finition et des matériaux fait encore l'unanimité, au même titre que les sièges, fermes et très confortables. La bonne chaîne stéréophonique ainsi que le volant inclinable et télescopique sont des éléments appréciables dans une voiture de ce prix. En revanche, l'omniprésence du noir rend l'ambiance à bord un peu triste. On a aussi remarqué un manque de dégagement pour les jambes à l'arrière.

Le moteur 2,0 litres, vieux comme le monde, n'est pas particulièrement performant, mais on apprécie son couple généreux. Celui qu'on critiquait autrefois pour sa trop forte sonorité sur l'autoroute s'est curieusement classé au sommet, à égalité avec la Versa, lors de nos tests d'insonorisation. Un peu lent en reprise, ce moteur est cependant plus gourmand que la moyenne, et ce, d'environ 30 %. Au chapitre du comportement, la Golf City mérite de nombreux éloges. Comme toujours, elle fait preuve d'agilité et de dynamisme, tout en offrant un confort inégalé. Contrairement à certaines sous-compactes, cette voiture est une véritable routière.

Somme toute, la Golf City est une intruse dans cette catégorie et elle pourrait faire mal à certaines concurrentes. Il faut toutefois favoriser la conduite par rapport à l'économie, puisque l'appétit supplémentaire en essence et les journées perdues au garage affecteront le portefeuille.

– Hugues Gonnot : « Cette voiture est une insulte à ceux qui se sont procurés une Golf l'an dernier ! »

Prix : 17 000 $ (estimé)

Motorisation :
L4 2,0 l 115 ch à 5600 tr/min, *couple :* 122 lb-pi à 4200 tr/min
Transmission : manuelle

0-100 km/h : 10,4 s
Vitesse maximale : 190 km/h
Consommation (100 km) : man. : 8,4 l, auto. : 8,5 l (octane : 87)

2e position – Honda Fit

Belle, bonne et polyvalente

Pour plusieurs, la Fit est la gagnante de cette confrontation. Il n'aura fallu qu'un vote pour que la Nissan la devance. On voit donc à quel point cette voiture a été appréciée, et ce, malgré une facture épicée. D'abord, c'est la plus jolie du groupe. En version Sport, avec ses jupes, son aileron et ses jantes en alliage, elle ne passe pas inaperçue. L'habitacle a également récolté de bons points, en raison bien sûr de l'apparence et de la qualité de finition, mais aussi pour l'espace et la modularité de la banquette arrière novatrice. Les commentaires moins positifs concernent la position de conduite parfois inadéquate et l'insonorisation moyenne.

Sur la route, la petite Fit a surpris tout le monde par sa stabilité et sa tenue de route. La direction est également l'une des plus précises et certainement la plus incisive du groupe. Qui plus est, tous ont apprécié le calibrage de la suspension, à la fois ferme et confortable, ainsi que l'excellent freinage. Côté comportement, la Fit remplace donc avec brio la Civic *hatchback* disparue il y a six ans. Quant à la motorisation, on a critiqué son manque de couple à bas régime (comme toutes les Honda), mais la faible soif de carburant et les performances très honnêtes ont effacé cette tache.

La Fit, c'est la nouvelle coqueluche d'Honda au Québec, et l'on comprend pourquoi. Un peu plus de vigueur à bas régime et une meilleure position de conduite lui auraient certainement valu la première position.

– Ryan Lanteigne : « La Fit propose une direction rapide et précise et ne démontre qu'une très faible prise de roulis. »

Motorisation :
L4 1,5 l 109 ch à 5800 tr/min, *couple :* 105 lb-pi à 4800 tr/min
Transmission : manuelle

0-100 km/h : 10,3 s
Vitesse maximale : 180 km/h
Consommation (100 km) : man. : 6,6 l, auto. : 6,7 l (octane : 87)

1re position — Nissan Versa

Mission accomplie

Pour que notre match comparatif fût complet, nous avons dû attendre la disponibilité de l'Aveo et de la Versa, cette dernière nous ayant été livrée à la dernière minute. *A priori,* ces deux voitures n'avaient rien de bien extraordinaire pour remporter la palme, mais la Nissan a surpris tout le monde. D'abord, tous ont jugé que Nissan a vraiment fait un pas de géant en matière de qualité d'assemblage et de finition. Le même sentiment s'est fait sentir à bord, dans cet environnement sobre et spacieux qui permet à cinq personnes de voyager en tout confort. Certains ont même osé comparer les sièges de la Versa à ceux de la Maxima, ce qui n'est pas peu dire. La position de conduite se compare à celle d'une voiture de classe intermédiaire, ce qui signifie que la Versa est excellente pour de longs trajets. Compte tenu de son prix (18 600 $), la qualité de son équipement lui a aussi permis de devancer les Yaris, Aveo et Fit, plus chères.

Extérieurement, les lignes de la Versa n'ont toutefois pas fait l'unanimité. Je dirais même que plusieurs les ont profondément détestées, au point de comparer la voiture à la fourgonnette Quest (une chance que nous n'avions pas la berline en notre possession !). En prenant la route, la petite Nissan démontre un comportement axé davantage sur le confort. L'insonorisation supérieure est appréciable, comme la suspension qui absorbe bien les chocs. Cela n'empêche toutefois pas la voiture de posséder d'excellentes aptitudes routières en matière de tenue de route, de stabilité et de freinage. Mécaniquement, le quatre cylindres effectue du bon boulot et réagit rapidement aux commandes. La boîte automatique à variation continue n'est pas l'élément le plus emballant de la voiture, mais permet une bien meilleure consommation que celle d'autres voitures, par exemple la Dodge Caliber.

– Benoit Charette : « La Versa est la plus grande et de loin la plus silencieuse des sous-compactes. »

Prix : 18 600 $

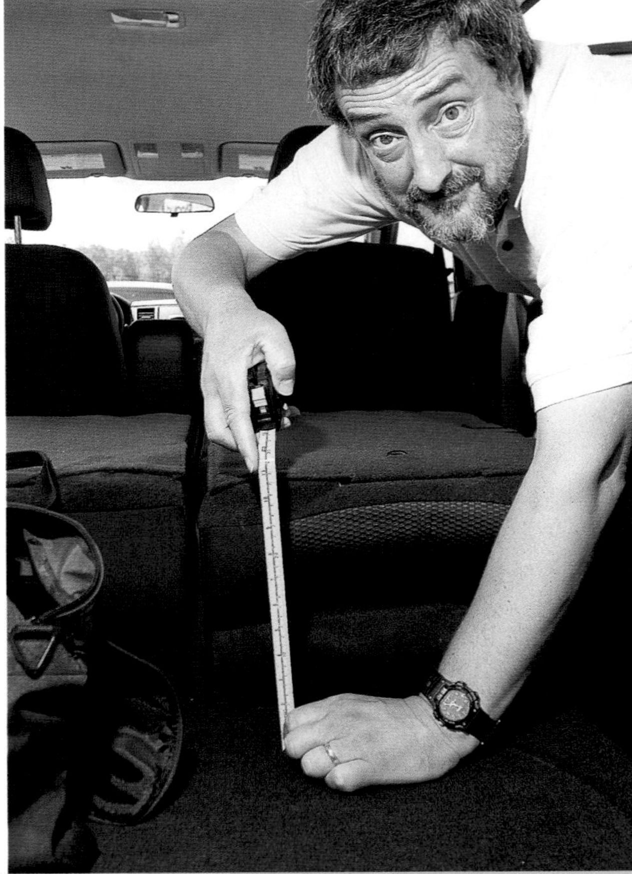

Motorisation :
L4 1,8 l 122 ch à 5200 tr/min, *couple :* 127 lb-pi à 4800 tr/min
Transmission : CVT

0-100 km/h : 9,8 s
Vitesse maximale : 185 km/h
Consommation (100 km) : man. : 7,1 l, auto. : 7,4 l (octane : 87)

LES INCONTOURNABLES

LES RECRUES 2007

L'année 2007 est tellement riche de nouveautés que nous avons ajouté 32 pages à *L'Annuel* pour être en mesure de couvrir l'ensemble du marché. Plusieurs véhicules se démarquent et bon nombre de présentations ont eu lieu tard dans la saison. Nous vous présentons encore cette année quelques modèles qui retiennent l'attention.

Audi TT

La TT se présente comme une concurrente de la Porsche Cayman et de la Nissan 350Z. Si certains lui trouvent un air un peu nonchalant et quelques rondeurs disgracieuses, ce sont justement ces petites choses qui nous ont plu. Habillée du très fluide moteur 2,0 litres turbo de 200 chevaux, la TT est assez agressive pour nous procurer un bon frisson et assez civilisée pour nous faire apprécier son grand confort. Sa nouvelle silhouette accorde plus d'espace pour les passagers et les bagages. Il lui manque simplement la transmission quattro avec le moteur quatre cylindres pour être parfaite, mais soyons patients : Audi nous a annoncé tout bas que ça s'en vient.

Ford Edge

Difficile de deviner le plan de Ford. En fait, je doute que les gens de Ford le connaissent eux-mêmes. Considérons l'Edge, par exemple, qui nous a été présenté dans sa version de production au dernier Salon de l'auto de Detroit en janvier 2006. Eh bien, neuf mois plus tard, il n'est toujours pas sur la route. Ses lignes impressionnent et on dit beaucoup de bien de son moteur V6 de 3,5 litres. Il sera sans doute l'un des véhicules-phares dans la lutte acharnée que s'apprêtent à se livrer les constructeurs dans le très prometteur créneau des véhicules multisegments qui remplaceront éventuellement les traditionnelles fourgonnettes.

Mazda CX-9

En voici un autre promis à un bel avenir. Au lieu de simplement prendre le CX-7 et de l'étirer pour en faire un véhicule à sept places, Mazda a préféré lancer un modèle unique. Le CX-9 deviendra le véhicule officiel de la famille chez le constructeur nippon. Avec plus de 5 mètres de long, il atteint des dimensions « respectables », propres à dégager un vaste espace intérieur. Il compte deux rangées de sièges rabattables à l'arrière, mais dispose tout de même d'un coffre volumineux, même avec les trois banquettes en place. Ses lignes, des arches de roue jusqu'à la calandre, en passant par le décrochement de porte arrière, sont plus tendues, plus fines que celles du CX-7.

Nissan Sentra

En voici une qui sort tout droit de l'anonymat. La nouvelle Sentra 2007 est comme la chenille qui s'est métamorphosée en papillon. Cette compacte incolore, inodore et insipide a pris des allures de starlette cette année. Elle se présente comme une petite Maxima avec des rondeurs bien senties et un habitacle beaucoup plus généreux, et ce, toujours à prix concurrentiel. Avec la Versa qui séduit beaucoup d'adeptes, la Sentra aura sans doute son fan club dans très peu de temps.

Saturn Aura

GM nous promet depuis trois ans des véhicules révolutionnaires, concurrentiels, inédits. L'attente a été longue et la récolte, plutôt maigre. Mais voilà que se pointe une étoile à l'horizon. La nouvelle Aura répond finalement à toutes les attentes. Sportive, rigide, performante et extrêmement agréable à conduire, spécialement en version 3,6 litres, cette berline américaine possède tous les ingrédients pour occuper une place de choix dans son segment. Saturn nous a enfin démontré qu'elle peut rivaliser avec les meilleurs constructeurs. Espérons simplement qu'on ne perdra pas cette recette pour les réalisations à venir.

Volkswagen EOS

Ce sont ses lignes qui nous ont d'abord séduits. Ensuite, elle nous a agréablement surpris par le côté joueur et bon enfant de la mécanique 2,0 litres turbo de 200 chevaux. On peut donc conduire «confort» sur le couple, et, si le besoin ou l'envie se manifeste, on peut aller taquiner le compte-tours et surprendre plus d'un automobiliste optimiste. Belle, performante, homogène et bien présentée, l'Eos a tout pour elle, ou presque. C'est vrai que son prix de base n'est pas réellement abordable, mais pour ce genre de véhicule c'est presque une aubaine.

ALLEMAGNE

– Hugues Gonnot

LES PETITES

Opel Corsa

Pour obéir aux récentes tendances stylistiques de la marque, les lignes courbes de la quatrième génération de Corsa se font plus discrètes ; et les arêtes marquées, plus présentes. La longueur passe de 3,82 à 3,99 mètres. Les prestations et l'équipement n'ont rien d'une petite voiture non plus. La gamme des moteurs est coiffée par un 1,7 litre turbodiesel à filtre à particules de 125 chevaux. Parmi les équipements disponibles, on trouve un support à vélo rétractable sous le pare-chocs, la navigation satellite, les pneus à roulage à plat et même un volant chauffant. On est encore loin d'avoir cela avec nos compactes !

Opel Meriva OPC

Opel a beau se démener, une image pépère colle encore à la marque. La division OPC (Opel Performance Center) veut changer les choses et applique un traitement radical à l'ensemble de la gamme. La Meriva, un petit monospace basé sur une plateforme de Corsa, voit sa vocation citadine transfigurée par l'arrivée d'un 1,6 litre turbocompressé développant 180 chevaux, le moteur le plus puissant de sa catégorie en Europe. Elle peut alors effacer le 0-100 km/h en 8,2 secondes et atteindre 222 km/h. Nouveaux pare-chocs, jantes de 17 pouces et étriers de freins peints en bleu pour l'extérieur, et sièges Recaro à l'intérieur.

Volkswagen Polo Blue Motion

Volkswagen avait lancé en 1999 une version ultra-économique de sa plus petite voiture, la Lupo. Son nom, 3 l TDI, faisait référence à sa consommation d'essence. Une valeur faible, mais atteinte en de rares circonstances seulement, et grâce à l'utilisation de matériaux qui faisaient grimper le prix à un niveau aberrant. Résultat : un échec commercial. Mais Volkswagen ne désarme pas et lance aujourd'hui une version verte, mais baptisée Bleue, de la Polo. Avec un bloc 1,4 litre TDI développant 80 chevaux, qui permet de consommer 3,9 litres aux 100 km en moyenne, elle revendique le titre de voiture à cinq places la plus économique d'Europe. Elle reçoit une calandre révisée.

LES SPORTIVES

Opel GT

La première Opel GT ressemblait à une mini Corvette et avait été produite de 1968 à 1973. La deuxième génération, lancée en 2001, était en fait une Lotus Elise restylée aux motorisations Opel (2,0 litres turbo de 200 chevaux). Avec la troisième du nom, on revient à la conception 100 % maison. Si le style vous semble familier, c'est normal : il ne s'agit ni plus ni moins que d'une Saturn Sky rebadgée (elle est d'ailleurs produite sur la même ligne d'assemblage). La GT n'a pas droit au bloc atmosphérique et bénéficie seulement de l'Ecotec turbo de 260 chevaux à injection directe d'essence.

Yes ! Roadster 3.2

Pour sa nouvelle génération de Roadster, Yes ! conserve une mécanique Volkswagen, mais troque le quatre cylindres de 1,8 litre (sérieusement boosté) pour un V6 de 3,2 litres. La version de base garde le V6 dans ses spécifications originales (255 chevaux) et réalise le 0-100 km/h en 4,9 secondes et atteint 255 km/h grâce à son faible poids de 890 kilos. Avec l'ajout d'un turbo, la puissance passe à 355 chevaux, on fait le 0-100 km/h en 3,9 secondes, et la vitesse maximale atteint 281 km/h. Le châssis a été entièrement revu et on a augmenté l'empattement (2,45 mètres) et la longueur (3,81 mètres).

Mercedes-Benz CLK DTM AMG Cabriolet

Nous vous présentions dans *L'Annuel 2005* une version passablement explosive de la CLK. Mercedes en lance une nouvelle série limitée à 100 exemplaires, mais cette fois-ci sans le toit. Le V8 à compresseur de 5,5 litres développant 582 chevaux permet de disputer à la Bentley Continental GTC le titre de cabriolet à quatre places le plus rapide du monde : 0-100 km/h réalisé en 4 secondes (5,1 secondes pour la Bentley) et vitesse maximale limitée électroniquement à 300 km/h (306 km/h pour la Bentley). La carrosserie comporte de nombreux composants en fibre de carbone renforcée de plastique. Là, c'est vraiment un engin qui décoiffe !

ALLEMAGNE

LES PRATIQUES

Opel Antara

Voici l'exemple typique d'une collaboration internationale, chose encore trop rare chez GM. Avec une seule base, mais des lignes relativement différentes, ce véhicule s'appellera Daewoo Windstorm en Corée du Sud, Chevrolet Captiva ou Opel Antara en Europe, et Saturn VUE en Amérique. L'Antara peut recevoir trois différents moteurs : 2,4 litres de 141 chevaux ; V6 de 3,2 litres de 224 chevaux ; 2,0 litres turbodiesel de 150 chevaux. En plus de la transmission intégrale à répartition de couple à commande électrohydraulique, on y trouve de nombreuses aides à la conduite, dont un antiretournement et un stabilisateur de remorque.

Ford Galaxy

Afin de réduire l'investissement, Ford avait développé sa première génération de monospace Galaxy en collaboration avec Volkswagen. Lancé en 1995, il n'avait pas réussi à s'imposer face aux ténors de la catégorie. Cette fois, Ford a travaillé tout seul et produit un véhicule aux lignes nettement plus expressives. Plus long (4,82 mètres contre 4,64 mètres), il offre plus d'espace aux sept passagers. À la façon du Stow 'n Go de Chrysler, les sièges de la deuxième et de la troisième rangée se rabattent pour former un plancher plat. Cinq moteurs diesels sont au programme, développant de 100 à 145 chevaux.

Ford S-Max

Ford adopte une politique assez étonnante, puisqu'elle présente deux monospaces. Très proche du Galaxy, le S-Max a une attitude plus sportive avec des boucliers revus, un profil arrière abaissé (qui entraîne une configuration à 5 + 2 places plutôt qu'à sept places) et une prise d'air située derrière les roues avant, ce qui en modifie le profil. Le style se rapproche de celui du prototype SAV présenté en 2005. La gamme des moteurs, ajustée, ne retient que le 2,0 litres Duratorq TDCi (130, 140 ou 145 chevaux) et voit apparaître le cinq cylindres turbo de 220 chevaux de la Focus ST, un bloc d'origine Volvo.

CHINE

L'OUVERTURE

Zhonghua Junjie

Zhonghua est une filiale de Brilliance Auto qui construit, entre autres, des utilitaires (JinBei), des minibus (Granse) mais aussi des BMW sous licence. Pour développer ses propres berlines, Brillance a passé un accord de coopération technique avec la marque bavaroise. Un premier modèle avait été lancé en 2000. La Grandeur, apparue en 2004, devrait éventuellement arriver en Amérique. La nouvelle Junjie se situe dans la gamme en dessous de la Grandeur. Son style est dû à Pininfarina. Quatre moteurs sont au programme. Les trois moteurs essence proviennent de chez Mitsubishi (de 100 à 136 chevaux) et il y a aussi un turbodiesel (170 chevaux).

Geely LG-1 King Kong

Avant de commencer la production d'automobiles en 1998 avec une version remaniée de la Daihatsu Charade, Geely concevait des réfrigérateurs et des pièces de motos. La gamme s'est rapidement étoffée et Geely produit aujourd'hui plusieurs véhicules de conception maison, dont le coupé Beauty Leopard avec karaoké intégré. Geely a été le premier constructeur chinois à exposer ses véhicules en Amérique, au Salon de Detroit en 2006. Le dernier modèle porte un nom bien bizarre, puisque ce n'est pas un monstre (il ne mesure que 4,34 mètres). La calandre délaisse les courbes pour un style plus acéré. Trois moteurs sont au programme: 1,5, 1,6 ou 1,8 litre.

Buick LaCrosse

Pour conquérir le marché chinois, les constructeurs étrangers doivent s'associer avec des entreprises locales. C'est ce qu'a fait General Motors en 1996 avec Shanghai Automotive Industry Corporation (SAIC). La gamme est composée de modèles de provenance variée (Europe, Corée, Amérique), mais tous vendus sous le nom Buick, apparemment très évocateur pour les Chinois. La LaCrosse chinoise est basée sur le modèle américain (Allure au Canada), mais a subi de nombreuses modifications esthétiques, à l'avant et à l'arrière, qui rappellent la Lucerne. Deux moteurs sont prévus: quatre cylindres de 2,4 litres et V6 de 3,0 litres avec désactivation des cylindres.

CORÉE DU SUD

PLUS INTERNATIONAL

Ssangyong Actyon

Ssangyong produit des poids lourds : des bus et une large gamme de VUS. Mais la marque veut aujourd'hui se tourner vers les jeunes avec un véhicule de taille plus raisonnable. L'Actyon (une contraction de « action » et « young ») ne mesure que 4,45 mètres et utilise un quatre cylindres turbodiesel de 2,0 litres à rampe commune développant 145 chevaux. L'arrière a un style frais et équilibré, mais l'avant fait appel à une calandre lourde et torturée, inaugurée sur le Rodius. Une version camionnette remplace le Musso Sport, en service depuis 2002. Ssangyong espère en vendre 3000 par mois sur le marché intérieur.

GM-Daewoo Tosca

Chez nous, les Chevrolet Epica et Suzuki Verona ne laisseront probablement pas de grands souvenirs. Pourtant, ce modèle a connu un joli succès en Corée et il en est maintenant à sa seconde génération. Cette berline de 4,80 mètres bénéficie d'un style plus expressif que l'ancienne. Elle n'est motorisée que par des six cylindres en position transversale (2,0 litres de 144 chevaux et 2,5 litres de 156 chevaux), mais une motorisation diesel devrait suivre rapidement. L'équipement est évidemment très complet, ce qui reste son principal atout sur les marchés étrangers, où elle porte le nom de Chevrolet Epica.

Kia ED

La Cerato (Spectra chez nous) ne connaissant pas en Europe le succès commercial escompté, Kia a accéléré le renouvellement du modèle. Il s'agit, cette fois-ci, d'un véhicule spécifiquement développé pour ce continent. Son style plus harmonieux est basé sur celui du prototype Cee'd. Les moteurs à essence sont des 1,4 litre, 1,6 litre et 2,0 litres, alors qu'un nouveau turbodiesel de 1,6 litre avec turbo à géométrie variable est lancé. Des versions familiales et à trois portes suivront en 2007. Ce véhicule, dont nous ne connaissons pas le nom au moment de mettre sous presse, sera produit dans une nouvelle usine, en Slovaquie.

FRANCE

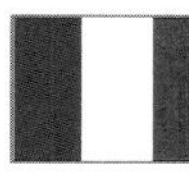

TOUS AZIMUTS

Citroën C-Triomphe

Au début, cette version à coffre séparé de la C4 avait été conçue pour la Chine, où les modèles berlines reflètent un meilleur statut social. Par rapport à la C4, la C-Triomphe bénéficie d'un empattement rallongé de 10 centimètres (pour 2,71 mètres) et sa longueur totale atteint 4,80 mètres (4,27 mètres pour la berline *hatchback*). Le volume du coffre est de 513 litres. En Europe, plusieurs pays du sud, notamment l'Espagne, sont très friands de ce type de berline. Voilà pourquoi la C-Triomphe a été montrée au Salon de l'auto de Madrid et qu'elle sera vendue en Europe en 2008.

Clio Renaultsport

Chez nous, la puissance requise pour une compacte sportive est d'environ 200 chevaux. En Europe, c'est aussi 200 chevaux, mais pour les sous-compactes ! L'ancienne Clio offrait déjà 182 chevaux, mais la nouvelle atteint 197 chevaux. Renault a voulu la rendre encore plus efficace en la dotant d'extracteurs d'air sur les ailes avant, d'un diffuseur à l'arrière et d'une boîte manuelle à six rapports rapprochés. Mais le plus important, ce sont les performances : 0-100 km/h en 6,9 secondes ; le kilomètre départ arrêté en 27,5 secondes ; et une vitesse maximale de 215 km/h. Pas mal, pour une petite !

Peugeot 207

Avec près de 5,5 millions d'exemplaires produits, la 206 est la Peugeot qui a connu le plus grand succès. La marque s'attend à faire tout aussi bien avec sa remplaçante. Pour ce faire, la 207 progresse dans de nombreux domaines. Les dimensions, d'abord : elle gagne et 19 centimètres (pour atteindre une longueur de 4,03 mètres) au bénéfice des passagers, et le coffre passe de 245 à 270 litres. Pour mieux séduire les consommateurs, elle propose deux faces avant pour les modèles classiques ou sportifs. La gamme de moteurs comprend, pour l'instant, six versions (de 75 à 110 chevaux), mais les moteurs développés avec BMW arriveront plus tard.

GRANDE-BRETAGNE

SPORTIVES ARTISANALES

Noble M15

L'entreprise fondée par Lee Noble s'est rapidement taillé un franc succès dans le monde des sportives par la qualité de ses châssis. Après les formidables M12 et M14, la M15 fait passer la marque dans le domaine des supercars. Le nouveau châssis est 57 % plus rigide que celui de la M12. D'origine Ford, le V6 de 3,0 litres à deux turbos développe maintenant 455 chevaux. Limitée à 1250 kilos, la M15 est performante (300 km/h ; 0-100 km/h en 3,7 secondes), mais aussi utilisable au quotidien grâce aux 300 litres de rangement, au cuir, à l'air conditionné et à la navigation par satellite (optionnelle).

Lotus Europa S

La première Lotus Europa fut lancée en 1966 et utilisait un moteur Renault. Sa production s'arrêta en 1975. Avec l'arrêt de l'Esprit en 2004, le constructeur d'Hethel devait compléter sa gamme. Basée sur l'excellent châssis de l'Elise, la nouvelle Europa S se veut davantage une voiture de grand-tourisme. Avec seulement 200 chevaux, mais grâce à un poids réduit à 995 kilos, elle peut atteindre 230 km/h et réaliser le 0-100 km/h en 5,8 secondes. L'allongement de 10 centimètres permet d'obtenir un intérieur plus accueillant, alors que l'équipement est moins spartiate que celui de l'Elise. On la veut !

Caparo T1

Ce qui ressemble à un monstre marin est en fait ce qui se rapproche le plus d'une Formule 1 de route. Développée par des ingénieurs qui ont travaillé sur la McLaren F1, elle bénéficie d'un châssis et d'une carrosserie en fibre de carbone. Son poids de seulement 470 kilos et son V8 en aluminium à carter sec de 480 chevaux lui permettent d'obtenir un rapport puissance/poids de 1000 chevaux par tonne ! Elle peut emmener ses deux passagers assis en tandem à 100 km/h en 2,5 secondes et à plus de 320 km/h tout en leur faisant subir une accélération latérale de 3 g ! À 320 000 $CA, c'est une affaire !

LA RECONQUÊTE

Pagani Zonda Roadster F

La première Zonda a été dévoilée au Salon de Genève en 1999. Juan Manuel Fangio s'était personnellement impliqué dans le projet. Pagani en a extrapolé un modèle cabriolet disponible en deux versions: Roadster (V12 de 7,3 litres d'origine AMG développant 555 chevaux; 0-100 km/h en 3,7 secondes) et Roadster F (même bloc poussé à 650 chevaux). La structure en fibre de carbone limite le poids à 1230 kilos et des freins en carbocéramique sont disponibles. La production sera limitée à 40 exemplaires pour le Roadster et à 25 exemplaires pour le Roadster F.

Alfa Romeo Spider

Cette troisième génération de Spider ne fait aucunement honte au modèle original, un classique lancé en 1966 et produit jusqu'en 1993 (que Dustin Hoffman immortalisa dans *Le Lauréat*). Cette fois-ci, il est basé sur le modèle Brera. Ses lignes sont dues à Giugiaro, mais il est produit chez Pininfarina. Les symboliques places arrière sont sacrifiées à la capote en toile. Deux moteurs sont disponibles (2,2 litres de 185 chevaux, à traction; et V6 de 3,2 litres développant 260 chevaux avec quatre roues motrices), mais on parle pour l'avenir d'un turbodiesel de 2,4 litres développant 200 chevaux.

Fiat Sedici

Pour Fiat, la Sedici est la voiture du futur et du passé. Du futur, car elle se veut un petit VUS, segment très populaire en Europe, même si elle n'a pas la qualité de franchissement d'un Nissan X-Trail, par exemple. Elle bénéficie cependant d'une garde au sol de 19 centimètres et d'une transmission intégrale à commande électronique comprenant un verrouillage du différentiel central. Deux moteurs sont disponibles: 1,6 litre de 107 chevaux et turbodiesel de 1,9 litre de 120 chevaux. C'est aussi une voiture du passé, car il s'agit d'un développement commun avec Suzuki (voir la SX4), à l'époque où General Motors possédait encore 20 % de Fiat.

JAPON

UTILITAIRES EN TOUS GENRES

Mazda MPV

Non distribuée en Amérique, la MPV en est à sa troisième génération au Japon. Le style fait penser à une Mazda5 qui aurait pris des hormones de croissance. Grâce à l'empattement rallongé, elle paraît plus basse. À l'intérieur, les sièges de la deuxième rangée comportent un support pour les mollets, comme les fauteuils d'avion, pour un confort maximal. Le moteur de 2,3 litres se retrouve en deux configurations : atmosphérique (163 chevaux, boîte automatique à quatre rapports en traction ou à six rapports en 4RM) ou turbo (245 chevaux, boîte automatique à six rapports à traction ou à 4RM).

Toyota Estima

Dévoilée en 1990, l'Estima est une fourgonnette de haut de gamme. Pour cette nouvelle génération, Toyota a mis les petits plats dans les grands : lignes tendues (poussées au paroxysme avec les modèles Areas à calandre acérée en chrome), nouvelle plateforme exclusive et équipement de premier ordre comprenant le stationnement automatique, la détection d'accident par radar Pre-Crash ou un disque dur pouvant contenir 2000 chansons. La nouvelle sono utilise le plafond comme caisse de résonance pour un son intégral dans l'habitacle. On propose deux moteurs (2,4 litres et V6 de 3,5 litres) et deux configurations (sept et huit places).

Nissan Wingroad

Lors de son lancement au Japon en 1994, la Wingroad était une version familiale de la Sunny (Sentra à cette époque, chez nous). Au fil des générations, les bases ont évolué. Aujourd'hui, la Wingroad utilise la plateforme de la Tiida (alias Versa chez nous) et ses lignes ont maintenant leur style propre. Les dimensions générales restent les mêmes (empattement de 2,60 mètres et longueur de 4,44 mètres). Deux blocs moteurs sont proposés : 1,5 et 1,8 litre. Ce dernier peut recevoir la CVT. Une transmission intégrale utilisant un moteur électrique intégré à l'essieu arrière est aussi disponible.

JAPON

LES MINIS MAXI

Toyota bB

Voici la seconde génération de bB, la première ayant été lancée en 2000. Les lignes sont plus souples et la nouvelle bB fait moins «boîte carrée», mais, paradoxalement, elle paraît plus massive qu'avant. La voiture a été conçue selon le thème de la musique. Les neuf haut-parleurs sont des éléments du style intérieur et le caisson de basse est situé sur la console centrale. Onze points d'éclairage (dont le cerclage des haut-parleurs, les porte-gobelets et les portières) clignotent au rythme de la musique pour créer une ambiance disco. Deux moteurs VVT-i sont disponibles: 1,3 et 1,5 litre.

Subaru Stella

En plus des R1, R2 et Pleo, la gamme des petites Subaru japonaises s'enrichit d'un quatrième modèle. La version Custom bénéficie d'une calandre modifiée à trois barres chromée et à gros antibrouillards. L'intérieur privilégie le côté pratique: le siège avant se rabat pour faire une table, les deux sièges arrière indépendants coulissent sur 200 millimètres et les portes contiennent d'immenses bacs de rangement. La Stella est propulsée par un quatre cylindres de 660 cm^3 développant 54 ou 64 chevaux. Quatre niveaux de gammes offerts peuvent recevoir une transmission intégrale. Subaru espère en écouler 5000 exemplaires par mois.

Mitsubishi i

Très similaire au prototype du même nom présenté en 2003, la i doit ses formes peu conventionnelles (pare-brise plongeant, empattement très long de 2,55 mètres, porte-à-faux extrêmement courts) à son petit moteur implanté à l'arrière, sous le coffre. Il s'agit d'un trois cylindres MIVEC turbocompressé de 660 cm^3 développant 64 chevaux. La plateforme est une version modifiée de celle de la Smart Fortwo, datant de l'époque où DaimlerChrysler et Mitsubishi étaient associés, qui peut recevoir une transmission intégrale (sinon, une propulsion). La voiture n'est pour l'instant vendue qu'au Japon, car les usines Mitsubishi n'arrivent pas à satisfaire à la demande.

JAPON

POUR TOUS LES GOÛTS

Daihatsu Be-go

Daihatsu, lié à Toyota depuis 1967, est un spécialiste des petits véhicules. Son micro VUS, le Terios, avait été lancé en 1997. Dans la gamme Toyota, son clone s'appelait Cami. Il est maintenant remplacé par le Be-go (contraction de BE-ing, «être», et GO-ing, «aller») et par le Rush chez Toyota. Par ses dimensions et son style, il se rapproche de l'ancien Toyota RAV4. Il utilise un moteur de quatre cylindres (1,5 litre) et une transmission intégrale permanente avec un verrouillage du différentiel central pour le hors-piste. Il est toujours vendu sur certains marchés sous le nom de Terios.

Nissan Bluebird Sylphy

Autrefois, la Bluebird occupait dans la gamme Nissan une place comparable à celle de l'Altima aujourd'hui. Pour garder ce nom qui date de 1957, Nissan l'a utilisé sur un véhicule compact basé sur la Pulsar. Cette seconde génération utilise la désormais incontournable plateforme B développée conjointement par Renault et Nissan. Deux moteurs sont proposés: 1,5 litre de 109 chevaux; et 2,0 litres de 133 chevaux. Il s'agit d'une berline définitivement classique. Elle n'offre donc ni gadgets, ni transmission intégrale, ni chaîne audio à tout casser. Pourtant, Nissan prévoit en écouler 3000 par mois.

Mitsubishi Colt CZC

Décidément, les petites voitures ne laissent plus beaucoup de privilèges aux grandes. Elles se convertissent aux joies du plein air, avec toit rigide rétractable électriquement s'il vous plaît! Après les Peugeot 206 et autres Nissan Micra, voici que la Mitsubishi Colt s'y met. Cette version a été développée avec le carrossier italien Pininfarina, qui se charge aussi de la production dans son usine de Turin. La Mitsubishi Colt est basée sur la plateforme de la cinq portes, plus longue. Pourtant, les places arrière sont réellement anecdotiques. Deux variantes du 1,5 litre sont proposées: atmosphérique (109 chevaux) ou turbo (150 chevaux).

ET AUSSI...

AUSTRALIE : Holden Commodore

La Commodore et ses dérivés (Caprice et Statesman) restent des modèles de première importance pour Holden (champion des ventes en Australie depuis 1996). La nouvelle série VE remplace la série VT, qui datait de 1997, et pour elle Holden a consenti un investissement de plus de un milliard de dollars canadiens. Cette propulsion bénéficiera de moteurs V6 (3,6 litres de 245 ou 265 chevaux) ou V8 (GEN IV 6 litres de 367 chevaux), et d'une nouvelle boîte automatique à six rapports partagée avec la Corvette. Les versions sportives porteront le label V-Series (comme chez Cadillac), mais la série SS est reconduite.

ÉTATS-UNIS : Fisker Tramonto et Latigo CS

Henrik Fisker a signé, entre autres choses, les lignes des Aston Martin DB9 et V8 Vantage, et celles du BMW Z8. Plutôt que de construire un modèle exclusif, Fisker modifie des bases connues. La Tramonto dérive d'une Mercedes SL55 AMG. Le moteur peut rester d'origine ou bien recevoir un compresseur Kleemann qui fait passer la puissance de 493 à 610 chevaux. La Latigo CS utilise une BMW Série 6 (650i ou M6) qui, avec le groupe Performance Plus, voit sa puissance passer de 360 à 470 chevaux (650i) et de 500 à 620 chevaux (M6). Seulement 150 exemplaires de chaque modèle seront produits.

ÉTATS-UNIS : Tesla Roadster

La voiture électrique devient sportive. Nommé en l'honneur de l'ingénieur Nikola Tesla, ce roadster nous vient, évidemment, de Californie. Développé avec l'aide de Lotus, il contient un ensemble de 6831 petites batteries lithium-ion et fait le 0-100 km/h en 4 secondes et atteint une vitesse de pointe de 210 km/h. De plus, son autonomie peut lui permettre de parcourir 400 km, ce qui le rend viable, d'autant qu'une recharge exige trois heures et demie. À dater de 2007, le Roadster sera vendu de 80 000 à 120 000 $US.

ET AUSSI...

NOUVELLE-ZÉLANDE : Hulme Supercar

Denny Hulme est le seul champion néo-zélandais de Formule 1 (1967). C'est pourquoi, quand une équipe a commencé à travailler à un projet de supercar en 2004, elle lui a donné son nom, avec l'accord de sa veuve. La voiture est effectivement apparentée à une Formule 1 : châssis tubulaire avec fond plat en carbone, carrosserie en composite et fibre de carbone, moteur V10 de BMW M5 (revu à 550 chevaux), boîte six à commande séquentielle, et poids limité à 1175 kilos. La compagnie prévoit en produire de 20 à 30 exemplaires par année.

PAYS-BAS : Spyker D12 Peking-to-Paris

Presque personne ne l'a vue, mais il y a une Spyker dans *Basic Instinct II*. La marque vient de lancer ce qu'elle appelle un « Super Sport Utility Vehicle » baptisé en hommage à la course de Paris à Pékin de 1907, quand une Spyker 18/22 chevaux avait terminé en deuxième place au bout de trois mois. Avec un style dans la continuité des modèles C8 et C12, difficile de reconnaître les dessous d'une Audi Q7. Le W12 de 6,0 litres de 500 chevaux autorise une vitesse de pointe de 295 km/h. Il n'est pas vain d'espérer une homologation pour l'Amérique du Nord.

RÉPUBLIQUE TCHÈQUE : Skoda Roomster

Le prototype Roomster, présenté au Salon de Francfort en 2003, avait suscité beaucoup de commentaires positifs quant à son style frais et à son intéressante modularité, ce qui a poussé Skoda à en faire un modèle de série. Le style reste très proche du prototype, même s'il a perdu son profil asymétrique. La base mécanique est connue : plateforme de Golf, moteurs Volkswagen (à essence, de 65 à 105 chevaux ; et diesel de 70 et 80 chevaux). À l'intérieur, la banquette arrière, relevée pour offrir une vision périphérique aux passagers, comprend trois sièges individuels qui coulissent, s'inclinent ou peuvent être retirés.

ET AUSSI...

> RUSSIE : Russo-Baltique Impression

Russo-Baltique produisit des voitures et des avions de 1907 à 1917. À la veille de son centenaire, elle renaît de ses cendres avec une interprétation moderne et baroque de Bugatti. La grille, avec son logo d'aigle russe à deux têtes, rappelle que Russo-Baltique était la voiture des tsars. À l'intérieur, la planche de bord en bois est sculptée dans un fût de zébrano. Le moteur est un V12 double turbo développant 555 chevaux, couplé à une boîte automatique à six rapports. La suspension est ajustable en hauteur. L'Impression coûte 50 millions de roubles (environ 2 millions de dollars canadiens).

SUÈDE : Koenigsegg CCX

La CCX commémore les dix ans d'existence de Koenigsegg. Par rapport à la CCS, les modifications visent avant tout une conformation aux normes américaines. La longueur augmente de 88 millimètres pour respecter les normes d'impact. Le moteur (V8 maison de 4,7 litres développant 806 chevaux) a été modifié pour fonctionner à l'essence à indice d'octane de 91, et il bénéficie maintenant d'une induction forcée d'air frais. Les nouvelles roues en fibre de carbone (une première dans l'industrie) permettent d'alléger le véhicule de 12 kilos et elles dissimulent de nouveaux freins en carbocéramique à l'avant. Les performances sont inchangées : 0-100 km/h en 3,2 secondes ; et 395 km/h en pointe.

> THAÏLANDE : Ford Ranger

Pendant que nous traînons un modèle vieux de quatorze ans, la Thaïlande, oui, la Thaïlande profite d'un tout nouveau Ranger qui bénéficie d'une nouvelle boîte rehaussée de 60 millimètres pour un plus grand volume de chargement. Le moteur est un nouveau 2,5 litres turbodiesel à injection directe et à turbo à géométrie variable développant 143 chevaux. Son intérieur semble inspiré du F-150, ce qui le rend nettement plus beau que notre Ranger. Il est produit dans la même usine que son cousin, le Mazda BT50. S'il peut rouler sur les routes thaïlandaises, il pourrait le faire aussi chez nous, non ?

– **Hugues Gonnot**

Il n'est pas évident de concevoir la voiture du futur. D'un côté, les matériaux sont toujours plus sophistiqués et l'électronique repousse sans cesse les limites de l'imagination; par ailleurs, les cahiers des charges sont toujours plus contraignants, les coûts explosent et le pétrole commence à se faire rare. Heureusement, le rêve est toujours là, bien vivant.

Audi Roadjet

Avec ce prototype, Audi veut faire évoluer le style traditionnel de la marque. Pour ce faire, on y a installé une boîte DSG à double embrayage qui compte désormais sept rapports et on utilise un V6 de 3,2 litres à injection directe d'essence FSI qui développe 300 chevaux grâce à un système de levée variable des soupapes. En outre, le conducteur pourra définir le comportement de sa voiture par ajustement électronique de la direction, des suspensions, de la transmission et du moteur. Toutes ces innovations devraient se retrouver bientôt dans certains modèles de série.

Audi Shooting Brake

Audi a réussi avec le temps à élaborer sa propre signature stylistique. Visiblement, la marque cherche à créer des lignes toujours plus vivantes, comme en fait foi ce Shooting Brake. Les passages de roues très bombés, la traditionnelle calandre intégrale et l'arrière très expressif dégagent un dynamisme amplifié par le groupe motopropulseur: un V6 de 3,2 litres développant 250 chevaux avec boîte DSG à six rapports assurant le 0-100 km/h en 6 secondes, avec l'inévitable quattro et une suspension adaptative à contrôle électromagnétique. Franchement, on aimerait beaucoup que la prochaine A3 lui ressemble!

BMW Mille Miglia

Entre BMW et la course des Mille Miglia, c'est une histoire d'amour. La 328 (produite de 1936 à 1940) a gagné la course en 1940. Puis elle a remporté la palme en 2004, la course des Mille Miglia ayant été transformée en rallye historique en 1977. Il n'en fallait pas plus aux designers pour célébrer ce modèle, d'autant qu'ils disposaient de la base idéale: le nouveau coupé Z4M. Pourtant, le résultat est plutôt décevant: le style rectiligne des BMW actuelles s'accorde mal aux rondeurs d'antan. Pour rigidifier le châssis, les portes ont disparu et l'on accède à l'habitacle par le toit amovible.

Chevrolet Camaro

Cette voiture a produit tout un impact au Salon de Detroit en 2006. Afin d'assurer une résurrection harmonieuse avec le passé, Ed Welburn, vice-président du design chez GM, a prêté sa propre Camaro SS 1969 aux concepteurs. Force est de reconnaître que le style moderne respecte scrupuleusement la légende. Le bloc LS-2 en aluminium de 6,0 litres, associé à une boîte manuelle Tremec T56 à six rapports, développe 400 chevaux et est équipé de la désactivation des cylindres. Normalement, la prochaine fois que vous verrez la Camaro, ce sera dans les pages « Boule de cristal ». On se croise les doigts !

Chrysler Akino

Autrefois commercialisés en Amérique seulement, les produits Chrysler se mondialisent, à l'image de la Caliber. Ainsi, le design intérieur et extérieur de ce prototype présenté au Salon de Tokyo est l'œuvre d'Akino Tsuchiya (d'où son nom), une Japonaise qui travaille au Pacifica Design Studio, en Californie. Cette compacte (3,72 mètres) au style raffiné et zen intègre les éléments stylistiques habituels de Chrysler. Les portières (deux à gauche et une à droite) s'ouvrent sur un habitacle où règnent le bambou (plancher), le suède (sièges) et des éclairages sophistiqués pour détendre le conducteur.

Chrysler Imperial

Imperial fut la marque de prestige du groupe Chrysler de 1955 à 1975. Grâce à la 300C, Chrysler a réussi son retour dans le haut de gamme et entend continuer sur sa lancée. Malheureusement, les proportions de ce prototype font penser à une Rolls-Royce montée sur un châssis de camion. La base est celle d'une Chrysler 300C (châssis et V8 de 5,7 litres et de 340 chevaux). Les portes à ouverture antagoniste donnent sur un intérieur en cuir et en bois où Chrysler a mis le moins de gadgets possible. Simplicité volontaire ou manque de temps ?

Citroën C-Airplay

Après avoir connu quelques années (décennies ?) sans inspiration, le style Citroën est aujourd'hui de retour. La C-Airplay se veut une super urbaine, plus plaisante à conduire que pratique. Plusieurs éléments sont destinés à augmenter les sensations des passagers : vitres dans les portières pour voir défiler la route, buses d'air directement reliées à l'extérieur, et large pare-brise qui déborde sur le toit. La C-Airplay est pourvue d'un moteur de 1,6 litre et de 110 chevaux avec une boîte à embrayage piloté aux rapports raccourcis, et d'une fonction Stop & Start qui éteint le moteur aux feux rouges.

Citroën C-Sportlounge

Ce prototype cherche à recréer l'esprit grand-tourisme dans un format raisonnable. Son style expressif cache une recherche aérodynamique assez poussée : conduits d'air engendrant un carénage virtuel autour des roues avant, jets d'air à commande électromécanique qui créent un aileron arrière virtuel, fond plat et aileron arrière inversé, situé sous la voiture et ajustable automatiquement. Le berceau avant est conçu pour recevoir les quatre cylindres les plus puissants de la marque (jusqu'à 200 chevaux). Quatre sièges individuels accueillent les passagers dans une ambiance assez sportive. Le siège du conducteur est fixé à la console centrale, permettant à celui-ci d'avoir les commandes à portée de main.

Dodge Hornet

Les Américains semblent enfin prêts à s'acheter de petites voitures. Pourtant, pas question chez Dodge de faire des concessions par rapport au style. Force est de reconnaître que le look mini-utilitaire est réussi, avec la calandre et les passages de roues massifs traditionnels de Dodge. Sous le capot, on retrouve un 1,6 litre à compresseur de 110 chevaux. Aux dernières nouvelles, Chrysler est à la recherche d'un partenaire pour sa fabrication en série. Gageons que nous n'y retrouverons pas les portes à ouverture antagoniste.

Dodge Rampage

Serait-ce le camion du futur? Le Rampage se distingue d'abord par ses proportions inhabituelles: la cabine très avancée libère le maximum d'espace pour les passagers. Comme le Honda Ridgeline, il s'agit d'un véhicule monocoque à essieu arrière indépendant, ce qui permet d'intégrer une portière qui s'ouvre de la boîte (longue de 1,5 mètre) vers l'habitacle. Pour le transport d'objets longs, les sièges arrière se rabattent à la façon Stow 'n Go. La porte de la boîte peut se rabattre complètement et contient une rallonge pouvant servir de rampe pour une moto. Le moteur est un HEMI de 5,7 litres à désactivation des cylindres.

Edag Showcar N° 8

Le bureau d'étude allemand Edag a voulu démontrer son savoir-faire en matière de structure en fabriquant un prototype avec le plus grand nombre de composants existants, et ce, pour réduire les coûts de conception et de fabrication. Ainsi, le Showcar N° 8, basé sur la plateforme du Smart roadster, fait penser à une version moderne de la Fiat X1/9, d'autant que son moteur est en position arrière. Selon Edag, ce véhicule pourrait être fabriqué sur la même chaîne de montage, sans grandes modifications. Ça tombe bien, puisque depuis lors on a annulé la fabrication du modèle roadster!

Ferrari GG50

Giorgetto Giugiaro, nommé designer du siècle en 1999, est l'une des figures les plus célèbres de l'histoire de l'automobile. Il a signé de magnifiques réalisations pour de nombreuses marques italiennes, mais il n'a jamais réussi à s'imposer chez Ferrari, chasse gardée de Pininfarina. C'est probablement pourquoi il a choisi une base de Ferrari 612 Scaglietti pour concevoir le véhicule célébrant ses cinquante ans de carrière. Disons que Giugiaro a déjà eu la main plus heureuse. La plateforme a été redessinée (déplacement du réservoir) pour créer un plus grand coffre, mais l'empattement ne change pas.

LES PROTOTYPES

Ferrari 575GTZ

Pour certains, conduire une Ferrari est un rêve ; d'autres souhaiteraient en posséder une. Yushiyuki Hayashi, lui, en possède plusieurs, et parmi les plus rares (dont l'Enzo). Mais cela ne lui suffisait pas, alors il a demandé au carrossier italien Zagato de lui en créer une sur mesure. Travaillant avec une Ferrari 575 M, les designers se sont inspirés de la 250GTZ de 1956, œuvre de Zagato. La carrosserie est en aluminium, une des spécialités du carrossier. Et, comme la 250GTZ, le prototype a été dévoilé au concours d'élégance de la Villa d'Este. Exactement cinquante ans plus tard.

Fiat Ducato Truckster

Voilà tout à fait le genre d'engin qui aurait sa place dans les films d'anticipation *Mad Max*. Avec ce prototype, Fiat veut célébrer le lancement de sa nouvelle génération d'utilitaires légers développés conjointement avec PSA Peugeot-Citroën. Long de 6,48 mètres, le Ducato repose sur des roues de 28 pouces. Les portières, de type papillon, sont contrôlées hydroélectriquement, et son double aileron est amovible, ce qui lui permet de transporter des motos ou une petite voiture. Fiat suggère même de l'utiliser comme passerelle pour les défilés de mode. On rigole, chez Fiat !

Fiat Oltre

Ses proportions un peu bizarres font ressembler l'Oltre à un petit Hummvee (l'engin militaire, à ne pas confondre avec le Hummer civil). Il mesure tout de même 4,87 mètres de long et pèse presque 7 tonnes ! Propulsé par un quatre cylindres turbodiesel de 3,0 litres développant 185 chevaux (et 336 livres-pied de couple), il peut atteindre la vitesse faramineuse de 130 km/h ! Il s'agit en fait de l'avant-goût d'un camion militaire choisi par les armées anglaise et italienne. Sa garde au sol atteint presque 500 millimètres et il roule sur d'énormes pneus Pirelli 315/40R26.

Ford F-250 Super Chief

Ford a choisi cette dénomination en l'honneur des locomotives American Super Chief. Paradoxalement, Ford utilise ce véhicule long de 6,73 mètres pour exposer ses technologies environnementales, dont le moteur V10 de 6,8 litres à compresseur qui peut fonctionner à l'essence (310 chevaux), à l'éthanol E85 (310 chevaux) ou à l'hydrogène (280 chevaux). Le conducteur n'a qu'à actionner un commutateur pour changer de source d'énergie. Les portières à ouverture antagoniste révèlent un habitacle dont le plancher et les supports de siège sont en bois (la benne est aussi recouverte de bois). Ford a aussi lancé la production de V10 à l'hydrogène pour des bus E-450.

Ford Iosis

En Europe, le design des produits Ford a longtemps été conservateur. Puis, dans la seconde moitié des années 1990, les choses ont commencé à changer. Aujourd'hui, les designers semblent vouloir franchir une nouvelle étape avec ce prototype, dont le style baptisé *Kinetic* préfigure celui des futurs modèles. Cela dit, l'Iosis rappelle la Mazda RX-8. Belle référence ! Les quatre portières papillon en fibre de carbone sont assez légères pour être pourvues de moteurs électriques assurant l'ouverture et la fermeture automatiques. Les trois rétroviseurs ont fait place à des caméras.

Ford Reflex

Apparemment, Ford semble avoir enfin compris que la monoculture des gros camions est dangereuse et l'entreprise commence à tâter du segment B. La Reflex possède un style très réussi et quelques caractéristiques originales, comme les sièges simplifiés composés d'un cadre en aluminium et de tissus en treillis, les ceintures de sécurité gonflables, ou l'isolation phonique assurée par des chaussures Nike recyclées. Le groupe motopropulseur est un hybride diesel électrique faisant en plus appel à des cellules photovoltaïques.

Heuliez Macarena

Souhaitons que ce prototype ne soit pas, comme la chanson, un coup d'éclat sans lendemain. Le carrossier français Heuliez a acquis une solide expérience en matière de cabriolets à toit rigide en fabriquant des modules pour Peugeot et en assemblant les Opel Tigra. Grâce à cette Peugeot 407 pourvue d'un toit en trois sections qui ne défigure pas le véhicule, Heuliez veut montrer que ce concept est maintenant viable pour les modèles à quatre portières. Les trois panneaux mobiles sont en verre, comme des toits ouvrants, et se logent derrière la banquette, ce qui libère un coffre de 300 litres.

Holden Efijy

D'une beauté à couper le souffle et d'une finition parfaite, ce *hot-rod* est un hommage de Holden à l'un de ses premiers modèles, la FJ de 1953. La base mécanique est celle d'une Corvette C6. Le châssis a été allongé, alors qu'un compresseur fait grimper la puissance du moteur à 645 chevaux. L'intérieur est aussi un hommage au passé : plancher en érable avec inserts d'aluminium et boutons au fini bakélite. Modernité oblige, un écran tactile se niche au centre de la planche de bord et commande le système multimédia, la climatisation, la navigation par satellite et la suspension pneumatique.

Honda FCX

Cette évolution de haut de gamme de Honda laisse entrevoir la prochaine génération du modèle FCX à hydrogène. Le large habitacle accueille quatre personnes baignées de lumière par un toit presque intégralement en verre. La planche de bord s'incline selon la vitesse du véhicule pour susciter un sentiment de sécurité au conducteur, alors que le plancher éclairé indique les changements de température dans la cabine. La pile à combustible, logée dans le tunnel central, alimente deux moteurs électriques : 80 kilowatts à l'avant et 25 kilowatts à l'arrière. Elle peut fonctionner à des températures inférieures à zéro degré Celsius, ce qui était auparavant un obstacle majeur.

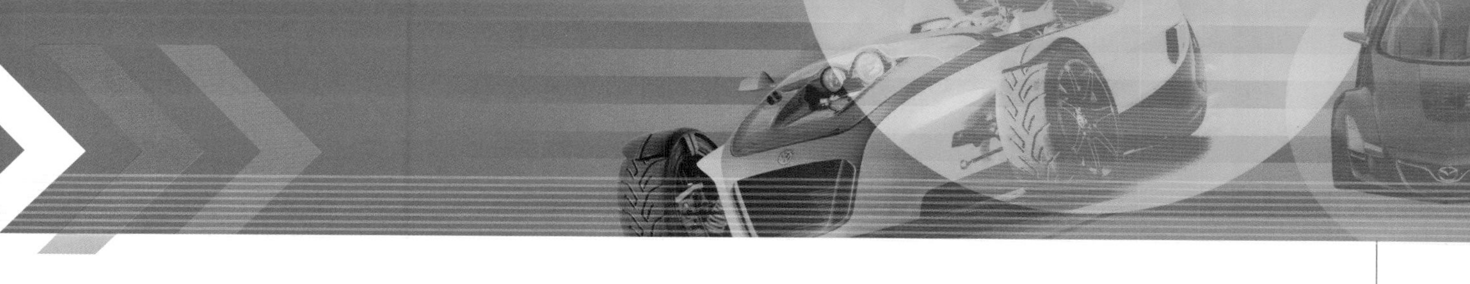

Honda W.O.W

Alors que de plus en plus de personnes voyagent avec leurs animaux, voici la première voiture aménagée pour les toutous. L'extérieur est assez classique et rappelle l'Edix (voir *Annuel 2005*), mais les pare-chocs comprennent une main courante pour attacher la laisse. Le hayon arrière s'ouvre jusqu'au bas du pare-chocs pour permettre à Médor de sortir par lui-même. La boîte à gants a disparu au profit d'une boîte à chien, assez grande pour loger un canidé de taille moyenne. Les buses de ventilation sont orientables pour aérer l'animal. Le plancher est évidemment lavable. Un concept qui a du chien !

Hyundai Genus

Hyundai présente la Genus comme une familiale de la nouvelle génération. Dessinée par le studio européen de Hyundai, à Francfort, elle combine le style et l'aspect pratique. Côté style, les lignes dynamiques sont loin des formes habituelles, cubiques, des familiales ; et, côté pratique, l'empattement allongé permet de créer une habitabilité généreuse. L'espace de chargement est pourvu d'un plancher coulissant ; et le pare-chocs, d'une plateforme rétractable pour transporter des vélos. Le moteur est le turbodiesel de 2,2 litres à injection directe utilisé par Hyundai en Europe, couplé à une transmission intégrale permanente.

Hyundai Neos-3

Au cours des dernières années, Hyundai n'a jamais caché son intention d'accéder au haut de gamme et son Neos-3 ressemble à une première tentative pour rattraper les marques Lexus et Infiniti sur le marché des utilitaires multisegments de luxe. Voilà pourquoi on l'a dévoilé au Salon de Tokyo ! Le style est extrêmement fluide, mais avec un petit côté sportif. À l'intérieur, Hyundai a voulu créer l'ambiance d'un jet privé, et du côté de la motorisation le Neos-3 inaugure un tout nouveau V8 de 4,6 litres.

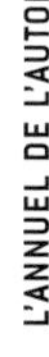

LES PROTOTYPES

Kia Soul

Après les énormes KCD III Mesa présentés au Salon de Detroit l'an dernier, Kia poursuit dans la veine des camions expérimentaux. Le Soul se veut un hommage à l'âme de Séoul, la ville où Kia est établi. Le design, signé par le studio californien de la marque, est une vraie réussite : musclé et expressif, sans être imposant. À l'intérieur, la planche de bord a été conçue autour des haut-parleurs, et le système multimédia embarqué est un simple ordinateur portable connecté à la voiture. La mécanique est un quatre cylindres de 2,0 litres avec boîte automatique séquentielle à cinq rapports.

Lamborghini Miura

Pourquoi Lamborghini a-t-elle décidé d'exhiber un prototype presque identique à l'une des plus belles voitures de l'histoire ? La voiture originale qui fête ses quarante ans cette année, signée Marcello Gandini, avait établi la marque parmi les purs-sangs italiens. Mais la nouvelle version, malgré ses feux redessinés, n'apporte absolument rien de neuf. Son créateur, Walter Da Silva, a déjà été plus inspiré. On parle maintenant d'une production en série limitée. Lamborghini a réussi à reconquérir sa clientèle, mais il lui reste beaucoup d'autres tâches à accomplir.

Lotus Engineering APX

Lotus a survécu à de nombreuses crises grâce à son bureau d'ingénierie, l'un des plus réputés du monde. Aujourd'hui, Lotus propose un utilitaire sport de sept places pour démontrer son savoir-faire en matière de structures. Baptisée VVA (Versatile Vehicle Architecture), cette nouvelle structure fait appel à des éléments modulaires en aluminium qui permettent, avec une seule base, de créer différents véhicules. Cette méthode limite l'investissement pour la création de véhicules de niche produits en moyenne quantité (de 10 000 à 50 000 exemplaires par an). Lotus a aussi mis au point son nouveau moteur V6 de 3,0 litres et 300 chevaux.

Mazda Kabura

Avec les RX-7, RX-8 et autres MX-5, Mazda a réussi à se donner une image sportive enviable. Histoire de ne pas perdre du terrain, Mazda a conçu un hybride (non, rien d'écologique) de la MX-5 (dimensions générales et composants de base du châssis) et de la RX-8 (style et troisième portière d'accès). Le moteur est le MZR DOHC-16 de 2,0 litres couplé à une boîte manuelle à six rapports. À l'intérieur, la suppression de la boîte à gants permet d'avancer le passager avant de 15 centimètres par rapport au conducteur et d'offrir une vraie troisième place à l'arrière. Mazda appelle cela la configuration 3 + 1.

Mazda Senku

En japonais, Senku signifie «pionnier», ce qu'est Mazda en matière de moteur rotatif. Ce prototype est pourvu d'une profonde évolution du bloc 13D, qui reçoit une injection directe d'essence tout en étant couplé à un moteur électrique. La disposition des composants permet une répartition optimale des masses (50:50). Les lignes tendues au maximum sont d'une si grande pureté que la voiture semble flotter. Passé l'immense porte latérale coulissante, les quatre passagers découvrent à l'intérieur la même simplicité. Les commandes et les instruments essentiels se trouvent au centre du volant...

Mazel Identity i1

Mazel est un bureau d'étude espagnol qui n'en est pas à son premier prototype. Cela dit, l'Identity i1 est une proposition pour un modèle sport qui serait produit en nombre limité, sous la marque Identity, et personnalisé selon le client. La voiture, d'abord entièrement conçue en réalité virtuelle, repose sur un châssis en résine RTM. Le moteur, en position centrale arrière, est un V8 en aluminium développant 487 chevaux qui transmet sa puissance aux roues grâce à une boîte robotisée à six rapports.

LES PROTOTYPES

Mercedes-Benz F600 Hygenius

Ce n'est pas demain que l'hydrogène remplacera l'essence, mais on maîtrise la technique, comme le prouve ce prototype. À peine plus long qu'une Classe B, il est pourvu d'une pile à combustible qui alimente un moteur électrique de 115 chevaux. La consommation réduite autorise une autonomie de 400 km, ce qui est suffisant pour une utilisation quotidienne. Le véhicule peut aussi servir de station d'énergie en fournissant une puissance de 66 kilowatts, assez pour alimenter quelques maisons. Le prototype comporte aussi le système Pre-Safe, un éclairage par diodes et un moniteur pour les angles morts.

Nissan Foria

La Foria est belle comme une Alfa Romeo ou une Lancia des années 1960, son style épuré rappelant les plus belles créations italiennes de cette époque. Son agilité, soulignée par le style, est accrue par ses quatre roues directrices. À l'intérieur, la planche de bord recouverte de cuir et dotée de contrôles en aluminium dégage un parfum classique, mais les équipements sont très modernes. On ne voit malheureusement pas où un tel engin pourrait se situer dans la gamme actuelle, mais il prouve que Nissan a encore la touche en matière de style.

Nissan Pivo

Voilà le genre de délire typique du Salon de Tokyo. La Pivo est une voiture électrique à quatre roues motrices et directrices, dont l'habitacle peut accueillir trois personnes (avec le conducteur avancé). Une nouvelle interface permet au chauffeur de contrôler les fonctions principales (système audio, navigation et climatisation) en pointant simplement le doigt en direction d'une caméra à infrarouge. De plus, la cabine peut tourner sur 360 degrés. Grâce à des commandes de conduite informatisées, plus besoin de marche arrière ! Quelle économie !

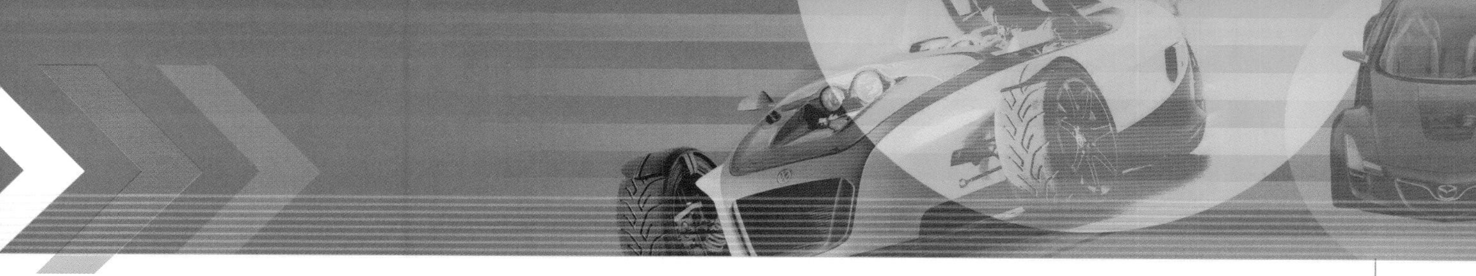

Nissan Urge

Le style minimaliste de la monoplace Nissan Urge est du plus bel effet. Les porte-à-faux réduits, l'empattement long, les freins Brembo de 350Z, un poids minime et une boîte manuelle à rapports rapprochés étaient des heureux présages. Mais voilà, pour être « full tendance yo cool man », les designers se sont sentis obligés de rajouter un tas de bidules électroniques, dont une console XBox 360. À l'arrêt, le volant se désaccouple de la direction et devient un manche à balai pour le simulateur de conduite Project Gotham 3 Nissan Edition. Un simulateur de conduite dans une voiture sport ! Nissan n'a rien de mieux à proposer ?

Prodrive P2

Les amateurs de rallye connaissent Prodrive, cette entreprise qui prépare les Subaru pour le championnat du monde depuis 1990. Pour montrer leur savoir-faire, les ingénieurs ont transformé une petite Subaru R1 en véritable bête. Ils y ont installé un moteur de WRX STi et un nouveau système électronique qui maintient constamment le turbo sous pression pour une réaction immédiate. Ses 349 chevaux et ses 1100 kilos autorisent un 0-100 km/h en moins de 4 secondes. Les différentiels central et arrière utilisent une technologie issue des rallyes. Pas de production prévue, mais Prodrive a entrouvert la porte.

Renault Altica

Ce prototype veut combiner les attributs de l'auto sport et de l'auto pratique. Côté sport, on retrouve des lignes basses, un capot long aux ailes saillantes, un poste de conduite réduit à sa plus simple expression et soutenu par une structure à quatre bras profilés. De plus, un système placé au bout du pavillon modifie l'aérodynamisme de la voiture en soufflant ou en aspirant l'air, selon la vitesse du véhicule. Côté pratique, le volume de chargement peut atteindre 1300 litres et les sièges s'adaptent automatiquement à la morphologie du conducteur.

Renault Egeus

Les marques européennes absentes du marché nord-américain ne proposent généralement pas de VUS, mais les choses évoluent et Renault explore cette voie grâce à son alliance avec Nissan. Plus luxueux que le précédent prototype (Koleos), l'Egeus est un VUS conçu davantage pour la ville que pour le hors-piste. Le moteur est un V6 turbodiesel de 3,5 litres développant 250 chevaux, couplé à une boîte automatique à sept rapports et à une transmission intégrale de type réactif.

Rinspeed zaZen

Frank Rinderknecht, le patron de Rinspeed, se fait honneur d'exposer chaque année un prototype délirant au Salon de Genève. Cette année, il a présenté la zaZen, conçue en collaboration avec Bayer MaterialScience, l'un des plus gros fabricants de plastique du monde. Basée sur une Porsche 911, la zaZen bénéficie d'un toit panoramique transparent d'une seule pièce, en Makrolon. En appuyant sur un simple bouton, on le rend opaque. L'assise des sièges Recaro est aussi faite de matière transparente. Rinspeed envisage une production en série limitée.

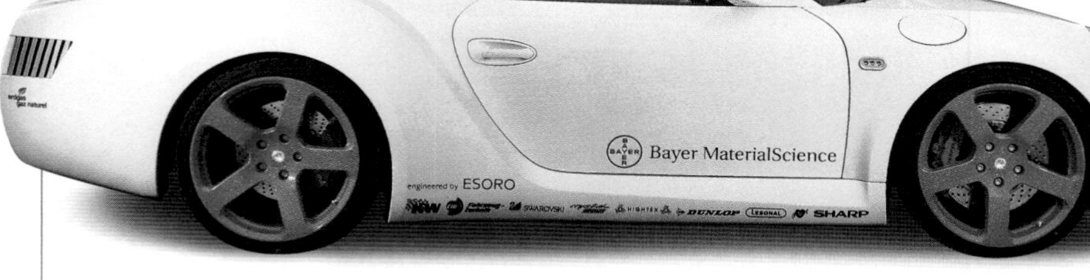

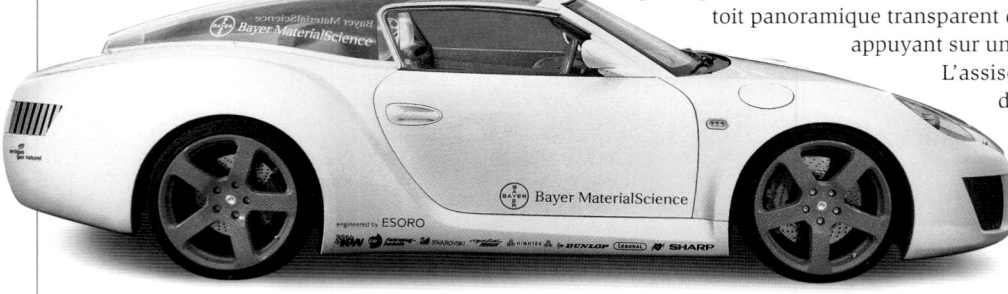

Rolls-Royce 101EX

La 101EX est une version coupé du cabriolet concept 100EX. Il s'agit du troisième prototype de la marque ; le premier, le 1EX, avait été montré en 1919. Sans être d'une grande finesse, notamment du côté de la calandre, les lignes sont plus élégantes que celles de l'actuelle Phantom, surtout grâce au support de pare-brise monobloc en aluminium. Le châssis est celui de la Phantom, raccourci de 250 millimètres. Contrairement à la 100EX qui avait un V16 de 9,0 litres, la mécanique de la 101EX, un V12 de 6,75 litres, est directement issue de la Phantom.

Saab Aero X

Même s'il provient d'une marque moribonde, l'Aero X est l'un des plus beaux prototypes de l'année. Les lignes sont d'une fluidité et d'une grâce intemporelles. L'accès à l'habitacle rappelle plusieurs prototypes italiens des années 1970. Toute la partie vitrée se soulève vers l'avant, avec les bas de portes qui se sont écartés sur les côtés. Le moteur est le V6 Saab appuyé par deux turbos et fonctionnant au bioéthanol. Les chances de voir ce prototype sur nos routes sont nulles, mais il est intéressant de voir que GM s'implique encore chez Saab.

Scion FUSE

Scion, c'est la division «d'jeunes» de Toyota. Un pur concept marketing. Histoire de rester dans le vent, la marque a créé un prototype avec tout ce qui se fait dans le milieu du *tuning*, plus quelques extras: faible hauteur des vitres, portes papillon, roues de 20 pouces avec LED intégrées qui font office de clignotants, aileron arrière rétractable, feux programmables de différentes couleurs, badge avant monté sur un écran à cristaux liquides sur lequel on peut passer des vidéos. L'intérieur gorgé de technologies multimédias comporte de multiples écrans.

Smart Crosstown

Smart et Jeep font partie du même empire industriel. Voilà probablement pourquoi les ingénieurs ont tenté un croisement entre une Fortwo et un TJ. Ainsi, une pauvre Fortwo se retrouve avec des lignes massives, un capot, des charnières de portes apparentes et un pare-brise qu'on peut abaisser ou enlever. Disons que le résultat est informe et qu'il y a des limites à vouloir plaquer un style de VUS sur tout ce qui roule! Côté technique, on retrouve le trois cylindres turbodiesel de 0,8 litre que nous connaissons chez nous.

LES PROTOTYPES

Subaru B5-TPH

Si les Subaru ont une bonne réputation, ce n'est certainement pas grâce à leur style. Et ce prototype ne fait pas exception à la règle. Avec une base de Legacy, les designers ont voulu créer un coupé pour le week-end, mais avec quelques attributs de VUS (grandes roues, garde au sol de 200 millimètres). Comme le style, la motorisation est hybride (TPH signifie Turbo Parallel Hybrid) et combine un moteur 2,0 litres boxer de 260 chevaux et un moteur électrique synchrone de 10 kilowatts. Une partie de l'intérieur est recouverte de cuir vert lime fluo, d'un goût particulier.

Suzuki LC

Avec sa bouille rigolote et ses gros phares, on dirait la voiture de Minnie Mouse, mais la Suzuki LC est d'abord un clin d'œil aux petites japonaises d'autrefois. Contrairement à ce que pourraient laisser penser les prises d'air sur les ailes arrière, le moteur est à l'avant. Il s'agit d'un trois cylindres de 660 cm^3 couplé à une boîte automatique à quatre rapports. L'intérieur, aux harmonies de gris et de rouge, est aussi minimaliste que l'extérieur. Longue de seulement 3,20 mètres, il s'agit d'une voiture à deux places. Le style 1960 de la planche de bord est renforcé par le tweed des sièges.

Toyota F3R

Bien qu'elles manquent nettement de personnalité, les fourgonnettes sont les véhicules les plus efficaces pour transporter sept personnes. Les designers californiens de Toyota ont tenté d'insuffler un peu de fougue à ce concept. Résultat : le F3R au style *hot-rod* avec sa ceinture de caisse particulièrement haute et ses roues de 22 pouces qui semblent petites. Les passagers des deux banquettes arrière accèdent à leur place par une portière double. L'intérieur est épuré, mais la troisième rangée se prolonge sur les portières.

Volkswagen Concept A

Ce véhicule à la mode se veut un mélange entre une voiture sport (lignes efficaces, intérieur expressif, boîte DSG à six rapports et petit moteur nerveux de 1,4 litre développant 150 chevaux grâce à une technologie combinant un compresseur mécanique et un turbocompresseur) et un VUS (garde au sol élevée, roues de 20 pouces et transmission intégrale issue de la Passat). Le pilier central a disparu au profit d'un toit souple coulissant sur toute sa longueur.

Volkswagen EcoRacer

Comme son nom l'indique, l'EcoRacer est une voiture sport écologique. Grâce à une carrosserie en carbone, elle ne pèse que 850 kilos, ce qui permet à son petit quatre cylindres turbodiesel (1,5 litre et 136 chevaux) de la propulser à la vitesse maximale de 230 km/h tout en consommant, en moyenne, seulement 3,4 litres aux 100 km. De plus, le 0-100 km/h est atteint en 6,3 secondes. Le pare-brise amovible peut être remplacé par un saute-vent. Le toit aussi est amovible et la partie arrière peut être modifiée pour améliorer l'aérodynamisme à haute vitesse. Qui a dit qu'une voiture verte devait être ennuyeuse ?

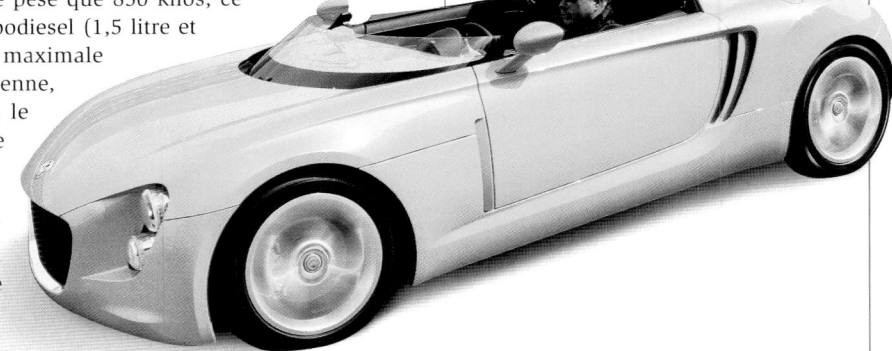

Volkswagen GX3

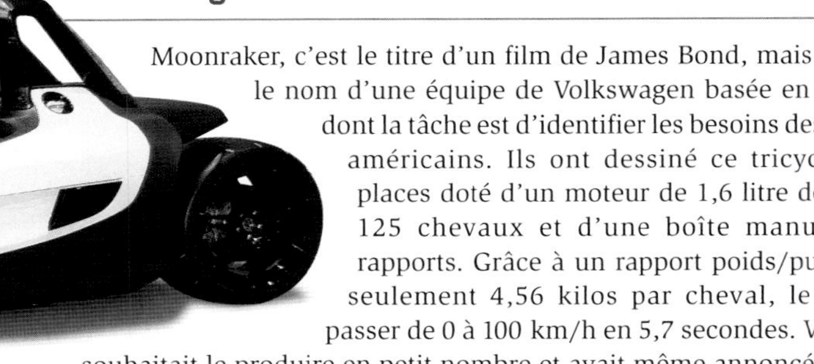

Moonraker, c'est le titre d'un film de James Bond, mais c'est aussi le nom d'une équipe de Volkswagen basée en Californie, dont la tâche est d'identifier les besoins des acheteurs américains. Ils ont dessiné ce tricycle à deux places doté d'un moteur de 1,6 litre développant 125 chevaux et d'une boîte manuelle à six rapports. Grâce à un rapport poids/puissance de seulement 4,56 kilos par cheval, le GX3 peut passer de 0 à 100 km/h en 5,7 secondes. Volkswagen souhaitait le produire en petit nombre et avait même annoncé un prix de 17 000 $US, mais a finalement abandonné ce projet.

– **Hugues Gonnot**

Même si le temps de conception d'une automobile s'est considérablement raccourci au cours de la dernière décennie, on met encore de trois à quatre ans à développer un nouveau modèle. C'est ensuite le jeu du chat et de la souris entre les ingénieurs et les photographes espions pour que les premiers puissent tester les voitures en toute tranquillité. À ce jeu, les photographes gagnent très souvent. Pour notre plus grand plaisir.

Aston Martin DBS

L'histoire d'amour entre James Bond et Aston Martin, entamée en 1964 dans le film *Goldfinger*, se poursuit. En effet, l'agent 007 sera le premier à conduire la DBS, basée sur la DB9 et reprenant certains éléments de style de la DBRS de compétition, dans *Casino Royale*. Le V12 devrait voir sa puissance portée de 450 à plus de 500 chevaux. Si la voiture de Bond restera unique, Aston Martin prévoit quand même produire une série de 300 DBS.

Aston Martin Rapide

Dévoilée comme prototype, la Rapide a été l'une des vedettes du Salon de l'auto de Detroit en 2006. Maintenant que la marque arrive, pour la première fois depuis quarante ans, à dégager des profits, elle peut envisager de déployer sa gamme. Aston Martin a déjà par le passé produit des modèles à quatre portes, dont la très anguleuse et saisissante Lagonda de 1976. La Rapide reprend les éléments de style de la DB9 ainsi que sa plateforme en aluminium. Sa mise en vente devrait commencer avant la fin de 2007, soit avant celle de sa plus féroce concurrente, la Porsche Panamera.

Audi A7

Mercedes-Benz a lancé un sérieux pavé dans la mare avec l'introduction de ce que la marque appelle un « coupé quatre portes », c'est-à-dire la CLS. Plusieurs constructeurs travaillent actuellement sur des projets similaires. Parmi eux, Audi pourrait être celui qui dégainera le plus vite. L'A7 sera basée sur l'Audi A6 et en reprendra les moteurs (V6 de 3,2 litres et V8 de 4,2 litres). Une version à deux portes pourrait être également déclinée. Volkswagen travaille aussi à une variante de ce type pour la Passat.

Audi R8

Ce coupé hautes performances tire ses origines du prototype Le Mans présenté à Francfort en 2003 et tire son nom des coupés victorieux... au Mans. La plateforme est dérivée de celle de la Lamborghini Gallardo. Deux moteurs sont prévus : le V8 de la RS4 développant 420 chevaux et une version légèrement dégonflée à 450 chevaux du V10 de la Gallardo. Moins chère que cette dernière, elle aura pour mission de s'attaquer aux Porsche 911 et autres Aston Martin V8 Vantage.

Audi S3

C'est la guerre des petites bombes en Europe et Audi réplique à BMW et à sa 130i. La S3 reçoit une version revue du 2,0 litres turbo à injection directe d'essence que nous connaissons ici. La puissance passe de 200 à 265 chevaux, alors que les rapports de la boîte six sont raccourcis. Il en résulte un 0-100 km/h en 5,7 secondes et une vitesse limitée à 250 km/h. La suspension est revue, alors qu'à l'intérieur on retrouve un volant compétition, aplati dans sa partie basse.

Bentley SUV

Vous n'aurez bientôt plus besoin d'être un prince saoudien pour pouvoir rouler dans un utilitaire sport Bentley. Si, avant, il fallait le faire construire sur mesure, Bentley travaille au développement d'un VUS sur une base d'Audi Q7. Contrairement à ce dernier, ce ne sont pas sept places, mais cinq qui seront offertes. Parmi les moteurs envisagés, on évoque le W12 double turbo de 552 chevaux de la Continental GT ou bien le vénérable V8 de 6,75 litres de l'Arnage.

BMW Série 3 cabriolet et M3

Le coupé vient à peine d'être présenté que le cabriolet commence à faire parler de lui. Ce dernier devrait être disponible en Amérique d'ici l'automne 2007 et recevra les mêmes motorisations que le coupé. De plus, les premières informations sur la M3 commencent à filtrer. C'est confirmé, elle recevra un V8 de 4,0 litres développant autour de 410 chevaux et 310 livres-pied de couple. On aura le choix entre une boîte de vitesses SMG à sept rapports de troisième génération et une manuelle à six rapports.

Buick Enclave

Ce cousin des Saturn Outlook et GMC Acadia aura des lignes assez proches de celles du prototype présenté au Salon de Detroit en 2006 et portant le même nom. Comme ces modèles basés sur la plateforme Lambda, l'Enclave recevra un V6 de 3,6 litres avec la nouvelle transmission automatique à six rapports, mais un V8 est aussi évoqué. La finition intérieure comprendra beaucoup de bois sur la planche de bord et de nombreux accents de chrome. La production du modèle 2008 devrait commencer au deuxième trimestre 2007.

Cadillac CTS

La remplaçante de celle qui a remis Cadillac sur les rails du succès est prévue pour 2008. La seconde génération de CTS reprendra les proportions générales de l'actuelle voiture, mais aura des lignes un peu plus souples. L'intérieur sera rehaussé et les plastiques peu raffinés du modèle courant devraient disparaître. Elle restera une propulsion, basée sur la plateforme Sigma. Quant à la gamme de moteurs, elle ne devrait pas connaître de grands changements. Une version V-Series sera reconduite plus tard.

Chery Crossover

Plusieurs marques chinoises travaillent actuellement à introduire leurs véhicules sur le marché nord-américain. Chery est probablement la plus médiatisée de par l'implication de Malcolm Bricklin dans le projet, celui-là même qui avait fait venir les Yugo en Amérique dans les années 1980. D'abord prévu pour 2007, le lancement devrait plutôt avoir lieu en 2009. L'un des premiers véhicules exportés sera ce multisegment capable de transporter sept passagers.

Chevrolet HHR SS

Chevrolet travaille à une version performante de son petit utilitaire trans-segment. Il devrait recevoir le nouveau 2,0 litres à injection directe d'essence développant 260 chevaux, déjà vu dans les Pontiac Solstice GXP et Saturn Sky Red Line. On peut remarquer l'importante protubérance sous le pare-chocs, destinée à recevoir l'échangeur air-air pour le turbo. Cette version SS sera montée d'office sur des roues de 18 pouces et recevra une suspension rabaissée.

Chevrolet Malibu

La prochaine génération de Chevrolet Malibu prendra du volume. À tel point qu'on serait tenté de la confondre avec l'Impala. Basée sur la deuxième génération de la plateforme Epsilon, la nouvelle Malibu (nom de code: GMX386) possède des lignes beaucoup plus tendues et expressives. Elle est prévue pour l'automne 2007 comme modèle 2008. En 2009, l'Impala sera remplacée à son tour. Elle grandira elle aussi et passera à la propulsion, sur la base de la plateforme Zeta.

Dodge Caravan

C'est le Montréalais Ralph Gilles qui a signé les lignes de la nouvelle génération de Caravan, un modèle de première importance pour le groupe Chrysler. Les lignes se font plus droites pour cette génération qui bénéficie d'une toute nouvelle plateforme. C'est sans surprise que le Stow 'n Go est reconduit. Par contre, une version à moteur V8 est régulièrement évoquée. Suivra ensuite une version Volkswagen utilisant la même plateforme.

Dodge Challenger

La Dodge Challenger 1970 est probablement l'une des plus belles automobiles américaines de l'histoire. Ce style était soutenu par un nuancier psychédélique et des moteurs délirants, dont le Street HEMI de 425 chevaux. Avec le succès de la Mustang, il était tentant pour Chrysler de la faire revivre, d'autant que le groupe possède dans sa banque d'organes tous les éléments nécessaires: moteur HEMI de 425 chevaux, châssis propulsion de Chrysler 300 et boîte manuelle à six rapports de Viper. Bien que les dimensions soient augmentées par rapport à l'originale (15 centimètres de plus pour l'empattement), le style en reste très proche. Début de la commercialisation: au commencement de 2008.

Ford Escape

Avec les prix de l'essence qui grimpent, grimpent, grimpent, le Ford Escape connaît une deuxième vie. Son renouvellement devient plus stratégique qu'avant. Cette seconde génération devrait utiliser une plateforme modernisée de l'actuelle version. Par contre, le style changera et incorporera la nouvelle signature de Ford, avec les trois bandes sur la calandre (soit dit en passant, la Five Hundred recevra un traitement similaire pour 2008). Le lancement est prévu pour le premier trimestre de 2008.

Honda Pilot

Finies les lignes massives et carrées pour le Pilot. Son remplaçant aura des lignes plus souples et plus proches de celles de son cousin, l'Acura MDX. Peu d'informations sont disponibles pour le moment, mais on parle d'un système de désactivation des cylindres pour réduire la consommation d'essence.

Hyundai Equus

L'actuel porte-drapeau de la gamme Hyundai est essentiellement vendu en Corée du Sud sous le nom de Centennial, ou d'Equus sur d'autres marchés. Cette copie de la Mitsubishi Proudia peut recevoir un V6 de 3,5 litres ou un V8 de 4,5 litres. Il existe même une version limousine au catalogue. Le nouveau modèle, nom de code BH, sera basé sur un empattement de 2,95 mètres et recevra le V6 de 3,8 litres (270 chevaux) et très probablement un V8. Arrivée prévue pour l'été 2007 comme modèle 2008.

Hyundai Vera Cruz

Hyundai a confirmé la production d'un grand frère pour le Santa Fe. Selon Hyundai, il sera plus grand que le Honda Pilot et aura un espace de chargement plus accueillant que le Mercedes GL450. Il sera basé sur la même plateforme que le Santa Fe et recevra le V6 de 3,8 litres couplé à une boîte automatique à six rapports. Il aura une troisième rangée de sièges rabattable dans le plancher (séparation 50/50) et des rideaux gonflables pour les trois rangées. Arrivée sur le marché: début 2007.

Lincoln MKS

La future grande Lincoln, celle qui remplacera la Town Car, sera basée sur le prototype MKS vu au Salon de Detroit en 2006. Attendez-vous à des changements. La plateforme sera celle de la Five Hundred, mais seule la version à transmission intégrale devrait être disponible. Ensuite, le V8 de 4,6 litres sera abandonné. On a envisagé d'utiliser le V8 Yamaha du Volvo XC90, mais la MKS devra finalement se contenter du V6 de 3,5 litres développant 250 chevaux. Un peu juste, non?

Maserati GT Coupe

Ne vous laissez pas berner par les fausses poignées de porte à l'arrière. Il ne s'agit pas d'une Maserati Quattroporte, mais d'un modèle deux portes qui en est dérivé, que ce soit au chapitre du style ou de la plateforme. La GT recevra un V8 dérivé de l'actuel 4,2 litres et dont la cylindrée serait portée à 5,0 litres, alors que la puissance atteindrait 470 chevaux. La boîte séquentielle Cambiocorsa sera reconduite et l'on retrouvera l'amortissement adaptatif Skyhook. Le Spyder, lancé quelques mois plus tard, aura un toit rigide rétractable électriquement.

Mercedes-Benz Classe C

La nouvelle Classe C se donnera des airs de petite Classe S. Sur la photo, on voit que les phares ronds ont disparu. Son contenu technologique sera encore renforcé. On parle pour elle d'un nouveau moteur sans arbre à cames, où les soupapes seront contrôlées électroniquement, ainsi que de l'injection directe d'essence. Le régulateur de vitesse intelligent et la transmission intégrale 4MATIC de troisième génération seront aussi disponibles. La nouvelle Classe C fera son apparition au Salon de Genève en 2007. Comme l'actuelle génération, elle sera déclinée en version familiale, de six à douze mois plus tard, ainsi qu'en version C63.

Mini Traveller

Les premières photos officielles de la prochaine Mini ont été dévoilées par BMW. Elle sera un peu plus longue et son museau est revu. Sous le capot, les moteurs actuels sont remplacés par des blocs conçus conjointement par BMW et PSA Peugeot Citroën. Plus tard sera lancée une version revisitée de la Traveller. L'empattement allongé permettra d'offrir plus d'espace et les passagers arrière entreront par deux portières supplémentaires à ouverture suicide. Le toit pourra être agrémenté de deux panneaux en verre sur la longueur.

Mitsubishi Lancer

Les prochaines Mitsubishi Lancer et EVO X reprendront les lignes du prototype Concept-X présenté au Salon de Tokyo en 2005. Les Nord-Américains seront les premiers, avant même les Japonais, à conduire ce véhicule utilisant une plateforme modifiée de Dodge Caliber. La version Ralliart sera reconduite et pourrait même bénéficier d'une transmission intégrale. Le modèle EVO X recevra un quatre cylindres turbocompressé de 300 chevaux couplé à une boîte manuelle à six rapports et à double embrayage (à la façon de la DSG chez Volkswagen).

Nissan Qashqai

Nous sommes actuellement les seuls en Amérique à bénéficier d'un petit utilitaire sport Nissan, en l'occurrence le X-Trail. Son remplaçant devrait arriver au Salon de Genève en 2007. D'allure moins utilitaire, il reprendra la thématique des lignes du Murano. Plusieurs moteurs sont au programme et le VQ35 du Murano est même envisagé. Il devrait être cette fois vendu chez nos voisins du Sud, en traction ou avec une transmission intégrale.

Nissan Skyline GT-R

La nouvelle version Skyline GT-R, un véhicule culte au Japon et pour tous les amateurs de jeux vidéo, sera enfin vendue en Amérique du Nord par le réseau Nissan (on avait envisagé de la vendre à travers le réseau Infiniti). Les lignes montrées en 2005 sont très proches de la version finale. Côté mécanique, le V6 de 3,5 litres devrait recevoir l'apport de deux turbos et développer près de 450 chevaux. Une transmission intégrale est aussi prévue.

Pontiac G8

La nouvelle devise de Pontiac est: «À l'arrière toute!» Car GM veut en faire une gamme sportive, majoritairement composée de modèles à propulsion. En Australie, Holden a présenté le premier véhicule basé sur la plateforme Zeta à roues motrices arrière, la Commodore série VE. La prochaine Grand Prix (ou G8) devrait en bénéficier, tout comme les futures Camaro et GTO.

Porsche 911 GT3 RS

La nouvelle 911 GT3 RS est probablement la forme la plus achevée de la 911 de route... du moins en atmosphérique. Le six cylindres de 3,6 litres développe 415 chevaux. Il est couplé à une boîte manuelle à six rapports raccourcis. Par rapport à une GT3 «normale», la RS hérite d'un capot et d'un aileron arrière en fibres de carbone. L'élargissement de la voie arrière a entraîné l'utilisation d'ailes plus imposantes. Le 0-100 km/h est atteint en 4,3 secondes. Il faudra débourser un supplément pour obtenir les couleurs orange et verte, disponibles dans les années 1970.

Rolls-Royce Corniche

La future Corniche (le nom n'est pas encore officiel) reprendra les lignes du prototype 100EX. La calandre avant devrait recevoir de nouveaux phares à éclairage par DEL. Le plus étonnant est probablement le maintien des portières à ouverture suicide. Contrairement au prototype, le moteur sera celui de la Phantom, soit le V12 de 6,75 litres. Le châssis en aluminium est extrapolé de celui de la Phantom.

Smart ForTwo

C'est confirmé, la future Smart ForTwo sera vendue chez les Américains. Cette seconde génération ne semble pas grandir en taille, mais adopte des lignes plus enveloppantes. La plus grande différence sera observée à l'intérieur grâce à une finition sensiblement rehaussée, plus proche de ce qu'on peut actuellement voir dans la Classe B. Les moteurs seront nouveaux et nous bénéficierons d'une version à essence, alors que des essais auprès de la clientèle, avec une version électrique, ont lieu présentement en Angleterre sur la base de l'actuelle génération.

Volkswagen Scirocco

Les coupés ont de plus en plus le vent en poupe. La preuve : Volkswagen ressort de ses cartons l'un de ses noms les plus évocateurs : Scirocco. Ce modèle sera basé sur la plateforme de la Golf de sixième génération et bénéficiera de ses moteurs les plus puissants (on parle du V6 de 3,6 litres de 280 chevaux actuellement installé dans la Passat). Il sera produit au Portugal, sur la même ligne que le cabriolet EOS, et sera vendu en Amérique du Nord. Oui !

Volkswagen Tiguan

Son nom sonne bizarrement. Son origine aussi, puisqu'il est la contraction de « tigre » et d'« iguane ». Il reprend certains éléments de style du Concept A et utilise des composants mécaniques des Rabbit et Passat. Sa plateforme servira aussi de base au futur Audi Q5. Ce petit frère du Touareg devrait être disponible sur le marché américain en 2009, un an après l'Europe.

Volvo C30

Basé sur une plateforme raccourcie de S40, le coupé C30 reprend un élément de style déjà utilisé dans les P1800ES et 480 ES, soit le hayon en vitre. Le cinq cylindres en ligne turbocompressé de 218 chevaux est le seul moteur prévu pour l'instant. À l'intérieur, on retrouve quatre sièges individuels et un système audio de 160 watts (un système Dolby Pro-Logic II de 650 watts est aussi disponible). Volvo espère en produire 65 000 par année et étudie la possibilité de le faire venir en Amérique du Nord.

LES ESSAIS

CSX

évolution | 25 400 $ à 31 900 $ |
Transport et préparation : 1280 $

ACURA
www.acura.ca

UN NOUVEAU RÉGIME

– Benoit Charette

FICHE D'IDENTITÉ

Version(s) : Touring, Premium, Type-S
Roues motrices : avant
Portières : 4
Première génération : 1997 (EL)
Génération actuelle : 2006
Construction : Alliston, Ontario, Canada
Sacs gonflables : 6, frontaux, latéraux avant et rideaux latéraux
Concurrence : Chevrolet Cobalt et Optra, Ford Focus, Honda Civic, Hyundai Elantra, Kia Spectra, Mazda3, Mitsubishi Lancer, Nissan Sentra, Pontiac G5 Pursuit, Saturn ION, Subaru Impreza, Suzuki Aerio, Toyota Corolla, VW Jetta

AU QUOTIDIEN

Prime d'assurance :
25 ans : 1600 à 1800 $
40 ans : 1100 à 1300 $
60 ans : 1000 à 1200 $
Collision frontale : 5/5
Collision latérale : 5/5
Ventes du modèle l'an dernier
Au Québec : nm **Au Canada :** nm
Dépréciation (3 ans) : nm
Rappels (2001 à 2006) : aucun à ce jour
Cote de fiabilité : nm

Le renouvellement de la Civic a entraîné celui de l'Acura EL. Sœurs de sang, ces deux voitures sont intimement liées par le destin mais, avec cette nouvelle génération, les chemins se séparent un peu, puisque la CSX s'inspire davantage de la famille Acura que les précédentes générations.

CARROSSERIE ► Toujours disponible exclusivement au Canada, la CSX repose sur le châssis de la Civic et sa ligne est pratiquement la même. Après tout, pour réussir à rentabiliser une voiture avec de si faibles ventes (Acura espère écouler de 6000 à 7000 unités par année), les coûts doivent être réduits au minimum. Donc, la CSX utilise une base connue, mais revêt une robe distincte avec la calandre en triangle caractéristique de la famille Acura. Une ligne résolument moderne avec un petit côté techno.

HABITACLE ► Raffiné est le premier mot qui nous vient à l'esprit pour parler de l'intérieur. D'abord, un siège sport confortable favorise une excellente position de conduite. Et puis le tableau de bord très convivial présente des innovations: en raison de son concept de cabine avancée, le pare-brise incliné dégage assez d'espace pour placer un second niveau au tableau de bord, qui loge les données sur la vitesse, le niveau de carburant et la température du liquide de refroidissement. Le tableau principal, quant à lui, regroupe les fonctions moteur, la température extérieure, l'odomètre, le compteur journalier et autres voyants qui baignent dans une électroluminescence du plus bel effet. Peu importe la version (Touring ou Premium), la CSX est très bien pourvue. Vous débourserez davantage pour avoir droit, dans la version Premium, à la sellerie de cuir chauffante, au système audio haut de gamme, aux phares HID, au toit ouvrant électrique et, raffinement suprême, à un système de navigation.

MÉCANIQUE ► Sous le capot, la CSX n'a plus de filiation avec la Civic. Le moteur 2,0 litres

forces
- Qualité de l'assemblage
- Présentation intérieure
- Tenue de route
- Excellent moteur
- Peu gourmande

faiblesses
- Une sixième vitesse serait appréciée avec la boîte manuelle
- La traction asservie n'est pas disponible

nouveautés en 2007
- Nouvelle version Type-S de 197 chevaux

est emprunté directement à la sportive RSX. Fort de 155 chevaux, ce quatre cylindres à double arbre à cames en tête est offert avec la boîte manuelle cinq vitesses ou une boîte automatique à cinq rapports avec leviers de vitesses à palettes de chaque côté du volant. Au volant, si l'Acura EL donnait l'impression d'être une Civic endimanchée, la CSX pourrait être qualifiée de RSX à quatre portes. Nettement plus sportive grâce à un moteur plus nerveux, les reprises de la CSX sont plus franches, et même la version automatique à palettes (1300 $ en option) n'est pas désagréable à l'usage. Toutefois, un sixième rapport serait apprécié sur la boîte manuelle qui semble limiter les reprises de la voiture au-delà de 120 km/h.

COMPORTEMENT ► Sur la route, la CSX est très convaincante. Les accélérations franches n'empêchent pas de maintenir la consommation sous la barre des 8 litres aux 100 km. Les pneus de 16 pouces de la version Touring, associés à une suspension redessinée, autorisent une excellente tenue de route, même sous la pluie. Pour l'améliorer d'un cran, la version Premium propose des pneus sport de 17 pouces qui ne nuisent aucunement au confort, mais qui vous permettent d'attaquer une courbe sans réticence. La structure plus rigide et la suspension plus sportive lui confèrent un comportement qui tranche définitivement avec le petit côté bourgeois de l'ancienne EL. Le seul irritant au chapitre de la conduite concerne le pilier A très massif. Sur les chemins sinueux, il bloque constamment la vue et l'on doit se tordre le cou pour ne pas perdre la route des yeux.

CONCLUSION ► La nouvelle CSX prouve que le luxe n'est pas nécessairement une question de format. Cette petite berline possède toutes les caractéristiques d'un véhicule haut de gamme dans un format plus compact.

FICHE TECHNIQUE

MOTEURS
(CSX) L4 2,0 l DACT 155 ch à 6000 tr/min
couple : 139 lb-pi à 4500 tr/min
Transmission : manuelle à 5 rapports, automatique à 5 rapports avec mode manuel (option)
0-100 km/h : 8,6 s
Vitesse maximale : 205 km/h
Consommation (100 km) : man. : 7,6 l, auto. : 8,0 l (octane : 87)

(Type-S)
L4 2,0 l DACT 197 ch à 7800 tr/min
couple: 139 lb-pi à 6200 tr/min
Transmission : manuelle à 6 rapports
0-100 km/h : 7,0 s
Vitesse maximale: 230 km/h
Consommation (100 km) : 9,0 l (octane : 91)

Sécurité active
freins ABS, répartition électronique de force de freinage

Suspension avant/arrière
indépendante

Freins avant/arrière
disques

Direction
à crémaillère, assistée

Pneus
P205/55R16, P215/45R17 (Type S)

DIMENSIONS
Empattement : 2700 mm
Longueur : 4544 mm
Largeur : 1752 mm
Hauteur : 1435 mm
Poids : Touring : 1289 kg, Premium : 1313 kg
Diamètre de braquage : nd
Coffre : 340 l
Réservoir de carburant : 50 l

opinion

Pascal Boissé • Disons tout de suite la vérité : la CSX n'est rien de plus qu'une Civic habilement maquillée par quelques trucs cosmétiques. Comme auparavant, avec la Acura 1.7 EL, il s'agit toutefois d'une bonne affaire, surtout si vous comptiez ajouter beaucoup d'équipements à votre Civic. De plus, comme par le passé, le design des faces avant et arrière est mieux réussi sur la version Acura. Par contre, la CSX hérite des défauts de la Civic : coffre trop petit, places arrière exiguës et montants de pare-brise qui gênent la visibilité. Sachez aussi que son moteur 2,0 litres consomme plus que le 1,8 litre de la Civic, mais que la capacité du réservoir d'essence n'a pas augmenté...

MDX

nouveauté | 53 600 $ à 60 000 $
Transport et préparation : 1430 $

ACURA
www.acura.ca

FICHE D'IDENTITÉ

Version(s) : Base, Technology, Elite
Roues motrices : 4
Portières : 4
Première génération : 2001
Génération actuelle : 2007
Construction : Alliston, Ontario, Canada
Sacs gonflables : 6, frontaux, latéraux, rideaux latéraux
Concurrence : Audi Q7, BMW X5, Buick Rainier, Cadillac SRX, Infiniti FX, Land Rover LR3, Lexus RX, Mercedes-Benz ML, Saab 9[7X], Volkswagen Touareg, Volvo XC90

AU QUOTIDIEN

Prime d'assurance :
25 ans : 4400 à 4600 $
40 ans : 2500 à 2700 $
60 ans : 2100 à 2300 $
Collision frontale : nm
Collision latérale : nm
Ventes du modèle l'an dernier
Au Québec : 517 **Au Canada :** 3836
Dépréciation (3 ans) : 45,7 %
Rappels (2001 à 2006) : 1
Cote de fiabilité : 5/5

SIX ANS PLUS TARD

– John Gilbert

Le MDX fait entièrement peau neuve en 2007. La nouvelle mouture est, selon la division haut de gamme de Honda, conçue pour rivaliser avec des véhicules tels que le BMW X5 au chapitre de la performance, le Lexus RX 350 quant au luxe, et avec le Volvo XC90 pour son côté pratique et l'ensemble de ses caractéristiques.

CARROSSERIE ► Le design du nouveau MDX est inspiré par un yacht de course, d'abord par sa calandre effilée qui amalgame des lignes fluides et aérodynamiques et une partie arrière épurée et stylisée. L'ensemble donne au véhicule une allure proche du prototype présenté pour la première fois au Salon de l'auto de New York en 2004. Le millésime 2007 est en outre plus long, plus large et plus bas. L'empattement gagne lui aussi des millimètres, alors que le poids ne bouge pas d'un iota.

HABITACLE ► L'objectif est de permettre au conducteur du MDX de ressentir la performance et aux passagers d'apprécier le confort et les caractéristiques de luxe. À bord, les occupants disposent de quatre fauteuils chauffants. La place centrale de la deuxième rangée et la banquette de troisième rangée portent à sept le nombre de places disponibles pour des déplacements occasionnels. Les baquets avant procurent un soutien ferme et confortable, alors que l'habitacle protège assez bien les occupants des agressions sonores, peu importe la vitesse. Au total, l'espace de chargement peut atteindre 2364 litres une fois les banquettes rabattues, soit l'un des volumes les plus généreux de la catégorie.

MÉCANIQUE ► Le MDX reçoit un V6 de 3,7 litres développant 300 chevaux et 275 livres-pied de couple, soit une augmentation de 45 chevaux et de 22 livres-pied par rapport au précédent 3,5 litres. La technologie VTEC lui permet d'extraire de façon continue un maximum de puissance à basses et à hautes vitesses. Ce

forces
- Allure générale réussie
- Habitacle spacieux
- Tenue de route superbe

faiblesses
- Le prix augmentera
- La consommation aussi

nouveautés en 2007
- Nouveau modèle

V6 est relié à une boîte automatique à cinq rapports avec mode séquentiel. L'utilitaire dispose également de la transmission intégrale SH-AWD (Super-Handling All-Wheel Drive), une variation du système installé sur la RL, qui envoie jusqu'à 90 % de la puissance aux roues avant durant la conduite, ou jusqu'à 70 % du couple aux roues arrière en fortes accélérations.

COMPORTEMENT ► À l'avant, le nouvel ensemble d'éléments suspenseurs du MDX améliore la stabilité et réduit la rugosité. La suspension arrière multibras est montée sur un faux cadre d'acier avec des ressorts réglés pour conjuguer le meilleur équilibre relativement au confort et au comportement routier. Les roues de 18 pouces sont également de la partie. Le dispositif d'assistance de la stabilité du véhicule (VSA) s'assure de corriger le survirage ou le sous-virage en transférant le couple à l'essieu qui nécessite le plus de traction. Le VSA fait équipe avec la traction asservie et fonctionne comme un dispositif d'assistance au remorquage pour favoriser la stabilité du véhicule, notamment. À l'occasion de la présentation du MDX au circuit de Beaver Run, au sud de Pittsburgh, une importante averse a confirmé les qualités du véhicule. Au plus fort de l'orage, le MDX épousait les virages avec une stabilité et une précision impressionnantes, surpassant des rivaux tels que les BMW X5, Porsche Cayenne ou Volvo XC90.

CONCLUSION ► Le véhicule assemblé en Ontario possède la plupart des qualités des utilitaires concurrents, en plus d'intégrer des caractéristiques techniques de haut calibre qui sont, pour le conducteur, naturelles et intuitives. Le MDX pose un nouveau jalon dans la catégorie des utilitaires sport de haut de gamme, ce qui devrait le rendre encore plus attrayant.

FICHE TECHNIQUE

MOTEUR
V6 3,7 l SACT 300 ch à 6000 tr/min
couple : 275 lb-pi à 5000 tr/min
Transmission : automatique à 5 rapports
0-100 km/h : 8,5 s
Vitesse maximale : 200 km/h
Consommation au 100 km : 12,5 l (octane : 87)

Sécurité active
freins ABS, distribution électronique de force de freinage, antipatinage, contrôle de stabilité électronique

Suspension avant/arrière
indépendante

Freins avant/arrière
disques

Direction
à crémaillère, assistée

Pneus
P255/55R18

DIMENSIONS
Empattement : 2750 mm
Longueur : 4844 mm
Largeur : 1994 mm
Hauteur : 1733 mm
Poids : nd
Diamètre de braquage : 14,4 m
Coffre : 2364 l (sièges abaissés)
Réservoir de carburant : 79,5 l
Capacité de remorquage : 1588 kg

2e opinion

Antoine Joubert • Il m'est impossible de me prononcer sur le MDX 2007 que nous verrons sans doute d'ici quelques mois. Néanmoins, le prototype dévoilé plus tôt cette année laisse présager un modèle au caractère nettement plus affirmé. D'autre part, je ne peux dire que du bien du modèle de première génération, malgré son âge. Avec une telle qualité, un confort royal, une surenchère d'équipements, de bonnes performances et une consommation de carburant très raisonnable, il est difficile de se plaindre. Maintenant, si l'agrément de conduite vous importe, vous n'êtes tout simplement pas au bon endroit...

RDX

nouveauté | 41 000 $ à 45 000 $ |
Transport et préparation : 1280 $

ACURA
www.acura.ca

LE RIVAL DU X3 !

– Nadine Filion

FICHE D'IDENTITÉ

Version(s) : Base, ensemble technologie
Roues motrices : 4
Portières : 4
Première génération : 2007
Génération actuelle : 2007
Construction : Marysville, Ohio, É.-U.
Sacs gonflables : 6, frontaux, latéraux avant et rideaux latéraux
Concurrence : BMW X3, Hummer H3, Land Rover LR2

AU QUOTIDIEN

Prime d'assurance :
25 ans : 2800 à 3000 $
40 ans : 1500 à 1700 $
60 ans : 1200 à 1400 $
Collision frontale : nd
Collision latérale : nd
Ventes du modèle l'an dernier
Au Québec : nm **Au Canada :** nm
Dépréciation (3 ans) : nm
Rappels (2001 à 2006) : nm
Cote de fiabilité : nm

Le RDX se dit le TSX des utilitaires chez Acura, au point de vouloir se mesurer au BMW X3. Pour ce faire, le constructeur nippon a doté son nouvel utilitaire compact de luxe d'un moteur turbo. Le véhicule a aussi droit à la fantastique traction intégrale Super Handling et à une boîte automatique avec sélecteur de rapports au volant. Résultat ? Le RDX ne sera jamais un « Béhème », mais il vaut la peine qu'on s'y arrête. Ne serait-ce que pour les 10 000 $ de moins qu'il coûte...

CARROSSERIE ► Le parc automobile est en voie de faire une *overdose* d'utilitaires compacts. De luxe ou d'entrée de gamme, ils sont aujourd'hui si nombreux qu'ils ont fini par tous se ressembler un peu. D'ailleurs, l'Acura RDX pourrait passer pour un Toyota RAV4. Les lignes sont dynamiques et l'ensemble est visuellement intéressant (80 % du design est attribuable au nouveau studio Honda/Acura de Torrence, en Californie). L'atout majeur du RDX est sa petite taille qui lui permet de se faufiler partout. Comparé au X3, le RDX propose un espace de chargement de 787 litres lorsque la banquette est en place (480 litres pour le X3), et de 1716 litres lorsque la banquette est rabattue à plat (10 % de plus que le X3). Assemblé sur la toute nouvelle plateforme « camion » globale de Honda/Acura, le RDX est le premier utilitaire d'Acura construit en Amérique du Nord (à Marysville, Ohio, aux côtés de la TL). Il est aussi le premier de la famille à proposer, dans les équipements de série, des roues de 18 pouces, dont les pneumatiques ont été spécialement conçus par Michelin. Acura ne complique pas les choses avec mille et une versions : seulement deux variantes sont proposées, soit celle de base (un peu plus de 40 000 $) et la Techno (plus de 45 000 $) avec système de navigation, reconnaissance vocale, système audio DVD son ambiant, caméra de recul et système Bluetooth.

forces
- Moins cher que le BMW
- Traction intégrale très efficace
- Sélecteur des rapports au volant

faiblesses
- Accès difficile aux places arrière
- Pas de boîte manuelle
- Accélérations

nouveautés en 2007
- Nouveau modèle

histoire, sachez que c'est une femme, Nobu Takahashi, qui en a dirigé le développement. On le sait, un moteur turbocompressé souffre d'un manque de réponse à bas régime. Pour contrer ce problème, Audi et Mazda ont opté pour l'injection directe, mais Acura mise plutôt sur le clapet à flot variable, qui ajuste constamment l'arrivée d'air au turbo.

Le groupe propulseur ne dispose que de la boîte automatique, contrairement au X3 qui, lui, comporte aussi une boîte manuelle. La consommation d'essence est estimée à 12,4 litres aux 100 km (en ville) et à 9,8 litres aux 100 km (sur l'autoroute). C'est presque 10 % de moins que le moteur à six cylindres en ligne (3,0 litres) de BMW, qui développe pourtant 15 chevaux de moins. Le RDX est le second véhicule de la famille Acura, après la grande berline RL, à profiter de la traction intégrale Super Handling.

La beauté du mécanisme est le transfert du couple non seulement entre les essieux, mais aussi entre les roues arrière, latéralement (jusqu'à un maximum de 70 %). Je n'irai pas jusqu'à dire que ce système permet au RDX d'en faire autant que le X3 en hors-piste, mais sur les routes sinueuses il travaille sans heurts – sans même que le conducteur s'en aperçoive. Les équipements de sécurité du RDX comprennent freins ABS, antipatinage et système de stabilité, six coussins gonflables et structure ACE qui permet une meilleure distribution de l'énergie en cas de collision.

HABITACLE ► Les dessinateurs ont fait du bon boulot à l'intérieur du RDX et dans l'ensemble son habitacle est beaucoup plus convivial que celui du BMW. La division entre les commandes audio et celles de la climatisation est nette et favorise une utilisation instinctive. Les rangements ont été conçus intelligemment. Bravo pour la console centrale de 18 litres (qui se verrouille) où l'on peut mettre des objets aussi volumineux qu'un ordinateur portable.

Les sièges avant du RDX sont plus confortables que ceux du X3 : d'un bon soutien latéral, ils sont chauffés (de série). L'insonorisation est aussi supérieure du côté du RDX. À l'arrière, l'accès est entravé par des arches de roues proéminentes et par de bien petites portières. Les places sont celles d'un utilitaire compact, pas d'une limousine, et les longues jambes se frotteront les genoux contre les sièges avant. En revanche, les hautes têtes ont de l'espace sous le plafond concave.

MÉCANIQUE ► Acura n'a pas voulu d'un moteur V6 pour son RDX, mais la puissance d'un quatre cylindres aurait été nettement insuffisante. Les ingénieurs japonais ont donc concocté un moteur à quatre cylindres turbo (i-VTEC de 2,3 litres, 240 chevaux et 260 livres-pied), le premier à traverser le Pacifique jusqu'à nous. Pour la petite

COMPORTEMENT ► Si le moteur à quatre cylindres turbo est d'une belle souplesse, il ne propose malheureusement pas d'accélérations follement excitantes. La puissance est tout de même suffisante, linéaire, et les reprises sont étonnamment bonnes – de quoi oublier qu'on a affaire à un turbo.

HISTOIRE ▼

Tendance évidente

Avec un litre de carburant de plus en plus cher, les petits utilitaires sont devenus plus attrayants pour les consommateurs, et les constructeurs l'ont compris. Voilà pourquoi nous assistons actuellement à l'arrivée d'une nouvelle vague de véhicules compacts dans les marques de produits haut de gamme. Honda, entre autres, nous y avait préparés en janvier 2006, en dévoilant au salon de Detroit le prototype RD-X, un modèle proche du nouvel Acura RDX. Mais se souvient-on du premier prototype portant ce nom ? Dévoilé au même salon, mais en 2002, sa carrosserie au style excentrique (trop ?) avait des portes latérales ouvrant à contresens et il était pourvu d'un groupe propulseur hybride. Une technologie qui pourrait aboutir dans le RDX de série.

Prototype RD-X 2002

Prototype RD-X 2006

RDX

GALERIE ▼

1 • Un écran multi-informations sert de pont de rassemblement pour toutes les fonctions importantes de la RDX

2 • Parmi les autres caractéristiques de série, un système audio Acura Premium de 360 watts, à 7 haut-parleurs et à changeur de 6 disques multiformat, ainsi qu'une prise MP3/auxiliaire permettant de brancher facilement des appareils audio comme le iPod.

3 • Le système SH-AWD emprunté à l'Acura RL et modifié pour les besoins du RDX. Sa traction intégrale assure une excellente tenue de route en toute circonstance.

4-5 • Le cache-bagages s'ajuste à deux hauteurs ou se transforme en plancher de plastique si on l'inverse. Bien pensé. Le volume de chargement varie entre 787 et 1716 litres.

1

2

3

4

5

Mais le RDX met une fraction de seconde de trop à s'ébranler en démarrage brusque. À bas régime, l'injection directe des Audi et Mazda fait mieux.

Avec un empattement plus court de 145 millimètres que celui du X3 (à 2650 millimètres), le RDX se comporte avec un brin moins de maturité. Il profite néanmoins d'une distribution de poids presque parfaite (52/48), ce qui lui permet d'enfiler les virages serrés de façon très stable, très prévisible. Sa direction, l'une des plus précises de toute la famille Acura (mais pas aussi incisive que celle du X3), transmet bien les sensations de la route, sans aucun flottement.

Le châssis est efficace et sportif, tout comme la suspension très ferme qui sait se replacer vite et bien. Un bon mot aussi pour la séquentielle à cinq rapports. Si les changements au volant ne sont pas aussi rapides que pour la boîte DSG d'Audi, ils ont le mérite, en mode Sport, de conserver le rapport sélectionné, même si l'aiguille des révolutions flirte avec la zone rouge. Le conducteur a donc toute la liberté voulue pour faire rugir le moteur. Nous avons réussi le 0-100 km/h en 7,5 secondes.

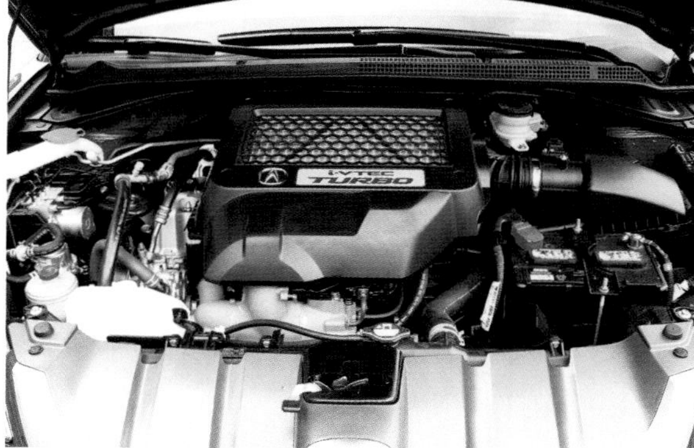

CONCLUSION ▶ Même s'ils sont des concurrents directs, le RDX et le X3 ne sont pas nécessairement destinés aux mêmes acheteurs. Le BMW reste un véhicule qui stimule davantage les émotions, mais il vous coûtera plus de 50 000 $ (en version 3.0i), et davantage si vous optez pour les phares au xénon et le toit ouvrant, deux éléments proposés dans les équipements de série sur le RDX. Ceux qui n'ont que faire du prestige de BMW ont tout à gagner à jeter un œil du côté d'Acura.

FICHE TECHNIQUE

MOTEUR
L4 2,3 l turbo DACT 240 ch à 6000 tr/min
couple : 260 lb-pi à 4500 tr/min
Transmission : automatique à 5 rapports avec mode manuel
0-100 km/h : 7,8 s
Vitesse maximale : nd
Consommation (100 km) : 11,1 l (octane : 91)

Sécurité active
freins ABS, répartition électronique de force de freinage, assistance au freinage, antipatinage, contrôle de stabilité électronique

Suspension avant/arrière
indépendante

Freins avant/arrière
disques

Direction
à crémaillère, assistée

Pneus
P235/55R18

DIMENSIONS
Empattement : 2650 mm
Longueur : 4590 mm
Largeur : 1869 mm
Hauteur : 1656 mm
Poids : 1800 kg
Diamètre de braquage : nd
Coffre : 787 l, 1716 l (sièges abaissés)
Réservoir de carburant : 68 l
Capacité de remorquage : 680 kg

2e opinion

Benoit Charette • Le RDX possède tous les ingrédients pour réussir. Le système SH-AWD (de série) distribue la quantité optimale de puissance réelle, non seulement entre les essieux avant et arrière, mais aussi entre les roues arrière gauche et droite. Le système d'assistance de la stabilité du véhicule (VSA), avec son contrôle de traction, améliore davantage la maîtrise et la tenue de route. Au final, il manque seulement une âme au véhicule. Les accélérations sont franches, mais pas excitantes. La tenue de route est très efficace, mais la direction, pas assez communicative. Tout cela est un peu trop propre. La consommation demeure correcte si vous n'avez pas le pied trop pesant.

RL

évolution | 69 500 $
Transport et préparation : 1430 $

www.acura.ca

FICHE D'IDENTITÉ

Version(s) : unique
Roues motrices : 4
Portières : 4
Première génération : 1987 (Legend)
Génération actuelle : 2005
Construction : Sayama, Japon
Sacs gonflables : 6, frontaux, latéraux avant et rideaux latéraux
Concurrence : Audi A6, BMW Série 5, Cadillac STS, Jaguar S-Type, Lexus GS, Mercedes-Benz Classe E, Saab 9[5], Volvo S80

AU QUOTIDIEN

Prime d'assurance :
25 ans : 3600 à 3800 $
40 ans : 2300 à 2500 $
60 ans : 2000 à 2200 $
Collision frontale : 5/5
Collision latérale : 5/5
Ventes du modèle l'an dernier
Au Québec : 94 **Au Canada :** 475
Dépréciation (3 ans) : 45,2 %
Rappels (2001 à 2006) : 1
Cote de fiabilité : 4/5

DU PRESTIGE, S.V.P.

– **Antoine Joubert**

Depuis sa création à l'automne 1986, la division des voitures de luxe de Honda tente de concurrencer des marques aussi prestigieuses que BMW. Pourtant, et malgré tout le savoir-faire des ingénieurs, Honda ne réussit pas à se positionner au même niveau. Pourquoi ? Tout simplement parce que la surabondance de l'équipement et les performances ne sont pas les seuls ingrédients qui font d'une voiture un produit noble et prestigieux. Il faut également une saveur, une odeur et une expérience sensorielle unique que n'offre pas toujours la marque nippone. Voilà pourquoi la RL, malgré ses innombrables qualités, nous laisse sur notre faim.

CARROSSERIE ► Finement tracée, la ligne de la RL est à la fois, paradoxalement, un échec et une réussite. Échec, parce que, malgré sa robe élégante, la voiture passe inaperçue ; et réussite parce que la grande sobriété des lignes en fait une voiture parfaitement équilibrée qui vieillira bien, comme le bon vin. Sans être révolutionnaire, le design de la TL est mieux et devrait, à mon sens, servir d'inspiration pour toutes les créations futures d'Acura.

HABITACLE ► L'assemblage de la RL de la précédente génération, faite de matériaux de grande qualité, était irréprochable. On peut en dire autant de la version actuelle. Toutefois, ceux qui ne possèdent aucune notion d'informatique seront aussi à l'aise avec la planche de bord qu'un enfant de trois ans devant un dictionnaire. La présentation est très soignée, mais l'utilisation de la chaîne audio, de la climatisation et du système de navigation est d'une réelle complexité. On finit par s'y retrouver, mais les erreurs de commande, même après un an de manipulation, sont considérées comme « normales ». Heureusement, les sièges chauffants et ventilés sont d'un confort optimal et une infinité de positions sont possibles. On accorde aussi une bonne note pour les nombreux espaces de rangement, pour l'insonorisation et pour

forces
- Voiture très agile
- Qualités évidentes pour la conduite hivernale
- Surenchère d'équipement
- Assemblage et finition sans reproche

faiblesses
- Absence d'agrément de conduite
- Complexité de certaines commandes
- Diamètre de braquage ridicule
- Prix
- Marque peu prestigieuse

nouveautés en 2007
- Nouvelle version Elite, prise audio auxiliaire, caméra de recul (Elite), régulateur de vitesse adaptatif (Elite), freinage électronique assisté (Elite)

l'affichage de l'instrumentation, aussi agréable à contempler que facile à consulter.

MÉCANIQUE ► Quant au groupe motopropulseur, les avis sont partagés. Certains applaudissent les ingénieurs qui ont su donner à la voiture un V6 à la pointe de la technologie, tandis que d'autres se plaignent de l'absence d'un petit V8. Il est vrai que ce V6 est un bijou de raffinement, par contre la distinction entre ce moteur et celui de la TL est encore trop symbolique. Et, de toute façon, Honda n'a pas de V8 dans ses cartons, pas même pour le Ridgeline. Sachez toutefois que le V6 de 3,5 litres est fort convenable et que le mariage avec la boîte automatique est heureux. Seule observation négative, les palettes situées derrière le volant, servant au passage manuel des rapports, sont d'une totale inutilité.

COMPORTEMENT ► Le système de transmission intégrale à répartition variable du couple entre les roues arrière (une première dans l'industrie) contribue à une conduite dynamique. La RL est d'une stabilité exemplaire et se déplace aisément sur tout type de surface, ce qui en fait une voiture idéale, de Fermont à Fort Lauderdale. Malheureusement, le plaisir de conduire n'y est pas. Oui, on éprouve le bonheur que procure une voiture agile, confortable et luxueuse, mais le véritable agrément de conduite est ici une notion inconnue. Il faut sans doute en accuser la direction, lente et peu communicative, dont le diamètre de braquage est davantage comparable à celui d'un autobus.

CONCLUSION ► À 70 000 $ l'exemplaire, la RL n'attire pas les foules. Rationnellement, son prix peut sembler concurrentiel, d'autant plus qu'Acura propose la formule du tout inclus, c'est-à-dire sans option. Mais, à ce prix, les acheteurs souhaitent généralement projeter une image, afficher une notoriété que les marques européennes, voire Lexus, sont en mesure d'offrir. Dommage.

FICHE TECHNIQUE

MOTEUR
V6 3,5 l SACT 290 ch à 6200 tr/min
couple : 256 lb-pi à 5000 tr/min
Transmission : automatique à 5 rapports, séquentielle
0-100 km/h : 7,3 s
Vitesse maximale : 215 km/h
Consommation (100 km) : 11,7 l (octane : 91)

Sécurité active
freins ABS, répartition électronique de force de freinage, assistance au freinage, antipatinage, contrôle de stabilité électronique

Suspension avant/arrière
indépendante

Freins avant/arrière
disques

Direction
à crémaillère, assistée

Pneus
P245/50R17

DIMENSIONS
Empattement : 2800 mm
Longueur : 4917 mm
Largeur : 1847 mm
Hauteur : 1452 mm
Poids : 1755 kg
Diamètre de braquage : 12,1 m
Coffre : 371 l
Réservoir de carburant : 73,3 l

opinion

Hugues Gonnot • Quel paradoxe que l'Acura RL ! Son extérieur est élégant, mais un peu passe-partout. Cela dit, Acura est, sans conteste, l'un des constructeurs qui exécutent les plus beaux intérieurs du monde. Le luxe, c'est aussi le souci du détail, et, sur ce plan, Acura a mis les petits plats dans les grands et l'équipement est hyper complet. Sur la route, sa transmission intégrale asymétrique fonctionne vraiment bien. Quel équilibre ! Par contre, on regrette l'absence d'un V8 (ou quelques chevaux supplémentaires). Malgré tout, la RL reste très agréable à conduire. Bref, le tableau est plutôt positif, mais je ne peux m'empêcher de dire qu'il lui manque ce je-ne-sais-quoi qui justifierait son prix.

TL

évolution | 42 000 $ à 45 800 $ |
Transport et préparation : 1430 $

www.acura.ca

DE TOUT, SAUF DE L'ÉMOTION

– Nadine Filion

FICHE D'IDENTITÉ

Version(s) : Base, Navi, Type-S
Roues motrices : avant
Portières : 4
Première génération : 1992 (Vigor)
Génération actuelle : 2004
Construction : Marysville, Ohio, É.-U.
Sacs gonflables : 6, frontaux, latéraux avant et rideaux latéraux
Concurrence : Audi A4, BMW Série 3, Cadillac CTS, Hyundai Azera, Infiniti G35, Jaguar X-Type, Kia Amanti, Lexus ES et IS, Lincoln MKZ, Mercedes-Benz Classe C, Nissan Maxima, Saab 9^3, Toyota Avalon, Volkswagen Passat, Volvo S60

AU QUOTIDIEN

Prime d'assurance :
25 ans : 2800 à 3000 $
40 ans : 1800 à 2000 $
60 ans : 1500 à 1700 $
Collision frontale : 5/5
Collision latérale : 4/5
Ventes du modèle l'an dernier
Au Québec : 1137 **Au Canada :** 5280
Dépréciation (3 ans) : 46,3 %
Rappels (2001 à 2006) : 5
Cote de fiabilité : 4/5

Comme plusieurs modèles de la firme Acura, la TL est un peu trop bien élevée. Elle a de belles qualités, certes, mais elle se cherche une âme. Il manque au conducteur ce sourire que lui procurent les sensations agréables d'une Série 5 de BMW.

CARROSSERIE ► Elle est agréable à regarder, la TL à la personnalité sportive et aux lignes athlétiques et pleines de caractère. Outre la variante de base, on peut se procurer les versions Navi (système de navigation avec commandes vocales) ou, pour 2007, la nouvelle Type-S (manuelle à six vitesses, avec barres antiroulis de plus grand diamètre).

HABITACLE ► On monte à bord de la TL en poussant un ouf de contentement. Sa belle personnalité se propage à l'habitacle confortable qui compte sur des matériaux bien choisis, bien assemblés, et sur une excellente insonorisation. L'instrumentation est facile à lire et, si les commandes sont nombreuses, leur manipulation se fait vite instinctive. Je ne trouve rien à redire de ce côté. L'espace peut sembler restreint, pourtant l'habitabilité pour les passagers à l'avant est meilleure que celle de certaines concurrentes allemandes (dont la BMW Série 5). Les sièges chauffants à l'avant (équipement de série) sont confortables, mais les amoureux de la conduite de performance se plaindront du maintien latéral. À l'arrière, l'espace pour les jambes suffit à peine. Et le coffre de 354 litres n'est pas le plus vaste de la catégorie. Par ailleurs, au lieu d'être inutile et gênante, la technologie embarquée se fait intelligente et pratique avec ces commandes vocales qui règlent la climatisation et le système audio 5.1 high-tech à DVD. Dommage que l'assistance au recul soit optionnelle : avec un coffre relevé, le dispositif devrait compter parmi les équipements de série pour faciliter les manœuvres de stationnement.

forces
- Éléments de sécurité complets
- Technologie intelligente et pratique
- Excellent rapport qualité/prix

faiblesses
- Espace restreint pour les jambes à l'arrière
- Petit coffre de 354 litres
- Conduite qui manque d'intensité

nouveautés en 2007
- Abandon de la version Dynamic, arrivée de la version Type-S avec nouveau moteur V6 de 3,5 l

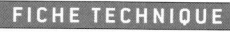

MÉCANIQUE ► Jumelé à la boîte manuelle à six vitesses rapprochées (ensemble Dynamic) ou à la séquentielle à cinq rapports, le moteur V6 de 3,2 litres et de 270 chevaux consomme 11,8 litres d'essence aux 100 km en ville et 7,3 litres sur l'autoroute Le 0-100 km/h s'effectue en 7,2 secondes. Cela dit, il ne manque à la TL aucun élément de sécurité active ou passive: freins ABS, antipatinage, antidérapage et six coussins gonflables. Pour ceux qui veulent un peu plus de «punch», la TL propose cette année l'appellation sportive de la famille, la Type-S avec moteur de 3,5 litres avec boîte manuelle à six rapports de série, qui porte la puissance à 286 chevaux. Elle dispose aussi de freins Brembo de plus grande dimension, de roues de 17 po. exclusives et une transmission automatique à cinq vitesses avec changement de rapports via des palettes derrière le volant (en option).

COMPORTEMENT ► L'Acura TL n'a pas la tenue d'une berline allemande, mais sa puissance adéquate autorise des performances dynamiques. Grâce à son châssis équilibré et efficace, la voiture semble légère et athlétique. Le freinage est convaincant, décisif, et les suspensions sont un bon compromis entre sportivité et confort routier. Par contre, la direction trop filtrée souffre d'un flottement au centre, ce qui ne traduit pas convenablement la position de la voiture en virage. En accélération, la boîte automatique se cherche d'au moins deux rapports et le conducteur doit alors attendre quelques fractions de seconde avant de sentir une réaction. On préférera le mode séquentiel ou, mieux, la boîte manuelle qui permet un meilleur contrôle. Acura n'a toujours pas solutionné le vilain effet de couple lorsque l'on a envie de conduire de manière un peu plus sportive. Dommage car cela est très agaçant.

CONCLUSION ► À un premier prix légèrement supérieur à 40 000 $, l'Acura TL a beaucoup à offrir. Les éléments de sécurité et les aides à la conduite qui peuvent vous sauver la vie sont au rendez-vous, de même que le confort et la fiabilité. Il n'y manque qu'un peu plus d'émotion au volant.

FICHE TECHNIQUE

MOTEURS

(Base et Navi) V6 3,2 l SACT 258 ch à 6200 tr/min
couple: 233 lb-pi à 5000 tr/min
Transmission: automatique à 5 rapports avec mode manuel
0-100 km/h: 7,3 s
Vitesse maximale: 230 km/h
Consommation (100 km): 9,6 l (octane: 91)

(Type-S) V6 3,5 l SACT 286 ch à 6200 tr/min
couple: 255 lb-pi à 5000 tr/min
Transmission: manuelle à 6 rapports, automatique à 5 rapports avec mode manuel (option)
0-100 km/h: 6,5 s
Vitesse maximale: nd
Consommation (100 km): man.: 9,5 l, auto.: 10,1 l (octane: 91)

Sécurité active
freins ABS, répartition électronique de force de freinage, assistance au freinage, antipatinage, contrôle de stabilité électronique

Suspension avant/arrière
indépendante

Freins avant/arrière
disques

Direction
à crémaillère, assistée

Pneus
P235/45R17

DIMENSIONS

Empattement: 2740 mm
Longueur: 4809 mm, Type-S: 4822 mm
Largeur: 1916 mm
Hauteur: 1441 mm
Poids: Base: 1642 kg, Navi: 1648 kg, Type S: 1613 kg
Diamètre de braquage: 11,9 m
Coffre: 354 l
Réservoir de carburant: 64,7 l

2e opinion

Antoine Joubert • Chaque année depuis son lancement en 2004, je conduis au moins une fois une Acura TL, histoire de confirmer mon opinion à son sujet. Et, chaque fois, mon verdict est le même: à 42 000 $, la TL représente toujours une aubaine face à la concurrence. Elle propose confort, performances, agilité routière et sécurité, en plus d'être superbement équipée et belle à regarder. Pour qu'elle soit parfaite, il lui faudrait toutefois diminuer son effet de couple et son diamètre de braquage. Le premier problème pourrait être résolu par l'arrivée d'une version à traction intégrale, qui constituerait certainement une menace pour toute la concurrence.

TSX

évolution | 35 900 $ à 40 000 $ |
Transport et préparation : 1430 $

www.acura.ca

SOBRE ET EFFICACE

– Benoit Charette

FICHE D'IDENTITÉ

Version(s) : Base, Navi
Roues motrices : avant
Portières : 4
Première génération : 2004
Génération actuelle : 2004
Construction : Sayama, Japon
Sacs gonflables : 6, frontaux, latéraux avant et rideaux latéraux
Concurrence : Audi A4, BMW Série 3, Cadillac CTS, Infiniti G35, Lexus IS, Mercedes-Benz Classe C, Nissan Maxima, Saab 9³, VW Jetta et Passat, Volvo S40

AU QUOTIDIEN

Prime d'assurance :
25 ans : 2500 à 2700 $
40 ans : 1700 à 1900 $
60 ans : 1400 à 1600 $
Collision frontale : 5/5
Collision latérale : 5/5
Ventes du modèle l'an dernier
Au Québec : 837 **Au Canada :** 3 918
Dépréciation (2 ans) : 43 %
Rappels (2001 à 2006) : aucun à ce jour
Cote de fiabilité : 5/5

Il y a dans l'industrie automobile quelques secrets bien gardés. Des voitures discrètes, certes, mais qui brillent par la qualité de leur construction et par le plaisir qu'elles nous procurent dans la conduite. L'Acura TSX est l'une d'elles. Malheureusement, son manque de charme est son plus sérieux handicap.

CARROSSERIE ▶ Sans être inesthétique, la TSX souffre du syndrome de la rectitude politique, qui est trop souvent le talon d'Achille des concepteurs japonais. Cette Acura est en fait un clone de la Honda Accord vendue en Europe, exception faite des panneaux extérieurs qui sont différents. Trop sage pour être sensuel, le dessin de la voiture n'accroche pas l'œil. Résultat : sa silhouette en laisse plusieurs perplexes. Seuls ses pneus Michelin de 17 pouces lui donnent un petit quelque chose de sympathique.

HABITACLE ▶ À l'intérieur, la qualité de l'assemblage et de la finition est à la hauteur de la réputation des produits de la famille Honda. La position de conduite est idéale. La fermeté des sièges, à mi-chemin entre la rigueur allemande et l'évasement américain, représente un bon compromis. Les multiples ajustements permettent à tous les types de conducteurs de trouver une position de conduite confortable. L'habitabilité arrière est bonne ; et les nombreux espaces de rangement, bien dessinés et logiquement disposés. Si vous avez déjà possédé un véhicule Honda, vous ne serez pas dépaysé.

MÉCANIQUE ▶ L'histoire a démontré l'insuccès des berlines de luxe à moteur quatre cylindres. Citons l'Infiniti G20, la BMW 318i ou la première génération de Mercedes Classe C. Par conséquent, les quatre cylindres ont disparu de toutes ces voitures, car les performances n'étaient pas assez sportives. Heureusement, les 205 chevaux de la TSX sont à la hauteur. En utilisant une cylindrée de 2,4 litres (encore une fois empruntée à l'Accord

forces

- Tenue de route
- Assemblage et finition
- Moteur peu gourmand
- Fiabilité sans reproche

faiblesses

- Lignes un peu fades
- Diamètre de braquage
- Pneus d'origine de qualité moyenne

nouveautés en 2007

- Indicateur de basse pression des pneus

européenne), le couple est plus important et Acura a repoussé la ligne rouge à 7100 tours/minute. La TSX profite ainsi d'une bande de puissance plus large à bas régime et le VTEC apprécie toujours les chants à haut régime. Un bel équilibre. Mais, pour exploiter pleinement la puissance du moteur, il faut le faire tourner à un régime élevé, comme pour tous les moteurs VTEC Honda.

COMPORTEMENT ▶ La stabilité, la précision et la motricité sont des qualités indéniables de la voiture. Même sur les routes en lacets, elle ne se désunit jamais et il faut vraiment adopter une conduite extrême pour prendre la TSX en défaut. Et, même poussée jusqu'à ses limites, elle s'adapte à la situation et réagit très bien. Il faut en remercier le système d'assistance à la stabilité du véhicule (VSA) et le système de contrôle de la traction (TCS). Autre point positif, la boîte de vitesses manuelle de la TSX, d'une homogénéité sans pareille, offre une gradation serrée des six rapports. J'ose affirmer que Honda aurait pu écrire le manuel sur l'art de construire une boîte manuelle. Pour ceux qui ont l'âme plus zen, une transmission automatique séquentielle Sportshift à cinq rapports est aussi disponible. Deux points à retravailler: les pneus Michelin d'origine atteignent assez rapidement leur limite d'adhérence; et le diamètre de braquage limité vous donnera quelques maux de tête lors des manœuvres en ville.

CONCLUSION ▶ Dans l'ensemble, si l'on tient compte de l'agrément de conduite, de l'équipement complet, de la fiabilité légendaire de la marque et d'une qualité de fabrication sans faille, on peut peut-être oublier les lignes de la TSX, qui manquent de charme. Bien qu'elle ne possède pas l'aura d'une Audi ou d'une BMW, l'Acura TSX offre un meilleur rapport qualité/prix, avec la fiabilité en prime.

FICHE TECHNIQUE

MOTEUR
L4 2,0 l DACT 205 ch à 7000 tr/min
couple : 105 lb-pi à 4800 tr/min
Transmission : manuelle à 5 rapports, automatique à 5 rapports en option (avec mode manuel dans version Sport)
0-100 km/h : 7,8 s
Vitesse maximale : 215 km/h
Consommation (100 km) : man. : 9,9 l, auto. : 9,6 l (octane : 87)

Sécurité active
freins ABS, antipatinage, contrôle de stabilité électronique

Suspension avant/arrière
indépendante

Freins avant/arrière
disques

Direction
à crémaillère, assistée

Pneus
P215/50R17

DIMENSIONS
Empattement : 2670 mm
Longueur : 4657 mm
Largeur : 1762 mm
Hauteur : 1456 mm
Poids : Base : 1488 kg, Navi : 1493 kg
Diamètre de braquage : 12,2 m
Coffre : Base : 374 l, Navi : 363 l
Réservoir de carburant : 65 l

2e opinion

Pascal Boissé • La TSX est une berline de luxe compacte qui sait séduire par sa qualité de construction irréprochable et par son comportement routier très raffiné. Elle va à l'essentiel et ne s'encombre pas de gadgets inutiles. Si le design de l'extérieur est réussi sans être transcendant, l'intérieur est, lui, admirablement bien ficelé, et tout dans cette voiture respire la qualité et la sincérité. Cette agréable simplicité est un luxe en soi. Dans ce créneau des berlines sport, la nouvelle Jetta munie d'un 2,0 litres turbo vient maintenant faire un peu d'ombre à la TSX, mais la fiabilité de cette dernière constitue un avantage indéniable. Avec un moteur moins pointu, offrant plus de couple à bas régime, la TSX gagnerait certainement plus d'adeptes.

DB9

évolution | 215 000 $ à 235 000 $
Transport et préparation : nd

www.astonmartin.com

FICHE D'IDENTITÉ

Version(s) : coupé, Volante
Roues motrices : arrière
Portières : 2
Première génération : 2004
Génération actuelle : 2004
Construction : Gaydon, Angleterre
Sacs gonflables : 4, frontaux et latéraux
Concurrence : Cadillac XLR, Chevrolet Corvette, Dodge Viper, Ferrari F430, Ford GT, Jaguar XK, Lamborghini Gallardo, Maserati Coupé et Spyder, Mercedes-Benz Classe SL, Porsche 911

AU QUOTIDIEN

Prime d'assurance :
25 ans : 7500 à 7800 $
40 ans : 5000 à 5400 $
60 ans : 4200 à 4400 $
Collision frontale : nd
Collision latérale : nd
Ventes du modèle l'an dernier
Au Québec : nd **Au Canada :** nd
Dépréciation (3 ans) : nd
Rappels (2001 à 2006) : aucun à ce jour
Cote de fiabilité : nd

UNE RELÈVE RÉUSSIE

– Benoit Charette

La DB7 a eu son lot de détracteurs qui critiquaient la finition un peu bâclée pour une voiture de cette stature. La DB9 est, quant à elle, particulièrement achevée. Pour 2007, les rares amateurs qui trouvaient la DB9 un peu citadine seront heureux d'apprendre la venue d'une version sport qui se distingue par son assiette abaissée de 6 millimètres. Les barres antiroulis avant et arrière sont fortifiées ; et la rigidité des ressorts est augmentée de 68 % à l'avant et de 64 % à l'arrière. Enfin, le matériau composite du soubassement a disparu au profit de l'aluminium. Toutes ces modifications ont pour but d'améliorer les sensations du conducteur et les performances, le dynamisme et la stabilité de la voiture à haut régime.

CARROSSERIE ► Les Aston Martin sont parmi les plus belles voitures disponibles sur le marché. Dans l'ensemble, la DB9 a conservé l'essentiel de la DB7 tout en devenant plus agressive avec ses lignes plus tendues. La version Sport propose notamment de nouvelles jantes en alliage à cinq branches de 19 pouces. Plus légères chacune de 1 kilo que les jantes normales, elles ont des écrous en titane. Ces petits changements transforment significativement les lignes de la voiture, mais le meilleur ne se voit pas. La DB9 profite d'une structure en aluminium extrudé d'une rigidité exemplaire.

HABITACLE ► L'intérieur fait main respire la rigueur et le charme. Le cuir, notamment, est d'excellente facture, mais tout n'est pas parfait : le plastique qui recouvre la console centrale semble provenir d'un surplus de chez Ford et les commandes de la boîte de vitesses ne sont pas bien placées. En revanche, je ne trouve rien à redire à la quantité d'équipements ni à la position de conduite qui offre beaucoup de confort, mais, comme pour la majorité des coupés exotiques, la visibilité est moyenne. Stricte deux places, la DB9 dispose tout de même d'assez d'espace pour digérer

forces
- Lignes sublimes
- Performances
- Confort
- Finition

faiblesses
- Le moteur ne monte pas assez haut en régime
- Plastiques du tableau de bord
- Visibilité

nouveautés en 2007
- Nouveaux sièges avec plus d'ajustements, équipement de série plus complet, assistance au stationnement vers l'avant disponible, espace de chargement amélioré (coupé), ensemble Sport (coupé), vitesse maxi non limitée cabrio.

un sac de golf dans le coffre du coupé (et du cabriolet si le toit est fermé).

MÉCANIQUE ► L'exotisme prend ici la forme d'un 12 cylindres de 6,0 litres de 450 chevaux, associé à une boîte automatique ZF à six rapports dont la particularité est de se passer de levier. Si les rapports peuvent se commander manuellement par les palettes au volant, les positions P, R, N et D se sélectionnent par l'intermédiaire de grosses touches disposées de part et d'autre du bouton-poussoir du démarreur. Si le principe est original, ce n'est pas forcément pratique. La commande Drive est à l'extrémité droite de la console, presque devant le passager. Mais on oublie vite ces détails en mettant le moteur en marche.

COMPORTEMENT ► Par rapport à la DB7, les concepteurs ont reculé le moteur de la DB9 et déplacé la boîte de vitesses à l'arrière. L'équilibre général est irréprochable, on sent tout de suite sa grande homogénéité. La puissance est surprenante, mais la DB9 n'est pas une pure sportive. Contrairement à une Ferrari qui chante joyeusement dans les hautes sphères des rotations par minute, la DB9 rechigne à dépasser les 6000 tours. Il y a bien un instant de bonheur où le moteur change de sonorité après 4500 tours/minute, mais la boîte passe tout de suite au rapport suivant. La direction est précise mais, comme bien des GT, un peu lourde. L'accélération n'est pas impressionnante, on ressent la masse du véhicule au départ. Cependant, une fois la voiture lancée, le moteur ne manque jamais de souffle et relance solidement à tous les régimes, sans à-coups; voilà un très bon point pour une boîte automatique.

CONCLUSION ► L'Aston Martin DB9 réalise la synthèse presque parfaite de la rigueur germanique, de la classe anglaise et de la passion italienne. Avec un moteur pouvant faire 1000 tours/minute de plus, nous serions près du paradis.

FICHE TECHNIQUE

MOTEUR
V12 6,0 l DACT 450 ch à 6000 tr/min
couple : 420 lb-pi à 5000 tr/min
Transmission : manuelle à 6 rapports, automatique à 6 rapports avec mode manuel (option)
0-100 km/h : man. : 4,9 s, auto. : 5,1 s
Vitesse maximale : 300 km/h
Consommation (100 km) : 17,0 l (octane : 91)

Sécurité active
freins ABS, assistance au freinage, répartition électronique de force de freinage, antipatinage, contrôle de stabilité électronique

Suspension avant/arrière
indépendante

Freins avant/arrière
disques

Direction
à crémaillère, assistée

Pneus
P235/40R19 (av.), P275/35R19 (arr.)

DIMENSIONS
Empattement : 2740 mm
Longueur : 4710 mm
Largeur : 1875 mm
Hauteur : 1270 mm
Poids : 1710 kg, auto. : 1800 kg
Diamètre de braquage : 11,5 m
Coffre : 186 l
Réservoir de carburant : 80 l

2e opinion

Hugues Gonnot • La DB9 est la plus belle expression de la Grand Tourisme à l'anglaise. Ses lignes sont d'une sensualité extraordinaire, que ce soit avec le coupé ou le cabriolet Volante. C'est bien simple, c'est l'une des plus belles voitures du monde, point à la ligne. Les portes s'ouvrent en se soulevant pour éviter de heurter les trottoirs, et l'habitacle tout aussi magnifique respire le souci du détail. On est loin des intérieurs bricolés d'il n'y a pas si longtemps. Mais, surtout, Ford a su développer une architecture moderne, légère et rigide. Résultat, l'équilibre exemplaire permet d'exploiter la puissance du V12 en totale décontraction. La marque arrive même à faire des bénéfices. Ça, c'est vraiment nouveau !

V8 VANTAGE

évolution

139 400 $
Transport et préparation : nd

www.astonmartin.com

FICHE D'IDENTITÉ

Version(s): unique
Roues motrices : arrière
Portières : 2
Première génération : 2006
Génération actuelle : 2006
Construction : Gaydon, Angleterre
Sacs gonflables : 4, frontaux et latéraux
Concurrence : Chevrolet Corvette, Dodge Viper, Ferrari F430, Jaguar XK, Lamborghini Gallardo, Maserati Coupé, Mercedes-Benz Classe SL, Porsche 911

AU QUOTIDIEN

Prime d'assurance :
25 ans : 6000 à 6200 $
40 ans : 4100 à 4300 $
60 ans : 3500 à 4000 $
Collision frontale : nd
Collision latérale : nd
Ventes du modèle l'an dernier
Au Québec : nd **Au Canada :** nd
Dépréciation (3 ans): nd
Rappels (2001 à 2006): nd
Cote de fiabilité : nd

LA 911 ANGLAISE

– **Benoit Charette**

J'ai fait l'essai des premières générations de Vantage dans les années 1990 à l'usine de Newport Pagnell, mais à l'époque cette voiture était à peine plus qu'un bricolage. Le châssis, par exemple, ne possédait aucune intégrité. Je m'attendais donc à beaucoup lors de mon passage à Gaydon, en Angleterre, nouveau quartier général de la Vantage.

CARROSSERIE ► Le père de la DB9, le Danois Henrik Fisker, est responsable de la V8 Vantage, d'où le fort lien de parenté. Même si son style n'est pas innovateur par rapport à la DB9, la Vantage fait tout de même tourner les têtes partout où elle passe. Longue de seulement 4,3 mètres, large de 2 mètres, haute de seulement 1,2 mètre et avec des porte-à-faux réduits au minimum, elle montre un profil tout en muscles. Ses lignes pures et fluides sont agrémentées de détails de finition très discrets, comme les poignées de porte affleurantes, les superbes branches des rétroviseurs, les feux à LED ou la double sortie d'échappement séparée qui s'intègrent parfaitement à la carrosserie, qui lui confèrent une allure *so british*.

HABITACLE ► À l'intérieur, l'Aston Martin est une sportive, sans l'exubérance de Jaguar. On y trouve du cuir (neuf peaux de vache), des métaux et... du plastique. Certains matériaux, fournis par Ford et Volvo, semblent un peu communs pour une voiture de plus de 135 000 $. Mais après avoir pris place dans les superbes sièges et empoigné le magnifique volant gainé de cuir, on oublie rapidement les plastiques. Il est à noter que le client peut personnaliser sa voiture. Moyennant un supplément, on peut choisir la surpiqûre, la couleur et l'agencement des cuirs, la couleur de la carrosserie, etc. Les possibilités sont nombreuses. À l'arrière, le hayon s'ouvre sur 300 litres d'espace de chargement, assez pour ranger deux sacs de golf.

MÉCANIQUE ► Né chez Jaguar, puis peaufiné et assemblé à la main à Cologne, dans le département moteur d'Aston Martin, le V8

forces
- Lignes sexy
- Performances à la hauteur
- Coffre spacieux pour une sportive

faiblesses
- Quelques détails de la finition
- Consommation et coûts d'entretien élevés

nouveautés en 2007
- Nouveaux sièges avec plus d'ajustements, équipement de série plus complet, ouvre-porte de garage et rétroviseur à coloration électrochimique en option, nouvelles jantes de 19 po en option

4,3 litres atmosphérique à 32 soupapes de la belle GT anglaise fournit 380 chevaux à 7300 tours/minute. La boîte de vitesses mécanique Graziano à six rapports est ferme et précise, impeccable. Les rapports sont courts et bien étagés, ce qui autorise d'excellentes performances. Le 0-100 km/h est effacé en 5 secondes. Le V8 au son rauque apprécie particulièrement les montées en régime à plus de 4000 tours/minute et la mélodie du double échappement le met en valeur. Hélas, les 77 litres d'essence du réservoir s'envolent rapidement et, lors de mes essais, je suis rarement descendu sous la barre des 20 litres aux 100 km.

COMPORTEMENT ► Construit à partir d'éléments en aluminium extrudé, assemblés, pressés, collés avec des résines issues de l'aérospatiale et rivetés avec précision, l'ensemble est d'une extrême rigidité. Nous sommes à des années-lumière du bricolage inqualifiable des années 1990. La disposition en retrait du moteur et l'installation de la boîte-pont en arrière, selon le principe *transaxle,* permettent une répartition du poids de 49/51, ce qui confère à la voiture un comportement très équilibré. La puissance est transmise aux seules roues arrière par un tube en carbone. L'Aston Martin V8 Vantage dispose également d'un différentiel autobloquant mécanique dans ses équipements de série. La direction assistée hydrauliquement est d'une précision chirurgicale et permet une communion totale avec la route. Les jantes de 19 pouces accueillent des freins Brembo à quatre pistons, très performants, et l'on bénéficie, comme avec toutes les voitures exotiques, d'un groupe évolué d'aides électroniques à la conduite, qui ne sont pas trop encombrantes.

CONCLUSION ► Réussie sur tous les plans, la V8 Vantage est une alternative intéressante à la 911, avec son approche typiquement anglaise. Elle mérite ses ailes.

FICHE TECHNIQUE

MOTEUR
V8 4,3 l DACT 380 ch à 7300 tr/min
couple: 302 lb-pi à 5000 tr/min
Transmission : manuelle à 6 rapports
0-100 km/h : 5,0 s
Vitesse maximale: 280 km/h
Consommation (100 km) : 16,4 l (octane : 91)

Sécurité active
freins ABS, assistance au freinage, répartition électronique de force de freinage, antipatinage, contrôle de stabilité électronique

Suspension avant/arrière
indépendante

Freins avant/arrière
disques

Direction
à crémaillère, assistée

Pneus
P235/45R18 (av.), P275/40R18 (arr.)
option : P235/40R19 (av.), P275/35R19 (arr.)

DIMENSIONS
Empattement : 2600 mm
Longueur : 4382 mm
Largeur : 1866 mm
Hauteur : 1255 mm
Poids: 1570 kg
Diamètre de braquage : 11,1 m
Coffre : 300 l
Réservoir de carburant : 77 l

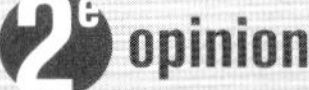

2e opinion

Hugues Gonnot • Sa mission était de faire sortir Aston Martin de l'absolue exclusivité et de s'attaquer directement à la 911. Comme c'est un ancien de chez Porsche qui est à la tête de la marque, on pouvait s'attendre à une franche réussite. C'est le cas sur le plan du style. Les lignes ramassées sont d'une élégance absolue tout en exprimant la puissance brutale. L'intérieur mélange avec bonheur le cuir et l'aluminium. Sur la route, la voiture fait preuve d'un équilibre parfait et la réponse du moteur est excellente, mais on peste contre l'embrayage pas très progressif et la commande dure. L'agrément et l'exclusivité sont là, mais il semble manquer un ingrédient pour que la sauce prenne vraiment. Désolé, mais la 911 reste devant.

VANQUISH

évolution | 339 950 $
Transport et préparation : nd

www.astonmartin.com

FICHE D'IDENTITÉ

Version(s) : S
Roues motrices : arrière
Portières : 2
Première génération : 2002
Génération actuelle : 2002
Construction : Newport Pagnell, Angleterre
Sacs gonflables : 4, frontaux et latéraux
Concurrence : Ferrari 599, Ford GT, Lamborghini Murciélago, Mercedes-Benz SLR, Porsche Carrera GT

AU QUOTIDIEN

Prime d'assurance :
25 ans : 8100 à 8300 $
40 ans : 5400 à 5600 $
60 ans : 4200 à 4400 $
Collision frontale : nd
Collision latérale : nd
Ventes du modèle l'an dernier
Au Québec : nd **Au Canada :** nd
Dépréciation (3 ans) : 18,5 %
Rappels (2001 à 2006) : aucun à ce jour
Cote de fiabilité : nd

F1 DE VILLE

– Bertrand Godin

L'Aston Martin Vanquish est l'une des voitures les plus racées sur le marché. Son unicité et sa puissance surprenante pour une voiture de série en font un véhicule fort désirable. Bien des gens rêvent de posséder un jour une Vanquish, comme bien des gens rêvent de gagner à la loterie. Dans les deux cas, c'est un rêve à peu près inaccessible. À défaut de prendre le volant, je vous invite à me suivre pour mieux connaître cette belle anglaise au cœur d'athlète.

CARROSSERIE ► La Vanquish me fait un peu penser à un culturiste raffiné. Quand on la regarde, on aperçoit des traits bien définis, des courbes nettes, comme si chaque ligne de la silhouette découpait les muscles de la voiture. Si on l'examine un peu plus longtemps, la Vanquish dégage une impression de puissance et d'agressivité, comme des culturistes bien huilés qui exhibent toute leur masse musculaire. On découvre un nouvel angle à chaque coup d'œil. Évidemment, la comparaison s'arrête ici, car la Vanquish n'a rien d'un Monsieur Univers. Sa silhouette est beaucoup trop raffinée pour la ramener au niveau des simples mortels, aussi musclés qu'ils soient. En matière de style, la Vanquish est indéniablement une Aston Martin. Sa grille de calandre (un peu comme celle de la Jaguar XK) évoque une gueule prête à s'ouvrir pour avaler la route. Le long capot, très profilé, produit un style aérodynamique digne d'une voiture de course. Et à l'arrière les échappements doubles complètent le portrait de la parfaite voiture de style.

HABITACLE ► Dans l'habitacle, par contre, le raffinement est moins évident, et j'avoue avoir même été un peu déçu par la qualité de finition du tableau de bord. Moi qui croyais pouvoir me vautrer dans le luxe des fines boiseries ! J'ai dû me contenter d'une finition moderne, en alu, ce qui a refroidi un peu mes ardeurs. C'est moderne, bien fini, mais froid. Les Anglais nous ont habitués à un cocon

forces
- Puissance du moteur
- Sonorité de l'échappement
- Design de la voiture

faiblesses
- Freinage moins résistant
- Prix
- Entretien très dispendieux

nouveautés en 2007
- Modèle non distribué en Amérique du Nord

douillet et rassurant ; le moderne ne lui va pas bien, c'est tout.

MÉCANIQUE ► Il en fallait quand même plus pour m'empêcher de tester cette voiture sur la route. C'est vrai que j'aurais aimé pouvoir la piloter sur un circuit pour en tirer le maximum. Je n'aurais eu aucune crainte par contre quant à la résistance. Car la Vanquish a beau être une voiture de rue des plus confortables, elle est tout de même dotée de toutes les caractéristiques d'une voiture de performance et possède même une certaine puissance, puisqu'elle compte sur un moteur V12 de 6,0 litres préparé par Cosworth, le motoriste qu'on a souvent vu sur les circuits du monde entier. Avec ce moteur de 520 chevaux, on retrouve une transmission séquentielle à six rapports dont la rapidité d'exécution dépasse largement celle de tous les pilotes que je connais. Elle a par contre tendance à ne pas passer les rapports aussi doucement que je l'aurais souhaité, et j'ai dû m'habituer à relâcher un peu l'accélérateur lors des changements pour éviter les sursauts.

COMPORTEMENT ► Les freins, des Brembo à disques ventilés, manquent un peu de puissance pour stopper cette lourde machine. Il ne faut pas oublier qu'elle efface le 0-100 km/h en moins de 4,5 secondes et qu'elle peut atteindre 320 km/h lorsqu'on a les nerfs assez solides. Cette Aston de grand luxe fournit une très bonne motricité en toutes circonstances et les enchaînements rapides sur des slaloms ou des routes en S ne posent aucun problème. Au contraire, cela contribue au plaisir de la conduite.

CONCLUSION ► La vraie magie de la Vanquish, c'est le son du moteur V12 que l'on a pourvu d'un clapet pour en limiter le bruit à bas régime, mais qui sonne comme une musique aux oreilles en accélération. Malgré tout, c'est cher, 330 000 $ pour un tel instrument de musique.

FICHE TECHNIQUE

MOTEUR
V12 6,0 l DACT 520 ch à 6500 tr/min
couple : 425 lb-pi à 5500 tr/min
Transmission : séquentielle à 6 rapports
0-100 km/h : 4,5 s
Vitesse maximale : 320 km/h
Consommation (100 km) : 18,9 l (octane : 91)

Sécurité active
freins ABS, assistance au freinage, répartition électronique de force de freinage, antipatinage, contrôle de stabilité électronique

Suspension avant/arrière
indépendante

Freins avant/arrière
disques

Direction
à crémaillère, assistée

Pneus
P255/40R19 (av.), P285/40R19 (arr.)

DIMENSIONS
Empattement : 2690 mm
Longueur : 4665 mm
Largeur : 1923 mm
Hauteur : 1318 mm
Poids : 1875 kg
Diamètre de braquage : 12,9 m
Coffre : 180 l
Réservoir de carburant : 80 l

opinion

Benoit Charette • Comme toutes les Aston Martin, la Vanquish a le pouvoir de dévisser la tête des passants. Elle est non seulement rare, mais aussi sensuelle qu'électrisante grâce au ronronnement hypnotique de son douze cylindres de 520 chevaux. Cette voiture de plus de 340 000 $ a trouvé plus de 1500 preneurs ces trois dernières années, dont quelques-uns au Québec. Produite à la main à l'usine anglaise de Newport Pagnell, la Vanquish est une œuvre d'art sur roues et son prix se justifie par la qualité des matériaux et le rythme ralenti d'une production artisanale. Nous sommes loin du travail à la chaîne.

A3

évolution | 32 950 $ à 44 990 $
Transport et préparation : 1300 $

www.audicanada.ca

FICHE D'IDENTITÉ

Version(s) : 2.0T, 3.2 quattro
Roues motrices : avant, 4
Portières : 4
Première génération : 2006
Génération actuelle : 2006
Construction : Ingolstadt, Allemagne
Sacs gonflables : 6, frontaux, latéraux avant et rideaux latéraux
Concurrence : Acura TSX, Mercedes-Benz Classe B, Subaru Impreza WRX, Volkswagen Jetta, Volvo S40 et V50

AU QUOTIDIEN

Prime d'assurance :
25 ans : 2700 à 2900 $
40 ans : 1800 à 2000 $
60 ans : 1500 à 1700 $
Collision frontale : nd
Collision latérale : nd
Ventes du modèle l'an dernier
Au Québec : 302 **Au Canada :** 1065
Dépréciation (3 ans) : nm
Rappels (2001 à 2006) : aucun à ce jour
Cote de fiabilité : nm

LE SENS DE L'ÉQUILIBRE

– Benoit Charette

D'entrée de jeu, j'admets que j'ai un préjugé favorable envers les produits Audi, et la petite A3 ne fait pas exception. La marque aux quatre anneaux a réussi à créer une compacte capable d'étonnantes performances et une ambiance de conduite incomparable, sans avoir fait de cette A3 une pure sportive qui aurait été moins pratique au quotidien. Elle ne rivalisera peut-être pas avec une Impreza STi sur une spéciale de rallye, mais elle n'en sera pas si loin. Cela dit, tout n'est pas parfait, regardons cela ensemble.

CARROSSERIE ► Extérieurement, il est très difficile de différencier la version 2,0 litres turbo de la 3,2 à moteur V6. Si vous tenez à vous démarquer, regardez du côté de la version S-Line qui propose des roues de 17 pouces à 9 rayons, très réussies. Pour le reste, les formes compactes et les lignes ramassées donnent beaucoup de gueule à cette semi-familiale. Mais il est dommage que l'acheteur doive choisir la version 3,2 litres, plus coûteuse, pour avoir la transmission intégrale.

HABITACLE ► En prenant place à bord, vous êtes accueilli par un siège sport en cuir et/ou tissu qui, grâce à ses multiples réglages complétés par ceux du volant, vous permet de trouver une position de conduite parfaite. On se sent vite à l'aise dans cet univers Audi composé de touches bien disposées, au contact agréable, et de grands cadrans éclairés de rouge. La commande de la boîte DSG, entourée de chrome, est très réussie, tout comme les applications d'aluminium. La finition est probablement sans équivalent dans sa catégorie. Un seul bémol : le plastique dur, sur toute la partie haute de la planche de bord, désagréable au toucher, est indigne d'une voiture de ce prix. Il est à noter que les passagers assis à l'arrière devront se contenter d'un espace assez exigu, surtout pour les jambes.

forces
- Assemblage et finition sans faille
- Superbe moteur 2,0 litres turbo
- Tenue de route exemplaire

faiblesses
- Pas de quattro en version 2,0 litres
- Rangement insuffisant
- Options onéreuses

nouveautés en 2007
- Groupe S remplace le groupe Sport, nouveau groupe Technologie, avant et arrière redessinés avec le groupe S

le rouge. Pour obtenir ce son caractéristique, Audi a recours à une petite astuce: un clapet modifie la sonorité en fonction du régime du moteur.

MÉCANIQUE ► Les 200 chevaux du moteur quatre cylindres turbo de 2,0 litres sont un modèle d'onctuosité. Souple à tous les régimes, la mécanique fait toujours bonne mesure et chante haut sans jamais fausser. Ceux qui aiment la conduite proactive jetteront leur dévolu sur la boîte manuelle. Cela dit, la boîte DSG à double embrayage comprenant six rapports est très agréable aussi. Elle est de série dans la 3,2 litres, ainsi que le système quattro. Mais, attention, il s'agit d'une technologie différente de celle développée en rallye depuis les années 1980. Ici, la voiture est équipée d'un dispositif de traction avant qui, en cas de patinage, renvoie du couple sur les roues arrière grâce à un coupleur Haldex, solution plus économique, mais tout aussi efficace. Le bruit des 250 chevaux du V6 de 3,2 litres est rond à bas régime et rageur quand l'aiguille titille le rouge. Pour obtenir ce son caractéristique, Audi a recours à une petite astuce: un clapet modifie la sonorité en fonction du régime du moteur.

COMPORTEMENT ► Ferme, mais jamais inconfortable, la suspension de l'A3 est un bon compromis. Surtout lorsque le rythme s'accélère et que les lignes droites se mettent à onduler. Sur le sec, le châssis est idéal, juste comme il faut, sans défaut de motricité, mais on découvre tous les bénéfices de la traction intégrale lorsque la chaussée devient glissante. Si la traction avant chasse un peu quand on pousse la mécanique dans ses derniers retranchements, il faut s'endormir au volant ou filer vraiment très vite pour quitter la route avec la transmission quattro. Le système DSG est intuitif et très bien géré, quel que soit le mode (automatique, sport ou à palettes). Il est toutefois regrettable que la boîte manuelle ait été mise de côté dans la V6.

CONCLUSION ► Soyons clairs: vous ne retrouverez pas ici le confort d'une grande berline. Mais c'est le prix à payer pour entasser 250 chevaux dans une voiture compacte. Un modèle fait sur mesure pour ceux qui apprécient une voiture sport qui offre un juste milieu entre pilotage et confort.

FICHE TECHNIQUE

MOTEURS
(2.0T) L4 2,0 l turbo DACT 200 ch à 5100 tr/min
couple: 207 lb-pi à 1800 tr/min
Transmission: manuelle à 6 rapports, automatique à 6 rapports avec mode manuel (option)
0-100 km/h: man.: 6,9 s, auto.: 6,7 s
Vitesse maximale: 209 km/h
Consommation (100 km): man.: 8,7 l, auto.: 8,5 l (octane: 91)

(3.2 Quattro) V6 3,2 l DACT 250 ch à 6300 tr/min
couple: 236 lb-pi à 2800 tr/min
Transmission: automatique à 6 rapports avec mode manuel
0-100 km/h: 5,9 s
Vitesse maximale: 209 km/h
Consommation (100 km): 10,4 l (octane: 91)

Sécurité active
freins ABS, répartition électronique de force de freinage, assistance au freinage, antipatinage, contrôle de stabilité électronique

Suspension avant/arrière
indépendante

Freins avant/arrière
disques

Direction
à crémaillère, assistée

Pneus
P225/45R17

DIMENSIONS
Empattement: 2578 mm
Longueur: 4286 mm
Largeur: 1959 mm
Hauteur: 1423 mm
Poids: 2.0T man.: 1480 kg, 2.0T auto.: 1510 kg, 3.2: 1660 kg
Diamètre de braquage: 10,7 m
Coffre: 370 l, 1120 l (sièges abaissés)
Réservoir de carburant: 55 l

opinion

Hugues Gonnot • Traditionnellement, pour l'Américain, plus la voiture est grosse, plus elle est luxueuse. Par contre, pour l'Européen, le luxe est davantage une question de style et de contenu que de taille. Cela dit, l'arrivée de l'A3 montre que nous passons tranquillement d'un paradigme à l'autre. Et, du contenu, elle en a ! Les deux moteurs sont vraiment réussis. Ensuite, il y a cette extraordinaire boîte à double embrayage DSG qui transforme l'expérience de conduite et réduit la consommation. Enfin, l'intérieur est tout simplement superbe. On pourra toutefois lui reprocher un coffre un peu réduit, l'absence d'une transmission quattro dans le 2,0 litres turbo et, surtout, un prix un peu trop élevé une fois tout équipée.

A4 / S4 / RS4

évolution | 35 270 $ à 95 000 $ |
Transport (sans préparation) : 700 $

www.audicanada.ca

FICHE D'IDENTITÉ

Version(s) : 2.0T FrontTrak, 2.0T Quattro, 3.2 Quattro, S4, RS4
Roues motrices : avant, 4
Portières : 2, 4
Première génération : 1996
Génération actuelle : 2002
Construction : Ingolstadt, Allemagne
Sacs gonflables : 6, frontaux, latéraux avant et rideaux latéraux (latéraux en option)
Concurrence : Acura TL et TSX, BMW Série 3, Cadillac CTS, Infiniti G35, Jaguar X-Type, Lexus IS, Mercedes-Benz Classe C, Saab 9^3, Volkswagen Passat, Volvo S40, V50, S60 et V70

AU QUOTIDIEN

Prime d'assurance :
25 ans : 2700 à 2900 $
40 ans : 1900 à 2100 $
60 ans : 1600 à 1800 $
Collision frontale : 4/5
Collision latérale : 5/5
Ventes du modèle l'an dernier
Au Québec : 1368 **Au Canada :** 4494
Dépréciation (3 ans) : 50,7 %
Rappels (2001 à 2006) : 3
Cote de fiabilité : 3/5

L'EMBARRAS DU CHOIX

– **Michel Crépault**

Il y a autant de versions d'A4 qu'il y a de pizzas différentes dans une pizzeria. On peut en changer la carrosserie, le moteur et même la traction. Si la moins chère (la berline 2.0T équipée d'un quatre cylindres suralimenté) peut se contenter d'être une traction, toutes les autres A4 profitent de la réputée traction intégrale quattro.

CARROSSERIE ► Outre la 2.0T, il y a la 3.2 équipée d'un V6 de 255 chevaux. En 2007, les formes sont plus rondelettes, mais la coque arbore toujours des atours lisses et fluides. Le cabriolet aussi est très beau. En fait, il y en a deux : le 1.8T et le 3.0. Sans oublier le duo des avant-gardistes familiales, surnommées Avant, qui adoptent la motorisation des berlines.

De plus, toutes les A4 peuvent profiter d'une augmentation de sportivité qui les transforme en S4, S4 Cabriolet et S4 Avant. La cerise sur le gâteau est disponible depuis peu : la RS4, encore plus féroce. La version familiale et le cabriolet ne traverseront pas l'Atlantique, pas plus que certaines options comme les sièges très cintrés et le volant à base horizontale mais, à elle seule, la berline vaut le détour.

HABITACLE ► Tous les intérieurs proposent une ambiance où le luxe est palpable, mais aussi la sobriété. Il faut avoir recours aux options pour personnaliser des cabines qui, sinon, privilégient la neutralité. À bord de la RS4, le cuir, l'aluminium et la fibre de carbone épicent le décor. Même si les A4 appartiennent à la catégorie des intermédiaires, le dégagement de la banquette arrière est limité. En revanche, les coffres à bagages sont généreux et faciles à charger.

MÉCANIQUE ► Autant de versions appellent une intéressante variété de moteurs et de transmissions. Inutile de tout énumérer ici, nos excellentes fiches techniques sont là pour ça. Sachez toutefois que vous trouverez puissance à votre pied, des 170 chevaux du plus pépère des cabriolets aux 420 électrisants chevaux de

forces

- Homogénéité de tous les ingrédients
- Une A4 pour tous les goûts et tous les budgets
- Qualité de la finition

faiblesses

- Intérieur au départ un brin austère
- Capot plongeant propice aux éraflures
- Banquette ferme et plutôt étroite

nouveautés en 2007

- Nouvelle version RS4, et nouvelle génération de cabriolet A4 et S4

sièges ultrasport et que cela est une raison suffisante, prétendent les Américains, pour ne pas les importer. Enfin, les sièges des RS4 nord-américaines se rapprochent davantage de ceux de la S6. Ils ont au moins l'avantage d'accepter les fortes constitutions, contrairement à leurs vis-à-vis européens. Les ouïes de la RS4, percées près des roues avant, ne sont pas qu'ornementales. Elles autorisent le passage de l'air qui refroidit

la RS4. Son V8 supporte 8250 tours/minute, mais 90 % du couple est disponible dès 3000 tours. Des boîtes manuelles Tiptronic et Multitronic (variable continue) sont au menu, de même que des suspensions et des systèmes de freinage qui augmentent en agressivité à mesure que vous alignez les billets verts.

COMPORTEMENT ▶ Lorsqu'on appuie sur le bouton «S» de la RS4, la musique des tuyaux d'échappement devient plus grave, l'arrivée d'air est modifiée pour enrichir le mélange, les commandes de l'accélérateur gagnent en précision et, en Europe, les bourrelets latéraux du siège du conducteur se resserrent de 15 %. Ce dernier changement à la personnalité de la RS4 n'aura pas lieu chez nous parce qu'on ne peut installer de sac gonflable latéral dans ces sièges

les disques. Résultat: freiner avec la RS4 est aussi amusant que d'effacer le 0-100 km/h en 4,8 secondes. Peu importe la version, le format et la répartition des masses suscitent de belles sensations au volant. Ce souci d'équilibre a incité les ingénieurs de la RS4 à déplacer la batterie à l'endroit qu'aurait normalement occupé le pneu de secours. Une crevaison? Priez pour que ce soit un petit trou que vous pourrez obturer temporairement à l'aide du kit de réparation.

CONCLUSION ▶ Au départ, la plateforme, les organes mécaniques et l'environnement intérieur de l'A4 concourent à offrir une automobile au comportement sain. L'incroyable chapelet de variantes qui s'ensuit se charge de combler les plus exigeants.

FICHE TECHNIQUE

MOTEURS

(2.0T) L4 2,0 l turbo DACT 200 ch à 5100 tr/min
couple: 207 lb-pi à 1800 tr/min
Transmission: manuelle à 6 rapports, automatique à 6 rapports (option), automatique à variation continue (FrontTrak)
0-100 km/h: FrontTrak: 7,1 s, Quattro: 7,3 s
Vitesse maximale: 209 km/h
Consommation (100 km): FrontTrak man.: 8,2 l, FrontTrak CVT: 8,3 l, Quattro man.: 8,8 l, auto.: 9,0 l (octane: 91)

(3.2) V6 3,2 l DACT 255 ch à 6500 tr/min
couple: 243 lb-pi à 3250 tr/min
Transmission: manuelle à 6 rapports, automatique à 6 rapports (option)
0-100 km/h: 6,6 s
Vitesse maximale: 209 km/h
Consommation (100 km): 10,2 l (octane: 91)

(S4) V8 4,2 l DACT 340 ch à 7000 tr/min
couple: 302 lb-pi à 3500 tr/min
Transmission: manuelle à 6 rapports, automatique à 6 rapports (option)
0-100 km/h: 5,3 s, cabrio: 5,8 s
Vitesse maximale: 250 km/h
Consommation (100 km): man.: 13,0 l, auto.: 12,4 l (octane: 91)

(RS4) V8 4,2 l DACT, 420 ch à 7000 tr/min
couple: 317 lb-pi à 6000 tr/min
Transmission: manuelle à 6 rapports
0-100 km/h: 4,8 s
Vitesse maximale: 250 km/h
Consommation (100 km): man.: 13,4 l (octane: 91)

Sécurité active
freins ABS, répartition électronique de force de freinage, assistance au freinage, antipatinage, contrôle de stabilité électronique

Suspension avant/arrière
indépendante

Freins avant/arrière
disques

Direction
à crémaillère, assistée

Pneus
2.0T: P205/55R16, 3.2: P235/45R17, S4: P235/40R18, RS4: P255/35R19

DIMENSIONS

Empattement: 2648 mm, cabrio.: 2654 mm
Longueur: 4586 mm, RS4: 4589 mm, cabrio.: 4573 mm
Largeur: 1772 mm, cabrio.: 1777 mm, S4: 1781 mm, RS4: 1816 mm
Hauteur: 1427 mm, cabrio.: 1391 mm, S4 et RS4: 1415 mm
Poids: 1555 à 1935 kg
Diamètre de braquage: 11,1 m, S4: 11,5 m
Coffre: berl.: 380 l, fam. 787 l, 1672 l (sièges abaissés), cabrio.: 287 l
Réservoir de carburant: 63 l, FrontTrak: 70 l

opinion

Jean-Pierre Bouchard • Audi doit à l'A4 sa remontée dans le cœur des consommateurs. Au fil des ans, cette voiture a su se distinguer des autres par sa carrosserie élégante, son comportement routier sûr et sa qualité de finition supérieure. Une seule vraie déception: l'habitabilité insuffisante, notamment à l'arrière. L'A4 est une voiture d'entrée de gamme bon chic, bon genre. L'ajout de nouveaux groupes motopropulseurs, dont le V6 de 3,2 litres FSI associé à la boîte manuelle à six rapports – un délice – a contribué à augmenter le dynamisme de la voiture et, du coup, le plaisir de la conduire. À quand une mécanique diesel? J'en ai conduit une en Europe, qui m'a particulièrement impressionné.

A6 / S6

évolution | 62 510 $ à 74 940 $
Transport et préparation : 700 $

www.audicanada.ca

UNE GAMME PLUS COMPLÈTE, PLUS FÉROCE...

– Michel Crépault

FICHE D'IDENTITÉ

Version(s) : 3.2, 4.2, S6
Roues motrices : avant, 4
Portières : 4
Première génération : 1995
Génération actuelle : 2005
Construction : Neckarsulm, Allemagne
Sacs gonflables : 8, frontaux, latéraux avant et arrière, rideaux latéraux
Concurrence : Acura RL, BMW Série 5, Cadillac STS, Jaguar S-Type, Lexus GS, Mercedes-Benz Classe E, Saab 9[5], Volvo S80

AU QUOTIDIEN

Prime d'assurance :
25 ans : 3800 à 4000 $
40 ans : 2100 à 2300 $
60 ans : 1800 à 2000 $
Collision frontale : 5/5
Collision latérale : 5/5
Ventes du modèle l'an dernier
Au Québec : 325 **Au Canada** : 1022
Dépréciation (3 ans) : 48,8 %
Rappels (2001 à 2006) : 3
Cote de fiabilité : 2/5

Nous l'avions annoncée dans le précédent *Annuel* et la voilà qui arrive, la fameuse S6. Ce bolide équipé du V10 maison se joint aux deux berlines A6 et aux deux familiales A6 Avant, qui étaient déjà disponibles. En revanche, ne cherchez pas de S6 Avant ni même de Allroad 2007, toutes deux restées en Europe.

CARROSSERIE ► La gamme S met l'emphase sur la sportivité sans pour autant délaisser l'élégance propre à la marque. De tous les signes distinctifs de la nouvelle S6, la palme va aux deux rangées de diodes logées dans les trappes d'air avant en guise d'éclairage. Dix petites lumières (autant que les cylindres !) qui, en plus de nimber la S6 d'un style unique, semblent narguer les concurrents.

HABITACLE ► Peu importe le modèle, la finition intérieure des « 6 » impressionne. Rien d'excitant toutefois ; plutôt l'austérité, laquelle est heureusement émaillée d'accents branchés dans la S6 (placages de carbone ou d'alu brossé). Ma nuque a trouvé l'appuie-tête intégré des sièges sport un peu trop intrusif. J'ai atténué tout ça en manipulant les multiples réglages électriques. Toute la famille utilise le système multimédia MMI qui s'apprivoise mieux que celui de BMW. Le hayon de l'A6 Avant s'active électriquement et on peut laisser la clé dans sa poche pour démarrer.

MÉCANIQUE ► La S6 met en vedette un V10 de 40 soupapes. Oui, celui de la S8, mais avec 15 chevaux en moins (435 contre 450). Par contre, les porte-parole d'Audi m'ont assuré que ce V10 est différent de celui de la Lamborghini Gallardo (la division a acquis la marque au taureau en juillet 1998). Très compact et léger (220 kilos), ce V10 occupe néanmoins tout l'espace sous le capot. Heureusement, on nous promet un entretien minimal. L'injection directe d'essence FSI permet de fonctionner sur un taux de compression élevé de 12,5 : 1. Quant aux A6 et A6 Avant, on peut les équiper du V6 de 3,2 litres et 255 chevaux ou du V8 de 4,2 litres et

forces

- Une nouvelle S6 envoûtante
- Cocktail réussi de puissance et confort
- Moteurs pour budgets distincts

faiblesses

- Suspension A6 qui pourrait être resserrée
- Peinture de qualité, mais d'entretien difficile
- Clé électronique qui nous a joué des tours...

nouveautés en 2007

- Une S6 pour les gens vraiment pressés (mais la version familiale S6 Avant ne traversera pas l'Atlantique)

335 chevaux. D'une cylindrée de 5,2 litres, la S6 met justement 5,2 secondes à passer de 0 à 100 km/h, alors que les A6 et A6 Avant s'exécutent en 6 ou 7 secondes, selon leur motorisation. Toutes les «6» utilisent une transmission Tiptronic (séquentielle) à six rapports avec palettes au volant, mais l'étagement des vitesses est nettement plus court chez la S6. Autre dénominateur commun: la transmission intégrale quattro.

COMPORTEMENT ► Le son de la S6 est absolument magique. D'autres V10 privilégient la puissance en misant sur un couple tardif. Avec la nouvelle S6, la poussée musclée se manifeste dès 3000 tours/minute. Les roues de 19 pouces (17 et 18 pouces pour les autres) sont rivées au sol par une suspension raffermie, certes, mais qui ne néglige pas pour autant le confort nécessaire aux longs trajets. En fait, j'ai préféré le comportement ferme mais finement calibré de la S6 à la suspension d'une A6 qui manque de subtilité quand la route se dégrade. Dans le même ordre d'idée, la direction de la S6 passe tout de suite aux choses sérieuses avec une précision diabolique, tandis que le volant des A6 propose des manières plus ronflantes. Au départ, une A6 équipée du V6 au lieu du V8 s'avère une excellente voiture. Un peu trop aseptisées dans leur apparence et leurs manières à leurs débuts, les A6 et A6 Avant, renouvelées en 2005, ont désormais une allure sémillante et une tenue de route plus vivante.

CONCLUSION ► Vendue 79 800 euros en Europe, la S6 attendait toujours son prix en dollars canadiens au moment où j'écris ces lignes, mais une source bien informée l'estime à 105 000 $. Beaucoup d'argent, mais toute une machine! La S6 repousse les frontières d'une berline de tourisme et marie un agrément de conduite optimal à la haute technologie. L'A6 Avant est l'une des familiales les plus chic qui soient, et l'A6 redéfinit l'art des quatre portes en évitant l'ennui.

FICHE TECHNIQUE

MOTEURS

(3.2) V6 3,2 l DACT 255 ch à 6500 tr/min
couple: 243 lb-pi à 3250 tr/min
Transmission: automatique à 6 rapports avec mode manuel
0-100 km/h: 7,1 s
Vitesse maximale: 209 km/h
Consommation (100 km): 10,2 l (octane: 91)

(4.2) V8 4,2 l DACT 335 ch à 6600 tr/min
couple: 310 lb-pi à 3500 tr/min
Transmission: automatique à 6 rapports avec mode manuel
0-100 km/h: 6,1 s
Vitesse maximale: 209 km/h
Consommation (100 km): 11,5 l (octane: 91)

(S6) V10 5,2 l DACT 435 ch à 6800 tr/min
couple: 398 lb-pi à 3000 tr/min
Transmission: automatique à 6 rapports avec mode manuel
0-100 km/h: 5,1 s
Vitesse maximale: 250 km/h
Consommation (100 km): nd (octane: 91

Sécurité active
freins ABS, répartition électronique de force de freinage, assistance au freinage, antipatinage, contrôle de stabilité électronique

Suspension avant/arrière
indépendante

Freins avant/arrière
disques

Direction
à crémaillère, assistée

Pneus
P245/45R17, S6: P265/35R19

DIMENSIONS

Empattement: 2843 mm
Longueur: berl.: 4916 mm, fam.: 4933 mm
Largeur: 2012 mm
Hauteur: berl.: 1459 mm, fam.: 1478 mm
Poids: berl. 3.2: 1740 kg, fam. 3.2: 1890 kg, 4.2: 1880 kg, S6: 2035 kg
Diamètre de braquage: 11,9 m
Coffre: berl.: 450 l, fam.: 961 l
Réservoir de carburant: 80 l

opinion

Antoine Joubert • Difficile de ne pas aimer cette Audi, une voiture immensément plus jolie et agile que sa devancière. J'ai craqué pour l'A6 Avant, cette familiale très *mean* qui semble prête à dévorer l'Autobahn. Je ne peux donc que rêver de cette nouvelle S6 à moteur V10 qui fera son apparition sous peu. Mais qu'importe la version, l'A6 procure confort, silence de roulement, puissance et performances routières exceptionnelles. Son habitacle somptueux est également un incitatif. Cependant, le jeu des options est dangereux, puisque la facture peut atteindre des sommets démentiels. Par exemple, l'A6 Avant à moteur V6 mise à ma disposition, qui possédait presque toutes les options possibles, valait 86 055 $. Ouch!

A8

Transport (sans préparation) : 700 $

www.audicanada.ca

FICHE D'IDENTITÉ

Version(s) : base, L, L 6.0, S8
Roues motrices : 4RM
Portières : 4
Première génération : 1995
Génération actuelle : 2004
Construction : Ingolstadt, Allemagne
Sacs gonflables : 10, frontaux, latéraux avant et arrière, rideaux latéraux et aux genoux
Concurrence : Bentley Flying Spur, BMW Série 7, Jaguar XJ, Lexus LS, Mercedes-Benz Classe S

AU QUOTIDIEN

Prime d'assurance :
25 ans : 5700 à 5900 $
40 ans : 3500 à 3700 $
60 ans : 3000 à 3200 $
Collision frontale : 5/5
Collision latérale : 5/5
Ventes du modèle l'an dernier
Au Québec : 80 **Au Canada :** 250
Dépréciation (3 ans) : 51,1 %
Rappels (2001 à 2006) : 3
Cote de fiabilité : 1/5

L'ÉTALON À RATTRAPER

– Michel Crépault

Dans l'univers des limousines à 100 000 $, le chroniqueur monte à bord du véhicule à essayer avec une loupe et un scalpel. Face au prix demandé, il oppose forcément un scepticisme de bon aloi. En revanche, lorsqu'il s'agit de l'Audi A8 telle qu'on la connaît depuis 2004, le scribe peut laisser un peu de sa méfiance au vestiaire. S'il y a une berline de luxe qui a su rallier tous les suffrages, c'est elle.

CARROSSERIE ► Les lignes sont nobles, point final. Nul artifice superflu. La baguette de protection chromée s'accorde avec le cadrage des glaces avec une élégance mesurée. Le bas de caisse encavé et les antibrouillards encastrés lui confèrent une discrète sportivité. La grille à la fois massive et aérée s'intègre admirablement à l'énorme capot. Les arcs du toit et de la croupe sont élégants et aérodynamiques. La version L, dont l'empattement s'allonge en l'honneur des passagers arrière, n'ajoute pourtant que 130 millimètres à la longueur hors tout. Quant à la S8, un brin maquillée, elle devrait être accessible aux Canadiens en 2007, mais au compte-gouttes.

HABITACLE ► Passez d'une A6 à une A8, aucun dépaysement. Les interrupteurs sont absolument semblables. À la rigueur en a-t-on inversé ou ajouté un ou deux. Dès le démarrage, la clé dans sa poche, l'index sur le bouton-poussoir, un panneau pivote pour découvrir l'écran MMI (Multi Media Interface). La grosse roulette couchée sur la console centrale qui en contrôle les mille et une fonctions a le mérite d'être conviviale, quasiment facile à manipuler. Dans les premiers temps, on doit toutefois quitter souvent la route des yeux pour apprivoiser le système. Petit reproche : où est le système de divertissement à DVD ? Réponse : dans le modèle W12, vraiment cher. On retrouve dans une A8 près de 2,5 km de filage et des ordinateurs d'une capacité de 90 mégaoctets. Il faut deux quarts de travail quotidiens à l'usine de Neckarsulm pendant six jours et demi pour en compléter un exemplaire (deux jours pour la

forces
- Conduite extrêmement équilibrée
- Intérieur sobre mais captivant
- Coffre très spacieux

faiblesses
- Volant au boudin trop mince
- Cinquième place de banquette mal exploitée
- Trop d'options pour le prix déjà corsé

nouveautés en 2007
- Version S8, moteur V8 plus puissant en raison de l'injection directe de carburant

pneumatiques réglables qui transforment même le macadam abîmé en un tapis d'ouate. N'oublions pas le châssis en aluminium: sa légèreté (qui n'enlève rien à sa robustesse) permet à la grosse auto de jouer à la ballerine. La direction est aussi légère que précise. Avec le V8, toutefois, la boîte séquentielle prend tout de même un imperceptible délai à sonner la cavalerie quand on la réclame. Cette hésitation disparaît totalement au volant de la S8 ou du modèle W12. Les passagers arrière, de qui on doit forcément se soucier quand on se donne la peine d'acheter pareille voiture, ont beaucoup d'espace, peu importe la version. Dans la W12 et la S8, ils occupent des fauteuils individuels. Avec le V8, la place médiane de la banquette est inhospitalière à cause de la raideur du dossier qui comporte un accoudoir/passe-ski, et à cause du tunnel entre les jambes.

CONCLUSION ► L'A8 se comporte royalement. Bien sûr, une Classe S affiche beaucoup de prestance et d'opulence, tandis qu'une Série 7 mord l'asphalte avec assurance. Mais l'A8 excelle avec une aisance qui appartient aux champions, comme le talent qui sépare un Tiger Woods des autres golfeurs.

plateforme, autant pour l'assemblage, et deux jours et demi pour la peinture).

MÉCANIQUE ► Au départ, le V8 de 4,2 litres et 350 chevaux fait parfaitement l'affaire. Mais d'aucuns auront l'envie et les moyens de s'offrir le W12 né de l'accouplement de deux VR6. On parle alors de 450 chevaux, soit le même muscle que procure le dix cylindres 5,2 litres de la S8. Tous ces engins sont couplés à une transmission Tiptronic à six vitesses plus ou moins sportive, selon le couple à maîtriser, et à une traction quattro faisant appel à un différentiel central Torsen (Torque Sensing) qui opère avec la sensibilité d'un ostéopathe.

COMPORTEMENT ► Le confort naturel de l'A8 repose en bonne partie sur ses amortisseurs

FICHE TECHNIQUE

MOTEURS

(Base et L) V8 4,2 l DACT 350 ch à 6800 tr/min
couple: 325 lb-pi à 3500 tr/min
Transmission: automatique à 6 rapports avec mode manuel
0-100 km/h: 6,3 s
Vitesse maximale: 209 km/h
Consommation (100 km): 11,2 l (octane: 91)

(L 6.0) W12 6,0 l DACT 440 ch à 6200 tr/min
couple: 425 lb-pi à 4000 tr/min
Transmission: automatique à 6 rapports avec mode manuel
0-100 km/h: 5,1 s
Vitesse maximale: 250 km/h
Consommation (100 km): 14,3 l (octane: 91)

(S8) V10 5,2 l DACT 450 ch à 7000 tr/min
couple: 398 lb-pi à 3500 tr/min
Transmission: automatique à 6 rapports avec mode manuel
0-100 km/h: 5,1 s
Vitesse maximale: 250 km/h
Consommation (100 km): nd (octane: 91)

Sécurité active
freins ABS, assistance au freinage, distribution électronique de force de freinage, antipatinage, contrôle de stabilité

Suspension avant/arrière
indépendante

Freins avant/arrière
disques

Direction
à crémaillère, assistée

Pneus
P235/55R17, 6.0: P255/45R19, S8: P265/35R20

DIMENSIONS

Empattement: 2945 mm, L: 3074 mm, S8: 2944 mm
Longueur: 5051 mm, L: 5192 mm, S8: 5062 mm
Largeur: 1894 mm, S8: 1897 mm
Hauteur: 1444 mm, L: 1455 mm, S8: 1424 mm
Poids: A8: 1945 kg, A8L: 1995 kg, A8L 6.0: 2145 kg, S8: 1940 kg
Diamètre de braquage: A8: 12,5 m, A8 L: 12,7 m, S8: 12,1 m
Coffre: 500 l
Réservoir de carburant: 90 l

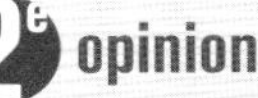

2e opinion

Benoit Charette • Généralement, les gens associent davantage BMW qu'Audi à la conduite sportive, mais, avec l'ajout d'une gamme complète de voitures S et RS, Audi veut changer cette image. En 2007, la S8 aura un moteur V10 de 450 chevaux, qui dérive de l'incroyable mécanique de la Lamborghini Gallardo. Un bref moment au volant de cette S8 aux 24 heures du Mans m'a révélé son très grand confort et les potentialités de sa mécanique. Cette super sportive aux bonnes manières est l'ultime grande berline. Si je devais me procurer une seule voiture de luxe, j'opterais pour l'Audi A8.

nouveauté | 68 900 $ à 79 900 $ |
Transport (sans préparation) : 700 $

www.audicanada.ca

FICHE D'IDENTITÉ

Version(s) : 3.6, 3.6 Premium, 4.2, 4.2 Premium
Roues motrices : 4
Portières : 4
Première génération : 2007
Génération actuelle : 2007
Construction : Bratislava, Slovaquie
Sacs gonflables : 6, frontaux, latéraux avant et rideaux latéraux (latéraux arr. en option)
Concurrence : Acura MDX, BMW X5, Cadillac SRX, Infiniti FX, Land Rover LR3, Lexus RX et GX, Mercedes-Benz ML, Porsche Cayenne, Saab 9[7X], Volkswagen Touareg, Volvo XC90

AU QUOTIDIEN

Prime d'assurance :
25 ans : 4200 à 4400 $
40 ans : 2600 à 2800 $
60 ans : 2100 à 2300 $
Collision frontale : 5/5
Collision latérale : 5/5
Ventes du modèle l'an dernier
Au Québec : nm **Au Canada** : nm
Dépréciation (3 ans) : nm
Rappels (2001 à 2006) : nm
Cote de fiabilité : nm

UN VÉRITABLE ATHLÈTE

– Antoine Joubert

Il aura fallu attendre bien longtemps avant qu'Audi daigne offrir aux Nord-Américains un véritable VUS. Certes, la marque nous proposait déjà l'Allroad, une familiale haute sur patte dérivée de l'A6, mais elle ne répondait nullement aux exigences des acheteurs de VUS de luxe, qui ont souvent comme critère principal l'image et la puissance. Audi l'a compris, et c'est la raison pour laquelle l'Allroad de seconde génération ne nous sera plus proposée. En revanche, nous avons droit, depuis le 16 juin dernier, à un utilitaire fort impressionnant du nom de Q7, qui s'impose déjà comme l'un des meneurs de la catégorie.

CARROSSERIE ► Les lignes du Q7, œuvre du styliste de Sherbrooke Dany Garand, représentent une parfaite synthèse esthétique de chacun des véhicules concurrents, à laquelle on a ajouté un parfum propre aux produits Audi. Son élégance lui permet de bien paraître à côté d'un Mercedes ML ou d'un Volvo XC90; son dynamisme gêne celui du BMW X5 (même le nouveau); et son attitude macho lui permet de regarder l'Infiniti FX de très haut. Qui plus est, la forte présence de chrome sait intimider toute la concurrence américaine, pourtant experte dans ce domaine. En plus de se distinguer par une foule de détails, comme les bas de caisse de couleur contrastante et les jantes pouvant atteindre 20 pouces de diamètre, le Q7 se démarque également par la très large ouverture de son hayon, qui facilite le chargement. On remarque toutefois que les feux arrière disparaissent complètement lorsque le coffre est ouvert. Qu'importe, Audi a pris soin de placer deux feux de position sur le pare-chocs, qui prennent la relève lorsque ceux du hayon ne sont pas opérationnels.

HABITACLE ► Avec la multitude de matériaux de haut de gamme qui tapissent l'habitacle du Q7, les occupants se retrouvent véritablement en première classe. Les cuirs sont souples; les

forces
- Lignes audacieuses
- Performances relevées
- Aptitudes routières épatantes
- Habitacle luxueux et confortable
- Nombreuses innovations techno.

faiblesses
- Véhicule très lourd
- Consommation importante
- Coût déraisonnable de certaines options
- Adaptation au système MMI
- Accélérateur électronique désagréable

nouveautés en 2007
- Nouveau modèle

plastiques, riches; et les moquettes, de qualité supérieure. Toutefois, certains agencements de teintes intérieures réussissent mieux que d'autres à exprimer ce sentiment de noblesse. Selon les besoins de chacun, le Q7 peut offrir de l'espace pour cinq, six ou sept occupants.

D'abord, seules les versions à moteur V8 reçoivent de série la banquette de troisième rangée, permettant de faire passer le nombre possible d'occupants de cinq à sept. Sur ces modèles, il est également possible d'opter pour un groupe d'options (très onéreux) dans lequel la banquette médiane est remplacée par deux baquets, ce qui réduit le nombre de place à six. Pour accéder à la troisième rangée, l'exercice est moins complexe que chez d'autres concurrents. En revanche, le dégagement pour la tête est à ce point limité qu'aucun adulte de taille normale ne peut y prendre place sans se heurter le crâne.

Pour sa part, le conducteur se trouve installé sur un siège juste assez ferme, pourvu de bons soutiens et muni d'innombrables réglages, permettant une position de conduite optimale. La superbe planche de bord, qui arbore les élégants cadrans typiques de la marque, allie élégance et fonctionnalité mieux que la plupart des véhicules concurrents. Très enveloppante, elle fait corps avec la console centrale, sur laquelle on remarque de nombreuses commandes, dont celle du système informatique MMI. Ce dernier exige une sérieuse période d'adaptation, mais est tout de même plus instinctif que celui d'une certaine firme bavaroise. Sur ce plan, j'ajouterais toutefois que le système récemment lancé avec la Classe S de Mercedes est le mieux conçu.

Se situant presque au sommet de l'échelle hiérarchique d'Audi, le Q7 se devait de posséder tous les gadgets du dernier cri susceptibles d'équiper un véhicule de luxe. Ainsi, en plus de tout l'attirail associé au système MMI, l'ensemble technologique optionnel comprend la reconnaissance vocale, la caméra de rétrovision avec angles d'approche, l'accès et le démarrage sans clé, et un dispositif d'assistance à la conduite qui vous indique si la voie dans laquelle vous voulez vous engager est libre ou non.

MÉCANIQUE ► Fraîchement arrivées chez les concessionnaires, les versions 3.6 utilisent un moteur V6 à injection directe, certainement capable de tenir tête aux meneurs de la catégorie. Aussi présent sous le capot du Touareg en 2007, ce moteur n'a cependant pas pu faire l'objet d'un essai avant la parution de cet ouvrage, ce qui m'amène donc à vous parler de ce somptueux V8, proposé dans les versions 4.2. Vous aurez deviné qu'il s'agit du 4,2 litres utilisé à profusion chez ce constructeur.

Toutefois, le Q7 reçoit une version légèrement remaniée de ce moteur, qui comporte l'injection directe de carburant et, par conséquent, développe 10 chevaux supplémentaires, pour un total de 350. Toute cette artillerie autorise de grandes performances, peu importe le régime. Le moteur est souple, puissant et toujours prêt à foncer, notamment parce qu'il est très bien accompagné par une boîte automatique à six rapports. Les temps d'accélération paraissent cependant plus longs qu'ils ne le sont réellement, sans doute en raison de

HISTOIRE ▼

De l'Allroad au Q7

La marque aux quatre anneaux entrelacés est reconnue pour ses voitures équipées du système quattro : sa transmission intégrale en prise constante. Jusqu'ici cependant, Audi n'avait jamais commercialisé de camionnette. Les prototypes Steppenwolf et Pikes Peak laissaient entrevoir un changement en ce sens. Or, l'arrivée du Q7, qui répond vraisemblablement mieux aux attentes des acheteurs de notre continent, a inévitablement entraîné la disparition de la familiale Allroad, même si une nouvelle version vient d'être lancée en Europe.

Prototype Allroad quattro 1998

Allroad quattro 2000

Prototype Steppenwolf 2000

Prototype Pikes Peak 2003

Prototype Allroad 2005

Prototype Q7 hybride 2006

Allroad quattro 2006

Q7

GALERIE ▼

1 • Les lignes accrocheuses du Q7 sont redevable en grande partie à un concepteur de Sherbrooke, Dany Garand qui avait auparavant travaillé à l'élaboration de la dernière génération de l'A8

2 • Comme tous les produits de la famille Audi, les matériaux utilisés dans l'habitacle sont de très grande qualité, la finition est exemplaire.

3 • En plus du système d'affichage central MMI, vous pouvez obtenir un ensemble technologique comprenant la reconnaissance vocale, la caméra de recul, le démarrage sans clé et un dispositif d'assistance à la conduite.

4 • Seules les versions à moteur V8 reçoivent de série la banquette de troisième rangée, pouvant du coup accueillir sept passagers. Cette troisième rangée bien que facile d'accès est uniquement pour les enfants en raison du toit très bas.

5 • Pour offrir un maximum de luminosité, Audi offre un toit ouvrant panoramique qui couvre les deux premières rangées de banquettes, dispendieux mais intéressant.

❶

❷

❸

❹

❺

l'insonorisation qui nous isole du monde extérieur.

COMPORTEMENT ► Dans les modèles à moteur V8, la sonorité judicieusement étudiée qui jaillit du pot d'échappement relève d'un cran le degré d'excitation du conducteur. Celui-ci découvrira d'emblée que le Q7 n'a sur la route rien d'un VUS et qu'il peut pratiquement faire n'importe quoi. Lancé à pleine vitesse sur un chemin de terre tortueux et abrupt, le Q7 a démontré que son agilité n'a tout simplement rien à envier à celle de l'Audi A6, ce qui n'est pas peu dire. Il négocie les virages avec précision et sans aucune trace de roulis, et s'accroche au sol comme un chien à son os.

Le système quattro, qui n'a plus besoin d'être vanté, est certainement responsable de l'équilibre exceptionnel de ce véhicule, dont le poids démesuré est seulement inférieur de 40 kilos à celui d'un Nissan Armada. Fermement suspendu, pourvu d'un châssis ultrarigide et d'une direction parfaite, le Q7 n'a comme seul irritant qu'un accélérateur électronique qui n'obéit pas instantanément au conducteur. Ce petit délai a priori insignifiant finit par nous agacer, surtout dans les embouteillages, quand nous devons doser légèrement pour accélérer. Ce travers constitue toutefois bien peu de choses à côté de tout ce que le Q7 peut apporter en matière de confort et de performances routières.

CONCLUSION ► Avec une telle force de caractère, un tel niveau de luxe et de performance, le Q7 ne peut faire autrement que de se placer au sommet de sa catégorie. Polyvalent sur tous les plans, il plaira aussi bien à l'acheteur en quête de confort, de luxe et d'espace, qu'à celui qui recherche la conduite sportive. Certains n'aimeront peut-être pas son attitude presque arrogante, mais, c'est connu, celui qui plaît à tous ne soulève pas les passions.

FICHE TECHNIQUE

MOTEURS

(3.6) V6 3,6 l DACT 280 ch à 6200 tr/min
couple : 266 lb-pi à 2750 tr/min
Transmission : automatique à 6 rapports avec mode manuel
0-100 km/h : 8,2 s
Vitesse maximale : 208 km/h
Consommation (100 km) : 13,1 l (octane : 91)

(4.2) V8 4,2 l DACT 350 ch à 6800 tr/min
couple : 325 lb-pi à 3500 tr/min
Transmission : automatique à 6 rapports avec mode manuel
0-100 km/h : 7,2 s
Vitesse maximale : 208 km/h
Consommation (100 km) : 14,2 l (octane : 91)

Sécurité active
freins ABS, répartition électronique de force de freinage, assistance au freinage, antipatinage, contrôle de stabilité électronique

Suspension avant/arrière
indépendante

Freins avant/arrière
disques

Direction
à crémaillère, assistée

Pneus
3.6, 3.6 Premium : P235/60R18,
4.2, 4.2 Premium : P255/55R18

DIMENSIONS

Empattement : 3002 mm
Longueur : 5086 mm
Largeur : 1983 mm
Hauteur : 1737 mm
Poids : 3.6 : 2275 kg, 3.6 Premium : 2290 kg, 4.2 : 2390 kg, 4.2 Premium : 2480 kg
Diamètre de braquage : 12 m
Coffre : 307 l, 2052 l (sièges abaissés)
Réservoir de carburant : 100 l
Capacité de remorquage : 3500 kg

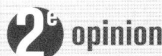

2e opinion

Nadine Filion • La conduite de l'Audi Q7 m'a plutôt laissée de glace. La tenue de route est moins sportive que souhaitée de la part d'un véhicule germanique. Et, même avec le moteur V8, les kilos du Q7 demandent un certain temps avant de pouvoir s'ébranler. Non, là où le Q7 fera sa marque, ce sera nul doute au chapitre de la technologie. Incroyables, ces percées qui montent à bord du premier utilitaire d'Audi : assistance aux angles morts qui témoignent des véhicules qui échappent à l'œil même le plus vigilant, ou encore régulateur de vitesse intelligent – intelligent au point d'immobiliser le véhicule dans un bouchon de circulation. Un véritable laboratoire roulant, que ce Q7.

TT

★ nouveauté | $ 57 000 $ à 70 000 $ |
Transport et préparation : 1300 $

www.audicanada.ca

UNE NOUVEAUTÉ DANS LA CONTINUITÉ

– **Benoit Charette**

FICHE D'IDENTITÉ

Version(s) : 2.0T, 3.2
Roues motrices : avant, 4
Portières : 2
Première génération : 2000
Génération actuelle : 2007
Construction : Gyor, Hongrie
Sacs gonflables : 6, frontaux, latéraux avant et rideaux latéraux
Concurrence : BMW Z4 et M Coupe, Chrysler Crossfire, Honda S2000, Infiniti G35 coupé, Mercedes-Benz SLK, Nissan 350Z, Porsche Cayman

AU QUOTIDIEN

Prime d'assurance :
25 ans : 4000 à 4200 $
40 ans : 2200 à 2400 $
60 ans : 1800 à 2000 $
Collision frontale : nd
Collision latérale : nd
Ventes du modèle l'an dernier
Au Québec : 59 **Au Canada :** 199
Dépréciation (3 ans) : 38,5 %
Rappels (2001 à 2006) : 2
Cote de fiabilité : 2/5

Il n'y aura pas d'Audi TT au catalogue de l'entreprise en 2007. La production des modèles 2006 a cessé en juin dernier et le modèle 2008 dont il est ici question arrivera au printemps de 2007, suivi trois mois plus tard de la version décapotable. La TT qui doit son succès à sa forte image reviendra avec une orientation plus sportive, mais toujours marquée du même sceau.

CARROSSERIE ▶ Alors que la première génération de TT empruntait le châssis de l'A3, la nouvelle TT a été conçue comme un modèle à part entière. Cette nouvelle robe est composée de 69 % d'aluminium et de 31 % d'acier. Cette évolution de la technique ASF (Audi Space Frame) développée pour l'A8 permet aux concepteurs d'augmenter sensiblement les proportions de la TT (14 centimètres plus longue et 8 centimètres plus large) tout en l'allégeant de près de 20 kilos.

Physiquement, la silhouette s'étire. Un des membres de l'équipe de conception d'Audi, le Québécois Dany Garand, souligne que l'entreprise délaisse peu à peu le style Bauhaus, élégant mais froid, pour un style qui marie des surfaces plus nuancées. La nouvelle TT en est un bel exemple et ses lignes ne sont pas sans rappeler certains modèles cousins de la Forêt-Noire. Le toit qui s'allonge jusqu'à l'arrière, les contours fortement découpés et la calandre agressive affirment son statut de voiture sport. Sans perdre son style original qui a fait son succès, cette nouvelle TT dévoile une personnalité plus forte.

HABITACLE ▶ L'habitabilité profite de ces proportions plus généreuses. L'espace pour les coudes et les épaules est plus grand et les passagers assis à l'arrière profitent de 6 centimètres supplémentaires pour s'étirer les jambes. Malheureusement la garde au toit est toujours aussi limitée et les personnes de plus de 1,50 mètre risquent de se faire assommer par le hayon quand elles le refermeront ou de souffrir de torticolis au cours des longs trajets.

forces

- Nouveau châssis léger et rigide
- Moteur 2,0 litres parfaitement adapté
- Finition toujours sans reproche
- Grand espace de chargement
- Suspension Magnetic Ride

faiblesses

- Visibilité qui laisse encore à désirer
- Places arrière exiguës
- Pas de quattro avec le moteur 2,0 litres (pour le moment)

nouveautés en 2007

- Modèle entièrement redessiné

Cela dit, le coffre offre 290 litres d'espace de chargement, 700 litres avec les sièges arrière abaissés, volumes surprenants pour un coupé sport. De plus, la position de conduite est maintenant plus proche de la voiture sport que de la berline. Par contre, la ceinture de caisse demeure élevée, ce qui nuit à la visibilité. Par ailleurs, le dessin de la planche de bord est exemplaire : la console centrale est dorénavant orientée vers le conducteur et la présentation est moins froide et plus conforme aux récents modèles de la famille Audi. Seules les trois bouches d'aération rondes rappellent l'ancienne version. Audi s'est même permis un clin d'œil à ses concurrents en proposant un volant plat à sa base, comme en F1. Et, avec les palettes de la boîte S tronic, vous êtes vraiment au volant d'une petite sportive.

MÉCANIQUE ▶ Deux moteurs seront proposés lors du lancement au printemps de 2007. Un 2,0 litres turbo de 200 chevaux fortement dérivé de celui de la Volkswagen GTI ; et le 3,2 litres qui équipe déjà l'A3 et l'A4. Le moteur de 2,0 litres sera d'abord proposé uniquement en traction, alors que le 3,2 litres sera de série avec la transmission quattro. La boîte DSG, rebaptisée S tronic chez Audi, est la seule disponible avec le moteur de 2,0 litres, mais avec le 3,2 litres on peut avoir, en plus de la boîte S tronic, une boîte manuelle à six rapports. Les responsables d'Audi Canada envisagent d'ajouter la boîte manuelle et la transmission quattro au modèle 2,0 litres.

COMPORTEMENT ▶ C'est sur les routes tortueuses des Alpes autrichiennes que j'ai fait connaissance avec la nouvelle TT. Nous avions toutes les variantes à notre disposition, y compris une quatre cylindres manuelle pour le marché européen. Je dois avouer ma préférence pour le moteur 2,0 litres turbo avec la boîte S tronic et le système d'amortissement Magnetic Ride (proposé dans les équipements optionnels). La réponse et l'entrain du moteur turbo à injection directe sont impressionnants. Avec la boîte S tronic, chaque changement de vitesse s'accompagne d'un petit oumph... grisant du turbo.

En théorie, les 255 chevaux du moteur V6 devraient offrir plus de vivacité, mais le véhicule est plus lourd de 150 kilos, ce qui nuit à sa fougue sur la route. Le seul avantage du V6 provient de la transmission quattro qui rend le véhicule plus agile sur les routes en lacets et qui permet d'attaquer les courbes rapides avec plus d'assurance. Il est toutefois difficile de percevoir une différence sur le plan des performances. Par exemple, on fait le 0-100 km/h en 6,4 secondes avec le 2,0 litres turbo ; et en 6,0 secondes avec le 3,2 litres.

Quant au comportement, l'allègement du châssis et une rigidité supérieure de près de 50 % donnent des ailes au TT. Les trajectoires sont toujours précises, on négocie les courbes avec le sourire, et la combinaison du volant sport et des commandes de changement de vitesses au volant ajoute beaucoup de cachet à la conduite de cette vraie sportive. Mais le plus impressionnant, c'est que la TT est facile à conduire et demeure confortable sur presque toutes

HISTOIRE ▼

Pur-sang... germano-hongrois

À l'époque où la marque Audi faisait partie du grand conglomérat Auto-Union (qui avait regroupé Audi, DKW, Horch et Wanderer), on n'imaginait pas le jour où cette marque ouvrirait une usine en Hongrie (1993), encore moins celui où une sportive arborant les quatre anneaux y serait assemblée ! Autrefois, une voiture allemande était produite en Allemagne. Point. Il en fut ainsi pour toutes les Audi jusqu'à ce qu'une partie de la production de la TT ne soit transférée à l'usine hongroise, en 2002.

Audi TT 1999

Auto-Union 1000SP 1958-65

Audi TT Roadster 2006

Audi 100 Coupé S 1971

Audi Sport quattro 1985

DKW F12 1964

Audi GT 1985

TT

GALERIE ▼

1 • Un petit aileron style Porsche 911 se déploie à l'arrière à 120 km/h et se rétracte à 80 km/h.
2 • En plus d'être rétractable, les rétroviseurs extérieurs, comme de plus en plus de véhicules sur la route, sont complétés par des clignotants intégrés. Un élément de sécurité non négligeable.
3 • Certaines traditions demeurent avec la deuxième génération de la TT. Parmi elles, le couvert de réservoir aluminium qui a toujours aussi fière allure.
4 • Le dessin de la planche de bord fait toujours office de référence. La console centrale est dorénavant orientée vers le conducteur et la présentation est moins « froide » et plus conforme aux récents modèles de la famille, seules les trois bouches d'aération rondes font le lien avec l'ancienne version.
5 • Les proportions plus généreuses profitent à l'habitabilité. L'espace pour les coudes et les épaules est plus généreux. Les passagers arrière ont droit également à 6 cm supplémentaires pour s'étirer les jambes. Malheureusement la garde au toit est toujours aussi limitée et les personnes de plus de 1,50 mètre risquent de se faire assommer par le hayon en refermant ce dernier ou de souffrir d'un sérieux torticolis sur de longs trajets.

1

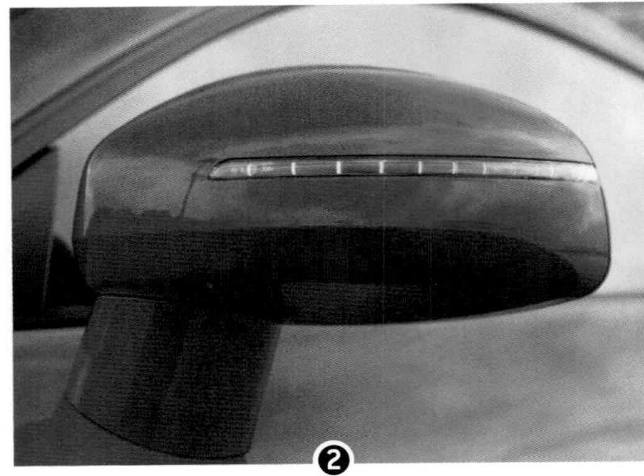
2

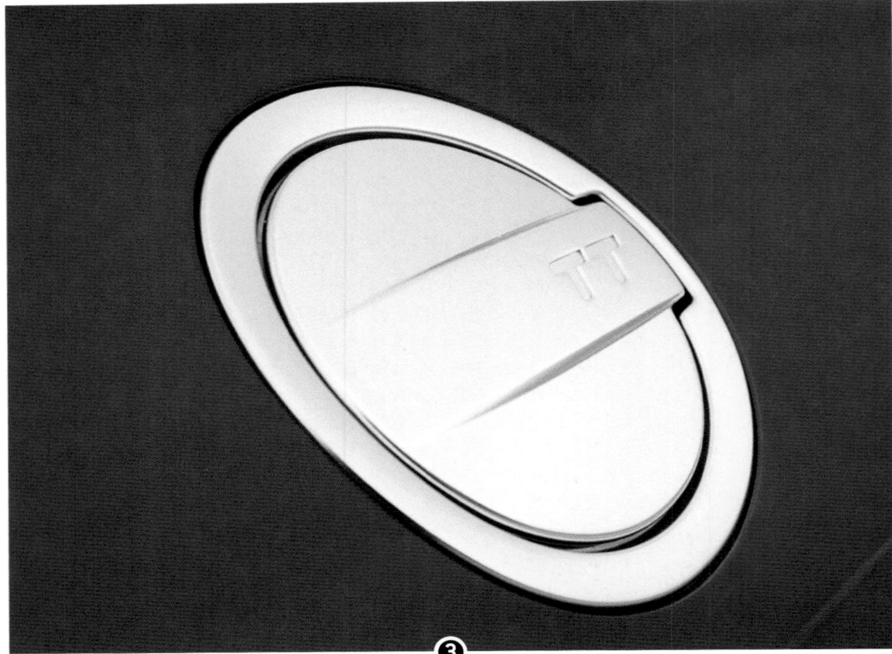

3

4

5

les surfaces grâce à la suspension Magnetic Ride pilotée par champ magnétique comme chez Cadillac, Ferrari et sur la Corvette. En mode Confort, vous êtes dans une berline de luxe, alors que le mode Sport vous permet de tirer le maximum de l'équilibre du nouveau châssis. Si vous avez l'intention de pousser la voiture comme nous avons eu l'occasion de le faire sur certains tronçons d'*Autobahn*, sachez qu'un petit aileron style Porsche 911 se déploie à l'arrière à 120 km/h et se rétracte à 80 km/h. Après 300 km sous le soleil, dans l'eau de la fonte des neiges et à plus de 2600 mètres d'altitude, la TT n'a montré aucun signe de fatigue et elle répondait promptement à nos demandes. Seuls les freins ont commencé à s'essouffler après une descente de montagne mouvementée. Toutefois, je peux affirmer sans trop me tromper que très peu de propriétaires vont dévaler un col de montagne à cette vitesse, et de manière répétée, avec une TT.

CONCLUSION ▶ À la suite du lancement du coupé au printemps 2007, la décapotable suivra à l'été. Des responsables d'Audi nous ont confirmé à voix basse que l'on prépare une version 2,0 litres de 260 chevaux et que le V6 de 3,2 litres sera remplacé dans un proche avenir par le 3,6 litres de 280 chevaux. Pour le moment, le 2,0 litres avec S tronic fait notre bonheur. Avec la transmission quattro, tout serait parfait. Une vraie sportive à prix réaliste, c'est le but que s'était fixé Audi en élaborant la deuxième génération de TT. Mission accomplie !

FICHE TECHNIQUE

MOTEURS

(2.0T) L4 2.0 l turbo DACT 200 ch à 5100 tr/min
couple : 207 lb-pi à 1800 tr/min
Transmission : manuelle à 6 rapports, automatique à 6 rapports avec mode manuel (option)
0-100 km/h : man. : 6,6 s, auto. : 6,4 s
Vitesse maximale : 240 km/h
Consommation (100 km) : 7,7 l (octane : 91)

(3.2) V6 3,2 l DACT 255 ch à 6500 tr/min
couple : 243 lb-pi à 3200 tr/min
Transmission : manuelle à 6 rapports, automatique à 6 rapports avec mode manuel (option)
0-100 km/h : man. : 5,9 s, auto. : 5,7 s
Vitesse maximale : 250 km/h
Consommation (100 km) : man. : 10,3 l, auto. : 9,4 l (octane : 91)

Sécurité active
freins ABS, répartition électronique de force de freinage, assistance au freinage, antipatinage, contrôle de stabilité électronique

Suspension avant/arrière
indépendante

Freins avant/arrière
disques

Direction
à crémaillère, assistée

Pneus
2.0T : P225/55R16, 3.2 : P245/45R17

DIMENSIONS
Empattement : 2468 mm
Longueur : 4178 mm
Largeur : 1842 mm
Hauteur : 1352 mm
Poids : 2.0T : 1260 kg, 3.2 : 1410 kg
Diamètre de braquage : 11,0 m
Coffre : 290 l, 700 l (sièges abaissés)
Réservoir de carburant : 2.0T : 55 l. 3.2 : 60 l

ARNAGE

évolution | 288 990 $ à 346 990 $
Transport et préparation : nd

www.bentleymotors.com

PORTEUSE DE TRADITION

– **Benoit Charette**

FICHE D'IDENTITÉ

Version(s) : R, RL, T
Roues motrices : arrière
Portières : 4
Première génération : 1998
Génération actuelle : 1998
Construction : Crewe, Angleterre
Sacs gonflables : 8, frontaux, latéraux avant et arrière, rideaux latéraux
Concurrence : Maybach 57 et 62, Rolls Royce Phantom

AU QUOTIDIEN

Prime d'assurance :
25 ans : 8100 à 8300 $
40 ans : 5400 à 5600 $
60 ans : 4200 à 4400 $
Collision frontale : nd
Collision latérale : nd
Ventes du modèle l'an dernier
Au Québec : nd **Au Canada :** nd
Dépréciation (3 ans) : 38,9 %
Rappels (2001 à 2006) : 5
Cote de fiabilité : nd

C'est au Salon de l'auto de Londres, en 1919, que W. O. Bentley présenta sa première voiture baptisée « 3 litres ». La marque anglaise rachetée par VW, autrefois liée à Rolls-Royce (maintenant propriété de BMW), est dorénavant seule dans les murs de Crewe depuis le déménagement de son « nouveau » concurrent. L'Arnage est le modèle qui représente le mieux l'image traditionnelle de Bentley.

CARROSSERIE ▶ Pour célébrer soixante ans de production dans son usine de Crewe, Bentley a élaboré pour l'Arnage une série limitée : la Diamond Series, qui témoigne de tout le savoir-faire de la marque britannique. La carrosserie d'origine a subi quelques modifications qui font de cette Diamond Series un modèle à part : on a ajouté des jantes de 19 pouces, une nouvelle grille de calandre en acier et de petits drapeaux britanniques sur les ailes avant. Mais, surtout, clin d'œil à l'illustre passé de la marque, on note la présence d'un bouchon de radiateur Flying B. Seulement 60 exemplaires de l'Arnage Diamond Series ont été construits, dont la moitié a pris le chemin des États-Unis.

HABITACLE ▶ Dès qu'on prend place à bord de cette œuvre d'art, on comprend pourquoi cette voiture coûte plus de 300 000 $. Tout est fait main par des artisans méticuleux qui se relaient de génération en génération. On choisit aussi une Bentley pour le plaisir de posséder une voiture personnalisée. Le catalogue des peintures extérieures et des selleries est une véritable palette de tons et de coloris pouvant satisfaire tous les goûts et tous les désirs. Des clientes ont fait peindre leur Arnage de la couleur de leur rouge à lèvres préféré. D'autres clients ont commandé un intérieur aux mêmes teintes et avec les mêmes appliqués de bois que dans leur yacht ou leur jet privé. Cela dit, les modèles préparés à l'usine n'ont rien de banal pour autant. Au-delà des magnifiques boiseries qui ornent planche de bord, volant,

forces
- Performances surprenantes
- Modèle construit sur commande, selon vos désirs
- Luxe sans pareil

faiblesses
- Le poids d'un paquebot
- L'appétit d'un paquebot
- Le prix d'un paquebot

nouveautés en 2007
- Pas de changement

portières et console centrale, l'atmosphère générale est empreinte de simplicité. Les commandes des fonctions secondaires sont cachées derrière un panneau coulissant ; seules les commandes essentielles et les plus fréquemment utilisées sont accessibles directement au conducteur, ce qui crée un style propre et sans artifices.

MÉCANIQUE ▶ Sous ce capot se cache un moteur V8 de 6,75 litres. Ses deux turbocompresseurs lui confèrent un couple époustouflant de 645 livres-pied. Les Arnage R et RL tirent 400 chevaux de cette mécanique, réussissent le 0-100 km/h en 6,3 secondes et atteignent une vitesse maximale limitée à 250 km/h selon une entente entre plusieurs constructeurs européens de véhicules haut de gamme. L'Arnage T est plus sportive : 0-100 km/h en 5,5 secondes ; vitesse maximale de 270 km/h grâce à un turbo plus agressif qui permet de soutirer 450 chevaux du même V8. La seule transmission disponible est une automatique à quatre rapports.

COMPORTEMENT ▶ Imaginez un lutteur de sumo inscrit à l'épreuve du 100 mètres aux Jeux olympiques, et imaginez que ce lutteur décroche une médaille… Malgré ses deux tonnes et demie, cette Bentley est capable de telles prouesses. Le châssis rigide et la suspension très bien calibrée permettent de soutenir un rythme d'enfer. Mais, honnêtement, l'Arnage préfère les randonnées à basse vitesse et c'est ce que la plupart des propriétaires attendent de cette voiture. Ceux qui optent pour l'Arnage T, avec sa calibration de suspension plus sportive et ses pneus plus agressifs, sont généralement un peu plus jeunes. Tous les ingrédients sont réunis pour nous permettre d'exploiter les potentialités de cette grande routière.

CONCLUSION ▶ Si vous aimez posséder des choses uniques et que vous en avez les moyens, cette Bentley ne vous décevra pas.

FICHE TECHNIQUE

MOTEURS

(R, RL) V8 6,75 l biturbo ACC 400 ch à 4000 tr/min
couple : 616 lb-pi à 3250 tr/min
Transmission : automatique à 4 rapports
0-100 km/h : 6,3 s
Vitesse maximale : 249 km/h
Consommation (100 km) : 20,6 l (octane : 91)

(T) V8 6,75 l biturbo ACC 450 ch à 4100 tr/min
couple : 645 lb-pi à 3250 tr/min
Transmission : automatique à 4 rapports
0-100 km/h : 5,5 s
Vitesse maximale : 270 km/h
Consommation (100 km) : 20,6 l (octane : 91)

Sécurité active
freins ABS, assistance au freinage, distribution électronique de force de freinage, antipatinage, contrôle de stabilité électronique

Suspension avant/arrière
indépendante

Freins avant/arrière
disques

Direction
à crémaillère, assistée

Pneus
R et RL : P255/50R18, T : P255/45R19

DIMENSIONS

Empattement : R et T : 3116 mm, RL : 3366 mm
Longueur : R : 5390 mm, T : 5400 mm, RL : 5640 mm
Largeur : 2120 mm
Hauteur : R et T : 1515 mm, RL : 1520 mm
Poids : R, T : 2585 kg
Diamètre de braquage : 12,4 m
Coffre : 374 l
Réservoir de carburant : 100 l

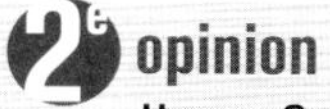

opinion

Hugues Gonnot • C'est la Bentley d'un autre âge, celui d'avant Volkswagen, quand la marque liait encore son destin à celui de Rolls-Royce. Elle est la dernière représente de l'exclusivité purement anglaise puisque, *oh shocking*, les nouvelles Rolls et Bentley ont été dessinées par des continentaux. Elle est aussi la dernière à abriter sous son capot le vénérable V8 de 6,75 litres. Quoique, avec deux turbos, il n'a de vénérable que l'âge, car l'Arnage peut décoller sans se faire prier. Évidemment, l'intérieur contient tout ce qu'il faut de boiseries fines, de cuirs souples et de tapis moelleux. Mais ses jours sont comptés, car ses ventes sont anecdotiques et les concessionnaires eux-mêmes avouent pousser la Flying Spur ou la Continental GT.

CONTINENTAL GT

évolution | 222 990 $ à 249 900 $
Transport et préparation : nd

www.bentleymotors.com

FICHE D'IDENTITÉ

Version(s) : coupé, décapotable
Roues motrices : 4RM
Portières : 2
Première génération : 2004
Génération actuelle : coupé : 2004, décapotable : 2007
Construction : Crewe, Angleterre
Sacs gonflables : 6, frontaux, latéraux, rideaux latéraux
Concurrence : Aston Martin Vanquish, Ferrari 612 Scaglietti, Mercedes-Benz CL600

AU QUOTIDIEN

Prime d'assurance :
25 ans : 7700 à 7900 $
40 ans : 5000 à 5200 $
60 ans : 4000 à 4200 $
Collision frontale : nd
Collision latérale : nd
Ventes du modèle l'an dernier
Au Québec : nd **Au Canada :** nd
Dépréciation (1 an) : 23,7 %
Rappels (2001 à 2006) : 1
Cote de fiabilité : nd

LA PLUS BELLE

– Nadine Filion

Impossible. Il est tout à fait impossible de respecter les limites de vitesse au volant de la Bentley Continental GT. C'est que, avec 552 chevaux sous le capot...

CARROSSERIE ► De toutes les voitures actuellement sur le marché, la Bentley Continental GT est à mon avis l'une des plus belles. Ses courbes sculpturales sont magnifiques. Même ceux qui ne connaissent absolument rien à l'automobile tournent la tête sur son passage afin de l'admirer. En 2007, une décapotable GTC s'ajoutera au coupé 2+2. Grâce à un système électrohydraulique, le toit souple se rabat en 25 secondes. Question d'assurer un minimum de chargement (260 litres contre 355 litres pour le coupé), les ingénieurs ont revu la suspension arrière. Et, grâce à quelques indispensables renforcements d'acier, celle qui se décapote vient de prendre 110 kilos.

HABITACLE ► Dans l'habitacle de la Continental, il y a de quoi être ébahi... La Bentley profite d'un cuir prodigieux : 17 peaux sont nécessaires pour tapisser l'intérieur, pavillon compris. Et pas n'importe quel cuir, s'il vous plaît, celui importé du nord de l'Europe. Pourquoi ? Parce qu'il y fait plus frais, ce qui rebute les insectes qui, autrement, endommageraient la finition des peaux... De plus, les sièges et les appliqués de bois sont assemblés à la main, comme le volant – il faut huit heures pour ce dernier. En fait, l'assemblage d'une GT requiert 160 heures de boulot. Doit-on préciser que les fauteuils avant sont ultraconfortables ? Sachez que les designers qui les ont conçus sont allés jusqu'à prendre les mesures de basketteurs new-yorkais afin de s'assurer que les plus grands gabarits seront confortables eux aussi. La fonction massage est optionnelle...

MÉCANIQUE ► Qu'est-ce que la démesure ? Un W12 de 6,0 litres qui compte non pas sur un, mais sur deux turbos pour développer 552 chevaux (479 livres-pied de couple). Voilà qui fait de la Continental peut-être le coupé le

forces
- Superbe design
- 552 chevaux sous le capot
- Revêtement de cuir prodigieux

faiblesses
- Où est l'ouverture électrique du coffre ?
- Aussi gloutonne qu'un Hummer H2
- Suspension sèche, mais bon...

nouveautés en 2007
- Version décapotable

plus puissant du monde. Qu'une seule boîte au catalogue: la séquentielle à six rapports, dont les passages peuvent s'effectuer à l'aide des palettes au volant. En mode automatique, les changements se font si furtivement qu'il faut avoir l'œil sur l'indicateur des révolutions pour les percevoir. Heureusement pour tout le monde, la voiture est équipée de la traction intégrale et du système de stabilité Bosch. Et, Dieu merci, son freinage est des plus énergiques. Pas surprenant: les disques avant (405 millimètres) sont parmi les plus imposants de toute la production automobile. Les roues de série ont 19 pouces, mais ceux qui le souhaitent peuvent reluquer du côté du groupe d'options Mulliner, pour des pneus de 20 pouces.

COMPORTEMENT ▸ Dès que le conducteur met le contact (il doit le chercher à gauche du volant), un sourd grondement s'échappe à l'arrière et vient le prendre directement aux tripes. Il appuie sur l'accélérateur et en moins de cinq secondes il file à 100 km/h. Difficile de croire que le bolide pèse 2,4 tonnes métriques tellement le tout s'élance avec vigueur, sans une fraction de seconde d'hésitation. Sur les étroites routes sinueuses des Laurentides, la Bentley a fait preuve d'une tenue de route incroyable. Même en optant pour l'amortissement le plus doux (la suspension pneumatique permet quatre niveaux, de «confort» à «sport»), les aspérités de la route se font sèchement sentir, comme dans toute bonne voiture de performance. Personnellement, j'ai préféré la piloter sur des routes fraîchement asphaltées; c'est là que la Continental est à son mieux. Oh, un détail: le W12 et ses deux turbos entraînent une consommation d'essence astronomique. À 17,1 litres aux 100 km, voilà qui flirte dangereusement avec la gloutonnerie d'un Hummer H2.

CONCLUSION ▸ S'il fallait vraiment critiquer la Continental GT, je réprimanderais le coffre qui devrait s'ouvrir et se refermer à l'aide d'un simple bouton. À plus ou moins 230 000 $ la bagnole, une telle caractéristique ne serait pas superflue.

FICHE TECHNIQUE

MOTEUR

W12 6,0 l biturbo DACT 552 ch à 6100 tr/min
couple: 479 lb-pi à 1600 tr/min
Transmission: automatique à 6 rapports avec mode manuel
0-100 km/h: 4,8 s
Vitesse maximale: 318 km/h
Consommation (100 km): 16,0 l (octane: 91)

Sécurité active
freins ABS, antipatinage, contrôle de stabilité électronique

Suspension avant/arrière
indépendante

Freins avant/arrière
disques

Direction
à crémaillère, assistée

Pneus
P275/40R19

DIMENSIONS

Empattement: 2745 mm
Longueur: 4807 mm
Largeur: 1918 mm
Hauteur: 1390 mm
Poids: 2410 kg
Diamètre de braquage: nd
Coffre: 370 l
Réservoir de carburant: 90 l

2e opinion

Michel Crépault • On joue tous à se poser la question: que ferais-tu si tu gagnais à la loto ? En ce qui me concerne, côté automobile, la question est réglée depuis 2004, depuis que Bentley, sous la houlette de VW, a eu le génie de mettre au monde la GT. Elle représente pour moi la voiture idéale, j'ai presque envie d'écrire « la voiture parfaite ». La manière explosive ou langoureuse avec laquelle ce magistral coupé exploite ses 552 chevaux dépend de votre humeur du moment. Et celle-ci ne peut jamais être tristounette au volant de la GT parce que absolument tout, du confort des baquets à la beauté de l'instrumentation, du chant du moteur au son des portières, tout concourt à votre bonheur.

FLYING SPUR

évolution | 222 990 $
Transport et préparation : nd

www.bentleymotors.com

FICHE D'IDENTITÉ

Version(s) : unique
Roues motrices : 4RM
Portières : 4
Première génération : 2005
Génération actuelle : 2005
Construction : Crewe, Angleterre
Sacs gonflables : 6, frontaux, latéraux, rideaux latéraux
Concurrence : Audi A8 W12, BMW 760Li, Mercedes-Benz S600

AU QUOTIDIEN

Prime d'assurance :
25 ans : 8100 à 8300 $
40 ans : 5400 à 5600 $
60 ans : 4200 à 4400 $
Collision frontale : nd
Collision latérale : nd
Ventes du modèle l'an dernier
Au Québec : nd **Au Canada :** nd
Dépréciation (3 ans) : nd
Rappels (2001 à 2006) : 1
Cote de fiabilité : nd

QUAND LE LUXE NE SUFFIT PAS

– Benoit Charette

À chaque nouvelle génération de berlines de luxe, les constructeurs raffinent davantage le mariage des performances et de l'opulence. Mercedes et BMW proposent des moteurs V12 qui peuvent dépasser les 600 chevaux. Toutefois, la course aux chevaux-vapeur est limitée par une entente tacite entre les constructeurs allemands qui limitent la vitesse de leurs véhicules à 250 km/h. Rien de tel chez Bentley et son éperon volant (traduction de *Flying Spur*) qui, dans des conditions idéales, peut atteindre plus de 300 km/h.

CARROSSERIE ▶ La Flying Spur a l'apparence dépouillée et robuste du coupé Continental GT. La grille imposante est dans la plus pure tradition de la maison. Les lignes sans fioritures, dues au Belge Dirk Van Braeckel, misent sur la discrétion et l'élégance, et l'arrière de la voiture s'inspire de la Flying Spur originale de 1957. Pour le reste, on a repris le cahier des charges de la Continental GT en récupérant le châssis très rigide et les quatre roues motrices qui assurent une excellente répartition de la puissance.

HABITACLE ▶ L'intérieur est recouvert de 11 peaux de bovins disponibles en 17 textures différentes. Contrairement aux Mercedes, BMW ou Audi qui offrent de longues listes d'équipements optionnels, chez Bentley tout est compris, même le système de navigation de la défunte Volkswagen Phaeton. Les incrustations de bois donnent à l'habitacle un air très XIXe siècle, et quelques touches modernes, comme la montre Breitling et les buses de ventilation chromées, complètent très bien le décor. Nul besoin de préciser que le confort est princier. La Flying Spur propose deux choix de configurations arrière : quatre places avec console centrale entre les deux sièges à réglages électriques ; ou cinq places avec banquette. L'empattement allongé offre un dégagement sans égal pour les jambes. L'insonorisation vous isole de tous les bruits parasites

forces
- Performances époustouflantes
- Tenue de route parfaite
- Finition irréprochable

faiblesses
- Si vous demandez combien elle coûte, c'est que vous n'avez pas les moyens d'en posséder une

nouveautés en 2007
- Pas de changement

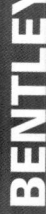

cette bête de 2,5 tonnes, mais laissez-moi vous dire qu'elle ne fait pas son poids. Tel un train, cette Bentley pousse très fort dès qu'on touche à l'accélérateur. La réponse des turbos est instantanée et le passage des vitesses est imperceptible. Doubler d'un coup 15 voitures est un jeu d'enfant et, en y allant franchement, la voiture vous écrase dans le siège comme si vous étiez dans un avion de chasse. Malgré un poids et une longueur qui s'écartent de la norme, la Flying Spur est très agile et offre un confort presque idéal grâce à sa suspension ajustable selon quatre modes différents. Le dessous plat de la voiture et ses formes aérodynamiques éliminent tous les bruits de vents. La chose la plus difficile est de respecter nos limites de vitesse. À 120 km/h, on a l'impression de faire du sur-place.

provenant de l'extérieur, et seul le souffle des turbos vient vous titiller les tympans.

MÉCANIQUE ▶ Tout ce qui est sous le capot vient de la Continental GT, par exemple l'association de la transmission ZF six rapports à commande Tiptronic à palettes avec les 552 chevaux du W12 biturbo de 6,0 litres. Comme toute cette puissance n'est pas bridée, la Flying Spur mérite le titre de berline la plus rapide sur le marché, avec une vitesse maximale de 312 km/h et le 0-100 km/h effacé en 5 secondes.

COMPORTEMENT ▶ C'est sur de longs tronçons d'autoroute que j'ai pu chevaucher

CONCLUSION ▶ Winston Churchill disait que ses goûts étaient simples: il se contentait du meilleur. Il aurait sûrement apprécié cette Bentley.

FICHE TECHNIQUE

MOTEURS

W12 6,0 l biturbo DACT 552 ch à 6100 tr/min
couple : 479 lb-pi à 1600 tr/min
Transmission : séquentielle à 6 rapports
0-100 km/h : 5,2 s
Vitesse maximale : 312 km/h
Consommation (100 km) : 17,7 l (octane : 91)

Sécurité active
freins ABS, antipatinage, contrôle de stabilité électronique

Suspension avant/arrière
indépendante

Freins avant/arrière
disques

Direction
à crémaillère, assistée

Pneus
P275/40R19

DIMENSIONS

Empattement : 3065 mm
Longueur : 5307 mm
Largeur : 1916 mm
Hauteur : 1479 mm
Poids : 2475 kg
Diamètre de braquage : nd
Coffre : 475 l
Réservoir de carburant : 90 l

2e opinion

Hugues Gonnot • Elle a l'imposante stature d'une voiture de chauffeur, l'élégance classique d'une voiture de chauffeur, la débauche totale de matériaux nobles d'une voiture de chauffeur, mais la meilleure place n'est pas à l'arrière, mais bien au volant. Car ses dessous dissimulent tout ce qu'il faut pour mettre le feu aux poudres. Son superbe W12 à double turbo fait débouler l'énorme puissance aux quatre roues avec assurance, mais sans brusquerie. Vous voilà alors catapulté à des vitesses inavouables sans même vous en rendre compte. Si vous sentez que vous êtes bien au volant d'un engin de 2,5 tonnes, la suspension adaptative fait des merveilles pour préserver le confort et assurer une bonne tenue de route.

SÉRIE 3

évolution | 43 600 $ à 51 600 $ | Transport et préparation : nd

www.bmw.ca

FICHE D'IDENTITÉ

Version(s) : *berl. :* 323i, 328i, 328xi, 335i, *coupé :* 328i, 328xi, 335i, *fam. :* 328xiT
Roues motrices : arrière, 4
Portières : 2, 4
Première génération : 1981
Génération actuelle : 2006, coupé : 2007
Construction : Dingolfing, Allemagne
Sacs gonflables : 6, frontaux, latéraux avant et rideaux latéraux
Concurrence : Acura TL et TSX, Audi A4, Cadillac CTS, Infiniti G35, Jaguar X-Type, Lexus IS, Lincoln MKZ, Mercedes-Benz Classe C, Saab 9^3, Volvo S40, V50, S60 et V70

AU QUOTIDIEN

Prime d'assurance :
25 ans : 3200 à 3400 $
40 ans : 2000 à 2200 $
60 ans : 1600 à 1800 $
Collision frontale : 4/5
Collision latérale : 5/5
Ventes du modèle l'an dernier
Au Québec : 1757 **Au Canada :** 8800
Dépréciation (3 ans) : 47,2 %
Rappels (2001 à 2006) : 10
Cote de fiabilité : 3/5

QUI DIT MIEUX ?

– Antoine Joubert

Si vous me demandiez quelle est la voiture mise à l'essai l'an dernier qui m'a le plus impressionné, toutes catégories confondues, je répondrais sans doute la BMW Série 3. Et je ne parle pas ici d'une M3, mais bien d'une simple berline 325i, de puissance adéquate, sans plus, mais qui, en raison de son agilité et de son équilibre exceptionnels, constitue à mon sens l'une des meilleures voitures au monde. Mais voilà, la Série 3 est renouvelée depuis un an à peine que déjà on lui apporte d'importantes modifications. Chez BMW, ce n'est pas parce qu'on est au sommet qu'on s'assoie sur ses lauriers !

CARROSSERIE ▶ En raison de ses nombreux designs controversés, le styliste Chris Bangle est probablement le plus connu de tous. Celui qui a fait tant jaser avec les Série 5, 6 et 7 n'a cependant pas eu la même audace avec la robe de la Série 3, qui ne pouvait pas se permettre de choquer un trop grand nombre d'acheteurs. Ainsi, la voiture arbore des lignes plus évolutives que ses consœurs, et elles sont tout simplement magnifiques. Un tantinet plus racée que sa devancière, la Série 3 possède désormais un peu plus de caractère, particulièrement le coupé, tout nouveau en 2007. Notons toutefois que ceux qui souhaitent se décoiffer au volant d'un cabriolet devront patienter jusqu'à l'an prochain, puisque aucune décapotable n'est actuellement proposée.

HABITACLE ▶ On se glisse au volant de la Série 3 avec aisance, grâce à un très grand angle d'ouverture de la portière. Une fois installé, on constate que tout est à portée de main et qu'on a tout fait pour optimiser à la fois le confort et la conduite. Du coup, le siège finement sculpté permet un ajustement adapté à tous les gabarits, alors que le volant, inclinable et télescopique, assure la meilleure position de conduite qui soit. Évidemment, l'espace n'est pas la plus grande qualité de la Série 3, mais des améliorations permettent à deux adultes de prendre place à l'arrière de façon

forces
- Comportement routier exemplaire
- Éléments mécaniques honorables
- Qualité de finition relevée
- Efficacité de la direction active
- Grand choix de modèles

faiblesses
- Prix très élevé
- Fiabilité jamais garantie
- Qualité inégale du service après-vente
- Petitesse des rétroviseurs extérieurs

nouveautés en 2007
- Arrivée du modèle coupé, trois nouveaux moteurs plus puissants, pré-aménagement pour radio satellite de série

convenable. Côté équipement, la Série 3 est plus généreuse qu'avant, mais propose encore une bonne quantité d'options coûteuses, dont le système iDrive et cette superbe chaîne audio Harman/Kardon Logic 7.

MÉCANIQUE ▶ Les 325i et 330i ne sont plus. Il faut en 2007 accueillir les 328i et 335i, qui accompagneront la berline 323i à moteur six cylindres de 2,5 litres, plus puissant que l'an dernier. La 328, qui se décline en coupé, berline et familiale à traction intégrale, propose pour sa part un six cylindres de 3,0 litres dont la puissance est portée à 230 chevaux, ce qui lui permet de surclasser sa concurrente principale, l'Audi A4. La grande surprise de ce millésime consiste toutefois en ce nouveau moteur six cylindres biturbo qui loge sous le capot de la 335i. Avec 300 chevaux de puissance et un couple maximal livré à seulement 1400 tours/minute, les performances se rapprochent beaucoup de celles de la défunte M3.

COMPORTEMENT ▶ En plus de bénéficier de groupes motopropulseurs carrément exquis, la Série 3 propose le *nec plus ultra* en matière d'aptitudes routières. D'abord, le châssis est certainement le plus rigide de cette catégorie, ce qui signifie qu'il absorbe à peu près tous les chocs sans montrer de faiblesses. La suspension, merveilleusement calibrée, est pour sa part responsable de l'aplomb et de la sensationnelle tenue de route de la voiture, en plus du confort, qui se bonifie avec les années. Quant à la direction active, optionnelle et très chère, elle constitue la première option à considérer pour celui qui aime conduire.

CONCLUSION ▶ Avec le modèle introduit l'an dernier, la Série 3 se plaçait sans équivoque au sommet de la catégorie. Il est donc évident que les améliorations apportées cette année ne font que lui donner une longueur d'avance supplémentaire sur la concurrence.

FICHE TECHNIQUE

MOTEURS

(323i) L6 2,5 l DACT 200 ch à 6000 tr/min
couple : 180 lb-pi à 4000 tr/min
Transmission : manuelle à 6 rapports, automatique à 6 rapports avec mode manuel en option
0-100 km/h : 7,4 s
Vitesse maximale : 210 km/h
Consommation (100 km) : man. : 8,9 l, auto. : 9,0 l (octane : 91)

(328i, 328xi) L6 3,0 l DACT 230 ch à 6500 tr/min
couple : 200 lb-pi à 2750 tr/min
Transmission : manuelle à 6 rapports, automatique à 6 rapports avec mode manuel en option
0-100 km/h : berl. : 6,7 s, berl. xi : 7,2 s, coupé : 6,6 s, coupé xi : 7,1 s, fam. xi : 7,4 s
Vitesse maximale : 210 km/h
Consommation (100 km) : nd (octane : 91)

(335i) L6 3,0 l biturbo DACT 300 ch à 5800 tr/min
couple : 300 lb-pi à 1400 tr/min
Transmission : manuelle à 6 rapports, automatique à 6 rapports avec mode manuel en option
0-100 km/h : 5,7 s, coupé : 5,6 s
Vitesse maximale : 210 km/h
Consommation (100 km) : nd (octane : 91)

Sécurité active
freins ABS, répartition électronique de force de freinage, assistance au freinage, antipatinage, contrôle de stabilité électronique

Suspension avant/arrière
indépendante

Freins avant/arrière
disques

Direction
à crémaillère, assistée

Pneus
323 et 328 : P205/55R16,
coupé 328 et 335 : P225/45R17

DIMENSIONS

Empattement : 2760 mm
Longueur : 4526 mm, coupé : 4588 mm
Largeur : 1817 mm, coupé : 1782 kg
Hauteur : 1421 mm, fam. : 1418 mm, coupé : 1375 mm, coupé xi : 1395 mm
Poids : *berl. :* 323i : 1510 kg, 328i : 1545 kg, 328xi : 1645 kg, 335i : 1635 kg, coupé *:* 328i : 1550 kg, 328xi : 1645 kg, 335i : 1625 kg, fam. 328xiT : 1710 kg
Diamètre de braquage : 11,0 m, xi : 11,8 m
Coffre : *berl. :* 460 l, 335 i : 450 l, *coupé :* 440 l, 335i : 430 l, *fam. :* 460 l, 1385 l (sièges abaissés)
Réservoir de carburant : 61 l, coupé : 60 l

2e opinion

Carl Nadeau • Que l'on s'attarde à l'esthétique intérieure et extérieure ou à la rigidité du châssis, il est difficile de trouver des défauts à la BMW Série 3. L'apparition du coupé va secouer encore plus les concurrents qui ne pourront que s'avouer vaincus. Une refonte assez complète a d'ailleurs été effectuée pour le différencier de la berline, certaines lignes de caisse étant refaites pour mettre en valeur son côté plus sportif. Le modèle 335 pourvu d'une mécanique 3,0 litres biturbo est sûrement le coupé sport qui possède le moteur haute performance le plus souple, mais aussi, étonnamment, l'un des plus économiques quant à la consommation d'essence.

SÉRIE 5

évolution | 58 600 $ à 115 500 $
Transport et préparation : 1895 $

www.bmw.ca

FICHE D'IDENTITÉ

Version(s) : *berl. :* 525i, 525xi, 530i, 530xi, 550i, M5, *fam. :* 530xiT
Roues motrices : arrière, 4
Portières : 4
Première génération : 1972
Génération actuelle : 2004
Construction : Dinglofing, Allemagne
Sacs gonflables : 6, frontaux, latéraux avant et rideaux latéraux (latéraux arrière en option)
Concurrence : Acura RL, Audi A6, Cadillac STS, Infiniti M, Jaguar S-Type, Lexus GS, Mercedes-Benz Classe E, Saab 9[5], Volvo S80

AU QUOTIDIEN

Prime d'assurance :
25 ans : 3800 à 4000 $
40 ans : 3000 à 3200 $
60 ans : 2500 à 2700 $
Collision frontale : 5/5
Collision latérale : 5/5
Ventes du modèle l'an dernier
Au Québec : 537 **Au Canada :** 2541
Dépréciation (3 ans) : 51,4 %
Rappels (2001 à 2006) : 7
Cote de fiabilité : 3/5

ENCORE LA RÉFÉRENCE

– Hugues Gonnot

En 1972, la première génération de Série 5 allait permettre à BMW de devenir rapidement une référence parmi les berlines haut de gamme. Trente-cinq ans plus tard, au grand dam des concurrentes qui ne ménagent pas leurs efforts, elle l'est encore. Pourquoi ?

CARROSSERIE ► Il suffit de jeter un coup d'œil à la nouvelle Lexus LS 460 pour comprendre que, même s'il avait été décrié à son lancement (moins que la Série 7, cependant), le style de la Série 5 est réussi et fait même école. Ses yeux de faucon et le travail complexe des surfaces confèrent une grande présence à la voiture, que ce soit en berline ou en familiale.

HABITACLE ► Autrefois, la planche de bord d'une Série 5 était noire et la console centrale, tournée vers le conducteur (style inauguré par la première génération, en 1972). Ce n'était pas chaleureux, mais l'ambiance était là. Et puis Chris Bangle est venu tout chambouler avec ses gadgets télématiques. Malgré cela, on ne se sent pas le bienvenu dans cet habitacle, même si on ne peut guère critiquer la qualité de construction. Il reste que c'est trop froid. Et puis, il y a le fameux iDrive. Heureusement, la Série 5 hérite d'une version simplifiée presque supportable, mais tout de même agaçante, et pourtant on s'en fiche, parce que le meilleur reste à venir ! Soulignons que chez BMW l'équipement s'enrichit avec les années et que le modèle d'entrée de gamme n'est plus tout nu. Même que la liste des options n'est pas extravagante, puisque BMW a la bonne idée de ne pas pratiquer une politique exclusive de groupes d'équipements.

MÉCANIQUE ► Peu de moteurs de berlines à cinq places peuvent vous donner un petit frisson à chaque accélération, que ce soit avec les six cylindres ou le V8. Ceux de BMW se caractérisent par une infatigable capacité à monter dans les tours et par un feulement maîtrisé, exempt de vibrations. Tous sont équipés du

forces
- Style expressif
- Moteurs envoûtants
- Boîtes de vitesses superbes
- Tenue de route

faiblesses
- Intérieur peu accueillant
- iDrive simplifié, mais toujours agaçant
- Électronique fragile

nouveautés en 2007
- Prise pour radio satellite, prise MP3 et iPod

double VANOS (qui modifie l'ouverture des soupapes d'admission et d'échappement) et du Valvetronic (levée variable des soupapes qui règle la quantité d'air dans les cylindres). Mentionnons que l'excellent V8, passé de 4,4 à 4,8 litres, est devenu un moteur somptueux. Et puis, il y a les boîtes de vitesses aux commandes agréables et aux étagements judicieusement choisis, qui pourraient presque à elles seules justifier l'achat de ce modèle. BMW propose, sans supplément, deux boîtes à six rapports : manuelle ou automatique à commande séquentielle, et ce, même avec le V8 ! Les modèles six cylindres peuvent bénéficier de la transmission intégrale xDrive (d'office dans la Touring). Ce système à répartition variable (contrairement à un système fixe, comme le quattro) utilise un embrayage multidisque comme différentiel central. Il intègre une fonction d'aide à la descente, alors que l'échange de données avec le contrôle de stabilité lui permet d'agir plus vite.

COMPORTEMENT ▶ L'équilibre général de la voiture est stupéfiant. La direction est extrêmement précise et les freins, puissants et résistants. La batterie des aides à la conduite est complète et ces dernières n'affaiblissent pas le moteur à chaque tentative de dérobade. Bref, le comportement sportif est conservé. Mais le groupe « Conduite dynamique », qui comprend la direction active (une merveille) et le Dynamic Drive (barres antiroulis actives), devrait être de série dans la 550i (ce groupe est incompatible avec la transmission intégrale).

CONCLUSION ▶ Ainsi, un intérieur plutôt froid et un bidule multifonction rotatif n'arrivent pas à diminuer l'attraction qu'exerce la Série 5 sur les amateurs de conduite. On paye le prix fort, mais au moins on sait pourquoi !

FICHE TECHNIQUE

MOTEURS

(525) L6 3,0 l DACT 215 ch à 6250 tr/min
couple : 185 lb-pi à 2750 tr/min
Transmission : manuelle à 6 rapports, automatique à 6 rapports avec mode manuel (option)
0-100 km/h : 525i : 7,8 s, 525xi : 8,5 s
Vitesse maximale : 240 km/h
Consommation (100 km) : 525i : man. : 9,3 l, auto. : 9,4 l, 525xi : man. et auto. : 9,8 l (octane : 91)

(530) L6 3,0 l DACT 255 ch à 6600 tr/min
couple : 220 lb-pi à 2750 tr/min
Transmission : manuelle à 6 rapports, automatique à 6 rapports avec mode manuel (option)
0-100 km/h : 530i : 6,7 s, 530xi : 7,0 s, 530xiT : 7,2 s
Vitesse maximale : 240 km/h
Consommation (100 km) : 530i : man. : 9,3 l, auto. : 9,4 l, 530xi/530xiT : man. 10,0 l, auto. : 9,8 l (octane : 91)

(550) V8 4,8 l DACT 360 ch à 6300 tr/min
couple : 360 lb-pi à 3400 tr/min
Transmission : manuelle à 6 rapports, automatique à 6 rapports avec mode manuel (option)
0-100 km/h : 5,6 s, auto. : 5,7 s
Vitesse maximale : 240 km/h
Consommation (100 km) : man. : 12,1 l, auto. : 10,8 l (octane : 91)

(M5) V10 5,0 l DACT 500 ch à 7750 tr/min
couple : 383 lb-pi à 6100 tr/min
Transmission : séquentielle à 7 rapports
0-100 km/h : 4,7 s
Vitesse maximale : 250 km/h
Consommation (100 km) : 18,1 l (octane : 91)

Sécurité active
freins ABS, répartition électronique de force de freinage, assistance au freinage, antipatinage, contrôle de stabilité électronique

Suspension avant/arrière
indépendante

Freins avant/arrière
disques

Direction
à crémaillère, assistée

Pneus
Base : P225/50R17

DIMENSIONS

Empattement : 2888 mm, M5 : 2889 mm, fam. : 2886 mm
Longueur : 4854 mm, M5 : 4863 mm, fam. : 4856 mm
Largeur : 1846 mm
Hauteur : 1468 mm, xi : 1482 mm, M5 : 1469 mm, fam. : 1491 mm
Poids : 525i : 1540 kg, 525xi : 1630 kg, 530i : 1565 kg, 530xi : 1660 kg, 530xiT : 1750 kg, 550i : 1770 kg, M5 : 1820 kg
Diamètre de braquage : 11,4 m, xi : 11,9 m, M5 : 12,4 m
Coffre : berl. : 520 l, fam. et M5 : 500 l, fam. : 1650 l (sièges abaissés)
Réservoir de carburant : 70 l

opinion

Benoit Charette • La Série 5 allie une excellente insonorisation à une finition germanique sans reproche. Son châssis très rigide et sa dynamique de conduite inimitable en font une voiture plus qu'agréable à conduire. Les modèles vont d'un très raisonnable V6 au monstrueux V10 de la M5. La boîte manuelle demeure mon premier choix, peu importe le modèle. Je n'ai en fait qu'un seul reproche à formuler, et il concerne le système iDrive, trop compliqué pour être plaisant. Tout changer, pour BMW, serait avouer son échec. La compagnie pourrait toutefois remettre les fonctions les plus courantes entre les mains de simples boutons et laisser les ajustements les moins fréquents dans la mémoire du système.

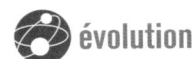

SÉRIE 6

évolution | 101 500 $ à 130 500 $ |
Transport et préparation : 1895 $

www.bmw.ca

FICHE D'IDENTITÉ

Version(s) : 650i coupé, 650i cabriolet, M6 coupé, M6 cabriolet
Roues motrices : arrière
Portières : 2
Première génération : 2004
Génération actuelle : 2004
Construction : Dingolfing, Allemagne
Sacs gonflables : 6, frontaux, latéraux avant et rideaux latéraux (rid. lat. non offerts avec cabrio.)
Concurrence : Aston Martin V8 Vantage, Cadillac XLR, Chevrolet Corvette, Jaguar XK, Lexus SC, Maserati Coupé et Spyder, Mercedes-Benz Classe SL, Porsche 911

AU QUOTIDIEN

Prime d'assurance :
25 ans : 6000 à 6200 $
40 ans : 4100 à 4300 $
60 ans : 3700 à 4000 $
Collision frontale : nd
Collision latérale : nd
Ventes du modèle l'an dernier
Au Québec : 57 **Au Canada :** 365
Dépréciation (3 ans) : 32,9 %
Rappels (2001 à 2006) : 5
Cote de fiabilité : 2/5

L'ARGENT NE FAIT PAS LE BONHEUR ? PAS SÛR...

– **Antoine Joubert**

Il est certes possible d'être profondément malheureux malgré un compte d'épargne bien garni. Néanmoins, lorsqu'on peut se permettre une visite chez un concessionnaire BMW pour s'acheter une Série 6, il me semble difficile de ne pas avoir le sourire fendu jusqu'aux oreilles.

CARROSSERIE ▶ À son arrivée, plusieurs ont contesté le style de la Série 6, tant en coupé qu'en cabriolet. La forme inhabituelle de la partie arrière a fait énormément jaser, à un point tel que des forums de discussion se sont formés sur le web. Après plus de trois ans, il faut toutefois admettre que ces lignes saisissantes se sont imposées et s'avèrent aujourd'hui aussi originales que raffinées. Plus élégante et racée en coupé, la Série 6 propose cette année un modèle M. de haute performance, qui se distingue esthétiquement par ses pare-chocs, ses bas de caisse plus imposants et ses splendides jantes de 19 pouces. Deux sorties d'échappement double sont également présentes pour nous rappeler le degré de performance de la voiture.

HABITACLE ▶ Malgré le système iDrive qui, par sa complexité, est encore capable de me rendre colérique, l'habitacle de la 6 est un environnement duquel on ne souhaiterait jamais sortir. D'abord, les matériaux utilisés sont d'une rare beauté et tout simplement magnifiques au toucher. La planche de bord moderne et efficace arbore un style jamais vu chez un autre constructeur, et les sièges au confort et au maintien exceptionnels s'adaptent à tous les types de conduite. Dans la M6, les sièges sont même pourvus de supports latéraux réglables qui renforcent automatiquement votre position à l'amorce d'un virage. À l'arrière, les sièges peuvent convenir pour de courts trajets, mais la Série 6 est d'abord conçue pour deux personnes.

MÉCANIQUE ▶ L'an dernier, BMW remplaçait la 645Ci par la 650i (remarquez l'absence

forces
- Tout, sauf le prix...

faiblesses
- Le prix...
- Ah oui ! J'oubliais le iDrive !

nouveautés en 2007
- Nouvelle version cabriolet M6

aussi agréable qu'exemplaire, se résument en un châssis infaillible, une suspension extrêmement bien calibrée et une direction active qui n'a aucun équivalent à l'heure actuelle. La voiture ne tangue sous aucun prétexte, affiche une stabilité exceptionnelle qu'importe la vitesse et se dirige avec une précision stupéfiante, malgré son imposant format. La boîte SMG, qui n'équipe que la M6, permet pour sa part une conduite endiablée qui n'a rien de comparable avec ce que peut faire le mode manuel de l'automatique. La M6 se démarque aussi par la présence d'un petit interrupteur M. qui, lorsqu'il est activé, augmente radicalement la réponse du V10.

du C) en raison de l'arrivée du nouveau V8 de 4,8 litres. Ce moteur, tout simplement divin, allie souplesse et raffinement pour produire un flot constant de puissance, qu'importe le régime. La sonorité de ce V8 est un bonheur, particulièrement lors des accélérations franches. Évidemment, les performances sont très relevées et permettent d'obtenir de fortes sensations. Toutefois, il y a un monde entre ce moteur et celui de la M6, soit un V10 développant 500 chevaux. Ici, on ne fait pas dans la dentelle. C'est de la puissance brute et instantanée, pour conducteur averti. Moins de 20 secondes sont nécessaires pour atteindre 250 km/h. Une imprimante à contraventions, direz-vous? Certainement.

COMPORTEMENT ▶ Les ingrédients de la Série 6, qui favorisent un comportement routier

CONCLUSION ▶ Quelle que soit la version, la Série 6 est un grand cru que l'on savoure à chaque instant. Contrairement à plusieurs autres modèles concurrents, on ne peut tout simplement pas se lasser de la 6, en raison de son homogénéité et de son raffinement technologique. Elle fait tout très bien, sans jamais décevoir. Le seul hic avec cette voiture, ce sont les coûts qui s'y rattachent. Donc, l'argent ne fait pas le bonheur, disiez-vous? Pas sûr...

FICHE TECHNIQUE

MOTEURS

(650i) V8 4,8 l DACT 360 ch à 6300 tr/min
couple : 360 lb-pi à 3400 tr/min
Transmission : manuelle à 6 rapports, automatique à 6 rapports avec mode manuel (option)
0-100 km/h : coupé : 5,5 s, cabrio. : 5,8 s
Vitesse maximale : 240 km/h
Consommation (100 km) : man. : 13,1 l, auto. : 11,3 l (octane : 91)

(M6) V10 5,0 l DACT 500 ch à 7750 tr/min
couple : 383 lb-pi à 6100 tr/min
Transmission : séquentielle à 7 rapports
0-100 km/h : coupé : 4,6 s, cabrio. : 4,8 s
Vitesse maximale : 250 km/h
Consommation (100 km) : 14,6 l (octane : 91)

Sécurité active
freins ABS, répartition électronique de force de freinage, assistance au freinage, antipatinage, contrôle de stabilité électronique

Suspension avant/arrière
indépendante

Freins avant/arrière
disques

Direction
à crémaillère, assistée

Pneus
650i : P245/45R18 (av.), P275/40R18 (coupé arr.), P245/45R18 (cabrio. arr.)
M6 : P255/40R19 (av.), P285/35R19 (arr.)

DIMENSIONS

Empattement : 2780 mm, M6 : 2781 mm
Longueur : 4831 mm, M6 : 4871 mm
Largeur : 1855 mm
Hauteur : 1373 mm, M6 : 1372 mm, cabrio. : 1377 mm
Poids : 650Ci coupé : 1730 kg, 650i cabrio. : 1940 kg, M6 coupé : 1773 kg, cabrio. : 1995 kg
Diamètre de braquage : 650i : 11,4 m, M6 : 12,5 m
Coffre : coupé : 450 l, cabrio. : 350 l, 300 l (toit abaissé)
Réservoir de carburant : 70 l

opinion

Hugues Gonnot • On ne relancera pas ici la controverse sur le style Bangle. La Série 6 ne ressemble à aucune autre voiture, accordons-lui ce bon point. Le moteur de 4,8 litres de la 650 délivre maintenant cette puissance veloutée qui manquait un peu à la 645. Pour le reste, la tenue de route de cette grand-tourisme est toujours aussi excitante, alors que les boîtes de vitesses sont toujours parmi les meilleures du monde. Par contre, comment, avec une voiture longue de 4,83 mètres, les dessinateurs ont-ils pu aménager un habitacle aussi étriqué et à l'ergonomie parfois douteuse ? Et je ne parle pas du iDrive, en version simplifiée heureusement, que je vois plus comme un mal nécessaire.

SÉRIE 7

évolution | 98 800 $ à 172 000 $
Transport et préparation : 1895 $

www.bmw.ca

FICHE D'IDENTITÉ

Version(s) : 750i, 750Li, 760Li
Roues motrices : arrière
Portières : 4
Première génération : 1977
Génération actuelle : 2002
Construction : Munich, Allemagne
Sacs gonflables : 10, frontaux, latéraux avant et arrière, rideaux latéraux et au niveau des genoux
Concurrence : Audi A8, Infiniti Q45, Jaguar XJ, Lexus LS, Mercedes-Benz Classe S

AU QUOTIDIEN

Prime d'assurance :
25 ans : 6000 à 6200 $
40 ans : 4100 à 4300 $
60 ans : 3500 à 4000 $
Collision frontale : nd
Collision latérale : nd
Ventes du modèle l'an dernier
Au Québec : 113 **Au Canada :** 645
Dépréciation (3 ans) : 48,5 %
Rappels (2001 à 2006) : 10
Cote de fiabilité : 1/5

SEPT UN PEU TROP !

– **Hugues Gonnot**

Lors du lancement de la Série 7, BMW avait essuyé les critiques virulentes des médias et des inconditionnels de la marque. « Sacrilège ! » crièrent-ils en chœur.

CARROSSERIE ▶ Les mêmes personnes se sont félicitées de leur jugement lors de la refonte de l'an dernier. « BMW fait marche arrière ! » crièrent-ils en chœur. Certes, plusieurs des points les plus déroutants ont été revus, mais il faut quand même avouer que les modifications sont assez subtiles. La Série 7 reste originale et, maintenant qu'elle roule depuis cinq ans sur nos routes, on s'y est habitué. Le design de Chris Bangle n'a donc pas tué la marque, puisque les ventes continuent de progresser.

HABITACLE ▶ Ici, on ne mesure plus le manuel de l'utilisateur au nombre de pages, mais au poids ! Bonne chance à vous si vous ne le lisez pas. Cette complexité a dérouté de nombreux journalistes et acheteurs. « Le iDrive est un bidule inutilement compliqué ! » crièrent-ils en chœur. C'est malheureusement vrai. La Série 7 bénéficie de la version complète, mais peu intuitive avec ses 700 fonctions. On finit par comprendre les fonctions de base, mais, pour les autres, on reste trop longtemps les yeux rivés sur l'écran. De ce côté, l'écran tactile de la Jaguar XJ reste le meilleur système. De plus, la majorité des commandes ne se trouvent pas où elles sont sur d'autres voitures, ou bien elles sont identifiées par des symboles incompréhensibles. Le levier de vitesses nous déroute au début, mais il est fonctionnel (il a d'ailleurs été copié par Mercedes). Enfin, l'atmosphère de l'habitacle est plutôt froide à cause du style très technique.

MÉCANIQUE ▶ Là où tout le monde s'entend, c'est sur le plan de la mécanique. Les moteurs sont de superbes pièces de mécanique. Le V8, déjà remarquable quant à l'agrément et à la souplesse, a encore progressé l'an dernier pour délivrer sa puissance avec une onctuosité

forces

- Moteurs souverains
- Tenue de route souveraine
- Confort souverain

faiblesses

- Gadgetomobile
- Intérieur froid
- Version V12 excessivement chère

nouveautés en 2007

- Système de vision de nuit (760Li), suspension arrière pneumatique à correcteur d'assiette (750Li), équipement de série rehaussé dont pré-aménagement pour radio satellite, prise audio auxiliaire

sans égale. Le V12 a été le premier moteur de la marque à bénéficier d'une injection d'essence directe qui améliore davantage la souplesse que la puissance. Puis, afin de répliquer coup pour coup, BMW se devait d'aller chercher les S55 et S65 d'AMG. Au lieu de développer une M7, elle s'est tournée vers un préparateur allemand, spécialisé dans les produits BMW depuis 1961. L'Alpina B7 reprend l'ancien 4,4 litres, mais avec un compresseur et un échangeur air/air qui font grimper la puissance à 500 chevaux. Tous les moteurs bénéficient du double VANOS (calage variable des soupapes d'admission et d'échappement) et du Valvetronic (ajustement variable de la levée des soupapes remplaçant le papillon d'admission). Tous ont droit à une boîte automatique à six rapports, dont un mode sport favorisant la conduite active.

COMPORTEMENT ► En plus des désormais classiques aides à la conduite, on bénéficie du contrôle actif du roulis et d'une suspension adaptative (en option avec le V8) qui autorisent un comportement souverain, malgré un poids de plus de deux tonnes. Il est par contre dommage que BMW n'ait pas installé la direction active, disponible dans les Série 3, 5 et 6, car la voiture reste assez lourde lors de certaines manœuvres. Dommage aussi que la suspension pneumatique ne soit pas de série, car la version à empattement long n'est pas toujours facile à sortir des stationnements souterrains.

CONCLUSION ► Ceux que la technologie ne rebute pas sont les bienvenus dans une Série 7. Elle reste un engin formidable à conduire et sa version longue est l'une des rares voitures de chauffeur où la meilleure place est au volant. N'empêche, le mieux est l'ennemi du bien, et BMW a péché par orgueil et a fini par en faire trop. Malheureusement, ce défaut a tendance à tuer le plaisir dans l'œuf.

FICHE TECHNIQUE

MOTEURS

(750i et 750Li) V8 4,8 l DACT 360 ch à 6300 tr/min
couple : 360 lb-pi à 3400 tr/min
Transmission : automatique à 6 rapports avec mode manuel
0-100 km/h : 6,2 s
Vitesse maximale : 240 km/h
Consommation (100 km) : 11,1 l (octane : 91)

(760Li) V12 6,0 l DACT 438 ch à 6000 tr/min
couple : 444 lb-pi à 3950 tr/min
Transmission : automatique à 6 rapports avec mode manuel
0-100 km/h : 5,7 s
Vitesse maximale : 240 km/h
Consommation (100 km) : 12,7 l (octane : 91)

Sécurité active
freins ABS, répartition électronique de force de freinage, assistance au freinage, antipatinage, contrôle de stabilité électronique

Suspension avant/arrière
indépendante

Freins avant/arrière
disques

Direction
à crémaillère, assistée

Pneus
P225/50R17, option : P245/45R17, P245/40R18

DIMENSIONS

Empattement : 750i : 2990 mm, 750 et 760Li : 3128 mm
Longueur : 750i : 5039 mm, 750 et 760Li : 5179 mm
Largeur : 1902 mm
Hauteur : 750i : 1492 mm, 750 et 760Li : 1484 mm
Poids : 750i : 2035 kg, 750Li : 2065 kg, 760Li : 2225 kg
Diamètre de braquage : 750i : 12,1 m, 750 et 760Li : 12,6 m
Coffre : 500 l
Réservoir de carburant : 88 l

opinion

Benoit Charette • C'est dans le scandale qu'est née cette dernière génération de Série 7 en 2001. Pourtant, le temps aura donné raison à Chris Bangle, le concepteur de BMW qui a osé changer une tradition quasi immuable. L'an dernier, Bangle a redessiné les phares et masqué les derniers contours disgracieux, comme l'arrière excessif. Ajoutez à ces retouches des moteurs encore plus performants et vous avez une voiture de grand prestige qui a atteint une belle maturité. Parmi les versions offertes, la 750i, plus alerte et agile que les autres, est la plus intéressante. Le prestige de la 760 ne justifie pas la différence de prix et ses performances sont à peine supérieures à celles de la 750.

évolution | 44 900 $ à 50 200 $ |
Transport et préparation : 1895 $

www.bmw.ca

UNE BERLINE QUI S'IGNORE

– Benoit Charette

FICHE D'IDENTITÉ

Version(s) : 3.0i, 3.0si
Roues motrices : 4
Portières : 4
Première génération : 2004
Génération actuelle : 2004
Construction : Dingolfing, Alemagne
Sacs gonflables : 6, frontaux, latéraux avant et rideaux latéraux (latéraux arrière en option)
Concurrence : Acura RDX, Hummer H3, Land Rover LR2

AU QUOTIDIEN

Prime d'assurance :
25 ans : 3000 à 3200 $
40 ans : 1600 à 1800 $
60 ans : 1300 à 1500 $
Collision frontale : nd
Collision latérale : nd
Ventes du modèle l'an dernier
Au Québec : 562 **Au Canada :** 2930
Dépréciation (2 ans) : 33 %
Rappels (2001 à 2006) : 1
Cote de fiabilité : 3/5

Sans faire de bruit, le BMW X3 s'est imposé depuis deux ans comme la référence dans les petits utilitaires de luxe. Acura a même avoué s'être servi du X3 comme modèle pour le développement du nouveau RDX. Plusieurs constructeurs prétendent que leurs utilitaires se comportent comme des berlines, mais le X3 est l'un des rares qui tient réellement sa promesse. Portrait d'une berline dans une peau d'utilitaire.

CARROSSERIE ► À l'extérieur, le X3 2007 présente des changements discrets. On note à l'avant une calandre remodelée et des pare-chocs deux tons, alors que le profil met en évidence de nouvelles jantes de 17 pouces en remplacement de celles de 16 pouces des modèles 2006. À l'arrière, une nouveauté cette année: des feux à diodes lumineuses, dont l'intensité varie selon la force de freinage. Des embouts d'échappement chromés complètent le tout.

HABITACLE ► La fermeté des sièges assure un bon maintien, mais ne compense pas la dureté de la suspension. C'est là le seul léger inconfort du X3, avec des bas de caisse salissants. Parce qu'à bord on a de la place, de la modularité, et le coffre contient jusqu'à 1560 litres. Je vous épargne la liste des équipements de série, assez complète. Par ailleurs, il y a pléthore d'équipements en option à prix fort : éclairage adaptatif directionnel bi-xénon, rétroviseur intérieur électrochrome, pare-brise confort climatique, système de navigation avec DVD, téléphone embarqué, reconnaissance vocale, système d'aide au stationnement, direction Servotronic, etc. Tout cela fait sérieusement grimper la facture.

MÉCANIQUE ► C'est principalement sous le capot que le X3 propose le plus de changements et profite de l'occasion pour se mettre au diapason avec le reste de la gamme des modèles disponibles. Le modèle 2,5 litres est retiré du catalogue et remplacé par le X3 3.0i, ce dernier proposant le même moteur que la Série 3, d'une puissance de 215 chevaux. De son côté, l'ancien

forces
- Agrément de conduite
- Motorisations
- Lignes
- Assemblage et finition

faiblesses
- Certains plastiques un peu durs
- Prix des options
- Suspension un peu raide sur mauvaise route

nouveautés en 2007
- Deux nouveaux moteurs, amélioration du système de contrôle de stabilité dynamique, boîte auto. à six rapports, nouveau volant, nouvelles pochettes de rangement dans les portières, hayon entièrement peint

ment étonnant. On en oublie ses dimensions et ses 1800 kilos. Le xDrive permet un gain sensible d'agilité, du plaisir de la conduite et, en même temps, de sécurité. En 2007, BMW intègre le système de contrôle de la traction (DTC) au système de contrôle de la stabilité (DSC). Selon le constructeur, le fait de regrouper tous les systèmes d'assistance permet d'optimiser les performances sur la route. Le X3 encaisse les cahots sans

modèle 3.0i devient le 3.0si, alimenté par un moteur six cylindres de 3,0 litres développant 260 chevaux. Tous les modèles reçoivent une boîte manuelle à six rapports de série. Une boîte automatique à six rapports de type Steptronic est optionnelle. Sa grande stabilité est aussi redevable au système xDrive qui peut à tout moment transmettre le couple optimal à chaque essieu, par exemple dans un virage négocié à grande vitesse, minimisant ainsi nettement la tendance au sous-virage ou au survirage. En moins d'un dixième de seconde, au moindre changement d'adhérence, le couple se matérialise immédiatement sur l'essieu qui offre la meilleure adhérence.

COMPORTEMENT ► Sur la route, son comportement digne d'une berline est tout simple-

broncher et ne verse pas dans les virages. Mieux, il reste stable et précis même lorsqu'on le brutalise. Confortable et rigoureux sur route, il est aussi capable d'aller patauger sans honte dans la boue, toujours grâce au système xDrive très efficace. Voilà une berline sport déguisée en utilitaire.

CONCLUSION ► On dit que la qualité a un prix. Dans ce cas-ci, le X3 vous soulagera d'un minimum de 50000$. Ce n'est pas bon marché, mais, à ce prix, BMW est le seul constructeur qui réussit à livrer ce qu'il annonce: le plaisir d'une berline associé au côté pratique d'un utilitaire. Si, pour vous, la conduite l'emporte sur le reste, vous n'avez pas beaucoup d'autres options, sauf peut-être le RDX, d'un autre genre.

FICHE TECHNIQUE

MOTEURS

(3.0i) L6 3,0 l DACT 215 ch à 6250 tr/min
couple: 185 lb-pi à 2750 tr/min
Transmission : manuelle à 6 rapports, automatique à 6 rapports avec mode manuel (option)
0-100 km/h : man. : 8,4 s, auto. : 8,9 s
Vitesse maximale: 210 km/h
Consommation (100 km) : nd (octane : 91)

(3.0si) L6 3,0 l DACT 260 ch à 6600 tr/min
couple: 225 lb-pi à 2750 tr/min
Transmission : manuelle à 6 rapports, automatique à 6 rapports avec mode manuel (option)
0-100 km/h : man. : 7,3s, auto. : 7,6 s
Vitesse maximale: 210 km/h
Consommation (100 km) : nd (octane : 91)

Sécurité active
freins ABS, répartition électronique de force de freinage, assistance au freinage, antipatinage, contrôle de stabilité électronique

Suspension avant/arrière
indépendante

Freins avant/arrière
disques

Direction
à crémaillère, assistée

Pneus
P235/55R17

DIMENSIONS

Empattement : 2795 mm
Longueur : 4569 mm
Largeur : 1853 mm
Hauteur : 1674 mm
Poids: 3.0i : 1820 kg, 3.0si : 1845 kg
Diamètre de braquage : 11,7 m
Coffre : 480 l, 1560 l (sièges abaissés)
Réservoir de carburant : 67 l
Capacité de remorquage : 1700 kg

2e opinion

Hugues Gonnot • Il y a quelques années, on aurait eu du mal à imaginer BMW sur le marché des camions. Pourtant, le X5 a été un succès et il était normal que BMW prenne un créneau plus accessible (façon de parler...), d'autant que la concurrence y était faible. Quant au X3, force est de reconnaître qu'il est plutôt réussi. Pourtant, il n'a pas la même prestance que son grand frère, le X5, ni esthétiquement ni sur la route. Il est tout de même d'un très bon niveau, mais on est en droit d'exiger davantage d'un BMW. La garde au sol est un peu limitée, ce n'est donc pas un engin de franchissement. En fait, le X3 est un véhicule polyvalent qui ne manque pas de panache. C'est déjà pas mal, non ?

nouveauté | 58 800 $ à 77 000 $ |
Transport et préparation : 1895 $

www.bmw.ca

FICHE D'IDENTITÉ

Version(s) : 3.0si, 4.8i
Roues motrices : 4
Portières : 4
Première génération : 2000
Génération actuelle : 2007
Construction : Spartanburg, Caroline du Sud, É.-U.
Sacs gonflables : 8, frontaux, latéraux avant et arrière, rideaux latéraux
Concurrence : Acura MDX, Audi Q7, Buick Rainier, Cadillac SRX, Infiniti FX, Land Rover LR3, Lexus RX, Mercedes-Benz Classe M, Porsche Cayenne, Saab 9[7X], Volkswagen Touareg, Volvo XC90

AU QUOTIDIEN

Prime d'assurance :
25 ans : 4800 à 5000 $
40 ans : 3000 à 3200 $
60 ans : 2500 à 2700 $
Collision frontale : nd
Collision latérale : nd
Ventes du modèle l'an dernier
Au Québec : 422 **Au Canada :** 2450
Dépréciation (3 ans) : 47,7 %
Rappels (2001 à 2006) : 13
Cote de fiabilité : 1/5

LA SUITE LOGIQUE

– **Antoine Joubert**

Encore l'an dernier, le X5 constituait malgré son âge l'un des utilitaires de luxe les plus en vogue sur le marché. Difficile d'expliquer les raisons qui incitent la clientèle à se procurer un X5, mais ce véhicule a toujours possédé ce charme indescriptible qui fait craquer les acheteurs. Et la version 2006 que j'ai récemment mise à l'essai m'a inspiré le même sentiment. Pourtant, s'il y a quelqu'un qui se lassait de voir nos routes parsemées de X5 gris ou noirs, c'est bien moi. Après six ans de carrière, on l'avait assez vu ! Mais il faut en conduire un pour comprendre l'amour que portent les propriétaires à leur jouet de luxe. Cette année, c'est l'heure du changement pour le X5, entièrement remanié. Puisqu'il sera lancé plus tard cet hiver, nous n'avons pu le mettre à l'essai. Il semble toutefois que les premières esquisses de cette nouvelle génération reflètent parfaitement les désirs des acheteurs.

CARROSSERIE ► Qu'il est beau, le nouveau X5, avec ses parois latérales finement sculptées, son museau bien aiguisé et sa ceinture de caisse qui, comme avant, incorpore efficacement les poignées de portière ! Toutefois, il faut admettre que nous avons déjà connu notre ami Bangle plus audacieux. Même s'il est très réussi, le X5 2007 n'est qu'une simple évolution de son prédécesseur et n'apporte rien de neuf en matière de style. Bon, ce n'est pas la fin du monde, mais les excentricités esthétiques qu'on a observées chez BMW au cours des dernières années se sont toutes révélées positives commercialement. Alors, pourquoi ne pas le faire avec le X5 ?

HABITACLE ► Au moment d'écrire ces lignes, je n'avais toujours pas réussi à mettre la main sur une photo de l'habitacle ou de la planche de bord, ce qui m'amène à vous dire que mon appréciation n'est pour l'instant qu'imaginaire. Néanmoins, nous savons que l'habitacle du X5 sera plus grand que celui de son prédécesseur, ce qui lui permettra d'accueillir

forces
- Lignes sublimes
- Superbe motorisation
- Technologie de pointe
- Direction active disponible

faiblesses
- On ne le connaît pas encore, mais on sait qu'il sera cher !
- Coût d'entretien élevé
- Concessionnaires pas toujours sympas
- Fiabilité à prouver

nouveautés en 2007
- Modèle entièrement redessiné

pour la première fois une troisième rangée de sièges. À ce sujet, il faut applaudir les relationnistes de BMW qui ont été assez honnêtes pour admettre qu'une personne d'au plus 1,70 mètre pourra prendre place sur cette banquette. Outre ce détail, nous savons aussi que le X5 recevra la technologie iDrive, qui ne fait pas l'unanimité auprès des acheteurs. Souhaitons simplement qu'il soit plus simple à utiliser que celui de la Série 7 !

MÉCANIQUE ▶ Il fallait s'y attendre : le X5 2007 proposera le même six cylindres de 3,0 litres qui repose sous le capot de la nouvelle berline 335i. Cela signifie une augmentation de puissance de 18 % par rapport au modèle 2006, et par conséquent des performances plus actuelles, avec un 0-100 km/h estimé à 8,3 secondes. Ensuite, le X5 sera disponible en version 4,8i qui, comme vous l'aurez deviné, recevra le moteur V8 issu notamment des berlines 550i et 750i.

COMPORTEMENT ▶ Même si le X5 2007 ne fait pas mieux que son devancier au chapitre du comportement, il sera déjà en avance sur d'autres concurrents. Toutefois, comme nous savons ce que béhème est capable de faire de ce côté, il nous offrira assurément des prestations routières fort intéressantes. Chose certaine, la direction active qui sera disponible en option, accompagnée du système xDrive et de la suspension adaptative, lui permettra sans doute de devenir l'un des VUS les plus agréables à conduire.

CONCLUSION ▶ Le X5 de première génération a connu des ratés en matière de fiabilité tout au long de sa carrière. Malgré cela, on l'aime et on continue de se le procurer. Il est donc évident qu'ici, l'aspect rationnel ne compte pas. Et je ne peux faire autrement que de comprendre l'acheteur qui est séduit par la conduite, le confort, l'ambiance et la prestance du X5.

FICHE TECHNIQUE

MOTEURS

(3.0si) L6 3,0 l DACT 260 ch à 6600 tr/min
couple : 225 lb-pi à 2750 tr/min
Transmission : automatique à 6 rapports avec mode manuel
0-100 km/h : 8,4 s
Vitesse maximale : 210 km/h
Consommation par 100 km : nd (octane : 91)

(4.8i) V8 4,8 l DACT 350 ch à 6300 tr/min
couple : 350 lb-pi à 340 tr/min
Transmission : automatique à 6 rapports avec mode manuel
0-100 km/h : 6,9 s
Vitesse maximale : 210 km/h
Consommation par 100 km : nd (octane : 91)

Sécurité active
freins ABS, répartition électronique de force de freinage, assistance au freinage, antipatinage, contrôle de stabilité électronique

Suspension avant/arrière
indépendante

Freins avant/arrière
disques

Direction
à crémaillère, assistée

Pneus
P255/55R18

DIMENSIONS
Empattement : 2933 mm
Longueur : 4854 mm
Largeur : 1933 mm
Hauteur : 1766 mm
Poids : 3.0si : 2260 kg, 4.8i : 2420 kg
Diamètre de braquage : 12,8 m
Coffre : 620 l, 1750 l (sièges abaissés)
Réservoir de carburant : 85 l
Capacité de remorquage : 2700 kg

opinion

Bertrand Godin • La nouvelle mouture du BMW X5 est plus petite, plus légère, mais reprend là où l'ancienne version s'est éteinte, c'est-à-dire au palmarès des VUS luxueux mais efficaces. J'ai eu l'occasion de tester en Suède, dans des conditions extrêmes, le système de traction intégrale nouvelle génération du X5. Peu importe la surface ou les conditions, il est capable d'entraîner la masse de cet utilitaire haut de gamme dans toutes les directions, transférant couple et puissance avec une grande transparence. Avec sa nouvelle motorisation et sa liste d'accessoires renouvelée, le nouveau X5 devrait lui aussi se maintenir au sommet des palmarès... si la fiabilité est au rendez-vous.

nouveauté | 53 900 $ à 69 900 $ |
Transport et préparation : 1895 $

www.bmw.ca

LA MONTURE DU JAMES DEAN MODERNE

– Michel Crépault

FICHE D'IDENTITÉ

Version(s) : 3.0i, 3.0si, M. Roadster, M. Coupe
Roues motrices : arrière
Portières : 2
Première génération : 2003
Génération actuelle : 2003
Construction : Spartanburg, Caroline du Nord, É.-U.
Sacs gonflables : 4, frontaux et latéraux
Concurrence : Audi TT, Chrysler Crossfire, Honda S2000, Mercedes-Benz SLK, Nissan 350Z, Porsche Boxster et Cayman

AU QUOTIDIEN

Prime d'assurance :
25 ans : 4000 à 4200 $
40 ans : 2500 à 2700 $
60 ans : 2100 à 2300 $
Collision frontale : 5/5
Collision latérale : 5/5
Ventes du modèle l'an dernier
Au Québec : 109 **Au Canada :** 417
Dépréciation (3 ans) : 31,1 %
Rappels (2001 à 2006) : 1
Cote de fiabilité : 3/5

La plus juvénile des BMW se décline en trois versions principales presque aussi amusantes les unes que les autres : deux cabriolets, la Z4 et le M. Roadster ; et le même biplace, mais cette fois coiffé d'un toit dur et rebaptisé M. Coupé à juste titre.

CARROSSERIE ► Quatre ans après avoir succédé à la Z3, la Z4 a bénéficié de retouches mineures au début de l'année, affectant principalement le nez qui éperonne davantage l'asphalte. À leurs débuts, le M. Roadster et le premier M. Coupé (1998 à 2002) n'avaient suivi leur petite sœur que plusieurs mois plus tard. Cette fois, ils sont arrivés presque en même temps que la Z4 rafraîchie. Les lignes des cabriolets Z3 avaient tout de suite séduit, mais le premier M. Coupé proposait une silhouette discutable. « C'était exactement l'effet recherché, dit un porte-parole de BMW. Nous avons volontairement cherché à créer la controverse. Nous savions que nous n'en vendrions pas des masses, alors on s'est arrangé pour qu'on en parle... »

À en juger par les cous dévissés et les regards envieux observés pendant mon essai dans les ruelles impossibles de Lisbonne, la seconde génération suscite beaucoup plus d'enthousiasme. Le traitement du toit fait toute la différence. Alors que l'ancien avait l'air d'un casque de footballeur posé au bout d'un long capot, le nouveau s'intègre harmonieusement aux arêtes qui parcourent le capot comme des muscles ciselés. Cela dit, la partie la plus réussie du Coupé M. est sans contredit l'arrière. On ne se lasse pas de l'admirer, ce que seront sans doute obligés de faire la majorité des automobilistes, puisque le bolide passe de 0 à 100 km/h en 5 secondes ! Comme le Roadster. Tandis que la Z4 nécessite entre 5,7 et 8,2 secondes, selon la motorisation.

HABITACLE ► L'espace à bord de ces biplaces est quand même surprenant. Même le coffre

forces
- Biplaces conçus pour le pilotage
- Agréables à admirer sous toutes les coutures
- Osmose et homogénéité entre formes et fonctions

faiblesses
- Visibilité perfectible aux trois quarts arrière (coupé ou capote levée)
- Intérieur sévère
- Modèles M chers

nouveautés en 2007
- La Z4 a été revue et corrigée au début de 2006, alors que les versions M sont toutes neuves

à bagages peut avaler deux sacs de golf (hé ho, les designers des Solstice et Sky de GM, prenez des notes !).

La Z4 présente un environnement un peu spartiate malgré ses instruments ronds, tandis que l'intérieur des versions M. comporte quelques joliesses, telles les aiguilles rouges, le logo M. un peu partout, des touches de chrome et une sellerie en cuir. Le tableau de bord peut être orné d'une couche d'aluminium ou de noyer. Mais toujours pas de porte-gobelets digne de ce nom. Tenez-vous-le pour dit : à bord de ces go-kart de luxe, on ne boit pas, on conduit !

MÉCANIQUE ► Sous le capot de la Z4 peut se glisser pas moins de quatre engins mais, hélas, nous n'avons droit qu'aux deux plus puissants. Dans un ordre croissant, la Z4 2.0i emploie un quatre cylindres de 2,0 litres et 150 chevaux, la Z4 2.5i (qui remplace la 2.2i) se rabat sur un six en ligne de 177 chevaux, alors que les 2.5si et 3.0si fournissent respectivement 218 et 265 chevaux, toujours à partir du six en ligne.

Du côté des M, on s'est tourné vers le six en ligne de 3,2 litres de la M3. En Europe, il développe 343 chevaux, mais il en perd une dizaine en traversant l'océan. La vitesse maximale a été électroniquement bridée à 250 km/h. La décision a été prise d'ignorer le turbo (manque de spontanéité et consommation élevée) ou une cylindrée exagérée (trop lourd, donc perte d'agilité) en faveur d'un moulin capable d'être aussi à l'aise dans les hautes révolutions que Céline Dion au Caesar's Palace. De fait, le régime maximal des M. grimpe à 8000 tours/minute. Dès 2000 tours/minute, 80 % de l'impressionnant couple est disponible. À noter que dans le cadran du compte-tours, les plages de régime sont variables : le champ de préalerte jaune et le champ d'alerte rouge varient en fonction de la température de l'huile. Plus celle-ci grimpe, plus la plage exploitable s'accroît !

Si l'augmentation de la puissance passe par l'augmentation du régime, il ne faudrait pas oublier les quatre soupapes par cylindre et le calage en continu des arbres à cames d'admission et d'échappement (appelé VANOS double par les initiés) qui assure un cycle de charge optimal. La gestion de ces miracles de précision est confiée à un système informatique capable de calculer 64 millions d'opérations à la seconde !

À vrai dire, ce bijou de BMW n'en finit plus de récolter les *Engine of The Year Award*, sorte d'Oscar de la mécanique, depuis 2001. La seule transmission disponible pour les M. et les deux premières Z4 est la manuelle à six vitesses. Le sélecteur se déplace dans un parcours très serré. Les modèles 2.5si et 3.0si peuvent aussi être équipés d'une transmission SMG séquentielle qu'on contrôle avec des palettes au volant. Les ingénieurs ont rejeté cette solution pour les M. en considérant que le résultat serait trop artificiel pour pareille voiture.

COMPORTEMENT ► Au départ, une Z4 nous procure beaucoup de plaisir au volant. Autant j'aime par exemple la Mazda MX-5, autant le roadster de BMW dégage une spor-

HISTOIRE ▼

Allemande ou américaine ?

Si le lieu d'assemblage établit la « citoyenneté » d'une automobile, alors la Z4 devrait être qualifiée d'américaine. Après tout, elle est assemblée à l'usine BMW Manufacturing située à Spartanburg, en Caroline du Sud. Inaugurée en 1995, cette usine produit annuellement près de 170 000 véhicules : des Z4 Roadster et Coupé, de même que l'utilitaire X5. Auparavant, on y a assemblé des berlines 318i, puis les cabriolets et coupés Z3, de même que les versions « M. » de cette sportive. En février 2006, l'usine a produit le millionnième véhicule de son histoire : un cabriolet Z4 avec un intérieur en cuir de couleur champagne, la couleur idéale pour célébrer une étape aussi importante !

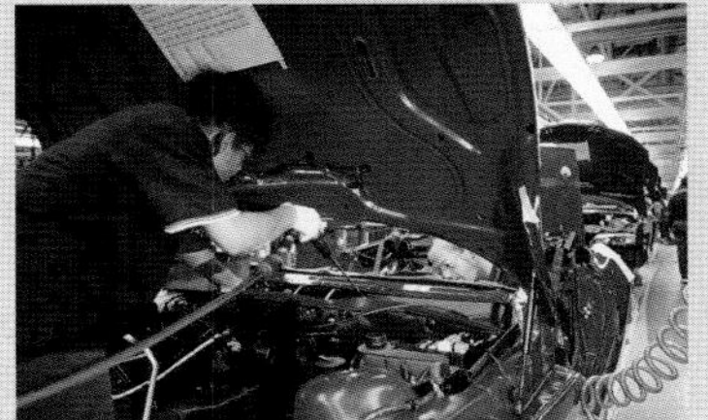

Z4

GALERIE ▼

1 • Pour les mélomanes, la Z4 propose une chaîne audio avec son ambiophonique THX, spécialement conçue pour l'habitacle exigu de cette voiture.

2 • Comme bien d'autres produits BMW, le client peut choisir une version de la gamme Individual qui personnalise l'équipement au goût de chacun, par exemple avec de véritables inserts de bois.

3 • Malgré sa taille, la Z4 est un des véhicules qui a le mieux réussi les tests de collisions de l'institut NCAP en Europe, avec des notes de 88 % en collision frontale et de 89 % en collision latérale.

4 • L'espace à bord de ces biplaces est quand même surprenant. Même le coffre, derrière les sièges, peut avaler deux sacs de golf.

5 • Selon de nombreux analystes, le nouveau M coupé est le plus achevé des véhicules dessinés par le controversé concepteur de BMW, Chris Bangle. Il faut tout de même avouer qu'elle a de la gueule.

❶

❷

❸

❹

❺

tivité sans pareille. De son côté, l'équipe M. a transmuté l'attitude cordiale du *roadster* en quelque chose d'assurément plus méchant. Malgré le long empattement, les secousses sont inévitables. Nous sommes loin toutefois des dérapages grâce, d'une part, au contrôle de la stabilité dynamique (DSC) qui veille au grain et, d'autre part, à une rigidité structurelle exceptionnelle.

La qualité de la propulsion est également assurée par la présence, chez les M, d'un différentiel autobloquant du dernier cri. À plus d'une reprise sur la piste de course d'Estoril, il m'a épargné le dérapage qu'appelait mon enthousiasme un peu trop débordant. La prise de roulis est parfaitement contrôlée et permet d'indiquer les limites de la voiture au pilote. La Z4 est pourvue d'une direction électrique, tandis que pour les M, BMW nous fait la grâce d'une direction hydraulique assez précise pour placer le long nez de la voiture exactement là où on le veut. Les immenses disques en provenance directe de l'ensemble compétition de la M3 ne sont pas seulement beaux : ils immobilisent l'auto filant à 100 km/h en 2,5 secondes. Incroyable !

CONCLUSION ► Le client type est âgé entre 35 et 45 ans. C'est un esthète aux poches bien garnies. Il ne se contente pas de regarder les beaux objets dans un magazine, il les achète ! De plus, une automobile qui compte plus de deux sièges est une incongruité à ses yeux. Y a-t-il une différence entre le client de la Z4 et celui de la M ? « Le premier est surtout intéressé par le design, alors que le second veut des performances », dit-on chez BMW. Comme seulement 15 kilos et 1000 $ séparent le M. Coupé du M. Roadster (le premier est plus lourd, le second est plus cher), le choix risque d'être ardu. Mais ensuite, mes amis, quel pied !

FICHE TECHNIQUE

MOTEURS

(3.0i) L6 3,0 l DACT 215 ch à 6250 tr/min
couple : 185 lb-pi à 2750 tr/min
Transmission : manuelle à 6 rapports, automatique à 6 rapports avec mode manuel (option)
0-100 km/h : 6,6 s
Vitesse maximale : 240 km/h
Consommation (100 km) : man. et auto. : 9,1 l (octane : 91)

(3.0si) L6 3,0 l DACT 255 ch à 6600 tr/min
couple : 220 lb-pi à 2750 tr/min
Transmission : manuelle à 6 rapports, automatique à 6 rapports avec mode manuel (option)
0-100 km/h : 6,0 s
Vitesse maximale : 250 km/h
Consommation (100 km) : man. et auto. : 9,1 l (octane : 91)

(M. Roadster et M. Coupe) L6 3,2 l DACT 330 ch à 7900 tr/min
couple : 262 lb-pi à 4900 tr/min
Transmission : manuelle à 6 rapports
0-100 km/h : 5,0 s
Vitesse maximale : 250 km/h
Consommation (100 km) : nd (octane : 91)

Sécurité active
freins ABS, répartition électronique de force de freinage, assistance au freinage, antipatinage, contrôle de stabilité électronique

Suspension avant/arrière
indépendante

Freins avant/arrière
disques

Direction
à crémaillère, assistée

Pneus
3.0i : P225/45R17, 3.0si : P225/45R17 (av.), P245/40R17 (arr.), M. Roadster et M. Coupe : P225/45R18 (av.), P255/40R18 (arr.)

DIMENSIONS

Empattement : Z4 : 2495 mm, M. Roadster et M. Coupe : 2497 mm
Longueur : Z4 : 4091 mm, M. Roadster : 4111 mm, M. Coupe : 4113 mm
Largeur : 1781 mm
Hauteur : Z4 : 1299 mm, M. Roadster : 1302 mm, M. Coupe : 1287 mm
Poids : 3.0i : 1370 kg, 3.0si : 1400 kg, M. Roadster : 1450 kg, M. Coupe : 1465 kg
Diamètre de braquage : 9,8 m, 10,5 m (coupé et roadster)
Coffre : Z4 : 260 l, M. Roadster : 220 l, M. Coupe : 300 l
Réservoir de carburant : 55 l

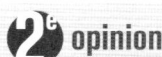

2e opinion

Carl Nadeau • La Z4 est un roadster comme on les aime. Le moteur est puissant et souple, la tenue de route excellente, les freins remarquables ; et l'on conserve un confort d'utilisation qui se compare à plusieurs berlines. Le niveau sonore demeure plus élevé que celui d'une Porsche Boxster ou d'une M-B SLK. J'ai fini par m'habituer aux lignes extérieures, mais les appuie-tête carrés ne me plaisent toujours pas. Le modèle qui m'a déçu est certainement la Z4M. Les attentes étaient grandes, mais la passion n'y est pas. Tout est brusque à bord, des réactions du moteur à celles de la transmission et du châssis. Pourtant, l'amélioration des performances ne justifie en rien les inconvénients.

VEYRON

évolution | 1 800 000 $
Transport et préparation : nd

www.bugatti-cars.de

LA PERFECTION... REDÉFINIE

– Michael La Fave

FICHE D'IDENTITÉ

Version(s) : 16.4
Roues motrices : 4RM
Portières : 2
Première génération : 2004
Génération actuelle : 2004
Construction : Molsheim, France
Sacs gonflables : 10
Concurrence : Ferrari Enzo, Mercedes-Benz McLaren SLR, Porsche Carrera GT, Saleen S7

AU QUOTIDIEN

Prime d'assurance :
25 ans : nd
40 ans : nd
60 ans : nd
Collision frontale : nd
Collision latérale : nd
Ventes du modèle l'an dernier
Au Québec : nd **Au Canada :** nd
Dépréciation (3 ans) : nm
Rappels (2001 à 2006) : aucun à ce jour
Cote de fiabilité : nm

Bugatti a construit quelque 8000 voitures de course, de tourisme et de luxe qui, au dire de nombreux spécialistes, ont été et figurent encore parmi les meilleures automobiles de leur temps. Aujourd'hui encore, 90 % de toutes les Bugatti produites sont encore sur les routes.

CARROSSERIE ► Est-ce que l'acquisition de la marque maudite et l'incroyable rêve de VW de la faire revivre étaient incompatibles? Malgré quelques retards et une réingénierie de masse, la Veyron, appelée ainsi en l'honneur de Pierre Veyron qui a mené une Bugatti T57C vers la victoire aux 24 heures du Mans en 1939, a enfin vu le jour il y a dix-huit mois. Ettore aurait été fière de l'allure unique de la voiture à la grille en fer à cheval.

HABITACLE ► L'habitacle est grand, ayant été conçu pour un pilote de haut de 2 mètres, et la Veyron est étonnamment agréable à conduire. On peut gérer tous les systèmes du véhicule au moyen d'un assistant numérique personnel, puis télécharger vers l'aval et vers l'amont des cartes de navigation qu'affiche le rétroviseur intérieur. On peut même choisir l'incrustation de diamants, préparée pour Bugatti, derrière la vitre protectrice des cadrans du tableau de bord.

MÉCANIQUE ► Ici, nous sommes sur une autre planète. Volkswagen a marié deux moteurs VR8 et greffé quatre turbos pour aboutir à un moteur seize cylindres de 8,0 litres avec 64 soupapes et 1001 chevaux. De la pure démence. Les performances donnent le vertige : de 0 à 100 km/h en 2,5 secondes ; de 0 à 200 km/h en 7,3 secondes ; et une vitesse de pointe de 407 km/h. La seule boîte disponible est la séquentielle à sept rapports.

COMPORTEMENT ► Nous avons eu l'occasion de conduire la Veyron en Sicile. Sur les routes serrées et vallonnées, nous ne pouvions pas exploiter toute sa puissance, mais, une fois sur les autoroutes, nous avons dépassé

forces
- Puissance surréaliste
- Conduite facile
- Exclusivité garantie

faiblesses
- Même la 6/49 ne suffit pas

nouveautés en 2007
- Aucun changement

les 250 km/h. Les divers dispositifs aérodynamiques (la suspension s'abaisse et l'aileron arrière se déploie automatiquement à 220 km/h pour coller la voiture à la route) rendent cette Bugatti plus sûre à 300 km/h que la plupart des autres voitures à 140 km/h. Malgré le poids de la Veyron, son volant est léger et direct, un peu comme celui de la 911. Le moindre coup de volant replace le nez de la voiture rapidement et de façon précise. Nous avons atteint 307,8 km/h ; notre vitesse de croisière a oscillé de 220 à 280 km/h. À ces vitesses, on sent à peine les irrégularités de la chaussée et les joints de dilatation. Le moteur est relativement silencieux, sauf en forte accélération où il fait entendre sa grosse voix de baryton. Il est amusant de noter que, à vitesse maximale, le réservoir de 100 litres d'essence super se videra en 12 minutes à peine ; la voiture aura alors parcouru la distance de 81,4 km. Cela représente 125 litres aux 100 km ! Pour atteindre la vitesse maximale, on doit d'abord utiliser la clé pour mettre la voiture en mode Top Speed. Ensuite, la Veyron s'écrase sur ses roues, l'aileron se rétracte quelque peu au-dessus des ailes arrière, et les orifices de ventilation des freins avant se ferment pour permettre à l'air de bien glisser sur la carrosserie et dessous. Sans ces réglages aérodynamiques, la vitesse de la Veyron serait limitée à 354 km/h. Si, à quelque moment que ce soit, le conducteur lève le pied de l'accélérateur, imprime un mouvement significatif au volant ou touche la pédale de frein, la voiture reprend automatiquement ses réglages par défaut.

CONCLUSION ▶ Le constructeur ne prévoit produire que 300 Veyron, et ce, si la demande le justifie. Si la demande est plus faible que prévu, on en construira moins. Ce qui est dommage, c'est que la majorité des Veyron iront user leurs pneus dans les musées ou dans les garages des collectionneurs privés. La Veyron est une voiture qu'il faut conduire. Et, peu importe les raisons, elle passera certainement à l'histoire.

FICHE TECHNIQUE

MOTEUR
W16 8,0 l quadra-turbo DACT 1001 ch à 6000 tr/min (DIN)
couple : 929 lb-pi à 2200 tr/min
Transmission : séquentielle à 7 rapports
0-100 km/h : 3,0 s
Vitesse maximale : 406 km/h
Consommation (100 km) : 25,0 l (octane : 94)

Sécurité active
freins ABS, assistance au freinage, antipatinage, contrôle de stabilité électronique

Suspension avant/arrière
indépendante

Freins avant/arrière
disques

Direction
à crémaillère, assistée

Pneus
P265/30R20 (av.), P335/30R20 (arr.)

DIMENSIONS
Empattement : 2650 mm
Longueur : 4380 mm
Largeur : 1994 mm
Hauteur : 1206 mm
Poids : 1570 kg
Diamètre de braquage : nd
Coffre : nd
Réservoir de carburant : nd

opinion

Benoit Charette • Le seul mot qui me vient à l'esprit pour décrire la Bugatti Veyron est « surréaliste ». La voiture a un moteur seize cylindres avec quatre turbos qui produit 1001 chevaux, atteint une vitesse de pointe de 406 km/h, consomme 44 litres aux 100 km lorsqu'on titille l'accélérateur, et elle coûte près de deux millions de dollars. Seulement 300 Veyron seront construites, peu importe la demande. Fidèle à la tradition établie par le fondateur Ettore Bugatti, la Veyron est déjà une voiture de collection qui prendra sa place dans l'histoire de l'automobile comme la première voiture de production à développer plus de 1000 chevaux. Il est dommage que la grande majorité de ces voitures demeureront bien à l'abri dans leur garage.

ALLURE

évolution | 26 395 $ à 34 295 $ |

Transport et préparation : 1200 $

www.gmcanada.com

FICHE D'IDENTITÉ

Version(s) : CX, CXL, CXS
Roues motrices : avant
Portières : 4
Première génération : 2005
Génération actuelle : 2005
Construction : Oshawa, Ontario, Canada
Sacs gonflables : 4, frontaux et rideaux latéraux
Concurrence : Chevrolet Malibu et Impala, Chrysler Sebring et 300, Dodge Charger, Ford Fusion et Five Hundred, Honda Accord, Hyundai Sonata, Kia Magentis, Mazda6, Mitsubishi Galant, Nissan Altima et Maxima, Pontiac G6 et Grand Prix, Toyota Camry, VW Passat

AU QUOTIDIEN

Prime d'assurance :
25 ans : 1900 à 2100 $
40 ans : 1600 à 1800 $
60 ans : 1200 à 1400 $
Collision frontale : 5/5
Collision latérale : 3/5
Ventes du modèle l'an dernier
Au Québec : 2833 **Au Canada :** 14 408
Dépréciation (1 an) : 29,5 %
Rappels (2001 à 2006) : 1
Cote de fiabilité : 4/5

NON MERCI... TROP SPORT !

– **Antoine Joubert**

Le titre de cet article rappelle les propos de mon grand-père qui, en apercevant l'Allure, s'est arraché les cheveux qui lui restaient ! Lui qui fête cette année ses 90 ans, affirme que l'Allure est beaucoup trop sport ! Pour lui, une Buick doit être une voiture confortable et purement traditionnelle. « La Buick, c'est supposé être un beau char classe, juste une coche au-dessous de la Cadillac, pas ça ! » dit-il d'un air découragé. Il faut dire que mon grand-père a possédé toute sa vie des produits Buick (Wildcat, Electra, Riviera et autres), et que sa dernière acquisition, vieille de 18 ans, est l'ultime Cadillac dont il avait toujours rêvé, une DeVille 1988 blanche !

CARROSSERIE ► Quoi qu'en dise mon grand-père, l'Allure est une voiture on ne peut plus classique, qui affiche une robe à la fois traditionnelle et intemporelle. Elle remplace dignement les Century et Regal, qui ont toutes deux connu de longues et honorables carrières. Esthétiquement, l'Allure est appréciable pour son équilibre, c'est-à-dire pour la fluidité de ses lignes qui sauront certainement vieillir comme le bon vin ou, mieux, comme mon grand-père !

HABITACLE ► L'habitacle de cette Allure est sobre et bien aménagé, de façon à ne pas déranger les habitudes de l'acheteur conservateur. La planche de bord manque un peu de saveur, mais l'ergonomie est sans faille, et voilà tout ce qui compte. Esthétiquement, la fausse boiserie ne convainc personne, mais apporte en revanche un peu de chaleur dans cet habitacle insipide. La clientèle ciblée appréciera les sièges, certes très peu enveloppants, mais qui proposent un confort digne de la réputation de la marque. Et, comme les traditions sont encore vivantes chez Buick, il y a toujours la possibilité d'avoir une banquette avant à trois places.

MÉCANIQUE ► Le préhistorique mais ô combien éprouvé V6 de 3,8 litres trône toujours

forces

- Comportement routier étonnant
- Confort assuré
- Ligne réussie
- Excellente habitabilité
- Assemblage et finition en progrès

faiblesses

- Grand diamètre de braquage
- Trop d'équipements en option
- Habitacle terne

nouveautés en 2007

- Sièges en tissus chauffants, nouveaux appliqués de bois, nouvelles roues de 17 po (CXL et CXS), système de surveillance de pression des pneus de série, 4 nouvelles couleurs de carrosserie, système OnStar comprend désormais un service d'information sur la circulation

sous le capot des versions CX et CXL. Fiable et peu gourmand compte tenu de sa cylindrée, il rassure tout acheteur de Buick qui a probablement déjà possédé un véhicule équipé du même engin. Les acheteurs plus *olé olé* peuvent se tourner vers le V6 de 3,6 litres multisoupape, dont la puissance atteint 240 chevaux. Ce dernier n'a pas le raffinement ni la fougue du moteur VQ35 de Nissan, mais se tire drôlement bien d'affaire par ses performances. Certains déplorent toutefois que l'Allure n'offre qu'une boîte automatique à quatre rapports, mais sur route elle est si efficace qu'elle écarte tout commentaire négatif.

COMPORTEMENT ▶ La version CXS, plus performante, possède des pneus de 17 pouces et une suspension qui, sans être ferme, favorise un comportement plus dynamique. Néanmoins, et peu importe la version, le facteur prédominant au chapitre du comportement demeure le confort. D'une stabilité exceptionnelle, la voiture ne craint pas les chaussées dégradées. De plus, elle est bien insonorisée. Un diamètre de braquage moins grand faciliterait toutefois la tâche des chauffeurs de taxis de Montréal puisque, pour effectuer un virage en U, on doit souvent s'y prendre à deux fois.

CONCLUSION ▶ Non, l'Allure n'a rien d'une voiture sport. Elle satisfait les exigences des acheteurs traditionnels de Buick (de moins de 90 ans) qui recherchent avant tout le confort et la fiabilité à bon prix. Certains éléments de cette voiture commencent bien sûr à dater, mais, parce qu'ils sont éprouvés, personne ne s'en plaindra. Voilà donc une voiture qui a su pleinement se renouveler, tout en conservant l'aspect traditionnel tant recherché. Désolé, grand-papa, la Roadmaster a connu ses derniers jours en 1996 !

FICHE TECHNIQUE

MOTEURS

(CX, CXL) V6 3,8 l ACC 200 ch à 5200 tr/min
couple : 230 lb-pi à 4000 tr/min
Transmission : automatique à 4 rapports
0-100 km/h : 9,4 s
Vitesse maximale : 190 km/h
Consommation (100 km) : 9,8 l (octane : 87)

(CXS) V6 3,6 l DACT 240 ch à 6000 tr/min
couple : 225 lb-pi à 2000 tr/min
Transmission : automatique à 4 rapports
0-100 km/h : 8,4 s
Vitesse maximale : 210 km/h
Consommation (100 km) : 10,2 l (octane : 87)

Sécurité active
freins ABS, antipatinage, contrôle de stabilité électronique (CXS)

Suspension avant/arrière
indépendante

Freins avant/arrière
disques

Direction
à crémaillère, assistée

Pneus
CX et CXL : P225/60R16, CXS : P225/55R17

DIMENSIONS

Empattement : 2807 mm
Longueur : 5031 mm
Largeur : 1853 mm
Hauteur : 1458 mm
Poids : CX : 1585 kg, CXL : 1589 kg, CXS : 1619 kg
Diamètre de braquage : 12,3 m
Coffre : 453 l
Réservoir de carburant : 66 l

 **opinion**

Michel Crépault • Coincé entre un glorieux passé et un futur incertain, Buick a finalement fait un geste heureux en concevant l'Allure. Comme la marque s'adresse encore à des gens d'âge mûr (quoique des clients plus jeunes s'y intéressent), ses ingénieurs et designers ont eu l'intelligence de jouer les cartes de l'élégance simplifiée et de la qualité discernable. Sa silhouette chic, son tableau de bord épuré, son habitacle et son coffre généreux sont des arguments de poids pour qui recherche un mode de transport classique. D'aucuns reprochent aux V6 d'être tout sauf modernes. Effectivement, des engins plus à la page aideraient à redorer le blason de Buick.

LUCERNE

évolution | 31 210 $ à 43 080 $
Transport et préparation : 1250 $

OnStar

www.gmcanada.com

FICHE D'IDENTITÉ

Version(s) : CX, CXL, CXS
Roues motrices : avant
Portières : 4
Première génération : 2006
Génération actuelle : 2006
Construction : Detroit, Michigan, É.-U.
Sacs gonflables : 6, frontaux, latéraux et rideaux latéraux
Concurrence : Acura TL, Chevrolet Impala, Chrysler 300, Dodge Charger, Ford Five Hundred, Hyundai Azera, Kia Amanti, Maxima, Pontiac Grand Prix, Toyota Avalon

AU QUOTIDIEN

Prime d'assurance :
25 ans : 2000 à 2200 $
40 ans : 1600 à 1800 $
60 ans : 1200 à 1400 $
Collision frontale : 5/5
Collision latérale : 4/5
Ventes du modèle l'an dernier
Au Québec : 37 **Au Canada :** 343
Dépréciation (3 ans) : nm
Rappels (2001 à 2006) : 1
Cote de fiabilité : 4/5

LE SILENCE DES CHEVAUX

– Hugues Gonnot

Pour lancer sa «nouvelle» (remarquez les guillemets) berline haut de gamme, Buick a misé sur un thème simple mais accrocheur dans le segment : le silence de roulement. Excellente idée, mais sur ce plan le champion s'appelle Lexus.

CARROSSERIE ► Premier bon point : la Lucerne est belle avec ses lignes sobres et élégantes qui possèdent un petit côté européen séduisant. On pense à une Volkswagen Passat. Jolie référence ! Bien sûr, on retrouve la calandre traditionnelle et les fameux *portholes* sur les ailes avant. Ils avaient failli disparaître, mais Bob Lutz a exigé leur retour après avoir vu une Maserati Quattroporte. Par contre, la Lucerne est longue et son diamètre de braquage n'est pas le meilleur de la catégorie. Pensez au radar de recul optionnel.

HABITACLE ► Deuxième bon point : on entre dans un habitacle passablement rehaussé par rapport aux LeSabre et Park Avenue qu'elle remplace. C'est beaucoup mieux fini et, si les plastiques sont encore durs, ils sont nettement plus agréables au toucher et ne donnent pas l'impression qu'ils vont casser à la moindre pression. On n'est pas encore dans une Lexus, mais les choses s'améliorent. Une fois assis, on commence à pester contre la position de conduite. Blâmons la colonne de direction non ajustable en profondeur et le système d'inclinaison qui fonctionne par crans. Les sièges sont confortables mais manquent de soutien latéral. Par ailleurs, Buick a fait un impressionnant travail du côté de l'isolation phonique. Les ingénieurs ont utilisé dans certaines zones un matériau spécial, baptisé Quiet Steel, une strate de polymère sandwichée entre deux couches d'acier. Au final, la Lucerne fait jeu égal avec les produits Lexus, ce qui n'est pas un mince compliment. Enfin, les places arrière sont généreuses, tout comme le coffre, mais il n'est doté que d'une toute petite trappe à ski.

MÉCANIQUE ► Vous vous souvenez des guillemets du début ? Voilà l'astuce : bien qu'elle ait été

forces

- Allure (même si elle s'appelle Lucerne)
- Silence de roulement
- Finition en progrès
- Équipements disponibles haut de gamme

faiblesses

- Base ancienne
- Boîte automatique à quatre rapports

nouveautés en 2007

- Système de navigation OnStar optionnel, sièges et volant chauffants optionnels, grille de calandre chromée optionnelle, nouvelles couleurs extérieures et intérieures

profondément modifiée, la base de la Lucerne provient de la Park Avenue. Mais les modifications ne concernent pas que l'insonorisation. En plus du sempiternel V6 de 3,8 litres, on retrouve le premier V8 installé dans une Buick depuis 1995. Il s'agit du NorthStar Cadillac de 4,6 litres qui équipe aussi sa cousine de plateforme, la Cadillac DTS. Avec ce moteur vient la suspension adaptative Magneride, inaugurée dans la Corvette. Les amortisseurs contiennent un fluide comprenant des particules magnétiques dont la circulation est contrôlée par des électroaimants. Par contre, les deux moteurs ont droit à une boîte automatique à quatre rapports qui répond fort bien, certes, mais qui se fait vieille. On attend avec impatience une boîte six!

COMPORTEMENT ▶ Grande ambiguïté, ici. Lors du lancement de presse, la conduite de véhicules de présérie avait été une véritable surprise. La suspension s'était montrée confortable et efficace. La direction était précise. Logiquement, la version V6 compensait son manque de puissance par rapport à la V8 par un comportement un peu plus agile en virage, grâce à un poids moindre à l'avant. Mais un deuxième essai, avec une version V6 de série, a ressuscité tous les clichés qui collent à Buick: suspension mollassonne et direction peu communicative. Que s'est-il passé? Le freinage, par contre, fait bonne figure.

CONCLUSION ▶ GM va clairement dans la bonne direction. Buick a réussi à faire une voiture moderne à partir d'une base qui commence à dater. La Lucerne est homogène, même si son comportement routier suscite quelques questions. Les équipements disponibles, en série ou en option, sont dans le coup. Reste à la comparer à la concurrence. Sans hésitation, la Lexus ES 350 est un bon cran au-dessus d'elle et la Chrysler 300 possède plus de caractère. Pourtant, les prix restent intéressants. Et on sait tous que chez GM, on peut négocier fort. Mais cela se ressentira sur la valeur de revente. À bon entendeur, salut.

FICHE TECHNIQUE

MOTEURS

(CX et CXL) V6 3,8 l ACC 197 ch à 5200 tr/min
couple: 227 lb-pi à 3800 tr/min
Transmission: automatique à 4 rapports
0-100 km/h: 9,6 s
Vitesse maximale: 190 km/h
Consommation (100 km): 9,8 l (octane: 87)

(CXS) V8 4,6 l DACT 275 ch à 5600 tr/min
couple: 295 lb-pi à 4400 tr/min
Transmission: automatique à 4 rapports
0-100 km/h: 7,7 s
Vitesse maximale: 210 km/h
Consommation (100 km): 11,8 l (octane: 87)

Sécurité active
freins ABS, assistance au freinage, antipatinage, contrôle de stabilité électronique

Suspension avant/arrière
indépendante

Freins avant/arrière
disques

Direction
à crémaillère, assistée

Pneus
CX: P225/60R16, CXL: P235/55R17, CXS: P245/50R18

DIMENSIONS

Empattement: 2936 mm
Longueur: 5161 mm
Largeur: 1874 mm
Hauteur: 1473 mm
Poids: CX: 1707 kg, CXL: 1800 kg, CXS: 1820 kg
Diamètre de braquage: CX et CXL: 12,9 m, CXS: 13,4 m
Coffre: 481 l
Réservoir de carburant: 70 l

Benoit Charette • Derrière le volant, la seule différence entre la Lucerne et les Buick des années 1970 concerne les roues motrices. Bien qu'elle soit uniquement disponible en traction, la Lucerne reproduit très bien la grande berline tout confort de ces années-là. De la direction surassistée à la suspension trop molle, de la tenue de route approximative au roulis en courbes, tout y est. Le V8 profite du système de contrôle StabiliTrak qui améliore quelque peu la tenue de route. Le châssis est sain et l'insonorisation, de bonne qualité. Somme toute, la Lucerne est une bonne voiture souple dans tous les sens du terme. La voiture parfaite pour aller en Floride l'hiver. Seul reproche majeur: l'habitacle n'est pas à la hauteur des 40 000 $ demandés.

RENDEZVOUS

évolution | 28 620 $ à 39 070 $
Transport et préparation : 1170 $

OnStar

www.gmcanada.com

FICHE D'IDENTITÉ

Version(s) : CX, CXL
Roues motrices : avant
Portières : 4
Première génération : 2002
Génération actuelle : 2002
Construction : Ramos Arizpe, Mexique
Sacs gonflables : 4, frontaux et latéraux (latéraux en option dans CX)
Concurrence : Chrysler Pacifica, Ford Freestyle, Honda Pilot, Mazda CX-9, Mitsubishi Endeavor, Nissan Murano, Subaru B9 Tribeca, Toyota Highlander

AU QUOTIDIEN

Prime d'assurance :
25 ans : 2600 à 2800 $
40 ans : 1600 à 1800 $
60 ans : 1100 à 1300 $
Collision frontale : 3/5
Collision latérale : 5/5
Ventes du modèle l'an dernier
Au Québec : 999 **Au Canada :** 4840
Dépréciation (3 ans) : 58,5 %
Rappels (2001 à 2006) : 8
Cote de fiabilité : 3/5

MORT ANNONCÉE

– **Benoit Charette**

Victime d'une mauvaise qualité de fabrication et d'une compétition féroce, le Buick Rendezvous, frère de sang du défunt Pontiac Aztek, a vu ses ventes chuter de plus de 30 % l'an dernier et ses jours sont comptés. D'ailleurs, GM réduit la gamme en 2007. Les modèles à transmission intégrale ne sont plus disponibles et le moteur 3,6 litres de 242 chevaux a été retiré du catalogue. Cette démarche est généralement la première étape de la mise à mort d'un modèle.

CARROSSERIE ▶ Même si GM place ce véhicule dans la catégorie des utilitaires, il n'en est rien. Le Rendezvous est une fourgonnette à empattement court, à cinq ou sept places. Physiquement, il nous revient avec les mêmes caractéristiques que l'an dernier et il est disponible en deux versions: CX et CXL, uniquement offertes en traction en 2007.

HABITACLE ▶ La seule nouveauté est un service de guide. Pendant la première année, le système OnStar est compris et permet au conducteur de demander à un conseiller le chemin à suivre pour atteindre sa destination. Les directives sont transmises par le système audio, ce qui permet au chauffeur de garder les mains sur le volant et les yeux sur la route. Au chapitre de l'équipement, la version de base comprend le climatiseur, les glaces à commande électrique, le régulateur de vitesse, un volant gainé de cuir à colonne de direction inclinable, une chaîne audio AM/FM à six haut-parleurs avec lecteur CD, cinq places et des roues de 17 pouces en acier (en alliage sur les CXL). Pour la version CXL, on ajoute le climatiseur thermostatique, la sellerie de cuir, un système audio plus sophistiqué avec huit haut-parleurs, des sièges avant chauffants à réglage électrique, une troisième rangée de sièges, des coussins gonflables latéraux avant et l'antipatinage. Si le silence qui règne à bord est correct, la finition laisse à désirer, le confort des sièges est moyen et

forces
- Équipements
- Insonorisation
- Format pratique

faiblesses
- Assemblage et finition
- Moteur terne
- Direction, suspension et freinage

nouveautés en 2007
- Système de navigation OnStar dans version CXL (option, dans CX)

l'aménagement, quelconque. La radio satellite XM compte parmi les équipements de série du modèle CXL et les trois premiers mois d'abonnement sont gratuits.

MÉCANIQUE ▶ GM a conservé une seule mécanique en 2007, soit le V6 3,5 litres de 196 chevaux jumelé à une boîte automatique à quatre rapports. À défaut d'être moderne, cette mécanique a le mérite d'être peu gourmande et de fonctionner en souplesse. Les modèles à rouage intégral ont aussi disparu et c'est peut-être la meilleure décision des dirigeants de Buick, puisque le système VersaTrak était tout simplement mauvais. Dommage, par contre, que le 3,6 litres ait disparu : c'était le meilleur moteur disponible.

COMPORTEMENT ▶ Comme pour tous les produits Buick, le confort prime. La technologie QuietTuning utilisée par GM, fondée sur l'ajout de matériaux insonores aux endroits sensibles, crée une ambiance feutrée très agréable. Le siège avant offre un bon confort et une position de conduite très correcte. Malheureusement, on ne peut en dire autant pour les passagers arrière. La direction imprécise, la suspension trop souple et le freinage peu efficace résument l'expérience de conduite. Tout cela donne l'impression de conduire un ramassis de pièces GM produites par le soumissionnaire le moins exigeant, et c'est probablement la principale raison de l'insuccès de ce véhicule.

CONCLUSION ▶ Je n'irai pas par quatre chemins : le Rendezvous est dépassé sur tous les plans. La qualité du produit est très loin de celle des constructeurs japonais, la puissance est à peine suffisante, l'assemblage et la finition sont déficients. L'histoire nous enseigne que seuls les modèles les plus pertinents survivent et le Rendezvous n'en a plus pour longtemps.

FICHE TECHNIQUE

MOTEUR
V6 3,5 l ACC 196 ch à 5600 tr/min
couple : 215 lb-pi à 4000 tr/min
Transmission : automatique à 4 rapports
0-100 km/h : 13,3 s
Vitesse maximale : 170 km/h
Consommation (100 km) : 2RM : 10,6 l, (octane : 87)

Sécurité active
freins ABS et antipatinage

Suspension avant/arrière
indépendante

Freins avant/arrière
disques

Direction
à crémaillère, assistée

Pneus
P225/60R17

DIMENSIONS
Empattement : 2851 mm
Longueur : 4738 mm
Largeur : 1871 mm
Hauteur : 1750 mm
Poids : 2RM : 1792 kg
Diamètre de braquage : 11,4 m
Coffre : 513 l, 3084 l (sièges abaissés)
Réservoir de carburant : 70 l
Capacité de remorquage : 1588 kg

opinion

Antoine Joubert • Pour remplacer son GMC Jimmy, peu fiable, inconfortable et énergivore, M. Langlois s'est rendu en 2003 chez son concessionnaire GM qui lui a proposé le Rendezvous. Aujourd'hui, après quatre ans et 88 000 km, M. Langlois se dit plutôt satisfait de son véhicule. Cependant, il constate que son onéreux Rendezvous s'use prématurément et qu'il ne peut se permettre de le remplacer, parce que le véhicule s'est déjà déprécié de plus de 65 %. Pour être exact, compte tenu de sa valeur actuelle, son Rendezvous lui a coûté jusqu'à maintenant la rondelette somme de 28 000 $. Aurait-il subi la même perte s'il avait acheté un Highlander ou un Pilot ? Bien sûr que non...

RAINIER ⊖ Chevrolet TrailBlazer

jumeau | 48 720 $ à 50 840 $ | Transport et préparation : 1200 $

OnStar

www.gmcanada.com

FICHE D'IDENTITÉ

Version(s): CXL
Roues motrices : 4
Portières : 4
Première génération : 2003
Génération actuelle : 2003
Construction : Moraine, Ohio, É.-U.
Sacs gonflables : 2, frontaux, (rideaux latéraux en option)
Concurrence : Acura MDX, Audi Q7, BMW X5, Cadillac SRX, GMC Envoy Denali, Infiniti FX, Jeep Grand Cherokee, Land Rover LR3, Lexus RX, Mercedes-Benz Classe M, Saab 9[7X], Subaru B9 Tribeca, Volkswagen Touareg, Volvo XC90

AU QUOTIDIEN

Prime d'assurance :
25 ans : 3000 à 3200 $
40 ans : 2000 à 2200 $
60 ans : 1500 à 1700 $
Collision frontale : 3/5
Collision latérale : 5/5
Ventes du modèle l'an dernier
Au Québec : 55 **Au Canada :** 455
Dépréciation (3 ans): 54,7 %
Rappels (2001 à 2006): 5
Cote de fiabilité : 3/5

UNE FOIS QUATRE

– **Benoit Charette**

Le Rainier a repris les choses là où le défunt Oldsmobile Bravada les avait laissées. Pas de changement majeur en 2007, sauf l'ajout de deux nouvelles couleurs de carrosserie, bleu saphir métallisé et graphite métallisé.

CARROSSERIE ► Fidèle à l'approche traditionnelle de Buick, le Rainier, en plus de la grille typique, se distingue des autres membres du groupe par des accents de chrome sur les longerons latéraux du porte-bagages et sur les poignées de porte extérieures. Une belle exécution qui donne d'excellents résultats.

HABITACLE ► Même approche à l'intérieur où, pour peu, on se croirait dans un salon de thé anglais. Les sièges baquets avant et les sièges arrière sont recouverts de cuir perforé, alors que les panneaux de toutes les portières sont garnis de matériaux imitant le velours. Des éléments contrastants de chrome et de similironce de noyer foncé sur le tableau de bord, les portières et la console centrale concourent à créer un environnement un peu vieillot.

MÉCANIQUE ► Le Rainier est disponible avec deux moteurs : le V8 de 5,3 litres de 300 chevaux et, de série, le moteur à six cylindres en ligne de 4,2 litres de 291 chevaux. Le moteur 5,3 litres est doté de la technologie de cylindrée variable qui restreint la consommation de carburant en réduisant le nombre de cylindres qui entrent en jeu dans le processus de combustion. Les deux moteurs sont jumelés à la boîte automatique électronique à quatre vitesses.

COMPORTEMENT ► Surprenant de silence grâce à la technologie Quiet Tuning qui élimine les bruits indésirables, le Rainier est doté d'une suspension pneumatique à l'arrière qui assure non seulement un excellent confort, mais aussi une tenue de route rassurante. À cela s'ajoute la possibilité de remorquer jusqu'à 3040 kilos avec le V8.

CONCLUSION ► Avec le 97X, le Rainier est le plus intéressant produit de la famille des utilitaires intermédiaires chez GM.

forces
- Silence et confort de roulement
- Excellente tenue de route
- Finition sans bavure

faiblesses
- Consommation
- Prix de base assez élevé
- Assez forte dépréciation

nouveautés en 2007
- Indicateur de basse pression des pneus de série, système de navigation OnStar optionnel, deux nouvelles couleurs de carrosserie

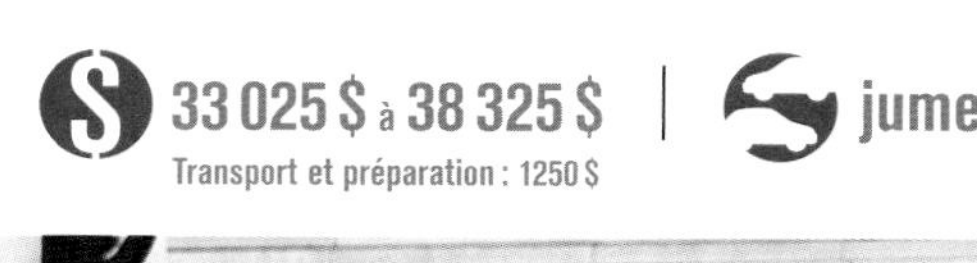

OnStar

BOUDÉ

– **Benoit Charette**

www.gmcanada.com

Alors que les ventes de Chevrolet Uplander et de Pontiac Montana oscillent autour de 5000 unités par année chez nous, la Buick Terraza a convaincu seulement 309 acheteurs québécois l'an dernier. Pourquoi s'entêter à conserver un véhicule aussi peu pertinent?

CARROSSERIE ▶ Rien de majeur pour cette année, seulement quelques retouches. De nouvelles suspensions dites «conduite et maniabilité» installées à la place des suspensions indépendantes aux quatre roues; des jantes en aluminium de 17 pouces à huit rayons; et trois nouvelles couleurs extérieures. La version à transmission intégrale n'est plus disponible: trop dispendieuse et pas assez demandée.

HABITACLE ▶ C'est le luxe qui caractérise ce véhicule. La finition chrome et boiserie donne à l'habitacle des allures de haut de gamme. La Terraza bénéficie également du dispositif Quiet-Tuning, un programme de conception globale appliqué à la totalité du véhicule afin d'assurer une conduite silencieuse. Il y a aussi de nombreuses options de divertissement. À ce prix, le système avec écran DVD à l'arrière devrait être de série.

MÉCANIQUE ▶ Un seul moteur au programme cette année, le V6 de 3,9 litres et de 240 chevaux, couplé à une boîte automatique à quatre rapports. Une version à carburant mixte de la Terraza, compatible avec l'éthanol E85, sera proposée plus tard en 2007.

COMPORTEMENT ▶ Devant le peu de demande, GM a abandonné la version intégrale, ce qui est à mon avis une excellente nouvelle, car le système Versatrak ne valait pas l'investissement. Un moteur plus musclé donne un meilleur tonus. La maniabilité n'est pas encore sa force principale, mais le silence de roulement est digne de mention.

CONCLUSION ▶ Pour offrir un véritable produit de haut de gamme, GM devra se baser sur autre chose qu'un véhicule moyen mieux habillé. Les ventes le confirment: le public n'est pas dupe!

FICHE D'IDENTITÉ

Version(s) : CX, CXL
Roues motrices : avant
Portières : 4
Première génération : 2005
Génération actuelle : 2005
Construction : Doraville, Géorgie, É.-U.
Sacs gonflables : 2, frontaux, (latéraux avant et à la 2e rangée en option)
Concurrence : Chevrolet Uplander, Chrysler Town & Country, Dodge Caravan, Ford Freestar, Honda Odyssey, Hyundai Entourage, Kia Sedona, Nissan Quest, Pontiac Montana SV6, Saturn Relay, Toyota Sienna

AU QUOTIDIEN

Prime d'assurance :
25 ans : 2200 à 2400 $
40 ans : 1200 à 1400 $
60 ans : 1000 à 1200 $
Collision frontale : 5/5
Collision latérale : 4/5
Ventes du modèle l'an dernier
Au Québec : 309 **Au Canada :** 1667
Dépréciation (1 an) : 33,1 %
Rappels (2001 à 2006) : 1
Cote de fiabilité : 2/5

forces
- Silence de roulement
- Motorisation mieux adaptée
- Intérieur accueillant

faiblesses
- Peu agile
- Peu pertinent
- Peut aller se rhabiller

nouveautés en 2007
- Traction intégrale discontinuée, système OnStar optionnel, système Ride and Handling dans tous les modèles, V6 de 3,9 litres de série, ensemble Fuel Flex à l'éthanol E85 disponible, trois nouvelles teintes de carrosserie

CTS

évolution | 35 780 $ à 70 670 $
Transport et préparation : 1350 $

OnStar

www.gmcanada.com

SUR LA BONNE VOIE

– Benoit Charette

FICHE D'IDENTITÉ

Version(s) : 2.8, 3.6, V
Roues motrices : arrière
Portières : 4
Première génération : 2003
Génération actuelle : 2003
Construction : Lansing, Michigan, É.-U.
Sacs gonflables : 6, frontaux, latéraux, rideaux latéraux
Concurrence : Acura TL, Audi A4 et S4, BMW Série 3, Infiniti G35, Jaguar X-Type, Lexus IS et ES, Lincoln LS, Mercedes-Benz Classe C, Saab 9^3, Volvo S60

AU QUOTIDIEN

Prime d'assurance :
25 ans : 2800 à 3000 $
40 ans : 1700 à 1900 $
60 ans : 1400 à 1600 $
Collision frontale : 4/5
Collision latérale : 4/5
Ventes du modèle l'an dernier
Au Québec : 922 **Au Canada :** 4154
Dépréciation (3 ans) : 50,8 %
Rappels (2001 à 2006) : 6
Cote de fiabilité : 3/5

Un vent de jeunesse a soufflé depuis 2001 sur la marque de prestige américaine, à la fois sur les produits et sur le design, tant et si bien que la marque est aujourd'hui citée en exemple pour son dynamisme. Ce qui soulève la question suivante : qu'attend GM pour faire la même chose avec ses autres filiales ? Il semble que la magie Cadillac n'opère pas ailleurs.

CARROSSERIE ► Il y a cinq ans à peine, on pouvait confondre Cadillac et Buick, mais ce n'est plus le cas aujourd'hui et ce n'est pas nous qui allons nous en plaindre. La CTS a inauguré les lignes tendues, reprises ensuite par les autres membres de la famille. Le traitement des faces avant et arrière, assez original, permet maintenant d'identifier à coup sûr la Cadillac. Les optiques avant et arrière, notamment, se retrouvent dans le prolongement des ailes. Les boucliers ont été redessinés dans la version V, avec à l'avant des entrées d'air agrandies. Normal : le gros V8 tapi sous le capot a besoin d'air frais pour respirer et se refroidir ! Les autres signes distinctifs de la Cadillac CTS-V sont les deux sorties d'échappement et les grosses jantes multi-branches de 19 pouces. Discrétion assurée, sauf pour les tympans...

HABITACLE ► Si les Américains ont progressé au chapitre du dessin extérieur, il y a encore place à l'amélioration à l'intérieur. Cela n'a rien à voir avec les équipements de série très complets, mais plutôt avec la qualité apparente, qui est un ou deux crans plus bas que BMW, Mercedes et surtout Audi. Par exemple, la position de conduite est assez bonne, mais pas autant que chez les Germains. Le style de la planche de bord est nettement moins kitsch et flamboyant que les Cadillac d'antan, toutefois les matériaux pourraient être de meilleur qualité, spécialement dans la version de base qui pue le mauvais plastique.

forces
- Rigidité de la coque
- CTS-V enivrante
- Ligne unique

faiblesses
- Intérieur un peu clinquant
- Position de conduite des modèles de base

nouveautés en 2007
- Système OnStar comprend désormais un service d'information sur la circulation

6,0 litres de la Corvette, pourvu d'une boîte manuelle à six rapports. Il n'y a rien pour remplacer la sonorité d'un V8. C'est une bête en robe du dimanche, une bête de 400 chevaux.

MÉCANIQUE ▶ Pour utiliser une analogie typiquement américaine, la mécanique se compare aux ailes de poulet: vous pouvez choisir les ailes douces, moyennes ou piquantes. Le premier choix offre une mécanique V6, 2,8 litres, développée en Australie. Plutôt discrète et un peu lente au décollage, son seul mérite est d'être la plus abordable. Autrement, ce moteur est sans intérêt. Ensuite, il y a le moteur 3,6 litres et ses 255 chevaux. Plus nerveux, il est même amusant à conduire. Comme le 2,8 litres, il est disponible avec une boîte manuelle à six rapports ou automatique à cinq rapports. Fidèle à lui-même au moment de sortir l'artillerie lourde, l'Oncle Sam a toujours un V8 en réserve. La CTS-V possède le V8

COMPORTEMENT ▶ Dans l'ensemble, la CTS profite d'un châssis très sain. La suspension est calibrée à l'européenne et offre ce qu'il faut de tenue de route pour ne pas être inconfortable. La CTS-V est toutefois presque désagréable quand la route se dégrade. Un petit reproche à la boîte manuelle qui manque de précision. Cadillac pourrait démonter une ou deux BMW pour corriger le tir. La meilleure surprise au volant de la CTS-V n'a pas été ses performances extrêmes, mais la manière très coulée, extrêmement facile d'obtenir des chiffres dignes d'une exotique dans le confort d'une cabine de luxe.

CONCLUSION ▶ Beaucoup de chemin parcouru en peu de temps pour Cadillac. La CTS ne possède pas encore tous les atouts des BMW, Audi et Mercedes, mais elle ne craint plus l'affront. Encore quelques années à ce rythme, et Cadillac pourrait nous surprendre.

FICHE TECHNIQUE

MOTEURS

(2.8) V6 2,8 l DACT 210 ch à 6500 tr/min
couple: 194 lb-pi à 3200 tr/min
Transmission: manuelle à 6 rapports, automatique à 5 rapports avec mode manuel (option)
0-100 km/h: 7,8 s
Vitesse maximale: 220 km/h
Consommation (100 km): man.: 10,8 l, auto.: 10,6 l (octane: 87)

(3.6) V6 3,6 l DACT 255 ch à 6200 tr/min
couple: 252 lb-pi à 3100 tr/min
Transmission: manuelle à 6 rapports, automatique à 5 rapports avec mode manuel (option)
0-100 km/h: 7,1 s
Vitesse maximale: 230 km/h
Consommation (100 km): man.: 11,2 l, auto.: 10,9 l (octane: 87)

(CTS-V) V8 6,0 l ACC 400 ch à 6000 tr/min
couple: 395 lb-pi à 4400 tr/min
Transmission: manuelle à 6 rapports
0-100 km/h: 5,0 s
Vitesse maximale: 262 km/h
Consommation (100 km): 12,3 l (octane: 91)

Sécurité active
freins ABS, antipatinage, contrôle de stabilité électronique (option, de série dans CTS-V)

Suspension avant/arrière
indépendante

Freins avant/arrière
disques

Direction
à crémaillère, assistée

Pneus
2.8: P225/55R16, 3.6: P225/50R17, CTS-V: P245/45R18

DIMENSIONS

Empattement: 2880 mm
Longueur: 4829 mm, CTS-V: 4864 mm
Largeur: 1793 mm
Hauteur: 1440 mm, CTS-V: 1455 mm
Poids: 2.8: 1618 kg, 3.6: 1676 kg, CTS-V: 1746 kg
Diamètre de braquage: 10,8 m, CTS-V: 11,0 m
Coffre: 362 l, CTS-V: 354 l
Réservoir de carburant: 66,2 l

opinion

Hugues Gonnot • La CTS a libéré une formidable dose d'adrénaline dans le public et a favorisé la survie d'une marque menacée. Cadillac n'y est pas allé avec le dos de la cuillère: retour à la propulsion, boîtes manuelles, style distinctif. Et ça marche. La CTS est une voiture homogène, surtout avec le 3,6 litres qui offre une belle expérience de conduite. Malheureusement, comme c'est souvent le cas chez GM, le talon d'Achille, c'est l'intérieur. Pas mauvais en soi, mais pas encore assez raffiné par rapport à la concurrence. Enfin, il y a cette impressionnante CTS-V, alias la Corvette quatre portes. Quelle bête! Un pur régal. La CTS nous a convaincus. Cadillac doit maintenant transformer l'essai avec la prochaine génération

DTS

évolution | 52 935 $ à 64 765 $
Transport et préparation : 1350 $

OnStar

www.gmcanada.com

CETTE BONNE VIEILLE CADDY !

– Antoine Joubert

FICHE D'IDENTITÉ

Version(s) : Luxury, Performance
Roues motrices : avant
Portières : 4
Première génération : 1949 (DeVille)
Génération actuelle : 2006
Construction : Detroit, Michigan, É.-U.
Sacs gonflables : 6, frontaux, latéraux avant, rideaux latéraux
Concurrence : Lexus LS 460, Lincoln Town Car

AU QUOTIDIEN

Prime d'assurance :
25 ans : 3200 à 3400 $
40 ans : 2000 à 2200 $
60 ans : 1600 à 1800 $
Collision frontale : 5/5
Collision latérale : 4/5
Ventes du modèle l'an dernier
Au Québec : 177 **Au Canada :** 1072
Dépréciation (3 ans) : 56,4 %
Rappels (2001 à 2006) : 8
Cote de fiabilité : 3/5

S'il y a une marque américaine qui a su se remettre sur les rails, c'est bien Cadillac. Il y a à peine dix ans, la division de luxe symbolisait aux yeux de plusieurs le mauvais goût américain. En 2007, il en va tout autrement : les ventes se portent mieux et l'image de marque est redorée. Toutefois, Cadillac n'a pas cru bon de tirer complètement un trait sur le passé, puisqu'on nous propose toujours la DeVille…, euh, pardon, la DTS.

CARROSSERIE ▶ Traditionnelle, la DTS l'est certainement, mais moins que sa principale concurrente, la Lincoln Town Car. Elle s'en démarque par une conception de type monocoque et des lignes nettement plus modernes. On peut ne pas l'aimer, mais il faut admettre que les modifications esthétiques apportées l'an dernier, dont l'objectif est de mieux identifier la voiture avec le reste de la gamme Cadillac, sont réussies. Les phares verticaux à projecteurs, l'imposante grille de calandre en V, les feux arrière à éclairage DEL et la forte présence du chrome créent un heureux mélange de modernisme et de classicisme.

HABITACLE ▶ Longue de plus de 5 mètres, la DTS possède un habitacle extrêmement spacieux, avec des places arrière dignes d'un salon V.I.P. À l'avant, on retrouve le confort typique des voitures traditionnelles américaines. Selon la version et l'équipement choisis, les sièges avant peuvent comprendre des éléments chauffants, un système de ventilation et même un dispositif de massage. La planche de bord, très similaire à celle d'une Buick Lucerne, se distingue par de véritables boiseries et par un éclairage électroluminescent. L'horloge analogique, située en plein centre du tableau de bord, apporte aussi une touche de noblesse. Cela dit, la DTS impressionne surtout par son insonorisation, qui nous exclut carrément du monde extérieur. Seul le ronronnement du V8 se fait entendre sourdement en accélération, laissant deviner une puissance intéressante.

forces
- Confort royal
- Surenchère d'équipement
- Aptitudes routières étonnantes
- Puissant V8
- Finition intérieure améliorée

faiblesses
- Effet de couple et direction désagréables
- Consommation élevée
- Diamètre de braquage
- Dépréciation importante

nouveautés en 2007
- Équipement de série rehaussé et groupes d'options simplifiés, horloge analogique, clés spécifiques à Cadillac, nouvelles couleurs extérieures

MÉCANIQUE ► Cette puissance, qui varie de 275 à 292 chevaux selon la version, provient du V8 Northstar de 4,6 litres, bien connu chez Cadillac. Ce moteur permet des accélérations et des reprises franchement étonnantes, qui peuvent certainement effrayer les acheteurs coutumiers. Rien à voir avec les 239 chevaux de la Town Car, qui doit en plus trimbaler un surpoids de 200 kilos. Toutefois, pour optimiser les performances de la DTS et améliorer sa consommation d'essence assez importante, l'ajout d'une boîte automatique à cinq ou six rapports serait souhaitable.

COMPORTEMENT ► Une telle puissance transmise sur les roues avant ne favorise pas nécessairement la motricité. Ici, l'effet de couple se fait sentir, même quand on appuie faiblement sur l'accélérateur. Et, comme la direction est peu communicative et parfois lente, l'agrément de conduite en prend un coup. En revanche, on apprécie la tenue de route de la DTS, sa stabilité exemplaire et son grand silence de roulement. La suspension n'a plus rien à voir avec celle des Cadillac d'antan et nous permet d'obtenir un haut niveau de confort, sans pour autant nous sentir déconnecté de la route.

CONCLUSION ► La DTS prouve qu'une voiture traditionnelle, dont l'image est typiquement américaine, peut s'adapter au monde moderne. Malheureusement, il est évident que cette berline ne possède pas ce qu'il faut pour attirer une nouvelle clientèle, mais on devrait corriger le tir au cours des prochaines années. Toutefois, si l'Amérique coule dans vos veines, si vous appréciez le luxe et le confort et si le prix de l'essence ne vous effraie pas, la DTS constitue un bien meilleur achat que la Lincoln Town Car.

FICHE TECHNIQUE

MOTEURS

(Luxury) V8 4,6 l DACT 275 ch à 6000 tr/min
couple : 295 lb-pi à 4400 tr/min
Transmission : automatique à 4 rapports
0-100 km/h : 8,1 s
Vitesse maximale : 190 km/h
Consommation (100 km) : 11,3 l (octane : 91)

(Performance) V8 4,6 l DACT 292 ch à 6300 tr/min
couple : 288 lb-pi à 4500 tr/min
Transmission : automatique à 4 rapports
0-100 km/h : 7,8 s
Vitesse maximale : 210 km/h
Consommation (100 km) : 11,3 l (octane : 91)

Sécurité active
freins ABS, antipatinage, contrôle de stabilité électronique, répartition électronique de force de freinage, assistance au freinage

Suspension avant/arrière
indépendante

Freins avant/arrière
disques

Direction
à crémaillère, assistée

Pneus
Luxury : P235/55R17,
Performance : P245/50R18

DIMENSIONS

Empattement : 2936 mm
Longueur : 5274 mm
Largeur : 1464 mm
Hauteur : 1901 mm
Poids : 1818 kg
Diamètre de braquage : Luxury : 12,8 m, Performance : 13,4 m
Coffre : 532 l
Réservoir de carburant : 70 l

2e opinion

Michel Crépault • Ma voiture d'essai arborait un formidable pelage rouge et des jantes si étincelantes que des pilotes d'Air Canada en ont été aveuglés du haut des airs ! Il ne me manquait que des colliers, un chapeau et un bouquet de « Yo man ! » à distribuer à la ronde ! Qui osera dire désormais que Cadillac fait encore dans le vieillot ? Une couleur moins flamboyante m'aurait permis de me concentrer sur le V8 de presque 300 chevaux et sur le luxueux intérieur sans mêler mes cartes professionnelles. Cadillac a su respecter l'héritage de l'ancienne DeVille tout en lui insufflant le modernisme qui sied si bien à la marque depuis sa renaissance. Une déception toutefois : la boîte Hydra-Matic à quatre rapports, qui fait de la résistance.

ESCALADE / EXT

nouveauté | 71 495 $ à 78 795 $

Transport et préparation : 1400 $

OnStar

www.gmcanada.com

FICHE D'IDENTITÉ

Version(s) : Base, EXT, ESV
Roues motrices : 4
Portières : 4
Première génération : 1999
Génération actuelle : 2007
Construction : Base et ESV : Arlington, Texas, É.-U. ; EXT : Silao, Mexique
Sacs gonflables : 6, frontaux, latéraux avant et rideaux latéraux
Concurrence : Hummer H2, Infiniti QX56, Land Rover Range Rover, Lexus GX et LX, Lincoln Navigator, Mercedes-Benz Classe G et Classe GL

AU QUOTIDIEN

Prime d'assurance :
25 ans : 4800 à 5000 $
40 ans : 2700 à 2900 $
60 ans : 2300 à 2500 $
Collision frontale : 5/5
Collision latérale : nd
Ventes du modèle l'an dernier
Au Québec : 122 **Au Canada** : 1161
Dépréciation (3 ans) : 53,7 %
Rappels (2001 à 2006) : 9
Cote de fiabilité : 3/5

UN DILEMME AMBULANT

– Bertrand Godin

Pour certaines personnes, les gros véhicules utilitaires sport n'ont pas leur raison d'être. Mes amis écolos mettent souvent en doute la valeur de ces véhicules puisque, à leurs yeux, ils constituent une menace pour l'environnement et une source de pollution sans fin. Sans être un vert, je m'interroge parfois sur la pertinence de ces véhicules, mais un essai pourrait suffire à changer votre point de vue. C'est vrai que les différentes versions de l'Escalade sont toutes de la dimension du Stade olympique, mais je mentirais si je vous disais que je n'ai pas apprécié mon passage au volant.

CARROSSERIE ► Même si l'Escalade est un tout nouveau modèle, le style n'a pas évolué autant qu'on aurait pu le croire. On a gardé la grosse grille, qu'on associe immédiatement à la bannière Cadillac. Les passages de roues sont devenus carrés et toutes les lignes ont été retouchées, mais dans l'ensemble le gros Escalade n'a pas vraiment changé. En tout cas, pas assez pour qu'on oublie qu'il s'agit d'un Cadillac.

HABITACLE ► C'est à l'intérieur qu'on constate de réels changements. L'espace est toujours aussi généreux et l'Escalade peut compter sur trois rangées de sièges. Pour s'y rendre, GM a mis au point un système, unique à ce type de véhicule, permettant de bouger la banquette médiane pour libérer l'accès aux places du fond. On ne doit pas être trop corpulent pour s'y rendre, mais, malgré tout, l'espace est suffisant. Le tableau de bord a lui aussi été repensé. On a placé la console centrale plus bas, mais on a surtout installé les commandes de façon beaucoup plus ergonomique. La planche de bord, couleur ivoire ou cachemire, a donc un tout nouveau look, plus accueillant, et elle est plus facile à consulter qu'auparavant. Les changements touchent aussi la version allongée, appelée ESV, et la version camionnette, nommée EXT. Dans ce dernier cas, certaines personnes

forces
- Moteur très puissant
- Cabine spacieuse
- Châssis très rigide

faiblesses
- Consommation élevée de carburant
- Conduite parfois ennuyeuse
- Prix d'achat élevé

nouveautés en 2007
- Modèle entièrement redessiné

penseront que l'Escalade n'est rien de plus qu'un Avalanche de luxe. Ce qui n'est pas complètement faux.

MÉCANIQUE ► L'Escalade est équipé en exclusivité d'un nouveau moteur V8 de 6,2 litres développant 403 chevaux. Ce moteur tout en aluminium utilise la technologie à programme variable qui optimise la distribution de l'arbre à cames, améliorant le couple à faible régime et la puissance en régime élevé. Ce moteur est couplé à la toute nouvelle boîte automatique à six vitesses, une des plus évoluées de l'industrie.

COMPORTEMENT ► Je sais que plusieurs lecteurs se demanderont pourquoi on a demandé à un amateur de vitesse et de conduite de précision de tester l'Escalade. Précisément parce que cette grosse bagnole est aussi un phénomène unique à conduire sur nos routes. Le moteur V8 de 6,2 litres est capable d'entraîner le lourd véhicule avec rapidité, grâce à ses 403 chevaux, mais surtout à son couple de 417 livres-pied. C'est d'ailleurs à ce couple que l'on doit des départs assez intéressants, même s'il n'est pas question de vous adonner à des courses de drags au volant de votre Escalade. Pour améliorer la conduite, un châssis et un cadre renforcés supportent le groupe motopropulseur plus puissant que celui de l'année dernière, tout en améliorant la maniabilité de ce VUS de grande dimension. Le nouveau châssis en caisson a une résistance à la torsion supérieure de 49 % et une rigidité à la flexion longitudinale supérieure de 35 % par rapport aux modèles précédents. Les freins à disques plus épais aux quatre roues et le nouveau système antiblocage Bosch autorisent un freinage exceptionnel, surtout si l'on tient compte du poids du véhicule.

CONCLUSION ► Gros VUS populaire, apprécié même des voleurs aux États-Unis, l'Escalade de seconde génération atteint encore mieux ses objectifs. Mais, il faut l'avouer, on est bien loin de l'économie.

FICHE TECHNIQUE

MOTEUR
V8 6,2 l ACC 403 ch à 5700 tr/min
couple : 417 lb-pi à 4400 tr/min
Transmission : automatique à 6 rapports
0-100 km/h : 7,3 s
Vitesse maximale : 185 km/h
Consommation par (100 km) : 16,8 l (octane : 87)

Sécurité active
freins ABS, antipatinage, contrôle de stabilité électronique

Suspension avant/arrière
indépendante/essieu rigide

Freins avant/arrière
disques

Direction
à crémaillère, assistée

Pneus
P265/65R18, opt. : P285/45R22

DIMENSIONS
Empattement : Base : 4926 mm, ESV et EXT : 3302 mm
Longueur : Base : 5143 mm, ESV : 5660 mm, EXT : 5639 mm
Largeur : Base : 2007 mm, ESV et EXT : 2010 mm
Hauteur : Base : 1887 mm, ESV : 1916 mm, EXT : 1892 mm
Poids : Base : 2570 kg, ESV : 2611 kg, EXT : 2648 kg
Diamètre de braquage : Base : 11,9 m, ESV et EXT : 13,1 m
Coffre : Base : 479 l, 3084 l (sièges abaissés), ESV : 1298 l, 3891 l (sièges abaissés), EXT : 1289 l
Réservoir de carburant : Base : 98,4 l, ESV et EXT : 117 l
Capacité de remorquage : Base : 3493 kg, ESV : 3538 kg, EXT : 3447 kg

Michel Crépault • Statut social, sentiment de sécurité, complexe quelconque à transcender, peu importe la raison profonde ou superficielle, l'acheteur d'un immense utilitaire comme l'Escalade aurait pu plus mal choisir. Dans la foulée des belles choses qui se passent chez Cadillac depuis quelques années, l'Escalade, déjà un succès, propose de réelles améliorations en 2007. Notamment un châssis encore plus réussi, un V8 plus puissant, une transmission à six vitesses enfin moderne et une suspension qui continue d'éviter les pièges du trampoline. Tout cela dans un somptueux intérieur capable d'abriter les ego de toutes les tailles.

SRX

évolution | 48 495 $ à 61 495 $ |
Transport et préparation : 1350 $

OnStar

www.gmcanada.com

UN PASSE-PARTOUT QUI SE BONIFIE

– Michel Crépault

FICHE D'IDENTITÉ

Version(s) : V6, V8
Roues motrices : arrière, 4
Portières : 4
Première génération : 2004
Génération actuelle : 2004
Construction : Lansing, Michigan, É.-U.
Sacs gonflables : 6, frontaux, latéraux avant et rideaux latéraux
Concurrence : Acura MDX, Audi Q7, BMW X5, Buick Rainier, Infiniti FX, Land Rover LR3, Lexus RX, Mercedes-Benz Classe M, Porsche Cayenne, Saab 9⁷X, Volkswagen Touareg, Volvo XC90

AU QUOTIDIEN

Prime d'assurance :
25 ans : 3400 à 3600 $
40 ans : 2200 à 2400 $
60 ans : 1800 à 2000 $
Collision frontale : 4/5
Collision latérale : 5/5
Ventes du modèle l'an dernier
Au Québec : 220 **Au Canada :** 1166
Dépréciation (2 ans) : 44,6 %
Rappels (2001 à 2006) : 6
Cote de fiabilité : 2/5

Cadillac a poursuivi sur sa belle lancée en introduisant un hybride issu du croisement d'une familiale et d'un utilitaire. Malgré l'aura de la marque, le résultat n'était pas parfaitement convaincant. Deuxième essai…

CARROSSERIE ▶ Le créneau des multisegments est à la mode et Cadillac répond avec un véhicule qui respecte les proportions requises : longueur raisonnable, taille haute, capot plongeant, silhouette générale beaucoup plus amicale que celle de n'importe quel utilitaire de même grandeur. En prime, on obtient le style anguleux qui forme la signature visuelle de Cadillac depuis l'arrivée de la CTS. D'ailleurs, cette berline et la SRX partagent leur plateforme. Le nouvel ensemble Sport donne plus de caractère à l'auto : grille de couleur assortie qui reprend le motif en treillis des versions V, pneus de 20 pouces, échappement poli, roues spéciales et support de toit chromé. Avec ce kit, l'acheteur fuit le look banlieusard.

HABITACLE ▶ L'intérieur de la SRX était son point faible, à cause d'une surabondance de plastiques et de l'emploi grossier de faux bois. La nouvelle SRX se débarrasse de ces horreurs et propose désormais un habitacle axé sur le design et l'élégance, comme il devrait toujours convenir à une Cadillac. Le point fort devient l'habillage de cuir cousu main et l'utilisation judicieuse du métal et du bois. Les interrupteurs sont à fleur de planche, alors que les cadrans resplendissent. Jusqu'à la ligne élancée de la nouvelle console qui donne une impression d'espace. Le nouvel intérieur de la SRX est assemblé à la main, comme pour la série V, et c'était la chose à faire.

MÉCANIQUE ▶ Vous avez le choix entre le V6 de 3,6 litres et 260 chevaux ou le V8 de 4,6 litres et 320 chevaux. Le premier est associé à une transmission séquentielle Hydra-Matic à cinq rapports, laquelle équipait aussi le second moteur l'an dernier. L'année 2007 nous apporte toutefois une boîte électronique

forces
- Duo de moteurs bien adapté
- Nouvel intérieur enfin acceptable
- Espace polyvalent

faiblesses
- Visibilité compromise par des piliers épais
- Accès acrobatique aux places du fond
- Réparations coûteuses

nouveautés en 2007
- Habitacle redessiné, boîte automatique à six rapports avec moteur V8, nouvel ensemble Sport optionnel avec jantes de 20 pouces, système de filtration des odeurs, système audio Bose de série, système audio Bose 5.1 digital surround optionnel

à six vitesses, introduite d'abord dans les V, puis dans tous les véhicules équipés d'un Northstar. Les deux engins envoient leur couple aux roues arrière, mais il est possible de cocher l'option de la traction intégrale dans les deux cas. Elle est alors livrée avec des roues de 20 pouces et un différentiel à glissement limité.

COMPORTEMENT ▶ La nouvelle boîte procure de solides accélérations quand c'est nécessaire, mais s'occupe aussi d'abaisser le nombre de révolutions sur l'autoroute pour réduire la consommation et les bruits parasites. En mode intégral, le dispositif recherche une répartition de couple 50/50, à l'instar de la distribution des masses du véhicule. Ajoutez à cela le long empattement et vous comprenez d'où viennent l'équilibre et le confort à bord. J'ai beaucoup aimé l'option UltraView qui propose le plus long panneau vitré du segment. Les occupants de la première et de la deuxième rangée voyagent quasiment à ciel ouvert. L'option UltraView Plus ajoute un autre panneau, cette fois au-dessus des places du fond. Ces dernières, optionnelles, peuvent céder leur place à un ensemble de casiers à rangement digne d'Ikea.

CONCLUSION ▶ On reproche souvent à des entreprises de la taille de GM de prendre une éternité à effectuer le bon virage. Mais depuis que le duo Wagoneer-Lutz dirige le transatlantique, les (bonnes) décisions se rendent plus rapidement jusqu'aux matelots et, surtout, on les prend, ces décisions! Pas plus tard que l'an dernier, dans L'Annuel de l'automobile 2006, notre estimé rédacteur en chef Benoit Charette déplorait le pauvre intérieur de la SRX, davantage digne d'une Chevrolet de location que d'une Cadillac. Quelques mois passent et la SRX 2007 s'amène avec un habitacle enfin digne de la marque au prestigieux passé. Bien sûr, nous pourrions croire que la lecture de notre ouvrage par Bob Lutz (il parle couramment le français) a tout déclenché, mais l'humilité nous en empêche… Saluons plutôt cette nouvelle célérité à faire les gestes qui s'imposent. Dans le cas de la SRX, il le fallait, compte tenu de la variété et de la qualité de la concurrence.

FICHE TECHNIQUE

MOTEURS

(V6) V6 3,6 l DACT 260 ch à 6500 tr/min
couple : 254 lb-pi à 2800 tr/min
Transmission : automatique à 5 rapports avec mode manuel
0-100 km/h : 8,4 s
Vitesse maximale : 200 km/h
Consommation (100 km) : 2RM : 11,8 l, 4RM : 12,5 l (octane : 87)

(V8) V8 4,6 l DACT 320 ch à 6400 tr/min
couple : 315 lb-pi à 4400 tr/min
Transmission : automatique à 6 rapports avec mode manuel
0-100 km/h : 6,9 s
Vitesse maximale : 230 km/h
Consommation (100 km) : 2RM : 12,6 l, 4RM : 12,8 l (octane : 87)

Sécurité active
freins ABS, répartition électronique de force de freinage, assistance au freinage, antipatinage, contrôle de stabilité électronique

Suspension avant/arrière
indépendante/essieu rigide

Freins avant/arrière
disques/tambours

Direction
à crémaillère, assistée

Pneus
V6 : P235/65R17 (av.), P255/60R17 (arr.)
V8 : P235/60R18 (av.), P255/55R18 (arr.)

DIMENSIONS
Empattement : 2957 mm
Longueur : 4950 mm
Largeur : 1844 mm
Hauteur : 1722 mm
Poids : V6 2RM : 1889 kg, V6 4RM : 1960 kg, V8 2RM : 1951 kg, V8 4RM : 2015 kg
Diamètre de braquage : 12,1 m
Coffre : 238 l, 1968 l (sièges abaissés)
Réservoir de carburant : 75,7 l
Capacité de remorquage : 1928 kg

opinion

Benoit Charette • À une époque où tous les constructeurs automobiles se lancent dans l'aventure des utilitaires de luxe, Cadillac a emprunté une route un peu différente, mais plusieurs se demandent encore laquelle. On retrouve dans cet atypique sept places les performances d'un V8 et les quatre roues motrices sur le châssis modifié de la CTS. Les lignes, comme l'atmosphère à bord, sont tout à fait dépaysantes. Allergique aux parcours hors route, elle offre une suspension trop raide pour être confortable. Tout compte fait, cette familiale aux hormones est trop chère pour la masse et trop anormale pour ceux qui auraient les moyens de l'acheter.

STS

OnStar

www.gmcanada.com

FICHE D'IDENTITÉ

Version(s) : V6, V8, V
Roues motrices : arrière, 4
Portières : 4
Première génération : 1976 (Seville)
Génération actuelle : 2005
Construction : Lansing, Michigan, É.-U.
Sacs gonflables : 6, frontaux, latéraux avant et rideaux latéraux
Concurrence : Acura RL, Audi A6, BMW Série 5, Infiniti M, Jaguar S-Type, Lexus GS, Lincoln MKZ, Mercedes-Benz Classe E, Saab 9[5], Volvo S80

AU QUOTIDIEN

Prime d'assurance :
25 ans : 3700 à 3900 $
40 ans : 2400 à 2600 $
60 ans : 2000 à 2200 $
Collision frontale : 5/5
Collision latérale : nd
Ventes du modèle l'an dernier
Au Québec : 171 **Au Canada :** 825
Dépréciation (1 an) : 31,4 %
Rappels (2001 à 2006) : 3
Cote de fiabilité : 3/5

LA NOUVELLE IMAGE DE CADILLAC

– Jean-Pierre Bouchard

À une certaine époque, posséder une Cadillac témoignait d'un statut social privilégié, mais au fil des ans le logo de la marque américaine a perdu de son lustre. Malgré tout, General Motors a réussi à lui donner un second souffle au moyen d'une gamme de modèles repensés, dont la STS. On espère ainsi séduire une nouvelle clientèle et faire revivre le prestige d'antan.

CARROSSERIE ► La STS reprend les lignes accrocheuses de sa cadette, la CTS, lancée en 2003. À cette époque, la division haut de gamme du constructeur renouait avec la propulsion dans l'espoir de rivaliser avec les berlines européennes, notamment. À l'instar des autres véhicules de la marque, la STS dispose d'une imposante calandre en V qui contribue à lui donner son caractère fort et distinctif. La partie arrière reprend les feux verticaux et le long feu surélevé intégré au repli du couvercle du coffre. Quant aux versions STS-V de haute performance, elles se distinguent par divers éléments de style, dont une calandre grillagée en acier inoxydable poli.

HABITACLE ► Les stylistes de Cadillac ont réussi à faire oublier la monotonie qui régnait à bord des anciennes Seville STS. L'habitacle dispose désormais de baquets bien conçus, confortables, qui supportent bien les occupants avant, de même que des commandes et une instrumentation modernes. Les personnes de grande taille trouveront le dégagement pour la tête limité par la présence d'un toit ouvrant (en option). La qualité de la finition et des matériaux témoigne des progrès de Cadillac. L'insonorisation est également soignée. À l'arrière, le manque d'espace pour les jambes et la tête surprend pour une voiture de ce gabarit, tout comme le volume du coffre, inférieur à celui de plusieurs concurrentes, notamment l'Audi A6 et l'Infiniti M35.

MÉCANIQUE ► Cadillac propose trois moteurs : un V6 de 3,6 litres, un V8 de

forces

- Groupes motopropulseurs
- Agrément de conduite
- Aménagement intérieur contemporain

faiblesses

- Places arrière exiguës
- Volume du coffre
- Options nombreuses et coûteuses

nouveautés en 2007

- Boîte automatique à six rapports avec V8, nouveaux groupes d'options

4,6 litres et un V8 à compresseur de 4,4 litres. Le premier, respectable, qui développe 254 chevaux, anime les roues arrière avec aisance et rapidité. Le deuxième met 320 chevaux à la disposition du conducteur, autorisant des performances dignes d'une berline sport et réservant même certaines surprises aux non initiés. Ces motorisations forment un excellent duo avec une boîte automatique à cinq rapports (six rapports pour le V8) bien étagés, dont les passages s'effectuent en douceur. Les STS V8 et V6 peuvent également être dotées, en option, de la transmission intégrale. Les amateurs de voitures de haute performance se tourneront vers la STS-V et son bloc suralimenté de 469 chevaux associé à une boîte automatique à six rapports. Ils devront toutefois s'assurer de dompter la bête avant de s'élancer au galop.

COMPORTEMENT ▶ Exit l'époque des comportements routiers inspirés de la navigation. Les ingénieurs ont concocté une suspension assez ferme pour ne pas pénaliser la tenue de route, et assez confortable pour ne pas trop perturber le confort des occupants. Le dispositif StabiliTrak, qui a fait ses preuves sur le plan de l'efficacité, contribue à maintenir la trajectoire de la voiture en cas de dérapage. Cette STS procure, ma foi, un agrément de conduite étonnant, malgré ses dimensions imposantes. La voiture est agile, alors que les freins à disques aux quatre roues fonctionnent sans rechigner.

CONCLUSION ▶ La STS peut figurer sans trop de gêne parmi les grandes intermédiaires sport, mais Cadillac devra convaincre de nouveaux acheteurs de s'intéresser à elle. La facture d'une STS peut toutefois facilement dépasser votre imagination, une fois les options, ô combien nombreuses, sélectionnées. Un prix corsé par comparaison avec certaines concurrentes, surtout japonaises.

FICHE TECHNIQUE

MOTEURS

(V6) V6 3,6 l DACT 254 ch à 6500 tr/min
couple : 252 lb-pi à 3200 tr/min
Transmission : automatique à 5 rapports avec mode manuel
0-100 km/h : 7,6 s
Vitesse maximale: 220 km/h
Consommation (100 km) : 2RM : 10,9 l, 4RM : 12,3 l (octane : 87)

(V8) V8 4,6 l DACT 320 ch à 6400 tr/min
couple : 315 lb-pi à 4400 tr/min
Transmission : automatique à 6 rapports avec mode manuel
0-100 km/h : 6,2 s
Vitesse maximale : 250 km/h
Consommation (100 km) : 2RM : 11,3 l, 4RM : 12,0 l (octane : 87)

(V) V8 4,4 l suralimenté DACT 469 ch à 6400 tr/min
couple : 439 lb-pi à 3900 tr/min
Transmission : automatique à 6 rapports avec mode manuel
0-100 km/h : 5,4 s
Vitesse maximale : 250 km/h
Consommation (100 km) : nd (octane : 91)

Sécurité active
freins ABS, répartition électronique de force de freinage, assistance au freinage, antipatinage, contrôle de stabilité électronique

Suspension avant/arrière
indépendante

Freins avant/arrière
disques

Direction
à crémaillère, assistée

Pneus
V6 et V8 : P235/50R17 (av.), P255/45R17 (arr.), V : P255/45R18 (av.), P275/40R19 (arr.)

DIMENSIONS

Empattement : 2956 mm
Longueur : 4986 mm, V : 5019 mm
Largeur : 1844 mm
Hauteur : 1463 mm, V : 1478 mm
Poids : V6 : 1750 kg, V6 4RM : 1795 kg, V8 : 1779 kg, V8 4RM : 1919 kg, V : 1948 kg
Diamètre de braquage : 11,5 m, V : 11,8 m
Coffre : 391 l
Réservoir de carburant : 66,2 l

opinion

Antoine Joubert • La Cadillac STS est la preuve vivante que lorsque General Motors fait de vrais efforts, elle est capable de grandes choses. Cette voiture, aussi divine à regarder qu'à conduire, n'a en réalité plus grand-chose à envier aux meneuses de la catégorie, sauf peut-être au chapitre de la finition intérieure. Elle offre trois superbes moteurs, un châssis d'une grande rigidité, un comportement routier exemplaire et un habitacle extrêmement confortable. Je doute toutefois très fort que l'on puisse chez GM, compte tenu des infrastructures actuelles, offrir le même genre de service après-vente aux clients de Cadillac qu'à ceux d'Audi ou de Lexus. Après tout, les restos-bar, fauteuils de cuir et cafés internet, avez-vous déjà vu ça chez GM ?

XLR

évolution | 98 295 $ à 113 435 $

Transport et préparation : 1350 $

OnStar

www.gmcanada.com

FIER ROADSTER

– Michel Crépault

Pour jouer dans la cour des sportives de luxe à toit dur mais escamotable, où des poids lourds comme Mercedes-Benz SL et Lexus SC 430 tiennent le haut du pavé, l'héritage Cadillac peut aider. D'autant plus que la marque connaît un indéniable regain de popularité depuis qu'elle s'est donné les outils esthétiques et mécaniques pour redevenir synonyme de richesse et d'avant-garde.

CARROSSERIE ► Le gabarit compact et bas est ciselé par des angles qui font la chasse aux courbes. Les designers ont réellement eu le crayon heureux avec ce véhicule bien proportionné et différent. Le toit qui s'escamote dans la soute à bagages reste le talon d'Achille de l'auto, vu la complexité de son mécanisme. Encore heureux que la plateforme (celle de la Corvette de sixième génération) affiche une nette rigidité, de sorte que l'opération du toit est moins affectée quand la voiture est immobilisée sur une surface inégale. La mirobolante version XLR-V met de l'avant une grille et une prise d'air bardées d'un treillis distinctif, alors que le capot gagne en relief pour accommoder le compresseur du V8. Méchant look !

HABITACLE ► Deux occupants prennent confortablement place dans deux larges sièges de cuir aux coutures visibles. Le duo serait encore plus confortable si l'énorme console centrale n'empiétait pas tant sur leur espace vital. Le contenu est du dernier cri : large écran pour les DVD et la navigation (pourvue du gadget Turn-by-Turn grâce auquel un conseiller OnStar nous indique le meilleur chemin à suivre à travers la sono Bose !), sièges chauffés et ventilés, régulateur de vitesse intelligent, affichage tête haute, etc. La gamme salue l'arrivée d'une XLR Platinum (d'abord née au sein de la famille Escalade) qui comporte un intérieur réussi, mi-bois, mi-aluminium. L'usine de Bowling Green assemblera aussi un nombre limité de XLR Passion Red, reconnaissable, outre leur couleur rouge vif, à leur grille et à leurs

FICHE D'IDENTITÉ

Version(s) : XLR, XLR-V
Roues motrices : arrière
Portières : 2
Première génération : 2004
Génération actuelle : 2004
Construction : Bowling Green, Kentucky, É.-U.
Sacs gonflables : 4, frontaux et latéraux
Concurrence : BMW Série 6, Dodge Viper, Jaguar XK, Lexus SC, Maserati Spyder, Mercedes-Benz Classe SL, Porsche 911 cabriolet

AU QUOTIDIEN

Prime d'assurance :
25 ans : 6000 à 6200 $
40 ans : 3100 à 3300 $
60 ans : 2400 à 2600 $
Collision frontale : nd
Collision latérale : nd
Ventes du modèle l'an dernier
Au Québec : 30 **Au Canada :** 133
Dépréciation (2 ans) : 25,5 %
Rappels (2004 à 2006) : 3
Cote de fiabilité : 2/5

forces

- Look futuriste, musculaire et original
- Nouvelle boîte à la hauteur du V8
- Version V pour les conducteurs au cœur solide

faiblesses

- Console centrale trop volumineuse
- Mécanisme du toit qui pourrait être fragile
- Habitacle encore trop soumis aux caprices d'Éole

nouveautés en 2007

- Nouvel ensemble Platinum, édition spéciale Passion Red, boîte automatique à 6 rapports, système OnStar modifié, nouveau module de clé de contact

jantes chromées. Dans le cas de la V, du bois de zingana, du cuir, du suède et du métal enrobent une instrumentation malgré tout conviviale.

MÉCANIQUE ▶ Le vaillant V8 Northstar VVT (Variable Valve Timing) à 32 soupapes de 4,6 litres est le cœur de ce biplace à propulsion. Il est magnifique, mais ses 320 chevaux étaient mal exploités l'an dernier par une boîte automatique à cinq vitesses qui hésitait souvent. Une transmission à six rapports, plus alerte et empruntée à la V, vient corriger cette lacune. La XLR-V utilise un compresseur pour extirper d'un V8 de 4,4 litres rien de moins que 443 chevaux. Tout le moteur est assemblé à la main par un seul technicien. Le châssis, déjà ferme, devient carrément inflexible, avec les sautes d'humeur prévisibles.

COMPORTEMENT ▶ La marque est indiscutablement américaine, mais le comportement, lui, calque ses réactions sur des bolides européens. Cela nous donne au menu une suspension sans compromis quand la route se dégrade. Le bouton-poussoir du démarrage réveille la bête dans un beau rugissement. Au freinage, les gros disques s'imposent facilement. À bord de la version V, cette lettre ne peut que signifier «vitesse». Ça, une Cadillac?! Plutôt une fusée, un missile! Le 0-100 km s'accomplit en 5 secondes et les énormes 19 pouces négocient les coins comme s'ils disposaient d'une ancre au sol pour pivoter sec. Compte tenu de sa relative légèreté (répartie 50/50) et de sa puissance, ce roadster fait la barbe à plusieurs rivaux.

CONCLUSION ▶ Donnons la chance à la XLR de se faire connaître. Après tout, elle ne circule que depuis 2004. Il faut également donner le temps aux Américains de bien comprendre les variables de l'équation. Les balades à ciel ouvert, par exemple, sont encore plus agréables quand notre casquette n'est pas emportée par le vent mal endigué. Par ailleurs, il y aurait encore moyen de resserrer le tout, à l'exemple de Porsche. Nous aurions alors un petit bijou. Mais, déjà, si j'avais les sous, les doigts me démangeraient au-dessus du chéquier.

FICHE TECHNIQUE

MOTEURS

(XLR) V8 4,6 l DACT 320 ch à 6400 tr/min
couple : 310 lb-pi à 4400 tr/min
Transmission : automatique à 6 rapports avec mode manuel
0-100 km/h : 5,8 s
Vitesse maximale : 250 km/h
Consommation (100 km) : 11,3 l (octane : 91)

(XLR-V) V8 4,4 l suralimenté DACT 469 ch à 6400 tr/min
couple : 439 lb-pi à 3600 tr/min
Transmission : automatique à 6 rapports avec mode manuel
0-100 km/h : 5,0 s
Vitesse maximale : 250 km/h
Consommation (100 km) : nd (octane : 91)

Sécurité active
freins ABS, antipatinage, contrôle de stabilité électronique

Suspension avant/arrière
indépendante

Freins avant/arrière
disques

Direction
à crémaillère, assistée

Pneus
XLR : P235/50R18, XLR-V : P235/45R19 (av.), P255/40R19 (arr.)

DIMENSIONS

Empattement : 2685 mm
Longueur : 4513 mm
Largeur : 1836 mm
Hauteur : 1279 mm
Poids : XLR : 1654 kg, XLR-V : 1726 kg
Diamètre de braquage : 11,9 m
Coffre : 328 l, 125 l (toit abaissé)
Réservoir de carburant : 68,1 l

2e opinion

Benoit Charette • Quelles lignes ! C'est la première impression de tous ceux qui m'ont vu au volant d'une XLR. Les dessinateurs ont réalisé un engin au style unique en abolissant les courbes. Sous un châssis rigide de Corvette règne une mécanique Northstar de 320 ou 469 chevaux en version V. Mais, au-delà des lignes spectaculaires et de la grande efficacité de sa mécanique, il manque un peu de rigueur germanique pour en faire un véhicule à la hauteur des 100 000 $ exigés. La finition laisse à désirer à certains endroits, alors que la direction un peu lourde n'offre pas une communion idéale avec la route. Tout compte fait, Cadillac propose un produit intéressant, mais pas aussi achevé et dynamique que les modèles concurrents d'outre-Rhin.

AVALANCHE

nouveauté | 38 750 $ à 53 575 $ | Transport et préparation : 1250 $

OnStar

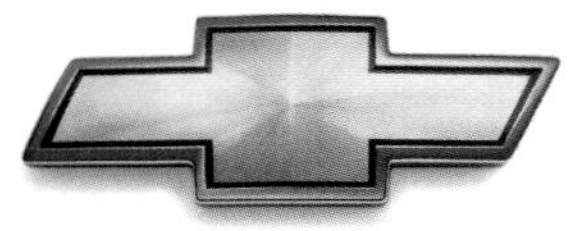

www.gmcanada.com

TWO THUMBS UP !

– Antoine Joubert

FICHE D'IDENTITÉ

Version(s) : LS, LT, LTZ
Roues motrices : arrière, 4
Portières : 4
Première génération : 2002
Génération actuelle : 2007
Construction : Silao, Mexique
Sacs gonflables : 2, frontaux, (rideaux latéraux en option, de série dans LTZ)
Concurrence : Chevrolet Silverado, Dodge Ram, Ford F-150, GMC Sierra, Nissan Titan, Toyota Tundra

AU QUOTIDIEN

Prime d'assurance :
25 ans : 2300 à 2500 $
40 ans : 1500 à 1700 $
60 ans : 1100 à 1300 $
Collision frontale : nd
Collision latérale : nd
Ventes du modèle l'an dernier
Au Québec : 615 **Au Canada :** 6376
Dépréciation (3 ans) : 55,1 %
Rappels (2001 à 2006) : 9
Cote de fiabilité : 3/5

La meilleure façon de décrire l'Avalanche est de dire qu'il s'agit d'un croisement entre un Silverado et un Tahoe. D'ailleurs, pour citer mon collègue Pascal Boissé, si vous hésitez entre ces deux derniers véhicules, l'Avalanche est certainement l'arme qu'il vous faut. Cette année, GM renouvelle complètement sa gamme de camionnettes et d'utilitaires pleine grandeur, dont l'Avalanche. Et laissez-moi vous dire qu'ici, GM n'a pas choisi de tourner les coins ronds. Le nouvel Avalanche est un produit totalement réussi qui répond en tout point aux attentes de la clientèle. Je n'aurais jamais cru cela possible, mais, au cours de la journée qui a suivi mon essai, je m'imaginais parfaitement bien installé à son volant, en tant que propriétaire... C'est vous dire à quel point ce véhicule, qui se situe aux antipodes de mes valeurs sociales, m'a séduit.

CARROSSERIE ▶ Lorsque GM a lancé l'Avalanche en 2002, je croyais que Pontiac s'était mis à produire des camionnettes. Les immenses moulures de plastique grises qui enlaidissaient la carrosserie en faisaient un véhicule de la trempe de l'Aztek. Heureusement, GM a corrigé ce problème en 2005, si bien que les dernières moutures de l'Avalanche étaient finalement réussies. Toutefois, elles ne l'étaient pas autant que la nouvelle version, avec laquelle on retrouve enfin une force de caractère et un équilibre. D'abord, cette belle grille de calandre fait vite oublier celle de l'ancien modèle, qui n'était pas très réussie. Les pare-chocs, moulures et poignées sont aujourd'hui mieux intégrés à une carrosserie plus fluide et drôlement plus jolie. Comme toujours, l'Avalanche se démarque par cette cloison centrale rabattable, qui permet d'agrandir considérablement l'espace utilitaire. On retire la lunette arrière pour la ranger dans l'espace prévu à cet effet, on rabat ensuite la banquette, puis la cloison, et le tour est joué.

HABITACLE ▶ Ici, GM a fait un travail qui mérite presque une note parfaite. L'habitacle

forces
- Concept de la cloison intéressant
- Lignes séduisantes
- Habitacle très accueillant
- Confort royal
- Puissance considérable

faiblesses
- Facture substantielle
- Boîte automatique à seulement quatre rapports
- Nombreuses options
- Un certain roulis en virage

nouveautés en 2007
- Modèle entièrement redessiné

est joli, spacieux, bien insonorisé et soigneusement assemblé. La planche de bord est efficace et ergonomique, alors que les nombreuses commandes sont faciles à utiliser, même celles du système de navigation optionnel. Les matériaux utilisés sont également de très bon goût, ce qui laisse croire que GM a finalement pris quelques-unes de nos critiques en considération. Les sièges avant, confortables, offrent pour leur part un meilleur support qu'autrefois, tout en assurant au conducteur une bonne position de conduite. Évidemment, étant donné l'espace disponible, les compartiments de rangement sont aussi vastes que nombreux, ce qui permet à un traîneux de mon genre de s'éparpiller à son aise.

MÉCANIQUE ▶ L'Avalanche ne propose cette année qu'un seul moteur, soit le V8 de 5,3 litres à désactivation des cylindres, qui voit sa puissance passer à 320 chevaux. Plus performant, il est également moins gourmand, puisque sa consommation d'essence se situe désormais autour de 15,5 litres aux 100 km. Pour la première fois cette année, on peut aussi l'équiper d'un système de polycarburation qui lui permet de fonctionner avec de l'essence E85 à l'éthanol.

COMPORTEMENT ▶ Confortable à souhait, l'Avalanche propose une conduite nettement supérieure à celle de son devancier, notamment en raison de cette nouvelle direction à crémaillère, beaucoup plus précise. La stabilité directionnelle y gagne donc énormément, au même titre que la tenue de cap. Mieux suspendu, le véhicule est également capable d'un meilleur amortissement sur terrain accidenté, et il sait faire oublier son essieu arrière rigide. Le roulis est cependant toujours présent en virage et, sur ce plan, force est d'admettre que Ford fait mieux avec l'Expedition.

CONCLUSION ▶ Le nouvel Avalanche, en dépit de toutes ses qualités, est aujourd'hui un séducteur chevronné, ce qui à mon avis n'était pas le cas par le passé. Sa belle gueule, son habitacle plus invitant et ses prestations routières étonnantes en font un véhicule plus intéressant à tous les points de vue. Chapeau !

FICHE TECHNIQUE

MOTEURS

V8 5,3 l ACC 310-320 ch à 5200 tr/min
couple : 335-340 lb-pi à 4000-4200 tr/min
Transmission : automatique à 4 rapports
0-100 km/h : 11,6 s
Vitesse maximale : 180 km/h
Consommation (100 km) : 2RM : 12,5 l, 4RM : 13,1 l (octane : 87)

(option) V8 6,0 l ACC 355 ch à 5400 tr/min
couple : 365 lb-pi à 4400 tr/min
Transmission : automatique à 4 rapports
0-100 km/h : 11,0 s
Vitesse maximale : 185 km/h
Consommation (100 km) : 2RM : 13,0 l, 4RM : 13,8 l (octane : 87)

Sécurité active
freins ABS, antipatinage, contrôle de stabilité électronique

Suspension avant/arrière
indépendante/essieu rigide

Freins avant/arrière
disques

Direction
à crémaillère, assistée

Pneus
LS et LT : P265/70R17, LTZ : P275/55R20

DIMENSIONS

Empattement : 3302 mm
Longueur : 5621 mm
Largeur : 2010 mm
Hauteur : 1945 mm
Poids : 2RM : 2485 kg, 4RM : 2560 kg
Diamètre de braquage : 13,1 m
Coffre : 1289 l
Réservoir de carburant : 119,2 l
Capacité de remorquage : 2RM : 3628 kg, 4RM : 3528 kg

2e opinion

Benoit Charette • Pour célébrer son cinquième anniversaire, l'Avalanche change de costume. Son ossature habillée d'une enveloppe plus aérodynamique lui donne un air tout à fait charmant. Enfin, une nouvelle génération de V8 trouve sa place sous le capot. Un concept intéressant qui franchit cette année une étape supplémentaire. L'Avalanche n'est plus seulement très pratique, il arbore maintenant une gueule vraiment sympathique. Sa capacité de remorquage peut atteindre 3720 kilos lorsqu'il est équipé adéquatement, ce qui améliore sa fonctionnalité et sa souplesse. L'Avalanche est vraiment prêt à tout, si vous en avez les moyens.

AVEO / PONTIAC WAVE

nouveauté | 12 950 $ à 15 450 $
Transport et préparation : 1045 $

Chevrolet Aveo berline

www.gmcanada.com

FICHE D'IDENTITÉ

Version(s) : LS, LT
Roues motrices : avant
Portières : 4
Première génération : 2004
Génération actuelle : 2007 (berline)
Construction : Bupyong, Corée du Sud
Sacs gonflables : 2, frontaux, (latéraux en option)
Concurrence : Honda Fit, Hyundai Accent, Kia Rio, Nissan Versa, Suzuki Swift+, Toyota Yaris, Volkswagen Golf City

AU QUOTIDIEN

Prime d'assurance :
25 ans : 1600 à 1800 $
40 ans : 1100 à 1300 $
60 ans : 800 à 1000 $
Collision frontale : 5/5
Collision latérale : 4/5
Ventes du modèle l'an dernier (Aveo + Wave)
Au Québec : 10 677 **Au Canada :** 21 908
Dépréciation (2 ans) : 47,5 %
Rappels (2001 à 2006) : 2
Cote de fiabilité : 2/5

MIEUX, MAIS PAS ASSEZ !

– Antoine Joubert

Avant tout, sachez que j'ai connu une expérience personnelle épouvantable avec une Aveo5 2004. Vous comprendrez donc que je ne voyais pas l'essai de la «nouvelle» version d'un très bon œil, d'autant moins que les éléments mécaniques n'ont pas été modifiés. Toutefois, je dois admettre que la firme Daewoo, qui produit l'Aveo pour GM, a réussi à améliorer son produit pour le rendre nettement plus attrayant. Malheureusement pour GM, les concurrentes, autrefois peu nombreuses, arrivent cette année en grand nombre…

CARROSSERIE ► D'abord, il faut savoir qu'en 2007 seule la berline subit des changements. La version remaniée du modèle à hayon devrait, comme l'Accent, arriver un an plus tard. Quant à la berline, son nouveau style donne l'impression que la voiture a passé la dernière année à se nourrir chez PFK. De maigrichonne qu'elle était, elle est aujourd'hui dodue, voire grassouillette. Certes, elle manque toujours de finesse, mais il faut admettre qu'elle porte bien ces rondeurs et que les modifications esthétiques lui ont fait le plus grand bien. De plus, certains éléments, comme la grille de calandre et les feux arrière triangulaires, s'apparentent mieux aux autres modèles de la marque, comme la Malibu.

HABITACLE ► Comme la carrosserie, l'habitacle a aussi eu droit à une refonte esthétique majeure. On y remarque bien sûr quelques détails inchangés, mais la majorité des éléments sont totalement nouveaux. D'abord, le tableau de bord, plus joli et ergonomique, ne fait plus du tout bon marché. L'instrumentation et la majorité des commandes sont plus modernes, la console centrale est mieux conçue et la qualité des matériaux est nettement supérieure. Certaines versions peuvent même comporter de la fausse boiserie, une première dans cette catégorie. Les sièges, à l'avant comme à l'arrière, n'ont cependant de neuf que la housse qui les recouvre. L'ajustement vertical de l'assise du conducteur

forces
- Habitacle grandement amélioré
- Prix compétitif
- Bouille sympathique
- Confort honnête

faiblesses
- Consommation élevée
- Motorisation décevante
- Fiabilité à prouver
- Pneumatiques à remplacer
- Version à hayon inchangée

nouveautés en 2007
- Version *hatchback* (Aveo5) ne reçoit aucun changement. Berline : carrosserie et habitacle redessinés, suspension raffermie, accoudoir rabattable et support lombaire pour le conducteur, appuie-tête arrière modifiés

est donc aussi limité qu'auparavant et les supports latéraux brillent toujours par leur absence. Côté espace, l'Aveo berline en offre plus à l'avant qu'à l'arrière. Ceux qui prendront place sur la banquette ne se plaindront peut-être pas, mais disons qu'à ce chapitre on retrouve mieux ailleurs. Mince consolation, le coffre de la berline est très volumineux.

MÉCANIQUE ▶ Mauvaise nouvelle, l'Aveo est toujours pourvue de cette horrible boîte manuelle et du petit moteur à quatre cylindres développant 103 chevaux qui pèchent par un manque flagrant de raffinement. Cela signifie non seulement que les performances sont décevantes à tous les niveaux, mais aussi que la consommation est de beaucoup supérieure à la moyenne.

COMPORTEMENT ▶ Plus fermement suspendue qu'auparavant, l'Aveo propose une tenue de cap désormais honnête. La direction a elle aussi été révisée depuis son lancement en 2004, ce qui a eu un effet bénéfique sur le sentiment ressenti au volant. Toutefois, cette coréenne immigrée n'a absolument aucune prétention sportive et n'apprécie toujours pas d'être malmenée. Le roulis en virage (surtout avec les roues de 14 pouces) est toujours aussi important et la tenue de route est sérieusement entachée par ces pneumatiques, qu'il serait d'ailleurs plus sage de remplacer dès l'achat de la voiture. Pour une conduite plus paisible, l'Aveo propose toutefois un confort étonnant compte tenu de ses faibles dimensions.

CONCLUSION ▶ L'Aveo doit cette année faire face à deux nouvelles rivales, soit les Nissan Versa et Honda Fit. Malgré toutes les améliorations qui lui sont apportées, elle ne peut se comparer positivement à ces nouvelles venues, certes un peu plus chères, mais ô combien plus agréables, pratiques et raffinées. Qui plus est, l'Aveo consomme facilement 20 % plus de carburant que ses rivales et a connu par le passé des ratés importants en matière de fiabilité. Voilà de quoi rester perplexe…

FICHE TECHNIQUE

MOTEUR
L4 1,6 l DACT 103 ch à 5800 tr/min
couple : 107 lb-pi à 3600 tr/min
Transmission : manuelle à 5 rapports, automatique à 4 rapports en option
0-100 km/h : 12,2 s
Vitesse maximale : 170 km/h
Consommation (100 km) : man. : 7,7 l, auto. : 8,0 l (octane : 87)

Sécurité active
freins ABS (option)

Suspension avant/arrière
indépendante/essieu rigide

Freins avant/arrière
disques/tambours

Direction
à crémaillère, assistée

Pneus
LS : P185/60R14, LT : P185/55R15

DIMENSIONS
Empattement : 2480 mm
Longueur : berl. : 4310 mm, Aveo5 : 3881 mm
Largeur : berl. : 1710 mm, Aveo5 : 1671 mm
Hauteur : berl. : 1505 mm, Aveo5 : 1496 mm
Poids : berl. : 1148 kg, Aveo5 : 1065 kg
Diamètre de braquage : 9,8 m, Aveo5 : 10,1 m
Coffre : berl. : 351 l, Aveo5 : 198 l, 1189 l (sièges abaissés)
Réservoir de carburant : 45 l

Chevrolet Aveo5

opinion

Benoit Charette • L'on se doit de féliciter Chevrolet pour le grand pas en avant de la nouvelle génération d'Aveo. La présentation intérieure est l'une des plus réussies de cette catégorie, et même les inserts de similibois ajoutent un certain charme. Si la tenue de route est en progression par rapport à l'ancienne génération, l'Aveo n'égale pas encore les Honda Fit et Nissan Versa, ni même les Kia Rio et Hyundai Accent. La puissance est bonne ; c'est plutôt la tenue de route et le comportement général qui demanderont encore un peu de travail aux ingénieurs de GM. Disons que, pour une personne retraitée qui cherche une petite voiture qui aime rouler sans se faire brusquer, l'Aveo serait adéquate.

COBALT

évolution | 14 795 $ à 24 495 $ |
Transport et préparation : 1045 $

OnStar

www.gmcanada.com

PLUS PRÈS DU BUT, MAIS...

– Antoine Joubert

FICHE D'IDENTITÉ

Version(s) : LS, LT, LTZ, SS, SS-SC
Roues motrices : avant
Portières : 2, 4
Première génération : 2005
Génération actuelle : 2005
Construction : Lordstown, Ohio, É.-U.
Sacs gonflables : 2, frontaux, rideaux latéraux en option
Concurrence : Chevrolet Optra, Dodge Caliber, Ford Focus, Honda Civic, Hyundai Elantra, Kia Spectra, Mazda3, Mitsubishi Lancer, Nissan Sentra, Saturn ION, Subaru Impreza, Suzuki Aerio et SX4, Toyota Corolla, Volkswagen Rabbit

AU QUOTIDIEN

Prime d'assurance :
25 ans : 2000 à 2200 $
40 ans : 1300 à 1500 $
60 ans : 900 à 1100 $
Collision frontale : 4/5
Collision latérale : 2/5
Ventes du modèle l'an dernier
Au Québec : 7409 **Au Canada :** 26 405
Dépréciation (1 an) : 28,3 %
Rappels (2001 à 2006) : 2
Cote de fiabilité : 3/5

Si on compare la Cobalt à sa devancière, elle fait oublier avec brio la misérable Cavalier. Par contre, face à la concurrence, c'est une autre histoire...

CARROSSERIE ▶ Côté design, la Cobalt est réussie. Son museau plongeant et ses phares effilés, sa lunette arrière élancée et son court coffre surélevé sont d'un esthétisme séduisant. Évidemment, la version SS attire davantage l'attention avec ses jupes latérales, son becquet et ses jantes surdimensionnées. Extérieurement, la Cobalt n'est cependant pas sans reproches. On observe des moulures parfois mal fixées, un jeu important entre certains panneaux de carrosserie, et une peinture de piètre qualité. Toutefois, elle est disponible dans un éventail de couleurs plus large que celui de n'importe quelle concurrente.

HABITACLE ▶ D'abord, la planche de bord est simple et bien aménagée, mais on note l'absence d'un indicateur de température du moteur et l'emploi de matériaux bon marché. De plus, les compartiments de rangement sont peu nombreux et peu pratiques. Au volant, le conducteur se plaindra probablement de la position du levier de vitesses, propre à tous les véhicules utilisant cette plateforme (Saturn ION, Chevrolet HHR). Il devra aussi composer avec une visibilité arrière réduite et un accoudoir qu'il faut rabattre pour serrer le frein à main. Dans l'ensemble, l'espace pour les jambes est convenable, mais, à l'arrière, les passagers de grande taille auront la tête au plafond. Quant au coffre, il ne peut contenir que de petits objets malgré son grand volume, et ce, en raison de sa faible ouverture.

MÉCANIQUE ▶ Trois versions du moteur Ecotec peuvent siéger sous le capot de la Cobalt. La première, d'une cylindrée de 2,2 litres, fait bien le travail. Ses 148 chevaux permettent de bonnes performances, le couple est

forces

- Lignes séduisantes
- Comportement routier intéressant
- Grand choix de versions
- Facture raisonnable

faiblesses

- Aménagement intérieur
- Visibilité arrière
- Faible ouverture du coffre
- Direction à assistance électrique désagréable
- Finition inférieure à la moyenne

nouveautés en 2007

- Augmentation de puissance des moteurs 2,2 litres et 2,4 litres, nouveau volant à trois branches, démarreur à distance disponible (auto.), jantes en acier de 16 po (LT), radio AM/FM/CD avec prise auxiliaire de série (MP3 en opt.), jantes en alliage poli de 18 po (option SS-SC)

généreux et la consommation est raisonnable. Pour un peu plus de fougue, la version SS propose un 2,4 litres de 173 chevaux, cependant plus gourmand. Ces deux moteurs sont disponibles avec boîte manuelle ou automatique, pareillement efficaces. L'amateur de performance peut opter pour la version SS Supercharged qui, comme son nom l'indique, est munie d'un compresseur volumétrique qui, installé sur un moteur 2,0 litres, permet de développer 205 chevaux et de ne pas perdre la face devant les Civic Si et Volkswagen GTI.

COMPORTEMENT ► Naturellement, les versions sportives ont droit à des amortisseurs plus fermes, ce qui transforme le comportement de la voiture. Mais en général, de ce côté-là, la Cobalt n'a pas à rougir face à la concurrence. La voiture est pourvue d'un châssis moderne, d'une suspension bien calibrée et d'un système de freinage convenable, malgré la présence de tambours arrière. La direction à assistance électrique est par contre beaucoup trop assistée et ne transmet aucune sensation au conducteur. Il faudrait aussi améliorer les rétroviseurs extérieurs triangulaires qui ne permettent pas une bonne visibilité, et le système de chauffage qui prend une éternité à dégivrer les glaces.

CONCLUSION ► Drôlement mieux que sa devancière, la Cobalt ne fait toutefois pas le poids face aux meilleures compactes nippones. En revanche, les nombreux soldes de GM peuvent être alléchants, mais assurez-vous de ne pas tomber dans le piège des options, sinon la facture pourrait grimper. Sachez aussi que la Cobalt ne possède pas une bonne valeur de revente et que sa fiabilité à long terme est inconnue.

FICHE TECHNIQUE

MOTEURS

(LS, LT, LTZ) L4 2,2 l DACT 148 ch à 5600 tr/min
couple : 152 lb-pi à 4200 tr/min
Transmission : manuelle à 5 rapports, automatique à 4 rapports en option (de série dans LTZ)
0-100 km/h : 9,4 s
Vitesse maximale : 180 km/h
Consommation (100 km) : man. : 7,8 l, auto. : 8,1 l (octane : 87)

(SS) L4 2,4 l DACT 173 ch à 6200 tr/min
couple : 163 lb-pi à 4800 tr/min
Transmission : manuelle à 5 rapports, automatique à 4 rapports (option)
0-100 km/h : 8,7 s
Vitesse maximale : 185 km/h
Consommation (100 km) : man. : 7,9 l, auto. : 8,0 l (octane : 87)

(SS-SC) L4 2,0 l suralimenté DACT 205 ch à 5600 tr/min
couple : 200 lb-pi à 4400 tr/min
Transmission : manuelle à 5 rapports
0-100 km/h : 7,8 s
Vitesse maximale : 215 km/h
Consommation (100 km) : 8,7 l (octane : 91)

Sécurité active
freins ABS (option dans LS), antipatinage (option dans modèles à boîte automatique, de série dans LTZ)

Suspension avant/arrière
indépendante/semi-indépendante

Freins avant/arrière
disques/tambours SS et SS-SC : disques aux 4 roues

Direction
à crémaillère, assistée

Pneus
LS et LT : P195/60R15, LTZ : P205/55R16, SS : P205/50R17, SS-SC : P215/45R18

DIMENSIONS

Empattement : 2624 mm
Longueur : berl. : 4584 mm, coupé : 4580 mm
Largeur : 1725 mm
Hauteur : berl. : 1450 mm, coupé : 1415 mm
Poids : *berl. :* LS : 1261 kg, LT : 1267 kg, LTZ : 1318 kg, SS : 1302 kg, *coupé :* LS : 1239 kg, LT : 1244 kg, SS : 1277 kg, SS-SC : 1327 kg
Diamètre de braquage : 11,4 m, SS-SC : 12,4 m
Coffre : berl. : 394 l, coupé : 397 l
Réservoir de carburant : 49 l

opinion

Benoit Charette • Chevrolet a fait des progrès avec les Cobalt et les Pursuit, mais GM n'a pas encore rejoint la concurrence. Les moteurs Ecotec sont acceptables mais, encore un peu rugueux et bruyants, ils n'ont pas le raffinement de ceux des Honda Civic. Nous pourrions dire la même chose de la commande de la boîte manuelle qui manque de consistance. La finition est bonne, mais nous ne sommes pas chez Toyota. Il y a encore, dans certains modèles, quelques sons insolites. Bref, l'entreprise a fait beaucoup de chemin depuis les premières générations de Cavalier, mais il y a encore du pain sur la planche et ce sont toujours les marques asiatiques qui mènent le bal.

COLORADO

évolution | 20 760 $ à 33 570 $ |
Transport et préparation : 1100 $

OnStar

www.gmcanada.com

FICHE D'IDENTITÉ

Version(s) : LS, LT
Roues motrices : arrière, 4
Portières : 2, 4
Première génération : 2004
Génération actuelle : 2004
Construction : Shreveport, Louisiane, É.-U.
Sacs gonflables : 2, frontaux (latéraux en option)
Concurrence : Dodge Dakota, Ford Ranger, GMC Canyon, Mazda Série B, Nissan Frontier, Toyota Tacoma

AU QUOTIDIEN

Prime d'assurance :
25 ans : 2000 à 2200 $
40 ans : 1300 à 1500 $
60 ans : 1000 à 1200 $
Collision frontale : 4/5
Collision latérale : 4/5
Ventes du modèle l'an dernier
Au Québec : 1492 **Au Canada :** 6170
Dépréciation (2 ans) : 33,8 %
Rappels (2001 à 2006) : 2
Cote de fiabilité : 2/5

REMISE À NIVEAU

– Benoit Charette

À défaut de pouvoir glisser un six cylindres sous le capot, GM augmente la puissance des moteurs existants en les retravaillant. Même si la camionnette est loin d'être parfaite, quand les concurrents se nomment Ranger et Série B, il n'y a pas grand-chose à craindre.

CARROSSERIE ▶ Fidèle à la tradition des camionnettes américaines, le Colorado propose toujours une des plus vastes gammes de modèles comprenant les cabines classique, allongée et multiplace; deux longueurs de caisse; et deux moteurs en ligne. Les véhicules sont proposés avec garnitures LS et LT. Le carénage avant unique du Colorado Xtreme, avec phares antibrouillards, et l'aileron arrière sur le hayon l'identifient clairement. Son aspect monochrome est empreint d'audace et cinq couleurs sont possibles: rouge victoire, noir, blanc, bleu supérieur et jaune. Un toit ouvrant à commande électrique est disponible, de même que trois types de suspensions: la Z85 de série sur les modèles à deux ou à quatre roues motrices; la suspension surbaissée ZQ8 sport qui équipe seulement les modèles à deux roues motrices; et la suspension hors route Z71, livrable dans les modèles 2RM et 4RM.

HABITACLE ▶ Le Colorado est l'interprétation actuelle des camionnettes d'autrefois. Les matériaux sont de meilleure qualité et la conception plus moderne, mais on y retrouve cette même simplicité dans l'exécution. Le tableau de bord est équipé de larges indicateurs numériques faciles à lire, et les interrupteurs et commandes sont conçus de sorte qu'on puisse les actionner même en portant des gants, une bonne pensée pour la clientèle. Les modèles à cabine multiplace sont dotés d'un siège arrière rabattable divisé 60/40 pouvant accueillir trois adultes pas trop corpulents. Les versions à cabine allongée comportent quatre portières et deux sièges arrière rabattables orientés vers l'avant. Parmi les caractéristiques de série, mentionnons la direction à crémaillère, les essuie-glaces à balayage intermittent, le système de climatisation, le volant

forces

- Nombreux modèles
- Lignes contemporaines
- Quatre cylindres assez économique

faiblesses

- Cinq cylindres un peu rugueux
- Pneumatiques de base de piètre qualité

nouveautés en 2007

- Deux nouveaux moteurs, alternateur de 125 ampères, transmission automatique retouchée, indicateur de basse pression des pneus de série, jantes d'aluminium chromé de 15 po, garnitures intérieures retouchées, trois nouvelles couleurs intérieures

COLORADO

quatre roues motrices à cabine multiplace; et le moteur de 3,7 litres est livrable de série dans le 4RM à cabine multiplace. Notons aussi qu'un alternateur de 125 ampères remplace celui de 100 ampères. Malgré quelques chevaux de plus, le caractère rugueux des moteurs n'est pas disparu et le cinq cylindres ne possède toujours pas l'onctuosité d'un V6.

COMPORTEMENT ▶ Comme la majorité des véhicules sur le marché, la version de base est plus attirante pour le portefeuille, mais moins intéressante au chapitre de la conduite. Pour avoir un peu d'agrément au volant du Colorado, il faut opter pour le cinq cylindres avec la suspension Z71 qui offre non seulement une meilleure tenue de route, mais aussi des pneumatiques de série de qualité supérieure. Si vous choisissez le quatre cylindres, changez les pneus d'origine qui limitent sérieusement le plaisir de conduire.

CONCLUSION ▶ Même si GM veut faire passer le Colorado pour plus gros qu'il ne l'est en réalité, il est, avec le Frontier de Nissan, le seul camion de format réaliste sur le marché. Si je dirigeais GM, je mettrais l'emphase sur ses dimensions raisonnables, surtout dans un contexte où le prix du carburant a beaucoup augmenté.

inclinable, le régulateur de vitesse et les rétroviseurs extérieurs rabattables. Le système Insta-Trac compte parmi les équipements de série des modèles à quatre roues motrices.

MÉCANIQUE ▶ Se basant sur des moteurs existants, GM augmente timidement la puissance et le couple de ses groupes motopropulseurs. Cela suffira-t-il à combler les lacunes? Voici les valeurs: par rapport au moteur 2,8 litres de l'an dernier, le 2,9 litres produit 10 chevaux de plus (185 au lieu de 175) et 195 livres-pied de couple (185 pour le 2,8 litres). Quant au moteur de 3,7 litres, il développe 22 chevaux et 17 livres-pied de plus que le moteur à cinq cylindres précédent (242 chevaux contre 220; 242 livres-pied contre 225). Le moteur de 2,9 litres est de série dans tous les modèles, excepté celui à

FICHE TECHNIQUE

MOTEURS

(de série) L4 2,9 l DACT 185 ch à 5600 tr/min
couple : 195 lb-pi à 2800 tr/min
Transmission : manuelle à 5 rapports, automatique à 4 rapports (option)
0-100 km/h : nd
Vitesse maximale : 180 km/h
Consommation (100 km) : nd (octane : 87)

(de série) L5 3,7 l DACT 242 ch à 5600 tr/min
couple : 242 lb-pi à 2800 tr/min
Transmission : manuelle à 5 rapports, automatique à 4 rapports (option)
0-100 km/h : nd
Vitesse maximale : 185 km/h
Consommation (100 km) : nd (octane : 87)

Sécurité active
freins ABS, antipatinage (uniquement en option dans modèles 2RM)

Suspension avant/arrière
indépendante/essieu rigide

Freins avant/arrière
disques/tambours

Direction
à crémaillère, assistée

Pneus
2RM : P205/75R15, 2RM cab. double : P225/70R15, 4RM : P235/75R15

DIMENSIONS
Empattement : emp. court : 2825 mm, emp. long : 3198 mm
Longueur : emp. court : 4897 mm, emp. long : 5260 mm
Largeur : 1717 mm, 4RM cab. all. et double : 1742 mm
Hauteur : 1613 mm à 1702 mm
Poids : 1417 à 1860 kg
Diamètre de braquage : emp. court : 12,0 m, emp. long : 13,5 m
Coffre : cab. rég. et all. : 1243 l, cab. double : 1039 l
Réservoir de carburant : 74,2 l
Capacité de remorquage : 1814 kg

opinion

Pascal Boissé • Le Colorado est une camionnette compacte qui se vend presque au même prix qu'une camionnette pleine grandeur et qui consomme pratiquement autant d'essence, sans toutefois offrir les capacités de charge et de remorquage ni la valeur de revente. Même si la puissance de son moteur a été revue à la hausse cette année, je demeure persuadé qu'il ne s'agit pas de la motorisation adéquate pour ce camion. Il aurait fallu un vrai V6 doux et puissant, que diable ! Au lieu d'adapter paresseusement un produit asiatique où il manque de place sous le capot pour un vrai moteur, GM aurait dû écouter plus attentivement les acheteurs nord-américains. Dommage.

CORVETTE

évolution | 68 330 $ à 90 250 $
Transport et préparation : 1350 $

OnStar

www.gmcanada.com

FICHE D'IDENTITÉ

Version(s) : coupé, cabriolet, Z06
Roues motrices : arrière
Portières : 2
Première génération : 1953
Génération actuelle : 2005
Construction : Bowling Green, Kentucky, É.-U.
Sacs gonflables : 4, frontaux et latéraux
Concurrence : BMW Série 6, Cadillac XLR, Dodge Viper, Ford GT, Jaguar XK, Maserati Coupé/Spyder, Mercedes-Benz Classe SL, Porsche 911

AU QUOTIDIEN

Prime d'assurance :
25 ans : 4600 à 4800 $
40 ans : 2700 à 2900 $
60 ans : 2300 à 2500 $
Collision frontale : nd
Collision latérale : nd
Ventes du modèle l'an dernier
Au Québec : 119 **Au Canada :** 1185
Dépréciation (3 ans) : 43,3 %
Rappels (2001 à 2006) : 5
Cote de fiabilité : 2/5

LA BRUTE MODERNE

– **Carl Nadeau**

Nul n'est insensible à la Corvette et son passage suffit à attirer tous les regards. Autrefois sujet de railleries, la Corvette impose maintenant le respect avec son air méchant.

CARROSSERIE ► Les amateurs de tape-à-l'œil sont choyés avec la Corvette. Pour ma part, je la trouve simplement belle. L'abondance de matériaux composites permet de maintenir le poids de la voiture assez bas (100 kilos de moins qu'une Dodge Viper beaucoup plus chère). La finition de la plupart des panneaux de carrosserie est irréprochable et la qualité de l'ensemble est nettement au-dessus de la moyenne.

HABITACLE ► La finition intérieure répond aux attentes : les plastiques sont de bonne qualité, les sièges sont confortables malgré le manque de soutien latéral, et il est facile de trouver une bonne position de conduite. Le volant télescopique s'ajuste en hauteur, les cadrans sont parfaits et la visibilité est excellente, sauf en marche arrière. L'affichage tête haute qui fonctionne à merveille réussit à ralentir nos élans (il est toujours préférable de se faire rappeler sa vitesse dans une voiture si performante). L'habitacle est silencieux et l'on peut profiter de l'excellent système audio. Il y a bien sûr quelques défauts : le cuir des sièges nous rappelle la Cavalier, le volant est beaucoup trop grand et sa prise insuffisante, les portes électriques agacent rapidement et, le pire de tout, rien n'empêche les bagages de pénétrer dans l'habitacle lors de freinages brusques ! Le coffre est très spacieux pour une sportive, mais difficile à refermer. Les rangements sont suffisants et, croyez-le ou non, ma voiture d'essai avait 9000 km d'abus au compteur et il n'y avait aucun craquement !

MÉCANIQUE ► Les principaux attraits de la Corvette sont ses groupes motopropulseurs : le moteur de base avec ses 400 chevaux ; et

forces

- Puissance illimitée
- Plaisir de conduite
- Confort en ville
- Rapport qualité/prix
- Valeur de revente

faiblesses

- Sautille à haute vitesse sur pavé inégal
- Certains défauts de finition
- Consommation d'essence
- Aucune séparation entre coffre et habitacle
- Voiture attrape-contraventions !

nouveautés en 2007

- Disques de frein perforés en option, système OnStar disponible (Z06), coffre à gants plus volumineux, modifications dans système audio, sièges deux tons optionnels broderie de drapeaux à damiers et coutures spécifiques, une nouvelle couleur de carrosserie

CORVETTE

le fabuleux Z06, véritable fauve qui efface le 0-100 km/h en 4,2 secondes. L'accélération, furieuse jusqu'à plus de 200 km/h, s'arrête à 315 km/h ! Il est pourtant possible de rouler lentement sur l'autoroute en sixième vitesse et de se laisser bercer par le ronron du moteur qui roupille à 1500 tours/minute. On n'a même pas besoin de rétrograder pour augmenter le rythme, tant le couple semble inépuisable.

COMPORTEMENT ▶ La Corvette est assez brutale à conduire, surtout la Z06. Les commandes sont directes et peu assistées, la pédale d'embrayage ferme, le levier de vitesses lourd à manipuler, mais la transmission est précise et robuste. C'est une voiture aux potentialités incroyables, mais qui demande une certaine expérience pour en goûter la quintessence. Malgré une tenue de route saine, la voiture est très sensible aux inégalités de la chaussée et le contrôle de traction doit entrer en action lors des fortes accélérations ou sur route cahoteuse. Ce qui surprend le plus, c'est l'absence de roulis en virage, malgré une suspension suffisamment confortable pour de longues promenades. L'adhérence est impressionnante en accélération (merci aux immenses pneus et à un châssis bien conçu) et les freins sont extrêmement performants, pour autant qu'on n'en abuse pas trop longtemps.

CONCLUSION ▶ La Corvette est une excellente voiture qui propose l'un des meilleurs rapports qualité/prix/plaisir/performance. Elle conserve sa valeur avec le temps et compte parmi les cinq voitures les plus excitantes à conduire.

FICHE TECHNIQUE

MOTEURS

(coupé, cabriolet) V8 6,0 l ACC 400 ch à 6000 tr/min
couple : 400 lb-pi à 4400 tr/min
Transmission : manuelle à 6 rapports, automatique à 6 rapports avec mode manuel (option)
0-100 km/h : 5,2 s
Vitesse maximale : 315 km/h
Consommation (100 km) : man. : 10,4 l, auto. : 10,9 l (octane : 91)

(Z06) V8 7,0 l ACC 505 ch à 6300 tr/min
couple : 470 lb-pi à 4800 tr/min
Transmission : manuelle à 6 rapports
0-100 km/h : 4,2 s
Vitesse maximale : 315 km/h
Consommation (100 km) : 11,4 l (octane : 91)

Sécurité active
freins ABS, antipatinage

Suspension avant/arrière
indépendante

Freins avant/arrière
disques

Direction
à crémaillère, assistée

Pneus
P245/40R18 (av.), P285/35R19 (arr.),
Z06 : P275/35R18 (av.), P325/30R19 (arr.)

DIMENSIONS

Empattement : 2685 mm
Longueur : 4435 mm, Z06 : 4460 mm
Largeur : 1844 mm, Z06 : 1928 mm
Hauteur : 1244 mm
Poids : coupé : 1442 kg, cabriolet : 1451 kg, Z06 : 1421 kg
Diamètre de braquage : 12,0 m
Coffre : coupé : 634 l, cabriolet : 295 l, 212 l (toit abaissé)
Réservoir de carburant : 68,1 l

opinion

Bertrand Godin • Pas question de m'en cacher, je suis un fan de la Corvette. Sa puissance exceptionnelle et sa maniabilité m'ont suscité des émotions que je n'avais connues qu'en course. Mais ne cherchez pas trop le raffinement : la Corvette, c'est la bête brute qui peut vous mordre si vous n'êtes pas méfiant. Mais, quand on la connaît, on devient charmeur de serpents. Elle se place en trajectoire d'un simple coup d'accélérateur et procure un frisson à chaque grondement du moteur. Côté confort, toutefois, on repassera. Les sièges supportent peu et la finition intérieure laisse à désirer. Mais quand on regarde droit devant soi on ne voit pas ces petits défauts. À consommer avec modération.

EQUINOX

évolution | 26 295 $ à 31 745 $
Transport et préparation : 1100 $

OnStar

www.gmcanada.com

CHEVROLET À L'ÉCOUTE DE SA CLIENTÈLE

– Antoine Joubert

Avec l'Equinox, Chevrolet a prouvé qu'elle est à l'écoute des acheteurs nord-américains. Les ingénieurs ont créé un VUS compact joliment tourné, suffisamment spacieux, polyvalent et peu gourmand. Confort et ergonomie comptent désormais parmi les préoccupations des concepteurs, ce qui n'a pas toujours été le cas. En outre, on ne nous casse plus les oreilles avec les capacités hors route du véhicule, puisque la clientèle s'en fiche éperdument.

CARROSSERIE ► Nous pouvons nous interroger sur le risque de chevauchement des catégories de VUS dès lors que ceux qu'on définit comme compacts deviennent de plus en plus gros. Citons par exemple le nouveau RAV4, qui n'est plus le petit VUS d'il y a dix ans ! La tendance est à l'embonpoint et c'est Chevrolet qui a initié le mouvement avec son Equinox, VUS compact, mais pas tout à fait... Cela dit, l'Equinox est une réussite esthétique incontestable. Le museau court, la calandre agressive et la ceinture de caisse plongeante comptent parmi les éléments qui caractérisent la signature visuelle du véhicule. Ceux qui n'affectionnent pas les bandes chromées ou les feux arrière à lentille cristalline pourront se tourner du côté du Pontiac Torrent.

HABITACLE ► Sans artifice, l'habitacle de l'Equinox se présente bien. On peut lui reprocher ses plastiques bon marché, mais l'assemblage est plutôt bien exécuté par nos voisins ontariens. La planche de bord propose des commandes et une instrumentation sans surprise, de même qu'un levier de vitesses placé juste sous les commandes de ventilation. Seul bémol, les petits espaces de rangement sont peu nombreux. D'un confort honnête, les sièges avant favorisent une agréable position de conduite, mais on ne peut en dire autant de la banquette arrière. Celle-ci, en revanche, propose une modularité qui permet de profiter au maximum de l'espace de chargement.

FICHE D'IDENTITÉ

Version(s) : LS 2RM, LS 4RM, LT 2RM, LT 4RM
Roues motrices : avant, 4
Portières : 4
Première génération : 2005
Génération actuelle : 2005
Construction : Ingersoll, Ontario, Canada
Sacs gonflables : 2, frontaux, rideaux latéraux en option
Concurrence : Ford Escape, Honda CR-V, Hyundai Tucson, Kia Sportage, Mazda CX-7, Mitsubishi Outlander, Nissan X-Trail, Pontiac Torrent, Saturn VUE, Subaru Forester, Suzuki Grand Vitara, Toyota RAV4

AU QUOTIDIEN

Prime d'assurance :
25 ans : 2600 à 2800 $
40 ans : 1800 à 2000 $
60 ans : 1500 à 1700 $
Collision frontale : 5/5
Collision latérale : 5/5
Ventes du modèle l'an dernier
Au Québec : 2815 **Au Canada :** 12 984
Dépréciation (1 an) : 32,2 %
Rappels (2001 à 2006) : aucun à ce jour
Cote de fiabilité : 4/5

forces

- Allure séduisante
- Habitacle polyvalent
- Faible consommation d'essence
- Bon confort de roulement

faiblesses

- Direction exaspérante
- Moteur 3,4 litres désuet
- Mauvaise qualité de certains matériaux
- Options onéreuses

nouveautés en 2007

- Tableau de bord redessiné, centre électronique d'informations reconfiguré, *de série :* système StabiliTrak, système de contrôle de la pression des pneus, freins à disques aux quatre roues, sacs gonflables latéraux avec détection des renversements

MÉCANIQUE ▶ Remplacé par le V6 de 3,5 litres dans presque tous les modèles, le vétuste 3,4 litres survit sous le capot de l'Equinox. Rugueux, grognon et pas très performant, ce moteur semble toutefois avoir atteint un niveau de fiabilité intéressant, ce qui n'a pas toujours été le cas. Son seul véritable avantage est d'être peu gourmand : environ 11 litres suffisent pour parcourir 100 kilomètres. Qu'il soit doté de deux ou de quatre roues motrices, l'Equinox est équipé d'une boîte automatique à cinq rapports dont les passages se font rapidement et sans à-coups. La traction intégrale VersaTrak, de type réactive, n'est pas la plus efficace qui soit, mais elle conviendra à la majorité des utilisateurs. Oubliez toutefois la conduite hors route : l'Equinox n'est aucunement conçu pour ces aventures.

COMPORTEMENT ▶ Contrairement à plusieurs de ses concurrents, l'Equinox propose un bon confort de roulement, notamment grâce à un empattement plutôt long. L'insonorisation est adéquate, bien que des sifflements éoliens, provenant du toit ouvrant, gâchent quelque peu la quiétude des occupants. À l'aise sur les grandes routes, l'Equinox l'est malheureusement moins dans la jungle urbaine, où la direction lente et imprécise limite les manœuvres. De plus, le diamètre de braquage est à peine plus court que celui d'un Hummer H2, ce qui n'est pas peu dire. Pour immobiliser le tout, l'Equinox compte sur un traditionnel duo de disques avant et de tambours arrière. Certains contestent ce choix, mais l'efficacité est réelle, et c'est à mon sens tout ce qui compte.

CONCLUSION ▶ Avec l'Equinox, Chevrolet joue la carte de la séduction par l'esthétisme et la modularité de l'habitacle. Côté technique, par contre, il y a place à l'amélioration, mais l'Equinox est loin d'être un produit à éviter. J'inviterais cependant l'acheteur à se méfier des nombreuses options, qui peuvent faire grimper la facture au-delà des 37 000 $!

FICHE TECHNIQUE

MOTEUR

V6 3,4 l ACC 185 ch à 5200 tr/min
couple : 210 lb-pi à 3800 tr/min
Transmission : automatique à 5 rapports
0-100 km/h : 10,1 s
Vitesse maximale : 180 km/h
Consommation (100 km) : 10,7 l (octane : 87)

Sécurité active
freins ABS (option dans LS), antipatinage (2RM, option dans LS)

Suspension avant/arrière
indépendante

Freins avant/arrière
disques/tambours

Direction
à crémaillère, assistée

Pneus
P235/65R16, P235/60R17 (option dans LT)

DIMENSIONS

Empattement : 2857 mm
Longueur : 4795 mm
Largeur : 1814 mm
Hauteur : 1703 mm
Poids : 2RM : 1697 kg, 4RM : 1762 kg
Diamètre de braquage : 12,75 m
Coffre : 1011 l, 1900 l (sièges abaissés)
Réservoir de carburant : 2RM : 77,6 l, 4RM : 66,8 l
Capacité de remorquage : 1588 kg

Nadine Filion • Mon déneigeur, Jocelyn, s'en mordra longtemps les doigts... Avant d'acheter le Chevrolet Equinox, il n'a pas songé à interroger sa cliente journaliste automobile. Elle lui aurait dit de penser plutôt au Pontiac Torrent ou, mieux, au Suzuki Grand Vitara. Conséquence : Jocelyn est maintenant aux prises avec un véhicule qui ne lui plaît pas. S'il avait pris la peine d'en discuter avec moi, il aurait su que tous les défauts de l'Equinox ont été corrigés dans le Torrent, notamment sur le plan de la conduite, qui est plus agréable. Il aurait aussi appris que le Grand Vitara offre encore plus d'équipements, pour moins cher... Ah, les hommes !

EXPRESS

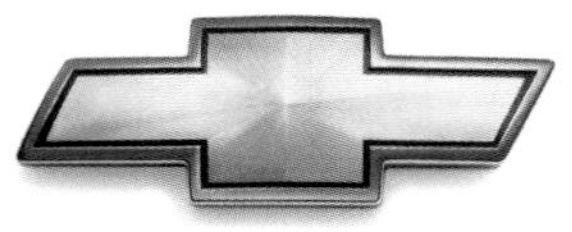

www.gmcanada.com

FICHE D'IDENTITÉ

Version(s) : de base, LS
Roues motrices : arrière, 4RM
Portières : 4
Première génération : 1971
Génération actuelle : 1996
Construction : Wentzville, Missouri, É.-U.
Sacs gonflables : 2, frontaux
Concurrence : Dodge Sprinter, Ford Série E, GMC Savana

AU QUOTIDIEN

Prime d'assurance :
25 ans : 2600 à 2800 $
40 ans : 1500 à 1700 $
60 ans : 1200 à 1400 $
Collision frontale : 5/5
Collision latérale : 4/5
Ventes du modèle l'an dernier
Au Québec : 1355 **Au Canada :** 6056
Dépréciation (3 ans) : 53,4 %
Rappels (2001 à 2006) : 12
Cote de fiabilité : 3/5

LE MEILLEUR COMPROMIS

– Benoit Charette

Dix ans dans la vie de n'importe quel véhicule, c'est long, sauf lorsque votre concurrent principal en a quinze. Ces véhicules à usages spécialisés ont une clientèle qui exige d'abord un véhicule pratique et se soucie très peu des modes. Entre le Sprinter trop cher pour bien des commerçants et le Série E qui vieillit plutôt mal, l'Express représente le meilleur compromis.

CARROSSERIE ► Malgré son âge et quelques rides ici et là, l'Express conserve une silhouette moderne et des lignes immuables, simples et sans fioriture. Avec une version allongée qui fait plus de 6 mètres de long, vous pouvez y entasser jusqu'à quinze passagers ou une tonne de matériel, c'est selon. Pour un véhicule aux fonctions utilitaires, la fonction détermine la forme.

HABITACLE ► Le mot confort n'est certes pas à l'ordre du jour. L'intérieur est avant tout fonctionnel, ce qui a le mérite de mettre le gros bon sens à l'avant-plan. Il y a peu de boutons, donc ils sont faciles à trouver. La version de base comprend la radio et l'air climatisé ; on peut difficilement demander plus simple. Si vous avez l'intention d'utiliser l'Express pour transporter des passagers, la version LS à deux systèmes de climatisation est fortement recommandée. Hiver comme été, c'est un énorme véhicule qui met beaucoup de temps à réchauffer ou à rafraîchir ses occupants, et ceux qui prennent place loin à l'arrière ne sont pas bien servis sans un second système de climatisation.

MÉCANIQUE ► Ici, vous avez l'embarras du choix avec les quatre moteurs Vortec à essence. Pour 2007, des moteurs encore plus puissants sont livrables. L'offre débute avec l'éternel V6 de 4,3 litres qui augmente légèrement sa puissance de 195 à 200 chevaux cette année. Viennent ensuite trois V8 : le 4,8 litres de 275 chevaux ; le 5,3 litres de 295 chevaux ; ou le 6,0 litres de 300 chevaux. Depuis l'an

forces
- Nombreux modèles
- Plusieurs motorisations
- Prix réaliste

faiblesses
- Modèle de base dénudé
- Essieu rigide sautillant à vide

nouveautés en 2007
- Puissance augmentée dans moteur 5,3 litres

dernier, les acheteurs peuvent aussi choisir le V8 6,6 litres Duramax turbodiesel de 250 chevaux. Quant à la transmission, c'est simple: tout le monde a droit à une boîte automatique à quatre rapports. Soulignons toutefois que l'Express est le seul fourgon à proposer une transmission intégrale optionnelle. Dans les conditions normales, sa configuration à simple vitesse fonctionne selon un partage de puissance du couple 35/65 avant/arrière. En cas de patinage d'une roue motrice, une puissance de couple supplémentaire est transférée à l'essieu moteur possédant la meilleure traction. Un système rassurant l'hiver.

COMPORTEMENT ► Comme tous les véhicules conçus pour les gros travaux, c'est vraiment à charge que l'Express est à son mieux. À vide, on sent l'essieu rigide à l'arrière battre la chamade au gré des inégalités de la route, et ce vaste espace inoccupé amplifie les moindres bruits. Une fois plein de monde ou rempli de marchandises, il devient beaucoup plus agréable à conduire. Et, avec la traction intégrale, on se moque de l'hiver. Je me rappelle avoir conduit un Express en février, avec des pneus quatre saisons dans la neige, sans que le véhicule fût intimidé, alors imaginez avec quatre bons pneus à neige. Par contre, son format devient un handicap en conduite urbaine.

CONCLUSION ► Considérant le prix réaliste pour une version de base, je vous conseille de dépenser un peu plus d'argent si vous devez en faire un véhicule de tous les jours. Avec les nombreuses configurations possibles, vous trouverez certainement chaussure à votre pied. Le moteur le mieux adapté reste le V8 de 5,3 litres; si vous n'êtes pas trop violent sur l'accélérateur, il consomme à peine plus que le V6 de base, et l'agrément de conduite est beaucoup plus perceptible.

FICHE TECHNIQUE

MOTEURS

V6 4,3 l ACC 200 ch à 4400 tr/min
couple: 250 lb-pi à 2800 tr/min
Transmission: automatique à 4 rapports
0-100 km/h: 12,5 s
Vitesse maximale: 180 km/h
Consommation (100 km): 14,4 l (octane: 87)

V8 4,8 l ACC 275 ch à 5200 tr/min
couple: 290 lb-pi à 4000 tr/min
Transmission: automatique à 4 rapports
0-100 km/h: 9,8 s
Vitesse maximale: 200 km/h
Consommation (100 km): 14,6 l (octane: 87)

V8 5,3 l ACC 295 ch à 5200 tr/min
couple: 335 lb-pi à 4000 tr/min
Transmission: automatique à 4 rapports
0-100 km/h: 9,1 s
Vitesse maximale: 220 km/h
Consommation (100 km): 2RM: 14,1 l, 4RM: 15,1 l (octane: 87)

V8 6,0 l ACC 300 ch à 4400 tr/min
couple: 360 lb-pi à 4000 tr/min
Transmission: automatique à 4 rapports
0-100 km/h: 8,8 s
Vitesse maximale: 220 km/h
Consommation (100 km): 16,0 l (octane: 87)

V8 6,6 l turbodiesel ACC 250 ch à 3200 tr/min
couple: 460 lb-pi à 1600 tr/min
Transmission: automatique à 4 rapports
0-100 km/h: 9,0 s
Vitesse maximale: 185 km/h
Consommation (100 km): 11,4 l (diesel)

Sécurité active
freins ABS, antipatinage et contrôle de stabilité électronique (versions à 12 et 15 passagers)

Suspension avant/arrière
indépendante/essieu rigide

Freins avant/arrière
disques

Direction
à crémaillère, assistée

Pneus
1500 : P235/75R16, 2500 : LT225/75R16, 3500 : LT245/75R16

DIMENSIONS

Empattement: 3429 mm, emp. long: 3937 mm
Longueur: 5691 mm, emp. long: 6199 mm
Largeur: 2018 mm
Hauteur: 2072 mm, emp. long: 2084 mm
Poids: 2198 à 2873 kg
Diamètre de braquage: 1500 : 13,2 m, 2500 et 3500 : 15,0 m, emp. long: 16,6 m
Coffre: 7569 l, emp. long: 8971 l
Réservoir de carburant: 117 l
Capacité de remorquage: 2707 à 4538 kg

HHR

évolution | 18 995 $ à 21 310 $ |
Transport et préparation : 1095 $

OnStar

www.gmcanada.com

FICHE D'IDENTITÉ

Version(s) : LS, LT
Roues motrices : avant
Portières : 4
Première génération : 2006
Génération actuelle : 2006
Construction : Ramos Aripze, Mexique
Sacs gonflables : 2, frontaux, (rideaux latéraux en option)
Concurrence : Chrysler PT Cruiser, Jeep Compass, Mazda5, Pontiac Vibe, Suzuki SX4, Toyota Matrix,

AU QUOTIDIEN

Prime d'assurance :
25 ans : 1800 à 2000 $
40 ans : 1300 à 1500 $
60 ans : 1100 à 1300 $
Collision frontale : 5/5
Collision latérale : 5/5
Ventes du modèle l'an dernier
Au Québec : 401 **Au Canada :** 1813
Dépréciation (3 ans) : nm
Rappels (2001 à 2006) : aucun à ce jour
Cote de fiabilité : nm

DRÔLE DE KARMA...

– **Pascal Boissé**

Je ne sais pas ce que le Suburban 1949 avait fait de mal durant son passage sur terre, mais les forces divines de GM lui ont imposé de se réincarner en Chevrolet HHR pour sa seconde vie. Comme pour l'embêter, on a fait renaître ce vénérable véhicule avec une structure monocoque, la traction et un format très compact. De plus, il revient sur terre à une époque où un autre véhicule, la PT Cruiser de Chrysler, occupe déjà le créneau des petites familiales d'allure rétro. Est-ce un hasard? Pas vraiment, puisque c'est le grand Bob Lutz qui l'a demandé et que Bryan Nesbitt a dessiné la HHR. On se souviendra que ces deux lascars étaient en poste chez Chrysler lors de la conception de la PT Cruiser, et qu'ils en ont été les principaux maîtres d'œuvre.

CARROSSERIE ▶ Tout comme la PT Cruiser, dont la mécanique est dérivée de celle de la compacte Neon, la HHR partage la plateforme Delta avec d'autres compactes de GM, soit la Saturn ION et le duo Chevrolet Cobalt/Pontiac G5. Ainsi, la HHR devient un modèle en soi, et n'est pas seulement considérée comme une «Cobalt *station-wagon*». Tout comme son vis-à-vis de chez Chrysler, dont elle imite le style rétro, la HHR possède des ailes saillantes, une calandre nostalgique et des accents de chrome à profusion. Et la HHR est encore plus compacte en réalité qu'en photo.

HABITACLE ▶ Dommage qu'on ne soit pas allé au bout du concept rétro en ce qui a trait à l'intérieur : c'est convivial et bien assemblé par rapport aux normes habituelles de GM, mais cela manque d'inspiration. En plus des teintes consensuelles comme le gris souris et le beige sable, une teinte d'habitacle plus sombre s'ajoute en 2007. L'intérieur de la HHR est truffé d'astuces et de compartiments de rangement, et la partie arrière, bien pensée, comprend une tablette ajustable pour moduler l'espace de chargement. De par la taille des hublots qui servent de vitres, la visibilité n'est pas parfaite. Chevrolet a aussi

forces
- Design rétro (pour certains)
- Tableau de bord agréable
- Espace de chargement astucieux

faiblesses
- Design rétro (pour d'autres)
- Tenue de route indolente
- Sécurité en option
- Visibilité

nouveautés en 2007
- Moteurs revus pour plus de puissance et de couple, deux nouvelles couleurs extérieures : Imperial Blue métallique et Golden Teal métallique, nouvelle couleur intérieure : Ebony

du véhicule. Si vous cherchez une tenue de route dynamique et des performances punchées, optez pour la version GT de la PT Cruiser, à moins qu'une version SS de la HHR ne vienne corriger la situation au cours de l'année. Comme c'est devenu la norme chez GM qui semble considérer la sécurité comme un luxe, l'ABS est optionnel, tout comme l'antipatinage et les rideaux gonflables latéraux.

pensé aux jeunes : le système de sonorisation est proposé avec une prise pour un lecteur MP3 et l'on peut même disposer de 260 watts avec l'ensemble Pioneer optionnel.

MÉCANIQUE ► On peut doter la HHR de deux versions du quatre cylindres Ecotec, selon que l'on opte pour la version LS (2,2 litres, 149 chevaux et 152 livres-pied) ou pour la LT (2,4 litres, 175 chevaux et 165 livres-pied). Ce moteur de conception récente est performant et sobre, mais sa sonorité bourdonnante n'est pas des plus plaisantes.

COMPORTEMENT ► Peu inspiré et même ennuyeux, le comportement routier apathique de la HHR est l'aspect le plus décevant

CONCLUSION ► La HHR pourrait intéresser ceux qui ont besoin de ce type de véhicule et qui apprécient le style rétro de sa carrosserie. Sans être un vilain véhicule, elle ne se démarque cependant pas de façon convaincante de sa principale concurrente. Malgré son âge, la PT Cruiser reste une voiture plus satisfaisante à utiliser au quotidien. La HHR n'ayant pas réussi à imposer sa propre personnalité, elle est toujours perçue comme un pastiche de la PT et elle en souffre. Tant qu'à concevoir un véhicule similaire à son rival, dans un segment aussi étroit, GM aurait dû mettre au point un produit franchement supérieur. Mais le but de l'exercice était peut-être seulement de permettre au Suburban 1949 d'expier ses fautes passées.

FICHE TECHNIQUE

MOTEURS

(LS) L4 2,2 l DACT 149 ch à 5600 tr/min
couple : 152 lb-pi à 4000 tr/min
Transmission : manuelle à 5 rapports, automatique à 4 rapports en option
0-100 km/h : 9,7 s
Vitesse maximale : 180 km/h
Consommation (100 km) : man. : 8,3 l, auto. : 8,6 l (octane : 87)

(LT) L4 2,4 l DACT 175 ch à 6200 tr/min
couple : 165 lb-pi à 5000 tr/min
Transmission : manuelle à 5 rapports, automatique à 4 rapports en option
0-100 km/h : 9,2 s
Vitesse maximale : 180 km/h
Consommation (100 km) : man. : 8,7 l, auto. : 8,5 l (octane : 87)

Sécurité active
freins ABS et antipatinage en option

Suspension avant/arrière
indépendante/semi-indépendante

Freins avant/arrière
disques/tambours

Direction
à crémaillère, assistée

Pneus
LS et LT : P215/55R16, opt. LT : P215/50R17

DIMENSIONS

Empattement : 2628 mm
Longueur : 4475 mm
Largeur : 1757 mm
Hauteur : 1657 mm
Poids : LS : 1431 kg, LT : 1455 kg
Diamètre de braquage : LS : 11,0 m, LT : 11,5 m
Coffre : 1787 l (sièges enlevés)
Réservoir de carburant : 61 l
Capacité de remorquage : 454 kg

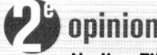

2e opinion

Nadine Filion • Le Chevrolet HHR n'est pas parfait, il est même loin d'être aussi raffiné que certains produits importés. Il a cependant le mérite de proposer, pour moins de 19 000 $, un bel espace de chargement. L'habitacle est de bon ton, quoique le plastique de recouvrement fait bas de gamme. Dommage que les freins ABS et les coussins gonflables latéraux soient optionnels. Les deux moteurs quatre cylindres offerts sont bruyants en accélération, la boîte automatique quatre rapports respire la vieille technologie, mais dans l'ensemble le véhicule est presque aussi fonctionnel qu'une fourgonnette. Voilà son plus grand avantage.

IMPALA / MONTE CARLO

Transport et préparation : 1200 $

Chevrolet Impala

OnStar

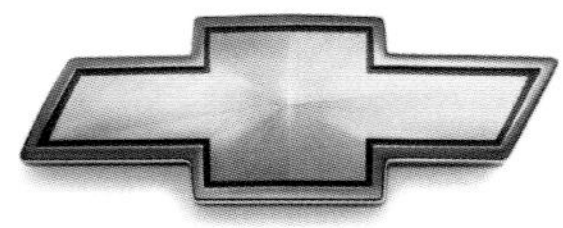

www.gmcanada.com

FICHE D'IDENTITÉ

Version(s) : LS, LT, LTZ, SS
Roues motrices : avant
Portières : 2, 4
Première génération : 1958 (Impala), 1970 (Monte Carlo)
Génération actuelle : 2006
Construction : Oshawa, Ontario, Canada
Sacs gonflables : Impala, 4, frontaux et rideaux latéraux, MC : 2, frontaux, latéraux en option
Concurrence : Buick Allure, Chrysler 300, Dodge Charger, Ford Five Hundred, Mercury Grand Marquis, Pontiac Grand Prix

AU QUOTIDIEN

Prime d'assurance :
25 ans : 2200 à 2400 $
40 ans : 1500 à 1700 $
60 ans : 1200 à 1400 $
Collision frontale : 5/5
Collision latérale : Impala : 5/5, Monte Carlo : 3/5
Ventes du modèle l'an dernier
Au Québec : Impala : 2625, Monte Carlo : 177
Au Canada : Impala : 18 474, Monte Carlo : 1341
Dépréciation (3 ans) : Impala : 61,7 %, MC : 57,7 %
Rappels (2001 à 2006) : Impala : 6, Monte Carlo : 5
Cote de fiabilité : 4/5

EFFICACE, MAIS PAS EXCITANTE

– **Nadine Filion**

Si j'avais à faire l'achat d'une berline intermédiaire spacieuse du côté de GM, j'opterais pour la Buick Allure et non pour la Chevrolet Impala.

CARROSSERIE ► Après tout, les deux voitures partagent la même plateforme d'assemblage et sont construites sur les mêmes chaînes de montage, à Oshawa, Ontario. D'ailleurs, placez-les côte à côte et vous remarquerez des lignes extérieures similaires, élégantes certes, mais dont le style ne fait pas se retourner les têtes. L'intérieur, ergonomique mais monotone, est très semblable.

HABITACLE ► La plus grande qualité de l'Impala, comme pour la Buick Allure, c'est l'insonorisation de son habitacle. De plus, la banquette arrière (sauf pour la version LS) se replie complètement, à plat, grâce au coussin d'assise qu'on tire d'abord vers l'avant. Il n'y a rien à redire à l'espace réservé aux passagers ni au coffre de 527 litres (453 litres pour la Buick). La version LTZ peut être équipée d'une banquette avant ; ainsi, elle peut transporter non pas cinq, mais six passagers (comme l'Allure, encore une fois.). Les personnes de grande taille trouveront les sièges confortables, mais les passagers plus petits risquent de souffrir de maux de dos après quelques heures de route. Notez que le volant télescopique de l'Allure n'est pas disponible avec l'Impala. Dommage.

MÉCANIQUE ► J'ignore pourquoi GM persiste à proposer deux V6 dont la puissance diffère d'à peine 11 %. Le premier, de 3,5 litres, équipe les versions LS et LT et produit 211 chevaux ; le second, de 3,9 litres, la version LTZ, développe 233 chevaux. Le retour du V8 (5,3 litres) permet à la version SS d'atteindre 303 chevaux. Ce dernier moteur peut désactiver la moitié de ses cylindres à faible charge, permettant de réaliser, affirment les ingénieurs de GM, une économie d'essence de 8 %. Par ailleurs, le premier V6 accepte un

forces

- Excellente insonorisation de l'habitacle
- Vaste coffre de 527 litres
- V6 qui accepte l'éthanol
- Possibilité d'un sixième passager

faiblesses

- Châssis et suspension mal adaptés au V8
- Direction sans intensité
- Sièges inconfortables pour les personnes de petite taille

nouveautés en 2007

- Impala : V6 de 3,9 litres à gestion active du carburant, jantes en alliage de 16 pouces de série (LT), sellerie de cuir de série dans SS, indicateur de basse pression des pneus de série, radio satellite XM (SS), quatre nouvelles couleurs de carrosserie

mélange essence-éthanol (E85), ce qui réduit les émissions polluantes. L'Impala est chaussée de pneus de 16, 17 ou 18 pouces, selon les versions. L'ABS, doublé de l'antipatinage, est de série dans les versions LTZ et SS, mais malheureusement optionnel dans les versions de base. Et le système de stabilité n'est pas disponible, contrairement à la Buick Allure. Au moins, les rideaux gonflables latéraux avant et arrière sont de série.

COMPORTEMENT ▶ Quelques mots d'abord sur le V8 : puissant et souple, il gronde jusque comme il faut. Malheureusement, le châssis a du mal à en soutenir la performance, et un désagréable effet de couple se produit au démarrage. À quand une Impala à propulsion ? Par ailleurs, la suspension, avec ses barres stabilisatrices censées rendre la version SS plus sportive, rebondit de façon peu rassurante. Rabattez-vous donc sur les V6, et vous économiserez au passage quelques litres aux 100 km. Mais alors, quel V6 choisir ? Entre nous, une fois la voiture lancée sur les longs rubans d'asphalte, on ne sent guère la différence entre 211 et 233 chevaux. D'autant plus que la boîte automatique quatre rapports fait du très bon boulot, au nez et à la barbe des boîtes à cinq et six rapports qui envahissent de plus en plus le marché. Voilà qui compense pour une direction qui manque de consistance.

CONCLUSION ▶ Cette génération d'Impala a le mérite de s'être éloignée du look grossier « patrouille policière » des dernières années. Cependant, le produit final ne promet pas de grands frissons. Même que, pour mille dollars de plus (version de base), la Buick Allure semble constituer un meilleur choix, pour les petits détails optionnels (volant télescopique, système de stabilité, radar de recul), mais surtout pour l'image.

Chevrolet Monte Carlo

FICHE TECHNIQUE

MOTEURS

(LS, LT) V6 3,5 l ACC 211 ch à 5900 tr/min
couple : 214 lb-pi à 4000 tr/min
Transmission : automatique à 4 rapports
0-100 km/h : 8,8 s
Vitesse maximale : 195 km/h
Consommation (100 km) : 9,4 l (octane : 87)

(Impala LTZ) V6 3,9 l ACC 233 ch à 5600 tr/min
couple : 240 lb-pi à 4900 tr/min
Transmission : automatique à 4 rapports
0-100 km/h : 8,4 s
Vitesse maximale : 200 km/h
Consommation (100 km) : 9,8 l (octane : 87)

(SS) V8 5,3 l ACC 303 ch à 5600 tr/min
couple : 323 lb-pi à 4400 tr/min
Transmission : automatique à 4 rapports
0-100 km/h : 7,1 s
Vitesse maximale : 210 km/h
Consommation (100 km) : 10,5 l (octane : 87)

Sécurité active
freins ABS et antipatinage (en option dans Impala LS)

Suspension avant/arrière
indépendante

Freins avant/arrière
disques

Direction
à crémaillère, assistée

Pneus
LS et LT : P225/60R16, LTZ : P225/55R17, SS : P235/50R18

DIMENSIONS

Empattement : 2807 mm
Longueur : Impala : 5091 mm, Monte Carlo : 4995 mm
Largeur : 1851 mm
Hauteur : Impala : 1487 mm, Monte Carlo : 1418 mm
Poids : Impala : LS : 1611 kg, LT : 1650 kg, LTZ : 1667 kg, SS : 1684 kg, Monte Carlo : LS : 1521 kg, L : 1540 kg, SS : 1583 kg
Diamètre de braquage : 11,6 m, SS : 12,2 m
Coffre : Impala : 527 l, Monte Carlo : 447 l
Réservoir de carburant : 66,2 l

opinion

Luc Gagné • L'Impala a visiblement été conçue pour les entreprises de locations à court et long terme, pour les représentants et pour les policiers. Elle n'a pas la finition tout en finesse d'une Camry ou d'une Accord, mais la qualité de son assemblage et sa finition ont nettement progressé au cours de la dernière décennie. Les produits GM sont conçus et assemblés avec plus de soin, ça aussi c'est perceptible. Et puis, pour les nostalgiques, il y a aussi la Monte Carlo, un coupé de conception antédiluvienne qui évoque la Cutlass Supreme que conduisait mon père, il y a trente ans ! De grâce, s'il faut vraiment encore un coupé de la sorte, qu'on importe la Holden Monaro (ex-Pontiac GTO) au moins.

MALIBU

évolution | 19 995 $ à 31 755 $
Transport et préparation : 1200 $

OnStar

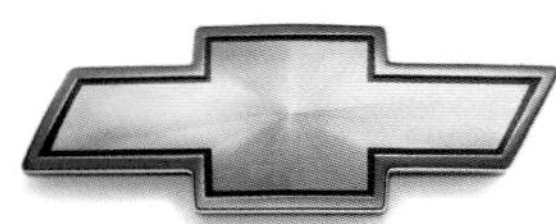

www.gmcanada.com

FICHE D'IDENTITÉ

Version(s) : LS, LT, LTZ, SS, Maxx : LT, LTZ, SS
Roues motrices : avant
Portières : 4
Première génération : 1997
Génération actuelle : 2004
Construction : Kansas City, Kansas, É.-U.
Sacs gonflables : 4, frontaux et rideaux latéraux (latéraux avant en option, de série dans LTZ et SS)
Concurrence : Buick Allure, Chrysler Sebring, Ford Fusion, Honda Accord, Hyundai Sonata, Kia Magentis, Mazda6, Mitsubishi Galant, Nissan Altima, Pontiac G6, Saturn Aura, Subaru Legacy, Toyota Camry, Volkswagen Jetta et Passat

AU QUOTIDIEN

Prime d'assurance :
25 ans : 2100 à 2300 $
40 ans : 1300 à 1500 $
60 ans : 1000 à 1200 $
Collision frontale : 4/5
Collision latérale : 4/5
Ventes du modèle l'an dernier
Au Québec : 4575 **Au Canada :** 17 871
Dépréciation (2 ans) : 43,9 %
Rappels (2001 à 2006) : 7
Cote de fiabilité : 3/5

L'UNE EN PANTOUFLE ET L'AUTRE EN ESPADRILLE

– Benoit Charette

La Malibu est à l'automobile ce que la cuisine confort est à l'alimentation : elle n'a rien de spectaculaire, mais elle est toujours appréciée. Mais, avec la version SS, Chevrolet a le mérite d'avoir créé avec les mêmes ingrédients de base un véhicule fort différent qui surprend aussi bien sur le plan visuel que sur celui de la conduite.

CARROSSERIE ▶ Depuis 2004, Chevrolet construit la Malibu sur la plateforme Epsilon, qui sert également de base à la Pontiac G6 et à la Saab 9^3. L'empattement de la version Maxx est plus long de 15,2 centimètres, mais la voiture est plus courte de 13 millimètres. Comme plusieurs berlines intermédiaires, la Malibu est sobre. Pas de lignes provocantes, mais une élégance en toute simplicité. D'un autre côté, la plus grande qualité de la version SS est de ne pas avoir sombré dans l'excès : pas de flammes sur les côtés ni de becquet arrière surdimensionné, mais juste ce qu'il faut de muscle (jantes, échappement double et becquet discret) pour attirer une clientèle plus jeune sans exclure les femmes et les personnes plus âgées.

HABITACLE ▶ Au chapitre de l'instrumentation, la Malibu demeure fidèle à la tradition de GM, qui offre plus d'équipements de série que ses concurrents pour le même prix, par exemple le siège du chauffeur réglable électriquement en hauteur, la colonne de direction inclinable et télescopique, ainsi que les glaces, les rétroviseurs extérieurs et le verrouillage des portières à commandes électriques. Les pédales de frein et d'accélérateur à ajustement électrique et le soutien lombaire à réglage manuel sont offerts de série dans les Malibu LS et LT, mais en option dans le modèle de base. La Malibu LTZ ajoute le climatiseur, des assises en cuir et des sièges baquets avant chauffants, dont celui du chauffeur est pourvu d'un système de réglage électrique en six sens. Le démarreur à distance est de série pour les modèles Malibu et Malibu Maxx LT, LTZ et SS. La Malibu Maxx a

forces

- Choix de modèles
- Version Maxx très polyvalente
- Prix compétitif

faiblesses

- Direction surassistée (sauf SS)
- Mécaniques six cylindres désuètes
- Comportement plat (sauf SS)

nouveautés en 2007

- V6 de 3,5 litres à calage variable des soupapes, sacs gonflables frontaux avec détecteur d'occupation, rideaux gonflables latéraux de série, sacs gonflables latéraux optionnels dans LS et LT (de série dans LTZ et SS)

modernes, mais ce moteur est souple, puissant et équilibré. Sinon, il y a toujours le quatre cylindres de base qui est peut-être plus économique, mais qui n'offre rien d'autre.

d'autres caractéristiques intéressantes, comme la banquette arrière inclinable Multi-Flex au dossier 60/40 rabattable, qui peut coulisser vers l'avant ou l'arrière sur une distance de 178 millimètres (7 pouces), ce qui augmente d'autant plus le dégagement pour les jambes ou pour le rangement.

MÉCANIQUE ▶ Jusqu'à l'an dernier, le moteur le plus puissant était le V6 3,5 litres de 201 chevaux. Ce moteur n'est pas mauvais, mais ses performances sont bien timides face aux V6 modernes et beaucoup plus puissants de la concurrence. Depuis peu, GM a installé un V6 3,9 litres de 240 chevaux sous le capot des versions SS. Sa technologie à tiges poussoirs est d'une autre époque et sa boîte automatique à quatre rapports n'est pas des plus

COMPORTEMENT ▶ Derrière le volant, deux attitudes sont possibles : la pantouflarde, typique des voitures intermédiaires américaines ; et la plus sportive, propre au modèle SS. Dans le premier cas, la suspension souffre de mollesse, la direction électrique est plus ou moins précise et la pédale de frein est spongieuse. Bref, Chevrolet mise sur le confort et laisse le plaisir de conduire au rancart. Les ingénieurs ont toutefois resserré tous les écrous de la version SS. D'abord, le moteur est meilleur, et puis les pneus performants de 18 pouces et la suspension renforcée donnent des ailes à la voiture. Même la direction est plus rapide. La version SS est la preuve que Chevrolet peut faire de belles choses quand elle en a la volonté.

CONCLUSION ▶ J'ai eu un coup de cœur pour la Malibu Maxx SS, pratique, sexy et plaisante à conduire. Les autres modèles sont honnêtes, sans plus ; le charme et l'adrénaline sont ailleurs.

FICHE TECHNIQUE

MOTEURS

(LS, LT) L4 2,2 l DACT 144 ch à 5600 tr/min
couple : 152 lb-pi à 4200 tr/min
Transmission : automatique à 4 rapports
0-100 km/h : 9,6 s
Vitesse maximale : 180 km/h
Consommation (100 km) : 8,4 l (octane : 87)

(Maxx LT, LTZ, Maxx LTZ, option LT) V6 3,5 l ACC 217 ch à 5800 tr/min
couple : 217 lb-pi à 4000 tr/min
Transmission : automatique à 4 rapports
0-100 km/h : 8,5 s
Vitesse maximale : 200 km/h
Consommation (100 km) : 8,6 l (octane : 87)

(SS) V6 3,9 l ACC 240 ch à 6000 tr/min
couple : 240 lb-pi à 4600 tr/min
Transmission : automatique à 4 rapports
0-100 km/h : 7,8 s
Vitesse maximale : 205 km/h
Consommation (100 km) : 10,9 l (octane : 87)

Sécurité active
V6, option dans L4 : freins ABS, répartition électronique de force de freinage, antipatinage

Suspension avant/arrière
indépendante

Freins avant/arrière
L4 : disques/tambours, V6 : disques

Direction
à crémaillère, assistée

Pneus
LS : P205/65R16, LT : P205/60R16, LTZ et Maxx LTZ : P225/50R17, Maxx LT : P215/60R16, SS et Maxx SS : P225/50R18

DIMENSIONS

Empattement : 2700 mm, Maxx : 2852 mm
Longueur : 4783 mm, Maxx : 4770 mm
Largeur : 1776 mm, Maxx : 1773 mm
Hauteur : 1461 mm, Maxx : 1476 mm
Poids : LS : 1440 kg, LT : 1495 kg, LTZ : 1504 kg, SS : 1549 kg, Maxx LT : 1577 kg, Maxx LTZ : 1577 kg, Maxx SS : 1642 kg
Diamètre de braquage : 10,9 m, Maxx : 11,4 m
Coffre : 436 l, Maxx : 646 l, 1161 l (sièges abaissés)
Réservoir de carburant : 61 l

Luc Gagné • Je me souviens des Chevelle des années 1970 : ces voitures « compactes » étaient dénudées par rapport à leurs homonymes modernes. Même la puissante Malibu SS ne bénéficiait pas de tous les attributs mécaniques d'une Malibu 2007 ; de base, encore moins d'une Malibu SS 2007 ! Bon, d'accord, la Malibu reste un cran derrière ses rivales japonaises en matière de finition. Son prix de vente est moins élevé, tout comme sa valeur de revente, d'ailleurs. À tout le moins, Chevrolet peut s'enorgueillir d'offrir une variante de cette compacte, qui est pratique, polyvalente et même unique dans ce créneau : la Malibu Maxx, une alternative aux utilitaires compacts, souvent inutilement gros et gourmands en carburant.

OPTRA

évolution | 14 200 $ à 18 125 $ |
Transport et préparation : 1045 $

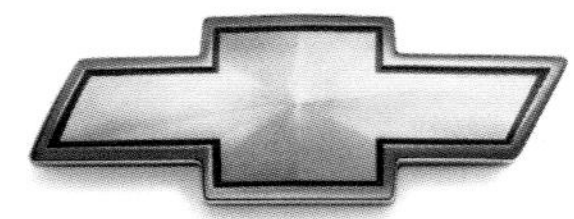

www.gmcanada.com

ENCORE DU PAIN TRANCHÉ !

– Pascal Boissé

FICHE D'IDENTITÉ

Version(s) : LS, LT, Optra5 et familiale
Roues motrices : avant
Portières : 4
Première génération : 2004
Génération actuelle : 2004
Construction : Kunsan, Corée du Sud
Sacs gonflables : 2, frontaux (option: lat. av.)
Concurrence : Chevrolet Cobalt, Dodge Caliber, Ford Focus, Honda Civic, Hyundai Elantra, Kia Spectra, Mazda3, Mitsubishi Lancer, Nissan Sentra, Pontiac G5 et Vibe, Saturn ION, Subaru Impreza, Suzuki Aerio et SX4, Toyota Corolla et Matrix, VW Golf City et Rabbit

AU QUOTIDIEN

Prime d'assurance :
25 ans : 2000 à 2200 $
40 ans : 1300 à 1500 $
60 ans : 900 à 1100 $
Collision frontale : 4/5
Collision latérale : 3/5
Ventes du modèle l'an dernier
Au Québec : 4710 **Au Canada :** 12 345
Dépréciation (2 ans) : 41,3 %
Rappels (2001 à 2006) : 1
Cote de fiabilité : 3/5

En 2006, nous avons perdu Marc Favreau, un de nos plus grands humoristes. Son personnage touchant de Sol, un auguste clochard, aura marqué plusieurs générations. J'ai pensé souvent à Sol en conduisant la Chevrolet Optra, particulièrement à ces scènes où il percevait, avec désarroi, sa condition d'indigent, et qu'il s'exclamait : « Whooah misère, whooah malheur, encore du pain tranché ! » Ces paroles me revenaient comme un mantra chaque fois que je tournais la clé de contact de l'Optra. En effet, comme le pain tranché dépourvu d'éléments nutritifs, cette voiture fade et monotone a la faculté de vous faire prendre conscience de toute l'absurdité de l'existence. Quotidiennement.

CARROSSERIE ▶ Cette Chevrolet, vendue au Canada sous le nom d'Optra, est l'adaptation d'une Daewoo produite en Corée. Aux É.-U., selon qu'il s'agisse de la berline à cinq portes ou de la familiale, elle s'appelle Suzuki Reno ou Suzuki Forenza Wagon. Notez que la berline à quatre portes n'est plus disponible au Canada, et que les Optra sont, chez nous, une exclusivité de Chevrolet. Ne cherchez donc pas leur équivalent chez Suzuki. Comme beaucoup de produits coréens, l'Optra doit ses lignes plutôt plaisantes au travail d'Italdesign, le célèbre bureau de design italien dirigé par Giorgetto Giugiaro. L'Optra n'est pas le chef-d'œuvre du maître, mais elle se laisse regarder. Malgré ses formes harmonieuses, elle manque de caractère, car on devine bien que l'identité Chevrolet n'est qu'un traitement cosmétique superficiel pour cette asiatique dessinée en Europe.

HABITACLE ▶ Comme c'est habituellement le cas dans les produits d'origine Daewoo, le design de l'habitacle et de la planche de bord est assez réussi, mais, malgré un assemblage rigoureux, les matériaux bon marché nous font craindre un vieillissement prématuré. Cela est particulièrement vrai pour le tissu gris (le seul offert) des sièges, qui paraîtra rapidement

forces
- Espace intérieur généreux
- Design efficace
- Roulement silencieux

faiblesses
- Personnalité fade
- Boîte automatique erratique
- Matériaux bon marché
- Peu de protection latérale

nouveautés en 2007
- Lecteur CD/MP3 de série, nouvel ensemble sécurité avec sacs gonflables latéraux/freins ABS/indicateur de basse pression des pneus, économiseur de batterie de série, nouvel ensemble apparence RS, une nouvelle couleur de carrosserie : bleu turquoise

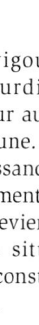

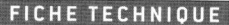

défraîchi. La version familiale propose ce qui est certainement le meilleur rapport prix/habitabilité pour cette classe de véhicule. Les coussins gonflables frontaux sont de série; rien de plus normal, c'est obligatoire. L'Optra avait eu de piètres résultats lors de tests de collision latérale et Chevrolet propose maintenant des coussins gonflables latéraux.

MÉCANIQUE ▶ La principale lacune de l'Optra, et elle est de taille, c'est son groupe motopropulseur. Son moteur quatre cylindres de 119 chevaux est rugueux et bruyant, comme on n'en fait plus ailleurs. De plus, notre véhicule d'essai était équipé d'une boîte automatique au comportement totalement chaotique: elle rétrogradait intempestivement alors qu'elle n'était pas sollicitée et, lorsqu'il fallait accélérer vigoureusement, elle s'engourdissait, prise d'une torpeur aussi soudaine qu'inopportune. Étant donné la faible puissance du moteur, le comportement erratique de cette boîte devient plus qu'un irritant: en situation d'urgence, cela constitue un danger potentiel.

COMPORTEMENT ▶ N'étaient ces à-coups imprévisibles du moteur et de la boîte de vitesses qui se querellent sous le capot, le comportement routier de l'Optra serait plutôt plaisant. Avec sa suspension souple et sa direction un peu vague, cette voiture n'a pas et ne pourra jamais avoir des prétentions sportives. De ce fait, si on évite de la brusquer, on a droit à un roulement doux et à une tenue de route prévisible. En ville, l'Optra se révèle maniable et agile.

CONCLUSION ▶ Il est difficile de comprendre la stratégie de GM avec cette voiture qui vient cannibaliser les ventes des authentiques produits Chevrolet que sont la Cobalt et la Malibu. En intégrant des produits coréens de qualité quelconque à la gamme de sa bannière la plus populaire, GM joue un jeu dangereux qui risque d'embrouiller davantage le consommateur et de ternir l'image de Chevrolet.

FICHE TECHNIQUE

MOTEUR
L4 2,0 l DACT 119 ch à 5400 tr/min
couple: 126 lb-pi à 4000 tr/min
Transmission: manuelle à 5 rapports, automatique à 4 rapports en option
0-100 km/h: 11,1 s
Vitesse maximale: 185 km/h
Consommation (100 km): man.: 8,8 l, auto.: 9,1 l (octane: 87)

Sécurité active
freins ABS (option)

Suspension avant/arrière
indépendante

Freins avant/arrière
disques

Direction
à crémaillère, assistée

Pneus
P195/55R15

DIMENSIONS
Empattement: 2600 mm
Longueur: Optra5: 4295 mm, fam.: 4565 mm
Largeur: 1725 mm
Hauteur: Optra5: 1445 mm, fam.: 1500 mm
Poids: Optra5: 1254 kg, fam.: 1295 kg
Diamètre de braquage: 10,4 m
Coffre: fam.: 350 l, Optra5: 250 l
Réservoir de carburant: 55 l

opinion

Jean-Pierre Bouchard • Côté habitabilité et polyvalence, l'Optra familiale demeure la plus intéressante, alors que les performances et la consommation de carburant du quatre cylindres sont correctes. Cette voiture n'est toutefois pas la plus frugale de la catégorie. Cela dit, l'Optra est une voiture abordable qui peut satisfaire les besoins d'une jeune famille. À prix comparable, j'irais cependant du côté de la Ford Focus ou de la Mitsubishi Lancer Sportback, dont la puissance, la consommation et le comportement routier sont supérieurs. Cette petite GM-Daewoo offre un rapport qualité/prix honnête, mais le raffinement n'est pas celui des Hyundai ou Kia comparables.

SILVERADO

nouveauté | 19 150 $ à 47 285 $
Transport et préparation : 1250 $

OnStar

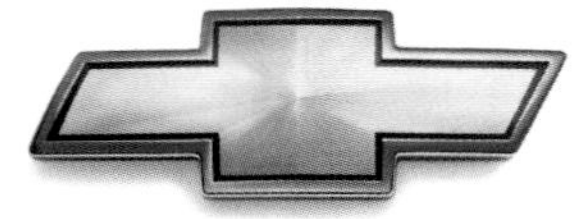

www.gmcanada.com

FICHE D'IDENTITÉ

Version(s) : LS, LT, Cheyenne, SS
Roues motrices : arrière, 4
Portières : 2, 4
Première génération : 1936
Génération actuelle : 2007
Construction : Pontiac, Michigan, Fort Wayne, Indiana, É.-U. ; Oshawa, Ontario, Canada
Sacs gonflables : 4, frontaux et rideaux latéraux
Concurrence : Dodge Ram, Ford F-150, GMC Sierra, Nissan Titan, Toyota Tundra

AU QUOTIDIEN

Prime d'assurance :
25 ans : 2300 à 2500 $
40 ans : 1500 à 1700 $
60 ans : 1300 à 1500 $
Collision frontale : nd
Collision latérale : nd
Ventes du modèle l'an dernier
Au Québec : 4749 **Au Canada :** 37 012
Dépréciation (3 ans) : 52,5 %
Rappels (2001 à 2006) : 17
Cote de fiabilité : 3/5

LA CAVALERIE ARRIVE À TEMPS

– Pascal Boissé

En moins de six mois, dès la fin de l'année 2006, les différentes versions de la camionnette Silverado remplaceront graduellement celles de la génération précédente. Si l'on peut s'attendre à voir arriver les modèles de une demi-tonne à compter de novembre 2006, il faudra patienter jusqu'en mars 2007 pour les Heavy-Duty 3500. Avec ces toutes nouvelles camionnettes, General Motors mise gros et ne peut se permettre de rater la cible. Dans un contexte peu favorable à ce type de véhicule, GM leur consacre néanmoins près du quart de sa capacité manufacturière nord-américaine. Si le Silverado et son jumeau, le GMC Sierra, ne connaissaient pas le succès au box-office, la viabilité financière du géant de Detroit serait rapidement compromise. Les ingénieurs responsables du développement du Silverado et du Sierra semblent avoir très bien compris les enjeux. Ils se sont donc assurés que ce produit comblerait toutes les attentes de la clientèle. Bien que ces camions n'aient pas l'air d'une évolution majeure, il faut comprendre qu'il s'agit de véhicules entièrement renouvelés, d'un pare-chocs à l'autre. Ils partagent leur architecture mécanique GMT-900 avec les nouveaux Tahoe, Suburban, Avalanche et compagnie. Comme ces derniers, le Silverado promet d'offrir plus de puissance, plus d'espace et un comportement routier plus docile grâce à un châssis plus rigide. De plus, GM nous assure que la consommation d'essence sera aussi à la baisse, ce qui n'est pas pour déplaire.

CARROSSERIE ► La force des camionnettes américaines réside habituellement dans le très grand choix de configurations possibles. Ce nouveau Silverado ne fait pas exception et, comme pour la génération précédente, trois types de cabines peuvent se combiner à trois longueurs de caisse, sur une famille de châssis qu'on dit 243 % plus rigides qu'avant. Avec ce nouveau châssis plus solide, on a resserré les tolérances d'assemblage de la carrosserie,

forces
- Châssis plus rigide
- Choix de groupe motopropulseur
- Deux intérieurs superbes
- Comportement routier

faiblesses
- Motorisation hybride et diesel pour plus tard

nouveautés en 2007
- Modèle entièrement redessiné ; le modèle d'ancienne génération demeure disponible en 2007 et vendu sous le nom de Silverado Classic

pour une meilleure finition, et l'on a rapproché la caisse de la cabine, ce qui réduit la traînée aérodynamique du camion tout en le rendant plus silencieux sur la route. Pour que le Chevrolet Silverado et le GMC Sierra soient plus conformes à l'identité de leur marque respective, GM a décidé de les doter de carrosseries totalement différentes. Par conséquent, sur le plan visuel, excepté le pavillon et les portières, le Silverado ne partage rien avec le Sierra. Les lignes de ce dernier sont plus classiques, alors que le Silverado affiche une silhouette délibérément plus sportive et plus exubérante, dont les ailes saillantes ne sont pas sans rappeler celles du Dodge Ram. Comme c'est la tendance ailleurs, et pour conférer au Silverado un aspect plus dynamique, on a choisi de relever la bordure supérieure de la caisse, qui devient ainsi plus profonde. Mais, contrairement à ce qu'on trouve chez tous les rivaux, on a résisté à la tentation de trop remonter les flancs, ce qui aurait entravé l'accès au chargement par les côtés. À l'intérieur de la caisse, le Silverado démontre qu'il a pris des leçons de japonais : on propose maintenant des rails de fixation pour des accessoires coulissants, comme cela se fait déjà chez Nissan et Toyota. Les versions Heavy-Duty arboreront un faciès spécifique, facilement identifiable au capot proéminent et à la calandre plus massive.

HABITACLE ▶ C'est à l'intérieur que l'ancien Silverado accusait vraiment son âge. En plus d'innover sur plusieurs plans, l'habitacle de la nouvelle génération comble les lacunes du passé, rehausse la qualité de plusieurs crans et offre plus d'espace à ses occupants. Oubliez les plastiques lustrés et bon marché d'autrefois : le Silverado opte dorénavant pour des matériaux raffinés, soigneusement assemblés, et aux teintes assorties. Les modèles de présérie, que nous avons pu voir avant de mettre sous presse, souffraient tout de même de quelques « irrégularités » d'assemblage, mais on nous promet que cela sera rectifié pour la grande série. Le Silverado propose maintenant deux configurations distinctes de tableau de bord. Pour ceux qui préfèrent encore les banquettes, les versions WT et LT proposent une planche de bord linéaire qui dégage bien le plancher. Ainsi, un troisième adulte peut s'asseoir au centre, à l'avant. La version LTZ, quant à elle, opte pour une configuration adaptée de celle des grands utilitaires de la famille GMT-900, soit deux sièges baquets et une console centrale qui comporte de nombreux espaces de rangement. Dans l'habitacle aussi on s'est inspiré des astuces des Japonais : les sièges arrière se relèvent contre la paroi de la cabine pour créer un espace de rangement polyvalent comme dans un Honda Ridgeline et, comme pour le Nissan Titan, les portes inversées de la cabine allongée du Silverado pivotent de près de 180 degrés pour faciliter l'accès à bord.

MÉCANIQUE ▶ On peut se perdre dans la fiche technique du Silverado, tellement il y a de choix : sept moteurs allant du V6 de 4,3 litres à un V8 de 6,0 litres de cylindrée, deux transmissions HydraMatic avec deux ou quatre roues motrices et quatre rapports de différentiel. Bref, les combinaisons sont presque infinies, sans tenir compte des versions

HISTOIRE ▼

Un outil qui se raffine !

Depuis les années 1990 le produit Chevrolet a beaucoup évolué. En 1992, on propose pour la première fois une cabine allongée. En 1995, Chevrolet offre des sacs gonflables puis, en 1997, une servodirection à assistance variable et, pour les modèles à cabine allongée, une troisième porte. En 1999, le patronyme C/K est remplacé par Silverado. L'année suivante, la cabine allongée gagne une quatrième porte, alors qu'en 2002, GM innove en proposant une servodirection intégrale appelée Quadrasteer. Enfin, en 2005, les premières Silverado à motorisation hybride sont commercialisées. On en offre même à l'armée américaine !

C1500 1995

C1500 à cabine allongée 1997

1997 : une troisième porte pour la cabine allongée

Silverado Quadrasteer 2004

Silverado hybride 2005 (armée américaine)

Silverado 2006

SILVERADO

GALERIE

1 • Peu importe la configuration, trois personnes peuvent prendre place à l'avant au besoin. Si vous êtes deux, le dossier du siège centrale sert aussi de spacieuse console qui permet de ranger une foule d'objets de toute sorte.

2 • Oubliez les plastiques lustrés et bon marché d'autrefois : le Silverado opte dorénavant pour des matériaux raffinés, soigneusement assemblés, et aux teintes bien agencées. Il y a aussi de nombreux espaces de rangement comme le démontrent ces deux boîtes à gants.

3 • Le Silverado offre maintenant deux configurations distinctes de tableau de bord. Pour ceux qui préfèrent encore les banquettes, les versions WT et LT proposent une planche de bord linéaire qui dégage bien le plancher. Ainsi, un troisième adulte peut s'asseoir au centre, à l'avant. La version LTZ (notre photo), quant à elle, opte pour une configuration directement adaptée de celle des grands utilitaires de la famille GMT-900, soit deux sièges baquets et une console centrale qui comporte de nombreux espaces de rangement.

4 • Dans l'habitacle, on s'est inspiré des astuces des Japonais : les sièges arrière se relèvent contre la paroi de la cabine pour créer un espace de rangement polyvalent comme dans un Honda Ridgeline et, comme le fait le Nissan Titan, les portes inversées de la cabine allongée du Silverado pivotent de près de 180° pour faciliter l'accès à bord.

1

2

3

4

Heavy-Duty dont les spécifications techniques n'avaient pas encore été finalisées au moment d'écrire ces lignes. Le V8 5,3 litres Vortec de quatrième génération peut être commandé avec un bloc d'acier ou d'aluminium et peut disposer d'un système de désactivation de cylindres pour une meilleure économie de carburant. Une autre version de ce moteur peut même fonctionner à l'éthanol E85. On peut aussi s'attendre à quelques annonces spectaculaires de GM au cours de 2007, au sujet de la propulsion hybride et même d'un moteur diesel qui sera offert dans le Silverado 1500.

COMPORTEMENT ► Il n'a pas été possible d'effectuer un essai routier complet des nouvelles camionnettes Chevrolet avant la publication de ce livre. En revanche, d'après le comportement routier des autres membres de la famille GMT-900, on est en droit d'attendre quelque chose qui redéfinira les normes dans cette catégorie. La nouvelle direction à crémaillère, maintenant proposée dans toutes les versions, promet un coup de volant plus précis. Avec ses voies élargies, tant à l'avant qu'à l'arrière, son châssis plus rigide et des géométries de suspension entièrement revues, le Silverado devrait être plus confortable à vide, tout en offrant un meilleur contrôle à pleine charge. D'ailleurs, cinq ensembles de suspension sont au catalogue, dont un groupe (le NHT) est spécifiquement conçu pour le remorquage. Le freinage a aussi été amélioré et le système de contrôle de la stabilité StabiliTrak compte parmi les équipements de série dans plusieurs versions. De plus, le Silverado est équipé d'un radar de reculons à ultrasons.

CONCLUSION ► Ainsi renouvelé, le Silverado évolue en douceur, sans rien brusquer. Mais en même temps il se donne toutes les chances et tous les arguments pour fidéliser sa clientèle déjà très loyale et pour ne pas céder un pouce de terrain à ses rivaux.

FICHE TECHNIQUE

MOTEURS

V6 4,3 l ACC 195 ch à 4600 tr/min
couple : 260 lb-pi à 2800 tr/min
Transmission : automatique à 4 rapports
0-100 km/h : 10,5 s (estimé)
Vitesse maximale : 180 km/h (estimé)
Consommation (100 km) : nd (octane : 87)

V8 4,8 l ACC 295 ch à 5600 tr/min
couple : 305 lb-pi à 4800 tr/min
Transmission : automatique à 4 rapports
0-100 km/h : 9,5 s (estimé)
Vitesse maximale : 180 km/h (estimé)
Consommation (100 km) : nd (octane : 87)

V8 5,3 l ACC 315 ch à 5200 tr/min
couple : 338 lb-pi à 4400 tr/min
Transmission : automatique à 4 rapports
0-100 km/h : 9,2 s (estimé)
Vitesse maximale : 185 km/h (estimé)
Consommation par 100 km : nd (octane : 87)

V8 6,0 l ACC 367 ch à 5500 tr/min
couple : 375 lb-pi à 4300 tr/min
Transmission : automatique à 4 rapports
0-100 km/h : 8,2 s (estimé)
Vitesse maximale : 200 km/h (estimé)
Consommation (100 km) : nd (octane : 87)

Sécurité active
freins ABS (antipatinage et contrôle de stabilité électronique en option avec cabine allongée, de série avec cabine double)

Suspension avant/arrière
indépendante/essieu rigide

Freins avant/arrière
disques/tambours ou disques aux 4 roues

Direction
à crémaillère, assistée

Pneus
P245/70R17, P265/70R17, P265/65R18, P275/55R20

DIMENSIONS

Empattement : 3023 à 4001 mm
Longueur : 5222 à 6325 mm
Largeur : 2029 mm
Hauteur : 1872 à 1876 mm
Poids : 2016 à 2461 kg
Diamètre de braquage : 12,1 à 15,6 m
Coffre : boîte courte : 1718 l, boîte longue : 2138 l
Réservoir de carburant : boîte courte : 98 l, boîte longue : 128 l
Capacité de remorquage : 3720 à 4763 kg

TAHOE / SUBURBAN

nouveauté
43 955 $ à 61 075 $
Transport et préparation : 1250 $

OnStar

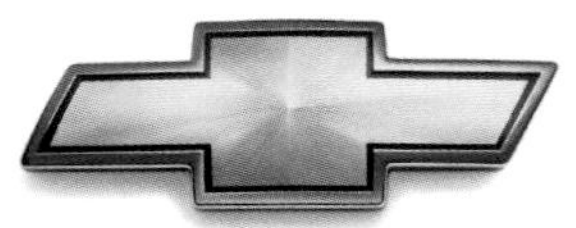

www.gmcanada.com

FICHE D'IDENTITÉ

Version(s) : LS, LT, LTZ
Roues motrices : arrière, 4
Portières : 4
Première génération : 1970
Génération actuelle : 2007
Construction : Janesville, Wisconsin, É-U ; Arlington, Texas, É.-U. Suburban : Silao, Mexique
Sacs gonflables : 4, frontaux et latéraux avant (rideaux latéraux en option)
Concurrence : Ford Expedition, GMC Yukon et Yukon XL, Nissan Armada, Toyota Sequoia

AU QUOTIDIEN

Prime d'assurance :
25 ans : 3900 à 4100 $
40 ans : 2300 à 2500 $
60 ans : 1900 à 2100 $
Collision frontale : 5/5
Collision latérale : 5/5
Ventes du modèle l'an dernier
Au Québec : Tahoe : 108, Suburban : 225
Au Canada : Tahoe : 1468, Suburban : 1448
Dépréciation (3 ans) : 43,3 %
Rappels (2001 à 2006) : Tahoe : 12, Suburban : 13
Cote de fiabilité : 3/5

PLUS RAFFINÉ

– Benoit Charette

Si vous pensez que l'achat d'un gros utilitaire sport constitue un péché mortel, vous n'êtes pas à la bonne page. Mais si vous êtes capable d'apprécier ce genre de véhicule en fonction de ce qu'il peut vous apporter, sachez que le nouveau Chevrolet Tahoe s'est refait une beauté en 2007. Avec des lignes rafraîchies à l'extérieur comme à l'intérieur, c'est le plus beau Tahoe que GM ait produit depuis le lancement du modèle en 1970. Les concepteurs lui ont également ajouté quelques attributs pour tenter de le rendre un peu moins gourmand.

CARROSSERIE ▶ Construit sur la nouvelle plateforme GMT 900, ce Tahoe est plus imposant que jamais auparavant. Même dissimulé sous une nouvelle robe très réussie qui le fait paraître plus mince avec ses contours aérodynamiques, le monstre a encore grandi. Si l'empattement est inchangé, la longueur est supérieure de plus de 120 millimètres à celle du modèle 2006 et plus large de presque 80 millimètres à l'avant et de 35 millimètres à l'arrière. Cela dit, GM a pris soin de raffiner non seulement les lignes du véhicule, mais aussi sa conduite. Ainsi, le comportement a été amélioré grâce au nouveau châssis à longerons fermés beaucoup plus rigide, à une suspension avant à amortisseurs à ressorts hélicoïdaux concentriques, à une direction à crémaillère, au système StabiliTrak avec antiroulis proactif. Comme c'est le cas avec chaque nouveau modèle, c'est la surenchère d'équipements disponibles, alors Chevrolet a également misé sur une meilleure insonorisation. Mais il y a un prix à payer. Ce nouveau Tahoe a engraissé de presque 200 kilos depuis l'an dernier, un surplus de poids considérable à traîner et qui pénalise évidemment la consommation.

HABITACLE ▶ Commençons par les bonnes nouvelles. L'intérieur du nouveau Chevrolet Tahoe, très réussi, est maintenant plus raf-

forces
- Assemblage et finition
- Moteur puissant et silencieux
- Excellente insonorisation
- Prix compétitif

faiblesses
- Mauvaise utilisation de l'espace intérieur
- Troisième rangée de sièges à l'étroit
- Véhicule imposant

nouveautés en 2007
- Modèle entièrement redessiné

Chevrolet est à la hauteur de ce côté. En plus de la climatisation avant et arrière, le Tahoe propose glaces, rétroviseurs chauffants et serrures à commandes électriques. Le régulateur de vitesse, le volant inclinable gainé de cuir, le système audio AM/FM à huit haut-parleurs, le lecteur de CD avec fonction MP3, le siège conducteur à réglages électriques, le différentiel arrière autobloquant, le refroidisseur auxiliaire de transmission et les roues en alliage de 17 pouces font également partie de l'équipement de série. L'intérieur de la version LT est plus cossu et la version LTZ comprend la climatisation thermostatique, la sellerie de cuir, un système audio amélioré avec neuf haut-parleurs et un changeur à six CD qui lit les fichiers MP3, des sièges baquets avant chauffants à réglages électriques et des roues en alliage de 20 pouces. Les équipements optionnels comprennent des sièges basculants et rabattables avec commande électrique de déblocage à la deuxième rangée, un démarreur à distance, des sièges chauffants à la première et à la deuxième rangée, un radar de stationnement et une caméra arrière, un système de navigation avec commandes tactiles à l'écran, des marchepieds à commande électrique et un système de divertissement DVD arrière avec écran de 20 centimètres.

finé. En outre, la finition est meilleure, et un effort considérable a été fait pour améliorer l'insonorisation, ce qui rend la vie à bord plus agréable. Cela dit, il y a tout de même quelques irritants qui demeurent. Par exemple, malgré un format hors norme, les malheureux qui devront prendre place dans la troisième rangée de sièges risquent de le regretter. Même si le Tahoe 2007 est plus gros, il y a 70 millimètres de moins pour les épaules à l'arrière, où il est difficile de se glisser, puisqu'il faut déplacer les lourds bancs de la deuxième rangée. GM devrait aussi trouver un moyen pour escamoter les sièges dans le plancher. Ceux-ci, énormes et lourds, grèvent l'espace de rangement. En attendant, il s'agit d'enlever les sièges de la troisième rangée et de les entreposer dans votre garage. Pas très pratique.

En 2007, le Tahoe est disponible en cinq versions : LS et LT à deux roues motrices ; et LS, LT et LTZ à quatre roues motrices. Les équipements de sécurité comprennent des coussins gonflables frontaux, des rideaux gonflables en option sur deux ou trois rangées (de série aux trois rangées dans la version LTZ), le système OnStar (LT et LTZ), le contrôle de la pression des pneus, l'antipatinage et l'antidérapage doté d'une aide à la prévention du capotage. Pour un prix de base de près de 45 000 $, on a le droit de s'attendre à un véhicule bien équipé et

MÉCANIQUE ► Il y aura un seul moteur au catalogue pour 2007 : un V8 de 5,3 litres à cylindrée variable qui produit 320 chevaux, jumelé à une boîte automatique à quatre rapports. Ce moteur, qui n'est pas nouveau, bénéficie tout de même de plusieurs améliorations technologiques qui le rendent intéressant. On y trouve un système de désactivation de quatre des huit cylindres en fonction de la charge moteur. Ce système entre en action lorsque le véhicule roule à la vitesse de croisière et permet une économie

HISTOIRE ▼

De boîte à outil à véhicule de prestige

Le patronyme Suburban est apparu au milieu des années 1930 pour identifier l'ancêtre des familiales contemporaines et ce qui fut peut-être le premier utilitaire... avant le mot. À l'époque, ce n'était toutefois qu'un véhicule de travail, pas un objet de convoitise. Soixante ans plus tard, l'engouement démesuré des Américains pour les utilitaires a rapidement changé sa vocation et, bien que le Tahoe à deux portières ait été éliminé, des versions à quatre portières sophistiquées et même sportives ont rapidement fait leur apparition.

Suburban Carryall 1936

Suburban 1957

Suburban 1995

K1500 Tahoe 1996

Tahoe 1998 version police

Prototype K5 de 2001

Suburban LTZ 2006

TAHOE / SUBURBAN

GALERIE

1 • Le système de divertissement DVD avec écran de 20 cm et casques d'écoute sans fil compte parmi les options populaires auprès des enfants.

2 • Malgré son format atypique, les malheureux qui prendront place dans la troisième rangée de sièges risquent de le regretter. Même si le Tahoe 2007 est plus gros, il y a en fait 7,5 cm de moins pour les épaules à l'arrière.

3-4 • GM devrait aussi trouver un moyen pour escamoter les sièges dans le plancher. Ceux-ci, énormes et lourds, grèvent l'espace de rangement. En attendant, il s'agit d'enlever les sièges de la troisième rangée et de les entreposer dans votre garage. Ce qui semble inconcevable pour un véhicule de cette taille. Vous pouvez aussi rabattre le dossier (3) ou relever le siège pour plus d'espace (4), mais c'est tout.

5 • Construit sur la nouvelle plateforme GMT 900, ce Tahoe est plus gros que jamais. Même dissimulé sous une nouvelle robe très réussie qui le fait paraître plus mince avec ses contours aérodynamiques, il a encore pris de l'expansion.

1

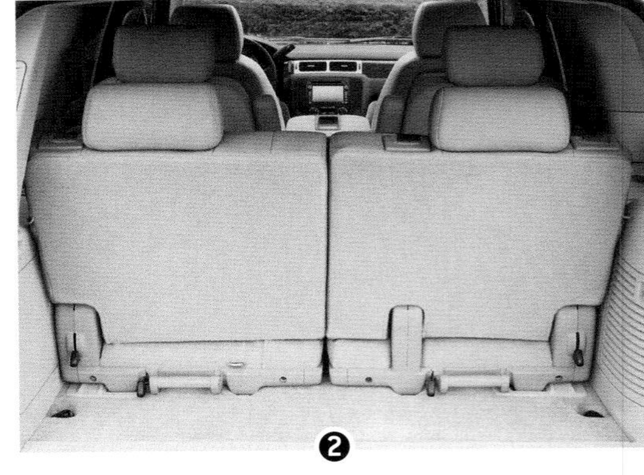

2

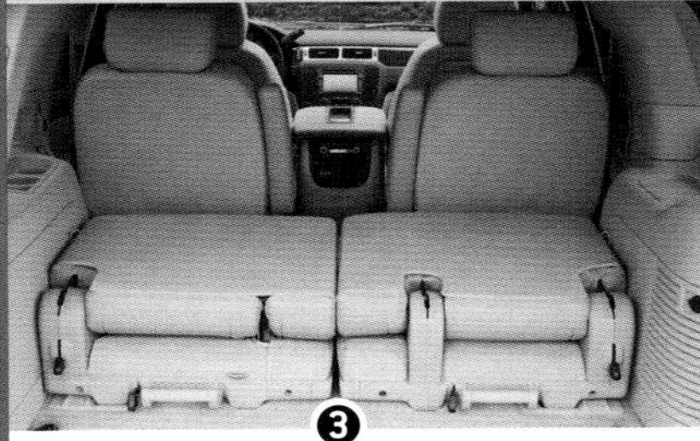

3

4

5

d'essence appréciable. Lors de ma semaine d'essai, la consommation sur l'autoroute oscillait de 9,5 à 10,5 litres aux 100 km quand le moteur fonctionnait avec seulement quatre cylindres. Il est à noter que ce moteur est également capable de fonctionner avec du carburant E85 (un mélange qui peut contenir jusqu'à 85 % d'éthanol pour 15 % d'essence).

COMPORTEMENT ► C'est sans doute du côté de la tenue de route que le Tahoe marque le plus de points. Ce véhicule n'a jamais été facile à conduire, certes, mais la nouvelle direction à crémaillère améliore énormément la tenue de cap, et les freins redessinés travaillent avec beaucoup plus d'assurance et ne sont plus spongieux. De plus, la nouvelle suspension influence positivement le comportement du véhicule en abaissant légèrement son centre de gravité, ce qui se traduit par une meilleure expérience au volant.

L'habitacle très silencieux, doublé d'une finition et d'un assemblage en forte hausse, offre une atmosphère propice aux longues randonnées. Nous sommes désormais plus proches de Cadillac que de Chevrolet, et la seule véritable différence entre un Tahoe et un Escalade tient à la quantité des équipements. Car, au chapitre de la conduite, le Tahoe n'a rien à envier à l'Escalade.

CONCLUSION ► Nous critiquons volontiers la qualité parfois douteuse des produits des constructeurs américains, mais le Chevrolet Tahoe démontre bien le savoir-faire dont GM est capable. J'espère simplement que cette tendance gagnera l'ensemble des produits de la famille. À mes yeux, le Tahoe est le meilleur véhicule de l'année dans cette catégorie.

FICHE TECHNIQUE

MOTEURS

(Tahoe 2RM) V8 4,8 l ACC 290 ch à 5200 tr/min
couple : 290 lb-pi à 4000 tr/min
Transmission : automatique à 4 rapports
0-100 km/h : 11,7 s
Vitesse maximale : 175 km/h
Consommation (100 km) : 12,3 l (octane : 87)

(Tahoe 4RM, Suburban 1500 2RM, option Tahoe 2RM) V8 5,3 l ACC 320 ch à 5200 tr/min
couple : 340 lb-pi à 4200 tr/min
Transmission : automatique à 4 rapports
0-100 km/h : 9,7 s
Vitesse maximale : 175 km/h
Consommation (100 km) : 2RM : 12,6 l, 4RM : 12,9 l (octane : 87)

(Suburban 1500 4RM, Suburban 2500) V8 5,3 l ACC 310 ch à 5200 tr/min
couple : 335 lb-pi à 4200 tr/min
Transmission : automatique à 4 rapports
0-100 km/h : 9,9 s
Vitesse maximale : 175 km/h
Consommation (100 km) : 12,9 l (octane : 87)

(option Suburban) V8 6,0 l ACC 355 ch à 5400 tr/min
couple : 365 lb-pi à 4400 tr/min
Transmission : automatique à 4 rapports
0-100 km/h : 9,2 s
Vitesse maximale : 180 km/h
Consommation (100 km) : nd (octane : 87)

Sécurité active
freins ABS, antipatinage, contrôle de stabilité électronique

Suspension avant/arrière
indépendante/essieu rigide

Freins avant/arrière
disques

Direction
à crémaillère, assistée

Pneus
LS et LT : P265/70R17, LTZ : P275/55R20, Suburban 2500 : LT245/75R16

DIMENSIONS

Empattement : Tahoe : 2946 mm, Suburban : 3302 mm
Longueur : Tahoe : 5130 mm, Suburban : 5648 mm
Largeur : Tahoe : 2007 mm, Suburban : 2010 mm
Hauteur : Tahoe : 2RM : 1954 mm, 4RM : 1956 mm, Suburban : 1950 mm
Poids : Tahoe : 2RM : 2374 kg, 4RM : 2512 kg, Suburban : de 2551 kg à 2870 kg
Diamètre de braquage : Tahoe : 11,9 m, Suburban : 13,1 m
Coffre : Tahoe : 479 l, 3084 l (sièges abaissés), Suburban : 1298 l, 3891 l (sièges abaissés)
Réservoir de carburant : Tahoe : 98 l, Suburban : 1500 : 119 l, 2500 : 148 l
Capacité de remorquage : Tahoe : 2RM : 3266 kg, 4RM : 3492 kg, Suburban : de 3628 kg à 4400 kg

2e opinion

Antoine Joubert • Applaudissons les efforts effectués du côté du confort et de l'insonorisation, qui n'ont rien de comparable avec le prédécesseur. La qualité de finition est également à souligner, surtout chez un constructeur qui n'a pas très bonne réputation en la matière. Quant à l'aménagement, c'est immensément mieux, mais on aurait souhaité pouvoir bénéficier d'un plancher plat comme dans l'Expedition. Très beau, le Tahoe est aussi beaucoup plus agile, offrant une meilleure tenue de route et une stabilité directionnelle supérieure. Il nous propose également un V8 à cylindrée variable qui permet de diminuer considérablement la consommation. Somme toute, un produit extrêmement réussi qui mérite considération.

TRAILBLAZER

évolution | 32 065 $ à 40 915 $ |
Transport et préparation : 1150 $

OnStar

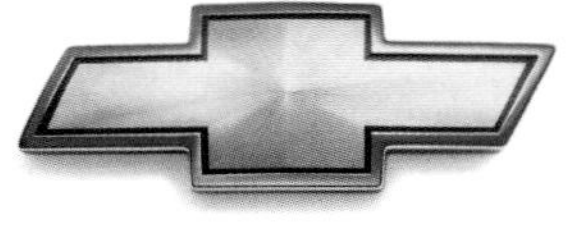

www.gmcanada.com

FICHE D'IDENTITÉ

Version(s) : LS, LT, SS
Roues motrices : arrière, 4
Portières : 4
Première génération : 2002
Génération actuelle : 2002
Construction : Moraine, Ohio, É.-U.
Sacs gonflables : 2, frontaux, (rideaux latéraux optionnels)
Concurrence : Dodge Durango, Ford Explorer, GMC Envoy, Jeep Grand Cherokee, Kia Sorento, Nissan Pathfinder, Toyota 4Runner

AU QUOTIDIEN

Prime d'assurance :
25 ans : 3200 à 3400 $
40 ans : 2200 à 2400 $
60 ans : 1700 à 1900 $
Collision frontale : 3/5
Collision latérale : 5/5
Ventes du modèle l'an dernier
Au Québec : 904 **Au Canada :** 5297
Dépréciation (3 ans) : 54,3 %
Rappels (2001 à 2006) : 18
Cote de fiabilité : 2/5

DE LA GUEULE ET DU CONFORT

– Benoit Charette

Je me demande toujours si les responsables de la division camion chez GM ont souvent l'occasion de discuter avec ceux de la division voiture. Autant les voitures sont à la traîne, autant les camions proposent toujours un excellent rapport qualité/prix. Le TrailBlazer, qui nous revient presque inchangé cette année, fait partie de ces véhicules Chevrolet qu'il fait bon conduire.

CARROSSERIE ► Le style du TrailBlazer dépend directement de la version choisie. Dans sa livrée de base, le véhicule affiche une forte personnalité. Sa ceinture de caisse très épaulée et ses passages de roues prononcés lui donnent un air très masculin. Le modèle SS est la version « coureur de 100 mètres dopé à la testostérone », avec son air de *muscle car* des beaux jours en version camion.

HABITACLE ► L'intérieur généreux permet de transporter commodément cinq personnes, mais les passagers assis à l'avant sont privilégiés, car la banquette arrière simpliste offre un confort sommaire. La présence d'une multitude d'espaces de rangement favorise l'excellente habitabilité du TrailBlazer. Par contre, la qualité de certains plastiques nous déçoit, surtout pour un véhicule de ce prix. De nombreux bagages peuvent trouver place dans le coffre d'une capacité minimale de 1162 litres, mais dont le volume atteint 2268 litres une fois la banquette repliée. De plus, le hayon en deux parties facilite le chargement d'objets peu encombrants.

MÉCANIQUE ► Pas de changement au programme en 2007 : le six cylindres en ligne, puissant, souple et silencieux constitue toujours la motorisation de base. Vient ensuite le V8 de 5,3 litres et de 300 chevaux, qui ne constitue pas un meilleur achat que le six cylindres, sauf en ce qui a trait à la capacité de remorquage. Finalement, depuis l'an dernier, GM a glissé le V8 6,0 litres LS2 de 395 chevaux sous le capot pour ceux qui veulent une

forces

- Liste des équipements de série exhaustive
- Moteurs performants
- Tenue de route confortable
- Version SS réussie

faiblesses

- Autonomie
- Fiabilité

nouveautés en 2007

- Version EXT discontinuée, indicateur de basse pression des pneus de série, système de navigation OnStar optionnel, contrôle de régulation du voltage, trois nouvelles couleurs de carrosserie

TRAILBLAZER

Corvette à quatre roues motrices avec de l'espace pour toute la famille. Peu importe votre choix, tous ces moteurs sont reliés à une boîte automatique à quatre rapports.

COMPORTEMENT ► Le TrailBlazer se montre très à l'aise sur parcours routier. Son châssis rigide et sa caisse renforcée filtrent les résonances désagréables et améliorent le confort des occupants. Tous les moteurs ont beaucoup de couple et permettent des dépassements efficaces. La position de conduite élevée est agréable et on est bien calé dans de confortables fauteuils. Les parcours autoroutiers sont un véritable bonheur, le régulateur de vitesse faisant le reste. Sur les chemins plus accidentés, la répartition 50/50 (4 HI) de la puissance ou la réduction des rapports de boîte (4 LO) peuvent être sélectionnées grâce à un simple bouton placé à proximité du volant. Par ailleurs, la garde au sol de 230 millimètres à l'avant et de 170 millimètres à l'arrière permet au TrailBlazer de s'aventurer hors des sentiers battus, excepté la version SS qui préfère brûler le bitume. Son châssis rabaissé, sa suspension plus ferme, ses grosses barres antiroulis et un différentiel à glissement limité à l'arrière lui permettent de contenir ses 395 chevaux. La version SS profite aussi de freins plus puissants.

CONCLUSION ► Moins encombrant que son grand frère le Tahoe, mais suffisamment volumineux pour accueillir toute la famille et ses bagages, le TrailBlazer se veut un camion de format raisonnable qui est assez petit pour aller partout sans problème et assez grand pour satisfaire tous vos besoins. Si ce n'était de la qualité encore incertaine de ce modèle, qui a été victime de plusieurs problèmes depuis cinq ans, je vous le recommanderais tout de suite. Un véhicule intéressant, mais à suivre de près au chapitre de l'entretien.

FICHE TECHNIQUE

MOTEURS

(LS et LT) L6 4,2 l DACT 291 ch à 6000 tr/min
couple : 277 lb-pi à 4800 tr/min
Transmission : automatique à 4 rapports
0-100 km/h : 8,8 s
Vitesse maximale : 175 km/h
Consommation (100 km) : 2RM : 12,4 l, 4RM : 13,4 l (octane : 87)

(option LS et LT) V8 5,3 l ACC 300 ch à 5200 tr/min
couple : 330 lb-pi à 4000 tr/min
Transmission : automatique à 4 rapports
0-100 km/h : 8,4 s
Vitesse maximale : 175 km/h
Consommation (100 km) : 2RM : 12,3 l, 4RM : 12,8 l (octane : 87)

(SS) V8 6,0 l ACC 395 ch à 6000 tr/min
couple : 400 lb-pi à 4000 tr/min
Transmission : automatique à 4 rapports
0-100 km/h : 6,0 s
Vitesse maximale : 210 km/h
Consommation (100 km) : 14,3 l (octane : 87)

Sécurité active
freins ABS, antipatinage, contrôle de stabilité électronique

Suspension avant/arrière
indépendante/essieu rigide

Freins avant/arrière
disques

Direction
à crémaillère, assistée

Pneus
LS et LT : P235/75R17, SS : P255/50R20

DIMENSIONS

Empattement : 2870 mm
Longueur : 4872 mm
Largeur : 1895 mm
Hauteur : 1892 mm, SS : 1723 mm
Poids : 2RM : 2004 kg, 4RM : 2084 kg, SS : 2064 kg
Diamètre de braquage : 11,0 m, SS : 11,1 m
Coffre : 1162 l, 2268 l (sièges abaissés)
Réservoir de carburant : 83,3 l
Capacité de remorquage : 2766 kg à 3039 kg

opinion

Antoine Joubert • Les vrais VUS comme le TrailBlazer sont aujourd'hui moins populaires en raison de tout le carburant qu'ils ingurgitent. Néanmoins, leur présence sur le marché est toujours justifiable, ne serait-ce que pour des raisons de remorquage. Chez Chevrolet, on a réussi à peaufiner le TrailBlazer pour en faire un produit très acceptable. La finition intérieure n'est pas sa plus grande qualité, mais il propose en revanche un confort et des équipements qui peuvent faire rougir bien des concurrents. Les trois moteurs sont tous très gourmands, mais se font pardonner par un agrément de conduite qui n'est pas à dédaigner. Qui plus est, la fiabilité autrefois déplorable semble s'être améliorée.

UPLANDER

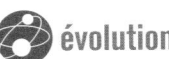

évolution | 23 880 $ à 32 120 $
Transport et préparation : 1250 $

www.gmcanada.com

FAIRE DU NEUF AVEC DU VIEUX

– **Benoit Charette**

FICHE D'IDENTITÉ

Version(s) : LS, LT1, LT2
Roues motrices : avant
Portières : 4
Première génération : 1997 (Venture)
Génération actuelle : 2005
Construction : Doraville, Géorgie, É.-U.
Sacs gonflables : 2, frontaux, (latéraux avant et à la 2e rangée en option, de série dans LT2)
Concurrence : Buick Terraza, Chrysler Town & Country, Dodge Caravan, Ford Freestar, Honda Odyssey, Hyundai Entourage, Kia Sedona, Nissan Quest, Saturn Relay, Toyota Sienna

AU QUOTIDIEN

Prime d'assurance :
25 ans : 2100 à 2300 $
40 ans : 1300 à 1500 $
60 ans : 1100 à 1300 $
Collision frontale : 5/5
Collision latérale : 5/5
Ventes du modèle l'an dernier
Au Québec : 5033 **Au Canada :** 21 271
Dépréciation (3 ans) : 58,8 % (Venture)
Rappels (2001 à 2006) : 2
Cote de fiabilité : 2/5

Que fait-on lorsqu'on possède un budget restreint, mais qu'on doit quand même procéder à des changements ? On limite les dépenses. C'est de cette approche que sont nés l'Uplander et les autres membres de la famille des fourgonnettes GM. Évolution peu gracieuse de la Venture, l'Uplander, dotée d'un nez digne de Cyrano de Bergerac, a comme principal intérêt d'être abordable et réussit encore à se vendre à coups de rabais.

CARROSSERIE ► Physiquement, pas de changement pour 2007. La plus populaire des fourgonnettes GM est toujours disponible en huit versions : LS, LT1 et LT2 à empattement régulier ou allongé ; Cargo et LT2 allongée 4RM à traction intégrale. Certains lecteurs apprécient les lignes peu orthodoxes du véhicule. Il est vrai que les goûts ne sont pas matière à discussion. Je me contenterai donc de mentionner que je la trouve toujours aussi laide.

HABITACLE ► L'équipement de base, comme toujours chez GM, est plutôt complet : climatisation, verrouillage électrique des portières, colonne de direction réglable et inclinable, chaîne stéréo AM/FM avec lecteur de CD et de fichiers MP3. Si les coussins gonflables frontaux comptent parmi les équipements de série, il faut toutefois débourser un supplément pour les coussins latéraux aux deux premières rangées. Cela dit, il n'y a pas de rideaux gonflables. L'aménagement est pratique, mais, contrairement à plusieurs de ses concurrents, la banquette de la troisième rangée ne se dissimule pas dans le plancher. La position de conduite est agréable et les passagers, même ceux à l'arrière, ont assez d'espace pour être à l'aise.

MÉCANIQUE ► Sous le capot, on remarque le changement le plus notable pour 2007. GM s'est finalement départi de ses vieux restes. Le moteur V6 3,5 litres qui dérivait de l'ancien 3,4 litres du Venture est retiré de la route au

forces
- Motorisation bien adaptée
- Conduite silencieuse
- Espace pour les passagers

faiblesses
- Qualité inégale
- Peu d'innovation
- Pas de rideaux gonflables

nouveautés en 2007
- Moteur V6 de 3,9 litres de série, nouvelles jantes d'alliage de 17 pouces, système StabiliTrak de série dans versions à empattement long, nouvelles couleurs de carrosserie

nement plus silencieux irrite moins les oreilles quand on doit écraser l'accélérateur. GM a également réussi l'isolation phonique de l'habitacle et le freinage est adéquat, mais manque encore un peu d'endurance, un défaut qui perdure sur plusieurs produits GM. Côté tenue de route, la suspension fait du bon travail. Mais, à la fin, c'est le moteur qui fait vraiment la différence. Avec 40 chevaux de plus, l'Uplander a ce qu'il lui manquait pour rattraper la concurrence, la conduite demeurant encore le point positif du véhicule.

profit d'un V6 3,9 litres qui a déjà fait sa place dans d'autres modèles GM (comme la Malibu SS). Avec ses 240 chevaux et une technologie d'admission variable, nous avons enfin un peu de modernisme au programme. Même si la transmission n'a que quatre rapports, ses changements se font tout en douceur. Ce moteur sera également disponible en version E85 qui permet de rouler avec un mélange de 85 % d'éthanol et 15 % d'essence.

COMPORTEMENT ▶ Même si le moteur 3,9 litres est un peu plus gourmand que le défunt 3,5 litres, le plaisir qu'il procure au volant compense largement les quelques dollars par semaine de plus. La réserve de puissance disponible à bas régime permet des accélérations et des reprises plus franches. Son fonction-

CONCLUSION ▶ Chevrolet n'est pas encore à la hauteur de ses compétitrices japonaises quant au raffinement et à la qualité, mais a le mérite d'offrir des voitures plus abordables. Si la mécanique est en progrès, il faudra encore travailler sur la finition et l'assemblage qui restent inégaux. Pour la prochaine génération, il faudrait vraiment faire table rase et sortir du chapeau quelques innovations, cela aiderait sûrement les ventes. Pour le moment, GM se contente d'un rôle de figuration dans ce segment de marché, et ce genre de rôle ne mène jamais bien loin.

FICHE TECHNIQUE

MOTEUR

V6 3,9 l ACC 240 ch à 6000 tr/min
couple : 240 lb-pi à 4800 tr/min
Transmission : automatique à 4 rapports
0-100 km/h : 9,8 s
Vitesse maximale : 180 km/h
Consommation (100 km) : 10,8 l (octane : 87)

Sécurité active
freins ABS, (antipatinage et contrôle de stabilité électronique de série dans modèles à empattement long, en option dans modèles à empattement court)

Suspension avant/arrière
indépendante/essieu rigide

Freins avant/arrière
disques

Direction
à crémaillère, assistée

Pneus
P225/60R17

DIMENSIONS

Empattement : emp. court. : 2870 mm, emp. long : 3077 mm
Longueur : emp. court. : 4851 mm, emp. long : 5191 mm
Largeur : 1830 mm
Hauteur : emp. court. : 1790 mm, emp. long : 1830 mm
Poids : emp. court : 1853 kg, emp. long : 2028 kg
Diamètre de braquage : emp. court : 12 m, emp. long : 12,5 m
Coffre : emp. court : 501 l, 3401 l (sièges abaissés), emp. long : 762 l, 3866 l (sièges abaissés)
Réservoir de carburant : emp. court : 76 l, emp. long : 95 l
Capacité de remorquage : 1588 kg

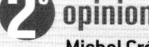

2e opinion

Michel Crépault • Le segment des fourgonnettes semble avoir atteint un point de saturation. Les principaux joueurs n'ont pas véritablement transformé leurs véhicules au fil des ans, les ventes sont stagnantes au point où plusieurs constructeurs doivent liquider leurs véhicules à coups de rabais et d'incitatifs. Dans ces circonstances, il est difficile qu'un véhicule qui change plus de nom que d'aspect connaîtra réellement le succès. Au mieux, il maintiendra sa cote de popularité. Mais sous sa forme actuelle et en ne proposant aucune innovation face à ses compétiteurs, l'Uplander et les autres membres de la famille vont s'en tenir à un rôle de figuration. Seul le prix à rabais en fait un bon vendeur.

300

évolution | 30 785 $ à 51 170 $ |
Transport et préparation : 1200 $

www.daimlerchrysler.ca

LE SUCCÈS DONT TOUT LE MONDE RÊVE

– Nadine Filion

FICHE D'IDENTITÉ

Version(s) : Base, Touring, 300C, SRT8
Roues motrices : avant, 4
Portières : 4
Première génération : 2005
Génération actuelle : 2005
Construction : Brampton, Ontario, Canada
Sacs gonflables : 2, frontaux (lat. av. et rideaux lat. en opt.)
Concurrence : Acura TL, Buick Allure et Lucerne, Chevrolet Impala, Dodge Charger, Ford Five Hundred, Hyundai Azera, Kia Amanti, Mercury Grand Marquis, Nissan Maxima, Pontiac Grand Prix, Toyota Avalon

AU QUOTIDIEN

Prime d'assurance :
25 ans : 3200 à 3400 $
40 ans : 2300 à 2500 $
60 ans : 1600 à 1800 $
Collision frontale : 5/5
Collision latérale : 4/5
Ventes du modèle l'an dernier
Au Québec : 2976 **Au Canada :** 14 563
Dépréciation (1 an) : 31 %
Rappels (2001 à 2006) : 5
Cote de fiabilité : 3/5

Elle vieillit bien, la Chrysler 300. Après trois ans sur le marché, elle fait toujours tourner les têtes. Et rappelez-vous que cette réussite, on la doit en partie au designer Ralph Gilles, qui a grandi à Montréal.

CARROSSERIE ▶ Ralph Gilles a voulu recréer, avec la Chrysler 300, l'aspect impressionnant des véhicules des années 1950. D'où ces lignes agressives à la fois modernes et classiques, voire nostalgiques ; cette calandre qui ne manque pas d'air ; ces roues placées aux extrémités ; ce long capot destiné à accueillir un V8 HEMI ; l'abondance de chrome ; et, enfin, la haute ceinture de caisse, comme sur les hot-rods de l'époque. Bref, un succès instantané, dont rêve tout constructeur automobile. La Chrysler 300, comme ses consœurs Dodge Magnum et Charger, est assemblée à l'usine ontarienne de Brampton, sur une plateforme de propulsion d'origine Mercedes-Benz.

HABITACLE ▶ Roulez à bord de la Chrysler 300 au beau milieu de la circulation, fenêtres closes. Qu'entendez-vous ? Rien, puisqu'il s'agit d'une des berlines les mieux insonorisées de la catégorie. De même, ouvrez et refermez les portières : vous aurez une impression d'aplomb et de solidité. Par contre, on aurait souhaité des matériaux intérieurs plus raffinés, plus chaleureux. Heureusement, les cadrans sont élégants et l'espace réservé aux passagers est large. Les sièges sont confortables, mais peut-être trop fermes. Bravo pour le volant ajustable ET télescopique ; bravo aussi pour les pédales réglables (optionnelles). Le coffre arrière, d'une contenance de 442 litres, est vaste. Si le seuil est un peu élevé, la banquette 60/40 se replie facilement, mais pas tout à fait à plat. Les options vont du toit ouvrant au système de navigation, sans oublier l'assistance au recul. La facture grimpe en conséquence.

forces
- Excellente insonorisation de l'habitacle
- Choix de puissants moteurs
- Conduite stimulante

faiblesses
- Manque de sophistication de l'habitacle
- Pas de boîte manuelle pour la SRT8
- Sièges trop fermes

nouveautés en 2007
- Version à empattement long

COMPORTEMENT ► Chrysler a parié sur ce modèle et a gagné : la 300 offre une conduite stimulante, voire sportive, et une excellente tenue de route grâce à son empattement plus long de 135 millimètres que la Mercury Grand Marquis. Les moteurs sont puissants et souples. La suspension indépendante aux quatre roues autorise un bel équilibre (ses ajustements sont encore plus fermes avec les moteurs HEMI). La pédale de frein aurait cependant pu posséder une course plus grande. L'automatique cinq rapports (de série pour les V8, optionnelle pour le V6), préférable à l'automatique quatre rapports, est transparente et propose le mode séquentiel. Cela dit, une boîte manuelle pour la version SRT8 permettrait aux 425 chevaux de briller de tous leurs feux.

MÉCANIQUE ► Au lancement de la Chrysler 300, on s'enthousiasmait pour les performances du V8 HEMI de 340 chevaux. Ce moteur fut le premier de la production américaine à pouvoir désactiver des cylindres. On en oubliait presque le V6 de 3,5 litres qui, avec ses 250 chevaux, ne souffre pas d'anémie. Chrysler aurait pu s'arrêter là, mais, l'an dernier, il lançait la version SRT8, avec son V8 de 6,1 litres et de 425 chevaux. De quoi avoir l'air méchant sur les routes, à condition de débourser les 50 000 $ demandés pour cette version de performance. La berline, même de base, propose dans les équipements de série l'ABS, l'antipatinage et le système de stabilité. On peut aussi l'équiper d'une transmission intégrale, pratiquement indispensable pour survivre à l'hiver.

CONCLUSION ► En Europe, la 300 est propulsée par un fantastique V6 diesel basé sur la technologie Mercedes. J'en ai fait l'essai et depuis lors je prie pour qu'un jour prochain Chrysler apporte au Canada ce moteur de 218 chevaux, qui efface le 0-100 km/h en 7,6 secondes, mais consomme à peine 8,1 litres aux 100 km.

FICHE TECHNIQUE

MOTEURS

(Base, Touring, Touring AWD) V6 3,5 l SACT 250 ch à 6400 tr/min
couple : 250 lb-pi à 3800 tr/min
Transmission : Base : automatique à 4 rapports, Touring : automatique à 5 rapports avec mode manuel
0-100 km/h : 8,9 s, AWD : 9,5 s
Vitesse maximale : 210 km/h
Consommation (100 km) : Base : 10,2 l, Touring : 10,3 l, Touring AWD : 11,5 l (octane : 89)

(300C, 300C AWD) V8 5,7 l ACC 340 ch à 5000 tr/min
couple : 390 lb-pi à 4000 tr/min
Transmission : automatique à 5 rapports avec mode manuel
0-100 km/h : 6,3 s, AWD : 6,8 s
Vitesse maximale : 240 km/h
Consommation (100 km) : 11,4 l (octane : 89)

(SRT8) V8 6,1 l ACC 425 ch à 6000 tr/min
couple : 420 lb-pi à 4800 tr/min
Transmission : automatique à 5 rapports avec mode manuel
0-100 km/h : 5,3 s
Vitesse maximale : 250 km/h
Consommation (100 km) : 13,7 l (octane : 91)

Sécurité active
freins ABS, répartition électronique de force de freinage, assistance au freinage, antipatinage, contrôle de stabilité électronique

Suspension avant/arrière
indépendante

Freins avant/arrière
disques

Direction
à crémaillère, assistée

Pneus
300 et Touring : P215/65R17, 300C : P225/60R18, SRT8 : P245/40R20 (av.), P255/45R20 (arr.)

DIMENSIONS

Empattement : 3048 mm, emp. long : 3200 mm
Longueur : 4999 mm, emp. long : 5151 mm
Largeur : 1881 mm
Hauteur : 1483 mm, SRT8 : 1471 mm
Poids : 300 : 1683 kg, Touring : 1708 kg, Touring AWD : 1829 kg, Touring emp. long : 1754 kg, 300C : 1844 kg, 300C AWD : 1938 kg, 300C emp. long : 1890 kg, SRT8 : 1888 kg
Diamètre de braquage : 11,9 m
Coffre : 442 l
Réservoir de carburant : 68 l, AWD : 72 l

opinion

Pascal Boissé • Je l'avoue, j'ai un faible pour la 300. Contre toute attente, et dans un contexte défavorable, cette voiture a suscité un nouvel l'intérêt du public pour les grandes berlines américaines. Elle a aussi ressuscité la marque Chrysler à elle seule. On s'attendait à ce que son style percutant et audacieux se démode rapidement et que sa valeur de revente en souffre, mais il n'en est rien. Il faut dire que sur le plan mécanique la 300 livre la marchandise : en combinant le V8 HEMI à des restes de Mercedes-Benz Classe E, et en offrant le tout à un prix très alléchant, Chrysler est en mesure de proposer une voiture dont l'expérience de conduite est aussi spectaculaire que les lignes de sa carrosserie.

ASPEN ⊜ Dodge Durango

Transport et préparation : 1225 $

www.daimlerchrysler.ca

FICHE D'IDENTITÉ

Version(s) : unique
Roues motrices : 4
Portières : 4
Première génération : 2007
Génération actuelle : 2007
Construction : Newark, Delaware, É.-U.
Sacs gonflables : 6, frontaux, latéraux avant et rideaux latéraux
Concurrence : Acura MDX, Audi Q7, BMW X5, Buick Rainier, Cadillac SRX, Land Rover LR3, Lexus RX, Mercedes-Benz Classe M, Volkswagen Touareg, Volvo XC90

AU QUOTIDIEN

Prime d'assurance :
25 ans : 3400 à 3600 $
40 ans : 2100 à 2300 $
60 ans : 1800 à 2000 $
Collision frontale : 5/5
Collision latérale : nd
Ventes du modèle l'an dernier
Au Québec : nm **Au Canada** : nm
Dépréciation (3 ans) : nm
Rappels (2001 à 2006) : nm
Cote de fiabilité : nm

UN NOM SURGI DU PASSÉ

– Hugues Gonnot

Le nom est connu, mais rassurez-vous, ce véhicule n'a plus rien à voir avec les berlines Dodge Aspen de sinistre mémoire. En fait, la base de cette Aspen est plutôt bonne, puisqu'il s'agit de celle d'un Durango + +.

CARROSSERIE ► En plus d'intégrer la traditionnelle calandre Chrysler, les designers ont modifié les feux, ajouté un capot rainuré façon Crossfire, mis du chrome çà et là, et, surtout, ils ont adouci les passages de roues. On reconnaît encore le Durango, mais les modifications siéent bien au segment haut de gamme, et pour un peu l'Aspen aurait eu sa propre personnalité.

HABITACLE ► À l'intérieur, les modifications sont tout aussi subtiles : console centrale, cadrans et haut de planche de bord redessinés, ajout de bois sur la console, les contre-portes et le volant, poignées chromées. L'équipement est évidemment en hausse par rapport au Durango.

MÉCANIQUE ► Logiquement, on retrouve les deux mécaniques du Durango. Le moteur de base est le 4,7 litres de 235 chevaux, alors que le HEMI de 5,7 litres et de 335 chevaux (comprenant le système de désactivation des cylindres pour une économie d'essence sur la route) est optionnel. Tous deux sont couplés à une boîte automatique à cinq rapports. Le HEMI reçoit un boîtier de transfert comportant une gamme basse. Dans tous les cas, ne pas s'attendre à des miracles en matière de consommation.

COMPORTEMENT ► Nous ne l'avons pas encore essayé, mais nous nous attendons à ce que le comportement de l'Aspen soit relativement neutre, puisque le Durango se débrouille plutôt bien sur la route.

CONCLUSION ► L'Aspen n'apporte pas grand-chose au segment, mais Chrysler aurait eu tort de se priver de son propre VUS, d'autant que cela a été fait à moindres frais (Cadillac et Lincoln n'ont pas fait mieux avec les premières générations d'Escalade et de Navigator). On verra si l'essai sera transformé par la suite.

forces
- Bonne base
- Finition
- Tenue de route acceptable

faiblesses
- Gloutonnerie
- Petit côté déjà-vu

nouveautés en 2007
- Nouveau modèle basé sur le Dodge Durango

42 255 $ à 45 235 $
Transport et préparation : 1200 $

jumeau Dodge Grand Caravan

TOWN & COUNTRY

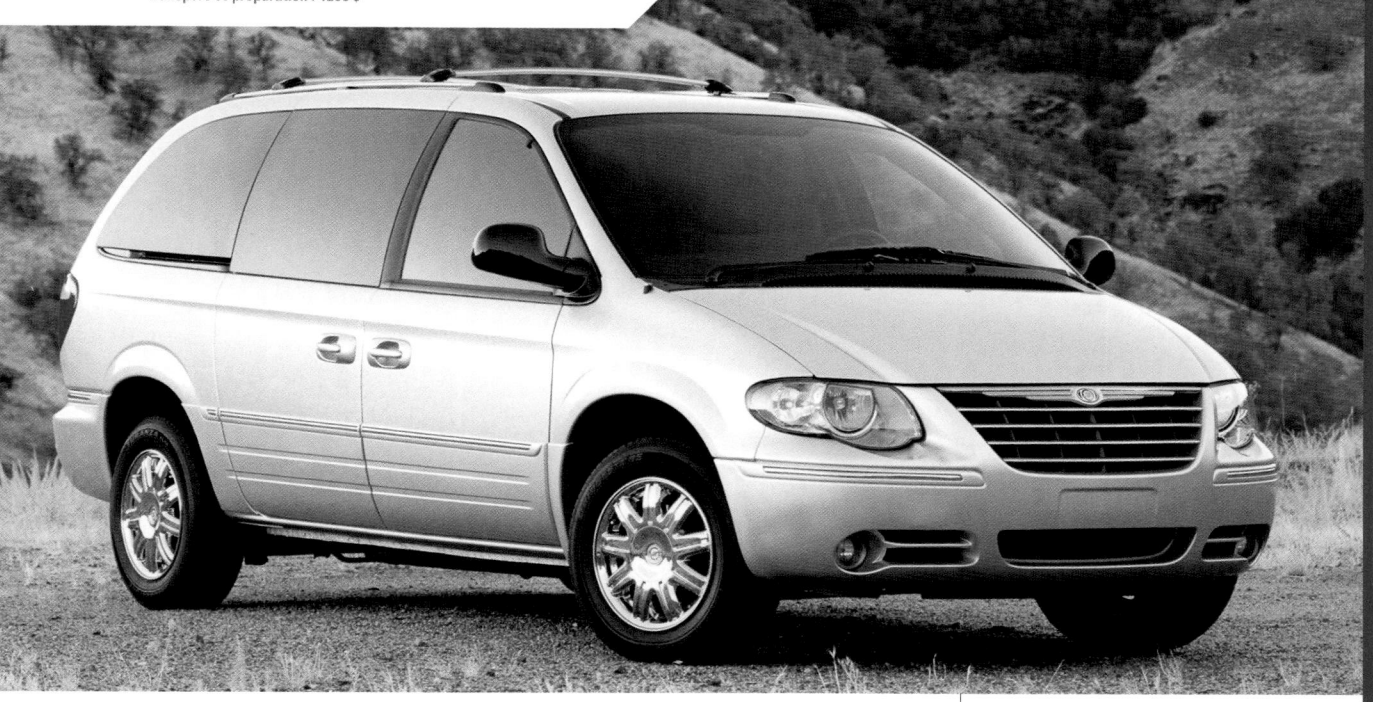

ENCORE PERTINENTE ?

www.daimlerchrysler.ca

– Jean-Pierre Bouchard

La Town & Country occupe le haut de la gamme des fourgonnettes Chrysler. Elle se distingue de la Grand Caravan par une calandre typique de Chrysler, des roues caractéristiques et des attributs plus feutrés.

CARROSSERIE ▶ La T & C reçoit peu d'améliorations pour 2007. Chrysler ne la propose toutefois plus en version à transmission intégrale depuis 2004. Dommage, car cet atout la rendait plus attrayante.

HABITACLE ▶ La fourgonnette est parée d'un habillage des sièges en cuir et de caractéristiques de série telles que les sièges de deuxième et troisième rangées Stow 'n Go, le sonar de recul, les portes latérales et le hayon à commande électrique. Le conducteur profite d'instrumentations et de commandes bien disposées. Le rembourrage des sièges arrière et leur position inclinée perturbent toutefois le confort des occupants au physique plus imposant. Les bruits de vent et de roulements ne sont pas non plus très bien étouffés.

MÉCANIQUE ▶ Les performances du groupe motopropulseur sont honnêtes, surtout du côté de la souplesse procurée par le couple de 235 livres-pied. Les Honda Odyssey et Toyota Sienna l'emportent toutefois quant aux accélérations et aux reprises, en plus de bénéficier d'une boîte automatique à cinq rapports.

COMPORTEMENT ▶ La T & C mise d'emblée sur le confort. L'ensemble de remorquage, qui permet au véhicule de tracter des charges de 1678 kilos, comprend le correcteur d'assiette et une barre stabilisatrice arrière. Cet ensemble améliore le comportement routier général du véhicule qui, autrement, est correct.

CONCLUSION ▶ La pertinence de la T & C semble discutable, compte tenu de sa technologie vétuste et de son prix élevé. Heureusement, Chrysler offre de substantiels rabais. Par contre, cela affecte la valeur de revente. À prix égal, j'opterais pour une Honda Odyssey, une Toyota Sienna ou une Hyundai Entourage GLS Cuir, qui disposent de nombreux atouts supplémentaires.

FICHE D'IDENTITÉ

Version(s) : Touring, Limited
Roues motrices : avant
Portières : 4
Première génération : 1989
Génération actuelle : 2001
Construction : St. Louis, Missouri, É.-U. ; Windsor, Ontario, Canada
Sacs gonflables : 2, frontaux, 1 genoux
Concurrence : Buick Terraza, Chevrolet Uplander, Ford Freestar, Honda Odyssey, Hyundai Entourage, Kia Sedona, Nissan Quest, Pontiac Montana SV6, Saturn Relay, Toyota Sienna

AU QUOTIDIEN

Prime d'assurance :
25 ans : 2200 à 2400 $
40 ans : 1400 à 1600 $
60 ans : 1000 à 1200 $
Collision frontale : 4/5
Collision latérale : 5/5
Ventes du modèle l'an dernier
Au Québec : 135 **Au Canada :** 602
Dépréciation (3 ans) : 66,8 %
Rappels (2001 à 2006) : 8
Cote de fiabilité : 2/5

forces
- Système Stow 'n Go
- Confort de roulement
- Habitabilité et polyvalence

faiblesses
- Insonorisation
- Valeur de revente
- Confort des sièges de deuxième et troisième rangées

nouveautés en 2007
- Pas de changement majeur

CROSSFIRE

évolution | 39 995 $ à 48 050 $ |
Transport et préparation : 1400 $

www.daimlerchrysler.ca

FICHE D'IDENTITÉ

Version(s) : Base, Limited
Roues motrices : arrière
Portières : 2
Première génération : 2004
Génération actuelle : 2004
Construction : Osnabrück, Allemagne
Sacs gonflables : 4, frontaux et latéraux
Concurrence : Audi TT, BMW Série 3 coupé et Z4, Chevrolet Corvette, Honda S2000, Infiniti G35 coupé, Mazda RX-8, Mercedes-Benz SLK, Nissan 350Z, Porsche Boxster

AU QUOTIDIEN

Prime d'assurance :
25 ans : 3000 à 3200 $
40 ans : 2100 à 2300 $
60 ans : 1700 à 1900 $
Collision frontale : 4/5
Collision latérale : nd
Ventes du modèle l'an dernier
Au Québec : 178 **Au Canada :** 738
Dépréciation (2 ans) : 37,2 %
Rappels (2001 à 2006) : aucun à ce jour
Cote de fiabilité : 3/5

UN SECRET BIEN GARDÉ

– Antoine Joubert

DaimlerChrysler présentait en 2004 la Crossfire, première voiture issue de l'union entre Mercedes-Benz et Chrysler. Utilisant la majorité des éléments mécaniques et structuraux de l'ancienne Mercedes SLK, elle devait changer la perception du public au sujet du constructeur nord-américain. Toutefois, sa faible diffusion et ses racines américaines presque inexistantes auront fait de la Crossfire un modèle de transition, puisque ce sont les LX (300, Magnum et Charger) qui, un an plus tard, ont réussi à susciter un nouvel intérêt pour Chrysler.

CARROSSERIE ▶ S'immisçant dans une catégorie où l'image et le statut ont beaucoup d'importance, la Crossfire n'a pas réussi à convaincre les amateurs de coupés et de roadsters, probablement en raison d'un logo manquant de prestige. Malgré cela, il faut admettre que les dessinateurs ont créé une carrosserie qui relève du grand art. L'originalité des lignes, surtout sur le coupé, se remarque à la partie arrière tronquée et aux ailes élargies, mais aussi par le cadre de pare-brise argenté et les immenses jantes de 18 et 19 pouces. Voilà pourquoi la Crossfire attire les regards. De plus, la version SRT6, encore plus tape-à-l'œil, exhibait un imposant aileron arrière, d'apparence discutable. Les modèles de base et Limited se contentent d'un becquet plus discret, qui se rétracte uniquement lorsque la voiture dépasse légèrement la vitesse maximale légale.

HABITACLE ▶ Excepté le logo qui orne le centre du volant, l'habitacle de la Crossfire n'a rien de ceux des Chrysler. Plastiques, sièges, boutons et commandes sont typiquement Mercedes-Benz, à tel point qu'on y retrouve même ce fichu levier du régulateur de vitesse, qu'on confond souvent avec celui des clignotants. Comme dans l'ancienne SLK, on apprécie les sièges enveloppants et confortables, et on se plaint du manque de dégagement et d'espaces de rangement.

forces
- Comportement routier
- Lignes audacieuses
- Performances relevées

faiblesses
- Habitacle réduit
- Boîte manuelle
- Logo peu prestigieux

nouveautés en 2007
- Disparition du modèle SRT6

CROSSFIRE

MÉCANIQUE ▶ Ici aussi, les éléments proviennent de chez Mercedes. Le V6 de 215 chevaux est d'une puissance adéquate, sans plus. Le premier coupé sport de l'histoire de Chrysler est ainsi animé par le 3,2 litres V6 à 90° Mercedes. Forte de 215 chevaux, cette mécanique peut être accouplée à une boîte manuelle à six rapports ou à une automatique à 5 rapports également développée par Daimler. Si l'idée d'une boîte manuelle semble intéressante, son imprécision indigne d'une voiture de ce prix m'a laissé sur ma faim et j'opterai finalement pour la boîte automatique à cinq rapports plus agréable. Pour ce qui est de la version SRT6, Chrysler l'a tout simplement retirée de la route pour 2007.

COMPORTEMENT ▶ Si cette pseudo SLK est capable de très belles prouesses, elle offre à ses occupants un certain confort, pour autant que la chaussée le permette. Bien insonorisée et pourvue d'une boîte automatique dont les passages de vitesses sont imperceptibles, la Crossfire est un bolide rêvé pour les promenades sur de belles routes sinueuses. Exempte de roulis et équipée d'une direction très précise, elle se veut agile et prévisible, capable de pardonner facilement les erreurs de jugement, qualités qui favorisent les joies de la conduite sportive. Toutefois, je déconseille fortement la version cabriolet aux claustrophobes : lorsque le toit est en place, la visibilité est carrément problématique.

CONCLUSION ▶ Quelle que soit la version, la Crossfire ne s'adresse pas aux puristes. Elle tente plutôt de séduire une clientèle désireuse de se payer un jouet original pour la saison estivale, sans mettre de côté le caractère dynamique d'une authentique sportive. En un mot, la Crossfire est une sportive aux bonnes manières qui vous donnera autant de plaisir qu'une Mustang, sans le mal de cœur.

FICHE TECHNIQUE

MOTEUR
V6 3,2 l SACT 215 ch à 5700 tr/min
couple : 229 lb-pi à 3000 tr/min
Transmission : manuelle à 6 rapports, automatique à 5 rapports avec mode manuel (option)
0-100 km/h : 6,3 s
Vitesse maximale : 225 km/h
Consommation (100 km) : man. : 11,8 l, auto. : 10,5 l (octane : 91)

Sécurité active
freins ABS, assistance au freinage, antipatinage, contrôle de stabilité

Suspension avant/arrière
indépendante

Freins avant/arrière
disques

Direction
à bille, assistée

Pneus
P225/40R18 (av.), P255/35R19 (arr.)

DIMENSIONS
Empattement : 2400 mm
Longueur : 4058 mm
Largeur : 1766 mm
Hauteur : coupé : 1307 mm, roadster : 1315 mm
Poids : *coupé :* Base : 1365 kg, Limited : 1388 kg, *roadster :* Base : 1401 kg, Limited : 1424 kg
Diamètre de braquage : 10,6 m
Coffre : coupé : 215 l, roadster 190 l, 104 l (toit abaissé)
Réservoir de carburant : 60 l

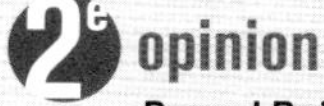

opinion

Pascal Boissé • Difficile de se faire une idée précise sur la personnalité de la Crossfire. Authentique voiture sport aux performances brutales ou *boulevard cruiser* conçu seulement pour jouer les m'as-tu-vu par un beau dimanche ensoleillé ? Est-ce la marque Chrysler qui manque de pedigree, ou est-ce sa ligne torturée mais spectaculaire ? Je ne sais trop. J'ai personnellement un faible pour la Crossfire lorsqu'elle est offerte avec l'intérieur sombre, car je trouve la version blanc ivoire vraiment trop kitsch. Autant le coupé a un profil radical et controversé, autant la silhouette du cabriolet, même lorsque la capote est relevée, est équilibrée et harmonieuse.

PACIFICA

évolution | 36 740 $ à 45 910 $ |
Transport et préparation : 1200 $

www.daimlerchrysler.ca

FICHE D'IDENTITÉ

Version(s) : FWD, Touring FWD, Touring AWD, Limited AWD
Roues motrices : avant, 4
Portières : 4
Première génération : 2004
Génération actuelle : 2004
Construction : Windsor, Ontario, Canada
Sacs gonflables : 6, frontaux, latéraux avant et rideaux latéraux
Concurrence : Buick Rendezvous, Ford Freestyle, GMC Acadia, Honda Pilot, Mazda CX-9, Mitsubishi Endeavor, Nissan Murano, Subaru B9 Tribeca, Toyota Highlander

AU QUOTIDIEN

Prime d'assurance :
25 ans : 2300 à 2500 $
40 ans : 1700 à 1900 $
60 ans : 1600 à 1800 $
Collision frontale : 5/5
Collision latérale : 5/5
Ventes du modèle l'an dernier
Au Québec : 701 **Au Canada :** 3944
Dépréciation (2 ans) : 53,7 %
Rappels (2001 à 2006) : 3
Cote de fiabilité : 3/5

UN PEU PLUS DE «PEP» DANS LE SOULIER

– Benoit Charette

Depuis son lancement en 2004, tous les journalistes ont critiqué le manque de puissance de cette fourgonnette BCBG de près de deux tonnes, dotée de trop faibles motorisations et d'une désuète boîte automatique à quatre rapports. Heureusement, Chrysler proposera en 2007 une nouvelle mécanique plus puissante avec une boîte automatique à six rapports qui promettent un fonctionnement plus souple. Mieux vaut tard que jamais.

CARROSSERIE ► Esthétiquement, la Pacifica est toujours ambiguë. Fourgonnette dans l'âme, elle se donne aussi des airs de grande berline pour attirer une nouvelle clientèle. Une stratégie peu fructueuse jusqu'à maintenant. Pourtant, ses lignes ne manquent pas de charme, mais la Pacifica ne se distingue pas assez des autres fourgonnettes pour conquérir un nouveau public et il semble que, jusqu'à présent, les *crossovers* représentent une meilleure solution de rechange.

HABITACLE ► C'est sans doute à ce chapitre que la Pacifica a le plus à offrir. Chrysler s'est clairement inspirée des grandes berlines pour dessiner l'intérieur et on se sent presque dans une Mercedes. Parmi les nouvelles caractéristiques du modèle 2007, mentionnons les sièges en tissu résistant aux taches, aux odeurs et à la statique, le tableau de bord et les garnitures de portières à deux tons, le graphisme amélioré des instruments et les sièges pour cinq ou six passagers. Si vous le pouvez, optez pour la version six places, beaucoup plus confortable et mieux conçue. La banquette désagréable qui fait office de fauteuil à trois places dans la version à cinq passagers enlève beaucoup de cachet à ce véhicule. Pour le prix, vous avez aussi droit à toute une gamme d'éléments de sécurité, comme les coussins gonflables latéraux à toutes les rangées de sièges, le dispositif électronique de stabilité programmé ESP, la commande électronique des gaz ETC, l'antipatinage et le système de caméra ParkView à l'arrière.

forces
- Habitacle confortable
- Moteur 4,0 litres enfin à la hauteur
- Tenue de route
- Freinage

faiblesses
- Moteur 3,8 litres
- Poids
- Visibilité arrière
- Modèle qui se cherche

nouveautés en 2007
- Carrosserie partiellement retouchée, nouveau moteur 4,0 litres avec boîte automatique à six rapports, rideaux gonflables latéraux et contrôle de stabilité électronique de série, nouveau tissu des sièges

Souhaitons que tout cela améliore la conduite.

COMPORTEMENT ▶ Nous l'avons souvent répété, la lourdeur est le pire ennemi de la performance. Le moteur de base de la Pacifica ne manque pas de cœur au ventre, mais le poids du véhicule est trop important pour ses petites bielles. Les 200 chevaux suffisent à peine à faire le travail. Cela nous laisse avec le nouveau moteur 4,0 litres doté d'un bloc moteur plus imposant, de 55 chevaux supplémentaires et de deux vitesses de plus pour déplacer en douceur la Pacifica. Je pense que Chrysler a trouvé une combinaison intéressante avec cette nouvelle mécanique. Il reste à savoir si cette décision n'a pas été prise un peu tard. Si vous en avez les moyens, le modèle à version intégrale est le plus intéressant. Dans l'ensemble, la Pacifica demeure confortable, silencieuse et très agréable pour les longs trajets.

MÉCANIQUE ▶ Après plusieurs essais infructueux, Chrysler adoptera une nouvelle stratégie en 2007. En plus du sous-motorisé V6 3,8 litres de 200 chevaux avec une désuète boîte automatique à quatre rapports (de série), Chrysler ajoute du muscle sous le capot: un nouveau V6 de 4,0 litres avec 255 chevaux et 265 de livres-pied de couple. Combiné à une boîte automatique à six rapports, il promet de bien meilleures performances. En mettant au point ce moteur, les ingénieurs ont mis l'accent sur cinq paramètres relatifs au bruit, aux vibrations et à la rudesse: vibration du moteur au support du groupe propulseur, émission du bruit, torsions du vilebrequin, bruit à l'admission d'air et qualité du son.

CONCLUSION ▶ Un bon produit mal né, ou simplement un véhicule à tout faire qui ne semble plaire à personne. Chrysler se donne encore un peu de temps avant de faire une percée ou d'éliminer ce modèle.

FICHE TECHNIQUE

MOTEURS

(Base) V6 3,8 l ACC 200 ch à 5000 tr/min
couple: 235 lb-pi à 4000 tr/min
Transmission: automatique à 4 rapports
0-100 km/h: 13,2 s
Vitesse maximale: 175 km/h
Consommation (100 km): 11,1 l (octane: 87)

(Touring, Limited)
V6 4,0 l SACT 255 ch à 6000 tr/min
couple: 265 lb-pi à 4200 tr/min
Transmission: automatique à 6 rapports avec mode manuel
0-100 km/h: 11,2 s
Vitesse maximale: 190 km/h
Consommation (100 km): nd (octane: 87)

Sécurité active
freins ABS, répartition électronique de force de freinage, antipatinage, contrôle de stabilité électronique

Suspension avant/arrière
indépendante

Freins avant/arrière
disques

Direction
à crémaillère, assistée

Pneus
P235/65R17, Limited: P235/55R19

DIMENSIONS
Empattement: 2954 mm
Longueur: 5052 mm
Largeur: 2013 mm
Hauteur: 1735 mm
Poids: FWD: 1967 kg, Touring FWD: 1990 kg, Touring AWD: 2083 kg, Limited AWD: 2141 kg
Diamètre de braquage: 12,1 m
Coffre: 368 l, 2550 l (sièges abaissés)
Réservoir de carburant: 87 l
Capacité de remorquage: 1600 kg

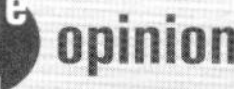

2e opinion

Michel Crépault • Chrysler vient de faire plusieurs gestes intelligents envers la Pacifica. Tout d'abord, en lui glissant sous le capot le plus puissant de ses V6 naturellement aspirés, la compagnie a résolu le problème du manque de muscles. Même chose pour l'apparition d'une transmission à six rapports. Enfin, l'idée de rendre standards des accessoires d'une valeur de 1600 $, alors que la concurrence les fait payer, et de diminuer le prix du véhicule d'environ 3000 $ par rapport aux modèles 2006, devrait rapporter de beaux dividendes. Combien de fois ai-je entendu dire que la Pacifica est une bonne voiture vendue trop chère ? Elle a peut-être eu le tort d'être un des premiers *crossovers* du marché, mais elle n'a pas dit son dernier mot!

PT CRUISER

19 840 $ à 33 080 $
Transport et préparation : 1050 $

www.daimlerchrysler.ca

PAS TROP RIDÉ

– Benoit Charette

FICHE D'IDENTITÉ

Version(s) : Classic, Touring, Limited, GT, Classic cabrio., Touring cabrio., GT cabrio.
Roues motrices : avant
Portières : 2, 4
Première génération : 2001
Génération actuelle : 2001
Construction : Toluca, Mexique
Sacs gonflables : 2, frontaux (latéraux en option)
Concurrence : Chevrolet HHR et Optra fam., Ford Focus fam., Mazda3 Sport, Mini Cooper cabrio., Pontiac Vibe, Subaru Impreza fam., Suzuki SX4, Toyota Matrix, VW Jetta fam. et New Beetle classic cabrio.

AU QUOTIDIEN

Prime d'assurance :
25 ans : 2900 à 2900 $
40 ans : 1400 à 1600 $
60 ans : 1200 à 1400 $
Collision frontale : 3/5
Collision latérale : 4/5
Ventes du modèle l'an dernier
Au Québec : 2201 **Au Canada :** 9705
Dépréciation (3 ans) : 60,7 %
Rappels (2001 à 2006) : 6
Cote de fiabilité : 3/5

Tout comme la New Beetle, la PT Cruiser a fait une entrée remarquée dans le nouveau millénaire. Après six ans sur le marché, cette voiture fait maintenant partie du paysage. Chevrolet s'est même servi des talents du créateur de la PT, Brian Nesmitt, pour réaliser la HHR. L'imitation n'est-elle pas la plus belle forme de la flatterie? Il reste maintenant à voir si la nouvelle Caliber lui fera du tort.

CARROSSERIE ▶ Difficile de changer les lignes d'un véhicule aussi singulier. L'an dernier, Chrysler a fait quelques retouches discrètes, comme de nouveaux boucliers à l'avant et à l'arrière, une grille de calandre chromée, des phares aux formes plus travaillées. Le style rétro a le désavantage de devenir désuet rapidement et la PT Cruiser a déjà quelques rides, mais la version cabriolet vieillit bien et reste la plus abordable et une des plus intéressantes du marché.

HABITACLE ▶ La PT cabriolet a plus d'espace pour les jambes à l'arrière que la moyenne des véhicules de cette catégorie et elle peut accueillir confortablement quatre adultes. Les sièges baquets arrière peuvent être repliés individuellement et rabattus vers l'avant pour augmenter le volume du coffre, ce qui permet de glisser deux sacs de golf dans l'étroite ouverture. L'ambiance rétro reste de mise avec les gros cadrans et les plastiques clinquants. Les nombreux espaces de rangement, les porte-gobelets pour les passagers arrière et une immense boîte à gants en font une voiture très pratique. La version GT est hélas dotée de sièges en cuir qui sont brûlants l'été, froids l'hiver et glissants en tout temps.

MÉCANIQUE ▶ Peu importe la version, vous aurez un moteur quatre cylindres 2,4 litres sous le capot. La Touring propose le moteur atmosphérique à double arbre à cames en tête qui développe 150 chevaux, jumelé

forces

- Le moins cher des cabriolets
- Intérieur spacieux
- À la fois chaleureuse et cool

faiblesses

- Accès au coffre difficile (cabriolet)
- Visibilité presque nulle (cabriolet)
- Moteur de base un peu paresseux

nouveautés en 2007

- Nouvelle sellerie de tissu, éclairage de la console centrale, lunette arrière à ouverture électrique de série, trois nouvelles couleurs de carrosserie

PT CRUISER

à une boîte manuelle à cinq rapports. En option : la version turbocompressée du même moteur, avec boîte automatique à quatre rapports, livre 180 chevaux. La GT propose un turbo plus puissant, de 230 chevaux. Celui-ci est disponible avec une boîte manuelle Getrag à cinq rapports ou une automatique à quatre rapports avec mode manuel AutoStick. Les autres éléments mécaniques significatifs de la GT sont les freins à disques avec antiblocage aux quatre roues. Quant aux autres modèles, ils comportent des freins à tambours à l'arrière. Dommage.

COMPORTEMENT ▶ Que vous soyez au volant d'un modèle coupé ou cabriolet, la rigidité de la caisse est sans défaut. Aucun craquement illicite, pas de rossignols dans le tableau de bord; cette voiture construite au Mexique passe très bien le test. La puissance relative de la mécanique de base est toutefois suffisante pour ceux qui recherchent la ligne avant la puissance. Le meilleur compromis est le moteur de 180 chevaux car, si en théorie la version GT offre 50 chevaux de plus, sur la route ils ne semblent pas tous présents. La puissance est bonne et la boîte Getrag, précise (pour une américaine), mais la différence n'est pas assez significative pour justifier l'écart de prix. Enfin, nous déplorons l'avertisseur sonore qui émet cinq *beep* agaçants chaque fois que vous passez en marche arrière. Quelle idée stupide et inutile! Et puis, comme pour la majorité des cabriolets, la visibilité est nulle.

CONCLUSION ▶ Différente, pratique et abordable, la PT Cruiser doit maintenant évoluer tout en conservant son caractère unique. Sous sa forme actuelle, elle est vouée à une extinction rapide.

FICHE TECHNIQUE

MOTEURS

(Classic, Touring et Limited) L4 2,4 l DACT 150 ch à 5100 tr/min
couple : 165 lb-pi à 4000 tr/min
Transmission : manuelle à 5 rapports, automatique à 4 rapports (option)
0-100 km/h : 10,5 s
Vitesse maximale : 175 km/h
Consommation (100 km) : man. : 10,2 l, auto. : 10,9 l (octane : 87)

(Touring cabrio., option Touring) L4 2,4 l turbo DACT 180 ch à 5200 tr/min
couple : 210 lb-pi à 2800 tr/min
Transmission : automatique à 4 rapports
0-100 km/h : 8,9 s
Vitesse maximale : 195 km/h
Consommation (100 km) : 12,1 l (octane : 91)

(GT) L4 2,4 l turbo DACT 230 ch à 5100 tr/min
couple : 245 lb-pi à 2800 tr/min
Transmission : manuelle à 5 rapports, automatique à 4 rapports (option)
0-100 km/h : 7,5 s
Vitesse maximale : 195 km/h
Consommation (100 km) : 13,3 l (octane : 93)

Sécurité active
freins ABS et antipatinage (GT), ABS optionnel (Classic, Touring, Limited)

Suspension avant/arrière
indépendante

Freins avant/arrière
disques/tambours, GT : disques aux 4 roues

Direction
à crémaillère, assistée

Pneus
Classic et Touring : P195/65R15
Limited :P205/55R16, GT : P205/50R17

DIMENSIONS
Empattement : 2616 mm
Longueur : 4290 mm
Largeur : 1705 mm
Hauteur : 1601 mm, cabrio. : 1539 mm
Poids : Classic, Touring : 1395 kg, Limited, GT : 1421 kg, Touring cabrio. : 1498 kg, GT cabrio. : 1568 kg
Diamètre de braquage : Classic : 11,6 m, Touring : 12,2 m, Limited : 12,3 m, GT : 12,8 m
Coffre : 620 l, 1780 l (sièges abaissés), cabrio. : 210 l
Réservoir de carburant : 57 l

opinion

Pascal Boissé • On aime son faux air de *hot-rod* ou on déteste franchement. Même si l'effet de mode de son design rétro est terminé depuis longtemps, la PT demeure un véhicule astucieux, très bien conçu et doté d'un intérieur pratique et spacieux. Elle a autant de personnalité à l'intérieur qu'à l'extérieur et, en plus, c'est un véhicule aussi plaisant à conduire en ville que sur la route. C'est simple, j'adore la version GT avec son moteur de 230 chevaux et muni d'une boîte manuelle Getrag. Elle fait partie des voitures que j'ai eu beaucoup de difficulté à rapporter au terme de mon essai routier. D'ailleurs, si j'avais un budget pour faire rouler plusieurs véhicules, il y en aurait une dans mon garage depuis longtemps.

SEBRING

nouveauté | nd
Transport et préparation : nd

www.daimlerchrysler.ca

FICHE D'IDENTITÉ

Version(s) : Base, Base V6, Touring, Limited, Limited 3.5
Roues motrices : avant
Portières : 4
Première génération : 1995
Génération actuelle : 2007
Construction : Sterling Heights, Michigan, É.-U
Sacs gonflables : 6, frontaux, latéraux avant et rideaux latéraux
Concurrence : Chevrolet Malibu, Ford Fusion, Honda Accord, Hyundai Sonata, Kia Magentis, Mazda6, Mitsubishi Galant, Nissan Altima, Pontiac G6, Saturn Aura, Subaru Legacy, Toyota Camry

AU QUOTIDIEN

Prime d'assurance :
25 ans : 2800 à 3000 $
40 ans : 1600 à 1800 $
60 ans : 1100 à 1300 $
Collision frontale : nd
Collision latérale : nd
Ventes du modèle l'an dernier (berline)
Au Québec : 2865 **Au Canada :** 15 160
Dépréciation (3 ans) : 67,3 %
Rappels (2001 à 2006) : 7
Cote de fiabilité : 3/5

UN NOUVEAU VENT DU SUD

– Benoit Charette

Ordinaire serait le meilleur qualificatif pour décrire la génération de Sebring apparue sur nos routes en 2001. Elle ne souffrait pas de vilains défauts, mais ne possédait pas non plus de grandes qualités. Un rôle difficile à jouer pour une voiture qui avait la lourde tâche de concurrencer les meilleures berlines japonaises. En 2007, Chrysler jouera, comme avec beaucoup d'autres modèles, la carte de la provocation avec un véhicule beaucoup plus expressif, et la marque espère ainsi tirer son épingle du jeu.

CARROSSERIE ▶ La silhouette de la Sebring est inspirée du prototype Airflite, dévoilé au Salon de l'auto de Genève en 2003. De face, on reconnaît la calandre typique de la marque avec son capot en relief et ses grands phares quadruples. La longue ligne de toit effilée donne l'impression d'un véhicule à cinq portes, signe que Chrysler vise le marché européen avec ce modèle. Les traits plus prononcés et plus profondément sculptés procurent une nouvelle allure athlétique à la voiture. La partie arrière est de loin la plus provocante. Les larges feux s'intègrent dans les custodes et se prolongent sur la porte du coffre. Au Canada, les modèles auront un échappement double plus sportif. Pour la Sebring décapotable, il faudra attendre 2008.

HABITACLE ▶ Tous les modèles de la Chrysler Sebring ont un intérieur de deux teintes contrastées, gris ardoise et beige galet (crème et beige pour le modèle Limited pourvu de sièges à ornements en cuir bicolores). Mais la grande nouveauté règne au centre de la console. Il s'agit d'un système de divertissement et d'information qui regroupe toutes les fonctions vitales de la voiture en un seul module. Ce système Harmon/Becker, qui comprend un écran tactile de 17 centimètres, réagit à des commandes vocales et intègre plusieurs nouvelles fonctions, dont un disque dur de 20 gigaoctets comprenant Music Juke Box pour organiser la musique et les images. Une

forces
- Lignes beaucoup plus audacieuses
- Meilleure finition
- Technologie de pointe embarquée

faiblesses
- Il faudra faire des essais avant de la juger

nouveautés en 2007
- Modèle entièrement redessiné, version cabriolet discontinuée

prise USB assure à la fois la connectivité MP3 et le téléchargement des fichiers WMA, MP3 et JPEG. Ce système exploite aussi la technologie Bluetooth, permet des enregistrements vocaux d'une durée de trois minutes à l'aide du microphone intégré au rétroviseur, et offre la radio par satellite Sirius. Un intérieur qui n'a maintenant plus rien à envier à la concurrence.

MÉCANIQUE ▶ Sous le capot, Chrysler a mis à jour ses mécaniques de base et ajouté une option de plus pour 2007. L'offre comprend le même moteur à quatre cylindres de 2,4 litres que pour l'ancienne version, toujours associé à un boîtier automatique à quatre rapports, mais sa puissance passe de 150 à 172 chevaux ; puis le moteur V6 de 2,7 litres et de 190 chevaux, au régime plus bas que le moteur de 2,7 litres de l'ancienne version, ce qui permet une légère économie de carburant. La nouveauté est le moteur V6 de 3,5 litres et 235 chevaux associé à une boîte automatique à six rapports, qui permettra de concurrencer les meilleures berlines japonaises au V6 moderne.

COMPORTEMENT ▶ Difficile de se prononcer sur un véhicule qui n'a pas encore pris la route. Disons simplement que Chrysler s'est fortement inspiré du succès des modèles 300 et Charger pour redonner vie à la Sebring. Comme le disait si bien Jean de La Fontaine, si le ramage se rapporte au plumage, cette nouvelle mouture a toutes les chances de connaître du succès.

CONCLUSION ▶ Il est intéressant de constater que Chrysler a réussi à moderniser sur tous les plans une voiture peu inspirante et à la rendre un peu plus conforme au goût du jour. Le temps nous dira si cette métamorphose est suffisante pour lutter à armes égales contre les ténors japonais.

FICHE TECHNIQUE

MOTEURS

(Base) L4 2,4 l DACT 172 ch à 6000 tr/min
couple : 165 lb-pi à 4400 tr/min
Transmission : automatique à 4 rapports
0-100 km/h : 9,8 s
Vitesse maximale : 180 km/h
Consommation (100 km) : 9,2 l (octane : 87)

(Touring et Limited, option Base) V6 2,7 l SACT 190 ch à 6400 tr/min
couple : 190 lb-pi à 4000 tr/min
Transmission : automatique à 4 rapports
0-100 km/h : 9,2 s
Vitesse maximale : 180 km/h
Consommation (100 km) : 9,9 l (octane : 87)

(Limited) V6 3,5 l SACT 235 ch à 6400 tr/min
couple : 232 lb-pi à 4000 tr/min
Transmission : automatique à 6 rapports avec mode manuel
0-100 km/h : 7,7 s
Vitesse maximale : 210 km/h
Consommation (100 km) : 10,3 l (octane : 87)

Sécurité active
freins ABS, assistance au freinage, antipatinage, contrôle de stabilité électronique

Suspension avant/arrière
indépendante

Freins avant/arrière
disques

Direction
à crémaillère, assistée

Pneus
Base : P215/65R16, Touring : P215/60R17, Limited : P215/55R18

DIMENSIONS

Empattement : 2766 mm
Longueur : 4842 mm
Largeur : 1808 mm
Hauteur : 1498 mm
Poids : Base : 1491 kg, Base V6 : 1522 kg, Touring : 1531 kg, Limited : 1551 kg, Limited 3.5 : 1582 kg
Diamètre de braquage : 11,1 m
Coffre : 385 l
Réservoir de carburant : 64 l

opinion

Hugues Gonnot • On se dit qu'il est loin, le temps des K-Cars, lorsqu'on examine la gamme Chrysler d'aujourd'hui. Et la nouvelle Sebring ne semble pas faire exception. Le dessin réussi et original ne demanderait finalement qu'un porte-à-faux arrière un peu plus long. Les designers ont probablement été un peu freinés par les dimensions de la plateforme, dérivée de celle de la Caliber. On retrouve un intérieur truffé de petits trucs destinés à vous faciliter la vie : porte-gobelets chauffants ou réfrigérés, tissu antitaches et antiodeurs, disque dur de 20 gigaoctets et toute la connectivité moderne. Cela et le nouveau V6 de 3,5 litres devraient aider la Sebring à sortir d'un rôle qui la cantonnait surtout dans la cour des loueurs.

CALIBER

nouveauté | 15 995 $ à 23 995 $ |
Transport et préparation : 1050 $

www.daimlerchrysler.ca

FICHE D'IDENTITÉ

Version(s) : SE, SXT, R/T
Roues motrices : avant, 4
Portières : 4
Première génération : 2007
Génération actuelle : 2007
Construction : Belvidere, Illinois, É.-U.
Sacs gonflables : 4, frontaux et rideaux latéraux, (latéraux avant en option)
Concurrence : Chrysler PT Cruiser, Chevrolet Optra, Ford Focus, Kia Spectra5, Mazda3 Sport, Nissan Versa, Pontiac Vibe, Subaru Impreza fam., Suzuki SX4, Toyota Matrix, Volkswagen Rabbit

AU QUOTIDIEN

Prime d'assurance :
25 ans : 2000 à 2200 $
40 ans : 1300 à 1500 $
60 ans : 1100 à 1300 $
Collision frontale : 5/5
Collision latérale : 5/5
Ventes du modèle l'an dernier
Au Québec : nm **Au Canada :** nm
Dépréciation (3 ans) : nm
Rappels (2001 à 2006) : nm
Cote de fiabilité : nm

SI SEMBLABLES ET POURTANT SI DIFFÉRENTES

– Hugues Gonnot

Lorsqu'on examine les automobiles américaines, on se rend compte qu'elles ne trouvent vraiment leur place qu'en Amérique du Nord. Au contraire, on peut vendre une Volkswagen ou une Mercedes à travers le monde sans grands changements. Cette fois-ci, les gens de Dodge ont décidé de donner une saveur plus mondiale à leur nouvelle compacte. Plus mondiale, mais tout en restant américaine. Quadrature du cercle, vous avez dit ?

CARROSSERIE ▶ Quand il est question du design américain, on pense à des grosses voitures, mais aussi aux camions ou aux utilitaires sport. Histoire de séduire sur leur propre marché et de se distinguer à l'étranger, les designers de Dodge ont choisi de donner à la Caliber des airs de petit VUS. On y retrouve donc une calandre inspirée du Ram, des ailes avant semi-détachées, d'imposants passages de roues, une ceinture de caisse assez haute et des lignes taillées à la serpe. Et force est de reconnaître que ça marche. Mais, comme nous allons le voir, il y a quatre versions aux différences bien marquées.

Commençons par l'entrée de gamme, la SE. Elle possède les lignes réussies de la gamme, mais les roues en acier de 15 pouces semblent perdues au milieu de ces immenses arches. Rajoutez une finition monochrome à peu près partout et la SE fait dépouillée. Un peu trop.

Vient ensuite la SXT avec des roues en acier dont la taille, qui passe à 17 pouces, s'accorde nettement mieux aux lignes de la voiture. D'autant qu'elle reçoit une calandre chromée et des moulures de portes additionnelles. La SXT Sport bénéficie en plus de jantes en aluminium et de phares antibrouillards. Ainsi équipée, la Caliber a déjà pas mal plus de gueule.

Puis vient la R/T qui bénéficie, en plus, de roues en aluminium de 18 pouces (chromées en option) et de touches de chrome (poignées de portière, échappement et moulures latérales).

Enfin, il y a la SRT4. Si vous croyez que la version basée sur la Neon était méchante, attendez un peu de voir ce qui s'en vient !

forces

- Design distinctif
- Quelques équipements originaux
- Tenue de route dans la moyenne
- Boîte CVT intéressante
- Espace intérieur

faiblesses

- Versions SE et R/T à éviter
- Plastiques intérieurs qui manquent encore un peu de distinction
- Absence d'ESP au Canada

nouveautés en 2007

- Nouveau modèle remplaçant la Dodge SX 2.0

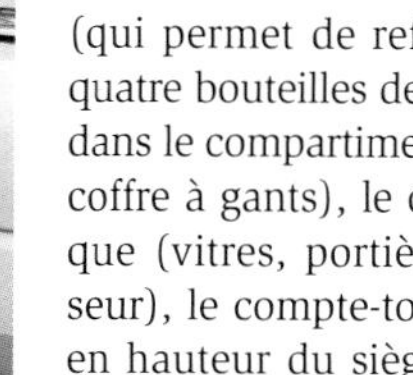

D'ailleurs, l'extérieur annonce déjà la couleur : grille avancée (à cause du refroidisseur d'air), prises d'air additionnelles sur le capot et sous le pare-chocs, voies élargies, roues de 19 pouces, bas de caisse, spoiler agrandi, extracteur d'air à l'arrière et embout d'échappement chromé de presque 9 centimètres de diamètre.

HABITACLE ▶ Quand on parcourt la liste des équipements de la Caliber, on se dit que la voiture doit être super cool. Oui, mais pas dans la version de base SE, où l'équipement est réduit au minimum et où l'aspect monochrome qui règne à peu près partout est assez déprimant. C'est très rare aujourd'hui de trouver une voiture sans le moindre élément de confort électrique. À 16 000 $, on trouve facilement, ailleurs, des voitures mieux équipées. De plus, les plastiques ont certes fait des progrès, mais on trouve mieux dans n'importe quelle voiture asiatique. Au moins, les sièges sont confortables et, grâce à une colonne de direction inclinable, on trouve une position de conduite acceptable. De série, on bénéficie quand même de porte-gobelets illuminés, d'un rangement pour cellulaire ou lecteur MP3 dans la console centrale, d'une banquette arrière rabattable 60/40, de sacs gonflables adaptatifs à l'avant, de rideaux gonflables et de protège-genoux gonflables pour le conducteur. C'est trop juste, on oublie !

Pour seulement 1600 $ de plus, vous aurez avec la SXT la climatisation avec fonction ChillZone (qui permet de refroidir jusqu'à quatre bouteilles de 600 millilitres dans le compartiment inférieur du coffre à gants), le confort électrique (vitres, portières et rétroviseur), le compte-tours, le réglage en hauteur du siège conducteur, le siège passager rabattable à plat, la banquette inclinable, la lampe de poche amovible intégrée au plafonnier, et la prise de 115 volts dans la console centrale. La SXT Sport bénéficie en plus d'une garniture bicolore des sièges (quatre couleurs disponibles pour l'assise et le bas du dossier, selon la couleur de la carrosserie) et de la garniture de la console centrale assortie. Enfin, la R/T a un volant gainé de cuir avec commandes audio intégrées et un régulateur de vitesse. La SRT4 aura droit, quant à elle, à un intérieur en cuir comprenant le volant et le levier de vitesses, un manomètre de pression du turbo et un changeur de disques.

Parmi les options intéressantes, on retrouve un système audio à neuf haut-parleurs Boston Acoustics d'une puissance de 458 watts (rien de moins…), comprenant un système original de haut-parleur rabattable intégré au hayon, pour faire le party avec les amis.

MÉCANIQUE ▶ On ne peut pas accuser Dodge de nous servir du réchauffé, puisque la Caliber a été conçue à partir d'une feuille blanche. La toute nouvelle plateforme sert aussi aux Jeep Compass et Patriot ainsi qu'à la Chrysler Sebring.

Côté moteurs, Chrysler s'est associé avec Mitsubishi et Hyundai (du temps où ils étaient encore partenaires de DaimlerChrysler) pour développer une nouvelle génération de blocs qui présentent un calage variable des soupapes d'admission et d'échappement. Les SE et SXT viennent de série avec le 1,8 litre et peuvent recevoir en option le 2,0 litres ainsi qu'une intéressante boîte à variation continue (CVT)

HISTOIRE ▼

L'universelle

Depuis les années 1960, le constructeur américain Chrysler a toujours proposé de petites voitures, parfois en les développant lui-même, parfois en utilisant des ressources étrangères. En 1960, Chrysler a répliqué à GM et sa Corvair en lançant la Dart, un produit typiquement américain. Mais, lorsque « l'invasion japonaise » a surpris les constructeurs américains dans les années 1970, Chrysler a eu recours à son partenaire britannique Sunbeam et à la compagnie japonaise Mitsubishi pour lancer rapidement la Plymouth Cricket et la Dodge Colt. Puis, le duo Omni/Horizon des années 1970 est né avec la « collaboration » de sa filiale française d'alors, Simca. Le Modèle K (Aries/Reliant) des années 1980, puis la Neon, des années 1990, seront les premières petites Chrysler de conception locale. La nouvelle Caliber va dans le même sens et devrait même permettre à Chrysler, plus encore que la Neon, de percer le marché automobile européen.

Omni 1978

Aries 1981

Shadow 1988

Prototype Neon 1991

Neon 2000

CALIBER

GALERIE ▼

1 • Avec la banquette arrière rabattable de type 60/40 et un hayon qui s'ouvre grand, la Caliber dispose de beaucoup d'espace pour les bagages.

2 • Parmi les options intéressantes, notons le système audio à neuf haut-parleurs Boston Acoustics d'une puissance de 458 watts, comprenant un système original de haut-parleur rabattable intégré au hayon.

3 • La version SXT profite de la climatisation avec fonction ChillZone (qui permet de refroidir jusqu'à quatre bouteilles de 600 millilitres dans le compartiment inférieur du coffre à gants.

4 • La SXT Sport bénéficie en plus d'une garniture bicolore des sièges (quatre couleurs disponibles pour l'assise et le bas du dossier, selon la couleur de la carrosserie) et de la garniture de la console centrale assortie.

5 • Histoire de séduire les gens sur son propre marché et de se distinguer à l'étranger, la Caliber a des airs de petit VUS, gracieuseté des designers de Dodge.

1

2

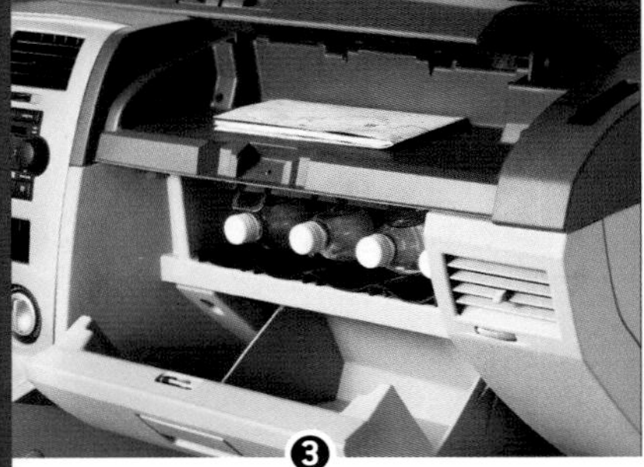

3

4

5

développée par l'un des spécialistes du genre, le japonais JATCO (qui appartient à Nissan, soit dit en passant). Ces deux moteurs ne sont pas des foudres de guerre, mais ils font un excellent travail en conduite de tous les jours et la CVT travaille bien de concert. La R/T en est équipée d'office, avec le bloc de 2,4 litres. Désolé, mais au volant on cherche les 172 chevaux annoncés, tant la voiture paraît vache. Probablement à cause de la transmission intégrale, elle aussi de série, qui rajoute environ 130 kilos. Autre inconvénient, la R/T consomme beaucoup trop. Bref, un ensemble motopropulseur peu convaincant. Pour obtenir le 2,4 litres sans la traction intégrale, il faudra s'intéresser aux Jeep Compass ou Patriot.

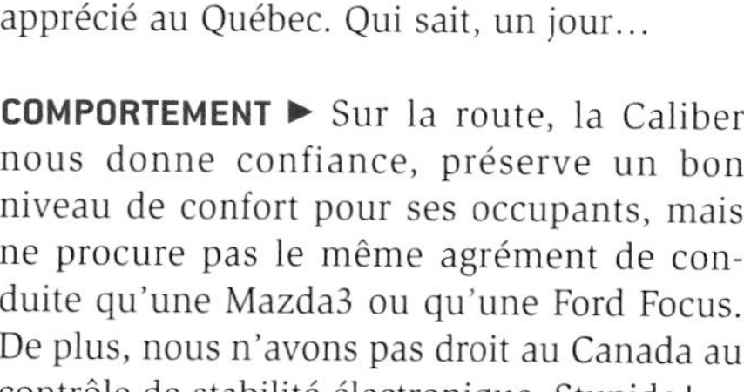

C'est la SRT4 qui s'annonce comme la voiture de toutes les démesures : le 2,4 litres reçoit l'apport d'un turbo qui fait grimper la puissance à 300 chevaux. Mais, tenez-vous bien (c'est le cas de le dire), sur les seules roues avant ! Heureusement, un différentiel à glissement limité est prévu. La SRT4 aura droit à une exclusive boîte six manuelle. Enfin, les marchés d'export auront droit à un turbodiesel de 2,0 litres développant 140 chevaux. Nul doute que ce moteur serait particulièrement apprécié au Québec. Qui sait, un jour…

COMPORTEMENT ► Sur la route, la Caliber nous donne confiance, préserve un bon niveau de confort pour ses occupants, mais ne procure pas le même agrément de conduite qu'une Mazda3 ou qu'une Ford Focus. De plus, nous n'avons pas droit au Canada au contrôle de stabilité électronique. Stupide !

CONCLUSION ► Procédons par élimination. Le modèle SE est trop mal équipé pour être intéressant en fonction du prix demandé. La R/T manque de vigueur, boit comme un trou et n'est pas donnée. La version SXT est en revanche un véhicule homogène, plaisant à l'œil, correctement équipé en fonction du prix et agréable à conduire au quotidien. C'est la seule version recommandable.

Reste maintenant à conduire la SRT4. Ouh… Un petit frisson me parcourt la colonne vertébrale, juste par anticipation…

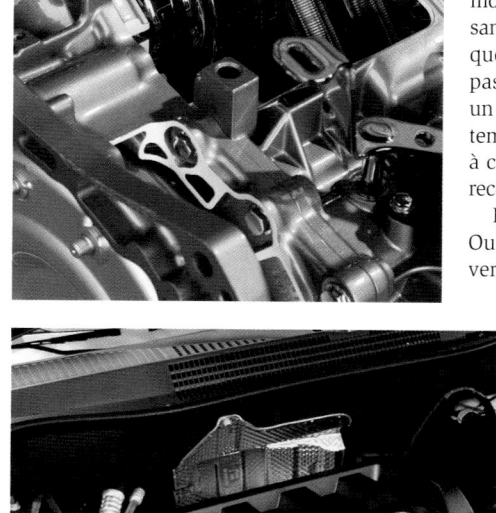

FICHE TECHNIQUE

MOTEURS
(SE et SXT) L4 1,8 l DACT 148 ch à 6500 tr/min
couple : 125 lb-pi à 5200 tr/min
Transmission : manuelle à 5 rapports
0-100 km/h : 10,7 s
Vitesse maximale : 185 km/h
Consommation (100 km) : 7,7 l (octane : 87)

(option, SE et SXT) L4 2,0 l DACT 158 ch à 6400 tr/min
couple : 141 lb-pi à 5000 tr/min
Transmission : automatique à variation continue
0-100 km/h : 10,8 s
Vitesse maximale : 185 km/h
Consommation (100 km) : 8,2 l (octane : 87)

(R/T) L4 2,4 l DACT 172 ch à 6500 tr/min
couple : 165 lb-pi à 4400 tr/min
Transmission : automatique à variation continue avec mode manuel
0-100 km/h : 10,1 s
Vitesse maximale : 190 km/h
Consommation (100 km) : 9,3 l (octane : 87)

Sécurité active
freins ABS, antipatinage et contrôle de stabilité électronique en option

Suspension avant/arrière
indépendante

Freins avant/arrière
disques/tambours, R/T : disques aux 4 roues

Direction
à crémaillère, assistée

Pneus
SE : P205/70R15, SXT : P205/55R17, R/T : P215/55R18

DIMENSIONS
Empattement : 2635 mm
Longueur : 4414 mm
Largeur : 1747 mm
Hauteur : 1533 mm
Poids : SE : 1345 kg, SXT : 1378 kg, R/T : 1501 kg
Diamètre de braquage : SE et SXT : 10,8 m, R/T : 11,3 m
Coffre : 525 l, 1360 l (sièges abaissés)
Réservoir de carburant : SE et SXT : 51,5 l, R/T : 51,1 l

2e opinion

Luc Gagné • L'allure moderne de la Caliber, le grand choix de motorisation et l'habitacle transformable sont autant d'atouts qui la rendent séduisante. Malheureusement, l'abondance de plastiques à l'intérieur et une finition perfectible l'empêchent d'atteindre le niveau d'une Toyota Matrix. En revanche, la conduite est agréable et l'espace intérieur convient à une petite famille n'ayant qu'un enfant. Certains critiques se disent irrités par la boîte de vitesses à variation continue. À mon avis, c'est surtout une affaire d'habitudes de conduite : lorsqu'on conduit la même voiture pendant trois ou quatre ans, ou plus longtemps, progressivement on apprivoise les nouveaux systèmes. On s'habitue…

CARAVAN

évolution | 24 720 $ à 29 995 $ |
Transport et préparation : 1200 $

www.daimlerchrysler.ca

AU POSTE, ENCORE ET TOUJOURS

– Jean-Pierre Bouchard

FICHE D'IDENTITÉ

Version(s) : Caravan et Grand : Base, SXT, Caravan : C/V
Roues motrices : avant
Portières : 4
Première génération : 1984
Génération actuelle : 2001
Construction : St. Louis, Missouri, É.-U. ; Windsor, Ontario, Canada
Sacs gonflables : 2, frontaux, (lat. en option)
Concurrence : Buick Terraza, Chevrolet Uplander, Ford Freestar, Honda Odyssey, Hyundai Entourage, Kia Sedona, Nissan Quest, Pontiac Montana SV6, Saturn Relay, Toyota Sienna

AU QUOTIDIEN

Prime d'assurance :
25 ans : 2200 à 2400 $
40 ans : 1400 à 1600 $
60 ans : 1000 à 1200 $
Collision frontale : 4/5
Collision latérale : 5/5
Ventes du modèle l'an dernier
Au Québec : 14 783 **Au Canada :** 65 002
Dépréciation (3 ans) : 64,5 %
Rappels (2001 à 2006) : 9
Cote de fiabilité : 2/5

La Caravan est, sans contredit, un des véhicules qui auront non seulement contribué au succès de DaimlerChrysler, mais également posé un jalon dans l'histoire de l'automobile. La plupart des constructeurs l'ont d'ailleurs imitée ; et plusieurs l'ont surpassée, dont les Coréens. L'« Autobeaucoup » refuse toutefois de lâcher prise.

CARROSSERIE ► L'actuelle génération de Caravan remonte à 1996, avec un remodelage de milieu de vie pour le millésime 2001. Depuis lors, le véhicule a bénéficié de peu d'améliorations, exception faite de la Grand Caravan, dont la plateforme a été révisée en 2005 et qui comprend maintenant le système de sièges Stow 'n Go. La recette comporte toujours les mêmes ingrédients, mais la Caravan continue néanmoins d'afficher une allure classique et intemporelle, qui se fond au paysage automobile. Au menu, deux configurations possibles dans les versions de base et SXT : à empattement régulier (Caravan) ou allongé (Grand Caravan). Chacune des versions peut transporter jusqu'à sept passagers. Dodge propose également la version courte en utilitaire.

HABITACLE ► Au fil des ans, la qualité de finition s'est améliorée chez DaimlerChrysler. L'habitacle de la fourgonnette demeure, compte tenu de son prix de base, assez bien exécuté. La résistance à l'usure est néanmoins aléatoire et précaire. Les baquets avant procurent un bon confort, alors que le conducteur bénéficie d'une instrumentation lisible et de commandes bien disposées. À l'instar des autres véhicules de cette catégorie, la Caravan mise sur la polyvalence. Ce trait est particulièrement marqué à bord de la Grand Caravan SXT, dotée de série du pratique système Stow 'n Go qui permet d'escamoter les sièges des deuxième et troisième rangées sous le plancher, ce qui évite d'encombrer le sous-sol ou le garage. L'accès aux places médianes ne pose aucune difficulté particulière. La dernière banquette n'est toutefois pas la plus confortable, et puis, une fois en place, elle réduit le volume de chargement des modèles à empattement

forces
- Prix de base
- Système Stow 'n Go
- Habitabilité

faiblesses
- Groupes motopropulseurs désuets
- Insonorisation
- Valeur de revente

nouveautés en 2007
- Modèle Ensemble Valeur arrivé plus tôt dans l'année, deux nouvelles couleurs de carrosserie

régulier. Les sièges du système Stow 'n Go sont un peu minces, alors que leur assise est basse et que les appuie-tête ne sont pas assez haut pour protéger la tête des occupants plus grands que la moyenne. Le confort y est donc limité.

MÉCANIQUE ► Aucune nouveauté sous le capot. Les Caravan de base et SXT, ainsi que la Grand Caravan de base, comptent sur le V6 de 3,3 litres de 170 chevaux. La Grand Caravan SXT, elle, reçoit le V6 de 3,8 litres de 200 chevaux. Ces deux moteurs sont jumelés à une seule boîte automatique à quatre rapports, alors que la plupart des rivales asiatiques disposent d'un rapport additionnel. Ces groupes motopropulseurs ne sont pas les plus modernes du constructeur. Le premier effectue un travail adéquat, surtout du côté des versions à empattement régulier. Le 3,8 litres, pour sa part, montre plus d'entrain. Les accélérations et surtout les reprises sont plus vives. Ce moteur permet, une fois appuyé par l'ensemble remorquage approprié, de tirer des charges de 1724 kilos.

COMPORTEMENT ► Parmi les fourgonnettes en lice du côté américain, la Caravan affiche un comportement routier honnête. Ce véhicule est doté d'une suspension assez confortable dans la plupart des situations, et son agrément de conduite est adéquat. L'oreille devra toutefois s'habituer aux bruits de route, de vent, de suspension arrière…

La Grand Caravan SXT est la plus homogène de la famille. Une suggestion pour un meilleur comportement routier: sélectionnez le groupe remorquage, qui comprend le correcteur d'assiette automatique.

CONCLUSION ► En version de base, la Caravan est la fourgonnette la moins chère sur le marché et constitue un achat honnête, à défaut d'être enthousiasmant. La version allongée SXT est recommandable, mais son prix avoisine celui d'autres concurrentes mieux établies sur le plan de la fiabilité et de la valeur de revente. À prix comparable, jetez un coup d'œil à la Hyundai Entourage ou à sa cousine, la Kia Sedona.

FICHE TECHNIQUE

MOTEURS

(Base) V6 3,3 l ACC
170 ch à 5000 tr/min
couple: 200 lb-pi à 4000 tr/min
Transmission: automatique à 4 rapports
0-100 km/h: 11,2 s
Vitesse maximale: 175 km/h
Consommation (100 km): 10,2 l (octane: 87)

(SXT) V6 3,8 l ACC 200 ch à 5200 tr/min
couple: 235 lb-pi à 4000 tr/min
Transmission: automatique à 4 rapports
0-100 km/h: 10,8 s
Vitesse maximale: 175 km/h
Consommation (100 km): 11,1 l (octane: 87)

Sécurité active
freins ABS (option, de série dans Grand Caravan SXT)

Suspension avant/arrière
indépendante/essieu rigide

Freins avant/arrière
disques/tambours
Grand Caravan SXT: disques aux 4 roues

Direction
à crémaillère, assistée

Pneus
P215/70R15

DIMENSIONS

Empattement: Caravan: 2878 mm, Gd Caravan: 3030 mm
Longueur: Caravan: 4808 mm, Gd Caravan: 5093 mm
Largeur: 1997 mm
Hauteur: Caravan: 1749 mm, Gd Caravan: 1750 mm
Poids: 1707 kg à 1962 kg
Diamètre de braquage: Caravan: 11,5 m, Gd Caravan: 12,0 m
Coffre: Caravan: 670 l, 3650 l (sièges abaissés), Gd Caravan: 920 l, 4080 l (sièges abaissés)
Réservoir de carburant: 75 l
Capacité de remorquage: 1724 kg

opinion

Antoine Joubert • J'ai voyagé souvent à bord d'une Caravan. Chaque fois, j'ai découvert un véhicule qui n'est certes pas très excitant, mais qui effectue parfaitement le boulot pour lequel il a été conçu. Bien meilleure que ses deux rivales nord-américaines, la Caravan propose confort, habitabilité et polyvalence à un prix qui défie toute concurrence. Bien sûr, elle n'a ni le raffinement ni la puissance d'une Odyssey ou d'une Sienna, mais ces rivales nippones sont si chères que toute comparaison est difficile. Si votre mode de vie vous oblige à opter pour ce type de véhicule et que vous ne tenez pas nécessairement à une conduite dynamique, la Caravan, malgré son âge, est toujours le véhicule à battre.

évolution | 28 090 $ à 45 410 $ |
Transport et préparation : 1300 $

www.daimlerchrysler.ca

PIED DE NEZ À LA CONCURRENCE

– **Antoine Joubert**

FICHE D'IDENTITÉ

Version(s) : SE, SXT, R/T, SXT AWD, R/T AWD, SRT8
Roues motrices : arrière, 4
Portières : 4
Première génération : 2006
Génération actuelle : 2006
Construction : Brampton, Ontario, Canada
Sacs gonflables : 2, frontaux, (latéraux avant et rideaux latéraux en option)
Concurrence : Buick Allure, Chevrolet Impala, Chrysler 300, Ford Five Hundred, Mercury Grand Marquis, Pontiac Grand Prix

AU QUOTIDIEN

Prime d'assurance :
25 ans : 3200 à 3400 $
40 ans : 2300 à 2500 $
60 ans : 1800 à 2000 $
Collision frontale : 5/5
Collision latérale : 4/5
Ventes du modèle l'an dernier
Au Québec : 496 **Au Canada :** 2919
Dépréciation (3 ans) : nm
Rappels (2001 à 2006) : 1
Cote de fiabilité : nm

La catégorie des berlines pleine grandeur, destinée principalement aux flottes de location et aux voyageurs de commerce, n'est pas la plus excitante. Toutefois, comme c'est désormais le cas de la majorité des produits de la marque, la Charger n'a, contrairement à la concurrence, rien d'ennuyeux. Elle renoue plutôt brillamment avec un passé glorieux, servie par une technologie tout à fait actuelle.

CARROSSERIE ► On peut comparer une Charger et un joueur de football : les versions SE et SXT seraient un footballeur en tenue de ville, sans équipement, qui affiche néanmoins muscles et caractère ; la version R/T se comparerait à l'athlète qui se présente dans le vestiaire avec son équipement sur l'épaule ; tandis que la SRT8 représenterait l'homme vêtu de son attirail, prêt à l'attaque. Quant aux versions R/T Daytona et la nouvelle SRT8 Super Bee, certains de leurs artifices seraient comparables aux bandes noires que les footballeurs se crayonnent sous les yeux, et peut-être même à leurs ecchymoses ! Quoi qu'il en soit, la Charger est une totale réussite sur le plan esthétique.

HABITACLE ► La planche de bord de la Charger est identique à celle de la Magnum, ce qui constitue un bon point. Le faux aluminium brossé est présent sur toutes les versions, de même que les cadrans circulaires sur fond blanc, qui s'illuminent façon Indiglo le soir venu. L'habitacle ultraspacieux, à la finition et aux matériaux adéquats, loge confortablement quatre adultes. Toutefois les sièges avant, lorsqu'ils sont revêtus de cuir, sont glissants et manquent de soutien latéral. Qu'à cela ne tienne, la version SRT8 règle ce problème en proposant de véritables baquets sport recouverts de cuir et de suède, avec broderie spécifique.

MÉCANIQUE ► Un grand choix de versions permet d'obtenir une puissance variant de

forces

- Gueule d'enfer
- De 250 à 425 chevaux
- Habitacle spacieux et confortable
- Excellent comportement routier

faiblesses

- Consommation d'essence importante (R/T et SRT8)
- Manque de soutien latéral des sièges (sauf SRT8)
- Version SE peu attrayante

nouveautés en 2007

- Moteur 2,7 litres discontinué, deux nouvelles versions à traction intégrale, nouvel aileron arrière optionnel (SXT), jantes de 18 pouces chromées optionnelles (SXT), radio satellite Sirius (R/T), système de navigation optionnel (SXT)

250 à 425 chevaux. Disons d'abord que le V6 de 2,7 litres n'avait pas le souffle pour se retrouver sous le capot de la Charger. Il a donc été retiré du catalogue. Celui qui désire faire un compromis intéressant entre puissance et économie d'énergie doit opter pour le V6 de 3,5 litres. Car il faut l'admettre, le V8 HEMI de 5,7 litres de la version R/T a de la puissance à revendre, mais il consomme plus de 14 litres aux 100 km, et ce, malgré le système MDS (désactivation des cylindres). Par contre, si le carburant vous importe peu et que vous souhaitez impressionner la galerie lorsque le feu passe au vert, la version SRT8 est de rigueur avec son V8 HEMI de 6,1 litres. Grâce à ses 425 chevaux, on passe de 0 à 100 km/h en 5,3 secondes. Et quelle sonorité !

COMPORTEMENT ► Même si la Charger SRT8 n'a rien d'un poids plume, son agilité sur piste est impressionnante. Avec cette voiture extrêmement puissante, mais stable et prévisible, les petites erreurs de jugement ne seront pas fatales. L'excellent freinage est assuré par des disques surdimensionnés et par des étriers de marque Brembo. Naturellement, le confort de cette version est légèrement affecté par une suspension plus ferme et par des jantes de 20 pouces, qui vous rappellent leur présence quand vous circulez sur une route endommagée. Il en va tout autrement pour les autres versions, plus civilisées, qui proposent un excellent compromis entre confort et tenue de route. Contrairement aux versions américaines, toutes les versions canadiennes bénéficient d'un contrôle de stabilité en équipement de série.

CONCLUSION ► Pendant que les autres constructeurs continuent de proposer d'imposantes berlines sans saveur, DaimlerChrysler arriverait même à passionner les plus blasés avec le retour de sa Charger. Voilà un exemple de réussite qui devrait inspirer tout le monde.

FICHE TECHNIQUE

MOTEURS

(SE et SXT) V6 3,5 l SACT 250 ch à 6400 tr/min
couple : 250 lb-pi à 3800 tr/min
Transmission : automatique à 5 rapports avec mode manuel
0-100 km/h : 8,8 s, AWD : 9,4 s
Vitesse maximale : 210 km/h
Consommation (100 km) : 10,3 l, AWD. : 11,5 l (octane : 89)

(R/T) V8 5,7 l ACC 340 ch à 5000 tr/min
couple : 390 lb-pi à 4000 tr/min
Transmission : automatique à 5 rapports avec mode manuel
0-100 km/h : 6,3 s
Vitesse maximale : 240 km/h
Consommation (100 km) : 11,4 l (octane : 89)

(SRT8) V8 6,1 l ACC 425 ch à 6200 tr/min
option : 350 ch à 5200 tr/min
couple : 420 lb-pi à 4800 tr/min
Transmission : automatique à 5 rapports avec mode manuel
0-100 km/h : 5,3 s
Vitesse maximale : 250 km/h
Consommation (100 km) : 13,7 l (octane : 91)

Sécurité active
freins ABS, répartition électronique de force de freinage, assistance au freinage, antipatinage, contrôle de stabilité électronique

Suspension avant/arrière
indépendante

Freins avant/arrière
disques

Direction
à crémaillère, assistée

Pneus
SE : P215/65R17, SXT et R/T : P225/60R18, SRT8 : P245/45R20 (av.), P255/45R20 (arr.)

DIMENSIONS

Empattement : 3048 mm
Longueur : 5082 mm
Largeur : 1891 mm
Hauteur : 1479 mm, SRT/8 : 1466 mm
Poids : SE et SXT : 1733 kg, R/T : 1860 kg, SXT AWD : 1858 kg, R/T AWD : 1945 kg, SRT8 : 1887 kg
Diamètre de braquage : 11,9 m, AWD : 11,8 m
Coffre : 459 l
Réservoir de carburant : SE : 68 l, tous les autres : 72 l

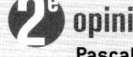

opinion

Pascal Boissé • Étrangement, bien que j'aime beaucoup la Chrysler 300 C, la Charger m'a déçu. Pourtant, il s'agit pratiquement de la même voiture ! J'en attendais peut-être trop de la Charger à cause de son nom mythique. Même si sa calandre est assez évocatrice, les lignes de sa carrosserie sont un peu tarabiscotées et manquent de fluidité. Cela dit, ce sont surtout les prestations intérieures de la Charger qui m'ont déplu : j'aurais voulu y trouver quelque chose de plus sombre et de plus sportif, au caractère plus ouvertement américain, à la personnalité digne du nom de Charger. Pour moi, cette résurrection de la Charger n'est malheureusement qu'un travail de mémoire à moitié complété.

DAKOTA

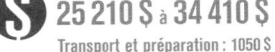

évolution | 25 210 $ à 34 410 $ | Transport et préparation : 1050 $

www.daimlerchrysler.ca

LE P'TIT GROS

– Benoit Charette

FICHE D'IDENTITÉ

Version(s) : ST, SLT, Laramie
Roues motrices : arrière, 4
Portières : 4
Première génération : 1987
Génération actuelle : 2005
Construction : Warren, Michigan, É.-U.
Sacs gonflables : 2, frontaux, (latéraux en option)
Concurrence : Chevrolet Colorado, Ford Ranger, GMC Canyon, Mazda Série B, Nissan Frontier, Toyota Tacoma

AU QUOTIDIEN

Prime d'assurance :
25 ans : 2500 à 2700 $
40 ans : 1500 à 1700 $
60 ans : 1200 à 1400 $
Collision frontale : 5/5
Collision latérale : 5/5
Ventes du modèle l'an dernier
Au Québec : 1816 **Au Canada :** 9949
Dépréciation (3 ans) : 54,4 %
Rappels (2001 à 2006) : 11
Cote de fiabilité : 2/5

Bien des camionnettes se vantent d'être des petites qui peuvent accomplir les mêmes tâches que les grandes. En réalité, le Dakota est le seul qui puisse réellement le faire. Avec deux V8 robustes optionnels et une capacité de chargement de 3247 kilos, il peut abattre un solide boulot, et ce, dans un format moins encombrant.

CARROSSERIE ► Depuis sa refonte complète en 2005, le Dakota et son grand frère, le Ram, ont plus qu'un lien de parenté : le Dakota est un petit Ram. D'ailleurs, lorsqu'un camion Dodge vous suit sur la route, de loin, il est difficile de bien l'identifier. Chose certaine, la testostérone est à l'honneur, un vrai look de mâle qui n'a pas peur de suer à l'ouvrage, spécialement dans ses modèles haut de gamme plus exubérants. Le ST avec ses roues de 16 pouces est un peu plus sobre et utilitaire, et le Laramie, avec ses équipements pléthoriques, est plus proche de la berline de luxe.

HABITACLE ► Malgré des efforts soutenus pour améliorer l'aspect intérieur du Dakota, c'est toujours le plastique qui domine et c'est dommage, car le niveau d'équipement est plus que correct pour un véhicule de ce prix. Tous les Dakota comprennent dans les équipements de série un volant inclinable, un régulateur de vitesse et un dispositif d'attelage de remorque. Les versions haut de gamme proposent les sièges en cuir, mais j'ai préféré les bons vieux sièges en tissu qui offrent plus de confort et un meilleur support. On peut même choisir parmi les options des sièges en tissu chauffants. Le Dodge Dakota Laramie possède de nombreuses caractéristiques de série, dont un excellent système audio Infinity à six haut-parleurs de 288 watts avec chargeur de six CD, des jantes en aluminium chromées de 17 pouces, un volant inclinable, un régulateur de vitesse, des sièges en cuir, des phares antibrouillards, des sièges baquets à l'arrière, un tableau de commande au plafond, un volant gainé de cuir avec contrôle du son éloigné,

forces

- Toujours le seul intermédiaire avec un V8
- Grande capacité de remorquage
- Suspension confortable sur autoroute

faiblesses

- Plastique abondant et de qualité inégale
- Sièges arrière inconfortables
- Direction peu communicative

nouveautés en 2007

- Télédémarreur optionnel, hayon à deux positions de série, nouveau tissu des sièges, moteur 3,7 litres retouché, moteur 4,7 litres compatible avec essence E85, nouvelles jantes optionnelles de 18 po, rappel sonore pour ceinture de sécurité du passager

ainsi que glaces, verrouillage et miroirs à commandes électriques.

MÉCANIQUE ► Les Dodge Dakota ST et SLT comprennent, de série, un V6 3,7 litres de 210 chevaux. Cette mécanique est associée à une boîte manuelle Getrag à six rapports ou à un boîte automatique à quatre rapports. Un moteur Magnum V8 de 4,7 litres d'une puissance nominale de 230 chevaux et avec 290 livres-pied de couple est également disponible avec une transmission manuelle à six rapports ou automatique à cinq rapports. Ce V8 devient le moteur de base de la version Laramie. Un moteur Magnum V8 de 4,7 litres de 260 chevaux jumelé à une boîte automatique à cinq rapports est aussi disponible.

COMPORTEMENT ► Une fois sur la route, aucun doute sur le genre de véhicule que vous conduisez. Avec toutes les caractéristiques propres aux camions dignes de ce nom, le Dakota offre une expérience plaisante si vous roulez sur une autoroute rectiligne et bien nivelée, mais sa suspension trop molle pour être confortable vous projette à gauche et à droite à la moindre courbe. La direction floue ne vous transmet aucune sensation de la route. Les moteurs V8 ne manquent jamais de souffle, mais cette puissance se paie très cher en carburant. Si vous n'avez pas besoin de tracter de lourdes charges, prenez le V6, même s'il n'est pas un exemple d'économie: le trou sera moins gros dans votre portefeuille.

CONCLUSION ► L'achat d'une camionnette demande une sérieuse période de réflexion et sachez qu'un Dakota exige de l'entretien (sa fiabilité au fil des ans n'est pas reluisante) et de l'essence en quantité importante. En revanche, il est abordable et sa capacité de travail se situe au-dessus de la moyenne dans cette catégorie. Si vous voulez plus fiable, il y a le Tacoma et le Frontier.

FICHE TECHNIQUE

MOTEURS

(ST) V6 3,7 l SACT 210 ch à 5200 tr/min
couple: 235 lb-pi à 4000 tr/min
Transmission: manuelle à 6 rapports, automatique à 4 rapports (option)
0-100 km/h: 9,7 s
Vitesse maximale: 175 km/h
Consommation (100 km): man. 2RM: 11,8 l, auto. 2RM: 12,1 l, man. 4RM: 12,6 l, auto. 4RM: 13,4 l (octane: 87)

(Laramie) V8 4,7 l SACT 230 ch à 4600 tr/min
couple: 290 lb-pi à 3600 tr/min
Transmission: manuelle à 6 rapports, automatique à 5 rapports (option)
0-100 km/h: 8,2 s
Vitesse maximale: 180 km/h
Consommation (100 km): man. 2RM: 13,4 l, auto. 2RM: 13,3 l, man. 4RM: 13,5 l, auto. 4RM: 13,2 l (octane: 87)

(option) V8 4,7 l SACT 260 ch à 5200 tr/min
couple: 310 lb-pi à 3600 tr/min
Transmission: automatique à 5 rapports
0-100 km/h: 8,0 s
Vitesse maximale: 180 km/h
Consommation (100 km): 13,7 l (octane: 87)

Sécurité active
freins ABS arrière

Suspension avant/arrière
indépendante/essieu rigide

Freins avant/arrière
disques/tambours

Direction
à crémaillère, assistée

Pneus
2RM: P275/60R17, 4RM: P265/65R17

DIMENSIONS
Empattement: 3335 mm
Longueur: 5558 mm
Largeur: 1887 mm
Hauteur: 1742 à 1745 mm
Poids: 1942 à 2148 kg
Diamètre de braquage: 13,4 m
Réservoir de carburant: 83 l
Capacité de remorquage: 1180 à 3247 kg

opinion

Antoine Joubert • Le Dakota, qui faisait autrefois bande à part en raison de son format unique, a connu jusqu'ici une carrière plutôt brillante. Malheureusement, Dodge ne s'est pas suffisamment attardé aux mœurs changeantes de la clientèle. En fait, Toyota et Nissan produisent aujourd'hui de bien meilleures armes concurrentes, et Dodge propose aussi pour un prix à peine plus élevé le camion Ram. C'est vrai, c'est plus gros, mais, puisque la consommation d'essence est élevée dans un cas comme dans l'autre et que l'habitacle du Ram est d'un confort nettement supérieur, à quoi bon se contenter d'un camionnette moins spacieuse, et dont la capacité de chargement est inférieure ?

DURANGO

évolution | 42 540 $ à 50 245 $
Transport et préparation : 1225 $

www.daimlerchrysler.ca

L'HEMI DES POMPISTES !

– Antoine Joubert

FICHE D'IDENTITÉ

Version(s) : SLT, Limited
Roues motrices : 4
Portières : 4
Première génération : 1998
Génération actuelle : 2004
Construction : Newark, Delaware, É.-U.
Sacs gonflables : 4, frontaux et latéraux
Concurrence : Chevrolet TrailBlazer, Ford Explorer, GMC Envoy, Jeep Grand Cherokee et Commander, Nissan Pathfinder, Toyota 4Runner

AU QUOTIDIEN

Prime d'assurance :
25 ans : 3400 à 2600 $
40 ans : 2100 à 2300 $
60 ans : 1700 à 1900 $
Collision frontale : 5/5
Collision latérale : nd
Ventes du modèle l'an dernier
Au Québec : 532 **Au Canada :** 4310
Dépréciation (3 ans) : 58,8 %
Rappels (2001 à 2006) : 12
Cote de fiabilité : 2/5

Chez DaimlerChrysler, le digne représentant de la démesure américaine se nomme Durango. Plus civilisé qu'autrefois, il s'agit tout de même du plus gros VUS proposé par ce constructeur, qui nous revient cette année avec une multitude de modifications esthétiques, technologiques et, Dieu merci, écologiques !

CARROSSERIE ► Plus élégant que jamais, le Durango arbore une carrosserie fort bien équilibrée, sans délaisser son caractère musclé, mais il sait aussi faire preuve de plus de civisme, ce qui n'a pas toujours été le cas avec lui. Cette année, les principales modifications esthétiques se remarquent sur la partie avant, par l'abandon du museau (inspiré de celui des camionnettes Ram et Dakota) au profit d'une forme plus conventionnelle. Néanmoins, la calandre est toujours aussi imposante et continuera d'effrayer l'automobiliste qui la voit se rapprocher dans ses rétroviseurs !

HABITACLE ► L'habitacle du Durango ne laisse entendre aucun craquement. Voilà qui confirme le souci apporté à la qualité de l'assemblage, qui n'a pas toujours été le point fort de ce constructeur. Immense, l'espace habitable peut engloutir jusqu'à 2900 litres de matériel lorsque les sièges arrière sont rabattus. La banquette de troisième rangée n'a rien de confortable mais peut tout de même accueillir trois personnes de petite taille. À la rangée médiane, Dodge propose désormais une banquette divisée ou deux baquets avec console centrale (drôlement plus hospitaliers). C'est toutefois à l'avant qu'on bénéficie du vrai confort grâce aux sièges et à la position de conduite. La planche de bord très complète et ergonomique n'a cependant rien d'exceptionnel en matière de style. Seul le système de navigation optionnel, au fonctionnement peu intuitif et à la cartographie dépassée, devrait faire l'objet d'une mise à jour.

MÉCANIQUE ► Équipé du système de désactivation des cylindres depuis l'an dernier, le moteur HEMI sera bientôt intégré au premier système

forces
- Assemblage et finition étonnants
- Moteur HEMI souple et puissant
- Motorisation hybride pour bientôt
- Comportement routier équilibré
- Habitabilité et confort exceptionnels

faiblesses
- Consommation ahurissante
- Moteur 4,7 litres trop sollicité
- Banquettes arrière inconfortables
- Système de navigation décevant

nouveautés en 2007
- Retouches esthétiques à la carrosserie, sacs gonflables latéraux de série, sièges baquets de 2e rangée en option, nouveau tissu des sièges, climatisation automatique bizone, indicateur de basse pression des pneus de série

de motorisation hybride électrique du constructeur. Ainsi, le Durango sera en mesure de diminuer sa consommation d'environ 25 %, ce qui est une bonne nouvelle, car son fort appétit de carburant peut grever sérieusement un budget. Le HEMI et le 4,7 litres, qui travaille davantage, peuvent engloutir de 16 à 18 litres aux 100 km, et ce, lorsqu'on est gentil avec l'accélérateur. Je recommande toutefois d'opter pour le plus puissant des deux moteurs, qui permet une meilleure capacité de remorquage et dont la puissance est mieux adaptée au véhicule. En revanche, le 4,7 litres peut, depuis cette année, fonctionner avec de l'essence E85 à l'éthanol. Encore faudra-t-il trouver des pompes.

COMPORTEMENT ▶ Le moteur HEMI se marie parfaitement bien à la boîte automatique, dont le fonctionnement est sans reproche. Donc, avec l'aide d'une suspension bien calibrée, d'une direction précise et correctement assistée et d'une insonorisation excellente, le confort et la douceur de roulement sont au rendez-vous. Cependant, ce qui étonne le plus, c'est la maniabilité et la grande stabilité du Durango à grande vitesse. Il n'est peut-être pas aussi agile qu'une Magnum, mais il est presque insensible aux vents latéraux et la caisse ne tangue pas trop dans les virages. De plus, son diamètre de braquage raisonnable lui permet de se déplacer en ville sans trop de difficultés. Enfin, Durango reçoit cette année plusieurs dispositifs de sécurité comme le système de stabilité électronique, l'indicateur de basse pression des pneus et l'assistance en marche arrière.

CONCLUSION ▶ Objectivement, il n'y a qu'une poignée d'automobilistes dont les besoins ne peuvent être comblés que par ce genre de véhicule. Toutefois, comme nous vivons dans un monde irrationnel où l'image domine, les VUS grand format se vendent toujours bien. Voilà qui explique l'arrivée d'un clone du Durango, le Chrysler Aspen qui, comme son jumeau, mérite qu'on s'y attarde.

FICHE TECHNIQUE

MOTEURS
(SLT) V8 4,7 l SACT 235 ch à 4500 tr/min
couple : 300 lb-pi à 3600 tr/min
Transmission : automatique à 5 rapports
0-100 km/h : 10,5 s
Vitesse maximale : 180 km/h.
Consommation (100 km) : 14,7 l (octane : 87)

(Limited et option SLT) V8 5,7 l ACC 335 ch à 5200 tr/min
couple : 370 lb-pi à 4200 tr/min
Transmission : automatique à 5 rapports
0-100 km/h : 8,3 s
Vitesse maximale : 180 km/h.
Consommation (100 km) : 15,7 l (octane : 87)

Sécurité active
freins ABS, antipatinage et contrôle de stabilité électronique (option)

Suspension avant/arrière
indépendante/essieu rigide

Freins avant/arrière
disques

Direction
à crémaillère, assistée

Pneus
P265/65R17

DIMENSIONS
Empattement : 3028 mm
Longueur : 5100 mm
Largeur : 1930 mm
Hauteur : 1864 mm
Poids : SLT : 2276 kg, Limited : 2322 kg
Diamètre de braquage : 12,2 m
Coffre : 569 l, 2900 l (sièges abaissés)
Réservoir de carburant : 102 l
Capacité de remorquage : 3924 kg

2e opinion

Benoit Charette • Voici un véhicule à l'image de la démesure nord-américaine. Gros dans tous les sens du terme, le Durango n'en demeure pas moins très confortable et d'agréable compagnie quand on est à son volant. Il ne recule pas devant la concurrence et, par surcroît, il sera rejoint par de nouveaux membres dans sa famille en 2007, dont le Chrysler Aspen, un clone aux lignes plus sophistiquées. De plus, le Durango sera le premier véhicule de la famille DaimlerChrysler à profiter de la nouvelle motorisation hybride, fruit de la collaboration de GM, Chrysler et BMW. Un atout qui pourrait lui assurer sa popularité, si le prix de l'hybride est réaliste.

MAGNUM

évolution | 28 800 $ à 46 590 $
Transport et préparation : 1200 $

www.daimlerchrysler.ca

FICHE D'IDENTITÉ

Version(s) : SE, SXT, R/T, SRT8, SXT AWD, R/T AWD
Roues motrices : arrière, 4
Portières : 4
Première génération : 2005
Génération actuelle : 2005
Construction : Brampton, Ontario, Canada
Sacs gonflables : 2, frontaux, (latéraux avant et rideaux latéraux en option)
Concurrence : Chevrolet Malibu Maxx, Mazda6 fam., Subaru Legacy fam., Volkswagen Passat fam.

AU QUOTIDIEN

Prime d'assurance :
25 ans : 3300 à 3500 $
40 ans : 2500 à 2700 $
60 ans : 1600 à 1800 $
Collision frontale : 5/5
Collision latérale : 4/5
Ventes du modèle l'an dernier
Au Québec : 892 **Au Canada :** 5114
Dépréciation (1 an) : 29,8 %
Rappels (2001 à 2006) : 4
Cote de fiabilité : 3/5

CHAUD DEVANT !

– Benoit Charette

Depuis sa création en 2005, la Magnum suscite toutes sortes de commentaires. Les admirateurs vous font le signe du pouce en l'air et vous réclament un petit «show de boucane», mais les autres vous traitent de parvenu ou d'ennemi de Greenpeace. Une chose est certaine, cette voiture possède une très forte personnalité et son succès repose sur l'émotion qu'elle inspire.

CARROSSERIE ► À l'image de Dodge, la Magnum cultive la robustesse. Son regard belliqueux de semi-remorque est l'œuvre du Montréalais Ralph Gilles, maintenant un des responsables du design chez Chrysler à Detroit. Le secret de la réussite de la Magnum repose sur cette touche de *hot-rod* qui fait presque oublier qu'il s'agit là d'une familiale. Les vitres teintées, la ceinture de caisse très haute et les roues de 17, 18 ou 20 pouces imposent le respect.

HABITACLE ► De l'extérieur, son toit tronçonné fait craindre un manque de dégagement, mais ce n'est qu'une illusion d'optique. En fait, c'est la ceinture de caisse qui est très haute. Avec une insonorisation supérieure et un empattement plus long que celui d'une Mercedes Classe S et d'une BMW Série 7, vos passagers seront toujours à l'aise dans cette voiture à la présentation soignée. Et l'espace de chargement est énorme. Par ailleurs, les cadrans sur fond blanc contrastent joliment avec les revêtements noirs, très 1970 à la sauce techno. Les options vont du système de navigation à la climatisation automatique en passant par la sellerie de cuir. Une bonne note aussi pour le système audio d'une clarté exceptionnelle, doté d'un chargeur de six CD et d'assez de puissance pour vous assommer. Un seul bémol : la qualité du plastique, plutôt désagréable au toucher, pourrait être améliorée. Cela fait un peu bas de gamme.

MÉCANIQUE ► Nous voici au cœur de ce qui fait l'attrait de ce véhicule. Pour les gens raisonnables, la version SE avec moteur V6 de

forces

- Lignes provocantes
- Moteur V8 puissant
- Espace généreux
- Insonorisation et conduite de haut niveau

faiblesses

- Faible visibilité (surtout à l'arrière)
- Plastique bon marché
- Vous trouverez l'hiver long avec une propulsion

nouveautés en 2007

- Ensemble Track Pack de série (SRT8), système de divertissement arrière avec DVD optionnel, indicateur de rappel de changement d'huile à transmission automatique, pédales à réglage électrique (R/T), jantes de 18 et 20 po chromées en option

190 chevaux est indiquée, mais je crois que la version SXT, avec le V6 de 3,5 litres et de 250 chevaux, constitue le meilleur compromis entre la puissance, le plaisir de conduire et une consommation acceptable. Viennent ensuite les gros canons avec les moteurs HEMI. La version R/T offre 340 chevaux, un 100 km/h départ arrêté en moins de 6,5 secondes, et une symphonie mécanique qui vous fait frissonner de plaisir à chaque accélération. Mais il y a plus, si vous en avez les moyens: la Magnum SRT8 avec son HEMI de 6,1 litres et ses 425 chevaux. Une orgie de puissance livrée dans une débauche sonore à faire dresser les poils des bras. Une vraie bête qui accélère aussi vite qu'une Porsche 911 ou qu'une Corvette, mais avec 20 sacs d'épicerie à l'arrière ! Les modèles V6 sont équipés d'une boîte automatique à quatre rapports qui passe à cinq avec les moteurs HEMI. Il faut aussi mentionner le système de désactivation des cylindres dans le V8 HEMI de 5,7 litres, qui permet à la Magnum de fonctionner sur quatre cylindres à vitesse de croisière sur la route, autorisant une économie d'essence d'environ 10 % si vous êtes calme.

COMPORTEMENT ▶ La répartition du poids du véhicule, 52 % à l'avant et 48 % à l'arrière, procure un plaisir de conduire unique pour une voiture propulsée. Son châssis dérivé de l'ancienne génération de Mercedes Classe E est d'une solidité à toute épreuve et la suspension est merveilleusement calibrée. Toutefois, une propulsion devient un réel problème l'hiver, d'autant plus que le système de contrôle de stabilité ne vaut rien dans la neige. Votre planche de salut est le rouage intégral dérivé du 4MATIC de Mercedes, un investissement qui à mon avis est presque indispensable si vous songez à utiliser la voiture à longueur d'année.

CONCLUSION ▶ La Magnum prouve qu'une familiale peut être sexy. Si seulement les Américains pouvaient comprendre tous les avantages des voitures à hayon !

FICHE TECHNIQUE

MOTEURS

(SE) V6 2,7 l DACT 190 ch à 6400 tr/min
couple : 190 lb-pi à 4000 tr/min
Transmission : automatique à 4 rapports
0-100 km/h : 9,8 s
Vitesse maximale : 210 km/h
Consommation (100 km) : 9,6 l (octane : 87)

(SXT) V6 3,5 l DACT, 250 ch à 6400 tr/min
couple : 250 lb-pi à 3800 tr/min
Transmission : automatique à 5 rapports avec mode manuel
0-100 km/h : 8,7 s, AWD : 9,2 s
Vitesse maximale : 210 km/h
Consommation (100 km) : 10,3 l, AWD : 11,5 l (octane : 89)

(R/T) V8 5,7 l ACC 340 ch à 5000 tr/min
couple : 390 lb-pi à 4000 tr/min
Transmission : automatique à 5 rapports avec mode manuel
0-100 km/h : 6,4 s, AWD : 6,7 s
Vitesse maximale : 210 km/h
Consommation par 100 km : 11,4 l, AWD : 11,3 l (octane : 89)

(SRT8) V8 6,1 l ACC 425 ch à 6200 tr/min
couple: 420 lb-pi à 4800 tr/min
Transmission : automatique à 5 rapports, séquentielle
0-100 km/h : 5,3 s
Vitesse maximale: 250 km/h
Consommation (100 km) : 16,8 l (octane : 91)

Sécurité active
freins ABS, répartition électronique de force de freinage, antipatinage, contrôle de stabilité électronique

Suspension avant/arrière
indépendante

Freins avant/arrière
disques

Direction
à crémaillère, assistée

Pneus
SE et SXT : P215/65R17, R/T : P225/60R18, SRT8 : P245/45R20 (av.), P255/45R20 (arr.)

DIMENSIONS

Empattement : 3048 mm
Longueur : 5021 mm
Largeur : 1881 mm
Hauteur : 1481 mm
Poids : SE : 1745 kg, SXT : 1766 kg, SXT AWD : 1886 kg, R/T : 1895 kg, R/T AWD : 1992 kg, SRT8 : 1932 kg
Diamètre de braquage : 11,9 m, AWD : 11,8 m
Coffre : 770 l, 2030 l (sièges abaissés)
Réservoir de carburant : 68 l, AWD et SRT8 : 72 l

2e opinion

Antoine Joubert • Symbole de virilité masculine, surtout lorsqu'elle est vêtue de noir, la Dogde Magnum a l'étoffe pour effrayer un grizzly affamé. Mais la ligne de sa carrosserie n'est pas son seul attrait athlétique. Sous le capot, les moteurs HEMI de 340 ou 425 chevaux rugissent pour ridiculiser la plupart des *tuners* qui croient avoir en leur possession la bombe incontestée. Et, comme si ce n'était pas assez, cette Dodge propose un confort, une habitabilité et un comportement routier qui éclipsent toute concurrence. Ne dites toutefois pas aux acheteurs cible, pour la plupart très patriotiques, qu'il y a beaucoup de Mercedes sous le capot. Ils pourraient être offusqués !

NITRO

nouveauté | 23 290 $ à 32 390 $
Transport et préparation : nd

www.daimlerchrysler.ca

ÇA VA PÉTER (?)

– Hugues Gonnot

FICHE D'IDENTITÉ

Version(s) : SXT, SLT, R/T
Roues motrices : 4
Portières : 4
Première génération : 2007
Génération actuelle : 2007
Construction : Toledo, Ohio, É.-U.
Sacs gonflables : 6, frontaux, latéraux avant et rideaux latéraux
Concurrence : Chevrolet Equinox, Ford Escape, Honda CR-V, Hyundai Tucson et Santa Fe, Kia Sportage, Jeep Liberty, Mitsubishi Outlander, Nissan X-Trail et Xterra, Pontiac Torrent, Saturn VUE, Subaru Forester, Suzuki Grand Vitara, Toyota RAV4

AU QUOTIDIEN

Prime d'assurance :
25 ans : 1900 à 2100 $
40 ans : 1500 à 1700 $
60 ans : 1200 à 1400 $
Collision frontale : nd
Collision latérale : nd
Ventes du modèle l'an dernier
Au Québec : nm **Au Canada :** nm
Dépréciation (3 ans) : nm
Rappels (2001 à 2006) : nm
Cote de fiabilité : nm

Quelle drôle d'idée d'avoir appelé un utilitaire sport Nitro. Une voiture sport compacte, à la rigueur, mais un VUS ! Essayons de voir ce qu'il peut bien avoir d'explosif.

CARROSSERIE ► Bien qu'il possède les attributs typiques de la marque Dodge (calandre expressive et passages de roues généreux), le Nitro ne trompe personne et l'on reconnaît instantanément ses origines, soit le Jeep Liberty. Pourtant, par rapport à ce dernier, l'empattement a augmenté de 114 millimètres, alors que les porte-à-faux restent globalement inchangés. Il faut quand même avouer que le Nitro a de la gueule, spécialement dans sa livrée R/T qui bénéficie (dans les équipements de série) de roues de 20 pouces, alors que les autres versions doivent se contenter de 16 (Base) ou 17 pouces (SLT).

HABITACLE ► L'allongement de l'empattement n'a pas beaucoup profité aux passagers, puisque l'habitabilité est assez semblable à celle du Liberty, que ce soit à l'avant, à l'arrière, ou quant au volume de chargement. À ce propos, les versions SLT et R/T bénéficient d'un espace de chargement comprenant le Load 'n Go. Rien à voir avec les sièges rabattables Stow 'n Go. Il s'agit d'un plateau lavable, coulissant sur 46 centimètres, qui permet de charger le véhicule plus facilement et qui peut supporter jusqu'à 180 kilos. La planche de bord est toute nouvelle et s'harmonise bien avec le reste des produits de la gamme Dodge. Parmi les options disponibles, on retrouve le système de navigation par satellite, le système de divertissement DVD, la chaîne audio avec changeur six disques, le démarreur à distance, la connectivité Bluetooth ou la radio satellite SIRIUS.

MÉCANIQUE ► Le V6 de 3,7 litres des versions de base et SLT est bien connu, puisqu'il équipe déjà le Liberty. C'est du côté de la version R/T et de son V6 de 4,0 litres qu'il faut chercher de la nouveauté. Ce bloc est dérivé du 3,5 litres déjà monté dans plusieurs

forces
- Style réussi
- Plateau Load 'n Go
- Reste à le conduire...

faiblesses
- Pas de diesel
- Reste à le conduire...

nouveautés en 2007
- Nouveau modèle

berlines. Il a été développé selon deux objectifs : augmentation du couple et réduction des bruits et vibrations. Il est aussi installé dans la Chrysler Pacifica, qui en avait bien besoin. Vu que l'on n'est plus chez Jeep mais chez Dodge, le choix des transmissions intégrales est logiquement plus limité. La version MP 143 à enclenchement électronique (répartition fixe 50/50 entre l'avant et l'arrière) est installée avec les versions manuelles (uniquement avec le 3,7 litres) et la MP 140 à prise constante (répartition 48/52), avec les versions automatiques. Tout aussi logiquement, on ne retrouve pas de gamme courte. Pour les marchés export, une version diesel sera lancée ultérieurement. Comme le Liberty diesel a connu un joli succès en Amérique, on peut toujours espérer voir un Nitro diesel sur nos routes dans un avenir pas si lointain.

COMPORTEMENT ► Nous n'avons pas pu conduire le Nitro avant l'impression de ce livre. Disons qu'avec une base saine comme celle du Liberty, le Nitro ne devrait pas être un mauvais élève. Les aides à la conduite comprennent l'ABS, le contrôle de stabilité avec une fonction antiretournement. Avec les bonnes options, le Liberty peut tirer jusqu'à 2268 kilos, ce qui en fait un des meilleurs de la catégorie.

CONCLUSION ► Curieusement, Dodge possède une large gamme de camions, mais était passée totalement à côté du phénomène des VUS. La séance de rattrapage arrive un peu tard, alors que le public se détourne progressivement des engins énergivores. Pourtant, Dodge aurait eu tort de se passer du Nitro, d'autant que son développement n'a pas dû coûter une fortune. Avec un style distinctif et accrocheur, une bonne fonctionnalité et un équipement intéressant, le Nitro pourrait connaître un certain succès. Reste à voir ce qu'il vaut sur la route. Mais il ne fera, en tout cas, jamais l'effet d'une bombe. Comme on dit, c'est Nitro, ni trop peu !

FICHE TECHNIQUE

MOTEURS

(SXT, SLT) V6 3,7 l SACT 210 ch à 5200 tr/min
couple : 235 lb-pi à 4000 tr/min
Transmission : manuelle à 6 rapports, automatique à 4 rapports en option
0-100 km/h : 10,3 s
Vitesse maximale : 185 km/h
Consommation (100 km) : nd (octane : 87)

(R/T) V6 4,0 l SACT 255 ch à 5800 tr/min
couple : 275 lb-pi à 4000 tr/min
Transmission : automatique à 5 rapports
0-100 km/h : nd
Vitesse maximale : nd
Consommation (100 km) : nd (octane : 87)

Sécurité active
freins ABS, antipatinage, contrôle de stabilité électronique

Suspension avant/arrière
indépendante/essieu rigide

Freins avant/arrière
disques

Direction
à crémaillère, assistée

Pneus
SXT : P225/75R16, SLT : P235/65R17, R/T : P245/50R20

DIMENSIONS

Empattement : 2763 mm
Longueur : 4544 mm
Largeur : 1857 mm
Hauteur : 1776 mm
Poids : SXT : 1862 kg, SLT : 1888 kg, R/T : 1883 kg
Diamètre de braquage : 11,1 m
Coffre : 900 l, 2100 l (sièges abaissés)
Réservoir de carburant : 73,8 l
Capacité de remorquage : 2268 kg

opinion

Benoit Charette • En tant que premier utilitaire citadin de la marque, le Nitro se devait de personnifier l'attitude audacieuse, puissante et extravertie de Dodge. À ce chapitre, mission accomplie. Dans le monde plutôt beige des petits utilitaires, le Nitro se démarque. De plus, il bénéficiera (de série), dans deux des trois finitions disponibles (Nitro, SLT, R/T), d'un système inédit, le Load'n Go (littéralement « chargez et roulez »), qui permet à la banquette fractionnable de libérer une zone de chargement plane, combinée à un plancher coulissant hydrauliquement sur 45 centimètres. Ce plancher peut supporter un poids de 180 kilos. Pratique et sympathique ; ça promet.

RAM

évolution | 26 395 $ à 45 260 $ |
Transport et préparation : 1225 $

www.daimlerchrysler.ca

FICHE D'IDENTITÉ

Version(s) : ST, SLT, Laramie
Roues motrices : arrière, 4
Portières : 2, 4
Première génération : 2002
Génération actuelle : 2002 É.-U.
Construction : Belvidere, Illinois, É.-U.
Sacs gonflables : 2, frontaux, (latéraux en option)
Concurrence : Chevrolet Silverado, Ford F-150, GMC Sierra, Nissan Titan, Toyota Tundra

AU QUOTIDIEN

Prime d'assurance :
25 ans : 2300 à 2500 $
40 ans : 1500 à 1700 $
60 ans : 1300 à 1500 $
Collision frontale : 5/5
Collision latérale : 5/5
Ventes du modèle l'an dernier
Au Québec : 4303 **Au Canada :** 37 843
Dépréciation (3 ans) : 49,7 %
Rappels (2001 à 2006) : 12
Cote de fiabilité : 3/5

UN EXTRAVERTI QUI S'ASSUME

– **Jean-Pierre Bouchard**

Au Canada, le Ram livre une lutte serrée dans le ring des camionnettes pleine grandeur. Le Ford F-150 domine le segment depuis nombre d'années, suivi par le GMC Sierra et le Dodge Ram. Les différences entre ces véhicules sont davantage une question de perception et de goût que de conception.

CARROSSERIE ► Parmi les pick-ups, le Ram est sans contredit celui qui en impose le plus avec sa calandre chromée proéminente qui lui donne un air robuste. Au catalogue figurent les versions 1500, 2500 et 3500 à cabine simple, Quad et Mega Cab, à deux ou à quatre roues motrices. La Mega Cab, qui se distingue par ses deux portes arrière pleine grandeur, repose sur la plateforme d'un Ram 2500 Quad avec caisse longue, écourtée de 4,3 centimètres afin d'augmenter la longueur de la cabine de 50,8 centimètres. La division de DaimlerChrysler peut également se targuer d'offrir une version haute performance, la SRT10 qui, bien qu'inutile pour un usage quotidien, impressionne la galerie et renforce l'image virile de Dodge.

HABITACLE ► Les versions Quad et Mega Cab ont l'espace requis pour recevoir au moins quatre occupants de grande taille et les sièges procurent un confort adéquat. D'ailleurs la Mega Cab compte parmi les plus intéressantes sur le plan de l'espace intérieur, surtout en matière de dégagement pour les jambes aux places arrière. L'utilisateur peut également y configurer la banquette de manière à profiter d'une polyvalence supérieure, par exemple pour transporter des objets volumineux. À l'instar des autres véhicules de la catégorie, l'accès à l'habitacle de toutes les versions nécessite une certaine souplesse ; et le lavage du véhicule, un échafaudage approprié. Les marchepieds sont donc de mise. L'an dernier, les stylistes de Dodge ont revu l'habitacle des versions 1500 afin d'en améliorer le confort et l'insonorisation. La planche de bord est simple et fonctionnelle, sans toutefois égaler en prestance celle du F-150.

forces

- Polyvalence et habitabilité (Mega Cab)
- Comportement routier
- V8 HEMI puissant

faiblesses

- Consommation du HEMI
- Aménagement intérieur

nouveautés en 2007

- Moteur 4,7 litres compatible au carburant E85, nouveau moteur Cummins turbodiesel, nouveau tissu des sièges, système de contrôle de la stabilité optionnel, télédémarreur en option, clignotants à trois touches d'un seul coup

douceur au moment de solliciter la mécanique, en plus de s'armer de patience à l'occasion des nombreuses visites à la pompe. Le SRT10 loge en son cœur un V10 de 8,3 litres et de 500 chevaux. Une véri table bête. Les séries 2500/3500, réservées aux gros travaux, peuvent être animées par le moteur Cummins turbodiesel à six cylindres en ligne de 5,9 litres ou le nouveau 6,7 l de 350 chevaux.

MÉCANIQUE ► À la base, le Ram à deux roues motrices est propulsé par le V6 de 3,7 litres de 215 chevaux, qui convient surtout aux travaux peu exigeants. Le V8 de 4,7 litres, pour sa part, constitue un compromis intéressant, car aux 235 chevaux s'associe un couple élevé de 300 livres-pied pour faciliter le remorquage, par exemple. Ces deux moteurs sont jumelés de sé-rie à une boîte manuelle à six rapports. La pièce maîtresse porte l'écusson HEMI. Ce V8 de 5,7 litres affiche une puissance de 345 chevaux et un couple de 375 livres-pied. Ses performances relevées entraînent cependant une frugalité déficiente, malgré une technologie MDS qui désactive quatre des huit cylindres dans certaines conditions et qui permettrait, selon Dodge, d'économiser jusqu'à 20 % du carburant. Le conducteur devra, pour y parvenir, user de

COMPORTEMENT ► La série 1500, qui a hérité d'une nouvelle plateforme et d'une nouvelle suspension pour l'année-modèle 2006, propose un comportement routier civilisé pour une camionnette de ce calibre. Les inégalités de la route sont, pour la plupart, assez bien effacées. Le Ram est, dans l'ensemble, confortable. L'acheteur qui l'utilise pour un usage autre que professionnel ne doit toutefois pas s'attendre à un comportement comparable à celui d'un utilitaire sport. Une camionnette reste une camionnette.

CONCLUSION ► Au fil des années, le Ram s'est imposé par sa qualité et sa polyvalence. Dodge propose une gamme complète de versions et de configurations adaptées aux besoins les plus variés, ainsi qu'un moteur HEMI qui, à défaut d'être économe, se montre puissant.

FICHE TECHNIQUE

MOTEURS

V6 3,7 l SACT 215 ch à 5200 tr/min
couple : 235 lb-pi à 4000 tr/min
Transmission : manuelle à 6 rapports, automatique à 4 rapports (option)
0-100 km/h : 12,0 s
Vitesse maximale : 170 km/h
Consommation (100 km) : 2RM : 13,1 l (octane : 87)

V8 4,7 l SACT 235 ch à 4800 tr/min
couple : 300 lb-pi à 3200 tr/min
Transmission : manuelle à 6 rapports, automatique à 5 rapports (option)
0-100 km/h : 11,2 s
Vitesse maximale : 170 km/h
Consommation (100 km) : man. 2RM : 14,2 l, auto 2RM : 14,9 l, man. 4RM : 15,3 l, auto. 4RM : 16,3 l (octane : 87)

V8 5,7 l ACC 345 ch à 5400 tr/min
couple : 375 lb-pi à 4200 tr/min
Transmission : automatique à 5 rapports
0-100 km/h : 9,9 s
Vitesse maximale : 190 km/h
Consommation (100 km) : 2RM : 14,7 l, 4RM : 15,2 l (octane : 87)

L6 6,7 l turbodiesel ACC 350 ch à 3000 tr/min
couple : man. : 610 lb-pi à 1400 tr/min, auto. : 650 lb-pi à 1500 tr/min
Transmission : manuelle à 6 rapports, automatique à 6 rapports (option)
0-100 km/h : nd
Vitesse maximale : nd
Consommation (100 km) : nd (diesel)

Sécurité active
freins ABS, antipatinage et contrôle de stabilité électronique (option)

Suspension avant/arrière
indépendante/essieu rigide

Freins avant/arrière
disques

Direction
à crémaillère, assistée

Pneus
ST et SLT : P245/70R17, Laramie : P265/70R17

DIMENSIONS

Empattement : 3061 à 4077 mm
Longueur : 5276 à 6342 mm
Largeur : 2019 à 2438 mm
Hauteur : 1864 à 2009 mm
Poids : 2023 à 3006 kg
Diamètre de braquage : 13,9 à 16,0 m
Réservoir de carburant : boîte courte : 98 l, boîte longue : 132 l, Mega Cab : 128 l
Capacité de remorquage : 4563 kg

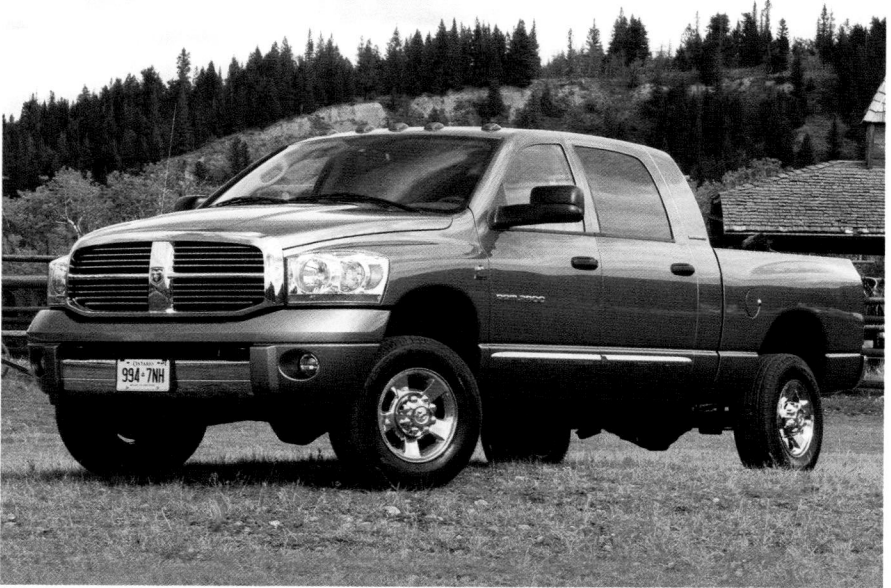

opinion

Luc Gagné • Il faut embarquer à bord d'un Ram Megacab pour constater combien cette camionnette a un habitacle s-p-a-c-i-e-u-x ! On se croirait à bord d'une limousine. Et pourtant, il ne s'agit que d'un véhicule outil, ni plus, ni moins. Un vulgaire pick-up. Comme les véhicules des concurrents Ford et GM, Dodge propose une foule de variantes, trois types d'habitacles et divers aménagements intérieurs. Il est presque possible de bâtir un Ram sur mesure. Cependant, l'avènement d'un nouveau duo Silverado/Sierra doté de nombreux attributs originaux et modernes, l'arrivée du Titan chez Nissan et, bientôt, le lancement d'un nouveau Toyota Tundra sont autant de facteurs qui font vieillir le Ram, dont le renouvellement tarde à venir.

30 370 $ à 48 715 $

Transport et préparation : 1050 $

www.daimlerchrysler.ca

LE CHOIX D'HOMO SAPIENS

– Luc Gagné

Si l'on devait comparer l'évolution des fourgons commerciaux à celle de l'espèce humaine, il faudrait associer le Dodge Sprinter à l'Homo sapiens, alors que ses concurrents en seraient encore à l'ère de l'Homo erectus. Après tout, sapiens savait se tenir debout et marcher droit, alors qu'erectus marchait courbé, comme un singe ! Or, dans un Sprinter, on peut se tenir debout, droit.

CARROSSERIE ▶ La carrosserie du Sprinter est l'un de ses deux attraits principaux. DaimlerChrysler propose deux hauteurs de toit (237 et 259 centimètres) et trois empattements, dont un extrêmement long (401 centimètres) qui n'impose pas de porte-à-faux démesuré, comme c'est le cas avec le Ford Série E. Même sans toit surélevé, on peut circuler debout, ou presque, dans l'habitacle. Après tout, cette carrosserie est 30 centimètres plus haute que celles des G-Van de GM (Express et Savana) et du Série E. Naturellement, une carrosserie plus haute requiert une attention soutenue de la part du conducteur, qui devra toujours s'assurer d'avoir un dégagement suffisant en passant sous un abri ou en circulant à l'intérieur d'un édifice. Le Sprinter a visiblement été conçu pour faciliter la vie de ses utilisateurs. Par exemple, en s'ouvrant à 270 degrés, les portières arrière dégagent complètement l'ouverture de l'aire de chargement. Celles du Ford ne s'ouvrent qu'à 180 degrés, ce qui réduit considérablement l'utilité du véhicule.

HABITACLE ▶ Les habitués de véhicules américains sont déroutés en prenant place au volant. D'abord, parce qu'il faut grimper haut pour accéder au poste de conduite. Ensuite, à cause du volant très incliné qu'on tient comme celui d'un poids lourd. Enfin, par l'aménagement très discutable du tableau de bord, caractérisé par une disposition aléatoire de commutateurs pas tous très faciles à utiliser. En revanche, une fois assis, on découvre un siège baquet aussi confortable que celui d'une Mercedes-Benz

FICHE D'IDENTITÉ

Version(s) : 2500, 3500
Roues motrices : arrière
Portières : 4
Première génération : 2004
Génération actuelle : 2004
Construction : Düsseldorf, Allemagne
Sacs gonflables : 2, frontaux
Concurrence : Chevrolet Express, Ford Série E, GMC Savana

AU QUOTIDIEN

Prime d'assurance :
25 ans : 2500 à 2700 $
40 ans : 1600 à 1800 $
60 ans : 1200 à 1400 $
Collision frontale : nd
Collision latérale : nd
Ventes du modèle l'an dernier
Au Québec : 264 **Au Canada :** 1952
Dépréciation (2 ans) : 38 %
Rappels (2001 à 2006) : 1
Cote de fiabilité : nm

forces

- Version à toit surélevé très pratique
- Portières arrière qui s'ouvrent à 270 degrés
- Conduite rassurante
- Excellent siège pour le conducteur

faiblesses

- Prix élevé
- Disponibilité réduite (peu de concessionnaires autorisés)
- Problèmes de fiabilité

nouveautés en 2007

- Aucun changement majeur

« économique ». Ce siège à coussins fermes procure un soutien latéral souhaité, qui fait défaut aux sièges des concurrents. En outre, de multiples possibilités d'ajustement de l'assise et du dossier, et même une pompe peut aider à raffermir le dossier au niveau des lombaires, permettent au conducteur d'envisager très agréablement de longs trajets. Le Sprinter est également le seul fourgon doté d'un coffre à gants fermé, pratique pour ranger des objets qu'on ne souhaite pas laisser à la vue. Il y a aussi de nombreux espaces de rangement tout autour du poste de conduite.

MÉCANIQUE ▶ Un cinq cylindres en ligne à turbocompresseur loge sous le capot. Ce moteur diesel de 2,7 litres est l'autre point fort du Sprinter. Jumelé à une boîte automatique à cinq vitesses, à mode séquentiel s'il vous plaît, il procure des accélérations satisfaisantes et, surtout, une faible consommation et une autonomie considérable. Ajoutons à cela la durabilité d'un diesel, argument très positif pour un acheteur.

COMPORTEMENT ▶ Sur route, le Sprinter surprend par son comportement prévisible, surtout lorsqu'on le compare au Ford, qui vacille sans cesse. Malgré un essieu rigide à l'arrière, la suspension à ressorts longitudinaux paraboliques jumelés à des barres stabilisatrices préserve la stabilité du véhicule, même sur une route cahoteuse. La servo-direction est précise et bien dosée, et le diamètre de braquage est réduit. Même celui du Sprinter le plus long est à peine supérieur au diamètre de braquage du Ford Série E, véhicule pourtant plus court.

CONCLUSION ▶ Il faut faire preuve de pragmatisme pour évaluer ce véhicule, car il est un peu plus cher. Mais, n'est-ce pas le prix à payer pour profiter d'un outil qui ajoute à l'efficacité du travailleur grâce à son habitacle pratique, à son poste de conduite qui réduit la fatigue et le stress, et même grâce au simple plaisir de conduire qu'il procure ?

FICHE TECHNIQUE

MOTEUR
L5 2,7 l turbodiesel DACT 154 ch à 3800 tr/min
couple : 243 lb-pi à 1600 tr/min
Transmission : automatique à 5 rapports avec mode manuel
0-100 km/h : 14,0 s.
Vitesse maximale : 135 km/h
Consommation (100 km) : 9,2 l (diesel)

Sécurité active
freins ABS, répartition électronique de force de freinage, antipatinage, contrôle de stabilité électronique

Suspension avant/arrière
indépendante/essieu rigide

Freins avant/arrière
disques

Direction
à crémaillère, assistée

Pneus
P195/70R15, P225/70R15, P225/75R16

DIMENSIONS
Empattement : 2997 à 4013 mm
Longueur : 5004 à 6680 mm
Largeur : 1933 à 1989 mm
Hauteur : 2365 à 2631 mm
Poids : 2440 kg (base)
Diamètre de braquage : 11,2 à 14,3 m
Coffre : 6994 à 13 400 l
Réservoir de carburant : 98 l
Capacité de remorquage : 2269 kg

opinion

Michel Crépault • Le Sprinter me donne le goût de fonder un commerce, n'importe lequel ! Je commencerais par profiter de ses hauts flancs pour y dessiner rien de moins qu'une fresque annonçant mon petit négoce. Je remplirais l'énorme soute de marchandises en profitant des larges portières arrière qui facilitent le chargement. Du coup, j'éliminerais l'écho qui m'embêtait quand j'utilisais mon cellulaire£ Je bénirais la motorisation diesel qui me permettrait d'investir ailleurs les économies réalisées à la pompe. Enfin, j'admettrais une fois pour toutes que la fusion de Chrysler et Mercedes-Benz n'était finalement pas une si mauvaise idée !

évolution | 127000 $ à 128500 $ |
Transport et préparation : 1400 $

www.daimlerchrysler.ca

FICHE D'IDENTITÉ

Version(s) : SRT10 coupé et cabriolet
Roues motrices : arrière
Portières : 2
Première génération : 1992
Génération actuelle : 2003
Construction : Dearborn, Michigan, É.-U.
Sacs gonflables : 2, frontaux
Concurrence : Aston Martin DB9, BMW Série 6, Cadillac XLR, Chevrolet Corvette, Ferrari F430, Ford GT, Jaguar XKR, Lamborghini Gallardo, Maserati Coupe et Spyder, Mercedes-Benz Classe SL, Porsche 911

AU QUOTIDIEN

Prime d'assurance :
25 ans : 8000 à 8200 $
40 ans : 5200 à 5700 $
60 ans : 4400 à 4700 $
Collision frontale : 5/5 (cabrio.)
Collision latérale : 4/5 (cabrio.)
Ventes du modèle l'an dernier
Au Québec : 30 **Au Canada :** 138
Dépréciation (3 ans) : 39,9 %
Rappels (2001 à 2006) : 4
Cote de fiabilité : 3/5

LA PRIME DE L'ASSURANCE EN DIT LONG !

– Antoine Joubert

Par curiosité, j'ai téléphoné à mon agent d'assurances pour connaître la somme que je devrais lui payer si je possédais l'une des plus brutales voitures jamais construites, la Dodge Viper. Le rire au bout du fil a suffi à me faire comprendre que je devrais sans doute renoncer à mon hypothèque pour acquitter cette prime !

CARROSSERIE ► Avec un museau qui n'en finit plus et des bottines arrière deux fois plus larges que celles d'une Toyota Corolla, la Viper est tout sauf discrète. Les nombreuses prises d'air, les échappements latéraux, les voies élargies et les jantes de 18 et 19 pouces laissent deviner ses performances. La décapotable est bien sûr une source de plaisir l'été, mais l'arrivée en 2006 du coupé a réconcilié avec la Viper les véritables pilotes de course, qui avaient pleuré sa disparition en 2003. Avec le toit rigide, on reprend le principe *aero-roof* caractérisé par de légères bosses situées à chaque extrémité du toit, dans le but d'offrir un meilleur dégagement pour la tête, surtout lorsque les occupants portent un casque.

HABITACLE ► Croyez-vous qu'en raison d'une facture dans les six chiffres, vous retrouverez dans la Viper un luxe exceptionnel ? Si oui, détrompez-vous, car les quelques accessoires de luxe disponibles (glaces et verrouillage électriques, lecteur CD et climatiseur) se trouvent tous à bord d'une Caliber ! Toutefois, la nouvelle compacte de Dodge n'offre pas ces sublimes sièges sport qui vous gardent toujours en place, ni cette suite de cadrans indicateurs qui transmettent les diverses informations relatives au moteur. Pour une balade du dimanche, le coffre permet de trimbaler quelques effets personnels de petite taille.

MÉCANIQUE ► Cinquante chevaux par cylindre, voilà la puissance de la Viper. Doit-on rappeler qu'il s'agit de l'une des plus rapides voitures de production jamais construites en Amérique ? Le couple est si important qu'on

forces

- Puissance hallucinante
- Gueule d'enfer
- Agilité étonnante lorsqu'on la conduit bien
- Voiture sans compromis

faiblesses

- Facture d'achat et prime d'assurance
- Confort limité
- Équipement élémentaire
- Voiture qui ne pardonne pas

nouveautés en 2007

- Dodge reporte le modèle 2006 pour 2007, il y aura une nouvelle Viper en 2008

ressent une oppression dans la poitrine quand on accélère à fond. La sonorité particulière, mais ô combien agréable, du V10 s'échappe sans vergogne des pots d'échappement latéraux, qui dégagent une chaleur importante. Précis, le levier de vitesses se manie facilement et ne demande pas d'effort particulier, contrairement à la pédale d'embrayage. Bien sûr, cette surdose de puissance s'accompagne d'une grande consommation d'essence. Contrairement à ce que prétend Énerguide (15,1 litres aux 100 km), il faut plutôt calculer 19,5 litres aux 100 km en moyenne.

COMPORTEMENT ▶ Freinage surpuissant, châssis ultrarigide, direction précise et communicative et pneumatiques hyperperformants définissent le comportement de la Viper. La suspension très ferme n'est heureusement pas totalement inadaptée au réseau routier, même si elle encaisse mal les chocs causés par nos innombrables nids d'autruches. Avec elle, le roulis en virage est inexistant, ce qui explique pourquoi il est difficile de sentir le décrochage du train arrière. Et, croyez-moi, ce décrochage peut survenir rapidement et sans avertissement, ce qui signifie qu'il faut apprendre à calmer ses ardeurs. La Viper enseigne l'humilité.

CONCLUSION ▶ La Viper n'a ni la classe d'une Mercedes SL ni le prestige d'une 911. Son truc à elle, c'est d'abord d'exhiber ses muscles, sans gêne aucune. Mesdames, vous ne pouvez pas conduire une Viper avec des talons aiguilles; et, messieurs, je vous déconseille fortement de laisser les clés de votre bolide au valet de votre resto branché préféré. La Viper, même si elle s'est améliorée avec le temps, demeure une brute qu'il faut apprivoiser. Trop de conducteurs imprudents ou téméraires ont malheureusement dû payer cher pour constater que la Viper ne se maîtrise pas de la même façon qu'une voiture allemande. Voilà pourquoi la prime des assurances est si élevée !

FICHE TECHNIQUE

MOTEUR
V10 8,3 l ACC 500 ch à 5600 tr/min
couple : 525 lb-pi à 4200 tr/min
Transmission : manuelle à 6 rapports
0-100 km/h : 4,1 s
Vitesse maximale : 305 km/h
Consommation (100 km) : 15,1 l (octane : 91)

Sécurité active
freins ABS

Suspension avant/arrière
indépendante

Freins avant/arrière
disques

Direction
à crémaillère, assistée

Pneus
P275/35R18 (av.), P345/30R19 (arr.)

DIMENSIONS
Empattement : 2510 mm
Longueur : 4459 mm
Largeur : 1911 mm
Hauteur : 1210 mm
Poids : 1546 kg
Diamètre de braquage : 12,3 m
Coffre : 240 l (cabrio.), 667 l (coupé)
Réservoir de carburant : 70 l

opinion

Bertand Godin • La Dodge Viper est probablement la plus belle expression de ce que devrait être une voiture de course d'accélération. Même si elle a été modifiée depuis sa naissance, elle ne déborde pas de raffinements et d'aides électroniques. Au volant de ce bolide de plus de 500 chevaux, le pilote n'a qu'une petite marge de manœuvre et le droit à l'erreur est pratiquement nul. Mais, quand on a appris à la maîtriser, la Viper est capable de performances éblouissantes qui défriseront plusieurs conducteurs qui se croyaient bons… Tout cela en proposant un confort surprenant et une suspension devenue plus sage avec les années. Un jouet de luxe pour pilotes chevronnés, ou désireux d'apprendre !

599 GTB FIORANO

évolution | nd
Transport et préparation : 3500 $

www.ferrariquebec.com

FICHE D'IDENTITÉ

Version(s) : Fiorano
Roues motrices : arrière
Portières : 2
Première génération : 2007
Génération actuelle : 2007
Construction : Maranello, Italie
Sacs gonflables : 4, frontaux et latéraux
Concurrence : Aston Martin Vanquish, Lamborghini Murciélago, Mercedes-Benz McLaren SLR

AU QUOTIDIEN

Prime d'assurance :
25 ans : 15 000 à 15 300 $
40 ans : 9500 à 9800 $
60 ans : 8000 à 8500 $
Collision frontale : nd
Collision latérale : nd
Ventes du modèle l'an dernier
Au Québec : nm **Au Canada :** nm
Dépréciation (3 ans) : nm
Rappels (2001 à 2006) : nm
Cote de fiabilité : nm

CABALLO BIEN DOMPTÉ

– Laurence Yap

L'habitacle de la nouvelle 599 GTB est plus spacieux, plus confortable et mieux équipé que celui de la défunte 575 Maranello. Le coupé dispose d'un sonar de recul, d'un système de navigation, d'essuie-phares, de sièges chauffants et de dispositifs d'aide à la conduite. La firme italienne aurait-elle assagi une de ses montures ? À peine !

CARROSSERIE ► À l'instar de presque toutes les voitures qui portent le cheval cabré, le design de la 599 provient des studios de Pininfarina, qui a travaillé de concert avec l'équipe d'ingénierie de Ferrari pour peaufiner l'ensemble en soufflerie. La carrosserie et la structure sont entièrement conçues en aluminium et, en dépit de dimensions supérieures, le coupé pèse 20 kilos de moins que la 575.

HABITACLE ► La 599 profite de la meilleure ergonomie de toutes les Ferrari produites à ce jour. Les portes s'ouvrent sur un habitacle de grand raffinement : larges baquets habillés de cuir, système audio Bose à 11 haut-parleurs et écran grand format flanqué dans le groupe d'instruments. Cet écran permet d'utiliser le système de navigation convivial et de consulter les diverses données fournies par l'ordinateur de bord. Le conducteur profite d'une bonne position de conduite et d'une visibilité périphérique satisfaisante.

MÉCANIQUE ► La nouvelle Ferrari renferme un V12 de 6,0 litres qui puise son inspiration dans l'Enzo. Issu du savoir-faire de Ferrari en F1, ce bloc fournit 620 chevaux et 448 livres-pied de couple, en plus d'atteindre un régime maximal de 8400 tours/minute et de laisser couler le son typique d'une Ferrari V12. Les accélérations sont impressionnantes, peu importe le rapport sélectionné ou la vitesse de conduite. Vitesse de pointe : plus de 330 km/h ! Un puissant calculateur régit la relation entre le V12 et la boîte de vitesses, et permet au système F1 Super Fast d'effectuer des changements de rapports en 100 millisecondes, soit la moitié du temps

forces
- Moteur
- Confort
- Valeur assuré

faiblesses
- Demandez à Michael (Schumacher)...

nouveautés en 2007
- Nouveau modèle remplaçant la 575M Maranello

599 GTB FIORANO

requis par la 612 Scaglietti et seulement 50 millisecondes de plus qu'une F1.

COMPORTEMENT ► Le dernier coupé Ferrari revêt deux personnalités. C'est du moins le message de la marque. Au moyen d'une commande montée au volant, le manettino – installé pour la première fois dans la F430 –, le pilote peut sélectionner un des modes de conduite au gré de son humeur et de sa personnalité. Les modes Sport, Race ou CST (qui désactive les aides à la conduite) en font une voiture assez confortable pour de longs trajets, alors que le mode F1 permet au conducteur d'exploiter au maximum les 620 chevaux du moteur. Pour rester rivée au bitume, la 599 profite du système d'antipatinage F1 Trac, qui fonctionne avec une discrétion impressionnante. En virages, le constructeur allègue que ce système augmente de 20 % l'adhérence latérale par rapport à un antipatinage classique. À cette technologie s'ajoute la suspension magnétique, utilisée pour la première fois par Cadillac. Ce système privilégie la stabilité et le comportement en virages au détriment de la qualité de roulement qui, malgré tout, démontre une surprenante douceur sur l'autoroute. La voiture jouit par ailleurs d'un incroyable équilibre (répartition de poids: 47 % avant; 53 % arrière) qui autorise une maniabilité comparable davantage à celle d'une voiture sport à moteur central qu'à celle d'une voiture à moteur V12 à l'avant. Une critique: la 599 affiche une telle assurance qu'elle peut donner l'impression d'être un peu synthétique. Car la direction ne procure pas autant de sensations qu'on le souhaiterait. Les freins en acier de série sont toutefois incroyablement puissants.

CONCLUSION ► Les concepteurs de Maranello ont élaboré la 599 en misant davantage sur la conduite au jour le jour qu'avec la 575. Le coupé biplace est en outre plus sportif et plus rapide que n'importe quelle voiture comparable sur le marché. Au final, l'innovation technologique a rendu le cheval sauvage un peu mieux dompté, mais ne lui a pas enlevé son caractère.

FICHE TECHNIQUE

MOTEUR
V12 6,0 l DACT 620 ch à 7600 tr/min
couple: 448 lb-pi à 5600 tr/min
Transmission: manuelle à 6 rapports, séquentielle à 6 rapports (option)
0-100 km/h: 3,7 s
Vitesse maximale: 330 km/h
Consommation (100 km): 21,3 l (octane: 94)

Sécurité active
freins ABS, antipatinage, contrôle de stabilité électronique

Suspension avant/arrière
indépendante

Freins avant/arrière
disques

Direction
à crémaillère, assistée

Pneus
P245/40R19 (av.), P305/35R20 (arr.)

DIMENSIONS
Empattement: 2751 mm
Longueur: 4666 mm
Largeur: 1961 mm
Hauteur: 1335 mm
Poids: 1688 kg
Diamètre de braquage: nd
Coffre: 326 l
Réservoir de carburant: 127 l

612 SCAGLIETTI

www.ferrariquebec.com

FICHE D'IDENTITÉ

Version(s) : unique
Roues motrices : arrière
Portières : 2
Première génération : 2004
Génération actuelle : 2004
Construction : Maranello, Italie
Sacs gonflables : 4, frontaux et latéraux
Concurrence : Aston Martin Vanquish, Bentley Continental GT, Jaguar XKR, Mercedes-Benz CL600

AU QUOTIDIEN

Prime d'assurance :
25 ans : 15 000 à 15 300 $
40 ans : 9500 à 9800 $
60 ans : 8000 à 8500 $
Collision frontale : nd
Collision latérale : nd
Ventes du modèle l'an dernier
Au Québec : nd **Au Canada :** nd
Dépréciation (3 ans) : nd
Rappels (2001 à 2006) : aucun à ce jour
Cote de fiabilité : nd

UN CHEVAL QUI SE CABRE MOINS

– Bertrand Godin

Cette fois, ça y est, je mets ma réputation en jeu ! Je vais passer pour un snob de la pire espèce ! Pourquoi ? Parce que je vais oser affirmer une énormité : je n'aime pas vraiment la Ferrari 612 Scaglietti. Cela n'a rien à voir avec la qualité de la voiture elle-même ; c'est plutôt sa personnalité qui me rend perplexe. Car, traditionnellement, une Ferrari est une bête sauvage qui montre des lignes agressives et un intérieur entièrement dédié à la conduite. La Scaglietti est tout le contraire : une silhouette toute en raffinement et un habitacle rempli à craquer de tous les gadgets imaginables. Où est l'aspect un peu négligé des Ferrari traditionnelles que j'aime tant ?! Je vous jure, on la croirait sortie des usines Audi tellement le tableau de bord est propret et léché !

CARROSSERIE ► Au chapitre du gabarit, la 612 est la plus imposante Ferrari jamais construite. Les designers ont heureusement utilisé les subtilités de la géométrie pour éviter que les proportions ne soient trop imposantes. Le résultat est surprenant de fluidité et d'originalité, même si on a conservé quelques traits caractéristiques de la marque au cheval cabré. Ainsi, la calandre n'est pas sans rapport avec les précédentes voitures, notamment la 575 Maranello que la Scaglietti remplace. Les lignes arrière non plus ne sont pas sans lien de parenté. On ne balaie pas la génétique aussi facilement. En revanche, l'empattement d'une longueur quasiment excessive est unique dans l'histoire de la marque. À première vue, on a davantage l'impression de côtoyer une anglaise bien tournée qu'une sportive italienne.

HABITACLE ► Là ou la parenté Ferrari est reniée, c'est dans l'habitacle. Alors que les anciens (et même les actuels) tableaux de bord de la marque sont surchargés de boutons, on se retrouve cette fois-ci avec une planche dénudée. Pourtant, la 612 Scaglietti propose toute une gamme d'accessoires que les Ferrari n'ont pas l'habitude de posséder,

forces
- Poids bien équilibré
- Maniabilité hors du commun
- Confort de haut de gamme

faiblesses
- Couple à bas régime
- Silhouette discutable
- Surplus d'accessoires

nouveautés en 2007
- Aucun changement majeur

612 SCAGLIETTI

par exemple la climatisation bizone et d'autres gâteries: sièges ajustables tous azimuts, aide au stationnement, navigation par satellite, compatibilité Bluetooth et ainsi de suite. On ressent donc toute l'importance de la notion de voiture grand-tourisme, ce à quoi ne nous ont pas habitué les ingénieurs italiens, même dans les versions 2 + 2. D'autant plus que l'habitacle hérite d'une insonorisation de haut de gamme, capable, hélas, de mettre en sourdine jusqu'au doux son du moteur...

MÉCANIQUE ► Sous le capot, la Scaglietti est restée une véritable italienne de souche. Un moteur V12 de 5,7 litres développe rien de moins que 540 chevaux, assez pour nous permettre de réaliser le 0-100 km/h en quelque 4,2 secondes. Pas mal pour un bolide qui pèse tout de même plus de deux tonnes !

COMPORTEMENT ► Malgré les muscles de l'auto, on souhaiterait un peu plus de couple à bas régime, puisqu'il faut attendre jusqu'à 5250 tours/minute avant d'en atteindre la valeur maximale. L'autre avantage important de la 612, c'est sa maniabilité. Malgré sa longueur inusitée, les ingénieurs ont réussi à loger le moteur en arrière des roues, et non en porte-à-faux sur l'essieu avant. On obtient ainsi un meilleur partage du poids, donc un comportement routier des plus équilibrés. Quant à la direction, elle est précise, sans aucun doute, mais un peu trop légère pour le pilote que je suis. J'avoue avoir une faiblesse pour les directions plus agressives, qui donnent plus de sensations fortes.

CONCLUSION ► Je dois le reconnaître: la 612 Scaglietti ne cadre pas tout à fait avec les autres Ferrari, parce qu'elle est un tantinet trop raffinée pour les puristes (dont je suis). Cela dit, j'imagine que je parviendrais probablement à m'y habituer malgré tout.

FICHE TECHNIQUE

MOTEUR
V12 5,7 l DACT 540 ch à 7250 tr/min
couple: 434 lb-pi à 5250 tr/min
Transmission: manuelle à 6 rapports, séquentielle à 6 rapports (option)
0-100 km/h: 4,2 s
Vitesse maximale: 320 km/h
Consommation (100 km): 17,9 l (octane: 94)

Sécurité active
freins ABS, antipatinage, contrôle de stabilité électronique

Suspension avant/arrière
indépendante

Freins avant/arrière
disques

Direction
à crémaillère, assistée

Pneus
P245/45R18 (av.), P285/40R19 (arr.)

DIMENSIONS
Empattement: 2949 mm
Longueur: 4902 mm
Largeur: 1956 mm
Hauteur: 1344 mm
Poids: 1840 kg
Diamètre de braquage: nd
Coffre: 240 l
Réservoir de carburant: 108 l

opinion

Nadine Filion • Les routes du Québec (et du reste de l'Amérique du Nord) ne sont pas faites pour la 612 Scaglietti. Une telle voiture réclame sans vergogne les *autostrada* et *autobahnen* de l'Europe. Ne pas pouvoir tirer toute la puissance du V12 de 540 chevaux, c'est comme un orgasme manqué. On se console (enfin, presque...) avec un habitacle des plus luxueux – touchez ce cuir et vous m'en donnerez des nouvelles. Les sièges, très confortables, compensent la fermeté de la suspension. Les places arrière ne sont pas aussi restreintes qu'on pourrait le croire et il paraît qu'on peut même y installer un siège de bébé. Mais qui le voudrait ? ! ?

F430

évolution | 252 000 $ à 296 000 $
Transport et préparation : nd

www.ferrariquebec.com

FICHE D'IDENTITÉ

Version(s) : F430, F430 Spider, F430 Challenge
Roues motrices : arrière
Portières : 2
Première génération : 2005
Génération actuelle : 2005
Construction : Maranello, Italie
Sacs gonflables : 2, frontaux
Concurrence : Aston Martin DB9, Chevrolet Corvette Z06, Dodge Viper, Ford GT, Lamborghini Gallardo, Porsche 911 turbo

AU QUOTIDIEN

Prime d'assurance :
25 ans : 8000 à 8200 $
40 ans : 5300 à 5500 $
60 ans : 4000 à 4200 $
Collision frontale : nd
Collision latérale : nd
Ventes du modèle l'an dernier
Au Québec : nd **Au Canada :** nd
Dépréciation (3 ans) : nd
Rappels (2001 à 2006) : nd
Cote de fiabilité : nd

LA BELLE ET LA BÊTE

– **Pascal Boissé**

Dans le film d'animation *Cars* (Les bagnoles), le personnage de Michael Schumacher est incarné par une Ferrari F430. Pourquoi ? Probablement parce que c'est la plus pure des Ferrari, celle qui résume le mieux l'esprit compétitif de la marque au cheval cabré.

CARROSSERIE ► Même si, à première vue, on croit que la F430 n'est qu'une évolution de la 360 Modena, il faut signaler que des changements aérodynamiques ont amélioré la portance négative de plus de 50 % par rapport à sa devancière. Alors que les autres Ferrari sont revenues à une architecture plus classique, la F430 conserve son moteur en position centrale arrière, sans doute pour continuer à narguer les Lamborghini. Stricte deux places, elle est offerte en version coupé ou spider. Le moteur, une véritable œuvre d'art, est exposé sous un couvercle transparent qui fait office de vitrine. Alors qu'une Porsche camoufle piteusement sa mécanique, la F430 exhibe la sienne comme un trophée. Les naseaux, qui servent d'entrée d'air pour les radiateurs situés à l'avant, sont un clin d'œil à ceux de la Ferrari 156 qui remporta le championnat du monde de F1 en 1961.

HABITACLE ► C'est du cousu main et c'est beau à voir. Pas de place ici pour l'amateurisme, mais néanmoins on sent l'intervention humaine dans chaque détail. Et, bien que Ferrari exporte ses voitures dans le monde entier, l'identité italienne n'est jamais effacée, bien au contraire. Par exemple ce commutateur, que l'on nomme *manettina*, situé sur le volant, qui sert à modifier les réglages de la suspension, est à lui seul un petit chef-d'œuvre du design italien.

MÉCANIQUE ► On ne peut parler de la mécanique sans parler de la sonorité de ce V8 : ce grondement rythmé qui devient, graduellement, un hurlement musical perçant. D'accord, ce n'est pas le chant sublime d'un V12, mais c'est quand même un moteur Ferrari.

forces
- *Bella machina !*
- Moteur spectaculaire
- Freinage tout aussi spectaculaire

faiblesses
- Prix
- Ergonomie étrange de certaines commandes

nouveautés en 2007
- Aucun changement majeur

Passablement pointu, il développe sa puissance et son couple à haut régime. Mais, avec 114 chevaux au litre, le déferlement de la cavalerie est disponible à tout instant. La boîte pilotée électrohydrauliquement permet de changer de rapport en moins de deux dixièmes de seconde, sans lever le pied.

COMPORTEMENT ► Après un trop court essai routier de quelques dizaines de kilomètres, j'avais conclu, hâtivement, que la F430 était trop facile à piloter pour être véritablement performante. C'était avant de faire quelques tours du circuit Mont-Tremblant, au côté d'un pilote chevronné, mandaté par Ferrari pour flanquer la frousse à des blancs-becs comme moi. Le pur-sang n'attendait que cette occasion pour se libérer. Abasourdi, titubant et le teint verdâtre, j'en suis descendu estomaqué par les accélérations foudroyantes, les changements de rapports en rafale, et par le freinage digne d'un appontage sur porte-avions. Les disques en céramique y sont certainement pour quelque chose, car la F430 freine comme si elle était sur des rails. Rien de comparable à tout ce que j'ai pu voir ou conduire sur ce circuit. Cette Ferrari offre une fabuleuse polyvalence, allant du confort tranquille, requis pour la balade du dimanche, jusqu'au niveau de performance d'une voiture de compétition. Des voitures sport beaucoup moins confortables sur route ne vous donneront pas la moitié des sensations que peut procurer une F430 sur un circuit.

CONCLUSION ► La F430 est une voiture aussi déroutante qu'envoûtante: confortable et civilisée sur la route, elle se transforme en instrument de précision capable de disséquer chirurgicalement un circuit lorsqu'on lui en donne l'occasion. Donc, si vous avez mis quelques centaines de milliers de dollars de côté et que vous êtes un passionné de belle mécanique et de sensations fortes, je ne peux que vous recommander de courir chez un concessionnaire Ferrari pour acquérir une F430.

FICHE TECHNIQUE

MOTEUR
V8 4,3 l DACT 490 ch à 8500 tr/min
couple: 343 lb-pi à 5250 tr/min
Transmission: manuelle à 6 rapports, séquentielle à 6 rapports (option)
0-100 km/h: 4,0 s
Vitesse maximale: 315 km/h
Consommation (100 km): 17,9 l (octane: 94)

Sécurité active
freins ABS et antipatinage

Suspension avant/arrière
indépendante

Freins avant/arrière
disques

Direction
à crémaillère, assistée

Pneus
P225/35R19 (av.), P285/35R19 (arr.)

DIMENSIONS
Empattement: 2600 mm
Longueur: 4512 mm
Largeur: 1923 mm
Hauteur: 1214 mm
Poids: 1450 kg
Diamètre de braquage: 10,8 m
Coffre: 220 l
Réservoir de carburant: 95 l

2e opinion

Benoit Charette • La F430, c'est le coup de poing sur la table de Ferrari qui a voulu hausser la barre pour faire comprendre aux concurrents (notamment Lamborghini) tout le sérieux de son entreprise. Malgré une conduite facile, elle conserve tout son caractère et on a toujours l'impression de vivre un moment magique au volant. La précision de sa conduite est chirurgicale, mais on doit avoir accès à un circuit pour exploiter tout le potentiel de la voiture et comprendre pourquoi elle a été construite. Son moteur, sa boîte et son châssis sont directement inspirés de la course, et le freinage est exceptionnel. Une vraie sportive, sans compromis.

EDGE

nouveauté | 28 000 $ à 38 000 $
Transport et préparation : nd

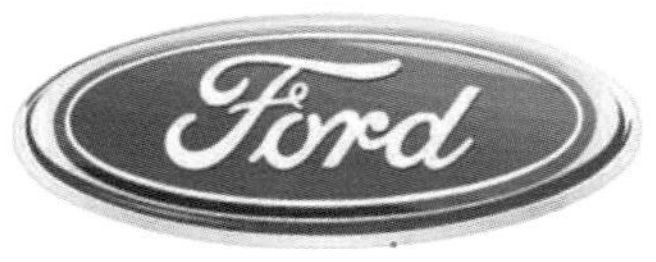

www.ford.ca

FICHE D'IDENTITÉ

Version(s) : SEL, SEL Plus
Roues motrices : avant, 4
Portières : 4
Première génération : 2007
Génération actuelle : 2007
Construction : Oakville, Ontario, Canada
Sacs gonflables : 6, frontaux, latéraux avant et rideaux latéraux
Concurrence : Chevrolet Equinox, Hyundai Santa Fe, Mazda CX-7, Mitsubishi Outlander, Pontiac Torrent, Toyota RAV4

AU QUOTIDIEN

Prime d'assurance :
25 ans : 2800 à 3000 $
40 ans : 1800 à 2000 $
60 ans : 1400 à 1600 $
Collision frontale : nd
Collision latérale : nd
Ventes du modèle l'an dernier
Au Québec : nm **Au Canada :** nm
Dépréciation (3 ans) : nm
Rappels (2001 à 2006) : nm
Cote de fiabilité : nm

LE 4X4 NOUVEAU GENRE

– Benoit Charette

Le Ford Edge est un parfait exemple du virage qui s'amorce dans la catégorie des véhicules utilitaires. Nés des gènes d'une berline, ces nouveaux véhicules aux dimensions raisonnables se veulent une alternative aux véritables utilitaires, engins lourds et gourmands, puisqu'ils proposent assez d'attributs de camion pour plaire aux amateurs.

CARROSSERIE ▶ Physiquement, le nouveau Edge se présente comme le grand frère de l'Escape, rôle tenu jusqu'ici par le Freestyle âgé d'à peine deux ans et dont l'avenir semble maintenant incertain. L'Edge est construit sur la plateforme CD3 qui sert de fondement à la Mazda6 et à la Ford Fusion. Lorsqu'on parle des lignes réussies d'un véhicule, les proportions jouent un rôle important, et Ford a visé juste avec l'Edge. Les jantes de 18 pouces (en option) remplissent bien les cages de roue, et la ceinture de caisse élevée affiche des allures plus sportives à cette familiale moderne. Les lignes tendues donnent l'impression que le métal a été coulé sur le châssis. Point de doute, la silhouette est l'élément fort de ce dernier-né chez Ford.

HABITACLE ▶ Avec ses cinq places et son siège passager avant rabattable, l'Edge propose une modularité comparable à celle d'une fourgonnette sous une robe autrement plus attrayante. Ce qui tranche le plus avec un véhicule familial traditionnel, c'est le traitement intérieur. Premièrement, les sièges sport sont une belle surprise. Il est vrai que nous ne sommes pas à bord d'une Porsche, mais l'assise est confortable et les soutiens latéraux vous gardent bien en place. Le dessin du tableau de bord est exécuté avec goût, les matériaux utilisés sont de qualité et le coup d'œil est résolument moderne (il était temps !). Même les bouches d'aération sont surdimensionnées pour opérer plus efficacement à bas régime et ainsi faire moins de bruit. Finalement, un immense pavillon vitré coulissant (disponible en option) ajoute beaucoup de luminosité dans l'habitacle. Parmi les autres

forces
- En théorie, il a tout pour plaire.

faiblesses
- Plaira-t-il ?

nouveautés en 2007
- Nouveau modèle

options populaires, mentionnons le système de navigation et un centre de divertissement avec lecteur DVD. Dans l'ensemble, l'intérieur est aussi réussi que l'extérieur.

MÉCANIQUE ▶ La puissance provient d'un nouveau moteur V6 3,5 litres DACT tout aluminium de 265 chevaux. Elle est transmise via une boîte automatique à six rapports développée en collaboration avec GM. Alors que les deux premiers rapports mettent l'accent sur l'accélération, le sixième servira à ralentir le régime moteur, permettant au passage (selon les porte-parole de Ford) une économie de carburant de l'ordre de 7 % par comparaison à une boîte automatique à quatre rapports. L'Edge sera disponible en deux variantes : traction ou quatre roues motrices.

La transmission intégrale est empruntée à la Mazdaspeed6. Un système réussi qui devrait faire merveille pour la réputation de Ford.

COMPORTEMENT ▶ Au moment d'écrire ces lignes, nous n'avions pas encore eu le plaisir de conduire l'Edge, mais voici quelques prédictions qui ne nous mettront pas trop dans l'embarras. Avec une plateforme dérivée de la Mazda6, la rigidité structurelle ne devrait pas poser de problème, et la transmission intégrale empruntée à la Mazdaspeed6 devrait procurer beaucoup d'agrément au volant. Un heureux compromis à l'horizon entre une conduite de berline et la position de conduite dominante d'un utilitaire.

CONCLUSION ▶ Ford a beaucoup insisté sur le côté abordable de l'Edge sans sacrifier la qualité ni les avancées technologiques. Sur le papier, ce nouveau véhicule a tout pour réussir. En plus d'offrir une ligne d'avant-garde dans ce segment, Ford y a installé une nouvelle mécanique, un intérieur contemporain et un équipement de série complet. Souhaitons seulement que Ford puisse enfin produire un véhicule fiable et à la hauteur des attentes de sa clientèle.

FICHE TECHNIQUE

MOTEUR

V6 3,5 l DACT 265 ch à 6250 tr/min
couple : 250 lb-pi à 4500 tr/min
Transmission : automatique à 6 rapports
0-100 km/h : nd
Vitesse maximale : nd
Consommation (100 km) : nd (octane : 87)

Sécurité active
freins ABS, antipatinage, contrôle de stabilité électronique

Suspension avant/arrière
indépendante

Freins avant/arrière
disques

Direction
à crémaillère, assistée

Pneus
SEL : P235/65R17, SEL Plus : P245/60R18

DIMENSIONS

Empattement : 2824 mm
Longueur : 4717 mm
Largeur : 1925 mm
Hauteur : 1702 mm
Poids : SEL : 1859 kg, SEL Plus : 1853 kg
Diamètre de braquage : 11,5 m
Coffre : 909 l, 1971 l (sièges abaissés)
Réservoir de carburant : 2RM : 72 l, 4RM : 76 l
Capacité de remorquage : 1588 kg

ESCAPE

évolution | 22 999 $ à 36 499 $
Transport et préparation : 1200 $

www.ford.ca

VIEILLIR EN BEAUTÉ

– **Jean-Pierre Bouchard**

FICHE D'IDENTITÉ

Version(s) : XLS, XLT, Limited, Hybrid
Roues motrices : avant, 4RM
Portières : 4
Première génération : 2001
Génération actuelle : 2001
Construction : Kansas City, Missouri, É.-U. ; Hybrid : Claymoco, Missouri, É.-U.
Sacs gonflables : 2, frontaux (latéraux avant et rideaux latéraux en option)
Concurrence : Chevrolet Equinox, Honda CR-V, Hyundai Tuscon, Jeep Compass et Patriot, Mitsubishi Outlander, Nissan X-Trail, Pontiac Torrent, Saturn VUE, Subaru Forester, Suzuki Grand Vitara, Toyota RAV4

AU QUOTIDIEN

Prime d'assurance :
25 ans : 2800 à 3000 $
40 ans : 1800 à 2000 $
60 ans : 1500 à 1700 $
Collision frontale : 5/5
Collision latérale : 5/5
Ventes du modèle l'an dernier
Au Québec : 4138 **Au Canada :** 23 495
Dépréciation (3 ans) : 40,2 %
Rappels (2001 à 2006) : 10
Cote de fiabilité : 3/5

Les ventes de camionnettes et d'utilitaires sport, petits, moyens ou gros, permettent à Ford de garder le cap en ces temps difficiles pour le deuxième constructeur américain. Chaque mois, au Canada, l'Escape figure au palmarès des meilleurs vendeurs. Ce petit véhicule, qui a bénéficié de beaucoup d'améliorations depuis son lancement en 2001, fut en plus le premier utilitaire sport hybride sur le marché.

CARROSSERIE ► L'utilitaire de Ford plaît d'abord par son allure robuste. Ford le commercialise en configurations à traction et à transmission intégrale. À l'instar des autres véhicules de cette catégorie, excepté le Suzuki Grand Vitara, l'Escape repose sur un châssis autoporteur, ce qui en rapproche la conduite de celle d'une voiture.

HABITACLE ► La conception de l'habitacle est typiquement américaine. La finition est soignée, mais aucun détail ne séduit l'œil. Heureusement, l'ensemble est fonctionnel : l'instrumentation est bien disposée et les commandes tombent sous la main. Les cadrans sur fond blanc apportent une touche de gaieté. L'accès à bord est aisé. Les sièges avant procurent un confort correct. La banquette arrière assure à deux occupants de taille moyenne un dégagement adéquat aux jambes et à la tête. L'espace de chargement est généreux et bien servi par un hayon à lunette ouvrable. L'habitacle gomme toutefois mal les bruits de route et le moteur de la version hybride est bruyant en forte accélération.

MÉCANIQUE ► Le catalogue propose trois groupes motopropulseurs distincts : un quatre cylindres de 2,3 litres signé Mazda ; un V6 Ford de 3,0 litres ; et un hybride formé d'un moteur de 2,3 litres et d'un moteur électrique. Ce duo, jumelé à une boîte de vitesses à variation continue, permet au véhicule de fonctionner uniquement à l'électricité en certaines circonstances. Ce petit moulin de 133 chevaux travaille avec efficacité et permet de bonnes reprises. L'économie de carburant est

forces
- Habitabilité
- Choix de groupes motopropulseurs
- Motorisation hybride

faiblesses
- Consommation du V6
- Sièges inconfortables
- Prix de la version hybride

nouveautés en 2007
- Aucun changement majeur

L'Escape peut tracter, une fois doté du groupe remorquage, jusqu'à 1588 kilos. Les 200 chevaux du V6 sont alors requis, sinon... La transmission intégrale, de son côté, fonctionne avec efficacité et discrétion.

toutefois négligeable, puisque le véhicule coûte plusieurs milliers de dollars de plus qu'une version équipée d'un quatre cylindres régulier. La véritable économie apparaît en conduite urbaine où le moteur hybride permet à l'Escape de surpasser tous les rivaux de la catégorie. Le quatre cylindres de base de 153 chevaux se révèle un choix judicieux. Au chapitre des performances, ce moteur n'est pas une bombe, surtout avec la transmission intégrale, mais sa consommation de carburant est raisonnable. Par ailleurs, les performances du V6 sont correctes. Ce dernier est couplé de série à une boîte automatique à quatre rapports. Toutefois, le V6 de 3,5 litres du Saturn VUE lui dame le pion sur le plan des accélérations et des reprises, et il reçoit de plus une boîte à cinq rapports. Attendez-vous aussi à des notes de carburant salées avec ce V6.

COMPORTEMENT ► Le comportement routier du Ford Escape est sain et équilibré. La suspension indépendante aux quatre roues s'ajuste avec souplesse à la plupart des revêtements. Au fil des kilomètres, ce petit véhicule se montre maniable et agréable à conduire, et puis il dégage une impression de robustesse. La garde au sol de l'Escape, une des plus hautes de la catégorie, incite cependant à aborder les courbes prononcées avec modération.

CONCLUSION ► Le constructeur à l'ovale bleu a concocté une recette réussie: formes et dimensions attrayantes, polyvalence, choix de groupes motopropulseurs et agrément de conduite. L'Escape peut remplacer aisément une fourgonnette ou une familiale. En outre, les nombreux rabais accordés par Ford en font un véhicule d'un rapport qualité/prix décent. À prix comparable, je me tournerais toutefois du côté du Honda CR-V, dont la valeur de revente et la fiabilité sont meilleures.

FICHE TECHNIQUE

MOTEURS

(XLS) L4 2,3 l DACT 153 ch à 5800 tr/min
couple: 152 lb-pi à 4250 tr/min
Transmission: XLS 2RM: man. à 5 rapports, automatique à 4 rapports (opt: XLS 2RM, de série dans XLS 4RM)
0-100 km/h: 10,4 s
Vitesse maximale: 165 km/h
Consommation (100 km): man. 2RM: 8,5 l, auto. 2RM: 9,8 l auto. 4RM: 11,3 l

(Hybrid) L4 2,3 l DACT 133 ch à 6000 tr/min
couple: 124 lb-pi à 4250 tr/min
moteur électrique de 70 kw à 5000 tr/min
Transmission: à variation continue
0-100 km/h: 8,9 s
Vitesse maximale: 170 km/h
Consommation (100 km): 2RM: 8,0 l, 4RM: 8,8 l

(XLT, Limited) V6 3,0 l DACT 200 ch à 6000 tr/min
couple: 193 lb-pi à 4850 tr/min
Transmission: automatique à 4 rapports
0-100 km/h: 8,9 s
Vitesse maximale: 170 km/h
Consommation (100 km): 2RM: 10,4 l, 4RM: 11,6 l

Sécurité active
freins ABS, distribution électronique de force de freinage

Suspension avant/arrière
indépendante

Freins avant/arrière
XLS et XLT 2RM: disques/tambours,
XLT 4RM, Limited et Hybrid: disques aux 4 roues

Direction
à crémaillère, assistée

Pneus
XLS: P225/75R15, XLT, Limited et Hybrid: P235/70R16

DIMENSIONS
Empattement: 2621 mm
Longueur: 4442 mm
Largeur: 1780 mm
Hauteur: 1725 mm, Hybrid: 1775 mm
Poids: XLS: 1432 kg, XLS 4RM et XLT: 1505 et 1532 kg, XLT 4RM et Limited: 1562 kg, Hybrid 2RM: 1630 kg, Hybrid 4RM: 1705 kg
Diamètre de braquage: 10,8 m, Hybrid: 11,5 m
Coffre: 830 l, 1877 l (sièges abaissés), Hybrid: 782 l, 1854 l (sièges abaisés)
Réservoir de carburant: 62,5 l, Hybrid: 56,8 l
Capacité de remorquage: XLS: 680 kg, XLT et Limited: 1588 kg, Hybrid: 454 kg

opinion

Hugues Gonnot • Qu'elle est douce, l'heure de la revanche pour le (pas si) petit utilitaire de Ford. Lancé il y a six ans, ses ventes augmentent, alors que celles de l'Explorer, une des vaches à lait de la division, fléchissent. Il faut dire que le véhicule reste intéressant malgré son âge. Joliment dessiné, plutôt bien construit et d'une conduite agréable, il ne souffre réellement que du côté des moteurs. Ou bien le quatre cylindres est trop juste pour le poids de l'engin, ou bien le V6 est un peu trop énergivore, toutes proportions gardées. Il reste la version hybride, qui ne servira pas à grand-chose ici l'hiver, puisque le froid limite l'usage du moteur électrique et réduit donc l'autonomie.

EXPEDITION

nouveauté | 46 799 $ à 60 199 $
Transport et préparation : 1200 $

www.ford.ca

QUAND FORD SE RETROUSSE LES MANCHES

– Antoine Joubert

FICHE D'IDENTITÉ

Version(s) : XLT, Eddie Bauer, Limited, Eddie Bauer Max, Limited Max
Roues motrices : 4
Portières : 4
Première génération : 1997
Génération actuelle : 2007
Construction : Wayne, Michigan, É.-U.
Sacs gonflables : 6, frontaux, latéraux avant et rideaux latéraux
Concurrence : Chevrolet Tahoe, Dodge Durango, GMC Yukon, Nissan Armada, Toyota Sequoia

AU QUOTIDIEN

Prime d'assurance :
25 ans : 3400 à 3600 $
40 ans : 2200 à 2400 $
60 ans : 1800 à 2000 $
Collision frontale : 5/5
Collision latérale : 5/5
Ventes du modèle l'an dernier
Au Québec : 206 **Au Canada :** 2413
Dépréciation (3 ans) : 52,5 %
Rappels (2001 à 2006) : 7
Cote de fiabilité : 1/5

Sans avoir été totalement repensé, l'Expedition subit cette année d'importantes modifications, dont la plus importante est l'arrivée de la version Max, premier véritable concurrent du Suburban. Est-ce trop tard ? Est-ce qu'un véhicule si peu écologique est lancé au mauvais moment ? Ford nous assure que non. Aux États-Unis, le marché du VUS pleine grandeur a effectivement diminué de 40 % en deux ans, mais la demande pour ce type de véhicule existe toujours, justifiée par des besoins spécifiques, comme le remorquage.

CARROSSERIE ► Un style plus musclé et plus dynamique sont les attraits du nouvel Expedition, fortement inspiré de la camionnette F-150. On apprécie la carrure proéminente de son nouveau museau, la grille de calandre nettement plus costaude, mais surtout ses jantes optionnelles de 20 pouces, désormais la norme dans ce segment. La version Max, allongée de 38 centimètres, se démarque également par un empattement plus long qui permet d'améliorer l'ouverture des portières arrière, ce qui facilite l'accès à la troisième rangée de sièges.

HABITACLE ► À l'intérieur, l'Expedition est entièrement nouveau. Une planche de bord drôlement plus jolie mais aussi plus ergonomique est rattachée à une console centrale où les compartiments de rangement pleuvent. Pour un meilleur confort, Ford a choisi d'utiliser davantage un matériau appelé Quiet Steel, qui améliore considérablement l'insonorisation de l'habitacle. Les sièges redessinés, plus fermes et plus galbés qu'auparavant, sont également responsables du grand confort que procure l'Expedition à ses occupants. En présentant le véhicule, Ford mentionnait que 80 % des acheteurs transportent régulièrement un minimum de trois passagers, derrière la première rangée de sièges. Aussi la présence de banquettes plus confortables et plus aisément manipulables était-elle nécessaire. Sur ce plan, Ford éclipse la concurrence à coup sûr. Non seulement toutes les places assises sont convenables pour des

forces

- Comportement routier exceptionnel
- Habitacle spacieux et bien étudié
- Grand confort à tous les niveaux
- Excellente capacité de remorquage
- Motorisation adéquate

faiblesses

- Consommation d'essence importante
- Pas de motorisation diesel
- Facture considérable

nouveautés en 2007

- Nouveau modèle

personnes de toutes les tailles, mais la modularité des sièges permet de dégager un espace de chargement supérieur et plus facilement utilisable que chez GM ou Nissan. De plus, la bonne qualité d'assemblage et de finition réduit au minimum les bruits et les craquements.

MÉCANIQUE ► Certains seront déçus d'apprendre qu'aucune motorisation diesel n'est actuellement disponible, pas même pour la version allongée. Ford étudie la possibilité de la proposer, mais ne peut encore se prononcer. En attendant, l'Expedition hérite du V8 de 5,4 litres utilisé également dans le F-150. Avec 300 chevaux et 365 livres-pied de couple, le véhicule est capable de belles accélérations, mais aussi de remorquer une charge maximale de 4082 kilos. Il faut dire que l'excellente boîte automatique à six rapports permet de tirer le meilleur de ce V8.

COMPORTEMENT ► Uniquement disponible en version 4X4 au Canada, l'Expedition affiche un comportement sur route qui étonne à tous les points de vue. Jamais un véhicule d'un tel gabarit ne m'a semblé si stable, si agile et si robuste à la fois. Bien sûr, avec un cadre de châssis renforcé et une suspension indépendante arrière rabaissée et mieux calibrée, on pouvait s'attendre à une amélioration spectaculaire. La centaine de kilomètres parcourus sur des routes sinueuses m'ont permis de constater que la mollesse propre aux gros VUS est ici totalement disparue. Le roulis est réduit au minimum, le freinage est prompt et puissant, et la stabilité à grande vitesse est stupéfiante, notamment en raison de cette superbe direction qui est d'une grande précision, mais aussi très communicative.

CONCLUSION ► Chacune des modifications apportées cette année à l'Expedition est bénéfique. Il s'agit maintenant d'un véhicule aussi agréable à contempler qu'à conduire, qui propose un niveau de confort et un aspect pratique jamais égalés. L'Expedition, particulièrement la version Max, constitue donc une très belle riposte à GM, qui lance aussi cette année sa nouvelle génération de VUS pleine grandeur.

FICHE TECHNIQUE

MOTEUR

V8 5,4 l SACT 300 ch à 5000 tr/min
couple: 365 lb-pi à 3750 tr/min
Transmission: automatique à 6 rapports
0-100 km/h: 8,8 s, Max: 9,3 s
Vitesse maximale: 200 km/h
Consommation (100 km): nd (octane: 87)

Sécurité active
freins ABS, antipatinage, contrôle de stabilité électronique

Suspension avant/arrière
indépendante

Freins avant/arrière
disques

Direction
à crémaillère, assistée

Pneus
XLT: P265/70R17, Eddie Bauer et Limited: P255/70R18, option Eddie Bauer et Limited: P275/55R20

DIMENSIONS

Empattement: 3023 mm, Max: 3327 mm
Longueur: 5245 mm, Max: 5621 mm
Largeur: 2002 mm
Hauteur: 1961 mm, Max: 1974 mm
Poids: 2632 kg, Max: 2746 kg
Diamètre de braquage: 12,4 m, Max: 13,3 m
Coffre: 527 l, 3067 l (sièges abaissés), Max: 1082 l, 3704 l (sièges abaissés)
Réservoir de carburant: 106 l, Max: 129 l
Capacité de remorquage: 4082 kg

2e opinion

Bertrand Godin • La grande surprise de l'Expédition, malgré sa taille d'éléphant, c'est sa maniabilité. Sur des routes un peu étroites et bien assaisonnées de courbes, il a un comportement sans surprise. Facile à prévoir, il est simple à orienter dans les virages, au bon moment et de la bonne façon, sans provoquer de transferts de poids excessifs dans les courbes plus prononcées. Encore une fois, c'est une bonne nouvelle pour les passagers qui n'auront pas à souffrir du roulis. Solide, puissant et assez bien assemblé, le nouveau Ford Expedition devrait faire augmenter la popularité de Ford. Et, cette fois, ce serait bien mérité.

EXPLORER

évolution | 30 599 $ à 51 999 $ |
Transport et préparation : 1250 $

www.ford.ca

ÉLÈVE ASSIDU, MAIS POURRAIT FAIRE MIEUX

– **Hugues Gonnot**

FICHE D'IDENTITÉ

Version(s) : XLT, Eddie Bauer, Limited, Sport Trac XLT, Sport Trac Eddie Bauer
Roues motrices : arrière, 4
Portières : 4
Première génération : 1991
Génération actuelle : 2006
Construction : St. Louis, Missouri ; Louisville, Kentucky, É.-U.
Sacs gonflables : 6, frontaux, lat. av. et rid. lat.
Concurrence : Buick Rainier, Chevrolet TrailBlazer, Chrysler Aspen, Dodge Durango, GMC Envoy, Jeep Grand Cherokee et Commander, Kia Sorento, Nissan Pathfinder, Toyota 4Runner

AU QUOTIDIEN

Prime d'assurance :
25 ans : 3200 à 3400 $
40 ans : 2100 à 2300 $
60 ans : 1700 à 1900 $
Collision frontale : 5/5
Collision latérale : 5/5
Ventes du modèle l'an dernier
Au Québec : 1213 **Au Canada :** 10 439
Dépréciation (3 ans) : 53,3 %
Rappels (2001 à 2006) : 7
Cote de fiabilité : 2/5

Force est de reconnaître que Ford n'a jamais cessé de faire progresser son modèle Explorer depuis son lancement en 1990. C'est normal, puisque la marque réalise de substantiels bénéfices sur chaque exemplaire vendu. Mais l'Explorer mérite-t-il la note de passage?

CARROSSERIE ► Cette génération d'Explorer date de 2002 et a subi une refonte majeure l'an dernier, suivie cette année de modifications similaires pour l'Explorer Sport Trac). La nouvelle calandre donne effectivement plus de personnalité au modèle, et la finition deux tons est du plus bel effet.

HABITACLE ► L'an dernier, l'habitacle a été profondément révisé et a bénéficié du travail fait sur le F-150. Les progrès sont notables quant au design, mais la finition laisse encore à désirer et les plastiques très rugueux paraissent parfois assez légers (le faux bois sur la console centrale semble avoir été collé à la dernière minute). Côté ergonomie, c'est plutôt bon. L'accès aux places arrière n'est pas problématique, même à la troisième rangée. Au sujet de cette troisième rangée, notons que l'habitabilité y est très acceptable, contrairement à plusieurs autres modèles sept places de la catégorie. La banquette de deuxième rangée possède une très pratique fonction *Cargo* qui permet de l'abaisser quand elle est rabattue afin d'obtenir un espace de chargement plat. Par contre, l'assistance électrique pour rabattre les sièges de la troisième rangée est trop lente. Cet affreux gadget alourdit le camion pour rien. Cela dit, l'équipement reste l'un des points forts de l'Explorer, même dans la version de base XLT, alors que les versions Eddie Bauer et Limited sont carrément luxueuses.

MÉCANIQUE ► Les mécaniques ne brillent pas spécialement par leur modernité. Le V6 est acceptable, mais il a fort à faire vu le poids du véhicule. Même si le V8 développe près de 300 chevaux, on cherche encore la puissance, car ce moteur n'aime pas monter dans les tours. De toute façon, mieux vaut ne pas trop enfoncer

forces
- Refontes heureuses
- Espace intérieur bien conçu
- Équipements

faiblesses
- Tenue de route
- Finition
- Consommation

nouveautés en 2007
- Nouvelle version Sport Trac, rideaux gonflables latéraux de série, ensemble remorque de série dans Limited, prise audio auxiliaire de série, nouvelles poignées intérieures de portières, système de navigation disponible dans XLT

EXPLORER

l'accélérateur, car la consommation explose (difficile de brûler moins de 17 litres aux 100 km). Les passages des rapports se font en douceur et il faut souligner l'effort de Ford avec l'introduction d'une boîte à six rapports pour le V8.

COMPORTEMENT ▶ Avec la récente refonte de l'an dernier (cette année pour le Sport Trac), l'Explorer a reçu un essieu arrière indépendant, un châssis rigidifié, une direction et des suspensions revues. Malheureusement, tout cela n'a que peu d'effets sur la route. L'Explorer est plus stable, mais il sautille encore beaucoup sur les irrégularités de la chaussée et n'est pas des plus agiles dans les virages. C'est un bel effort de la part de Ford, mais un véhicule à châssis séparé n'est pas sur le point d'atteindre le raffinement d'un utilitaire à châssis monocoque. D'ailleurs, ce n'est pas un hasard si la clientèle se tourne de plus en plus vers les utilitaires trans-segments. En revanche, on apprécie la capacité de remorquage de l'Explorer. De plus, Ford propose une liste d'équipements de sécurité très complète, il faut le reconnaître: rideaux gonflables sur les trois rangées (en option), moniteur de pression des pneus, tendeurs de ceintures et sacs gonflables adaptatifs, contrôle de stabilité avec fonction antiretournement. Le spectre du scandale des pneus Firestone n'a pas encore été oublié, mais, au moins, c'est au bénéfice du consommateur.

CONCLUSION ▶ L'Explorer est un élève studieux qui ne ménage pas ses efforts et les progrès se font incontestablement sentir. Pourtant, la feuille de note est en deçà de ce que l'on peut attendre. Il possède les attributs d'un vrai camion (espace généreux et grande capacité de remorquage), mais aussi les défauts (solide appétit pour l'or noir, tenue de route quelconque et finition perfectible). Ford pourra perfectionner l'Explorer tant et encore, ce véhicule sera toujours limité par sa conception de base et son châssis séparé. C'est d'ailleurs pour cette raison que Ford vient de lancer l'Edge.

FICHE TECHNIQUE

MOTEURS

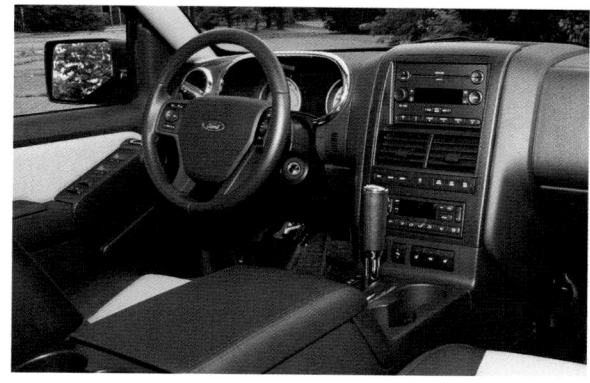

(XLT, Eddie Bauer) V6 4,0 l SACT 210 ch à 5100 tr/min
couple: 254 lb-pi à 3700 tr/min
Transmission: automatique à 5 rapports
0-100 km/h: 9,8 s
Vitesse maximale: 180 km/h
Consommation (100 km): 4X4: 13,4 l (octane: 87)

(Limited, opt. dans XLT et Eddie Bauer)
V8 4,6 l SACT 292 ch à 5750 tr/min
couple: 300 lb-pi à 3950 tr/min
Transmission: automatique à 6 rapports
0-100 km/h: 8,4 s
Vitesse maximale: 200 km/h
Consommation (100 km): 4X4: 13,8 l (octane: 87)

Sécurité active
freins ABS, antipatinage, contrôle de stabilité électronique

Suspension avant/arrière
indépendante

Freins avant/arrière
disques

Direction
à crémaillère, assistée

Pneus
XLT et Eddie Bauer: P245/65R17,
Limited: P235/65R18

DIMENSIONS

Empattement: 2887 mm, Sport Trac: 3314 mm
Longueur: 4912 mm, Sport Trac: 5339 mm
Largeur: 1871 mm
Hauteur: 1849 mm, Sport Trac: 1841 mm
Poids: V6: 2093 kg, V8: 2134 kg,
Sport Trac: V6 2RM: 2048 kg, V6 4RM: 2126 kg
V8 2RM: 2095 kg, V8 4RM: 2174 kg
Diamètre de braquage: 11,2 m
Coffre: *5 places:* 1277 l, 2429 l (sièges abaissés),
7 places: 385 l, 2370 l (sièges abaissés),
Sport Trac: 1061 l
Réservoir de carburant: 85 l
Capacité de remorquage: 3229 kg

opinion

Antoine Joubert • Si Ford mettait autant d'efforts à la confection de ses autres véhicules qu'à celle de l'Explorer, l'entreprise serait en meilleure posture. Grandement retouché l'an dernier, cet utilitaire bien connu des Nord-Américains a su trouver un équilibre qui le rend à la fois attrayant, confortable, agile et robuste. Le problème, c'est que le meilleur Explorer à ce jour nous arrive au moment où le prix de l'essence monte en flèche. Néanmoins, pour ceux qui doivent ou qui désirent opter pour ce type de véhicule, l'Explorer se classe en tête de liste. N'oublions pas non plus la nouvelle cuvée du Sport Trac, qui elle aussi est franchement intéressante.

FIVE HUNDRED

évolution | 29 699 $ à 37 899 $ |
Transport et préparation : 1200 $

www.ford.ca

FICHE D'IDENTITÉ

Version(s) : SEL, Limited
Roues motrices : avant, 4RM
Portières : 4
Première génération : 2005
Génération actuelle : 2005
Construction : Chicago, Illinois, É.-U.
Sacs gonflables : 2, frontaux, (latéraux avant et rideaux latéraux en option)
Concurrence : Buick Allure et Lucerne, Chevrolet Impala, Chrysler 300, Dodge Charger, Hyundai Azera, Kia Amanti, Nissan Maxima, Pontiac Grand Prix, Toyota Avalon

AU QUOTIDIEN

Prime d'assurance :
25 ans : 2100 à 2300 $
40 ans : 1700 à 1900 $
60 ans : 1300 à 1500 $
Collision frontale : 5/5
Collision latérale : 5/5
Ventes du modèle l'an dernier
Au Québec : 806 **Au Canada :** 5276
Dépréciation (1 an) : 34,7 %
Rappels (2001 à 2006) : aucun à ce jour
Cote de fiabilité : 3/5

200 DE MOINS, ET ÇA Y ÉTAIT !

– Antoine Joubert

Peu de temps avant que Ford ne lance la Five Hundred, DaimlerChrysler avait introduit une voiture qui allait redéfinir les normes des grosses berlines américaines. Cette voiture, c'est bien sûr l'audacieuse Chrysler 300, qui utilise comme la Five Hundred plusieurs composantes mécaniques et structurelles d'une filiale européenne. La différence, c'est que chez Ford on a oublié d'incorporer un ingrédient important à la recette : le plaisir.

CARROSSERIE ▶ Comment une voiture aussi imposante et chaussée de pneus de 18 pouces peut-elle se fondre à ce point dans le paysage automobile tel un exemplaire du Nouveau Testament à la bibliothèque municipale ? On dirait que les dessinateurs, visiblement inspirés de l'ancienne génération de l'Audi A6, ont tout fait pour nous endormir. Les lignes fluides vieilliront sans doute bien, mais cette grosse, pour ne pas dire énorme berline est esthétiquement incolore, inodore et insipide. Voilà sans doute la principale raison de son échec commercial.

HABITACLE ▶ L'habitabilité de la Five Hundred est si considérable qu'on pourrait presque y jouer à cache-cache. Cependant, lorsqu'on se glisse à bord, on souhaite plus s'y détendre qu'autre chose. Et dans cette aire de repos, tout est présent pour que les occupants puissent s'isoler paisiblement du monde extérieur. D'ailleurs, il faut admettre que les sièges sont vraiment confortables et l'insonorisation est impressionnante. Le dégagement pour la tête est immense pour tous les occupants et le conducteur bénéficie d'une position de conduite élevée. Même si elle présente une très bonne ergonomie, la planche de bord affiche un traditionalisme déprimant dans son look. À croire que les stylistes ont fait exprès d'habiller la planche de bord de boiseries rappelant de vieux murs de sous-sol en préfini pour être certains que personne n'y trouve son compte en matière d'excentricité. Et les sièges des versions SEL sont recouverts d'un tissu beige ou gris pâle, proche du coton molletonné.

forces

- Habitabilité
- Comportement routier
- Très confortable
- Voiture sûre
- Traction intégrale disponible

faiblesses

- Lignes mornes
- Agrément inexistant
- V6 peu performant
- Matériaux intérieurs
- Beaucoup plus chère que la Taurus

nouveautés en 2007

- Nouveau groupe chrome optionnel dans SEL et Limited

FIVE HUNDRED

COMPORTEMENT ▶ Prendre le volant de la Five Hundred est une activité aussi excitante qu'aller à La Ronde… lorsque celle-ci est fermée ! Rarement je me suis autant ennuyé au volant d'une voiture. La direction est très peu communicative, la suspension molle ne transmet aucune sensation, et la pédale de frein est spongieuse. Toutefois, en y regardant de plus près, on constate que les qualités routières de la Five Hundred sont pourtant étonnantes pour ce type de voiture. Sur la route, elle affiche un comportement très neutre, équilibré et sûr, grâce notamment à sa plateforme issue d'un utilitaire Volvo. De plus, sa stabilité à haute vitesse a de quoi surprendre certaines routières de renom. Mais qu'est-ce que c'est ennuyeux !

MÉCANIQUE ▶ Malgré son poids oscillant autour des 1700 kilos, la Five Hundred n'utilise que le V6 Duratec de 3,0 litres, d'une puissance de 203 chevaux. Rugueux et bruyant sous le capot de plusieurs autres produits de la marque, ce moteur me semble ici mieux adapté, malgré sa faible puissance. Bien sûr, un peu plus de souplesse serait souhaitable, mais la clientèle ciblée pour ce type de véhicule ne poussera probablement pas très souvent le moteur près de la zone rouge. La voiture est équipée d'une boîte automatique à six rapports, très efficace, ou d'une boîte automatique à variation continue qui n'est jumelée, pour sa part, qu'à la transmission intégrale.

CONCLUSION ▶ La Five Hundred est un excellent produit en soi. Le problème, c'est que peu de gens désirent acquérir une voiture aussi fade. À une époque où la plupart du monde souhaite avoir plus de piquant dans leur vie, il est presque ridicule de croire au succès d'un tel véhicule. Pendant ce temps, Chrysler fait des affaires d'or avec la 300, sa principale rivale…

FICHE TECHNIQUE

MOTEUR
V6 3,0 l DACT 203 ch à 5750 tr/min
couple : 207 lb-pi à 4500 tr/min
Transmission : automatique à 6 rapports (2RM), automatique à variation continue (4RM)
0-100 km/h : 9,0 s
Vitesse maximale : 200 km/h
Consommation (100 km) : 2RM. : 9,4 l, 4RM. : 10,5 l (octane : 87)

Sécurité active
freins ABS, antipatinage

Suspension avant/arrière
indépendante

Freins avant/arrière
disques

Direction
à crémaillère, assistée

Pneus
SEL : P215/60R17, Limited : P225/55R18

DIMENSIONS
Empattement : 2867 mm
Longueur : 5097 mm
Largeur : 1892 mm
Hauteur : 1526 mm
Poids : 2RM : 1652 kg, 4RM : 1730 kg
Diamètre de braquage : 12,2 m
Coffre : 600 l
Réservoir de carburant : 75,7 l

opinion

Nadine Filion • De tous les modèles automobiles sur le marché, il y en a très peu qui sont tout à fait détestables. La Ford Five Hundred en est un. Vivement qu'on lui affuble une nouvelle calandre, question de relever son apparence des plus moroses. Les 203 chevaux du moteur V6 suffisent à peine à propulser la lourde voiture et la boîte CVT ne convient pas du tout. Sa traction intégrale m'a donné des sueurs froides sur le circuit de Shannonville. Le nouveau dispositif développé pour la Fusion est beaucoup plus convaincant. Enfin, côté prix, la grande berline se rit des acheteurs : la version à traction intégrale atteint les 36 000 $, mais pour cette somme, vous n'obtenez ni revêtement de cuir, ni sièges chauffants, ni toit ouvrant…

FOCUS

évolution | 14 799 $ à 19 999 $ |
Transport et préparation : 1050 $

www.ford.ca

FICHE D'IDENTITÉ

Version(s) : *ZX3 :* S, SE, *ZX4 :* S, SE, SES, ST, *ZX5 :* SES, *ZXW :* SE, SES
Roues motrices : avant
Portières : 2, 4, 5
Première génération : 2000
Génération actuelle : 2000
Construction : Wayne, Michigan, É.-U.
Sacs gonflables : 2, frontaux, latéraux en option
Concurrence : Chevrolet Cobalt et Optra, Dodge Caliber, Honda Civic, Hyundai Elantra, Kia Spectra, Mazda3, Mitsubishi Lancer, Nissan Sentra, Pontiac G5 et Vibe, Saturn ION, Subaru Impreza, Suzuki Aerio et SX4, Toyota Corolla et Matrix, VW Rabbit

AU QUOTIDIEN

Prime d'assurance :
25 ans : 1800 à 2000 $
40 ans : 1100 à 1300 $
60 ans : 1000 à 1200 $
Collision frontale : 5/5
Collision latérale : 3/5
Ventes du modèle l'an dernier
Au Québec : 7908 **Au Canada :** 26 861
Dépréciation (3 ans) : 56,8 %
Rappels (2001 à 2006) : 8
Cote de fiabilité : 3/5

VICTIME D'UNE INJUSTICE

– Antoine Joubert

Malheureusement, le marché de l'automobile n'échappe pas aux injustices. Pendant que certaines voitures bien ordinaires jouissent d'une notoriété surfaite (par exemple Sentra et Corolla), d'autres pourtant excellentes sont victimes d'une mauvaise réputation. C'est le cas de la Ford Focus, une compacte aux multiples talents qui ne cesse de m'impressionner.

CARROSSERIE ▶ C'est vrai, la Focus commence à avoir quelques rides. Introduite en 2000 comme une voiture avant-gardiste en matière de style, elle n'a pas su maintenir son image. On y a fait de nombreuses retouches il y a deux ans, mais rien d'assez important pour recréer l'engouement du début. Tout de même jolie, elle propose quatre configurations de carrosserie susceptibles de plaire à tous les types d'acheteurs. Personnellement, je préfère la version ZX5 pour ses quatre portières et son hayon, heureux mélange de polyvalence et de dynamisme. Il est toutefois dommage que la SVT ne soit plus de ce monde, elle qui offrait un caractère sportif prononcé, mais plus raffiné que celui de bien des concurrentes.

HABITACLE ▶ En 2005, Ford a choisi de délaisser l'image *edge* de la planche de bord pour revenir à quelque chose de peut-être un peu trop conventionnel. Certes, le bloc d'instruments à aiguilles rouges et le beau petit volant à quatre branches sont toujours présents, mais le reste du poste de conduite manque d'originalité. Cependant, la position de conduite et l'ergonomie intérieure, qui constituent des points forts, sont toujours aussi remarquables. Aussi, les sièges de chacune des Focus offrent un bon confort et un excellent maintien, alors que la fermeté varie selon les versions. Bien insonorisé, l'habitacle affiche également une qualité d'assemblage et de finition qui n'a rien à envier aux meneuses de la catégorie. Côté équipement, la Focus peut être très luxueuse ou totalement dégarnie. Toutefois, gare aux options qui font grimper la facture déraisonnablement.

forces

- Versions nombreuses
- Finition intérieure
- Agrément de conduite surprenant
- Confort considérable
- Fiabilité en progrès

faiblesses

- Forte dépréciation
- Consommation supérieure à la moyenne
- Prix peu concurrentiels
- Style vieillissant

nouveautés en 2007

- Trois nouvelles couleurs, vermillon, kiwi, bleu aqua, nouveau groupe d'options

celui de toute autre version. Néanmoins, tous les modèles de Focus ridiculisent la plupart de leurs rivales au chapitre du comportement. En plus de leur confort supérieur à la moyenne, leur agilité sur la route permet une conduite à la fois sécuritaire et amusante.

CONCLUSION ▶ Parce qu'elle a connu de nombreux ratés en matière de fiabilité lors de son lancement et peut-être aussi parce qu'elle porte un écusson impopulaire auprès des jeunes, la Focus n'a pas très bonne réputation. De façon maladroite, Ford a aussi choisi d'écouler beaucoup d'exemplaires auprès des entreprises de location à court terme, créant ainsi une offre supérieure à la demande sur le marché des voitures d'occasion. Voilà ce qui explique sa faible valeur de revente. L'acheteur d'une voiture d'occasion a donc tout à gagner en optant pour une Focus, mais celui qui l'achète neuve devra accepter de subir une perte. Et cela est d'autant plus vrai en regard du prix de chacune des versions, qui ne sont pas particulièrement concurrentielles. Malgré tout, le produit est très intéressant et ne doit pas être dédaigné sous prétexte qu'il s'agit d'une américaine.

MÉCANIQUE ▶ Ici, on utilise désormais deux moteurs provenant de la Mazda3. Comme sa cousine nippone, la Focus propose donc une belle puissance et une grande souplesse à l'accélération, tout en produisant une agréable sonorité. Il est toutefois dommage que le 2,3 litres, plus puissant, ne soit réservé qu'à la berline ST. Ford aurait avantage à l'offrir dans les ZX3 et ZX5, qui par leur configuration ont une allure plus sportive que la berline. Par contre, les deux moteurs de la Focus consomment un peu plus que la moyenne.

COMPORTEMENT ▶ La berline ST, en raison d'une suspension plus ferme, de roues de 16 pouces et de son moteur plus puissant offre un dynamisme de conduite supérieur à

FICHE TECHNIQUE

MOTEURS

(S, SE, SES) L4 2,0 l DACT 136 ch à 6000 tr/min
couple : 136 lb-pi à 4250 tr/min
Transmission : manuelle à 5 rapports, automatique à 4 rapports en option
0-100 km/h : 9,4 s
Vitesse maximale : 180 km/h
Consommation (100 km) : man. : 7,7 l, auto. : 8,0 l (octane : 87)

(ST) L4 2,3 l DACT 151 ch à 5750 tr/min
couple : 154 lb-pi à 4250 tr/min
Transmission : manuelle à 5 rapports
0-100 km/h : 8,8 s
Vitesse maximale : 190 km/h
Consommation (100 km) : man. : 8,9 l (octane : 87)

Sécurité active
freins ABS et antipatinage en option (de série dans SES et ST)

Suspension avant/arrière
indépendante

Freins avant/arrière
disques/tambours, ST : disques aux 4 roues

Direction
à crémaillère, assistée

Pneus
S/SE : P195/60R15, SES/ST : P205/50R16

DIMENSIONS
Empattement : 2614 mm
Longueur : ZX3 et ZX5 : 4280 mm, ZX4 : 4450 mm, ZXW : 4531 mm
Largeur : 1694 mm
Hauteur : 1445 mm, ZXW : 1511 mm
Poids : ZX3 : 1181 kg, ZX4 : 1196 kg, ZX5 : 1184 kg, ZXW : 1262 kg
Diamètre de braquage : 10,4 m
Coffre : ZX3 et ZX5 : 498 l, ZX4 : 419 l, ZXW : 997 l
Réservoir de carburant : 53 l

2e opinion

Pascal Boissé • La Focus est la victime d'une des grandes injustices du monde automobile. Au fil des ans, Ford a su régler la plupart des problèmes de fiabilité qui ont entaché ses débuts. Mais les dizaines de rappels dont a fait l'objet cette voiture lui collent à la peau et c'est dommage, car elle s'est bonifiée avec le temps. Sa conduite dynamique reste une référence parmi les compactes et ses nouveaux moteurs d'origine Mazda lui insufflent de la fraîcheur. En plus, Ford nous a fait la grâce de la débarrasser de l'abominable tableau de bord tout en diagonale. Par ailleurs, certains apprécient beaucoup la position de conduite surélevée et le volume de son habitacle. Ne vous fiez pas à sa réputation et allez l'essayer !

FREESTAR

évolution | 23 299 $ à 37 799 $
Transport et préparation : 1200 $

www.ford.ca

LA SÉCURITÉ NE SUFFIT PAS

– Benoit Charette

FICHE D'IDENTITÉ

Version(s) : S, SE, Sport, SEL, Limited
Roues motrices : avant
Portières : 4
Première génération : 1995 (Windstar)
Génération actuelle : 2004
Construction : Oakville, Ontario, Canada
Sacs gonflables : 2, frontaux, (latéraux avant et rideaux latéraux en option sauf dans Limited)
Concurrence : Buick Terraza, Chevrolet Uplander, Chrysler Town & Country, Dodge Caravan, Honda Odyssey, Hyundai Entourage, Kia Sedona, Nissan Quest, Pontiac Montana SV6, Saturn Relay, Toyota Sienna

AU QUOTIDIEN

Prime d'assurance :
25 ans : 2100 à 2300 $
40 ans : 1400 à 1600 $
60 ans : 1100 à 1300 $
Collision frontale : 5/5
Collision latérale : 5/5
Ventes du modèle l'an dernier
Au Québec : 2688 **Au Canada :** 15 608
Dépréciation (2 ans) : 51,8 %
Rappels (2001 à 2006) : 5 (Freestar)
Cote de fiabilité : 3/5

Comme la majorité des produits Ford, la Freestar a connu une importante baisse de popularité l'an dernier. Les ventes au Québec sont passées de 3934 à 2688 unités, soit une chute de 32 %. Cette trop timide évolution de la Windstar a encore une fois raté sa cible, mais il faut dire que ce véhicule familial manque de conviction sur tous les plans. Les éléments de sécurité que Ford met de l'avant sont maintenant présents partout ailleurs. Ce n'est plus suffisant, il faut innover, et souhaitons que la nouvelle Edge réponde mieux aux attentes d'une clientèle toujours plus exigeante.

CARROSSERIE ► Même si la Freestar est présente sur le marché pour une troisième année, sa filiation avec la Windstar la fait paraître beaucoup plus vieille. Ford a fait quelques changements subtils à la partie avant et au bloc optique, mais pour bien des gens il s'agit toujours du même véhicule avec un nouvel autocollant. C'est en grande partie ce qui explique le peu d'intérêt qu'il suscite.

HABITACLE ► Une fourgonnette doit d'abord être pratique et la Freestar l'est. Comme plusieurs de ses concurrentes, elle possède une troisième rangée de sièges qui disparaît dans le plancher avec les appuie-tête et l'opération se fait sans effort en cinq secondes. En prime, on peut faire basculer la troisième banquette vers l'arrière (le dossier devient le siège et vice versa) pour faire un pique-nique en famille. Les deux premières rangées offrent un bon confort et l'accès à la troisième rangée est facile, mais l'espace est plus restreint. Les portes coulissantes et le hayon assistés électriquement vous simplifient la vie. Ford met aussi l'accent sur le système de « sécurité personnelle ». Ce système propre à Ford ajuste la force de déploiement des coussins avant en fonction de la position du siège du conducteur, du port de la ceinture et de la force de l'impact, ce qui permet d'obtenir une protection optimale. Si le siège du passager n'est pas occupé, le coussin ne sera pas activé. En option, Ford ajoute des rideaux gonflables

forces

- Sécurité de haut niveau
- Les meilleurs résultats en collision simulée
- Troisième banquette facilement escamotable

faiblesses

- Vieux moteur
- Vieille transmission
- Énorme diamètre de braquage
- Sonorité désagréable du moteur

nouveautés en 2007

- Système de rangement pour espace de chargement optionnel

pour la tête et le torse des passagers aux trois rangées. Le système comprend un capteur qui prolonge le gonflage s'il a détecté un capotage.

MÉCANIQUE ► D'un intérieur relativement moderne, on passe à la préhistoire quand on regarde sous le capot. La Freestar est propulsée par une version revue et corrigée d'un «vieux» V6 3,8 litres à culbuteurs. Les ingénieurs ont simplement augmenté sa cylindrée à 4,2 litres pour offrir un couple plus généreux... en oubliant au passage de l'envoyer à l'école des bonnes manières. Incapable de trahir ses origines de camion, cette mécanique est rugueuse, bruyante et désagréable à tous les régimes. Le seul moment où vous avez la paix, c'est sur l'autoroute lorsque le régulateur de vitesse est activé. Avec ce vieux moteur vient la vieille boîte automatique à quatre vitesses qui n'est plus dans le coup. Le couple généreux autorise des départs vifs, mais la puissance limitée ralentit rapidement vos ardeurs. Mais bon, on n'achète pas une fourgonnette pour ses qualités de sprinteuse.

COMPORTEMENT ► Sur route, la Freestar offre un bon confort. Le roulis est bien contrôlé et le système antidérapage AdvancTrac, proposé en option, augmente la stabilité. La direction est précise, mais le diamètre de braquage est décevant. Les manœuvres de stationnement en parallèle demandent beaucoup de dextérité. Prenez garde aux vents latéraux qui affectent la Freestar plus que la moyenne.

CONCLUSION ► Dans le meilleur des mondes, la Freestar est un produit moyen, ce qui n'est pas suffisant pour en faire un véhicule vraiment pertinent sur le marché. D'abord, des mécaniques plus modernes aideraient grandement sa cause.

FICHE TECHNIQUE

MOTEUR
V6 4,2 l ACC 201 ch à 4250 tr/min
couple : 263 lb-pi à 3650 tr/min
Transmission : automatique à 4 rapports
0-100 km/h : 10,1 s
Vitesse maximale : 180 km/h
Consommation (100 km) : 11,9 l (octane : 87)

Sécurité active
freins ABS, antipatinage (option sauf Limited), contrôle de stabilité électronique (option sauf Limited)

Suspension avant/arrière
indépendante/essieu rigide

Freins avant/arrière
disques

Direction
à crémaillère, assistée

Pneus
S et SE : P225/60R16, SEL : P235/60R16, Sport et Limited : P235/55R17

DIMENSIONS
Empattement : 3068 mm
Longueur : 5105 mm
Largeur : 1940 mm
Hauteur : 1793 mm
Poids : 1948 kg
Diamètre de braquage : 12,2 m
Coffre : 776 l, 3843 l (sièges abaissés)
Réservoir de carburant : 98 l
Capacité de remorquage : 1588 kg

opinion

Hugues Gonnot • On ne demande peut-être pas à une fourgonnette d'être excitante, mais il y a des limites à tout et, sous des dehors fades, la Ford Freestar est insipide. Certes, l'intérieur est assez joli, mais la qualité de la finition laisse à désirer. D'ailleurs, le véhicule tout entier n'est pas très bien construit. Et puis, une fois au volant, on risque la neurasthénie. Cette Freestar distille un tel ennui qu'il est plus stimulant de regarder une partie de curling. L'aspect pratique n'est pas mal, mais la concurrence fait mieux, et même son prix lui est défavorable ! Chez Ford, ce n'est pas l'enthousiasme, puisque les jours de ce modèle sont comptés.

FREESTYLE

évolution | 32 799 $ à 41 199 $ |
Transport et préparation : 1200 $

www.ford.ca

FICHE D'IDENTITÉ

Version(s) : SEL, Limited
Roues motrices : avant, 4
Portières : 4
Première génération : 2005
Génération actuelle : 2005
Construction : Chicago, Illinois, É.-U.
Sacs gonflables : 6, frontaux, latéraux avant et rideaux latéraux
Concurrence : Buick Rendezvous, Chrysler Pacifica, GMC Acadia, Honda Pilot, Hyundai Santa Fe, Mazda CX-9, Mitsubishi Endeavor, Nissan Murano, Saturn Outlook, Subaru B9 Tribeca, Toyota Highlander

AU QUOTIDIEN

Prime d'assurance :
25 ans : 2700 à 2900 $
40 ans : 1800 à 2000 $
60 ans : 1600 à 1800 $
Collision frontale : 5/5
Collision latérale : 5/5
Ventes du modèle l'an dernier
Au Québec : 963 **Au Canada :** 6141
Dépréciation (1 an) : 36,5 %
Rappels (2001 à 2006) : 1
Cote de fiabilité : 2/5

LE MEILLEUR DES DEUX MONDES ?

– Pascal Boissé

La frénésie des VUS conventionnels est en voie d'être dépassée. Cependant, il restera toujours des automobilistes qui auront besoin d'un véhicule spacieux, polyvalent et, tant qu'à y être, doté de quatre roues motrices. Avec la Freestyle, on constate que Ford tente de répondre à cette demande, sans toutefois proposer un véhicule qui porte les stigmates d'un VUS. En fait, la Freestyle est probablement ce qui se rapproche le plus des bonnes grosses familiales des années 1950 à 1970.

CARROSSERIE ► Tout comme la berline Five Hundred, la Freestyle est construite sur une plateforme mécanique empruntée chez Volvo, celle de l'utilitaire XC90. Voilà qui rassure : les ingénieurs suédois ont l'habitude de concevoir des véhicules solides et sûrs. Esthétiquement, la Freestyle est une réussite. Ses formes tendues camouflent bien sa masse imposante, et la face avant évoque juste ce qu'il faut de l'univers visuel des camions Ford. C'est mille fois mieux que la Five Hundred ; c'est plus jeune et plus dynamique.

HABITACLE ► L'intérieur de la Freestyle brille par la modularité de son aménagement, mais on ne peut en dire autant de la qualité générale des matériaux d'habillage. Il y a trois rangées de sièges et les places de la troisième rangée sont tolérables pour des adultes, ce qui est rare. Tous les sièges, sauf celui du conducteur, peuvent se rabattre individuellement pour créer un plancher plat. On s'interroge cependant sur la durabilité du revêtement du dos des sièges, une sorte de moquette de piètre qualité que l'on surnomme *rat-fur* en anglais (pelage de rat). L'organisation générale du tableau de bord est claire et pratique, mais à quoi peut bien servir l'espèce de barre à serviettes située au-dessus de la boîte à gants ? Les machos apprécieront le désormais célèbre « volant gainé de cuir », optionnel.

MÉCANIQUE ► Les 203 chevaux du V6 Duratec de 3,0 litres sont très sollicités et semblent peiner par moments. D'ailleurs, un nouveau V6 de 3,5 litres de 250 chevaux le remplacera

forces

- Espace intérieur généreux et polyvalent
- Lignes réussies
- Tenue de route rassurante
- Caractéristiques de sécurité

faiblesses

- Moteur souvent à bout de souffle
- Matériaux bon marché dans l'habitacle
- Freinage quelconque

nouveautés en 2007

- Version SE discontinuée, banquette de 3e rangée divisée 50/50 de série (SEL), système de navigation et sièges avant chauffants disponibles (SEL), sacs gonflables lat. et rideaux lat. de série (SEL), nouveau groupe confort (SEL), radio Sirius prépayée six mois option.

FREESTYLE

à moyen terme. La boîte automatique est de type CVT. Cette dernière optimise le rendement du moteur en faisant varier son régime, ce qui favorise l'économie de carburant. Par contre, comme d'autres boîtes CVT, son comportement est souvent déroutant et contre-intuitif (le régime moteur qui ralentit lorsqu'on accélère...?). La traction intégrale est aussi optionnelle et son système Haldex provient de chez Volvo.

COMPORTEMENT ▶ Malgré le manque de tonus de la cavalerie, les performances sont adéquates et le comportement routier est stable et rassurant. La suspension est bien calibrée (compte tenu de la clientèle ciblée) et procure une grande douceur de roulement. Pourvue de la traction intégrale, la Freestyle devient un véhicule particulièrement bien adapté à notre climat hivernal. Côté sécurité, les rideaux de protection latéraux, couvrant les trois rangées de sièges, seront proposés en cours d'année pour toutes les versions.

CONCLUSION ▶ Sur le marché des véhicules destinés aux familles nombreuses, la Freestyle est habilement positionnée entre les fourgonnettes et les VUS. Les habitués des fourgonnettes auront droit à une conduite moins ennuyeuse et à la traction intégrale, alors que les anciens adeptes des VUS apprécieront ce véhicule sûr et sobre. Mais je demeure persuadé que Ford passe à côté d'une formidable manne que serait la renaissance, au moins dans l'esprit, d'une version Country Squire. Il suffirait d'installer le V8 d'origine Yamaha, déjà présent sous le capot du Volvo XC90, et de garnir l'habitacle de cuir de style King Ranch, comme dans un F-150. Il ne manquerait plus qu'un peu de faux bois sur les flancs, et le tour serait joué. À bon entendeur, salut.

FICHE TECHNIQUE

MOTEUR
V6 3,0 l DACT 203 ch à 5750 tr/min
couple : 207 lb-pi à 4500 tr/min
Transmission : automatique à variation continue
0-100 km/h : 9,7 s
Vitesse maximale : 190 km/h
Consommation (100 km) : 2RM : 9,9 l, 4RM : 10,8 l (octane : 87)

Sécurité active
freins ABS, antipatinage

Suspension avant/arrière
indépendante

Freins avant/arrière
disques

Direction
à crémaillère, assistée

Pneus
SEL : P215/60R17, Limited : P225/55R18

DIMENSIONS
Empattement : 2868 mm
Longueur : 5083 mm
Largeur : 1902 mm
Hauteur : 1733 mm
Poids : 2RM : 1796 kg, 4RM : 1865 kg
Diamètre de braquage : 12,1 m
Coffre : 430 l, 2413 l (sièges abaissés)
Réservoir de carburant : 72 l
Capacité de remorquage : 907 kg

2e opinion

Michel Crépault • Pourquoi Ford ne fait-elle pas mieux connaître le Freestyle ? Voilà bien un véhicule méconnu ! Dans le créneau encore relativement inexploré des multisegments, la carrosserie du Freestyle présente un intéressant compromis entre la familiale et le VUS qu'elle est censée conjuguer. Je n'ai que de bons mots au sujet de son aménagement intérieur, de sa finition et de sa polyvalence. Est-ce parce que tant de ses composantes sont d'origine européenne que la voiture est si bonne ? D'aucuns souhaiteraient que sa motorisation et son freinage présentent plus de mordant, mais je n'ai pas perçu ces faiblesses identifiables comme de véritables lacunes pour un véhicule à vocation familiale.

FUSION

www.ford.ca

FICHE D'IDENTITÉ

Version(s) : SE, SEL, SE V6, SEL V6
Roues motrices : avant, 4RM
Portières : 4
Première génération : 2006
Génération actuelle : 2006
Construction : Hermosillo, Mexique
Sacs gonflables : 6, frontaux, latéraux avant et rideaux latéraux
Concurrence : Chevrolet Malibu, Chrysler Sebring, Honda Accord, Hyundai Sonata, Kia Magentis, Mazda6, Mitsubishi Galant, Nissan Altima, Pontiac G6, Saturn Aura, Subaru Legacy, Toyota Camry, Volkswagen Jetta et Passat

AU QUOTIDIEN

Prime d'assurance :
25 ans : 2700 à 2900 $
40 ans : 1800 à 2000 $
60 ans : 1600 à 1800 $
Collision frontale : 4/5
Collision latérale : 4/5
Ventes du modèle l'an dernier
Au Québec : 153 **Au Canada :** 694
Dépréciation (3 ans) : nm
Rappels (2001 à 2006) : aucun à ce jour
Cote de fiabilité : nm

CETTE FOIS, C'EST LA BONNE

– **Nadine Filion**

Pas surprenant qu'on aime tant la Fusion : sa plateforme est la même que celle de la Mazda6. Ford s'est toutefois gardé de copier la concurrence japonaise et son modèle intermédiaire conserve un caractère distinctif. Du coup, Ford est peut-être en train de redéfinir ce qu'il a autrefois si bien su produire : la berline américaine.

CARROSSERIE ► Elle a fière allure, la Fusion. Rien à voir avec sa grande sœur, la Five Hundred. Cette dernière aurait d'ailleurs avantage à prendre exemple sur sa cadette, qui propose une intéressante calandre chromée et des lignes beaucoup plus sexy. Deux versions figurent au catalogue : SE et SEL. S'ajouteront en 2007 une variante à traction intégrale et, dès 2008 si tout va bien, un modèle hybride. Aux tests de collisions menés aux États-Unis par la NHTSA, la Fusion fait bonne figure avec quatre étoiles sur cinq.

HABITACLE ► L'intérieur de la Fusion est une belle réussite, surtout avec le cuir surpiqué (optionnel, hélas, même pour la version de luxe). Les sièges avant sont confortables et le volant télescopique comporte des commandes audio de série. Bravo pour le plastique de recouvrement, caoutchouteux et agréable au toucher ; et pour le bel effet produit par des applications de laque noire. L'assemblage est de qualité – du coup, les préjugés à l'égard des véhicules fabriqués au Mexique (Hermosillo) en prennent pour leur rhume. L'instrumentation est agréable à l'œil et les commandes, simples à repérer et à manipuler. Les places arrière sont adéquates et le coffre est vaste – un peu moins cependant que celui de la devancière, Taurus (447 litres contre 481 litres). On ne pouvait que reprocher l'absence, dans les équipements de série, de coussins gonflables latéraux (avant et arrière), mais Ford a réglé le problème en 2007 et même le modèle de base en est équipé.

forces

- Beau design extérieur
- Bel habitacle
- Prix concurrentiel

faiblesses

- Boîte automatique sans mode séquentiel
- Comportement routier un peu lourd

nouveautés en 2007

- Sacs et rideaux gonflables latéraux de série, phares antibrouillards de série, système d'alarme antivol optionnel dans tous les modèles, rétroviseurs extérieurs chauffants, essuie-glaces à intermittence variable sensible à la vitesse, variante à traction intégrale

MÉCANIQUE ► Rien d'inconnu sous le capot de la Fusion: le quatre cylindres de 2,3 litres et le V6 de 3,0 litres équipent déjà la Mazda6. À bord de la Fusion, on sent toutefois le V6 de 221 chevaux plus rugueux, moins disposé à accélérer, mais la faute incombe à un accélérateur trop ferme, qu'il faut enfoncer fortement. Une seule boîte automatique à six rapports est disponible pour le V6, malheureusement sans mode séquentiel. Les Québécois achètent davantage la variante à «petit moteur» (160 chevaux). Ce que la voiture perd en puissance, elle le gagne en plaisir de conduite, grâce à une manuelle à cinq vitesses fort plaisante. L'automatique à cinq rapports est disponible en option. Les freins ABS sont de série pour toutes les versions, mais l'antipatinage n'est disponible qu'avec les modèles V6.

COMPORTEMENT ► La Fusion a su conserver un caractère particulier. Au lieu de la fougue de la Mazda6, elle propose des accélérations posées, plus matures. On sent le châssis très solide. À haute vitesse, rien ne vibre à bord. Et, au point mort, c'est à peine si le moteur se fait entendre. La direction est précise et bien calibrée. La suspension indépendante permet des déplacements tout en fermeté, mais confortables, et la voiture réagit bien aux cahots. Sur l'autoroute, la Fusion nous donne l'impression d'être une berline beaucoup plus grande et plus lourde, de quoi se sentir en sécurité. La traction intégrale, proposée cette année pour la première fois, fait toute la différence sur pavé mouillé. Le dispositif fonctionne fort bien, nettement mieux que celui de la Five Hundred.

CONCLUSION ► La Fusion est une berline sans prétention, mais qui propose l'essentiel, sans baratin. Et ça marche. Elle a tout ce qu'il faut pour attirer de plus en plus de monde dans les salles d'exposition de Ford. D'autant plus qu'elle coûte de 1000 à 2000 $ de moins que ses concurrentes japonaises.

FICHE TECHNIQUE

MOTEURS

(SE et SEL) L4 2,3 l DACT 160 ch à 6250 tr/min
couple: 156 lb-pi à 4250 tr/min
Transmission: manuelle à 5 rapports, automatique à 5 rapports en option
0-100 km/h: 9,1 s
Vitesse maximale: 205 km/h
Consommation (100 km): man.: 8,6 l, auto.: 9,1 l (octane: 87)

(SE V6 et SEL V6) V6 3,0 l DACT 221 ch à 6250 tr/min
couple: 205 lb-pi à 4800 tr/min
Transmission: automatique à 6 rapports
0-100 km/h: 7,3 s
Vitesse maximale: 225 km/h
Consommation (100 km): 10,2 l (octane: 87)

Sécurité active
freins ABS, antipatinage (V6)

Suspension avant/arrière
indépendante

Freins avant/arrière
disques

Direction
à crémaillère, assistée

Pneus
SE: P205/60R16, SEL: P225/50R17

DIMENSIONS

Empattement: 2727 mm
Longueur: 4831 mm
Largeur: 1833 mm
Hauteur: 1453 mm
Poids: L4: 1432 kg, V6: 1488 kg
Diamètre de braquage: 11,8 m, 12,2 m (pneus 17 po)
Coffre: 447 l
Réservoir de carburant: 66,2 l

2e opinion

Antoine Joubert • Il était temps que Ford nous arrive avec une berline intermédiaire capable de faire face aux voitures japonaises. Avec la Fusion, c'est fait. Toutefois, si la version à moteur quatre cylindres est appréciable pour sa souplesse et son équilibre, celle équipée du moteur V6 n'est pas aussi douée. D'abord, ce moteur est grognon et gourmand, et puis il occasionne un effet de couple considérable. Cette année, l'arrivée de la traction intégrale pourrait régler une partie du problème, mais le meilleur choix est à mon avis le quatre cylindres. Terminons sur une note positive en mentionnant qu'il m'a été possible de parcourir avec un modèle de base 616 kilomètres avec un seul plein d'essence.

MUSTANG

évolution | 23 999 $ à 56 099 $ |

Transport et préparation : 1200 $

www.ford.ca

FICHE D'IDENTITÉ

Version(s) : V6, GT, Shelby GT500
Roues motrices : arrière
Portières : 2
Première génération : 1964
Génération actuelle : 2005
Construction : FlatRock, Michigan, É.-U., GT500: Romeo, Michigan, É.-U.
Sacs gonflables : 2, frontaux, (latéraux en option, de série dans GT500)
Concurrence : Honda Accord coupé, Hyundai Tiburon, Mitsubishi Eclipse, Toyota Solara

AU QUOTIDIEN

Prime d'assurance :
25 ans : 4000 à 4200 $
40 ans : 2300 à 2500 $
60 ans : 1900 à 2100 $
Collision frontale : 5/5
Collision latérale : 4/5
Ventes du modèle l'an dernier
Au Québec : 1993 **Au Canada :** 10 045
Dépréciation (3 ans) : 46,8 %
Rappels (2001 à 2006) : 1
Cote de fiabilité : 3/5

FIDÈLE À ELLE-MÊME, ENFIN !

– Pascal Boissé

Par les temps qui courent, le succès de la Mustang est une des rares raisons qu'ont les dirigeants de Ford de sourire. Même si certains (dont moi, je l'avoue) avaient remis en question la pertinence de son design rétro, la Mustang renouvelée en 2005 a apporté un second souffle au segment des sportives abordables. Il faut dire que Ford n'est pas tombé dans le même panneau que Nissan lors de la renaissance de la 350Z: la Mustang n'est pas qu'un produit de niche, exotique et haut de gamme. L'esprit populaire de la voiture originale a été préservé et les prix de base affichés sont très accessibles. Il y a des versions pour tous les goûts et tous les budgets, du cabriolet équipé d'un V6 jusqu'à la nouveauté de cette année, la monstrueuse Shelby GT500. Seuls 30 exemplaires de cette dernière seront disponibles au Québec cette année, et il n'y a que deux concessionnaires Ford autorisés à les vendre.

CARROSSERIE ► Si vous étiez au monde dans les années 1960, vous conviendrez que la Mustang ressemble beaucoup à son ancêtre de 1966-1967. En fait de carrosserie, vous avez le choix entre le coupé de type *fastback* ou le cabriolet. Les Mustang GT, équipées d'un V8, se distinguent par quelques touches esthétiques, dont les phares antibrouillards intégrés à la calandre. Mais si vous voulez seulement «avoir l'air de», sachez que Ford brouille les cartes avec l'ensemble Pony grâce auquel une Mustang V6 peut être affublée des attributs spécifiques des versions GT. L'exubérante Shelby GT500, fruit d'une collaboration entre les ingénieurs du service de performance de Ford (SVT) et le légendaire Carroll Shelby, arbore un traitement spécifique pour le capot, la calandre et les feux arrière.

HABITACLE ► L'effet rétro est bien réussi à l'intérieur aussi, mais la Mustang reste une voiture abordable. Ne vous attendez donc pas à du haut de gamme. L'assemblage est précis, mais quelques bruits louches trahissent les objectifs budgétaires de son constructeur. Les

forces
- Design réussi
- Intérieur agréable
- Moteur V6 surprenant
- Prix accessible

faiblesses
- Instruments rétro peu lisibles
- Train arrière primitif

nouveautés en 2007
- Version Shelby GT500, prise auxiliaire de système audio de série, sièges chauffants inclus avec sellerie de cuir, jantes de 17 pouces en option dans V6, modifications au niveau des groupes d'options

chiffres étroits des cadrans évoquent efficacement les années 1960, mais sont difficiles à lire. À l'arrière, l'espace est limité pour la tête, mais des adultes peuvent y prendre place. À cause de la forme du pavillon du coupé ou de la présence de la capote sur le cabriolet, la visibilité arrière est loin d'être idéale.

MÉCANIQUE ▶ Avec ses 210 chevaux, le V6 possède quelques arguments intéressants pour se défendre, et sa sonorité est agréable, comme celle du V8 de 4,6 litres qui produit 300 chevaux. Pour quelque chose de franchement plus brutal et tonitruant, la GT500 propose un V8 de 5,4 litres qui développe, vous l'aurez deviné, 500 chevaux féroces. Bien entendu, on peut commander sa Mustang avec une boîte automatique, mais les conducteurs plus sportifs opteront pour la boîte TREMEC à cinq rapports (six dans la GT500).

COMPORTEMENT ▶ On a reproché à Ford, lors de la refonte de la Mustang, de ne pas avoir installé une suspension arrière indépendante et de s'être contenté d'un primitif pont rigide. En pratique, cependant, cet aspect de la Mustang lui confère un certain charme rustique. Malgré la présence d'un cheval sur la calandre, on est bien loin du raffinement d'une Ferrari. Si la version V6 est plus docile, la GT vous incite rapidement à la désobéissance civile.

CONCLUSION ▶ Lors d'une conférence l'an dernier, Carroll Shelby, maintenant âgé de 82 ans, a conclu son discours par ces paroles sages: «Dans la vie, essayez donc toujours d'être la personne que votre chien pense que vous êtes.» En renouant avec ses origines, il semble bien que la Mustang ait adopté les paroles de Shelby pour devise. En redevenant celle que ses fidèles admirateurs croyaient qu'elle était pendant toutes ces années, elle est en train d'enthousiasmer une nouvelle génération de fans.

FICHE TECHNIQUE

MOTEURS

(V6) V6 4,0 l SACT 210 ch à 5300 tr/min
couple: 240 lb-pi à 3500 tr/min
Transmission: manuelle à 5 rapports, automatique à 5 rapports en option
0-100 km/h: 7,8 s
Vitesse maximale: 190 km/h
Consommation (100 km): man.: 10,0 l, auto.: 10,7 l (octane: 87)

(GT) V8 4,6 l SACT 300 ch à 5750 tr/min
couple: 320 lb-pi à 4500 tr/min
Transmission: manuelle à 5 rapports, automatique à 5 rapports en option
0-100 km/h: 5,7 s
Vitesse maximale: 240 km/h
Consommation (100 km): man.: 11,4 l, auto.: 11,6 l (octane: 91)

(Shelby GT500) V8 5,4 l suralimenté DACT 500 ch à 6000 tr/min
couple: 480 lb-pi à 4500 tr/min
Transmission: manuelle à 6 rapports
0-100 km/h: 4,4 s
Vitesse maximale: 260 km/h
Consommation (100 km): nd (octane: 91)

Sécurité active
freins ABS, GT: antipatinage

Suspension avant/arrière
indépendante/essieu rigide

Freins avant/arrière
disques

Direction
à crémaillère, assistée

Pneus
V6: P215/65R16, GT: P235/55R17, GT500: P255/45R18 (av.), P285/40R18 (arr.)

DIMENSIONS

Empattement: 2720 mm
Longueur: 4765 mm, cabrio. et GT500: 4775 mm
Largeur: 1879 mm, cabrio. et GT500: 1877 mm
Hauteur: 1384 mm, cabrio. et GT500: 1415 mm
Poids: *coupé:* V6: 1520 kg, GT: 1522 kg, GT500: 1778 kg, *cabrio.:* V6: 1577 kg, GT: 1638 kg, GT500: 1832 kg
Diamètre de braquage: V6: 10,2 m, V8: 11,5 m
Coffre: coupé: 348 l, cabrio.: 275 l
Réservoir de carburant: 61 l

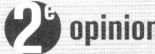

2e opinion

Nadine Filion • Quelle est la plus grande qualité de la Ford Mustang depuis le lancement de la nouvelle génération ? Sa facilité à se laisser piloter. La nouvelle variante GT500 Shelby n'échappe pas à la règle. Elle a beau être catapultée par un V8 suralimenté de 500 chevaux (ce qui fait d'elle la Mustang de série la plus puissante jamais construite), elle se laisse manier comme un charme. Le bolide est tellement bien équilibré qu'il fait paraître son conducteur meilleur qu'il ne l'est en réalité. Avec, en prime, des accélérations phénoménales et un son de moteur à faire damner le plus saint des saints. Il y a effectivement du Carroll Shelby là-dedans...

Transport et préparation : 1100 $

www.ford.ca

FICHE D'IDENTITÉ

Version(s) : XL, XLT, Sport STX, FX4 Level II, FX4 Off-Road
Roues motrices : arrière, 4
Portières : 2, 4
Première génération : 1983
Génération actuelle : 1993
Construction : Edison, New Jersey ; St. Paul, Minnesota, É.-U.
Sacs gonflables : 2, frontaux
Concurrence : Chevrolet Colorado, Dodge Dakota, GMC Canyon, Mazda Série B, Nissan Frontier, Toyota Tacoma

AU QUOTIDIEN

Prime d'assurance :
25 ans : 2300 à 2500 $
40 ans : 1300 à 1500 $
60 ans : 1100 à 1300 $
Collision frontale : 4/5
Collision latérale : 4/5
Ventes du modèle l'an dernier
Au Québec : 1708 **Au Canada :** 10 773
Dépréciation (3 ans) : 45,5 %
Rappels (2001 à 2006) : 5
Cote de fiabilité : 3/5

JE N'AI PAS CHANGÉ...

– Pascal Boissé

Chaque année c'est la même chose : un des auteurs de ce livre doit se farcir la description du Ford Ranger et de son jumeau, le Mazda Série B, assemblés sur la même chaîne de montage. Il s'agit d'un exercice difficile qui consiste à tenter de dire quelque chose de nouveau au sujet d'un véhicule qui n'a pratiquement pas évolué depuis le début des années 1980, et dont la carrosserie est, pour ainsi dire, inchangée depuis plus d'une douzaine d'années. En effet, le Ranger est présent sur le marché depuis si longtemps que plusieurs de nos lecteurs n'étaient pas encore nés lors de son lancement. Pour eux, il fait partie des choses immuables de l'Univers, comme la Lune ou le Soleil. Donc, si vous souffrez d'une forme perverse de nostalgie et que vous voulez vous procurer un camion qui vous fera connaître les sensations de conduite d'hier, le Ranger est peut-être pour vous. Par contre, si vous cherchez une camionnette compacte moderne à cabine multiplace, et que vous souhaitez voir l'ovale bleu au milieu de la calandre, allez plutôt voir du côté du Sport Trac, de conception beaucoup plus récente.

CARROSSERIE ► Toujours la même... Malgré les multiples restylages de sa calandre, le Ranger ne peut plus masquer ses rides. En plus de la cabine allongée dotée de portes inversées, qui se combine à une caisse de 6 pieds, le Ranger est maintenant le seul petit camion à offrir une cabine simple avec une caisse longue de 7 pieds. Il offre toujours une gamme étendue de versions et d'équipements : à partir d'une version très dépouillée, à moins de 18 000 $, on peut faire monter l'addition à plus de 30 000 $. La camionnette de Mazda se distingue du Ford Ranger par la calandre et les flancs de sa caisse légèrement embossés au niveau des passages de roues.

HABITACLE ► L'intérieur démodé du Ranger est terne. Ne parlons pas de design, ici, d'accord ? Cependant, plusieurs astuces vous

forces
- Choix de versions
- Configurations exclusives
- Solidité

faiblesses
- Conception vétuste
- Design gériatrique
- Suspension sautillante

nouveautés en 2007
- Nouvelles jantes d'alliage, système Securilock de série avec moteurs 3,0 l et 4,0 l, nouveaux amortisseurs sur FX4 Off-Road.

RANGER / MAZDA SÉRIE B

facilitent la vie à bord et l'assemblage est si bien ficelé qu'aucun bruit ni grincement ne se font entendre. Les strapontins arrière sont un véritable crime contre l'humanité et il faut munir leurs occupants de casques protecteurs pour qu'ils ne se fracassent pas le crâne.

MÉCANIQUE ▶ Depuis des décennies, le Ranger offre trois moteurs: un quatre cylindres de 2,3 litres, et deux V6 de 3,0 litres et de 4,0 litres de cylindrée. Le moteur quatre cylindres est parfait pour les versions de base, alors que le plus puissant des V6 (4,0 litres, 207 chevaux, 238 livres-pied) convient aux gros travaux. L'autre V6 est à peine plus puissant que le quatre cylindres et consomme presque autant que le 4,0 litres.

COMPORTEMENT ▶ Avec des géométries de suspension dont les principes de fonctionnement remontent presque à l'époque où les bœufs tiraient des carrioles, on ne doit pas s'attendre à des miracles. Quant aux versions dites «à quatre roues motrices», il s'agit d'une figure de style car, pour que les quatre roues soient motrices, il faut d'abord qu'elles touchent toutes le sol simultanément. Et c'est rarement le cas, puisque la suspension brutale et primitive sautille et ballotte beaucoup.

CONCLUSION ▶ La camionnette Ranger devra agoniser pendant encore deux ans avant que Ford mette fin aux souffrances du véhicule le plus vétuste sur le marché. Malgré cela, il y a bien quelques raisons de s'y intéresser: le prix d'aubaine des versions les plus austères et la présence au catalogue de certaines configurations des carrosseries qui ne sont plus proposées ailleurs. De plus, du Ranger se dégage l'impression d'un assemblage solide et de qualité.

FICHE TECHNIQUE

MOTEURS

(XL FEL 2300 Mazda) L4 2,3 l DACT 143 ch à 5250 tr/min
couple: 154 lb-pi à 3750 tr/min
Transmission: manuelle à 5 rapports, automatique à 5 rapports en option
0-100 km/h: 12,0 s
Vitesse maximale: 160 km/h
Consommation (100 km): man.: 8,6 l, auto.: 9,7 l (octane: 87)

(2RM, sauf XL FEL, 3300 Mazda) V6 3,0 l ACC 148 ch à 4900 tr/min
couple: 180 lb-pi à 3950 tr/min
Transmission: manuelle à 5 rapports, automatique à 5 rapports en option
0-100 km/h: 11,0 s
Vitesse maximale: 170 km/h
Consommation (100 km): man.: 11,3 l, auto.: 11,9 l (octane: 87)

(4RM + STX 2RM, 4000 Mazda) V6 4,0 l SACT 207 ch à 5250 tr/min
couple: 238 lb-pi à 3000 tr/min
Transmission: manuelle à 5 rapports, automatique à 5 rapports en option
0-100 km/h: 10,7 s
Vitesse maximale: 175 km/h
Consommation (100 km): man. 2RM: 11,6 l, auto. 2RM: 12,1 l, man. 4RM: 13,2 l, auto. 4RM: 13,0 l (octane: 87)

Sécurité active
freins ABS

Suspension avant/arrière
indépendante/essieu rigide

Freins avant/arrière
disques/tambours

Direction
à crémaillère, assistée

Pneus
P225/70R15, P235/75R15, P245/75R16, P255/70R16, 31x10,5R15

DIMENSIONS

Empattement: 2832 à 3198 mm
Longueur: 4798 à 5172 mm, Mazda: 4762 à 5154 mm
Largeur: 1681 à 1763 mm, Mazda: 1786 à 1791 mm
Hauteur: 1763 à 1791 mm, Mazda: 1648 à 1715 mm
Poids: 1365 à 1665 kg
Diamètre de braquage: 11,5 à 13,0 m
Réservoir de carburant: cab. rég.: 64 l, cab. all.: 76 l, XL 4RM: 74 l
Capacité de remorquage: 716 à 2721 kg

opinion

Antoine Joubert • Maintenant âgé de quatorze ans, le Ford Ranger n'est pas reconnu pour ses techniques de pointe, mais l'acheteur à la recherche d'une camionnette compacte, durable et peu coûteuse n'a plus beaucoup d'options, la véritable concurrence étant constituée des camionnettes Canyon et Colorado de GM et de son clone, le Mazda de Série B. Cela dit, seul le Ranger de base à moteur quatre cylindres reste une véritable aubaine. Il s'agit d'un outil de travail fiable et économique, pouvant offrir de longues années de loyaux services. Toutefois, en optant pour des modèles 4X4 plus onéreux, on se rapproche trop de la concurrence intermédiaire, nettement en avance.

SÉRIE E

évolution | 29 905 $ à 40 895 $ |
Transport et préparation : 1200 $

www.ford.ca

FICHE D'IDENTITÉ

Version(s) : XL, XLT, Chateau
Roues motrices : arrière
Portières : 4
Première génération : 1962
Génération actuelle : 1992
Construction : Lorian, Ohio, É.-U.
Sacs gonflables : 2, frontaux
Concurrence : Chevrolet Express, Dodge Sprinter, GMC Savana

AU QUOTIDIEN

Prime d'assurance :
25 ans : 2500 à 2700 $
40 ans : 1500 à 1700 $
60 ans : 1300 à 1500 $
Collision frontale : 4/5
Collision latérale : 4/5
Ventes du modèle l'an dernier
Au Québec : 3232 **Au Canada :** 13 840
Dépréciation (3 ans) : 47,2 %
Rappels (2001 à 2006) : 7
Cote de fiabilité : 4/5

LE COUTEAU SUISSE

– Benoit Charette

Voici le seul article de L'Annuel de l'automobile que les journalistes tirent à la courte paille. Même mon titre de rédacteur en chef ne me met pas à l'abri. Eh bien, devinez quoi, c'est moi qui ai perdu cette année. Nous espérions, au début de 2006, que Ford amènerait avant l'échéance de notre cuvée 2007 le Transit, qui sévit déjà depuis belle lurette en Europe, aussi moderne que le Sprinter et pourvu d'une excellente et économe motorisation diesel. Mais non, il faudra passer une autre année avec notre patriarche, le camion à tout faire.

CARROSSERIE ► Qu'est-ce que vous voulez que je vous dise, elle est pareille depuis 1992. Pour les besoins de la cause, disons que la version allongée est plus courte que celle de Chevrolet et que sa garde au toit est comparable à celle de l'Express, mais le Série E n'arrive pas à la cheville du Dodge Sprinter qui s'ouvre aussi large et aussi haut que la chambre forte d'une banque. Physiquement, c'est laid, un Série E, et nommez-moi une seule personne qui a inscrit ce critère sur sa liste de priorité au moment d'en faire l'achat.

HABITACLE ► La seule chose qui a évolué depuis quinze ans dans ce fourgon, c'est l'ajout de nouvelle technologie, et encore. On retrouve toujours dans les équipements de série un lecteur de cassette… Pourquoi pas un lecteur de huit-pistes? Il y a aussi le climatiseur, des coussins gonflables frontaux, des freins ABS et l'antidérapage (modèles pour quinze passagers). Ce qui a moins évolué, c'est l'allure générale de l'habitacle qui nous ramène en 1978, alors qu'un ami de la famille (salut Malcolm) qui en possédait un, jaune, nous transportait régulièrement, moi et mes amis nageurs. C'est peut-être la nostalgie, mais cela me ramène dans le passé chaque fois que je prends place à bord. La planche de bord a d'ailleurs à peu près le même aspect depuis vingt-cinq ans. Elle a tout de même le mérite d'être facile à consulter et ergonomique. Parmi les options offertes, on note des réservoirs de

forces
- Laid mais solide
- Fiabilité éprouvée
- Un choix infini de modèles

faiblesses
- Intérieur 1970
- Sièges à donner mal au dos
- Insonorisation déficiente

nouveautés en 2007
- Poids net brut du véhicule augmenté à 3946 kg pour tous les véhicules, barre stabilisatrice plus grosse dans E-150, refroidisseur d'huile moteur de série dans tous les modèles, siège du conducteur à réglage électrique de série dans Château

carburant de plus grande capacité, une insonorisation plus poussée et un climatiseur thermostatique d'appoint. Je vous recommande fortement ces deux dernières options, qui vont améliorer la vie à bord.

MÉCANIQUE ▶ Les versions E-150 sont propulsées par un V8 de 4,6 litres de 225 chevaux. Les versions E-350 sont dotées d'un V8 de 5,4 litres qui produit 255 chevaux. Ces deux moteurs sont jumelés à une boîte automatique à quatre rapports. Un V10 de 6,8 litres (305 chevaux) et un V8 turbodiesel de 6,0 litres (325 chevaux) sont disponibles avec les versions E-350. Le moteur diesel est jumelé à une boîte automatique à cinq rapports (en option sur le V10). Avec l'équipement adéquat, l'E-150 peut remorquer jusqu'à 3130 kilos, tandis que les E-350 Super Duty et E-350 Super Duty Extended peuvent remorquer jusqu'à 4536 kilos.

COMPORTEMENT ▶ Pour 2007, Ford a installé des barres antiroulis de plus grandes dimensions à l'arrière des modèles E-150. Je vous avoue sincèrement que je ne me suis pas précipité chez un concessionnaire pour en faire l'essai, mais il est probable que cela donne un meilleur aplomb au véhicule et contribue à mieux supporter le caractère sautilleur de l'essieu rigide. Ne me demandez pas ce qu'on ressent au volant d'un Série E. Avez-vous déjà remarqué une seule personne avec le sourire au volant de cette chose? Un autobus jaune est plus amusant à conduire. Après la silhouette, la dernière chose qui préoccupe les acheteurs, c'est la conduite.

CONCLUSION ▶ Je sais déjà que ce sera de nouveau une longue négociation pour attribuer ce texte l'an prochain. La bonne nouvelle, c'est que nous n'écrivons généralement pas sur le même véhicule deux années de suite. J'implore les gens de Ford de nous amener le Transit: il y aura peut-être même des volontaires pour en faire l'essai. Ce serait gentil de votre part.

FICHE TECHNIQUE

MOTEURS
(E-150) V8 4,6 l SACT 225 ch à 4800 tr/min
couple : 286 lb-pi à 3500 tr/min
Transmission : automatique à 4 rapports
0-100 km/h : 15 secondes
Vitesse maximale : 160 km/h
Consommation (100 km) : 13,9 l (octane : 87)

(E-150 allongée, E-250/E-350, option dans E-150) V8 5,4 l SACT 255 ch à 4500 tr/min
couple : 350 lb-pi à 2500 tr/min
Transmission : automatique à 4 rapports
0-100 km/h : 13,4 s
Vitesse maximale : 160 km/h
Consommation (100 km) : 15,6 l (octane : 87)

(option) V10 6,8 l ACC 305 ch à 4250 tr/min
couple : 420 lb-pi à 3250 tr/min
Transmission : automatique à 5 rapports
0-100 km/h : 11,3 s
Vitesse maximale : 180 km/h
Consommation (100 km) : 16,6 l (octane : 87)

(option) V8 6,0 l turbodiesel ACC 235 ch à 3300 tr/min
couple : 440 lb-pi à 2000 tr/min
Transmission : automatique à 5 rapports
0-100 km/h : 13,5 s
Vitesse maximale : 155 km/h
Consommation (100 km) : 16,6 l (diesel)

Sécurité active
freins ABS, antipatinage avec contrôle de stabilité électronique (15 passagers)

Suspension avant/arrière
indépendante/essieu rigide

Freins avant/arrière
disques

Direction
à billes, assistée

Pneus
E-150 : P235/75R16, E-250 et E-350 : LT225/75R16, E-350 allongée : LT245/75R16

DIMENSIONS
Empattement : 3505 mm
Longueur : 5382 mm, 5890 mm (allongée)
Largeur : 2014 mm
Hauteur : 2055 mm à 2136 mm
Poids : 2192 kg à 2498 kg
Diamètre de braquage : 14,2 m
Coffre : 7263 l, 8761 l (allongée)
Réservoir de carburant : 132,5 l
Capacité de remorquage : 2313 kg à 4536 kg

opinion

Luc Gagné • Les E-150 se font de plus en plus rares, sauf du côté des navettes pour les hôtels et les aéroports ou chez certains entrepreneurs qui les achètent sur le marché de l'occasion. Depuis 1992, le modèle est resté pratiquement inchangé et Ford devrait sérieusement songer à importer le Transit, populaire en Europe, qui pourrait concurrencer le Dodge Sprinter. Le bon vieil Econoline, comme plusieurs l'appellent, n'est simplement plus dans le coup. Sa conception, ainsi que sa technologie, est dépassée. GM propose beaucoup mieux à prix égal, et Dodge est dans une classe à part avec le Sprinter.

SÉRIE F

évolution | 24 930 $ à 50 690 $ |
Transport et préparation : 1200 $

www.ford.ca

FICHE D'IDENTITÉ

Version(s) : XL, XLT, STX, FX4, Lariat
Roues motrices : arrière, 4
Portières : 2, 4
Première génération : 1948
Génération actuelle : 2004
Construction : Kansas City, Missouri, É.-U. ; Norfolk, Virginie, É.-U. ; Louisville, Kentucky, É.-U. ; Oakville, Ontario, Canada
Sacs gonflables : 2, frontaux, rideaux latéraux en option
Concurrence : Chevrolet Silverado, Dodge Ram, GMC Sierra, Nissan Titan, Toyota Tundra

AU QUOTIDIEN

Prime d'assurance :
25 ans : 2400 à 2600 $
40 ans : 1600 à 1800 $
60 ans : 1400 à 1600 $
Collision frontale : 5/5
Collision latérale : 5/5
Ventes du modèle l'an dernier
Au Québec : 9134 **Au Canada :** 69 549
Dépréciation (3 ans) : 48,3 %
Rappels (2001 à 2006) : (F-150) 8
Cote de fiabilité : 4/5

LA POULE AUX ŒUFS D'OR

– Benoit Charette

Je ne peux m'empêcher de penser que Bill Ford doit réciter une petite prière tous les soirs pour remercier le Ciel et implorer les bonnes grâces des hautes instances pour que les ventes du F-150 continuent de grimper. Si Ford n'est pas complètement au fond du baril, c'est uniquement grâce à la Série F. Mais cet équilibre est fragile. À la fin 2006, Ford réduisait sa production de 21 %, car les ventes de camionnettes avaient diminué. Avec GM qui présente un nouveau et très joli Silverado, il y aura beaucoup de concurrence dans l'air en 2007.

CARROSSERIE ► Ford vend près de un million de Série F en Amérique du Nord chaque année, dont 60 % de F-150. Le F-150 détient donc depuis plusieurs années le titre de véhicule le plus vendu sur le continent, toutes catégories confondues. Ce n'est pas pour rien que les gens de Dearborn ont mis le paquet : il est traité comme une superstar et ses lignes sont différentes de celles des autres camions de la Série F. Il faut souligner qu'en 2007 Chevrolet a fait un travail remarquable avec le Silverado (et le Sierra) qui jouera assurément les trouble-fêtes. Comme c'est maintenant la norme, le F-150 propose trois types de cabines (simple, allongée et multiplaces) et trois longueurs de caisse (5 pieds et demi, 6 pieds et demi et 8 pieds). À ces différentes combinaisons s'ajoutent des éditions comme le FX4, Harley-Davidson et autres. Au final, la ligne demeure la même en 2007.

HABITACLE ► Dès que vous mettez un pied à bord du F-150, vous comprenez pourquoi ce véhicule est aussi populaire. C'est la définition même de ce que doit être un camion. Depuis sa refonte en 2004, Ford a réussi à conserver ses gènes de vrai dur en y greffant un intérieur à rendre jaloux bien des berlines de luxe. La qualité de l'exécution est sans reproche, meilleure que pour tous les autres modèles de la famille. D'innombrables niveaux de finition poussent le prix

forces
- Conduite agréable
- Nombreux choix de versions
- Habitacle haut de gamme

faiblesses
- Moteurs V6 et V8 4,8 sans intérêt
- Toujours aussi gourmand
- Caisse élevée

nouveautés en 2007
- Ensemble Harley-Davidson désormais offert dans SuperCrew 2RM et 4RM, radio avec prise auxiliaire de série, radio CD/cassette discontinuée, soutien latéral des sièges augmenté, siège du conducteur à commande électrique de série dans FX4

au-delà des 50000$, si vous en avez les moyens. Les cuirs fins, le volant en bois, le centre de divertissement DVD avec écran pour les passagers à l'arrière, la liste des équipements est impressionnante.

MÉCANIQUE ► Il y a toujours trois motorisations disponibles avec le F-150. Le pas très populaire V6 4,2 litres ouvre la marche, mais ses 202 chevaux sont à peine bons à traîner la carcasse et à faire quelques travaux simples. Le premier V8 est le 4,6 litres qui consomme autant que le 5,4 litres, peut-être davantage, avec moins de puissance et de couple. Le seul choix logique pour aller sous le capot est le puissant et silencieux 5,4 litres de 300 chevaux, le moteur le mieux adapté au véhicule. De plus, il est disponible en version Flex Fuel qui accepte un mélange fait de 85 % d'éthanol et de 15 % d'essence. Si vous avez besoin de plus de puissance, allez vers les modèles F-250 et F-350 avec moteurs V10 et PowerStroke conçus pour les gros travaux.

COMPORTEMENT ► Les camions d'aujourd'hui sont à des années-lumière de leur ancêtre. La conduite du F-150 est plaisante. Lors de mon plus récent essai au volant d'un modèle King Ranch, celui-ci offrait un confort digne d'une berline de luxe. L'habitacle était silencieux, la position de conduite confortable, et le véhicule ne sautillait pas sur l'autoroute, montrant une stabilité sans faute. Parmi les petits irritants, le moteur 5,4 litres est un peu lent à se mettre en marche. Sur ce point, je préfère les moteurs GM plus prompts. En revanche, le son est bon et offre juste ce qu'il faut de présence pour être agréable. En précision de conduite, c'est le F-150 qui tient le haut du pavé (je n'ai pas encore essayé le nouveau Silverado). Le châssis est d'une très grande rigidité et on se sent réellement en sécurité à bord.

CONCLUSION ► Si Ford mettait la même ardeur au travail pour tous ses produits, il ne serait certainement pas dans une position aussi délicate aujourd'hui.

FICHE TECHNIQUE

MOTEURS

(XL, XLT et STX 2RM) V6 4,2 l ACC 202 ch à 4800 tr/min
couple : 260 lb-pi à 3750 tr/min
Transmission : manuelle à 5 rapports, automatique à 4 rapports (option)
0-100 km/h : 12,1 s
Vitesse maximale : 165 km/h
Consommation (100 km) : man. : 13,4 l, auto. : 13,8 l (octane : 87)

(XL, XLT, STX 4RM et option 2RM) V8 4,6 l SACT 248 ch à 4750 tr/min
couple : 294 lb-pi à 3500 tr/min
Transmission : automatique à 4 rapports
0-100 km/h : 11,5 s
Vitesse maximale : 165 km/h
Consommation (100 km) : 2RM : 13,7 l, 4RM : 14,9 l (octane : 87)

(FX4 et Lariat) V8 5,4 l SACT 300 ch à 5000 tr/min
couple : 365 lb-pi à 3750 tr/min
Transmission : automatique à 4 rapports
0-100 km/h : 9,7 s
Vitesse maximale : 175 km/h
Consommation (100 km) : 2RM : 13,6 l, 4RM : 14,4 l (octane : 87)

Sécurité active
freins ABS, antipatinage (option 2RM, de série dans Lariat)

Suspension avant/arrière
indépendante/essieu rigide

Freins avant/arrière
disques

Direction
à crémaillère, assistée

Pneus
XL et XLT : P235/70R17, STX : P255/65R17, XL, STX et XLT : P255/70R17, XLT (cab. double et SuperCrew) : P275/60R18, P265/60R18, XL et XLT (4X4) : LT245/70R17, FX4 et Lariat : LT275/65R18

DIMENSIONS

Empattement : 3200 à 4143 mm
Longueur : 5364 à 6309 mm
Largeur : 2004 mm
Hauteur : 1864 à 1943 mm
Poids : 2158 à 2667 kg
Diamètre de braquage : 12,7 m à 15,9 m
Réservoir de carburant : 98 l, 113 l, 132 l
Capacité de remorquage : 2812 à 4309 kg

Jean-Pierre Bouchard • Dans la bataille féroce qui se déroule dans le segment des camionnettes pleine grandeur, la Série F continue de dominer le segment pour les ventes. Les chiffres ne disent donc pas tout. Le constructeur américain a néanmoins le mérite d'avoir commercialisé un véhicule qui combine une carrosserie expressive et solide à un habitacle stylisé et bien insonorisé, qualités d'abord introduites par les constructeurs... japonais. À l'instar des autres véhicules de cette catégorie, la Série F s'adresse aux utilisateurs qui en ont besoin pour le travail ou pour tracter des charges importantes. Autrement, son utilité reste limitée.

ACADIA ⊜ Saturn Outlook

GMC

www.gmcanada.com

FICHE D'IDENTITÉ

Version(s) : 2RM, 4RM
Roues motrices : avant, 4
Portières : 4
Première génération : 2007
Génération actuelle : 2007
Construction : Lansing, Michigan, É.-U.
Sacs gonflables : 6, frontaux, latéraux avant et rideaux latéraux
Concurrence : Buick Rendezvous, Chrysler Pacifica, Ford Freestyle, Honda Pilot, Hyundai Santa Fe, Mazda CX-9, Mitsubishi Endeavor, Nissan Murano, Saturn Outlook, Subaru B9 Tribeca, Suzuki XL-7, Toyota Highlander

AU QUOTIDIEN

Prime d'assurance :
25 ans : 2600 à 2800 $
40 ans : 1800 à 1900 $
60 ans : 1500 à 1700 $
Collision frontale : nd
Collision latérale : nd
Ventes du modèle l'an dernier
Au Québec : nm **Au Canada :** nm
Dépréciation (3 ans) : nm
Rappels (2001 à 2006) : nm
Cote de fiabilité : nm

NOUVELLE POINTURE

– Benoit Charette

L'Acadia est le premier d'un trio de véhicules multisegments qui verront le jour dans la prochaine année chez GM. Saturn et Buick auront aussi droit à une interprétation différente de l'Acadia, baptisée respectivement Outlook et Enclave.

CARROSSERIE ► L'Acadia pourrait sans peine se faire passer pour le grand frère du Chevrolet Equinox. Le style est rehaussé par des éléments tubulaires en aluminium brossé, des longerons de toit noirs et de gros phares proéminents qui surplombent une calandre munie d'un imposant logo GMC rouge.

HABITACLE ► L'Acadia peut être configurée pour sept ou huit passagers avec deux baquets avant, une banquette divisée 60/40 ou deux fauteuils capitaine en deuxième rangée, et une banquette de troisième rangée divisée 60/40. Le volume de chargement généreux de l'Acadia atteint 3313 litres quand les sièges de deuxième et de troisième rangée sont rabattus à plat.

MÉCANIQUE ► L'Acadia est équipé d'un V6 de 3,6 litres qui développe 267 chevaux et 247 livres-pied de couple lorsqu'il est équipé d'un pot d'échappement double. Ce moteur est jumelé à la toute nouvelle boîte automatique à six vitesses Hydra-Matic 6T75. On peut choisir entre le modèle à traction ou intégrale.

COMPORTEMENT ► Sans avoir essayé le véhicule, disons tout de même que l'Acadia offre une puissance et des configurations de suspension équivalentes à celles de ses futurs compétiteurs que seront le Ford Edge, le Mazda CX-9 et le Suzuki XL-7. Il sera intéressant de voir qui tiendra le haut du pavé en terme de conduite. En théorie, GMC a donné tout ce qu'il fallait à l'Acadia.

CONCLUSION ► Plusieurs constructeurs se tourneront dans la prochaine année vers les véhicules multisegments pour remplacer la fourgonnette dont la popularité diminue depuis quelques années. GM aura déjà trois produits disponibles.

forces

- Espace généreux
- Nouveau châssis
- Moteur et transmission
- Équipement complet

faiblesses

- Il faudra d'abord en faire l'essai

nouveautés en 2007

- Nouveau modèle

OnStar

DU CHOIX ET PLUS DE CHEVAUX

– Benoit Charette

Toutes les combinaisons possibles de moteurs et de cabines permettent aux acheteurs de Colorado et de Canyon d'élaborer 25 configurations.

CARROSSERIE ▶ Les plus observateurs remarqueront quelques changements mineurs en 2007. Par exemple, le modèle de base est habillé de nouvelles jantes de 15 pouces chromées. La version ZQ8 possède de son côté des roues en aluminium de 18 pouces de série qui sont aussi optionnelles dans d'autres versions. Notons également trois nouvelles couleurs de carrosserie : bleu sport, bleu nuit et rouge sonoma.

HABITACLE ▶ Pour ajouter un peu de raffinement, GMC a refait une partie de l'intérieur du Canyon. Les poignées de portière, les commandes des buses d'aération et les contours des portes, des enceintes acoustiques et du tableau de bord sont maintenant ornés de chrome. On peut aussi opter pour une finition couleur ébène et une console centrale gris métallique.

MÉCANIQUE ▶ En 2007, le moteur quatre cylindres passe de 2,8 litres à 2,9 litres et de 175 à 185 chevaux ; le cinq cylindres, de 3,5 à 3,7 litres et de 220 à 242 chevaux. Comme beaucoup de gens se sont plaints du manque de puissance des mécaniques et que GM ne pouvait pas installer de V6 en raison de la configuration du véhicule, on a réalésé les moteurs pour en extraire un peu plus de jus.

COMPORTEMENT ▶ Difficile de voir la différence en ce qui concerne le quatre cylindres. Quant au moteur cinq cylindres, le son est toujours aussi disgracieux, mais le surplus de couple et de chevaux est palpable. GM a également ajouté à sa transmission des capteurs sensibles à la vitesse, qui améliorent les changements de rapports. Les deux mécaniques sont toujours disponibles en version manuelle à cinq rapports ou automatique à quatre rapports.

CONCLUSION ▶ Nouvel habillage, mais même philosophie ; rien pour séduire une nouvelle clientèle. On conserve les acquis, c'est tout.

GMC

www.gmcanada.com

FICHE D'IDENTITÉ

Version(s) : SL, SLE
Roues motrices : arrière, 4
Portières : 2, 4
Première génération : 2004
Génération actuelle : 2004
Construction : Shreveport, Louisiane, É.-U.
Sacs gonflables : 2, frontaux (latéraux en option)
Concurrence : Chevrolet Colorado, Dodge Dakota, Ford Ranger, Mazda Série B, Nissan Frontier, Toyota Tacoma

AU QUOTIDIEN

Prime d'assurance :
25 ans : 2000 à 2200 $
40 ans : 1300 à 1500 $
60 ans : 1000 à 1200 $
Collision frontale : 4/5
Collision latérale : 4/5
Ventes du modèle l'an dernier
Au Québec : 1032 **Au Canada :** 4867
Dépréciation (2 ans) : 33,7 %
Rappels (2001 à 2006) : 2
Cote de fiabilité : 2/5

forces

- L'embarras du choix
- Lignes réussies
- Un cinq cylindres plus agréable
- Finition de meilleure qualité

faiblesses

- Pneus de base
- Mécaniques bruyantes

nouveautés en 2007

- Deux nouveaux moteurs plus puissants, alternateur de 125 A, transmission automatique retouchée pour un meilleur passage des vitesses, indicateur de basse pression des pneus de série, jantes d'aluminium chromé de 15 po

ENVOY ⊜ Chevrolet TrailBlazer

jumeau | 32 655 $ à 51 700 $
Transport et préparation : 1150 $

OnStar

GMC

www.gmcanada.com

RETOUR AUX SOURCES

– Antoine Joubert

FICHE D'IDENTITÉ

Version(s) : SLE, SLT, Denali
Roues motrices : arrière, 4
Portières : 4
Première génération : 2002
Génération actuelle : 2002
Construction : Moraine, Ohio, É.-U.
Sacs gonflables : 2, frontaux, (rideaux latéraux optionnels)
Concurrence : Chevrolet TrailBlazer, Dodge Durango, Ford Explorer, Jeep Grand Cherokee, Kia Sorento, Nissan Pathfinder, Toyota 4Runner

AU QUOTIDIEN

Prime d'assurance :
25 ans : 3300 à 3500 $
40 ans : 2300 à 2500 $
60 ans : 1700 à 1900 $
Collision frontale : 3/5
Collision latérale : 5/5
Ventes du modèle l'an dernier
Au Québec : 1190 **Au Canada :** 6740
Dépréciation (3 ans) : 52,3 %
Rappels (2001 à 2006) : 19
Cote de fiabilité : 2/5

Lors de son arrivée, l'Envoy n'était disponible qu'en configuration régulière, puis les versions XL et XUV à arrière ouvrant ont suivi. Mais, voilà, en raison des ventes décevantes, mais aussi parce qu'il fallait réduire les dépenses, GMC a décidé d'interrompre la production de toutes les versions allongées. En 2007, l'Envoy effectue donc un retour aux sources.

CARROSSERIE ► Les changements esthétiques mineurs apportés l'an dernier ont légèrement rajeuni les lignes de ce véhicule, maintenant âgé de cinq ans. Offrant une gueule plus musclée que celle de son jumeau non identique, le TrailBlazer, l'Envoy permet à la gamme GMC de se distinguer encore un peu de Chevrolet.

HABITACLE ► À l'avant, c'est le confort royal : la position de conduite est sans reproche et l'instrumentation est plus complète qu'ailleurs. Par contre, à l'arrière, c'est une autre histoire. Malgré une qualité d'assemblage convenable, les matériaux de l'habitacle sont d'une qualité douteuse. Quant à la version Denali, le supplément d'argent qu'on en demande paraît simplement injustifié.

MÉCANIQUE ► Le moteur six cylindres est doux et suffisamment puissant pour satisfaire tout le monde, alors que le V8 convient davantage à ceux qui doivent tracter de lourdes charges. La boîte automatique à quatre rapports, malgré son bon comportement, commence à montrer des signes de vieillissement et est en partie responsable de la consommation élevée.

COMPORTEMENT ► Du côté de l'Envoy, vous ne retrouverez pas le dynamisme d'un Pathfinder ou d'un Explorer. En revanche, notamment en raison d'une suspension plutôt souple, ce véhicule procure un confort ouaté que plusieurs personnes apprécient.

CONCLUSION ► Les ventes des véhicules de cette catégorie diminuent dramatiquement en raison du coût du carburant. Si cette question vous préoccupe, oubliez l'Envoy. Sinon, un petit coup d'œil du côté de chez Ford serait tout indiqué.

forces

- Véhicule confortable
- Moteur six cylindres agréable
- Lignes plus caractérisées que chez Chevrolet
- Bonne capacité de remorquage (V8)

faiblesses

- Consommation élevée
- Très forte dépréciation
- Conduite un peu molle
- Qualité douteuse des matériaux intérieurs

nouveautés en 2007

- Version XL discontinuée, nouvelles jantes de 18 pouces, indicateur de basse pression des pneus de série, système de navigation OnStar optionnel, contrôle de régulation du voltage, trois nouvelles couleurs de carrosserie

IMMUABLE

– Benoit Charette

GMC a lancé ses premiers fourgons dans les années 1960. Au cours des décennies suivantes, il y a eu quelques améliorations, mais c'est uniquement à la fin de 1995 que GM a présenté un fourgon aux allures modernes. Depuis lors, pas grand-chose.

CARROSSERIE ▶ Selon vos besoins, vous pouvez choisir entre les modèles 1500 (une demi-tonne), 2500 (trois quarts de tonne) ou 3500 (une tonne). Alors que le modèle 3500 est uniquement disponible en version allongée, les autres sont disponibles en version LS ou LT.

HABITACLE ▶ Ici, la simplicité règne et les possibilités se résument à peu de choses. La version LS ne vous donne guère plus que le climatiseur et la radio AM/FM. La version LT propose un second climatiseur à l'arrière, les vitres électriques, le régulateur de vitesse, le volant inclinable et la télécommande pour les portières.

MÉCANIQUE ▶ Le Savana dispose de quelques chevaux de plus en 2007. La version 1500 est propulsée par un moteur V6 de 4,3 litres produisant 200 chevaux. Le 1500 AWD a droit à un V8 de 5,3 litres produisant 295 chevaux. Les versions 2500 sont propulsées par un V8 de 4,8 litres et 275 chevaux. Les versions 3500 bénéficient quant à elles d'un V8 de 6,0 litres développant 300 chevaux. Le moteur V8 turbodiesel Duramax de 6,6 litres, bon pour 250 chevaux et surtout 460 livres-pied de couple, est maintenant optionnel dans les versions 2500 et 3500.

COMPORTEMENT ▶ Sans être excitant, il offre une conduite plus intéressante que son rival chez Ford. De plus, son châssis rigide autorise une meilleure assurance au volant. Sans être agile, il est toutefois beaucoup plus stable avec un plein chargement que la Série E de Ford.

CONCLUSION ▶ Comme pour l'Express, le Savana est le meilleur compromis entre le dispendieux Sprinter et le désuet Ford.

GMC

www.gmcanada.com

FICHE D'IDENTITÉ

Version(s) : SL, SLE
Roues motrices : arrière, 4RM
Portières : 4
Première génération : 1971
Génération actuelle : 1996
Construction : Wentzville, Missouri, É.-U.
Sacs gonflables : 2, frontaux
Concurrence : Chevrolet Express, Dodge Sprinter, Ford Série E,

AU QUOTIDIEN

Prime d'assurance :
25 ans : 2600 à 2800 $
40 ans : 1500 à 1700 $
60 ans : 1200 à 1400 $
Collision frontale : 5/5
Collision latérale : 4/5
Ventes du modèle l'an dernier
Au Québec : 1569 **Au Canada :** 6552
Dépréciation (3 ans) : 53,4 %
Rappels (2001 à 2006) : 12
Cote de fiabilité : 3/5

forces
- Moteurs puissants
- Portes arrière bien conçues
- Énormément d'espace

faiblesses
- Version de base bon marché
- Direction floue

nouveautés en 2007
- Puissance augmentée dans moteur 5,3 litres

SIERRA ⊜ Chevrolet Silverado

jumeau | 19 150 $ à 55 395 $
Transport et préparation : 1250 $

OnStar

GMC

www.gmcanada.com

SEMBLABLE, MAIS SI DIFFÉRENT !

– Pascal Boissé

FICHE D'IDENTITÉ

Version(s) : Value Leader, SL, SLE, SLT, Denali
Roues motrices : arrière, 4
Portières : 2, 4
Première génération : 1936
Génération actuelle : 2007
Construction : Pontiac, Michigan ; Flint, Michigan ; Fort Wayne, Indiana, É.-U., Oshawa, Ontario, Canada
Sacs gonflables : 4, frontaux et rideaux latéraux
Concurrence : Chevrolet Silverado, Dodge Ram, Ford F-150, Nissan Titan, Toyota Tundra

AU QUOTIDIEN

Prime d'assurance :
25 ans : 2400 à 2600 $
40 ans : 1600 à 1800 $
60 ans : 1300 à 1500 $
Collision frontale : nd
Collision latérale : nd
Ventes du modèle l'an dernier
Au Québec : 4856 **Au Canada :** 38 657
Dépréciation (3 ans) : 52,5 %
Rappels (2001 à 2006) : 17
Cote de fiabilité : 3/5

Le tout nouveau GMC Sierra est, comme à l'accoutumée, le jumeau du Chevrolet Silverado, mais dorénavant il a droit à quelques caractéristiques exclusives qui lui permettent d'afficher sa différence, d'un pare-chocs à l'autre.

CARROSSERIE ► Le Sierra a toujours visé une clientèle plus traditionaliste que celle du Silverado mais, autrefois, excepté quelques logos et sa calandre, il disposait de peu d'éléments pour se singulariser. Avec son nouvel habit bien à lui, nombreux seront ceux qui le préféreront au Silverado, plus dynamique, mais moins élégant. À part le pavillon et les portières, l'ensemble de sa carrosserie est propre au Sierra. Ses flancs sont plus lisses et ses arches de roues arrondies lui confèrent une prestance sobre et classique. Et il y a le Denali, finition exclusive au Sierra, qui propose une calandre spécifique, de nombreux accents de chrome et des roues d'aluminium poli de 20 pouces (optionnelles).

HABITACLE ► Ce qui est vrai pour le Silverado s'applique ici aussi : deux types de tableau de bord sont proposés selon que l'on opte pour des baquets ou une banquette. Le Sierra Denali, ici encore, a droit à toute une débauche de petits luxes et de commodités.

MÉCANIQUE ► Le V8 de 6,2 litres (403 chevaux et 415 livres-pied) est réservé au Denali, mais les autres combinaisons de moteurs et de transmissions sont les mêmes que pour le Silverado.

COMPORTEMENT ► Les différentes versions de cette mouture du Sierra devraient arriver graduellement chez les concessionnaires dès novembre 2006. Comme ce fut le cas avec la nouvelle génération des grands utilitaires de GM, on peut s'attendre à un comportement routier plus rigoureux et à un roulement plus silencieux.

CONCLUSION ► Si certains étaient prêts à parier sur la disparition de la marque GMC, ce nouveau Sierra, plus affirmé que jamais, possède tous les attributs pour les contredire.

forces

- Châssis plus rigide
- Choix de groupe motopropulseur
- Intérieur réussi
- Comportement routier

faiblesses

- Pas de diesel disponible avec le 1500 (probablement pour 2008...)

nouveautés en 2007

- Modèle entièrement redessiné, le modèle d'ancienne génération demeure disponible en 2007 et vendu sous le nom de Sierra Classic

$ 44 615 $ à 66 170 $
Transport et préparation : 1250 $

jumeau Chevrolet Tahoe

YUKON / DENALI

www.gmcanada.com

IMPOSANT ET CONFORTABLE

– **Carl Nadeau**

S'il y a un domaine où General Motors peut se vanter d'avoir de l'expertise, c'est bien dans la conception d'utilitaires sport pleine grandeur. L'horizon n'est pas au beau fixe chez le manufacturier, mais la division GMC reste encore très rentable. La refonte des Yukon permet d'offrir un produit capable de satisfaire les attentes de plusieurs clients, même les plus fidèles à la marque.

CARROSSERIE ▶ Bienvenue dans le XXIe siècle! Le Yukon mérite probablement le trophée du véhicule le plus amélioré. Les joints de carrosserie sont maintenant dans la moyenne des véhicules européens, c'est-à-dire presque impeccables (une grande différence avec les gouffres inégaux du passé). Le Yukon est maintenant plus long de 50 millimètres, mais la zone déformable est augmentée de près de 500 millimètres pour assurer la sécurité des occupants et des piétons.

HABITACLE ▶ Le Yukon accueille confortablement sept passagers, malheureusement l'espace de chargement est pratiquement inexistant. Les sièges arrière se rabattent facilement pour donner accès à la troisième rangée. Le système est même motorisé dans le Denali. La finition est à la hauteur, le système audio est de bonne qualité, et les espaces de rangement sont nombreux.

COMPORTEMENT ▶ On atteint un nouveau sommet cette année sur le plan du comportement routier. Il est sain et efficace dans tous les modèles, mais le Denali se démarque vraiment grâce à une suspension légèrement plus ferme qui dispense les occupants de roulis et autorise une précision inégalée dans ces véhicules.

CONCLUSION ▶ Ce n'est pas pour rien que les véhicules utilitaires pleine grandeur de GM constituent 60 % des ventes totales dans ce créneau, et GM a bien l'intention de conserver ses acquis grâce à la refonte de sa gamme. Le Yukon est un véhicule agréable et recommandable... si vous êtes prêt à contribuer au succès financier des sociétés pétrolières.

FICHE D'IDENTITÉ

Version(s) : SLE, SLT, Denali
Roues motrices : arrière, 4
Portières : 4
Première génération : 1970
Génération actuelle : 2007
Construction : Janesville, Wisconsin, É-U ; Arlington, Texas, É.-U.
Sacs gonflables : 4, frontaux et latéraux avant (rideaux latéraux en option)
Concurrence : Chevrolet Tahoe et Suburban, Ford Expedition, Nissan Armada, Toyota Sequoia

AU QUOTIDIEN

Prime d'assurance :
25 ans : 4500 à 4700 $
40 ans : 3300 à 3500 $
60 ans : 2700 à 2900 $
Collision frontale : 5/5
Collision latérale : 5/5
Ventes du modèle l'an dernier
Au Québec : Yukon : 127, Yukon XL : 187
Au Canada : Yukon : 1871, Yukon XL : 1437
Dépréciation (3 ans) : 42,8 %
Rappels (2001 à 2006) : Yukon : 12, Yukon XL : 13
Cote de fiabilité : 3/5

forces

- Finition en net progrès
- Tenue de route
- Espace pour huit personnes
- Habitacle bien équipé

faiblesses

- Transmission rétrograde pour rien
- Consommation d'essence
- Faible volume du coffre
- Le silencieux dépasse à l'arrière (aspect bas de gamme)

nouveautés en 2007

- Modèle entièrement redessiné

ACCORD

évolution | 24 800 $ à 40 590 $ | Transport et préparation : 1310 $

www.honda.ca

FICHE D'IDENTITÉ

Version(s) : *Hybrid, coupé et berl :* SE, EX-L, EX-L V6, EX-L V6 6MT, *berl. :* DX-G, SE V6
Roues motrices : avant
Portières : 2, 4
Première génération : 1976
Génération actuelle : 2003
Construction : Marysville, Ohio, É.-U.
Sacs gonflables : 6, frontaux, lat. av., rid. lat.
Concurrence : Chevrolet Malibu, Chrysler Sebring, Ford Fusion, Hyundai Sonata, Kia Magentis, Mazda6, Mitsubishi Galant, Nissan Altima, Pontiac G6, Saturn Aura, Subaru Legacy, Toyota Camry, Volkswagen Jetta et Passat

AU QUOTIDIEN

Prime d'assurance :
25 ans : 2200 à 2400 $
40 ans : 1400 à 1600 $
60 ans : 1100 à 1300 $
Collision frontale : 5/5
Collision latérale : 5/5
Ventes du modèle l'an dernier
Au Québec : 6364 **Au Canada :** 24 115
Dépréciation (3 ans) : 41,1 %
Rappels (2001 à 2006) : 4
Cote de fiabilité : 5/5

UNE VOITURE ÉQUILIBRÉE

– Jean-Pierre Bouchard

La rivalité entre la Honda Accord et la Toyota Camry perdure depuis… toujours. Au Canada, ces deux voitures sont les intermédiaires qui se vendent le mieux, mais chacune a sa personnalité propre. Cela dit, l'Accord est ma préférée, car elle possède cette attitude sportive qui la rend agréable à conduire au quotidien.

CARROSSERIE ▶ À l'arrivée de l'Accord en 2003, son habillage, spécialement celui de la berline, avait été critiqué à cause du manque d'équilibre entre les parties avant et arrière. L'an dernier, les stylistes de la firme nippone ont corrigé le tir, du moins partiellement. Par exemple, à l'arrière, les feux n'encadrent plus la plaque d'immatriculation, et le feu surélevé surmonte le repli supérieur du couvercle du coffre. Le coupé a subi un traitement comparable, mais de son côté la différence est moins marquée. Cette année, Honda reprend ses deux configurations, sans modifications majeures.

HABITACLE ▶ Les personnes de grande taille apprécieront l'habitabilité de la berline Accord, qui offre un généreux dégagement pour la tête et les jambes. Le conducteur bénéficie d'une instrumentation surdimensionnée facile à consulter, de commandes à portée de main, et d'une bonne position de conduite grâce au volant inclinable et télescopique et au réglage du siège en hauteur. À l'avant, les baquets sont assez larges pour offrir un bon soutien latéral, mais certains les trouveront un peu fermes. L'absence de réglage de soutien lombaire du côté conducteur fait défaut dans les versions de base. La banquette arrière accueille deux occupants de grande taille avec confort, mais, étrangement, elle n'est pas divisible dans les berlines – autre lacune à corriger. La contenance du coffre est très bonne, tant du côté du coupé que de la berline. Celui de l'Hybrid perd toutefois 79 litres.

MÉCANIQUE ▶ Au catalogue, Honda propose des moteurs à quatre et à six cylindres. Le

forces
- Habitabilité
- Moteur à quatre cylindres adapté
- Comportement routier sain

faiblesses
- Banquette arrière non divisible dans les berlines
- Insonorisation perfectible (bruits de route)
- Pas de motorisation hybride à quatre cylindres

nouveautés en 2007
- Coupé SE remplace le modèle LX-G, nouvelle berline EX-L V6 à boîte manuelle, système de reconnaissance de la voix bilingue, équipement rehaussé dans berline SE

2,4 litres de 166 chevaux se révèle un choix judicieux puisque, d'un part, il anime la voiture avec une belle aisance et que, d'autre part, sa consommation est raisonnable. Ce moteur forme, avec la boîte automatique à cinq rapports (en option), un excellent tandem. La boîte manuelle est, pour sa part, agréable à utiliser grâce aux rapports bien étagés.

Les amateurs de puissance (et de factures de carburant considérables) trouveront leur bonheur dans le V6 de 3 litres et de 244 chevaux, moteur associé de série à une boîte automatique à cinq rapports. Le constructeur japonais a toutefois concocté un duo V6 et boîte manuelle à six rapports pour son coupé et sa berline pour 2007. Honda propose toujours une motorisation hybride qui consiste en un V6 associé à un moteur électrique. Au total, ce moteur développe 253 chevaux et consomme quelques lampées de carburant de moins que le quatre cylindres. Imaginez pareille technologie en configuration à quatre cylindres, comme vient de la faire Toyota avec sa Camry Hybride 2007 offerte pour plusieurs milliers de dollars de moins...

COMPORTEMENT ► Sur la route, l'Accord séduit par son comportent équilibré qui mise sur un bon confort de roulement tout en offrant un agrément de conduite attribuable à une suspension plus ferme – qui ne plaira pas à tous, d'où la différence avec la Camry – et à une direction bien calibrée. La berline Hybrid, compte tenu de son poids supérieur et de la disposition des batteries, nous oblige à lever le pied dans les courbes prononcées.

CONCLUSION ► Au chapitre de la fiabilité, de la valeur de revente et de l'agrément de conduite, l'Accord compte toujours parmi les meilleures intermédiaires. Cette japonaise n'est pas sur le point de se faire surpasser par la Hyundai Sonata, mais l'écart entre elles s'amenuise peu à peu. Honda devra rester sur ses gardes.

FICHE TECHNIQUE

MOTEURS

(DX-G, SE et EX-L) L4 2,4 l DACT 166 ch à 5500 tr/min
couple : 160 lb-pi à 4000 tr/min
Transmission : manuelle à 5 rapports, automatique à 5 rapports (option)
0-100 km/h : 8,8 s
Vitesse maximale : 190 km/h
Consommation (100 km) : 9,0 l (octane : 87)

(SE V6 et EX-L V6) V6 3,0 l SACT 244 ch à 6250 tr/min
couple : 211 lb-pi à 5000 tr/min
Transmission : automatique à 5 rapports, manuelle à 6 rapports (EX-L V6 6MT)
0-100 km/h : man. : 6,9 s, auto : 7,4 s
Vitesse maximale : 220 km/h
Consommation (100 km) : 10,0 l (octane : 87)

(Hybrid) V6 3,0 l SACT + IMA 253 ch à 6000 tr/min
couple : 232 lb-pi à 5000 tr/min
Transmission : automatique à 5 rapports
0-100 km/h : 7,5 s
Vitesse maximale : 215 km/h
Consommation (100 km) : 8,7 l (octane : 87)

Sécurité active
freins ABS, distribution électronique de force de freinage, antipatinage et contrôle de stabilité électronique (V6)

Suspension avant/arrière
indépendante

Freins avant/arrière
disques, DX-G : disques/tambours

Direction
à crémaillère, assistée

Pneus
DX-G, SE et EX-L : P205/60R16, SE V6, EX-L V6 et EX-L V6 6MT : P215/50R17, Hybrid : P215/60R16

DIMENSIONS

Empattement : berl. : 2740 mm, coupé : 2670 mm
Longueur : berl. : 4854 mm, coupé : 4770 mm
Largeur : berl. : 1820 mm, coupé : 1810 mm
Hauteur : berl. : 1453 mm, coupé : 1415 mm
Poids : *berl. :* DX-G : 1420 kg, SE : 1440 kg, EX-L : 1454 kg, SE V6 : 1562 kg, EX-L V6 : 1561 kg, EX-L V6 6MT : 1533 kg, *Hybrid :* 1682 kg, *coupé :* SE : 1380 kg, EX-L : 1416 kg, EX-L V6 : 1526 kg, EX-L V6 6MT : 1498 kg
Diamètre de braquage : berl. : 11,0 m, V6 : 12,1 m coupé : 11,9 m
Coffre : berl. : 396 l, coupé : 371 l, Hybrid : 317 l
Réservoir de carburant : 64,7 l

opinion

Hugues Gonnot • La Honda Accord a quelques années au compteur, mais reste l'une des références de la catégorie. Certes, son style extérieur pourrait être plus harmonieux : l'avant n'est tout simplement pas en... accord (ah ! ah !) avec l'arrière. Et les retouches stylistiques de l'an dernier n'y ont rien changé. Mais, pour le reste, c'est tout bon. Honda conçoit sans aucun doute quelques-uns des plus beaux intérieurs et l'Accord ne fait pas exception, tant sur le plan des matériaux que de l'assemblage. Sur la route, le comportement est enjoué et les moteurs plaisants sont secondés par d'excellentes boîtes de vitesses. Mention spéciale pour ce petit joyau méconnu qu'est le coupé V6 manuel à six rapports, doublé de la berline pour 2007.

CIVIC

évolution | 16 980 $ à 26 080 $ |
Transport et préparation : 1225 $

www.honda.ca

FICHE D'IDENTITÉ

Version(s) : DX, DX-G, LX, EX, Si, Hybrid
Roues motrices : avant
Portières : 2, 4
Première génération : 1973
Génération actuelle : 2006
Construction : Alliston, Ontario, Canada ; East Liberty, Ohio, É.-U.
Sacs gonflables : 6, frontaux, lat. av., rid. lat.
Concurrence : Chevrolet Cobalt et Optra, Ford Focus, Hyundai Elantra, Kia Spectra, Mazda3, Mitsubishi Lancer, Nissan Sentra, Pontiac G5, Saturn ION, Subaru Impreza, Suzuki Aerio et SX4, Toyota Corolla, VW Rabbit

AU QUOTIDIEN

Prime d'assurance :
25 ans : 2500 à 2700 $
40 ans : 1600 à 1800 $
60 ans : 1300 à 1500 $
Collision frontale : 5/5
Collision latérale : berl. : 4/5, coupé : 3/5
Ventes du modèle l'an dernier
Au Québec : 23 120 **Au Canada :** 68 508
Dépréciation (3 ans) : 41 %
Rappels (2001 à 2006) : 5
Cote de fiabilité : 5/5

L'EFFICACITÉ AVANT TOUT

– Pascal Boissé

Avec cette nouvelle génération de la Civic, les ingénieurs de Honda ont mis l'accent sur l'efficacité et la sécurité, quitte à sacrifier l'habitabilité, l'ergonomie et le style. Malgré cela, la Civic demeure une voiture très bien conçue, qui offre un rendement exceptionnel. Mais, quand on parle de la Civic, il faudrait préciser laquelle : en effet, en plus de la populaire berline, il y a le coupé sport et sa version Si, plus performante, ainsi que la Civic Hybrid, l'écolo de la famille.

CARROSSERIE ▶ Il est toujours étrange de voir à quel point Honda est capable de déployer des ressources extraordinaires sur le plan de l'ingénierie, alors que le design est souvent un aspect auquel on ne semble pas accorder beaucoup d'importance chez eux. Une jolie calandre, un faciès plus expressif et des proportions élégantes n'auraient certainement pas nui à la Civic. Le profil du coupé est mieux réussi que celui de la berline pour laquelle les critères de performance aérodynamique ont vraisemblablement eu préséance sur tout le reste. Le modèle hybride pousse la logique encore plus loin avec un bouclier et des jantes spécifiques.

HABITACLE ▶ C'est au quotidien que la Civic nous révèle certaines de ses lacunes. Le profil du toit, très arqué pour réduire la traînée aérodynamique, a un impact sur l'habitabilité : puisque les montants du pare-brise ont été avancés à l'extrême, on se retrouve avec un tableau de bord atypique, semi-numérique et en deux sections. Ces larges montants gênent la visibilité, et cela s'aggrave lorsqu'il neige, puisque les essuie-glaces ne font que partiellement leur travail. De plus, les places arrière sont exiguës et inconfortables. Lors d'un long voyage l'hiver, mes passagers, qui se heurtaient la tête au plafond, se plaignaient aussi du vent froid provenant du coffre et qui leur congelait les lombaires. Et il faut ajouter à notre liste de doléances le coffre trop petit, dont l'ouverture étroite en limite l'accès.

forces
- Caisse rigide et très sécuritaire
- Moteurs raffinés et sobres
- Propulsion hybride
- Comportement routier sain
- Direction précise

faiblesses
- Places arrière inconfortables
- Tableau de bord délirant
- Coffre trop petit
- Montants de pare-brise nuisent au champ de vision

nouveautés en 2007
- Prise audio auxiliaire pour lecteur MP3

MÉCANIQUE ▶ Le coupé Civic Si se distingue par son moteur 2,0 litres exclusif. Quant à la Hybrid, elle doit compter sur un petit 1,3 litre qui est assisté, lors des efforts intenses, par un moteur électrique qui fournit l'équivalent d'une vingtaine de chevaux supplémentaires. Ce système permet d'importantes économies de carburant, de l'ordre de 40 % en ville et de 25 % sur l'autoroute par rapport à une Civic à essence, déjà très frugale. Ainsi, l'automobiliste moyen pourra économiser de 500 à 1000 $ de carburant par an avec une Civic Hybrid. Quant à toutes les autres versions, elles sont propulsées par le moteur 1,8 litre, entièrement revu l'an dernier pour améliorer son rendement et réduire, encore une fois, ses émissions polluantes et sa consommation. La boîte automatique, de son côté, dispose d'un cinquième rapport, ce qui permet aussi de réduire la consommation de carburant.

COMPORTEMENT ▶ Plus que jamais, le roulement de la berline est très doux et silencieux. La direction offre une agréable combinaison de fermeté et de contrôle. Le comportement routier de la version hybride s'est grandement amélioré, rendant la présence de sa motorisation exotique pratiquement indécelable. D'ailleurs, le freinage régénératif, par lequel la voiture recharge ses batteries, est beaucoup plus linéaire qu'auparavant. Le coupé, quant à lui, possède une suspension plus ferme, particulièrement dans la version Si qui a subi des modifications pour lui permettre de mieux exprimer son caractère sportif.

CONCLUSION ▶ Un an après son lancement, le bilan de cette nouvelle génération de la Civic est plutôt mitigé. Ceux qui s'en sont procuré une sont généralement satisfaits de leur acquisition. Mais il y a les autres, quelquefois d'anciens propriétaires de Civic, qui ne comprennent pas où s'en va Honda avec ce produit. En plus, avec l'arrivée de la Fit au bas de la gamme Honda, la Civic semble vivre une véritable crise d'identité et, comme on dirait en politique, elle a l'air d'avoir « perdu le contact avec sa base ».

FICHE TECHNIQUE

MOTEURS

(DX, DX-G, LX et EX) L4 1,8 l SACT 140 ch à 6300 tr/min
couple : 128 lb-pi à 4300 tr/min
Transmission : manuelle à 5 rapports, automatique à 5 rapports (option)
0-100 km/h : 9,3 s
Vitesse maximale : 205 km/h
Consommation (100 km) : man. : 6,8 l, auto. : 7,0 l (octane : 87)

(Si) L4 2,0 l DACT 197 ch à 7800 tr/min
couple : 139 lb-pi à 6100 tr/min
Transmission : manuelle à 6 rapports
0-100 km/h : 6,9 s
Vitesse maximale : 230 km/h
Consommation (100 km) : 9,0 l (octane : 89)

(Hybrid) L4 1,3 l SACT + IMA 110 ch (puissance max. combinée)
couple : 123 lb-pi (couple max. combiné)
Transmission : automatique à variation continue
0-100 km/h : 12,7 s
Vitesse maximale : 175 km/h
Consommation (100 km) : 4,5 l (octane : 87)

Sécurité active
freins ABS, répartition électronique de force de freinage, assistance au freinage (Hybrid seulement)

Suspension avant/arrière
indépendante

Freins avant/arrière
disques

Direction
à crémaillère, assistée

Pneus
DX, DX-G et Hybrid : P195/65R15, LX et EX : P205/55R16, Si : P215/45R17

DIMENSIONS

Empattement : berl. : 2700 mm, coupé : 2650 mm
Longueur : berl. : 4489 mm, coupé : 4440 mm
Largeur : berl. : 1752 mm, coupé : 1751 mm
Hauteur : berl. : 1435 mm, Hybrid : 1430 mm, coupé : 1396 mm
Poids : *berl. :* DX : 1199 kg, DX-G : 1210 kg, LX : 1224 kg, EX : 1227 kg, *Hybrid :* 1304 kg, *coupé :* DX : 1178 kg, LX : 1206 kg, EX : 1227 kg, Si : 1307 kg
Diamètre de braquage : nd
Coffre : berl. : 340 l, coupé : 326 l, Hybrid : 295 l
Réservoir de carburant : 50 l, Hybrid : 45,5 l

opinion

Nadine Filion • Civic un jour, Civic toujours. La nouvelle génération de la compacte nippone ne déçoit pas. Les 140 chevaux sont livrés en souplesse, les lignes extérieures du coupé sont particulièrement plaisantes, et l'habitacle est original avec cette futuriste planche de bord à deux niveaux. La conduite des versions de base n'est pas la plus émouvante en ville, mais leur comportement est agréable. Bien équilibrée, bien pensée, la Civic donne dans la sobriété, sans poudre aux yeux. D'ailleurs, ses meilleurs atouts ne sont pas apparents mais se cachent dans ces indispensables équipements de sécurité de série. La concurrence les propose en option, ou ne les propose pas du tout...

CR-V

nouveauté | 29 300 $ à 34 200 $
Transport et préparation : 1445 $

www.honda.ca

FICHE D'IDENTITÉ

Version(s) : LX, EX, EX-L, EX-L Navi
Roues motrices : 4
Portières : 4
Première génération : 1997
Génération actuelle : 2007
Construction : East Liberty, Ohio, É.-U.
Sacs gonflables : 6, frontaux, latéraux avant et rideaux latéraux
Concurrence : Chevrolet Equinox, Ford Escape, Hyundai Tucson, Jeep Compass et Patriot, Kia Sportage, Mitsubishi Outlander, Nissan X-Trail, Pontiac Torrent, Saturn VUE, Suzuki Grand Vitara, Toyota RAV4

AU QUOTIDIEN

Prime d'assurance :
25 ans : 1900 à 2100 $
40 ans : 1500 à 1700 $
60 ans : 1200 à 1400 $
Collision frontale : nd
Collision latérale : nd
Ventes du modèle l'an dernier
Au Québec : 3528 **Au Canada :** 15 976
Dépréciation (3 ans) : 37,1 %
Rappels (2001 à 2006) : 3
Cote de fiabilité : 5/5

L'ÂGE DE RAISON

– Hugues Gonnot

Au début, le CR-V était une réponse de Honda au RAV4, deux engins à la bouille sympathique. Mais le créneau a considérablement évolué au cours des dernières années pour devenir plus mûr et le CR-V se devait de suivre cette tendance. Au moment où sont écrites ces lignes, les premières informations officielles ont commencé à circuler au compte-gouttes.

CARROSSERIE ► Si la deuxième génération était une évolution de la première, Honda a cette fois brisé le moule et est parti dans une autre direction. Disparu, le petit côté jouet : le CR-V a pris un coup de sérieux et cherche avant tout l'élégance, comme l'indique le tracé très fluide des lignes du vitrage. Par contre, la calandre avant, avec une grille à deux étages, lui donne un surplus de caractère. Le profil fait un peu penser au BMW X5. Il y a pire comme référence… Tous les modèles sont dorénavant équipés de roues de 17 pouces. Bonne nouvelle, le hayon qui s'ouvrait sur le côté semble avoir enfin disparu au profit d'un hayon conventionnel qui s'ouvre vers le haut. La roue de secours passe donc à l'intérieur, ce qui convient bien à l'aspect plus classique de cette génération. Contrairement à l'habitude, le nouveau CR-V n'est pas plus grand que celui qu'il remplace : 4,52 mètres contre 4,59 mètres. Seule la largeur augmente, passant de 1,78 mètre à 1,82 mètre. Et il a réussi à ne pas prendre trop d'embonpoint, ne grossissant que de 50 kilos.

HABITACLE ► Contrairement à d'autres, le CR-V n'essaie pas de faire rentrer une troisième rangée de force. Pour transporter sept personnes, il y a le Pilot. Le volume de chargement, qui était déjà l'un des points forts de l'ancien modèle, progresse encore et passe de 1011 à 2064 litres. Quatre niveaux de finition seront proposés : LX, EX, EX-L et EX-L Navi. Le LX vient de série avec l'air conditionné, le régulateur de vitesse, les vitres et le verrouillage électriques, la colonne de direction ajustable

forces
- Style plus mature
- Habitabilité
- Il faudra le conduire pour voir le reste...

faiblesses
- Évolution mécanique timide
- Il faudra le conduire pour voir le reste...

nouveautés en 2007
- Nouveau modèle

en hauteur et en profondeur, un système audio à quatre haut-parleurs de 160 watts avec compatibilité MP3 et prise audio auxiliaire. L'EX rajoute des accents de chrome sur la carrosserie, un changeur six disques, deux haut-parleurs et les commandes audio au volant. L'EX-L bénéficie en plus de poignées de porte et de miroirs couleur carrosserie, d'une console centrale et de sièges en cuir chauffants. Enfin, l'EX-L Navi est pourvue d'un système de navigation avec caméra de rétrovision et d'un système audio de 270 watts, avec caisson de basses et lecteur de cartes mémoire.

MÉCANIQUE ► À l'heure où plusieurs concurrents passent au six cylindres, le CR-V reste fidèle au quatre cylindres. Les spécifications restent proches de la deuxième génération: 2,4 litres, 166 chevaux, 161 livres-pied de couple. Pour ceux qui veulent plus de puissance, il y a toujours l'Acura RDX. La boîte manuelle disparaît et il ne reste qu'une boîte automatique à cinq rapports. Le principal changement se situe au niveau de la transmission intégrale: une version à traction apparaît sur le modèle de base (qui peut toujours obtenir les quatre roues motrices en option).

COMPORTEMENT ► Nous n'avons évidemment pas pu conduire le CR-V. Mais, comme le précédent se comportait déjà très bien sur la route, il ne devrait pas y avoir de mauvaise surprise de ce côté-là. Espérons seulement que la transmission intégrale sera plus prompte à réagir hors route. Côté sécurité passive, la liste des assistances à la conduite est complète pour toutes les versions: ABS avec répartiteur électronique, contrôle de traction et de stabilité, moniteur de pression des pneus, coussins latéraux et rideaux gonflables.

CONCLUSION ► Le CR-V est l'un des véhicules utilitaires compacts préférés des Québécois. Gageons que la nouvelle génération devrait le rester.

FICHE TECHNIQUE

MOTEUR
L4 2,4 l DACT 166 ch à 5800 tr/min
couple : 161 lb-pi à 4200 tr/min
Transmission : automatique à 5 rapports avec mode manuel
0-100 km/h : 10,5 s (estimé)
Vitesse maximale : 180 km/h (estimé)
Consommation par 100 km : 9,3 l (octane : 87)

Sécurité active
freins ABS, répartition électronique de force de freinage, antipatinage, contrôle de stabilité électronique

Suspension avant/arrière
indépendante

Freins avant/arrière
disques

Direction
à crémaillère, assistée

Pneus
P225/65R17

DIMENSIONS
Empattement : 2620 mm
Longueur : 4518 mm
Largeur : 1820 mm
Hauteur : 1680 mm
Poids : LX : 1597 kg, EX : 1604 kg, EX-L : 1613 kg
Diamètre de braquage : n.d.
Coffre : 1011 l, 2064 l (sièges abaissés)
Réservoir de carburant : 58 l
Capacité de remorquage : 680 kg

ELEMENT

évolution | 24 200 $ à 29 500 $ |
Transport et préparation : 1455 $

www.honda.ca

FICHE D'IDENTITÉ

Version(s) : LX 2RM, EX 2RM, EX 4RM, SC 2RM
Roues motrices : avant, 4
Portières : 4
Première génération : 2003
Génération actuelle : 2003
Construction : East Liberty, Ohio, É.-U.
Sacs gonflables : 6, frontaux, latéraux avant et rideaux latéraux
Concurrence : Chevrolet Equinox, Ford Escape, Honda CR-V, Hyundai Tucson, Jeep Compass et Patriot, Kia Sportage, Mitsubishi Outlander, Nissan X-Trail, Pontiac Torrent, Saturn VUE, Subaru Forester, Suzuki Grand Vitara, Toyota RAV4

AU QUOTIDIEN

Prime d'assurance :
25 ans : 1900 à 2100 $
40 ans : 1500 à 1700 $
60 ans : 1200 à 1400 $
Collision frontale : 5/5
Collision latérale : 5/5
Ventes du modèle l'an dernier
Au Québec : 666 **Au Canada :** 2880
Dépréciation (3 ans) : 38,4 %
Rappels (2001 à 2006) : 1
Cote de fiabilité : 5/5

UN JOUET FORT PRATIQUE

– **Antoine Joubert**

Pour attirer une jeune clientèle active, Honda a voulu créer un VUS abordable, polyvalent et par-dessus tout original. Ainsi est né l'Element, un véhicule compact et différent de tout ce qui circule sur nos routes. Malheureusement, et contrairement à ce que les dirigeants croyaient, les jeunes acheteurs l'ont boudé. En revanche, la génération qui les précède l'a adopté, si bien qu'il a tout de même connu le succès escompté.

CARROSSERIE ▶ Il m'est impossible de parler en bien ou en mal de l'image de l'Element. Chose certaine, la nouvelle version SC à l'apparence monochrome améliore son sort. De cette façon, il continue d'exhiber son allure unique de jouet Tonka tout en se vêtant d'un habit mieux agencé. En fait, mon seul reproche demeure du côté du toit ouvrant, situé depuis toujours au-dessus de l'aire de chargement ! Pour contribuer davantage à son côté original, Honda a doté l'Element d'un hayon à deux battants. Ce principe permet de faciliter le chargement et de diminuer l'espace nécessaire lors de l'ouverture. Les portes latérales arrière s'ouvrent de façon similaire à celles de la plupart des camionnettes à cabine allongée, c'est-à-dire qu'il faut d'abord ouvrir les portes de devant. Notons au passage que le pilier B brille par son absence, ce qui facilite grandement l'accès à bord.

HABITACLE ▶ J'ai tenté, au cours d'un voyage, de sommeiller à bord de l'Element, en mettant les sièges à l'horizontale, comme l'indique la brochure publicitaire. Mon verdict? C'est possible, mais il en coûte par la suite plus cher en soins chiropratiques. Il est donc plus sage d'aller dormir à l'hôtel. Cet aspect plus ou moins réussi s'ajoute au fait que le véhicule ne peut accueillir plus de quatre personnes en raison de la disposition des sièges. Pourtant, ce n'est pas parce qu'il manque d'espace, car ces quatre passagers ont droit à plus de dégagement qu'il n'en faut. À l'arrière, les deux sièges sont coulissants, repliables, rabattables, et peuvent même, lorsqu'on les place à l'horizontale, se suspendre aux parois

forces

- Son look
- Polyvalence en format de poche
- Poste de conduite invitant
- Fiabilité assurée
- Faible dépréciation

faiblesses

- Son look... discutable
- Sensibilité aux vents latéraux
- Visibilité moyenne
- Toit ouvrant... pour les bagages !

nouveautés en 2007

- Nouvelle version SC, moteur 166 ch, boîte auto. à 5 rapports, régulateur de vitesse et télédéverrouillage de série, miroirs de courtoisie (EX et SC), sacs gonflables latéraux et rideaux gonflables de série

latérales de l'habitacle, offrant ainsi un immense espace de chargement. Le poste de conduite est pour sa part aussi attrayant qu'ergonomique. Les espaces de chargement sont suffisamment nombreux, la lecture des instruments est facile et l'équipement, même dans la version de base, est assez complet. Quant aux sièges avant, ils sont confortables, mais on souhaiterait un ajustement vertical donnant plus de latitude.

MÉCANIQUE ▶ Jusqu'à cette année, l'Element équipé de la boîte automatique peinait en raison d'un mauvais étagement de la transmission et d'un poids substantiel à traîner, compte tenu de la puissance. En 2007, Honda règle ce problème en ajoutant un rapport supplémentaire tout en augmentant la puissance du moteur de 10 chevaux. L'automatique pourra donc désormais offrir des performances plus acceptables sans consommer plus de carburant que le modèle à boîte manuelle.

COMPORTEMENT ▶ Le système RealTime 4WD, de type réactif, n'est pas le meilleur qui soit, mais peut convenir dans la majorité des cas. Ne comptez cependant pas sur lui, ni sur les pneus Goodyear de série, pour vous aventurer en pleine jungle ! Sur la route, l'Element est sensible aux vents latéraux et demande parfois une meilleure concentration de la part du conducteur qui doit fréquemment corriger sa trajectoire. Il faut également accepter de vivre avec une visibilité latérale et arrière réduite, ainsi qu'avec un certain nombre de bruits éoliens. Pour le reste, l'Element affiche une belle agilité en raison de son format compact, d'une direction rapide et précise et d'une suspension bien calibrée.

CONCLUSION ▶ Pour un prix fort raisonnable, Honda propose un produit original, fiable et très pratique. Les acheteurs doivent être prêts à faire un certain nombre de compromis, mais une fois passé le stade de l'acceptation la vie en Element est charmante.

FICHE TECHNIQUE

MOTEUR

L4 2,4 l DACT 166 ch à 5800 tr/min
couple : 161 lb-pi à 4500 tr/min
Transmission : manuelle à 5 rapports, automatique à 5 rapports en option
0-100 km/h : 2RM : 9,5 s, 4RM : 10,3 s
Vitesse maximale : 180 km/h
Consommation (100 km) : nd (octane : 87)

Sécurité active
freins ABS, répartition électronique de force de freinage, antipatinage, contrôle de stabilité électronique

Suspension avant/arrière
indépendante

Freins avant/arrière
disques

Direction
à crémaillère, assistée

Pneus
LX et EX : P215/70R16, SC : P225/55R18

DIMENSIONS

Empattement : 2575 mm
Longueur : LX : 4298 mm, EX : 4323 mm, SC : 4326 mm
Largeur : 1815 mm
Hauteur : 1788 mm, SC : 1762 mm
Poids : LX : 1558 kg, EX : 1562 kg, EX 4RM : 1623 kg, SC : 1595 kg
Diamètre de braquage : 10,4 m
Coffre : 710 l, 4RM : 736 l
2112 l (sièges abaissés)
Réservoir de carburant : 60 l
Capacité de remorquage : 907 kg

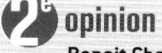

2e opinion

Benoit Charette • L'Element est la preuve qu'un constructeur peut rater sa cible et quand même connaître le succès. En décembre 2002, lorsque les premiers Element ont vu le jour, Honda visait clairement les 25-35 ans. L'entreprise avait visité plusieurs campus universitaires américains pour demander aux jeunes ce qu'ils désiraient voir dans un véhicule. En gros, on voulait de l'espace de la modularité, une consommation honnête et des lignes différentes ; en deux mots, le GBS (gros bon sens). Quelle ne fut pas la surprise d'Honda de constater que près de 70 % des acheteurs d'Element sont âgés de plus de 40 ans, et une bonne proportion sont à la retraite.

FIT

nouveauté | 14 980 $ à 19 480 $
Transport et préparation : 1225 $

www.honda.ca

FICHE D'IDENTITÉ

Version(s) : DX, LX, Sport
Roues motrices : avant
Portières : 4
Première génération : 2007
Génération actuelle : 2007
Construction : Tochigi, Japon
Sacs gonflables : 6, frontaux, latéraux avant et rideaux latéraux
Concurrence : Chevrolet Aveo, Hyundai Accent, Kia Rio, Nissan Versa, Pontiac Wave, Suzuki Swift +, Toyota Yaris

AU QUOTIDIEN

Prime d'assurance :
25 ans : 2000 à 2200 $
40 ans : 1200 à 1400 $
60 ans : 1000 à 1200 $
Collision frontale : nd
Collision latérale : nd
Ventes du modèle l'an dernier
Au Québec : nm **Au Canada :** nm
Dépréciation (3 ans) : nm
Rappels (2001 à 2006) : aucun à ce jour
Cote de fiabilité : nm

LA POLYVALENCE EN FORMAT DE POCHE

– Antoine Joubert

On le sait, les Québécois ont pleuré la disparition de la Civic Hatchback. Et, même s'il s'agit pratiquement d'un mythe chez nous, la plus petite des Honda s'est aujourd'hui tant embourgeoisée qu'on la compare à l'Accord des années 1990. Donc, depuis six ans, Honda ne proposait plus de modèle dans la catégorie qui l'a fait vivre pendant des décennies, celle des sous-compactes. Le constructeur a affirmé durant des années que les petites voitures n'avaient plus la cote et qu'il n'aurait pas été financièrement viable de commercialiser un modèle à hayon au pays de l'érable. Mais voilà, Honda a vite constaté que le succès des Accent, Yaris, Aveo et autres « éconobox » n'est pas éphémère (cette catégorie représentait en 2005 10 % du marché canadien). Voilà pourquoi Honda nous ramène en 2007 une sous-compacte déjà bien connue en Europe et en Asie, et dont le succès au Québec est certain. D'ailleurs, même si elles ne sont présentes sur les routes que depuis avril dernier, les Fit semblent se multiplier à un rythme effarant.

CARROSSERIE ► Il faut d'abord savoir que la Fit n'est pas une voiture de conception aussi moderne que la dernière Civic (elle a vu le jour en 2001). Voilà pourquoi on lui reconnaît un air de famille avec les produits Honda de la précédente génération. Néanmoins, cette voiture uniquement disponible en modèle à cinq portes affiche, comme toutes les voitures de cette catégorie, une bouille sympathique qui fait sourire. Les excentricités esthétiques n'y sont pas très nombreuses, mais on lui reconnaît tout de même ses petites glaces avant triangulaires, ses ailes arrière élargies et ses garnitures de phares de couleur assortie à la carrosserie. Trois versions de la Fit sont disponibles : DX, LX et Sport. Les deux premières sont extérieurement indissociables, mais certaines teintes sont exclusives à la LX. Quant à

forces

- Comportement routier remarquable
- Construction de très bonne qualité
- Voiture sécuritaire
- Faible consommation d'essence
- Faible dépréciation prévue

faiblesses

- Changement de vitesses au volant inutile
- Certains détails de l'équipement
- Couleurs (DX)

nouveautés en 2007

- Nouveau modèle

très moderne. Il est à noter que Honda a fait des économies de bouts de chandelles en n'installant que deux haut-parleurs dans la DX. Il est donc presque nécessaire d'en rajouter deux autres à l'arrière. On complète le tout avec des touches de faux aluminium brossé et, selon qu'il s'agit ou non d'une version Sport, avec différentes teintes de gris ou de noir. Naturellement, l'assemblage et la finition sont irréprochables: cliquetis et craquements sont inexistants.

la version Sport, elle comporte des phares antibrouillards, des jupes de bas de caisse, un aileron arrière et des jantes en alliage de 15 pouces.

HABITACLE ▶ Si vous vous présentez chez un concessionnaire Honda, un bon vendeur devrait normalement vanter abondamment la polyvalence de l'habitacle de la Fit. Comme il s'agit là du principal attrait de cette voiture, il serait en effet ridicule de le passer sous silence. Il faut tout de même admettre que les concepteurs ont réussi un tour de force en créant un espace de chargement presque trois fois plus important que celui d'une Yaris ou d'une Aveo à hayon. De plus, en rabattant la banquette, on obtient un volume de chargement de 1186 litres (300 litres de plus qu'une Mazda3 Sport) grâce au plancher extrêmement bas et totalement plat, puisque le réservoir d'essence est situé sous les sièges avant. Le siège du chauffeur n'est malheureusement pas réglable en hauteur, mais le confort et le soutien sont excellents.

Le dégagement pour la tête et les jambes est adéquat et la position de conduite est nettement plus intéressante que celle de la Yaris. La planche de bord est illuminée par une instrumentation bleutée très tendance et se distingue par une chaîne audio qui, sans être d'une grande qualité, est d'un style

MÉCANIQUE ▶ Sous le capot de la Fit, Honda propose une motorisation très similaire à celle de la Yaris. Un moteur quatre cylindres de même cylindrée, avec calage variable des soupapes et seulement 3 chevaux de plus, pour un total de 109. Les performances et la consommation de carburant sont donc comparables, ce qui, tout compte fait, est loin d'être une mauvaise nouvelle. Fait intéressant, on a délaissé la courroie de distribution (qu'il faut normalement remplacer tous les 100000 kilomètres) pour une chaîne, ce qui fera économiser au propriétaire quelques centaines de dollars en frais d'entretien.

Du côté des boîtes, Honda propose cinq rapports dans la manuelle et dans l'automatique. Cette dernière peut être dotée de palettes dans la version Sport, pour le changement des vitesses au volant. Lors de la présentation technique, on a d'ailleurs tenté de nous convaincre des bienfaits de cette caractéristique, mais à mon sens ce genre de système est inutile: pour éprouver de réelles sensations au volant, rien ne vaut une boîte manuelle.

COMPORTEMENT ▶ Moins agile qu'une Civic, la Fit ne fera pas l'unanimité chez les tuners. Toutefois, face à ses rivales, elle se débrouille drôlement bien sur le bitume. Quelques kilomètres sur la route suffisent pour constater que la Fit est pourvue d'une structure très

HISTOIRE ▼

Vous avez dit petit ?

La gamme actuelle de Honda comprend toujours des sous-compactes, comme la Life et celle qui vient de lui succéder, la Zest. En outre, celle que l'on connaît ici sous le nom de Fit s'appelle Jazz ailleurs dans le monde, alors que sa consœur à quatre portières et à trois volumes se nomme Aria en Asie, et City en Europe.

Enfin, pour susciter l'intérêt de nos voisins américains, peu friands de petites voitures, on a organisé un marchéage sur le thème de « L'art de rouler » et on a invité des artistes populaires à décorer des Fit. La photo du bas montre l'œuvre du peintre Jack Poppitz.

N360 1968-1972

Civic hatchback 1974 à cinq portières

Life 2004

Zest 2006

Jazz 2005 (Europe)

City 2006 (Europe)

Fit décorée par le peintre américain Jack Poppitz

FIT

GALERIE

1•2•3 : Le siège Magic Seat de la Fit représente la pierre angulaire de ce véhicule. Il s'agit d'un siège arrière divisé 60/40 qui permet aux dossiers de se replier, créant du coup quatre arrangements de siège et d'espace utilitaire différents (mode habituel, mode objet haut, mode objet long et mode pratique). Vous pouvez obtenir jusqu'à 1186 litres d'espace de rangement ce qui en fait la plus spacieuse de sa catégorie.

4 • Le petit aileron arrière distingue la version sport des autres membres de la famille.

5 • De plus en plus répandue, les prises auxiliaires pour le iPod ont la cote auprès des jeunes acheteurs.

6 • La position de conduite est nettement plus intéressante que dans la Toyota Yaris et le tableau de bord très tendance.

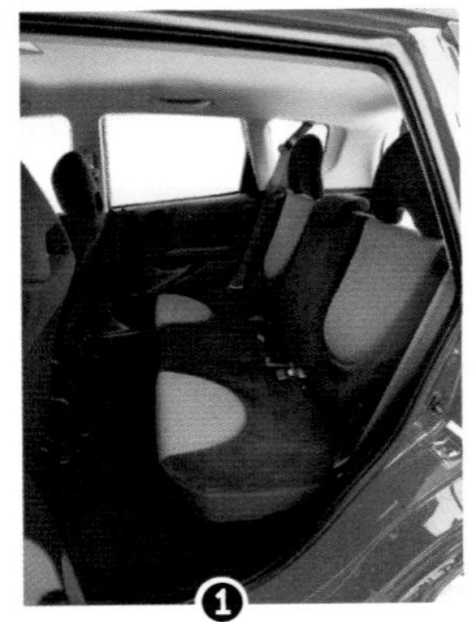
1

2

3

4

5

6

rigide (un châssis composé de 36 % d'acier à haute teneur en carbone, à propos duquel le constructeur ne tarit pas d'éloges), capable d'encaisser les chocs causés par notre pitoyable réseau routier. Très efficace malgré un pont arrière rigide, la suspension est calibrée pour offrir un bon compromis entre le confort et la tenue de route. Naturellement, le roulis est légèrement moins prononcé dans la version Sport, grâce à ses pneus de 15 pouces.

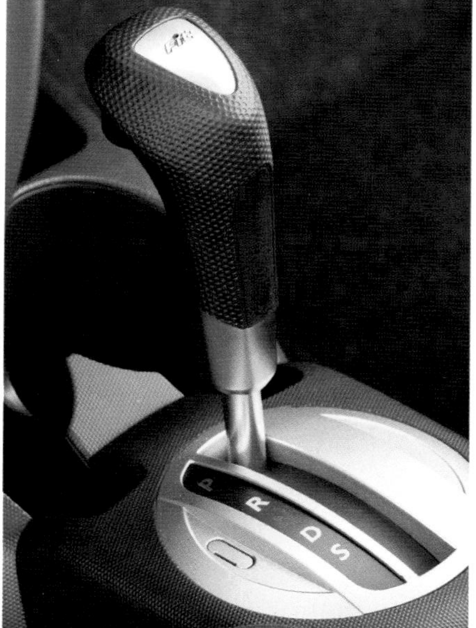

Sur l'autoroute, la voiture nous étonne par une tenue de cap très honnête et, compte tenu de sa forme, par une faible sensibilité aux vents latéraux. La direction à assistance électrique, rapide, précise et bien dosée, transmet un bon feeling de la route au conducteur. Quant au système de freinage, l'une des belles surprises de la Fit, il est extrêmement efficace et plus endurant que la moyenne. Il s'accompagne, en équipement de série, de l'antiblocage avec répartition des forces de freinage, ce qui n'est pas commun dans cette catégorie. D'ailleurs, du côté de la sécurité, la Honda Fit est l'unique sous-compacte équipée en série de six sacs gonflables, et ce, dans toutes les versions. La sécurité n'est donc plus réservée qu'aux nantis.

CONCLUSION ▶ Même s'il s'agit d'une nouveauté chez nous, la Honda Fit entreprend en 2007 sa sixième année d'existence. On nous a d'ailleurs confirmé que la voiture ferait l'objet d'une refonte complète d'ici deux ou trois ans. Qu'à cela ne tienne, Honda a finalement répondu à l'appel des Québécois et propose désormais un produit d'entrée de gamme qui se situe dans le peloton de tête de la catégorie. Et n'oublions pas qu'elle offre l'avantage d'un habitacle extrêmement logeable, qui la place loin devant les autres au chapitre de la polyvalence.

FICHE TECHNIQUE

MOTEUR
L4 1,5 l SACT 109 ch à 5800 tr/min
couple : 105 lb-pi à 4800 tr/min
Transmission : manuelle à 5 rapports, automatique à 5 rapports en option (avec mode manuel dans version Sport)
0-100 km/h : 10,3 s
Vitesse maximale : 180 km/h
Consommation (100 km) : man. : 6,6 l, auto. : 6,7 l (octane : 91)

Sécurité active
freins ABS, répartition électronique de force de freinage

Suspension avant/arrière
indépendante/essieu rigide

Freins avant/arrière
disques/tambours

Direction
à crémaillère, assistée

Pneus
DX et LX : P175/65R14, Sport : P195/55R15

DIMENSIONS
Empattement : 2450 mm
Longueur : 3999 mm
Largeur : 1682 mm
Hauteur : 1524 mm
Poids : DX : 1091 kg, LX : 1108 kg, Sport : 1124 kg
Diamètre de braquage : 10,5 m
Coffre : 603 l, 1186 l (sièges abaissés)
Réservoir de carburant : 41 l

opinion

Pascal Boissé • La Fit est une petite voiture pratique, économique, intelligemment conçue, arborant une calandre souriante. On croirait relire la description que l'on faisait de la Honda Civic il y a vingt ans. D'ailleurs, on constate que la Fit vient reprendre un segment que Honda avait abandonné en laissant la Civic s'embourgeoiser. De plus, cette nouvelle venue passe le K.-O. à la Toyota Yaris et aux autres voitures comparables avec son intérieur à la fois spacieux et polyvalent (les sièges arrière sont un pur coup de génie), son tableau de bord fonctionnel et son moteur d'une souplesse extraordinaire. Elle a tous les atouts pour devenir rapidement la reine de sa catégorie.

ODYSSEY

www.honda.ca

LE HAUT DU PAVÉ

– Benoit Charette

FICHE D'IDENTITÉ

Version(s) : LX, EX, EX-L, Touring
Roues motrices : avant
Portières : 4
Première génération : 1995
Génération actuelle : 2005
Construction : Alliston, Ontario, Canada
Sacs gonflables : 6, frontaux, latéraux avant, rideaux latéraux
Concurrence : Buick Terraza, Chevrolet Uplander, Chrysler Town & Country, Dodge Caravan, Ford Freestar, Hyundai Entourage, Kia Sedona, Nissan Quest, Pontiac Montana SV6, Saturn Relay, Toyota Sienna

AU QUOTIDIEN

Prime d'assurance :
25 ans : 2300 à 2500 $
40 ans : 1600 à 1800 $
60 ans : 1200 à 1400 $
Collision frontale : 5/5
Collision latérale : 5/5
Ventes du modèle l'an dernier
Au Québec : 2087 **Au Canada :** 12 573
Dépréciation (3 ans) : 44,3 %
Rappels (2001 à 2006) : 6
Cote de fiabilité : 3/5

Présente sur le marché québécois depuis 1995, l'Odyssey profite d'une solide réputation et la troisième génération apparue en 2005 n'a fait que confirmer son statut de leader dans le très compétitif segment des fourgonnettes. Agréable à tous les points de vue, elle fait même preuve d'une certaine sobriété à la pompe. Portrait d'une championne.

CARROSSERIE ▶ Extérieurement, les lignes un peu plus dynamiques, créées en 2005, satisferont les clients qui trouvaient le véhicule un peu banal. Difficile de changer la vocation d'une fourgonnette et Honda est reconnu pour son conservatisme en matière de style. Mais, pour réellement apprécier une Odyssey, il faut regarder à l'intérieur.

HABITACLE ▶ Deux configurations sont possibles : à sept ou à huit passagers. La version à huit passagers, uniquement disponible avec des sièges en tissu, possède un siège central amovible qui se place entre les deux sièges de la deuxième rangée. Son dossier peut se rabattre pour former une petite table avec porte-gobelets. On peut aussi l'enlever et le mettre dans l'espace de chargement. L'équipement de sécurité comprend deux coussins gonflables, des rideaux gonflables latéraux sur trois rangées avec détecteur de capotage, des freins antiblocage (ABS), un antipatinage et un contrôle de stabilité. Fidèle à ses habitudes, Honda propose toujours son lot de petites innovations, par exemple un plateau de rangement tournant dans le plancher sous la deuxième rangée de sièges. La climatisation avant et arrière vient de série dans tous les modèles. Pour ceux qui veulent la totale, la version Touring comprend un hayon électrique, des pédales à ajustement électrique, une chaîne stéréo de 360 watts à sept haut-parleurs, un système de divertissement DVD, un système de positionnement par satellite Honda à reconnaissance vocale bilingue, un système de surveillance de la pression des pneus, et des commandes automatiques triples de climatisation (avec commandes arrière). Ouf !

forces
- Aménagement intérieur
- Rangement
- Banquette rabattable divisée

faiblesses
- Direction un peu floue
- Freinage spongieux

nouveautés en 2007
- Indicateur de basse pression des pneus de série, colonne de direction télescopique, range-monnaie

MÉCANIQUE ▶ Le moteur est un V6 VTEC (i-VTEC pour EX-L et Touring) de 3,5 litres qui livre ses 244 chevaux par le biais d'une boîte automatique à cinq rapports. Une technologie de désactivation des cylindres, appelée Gestion des cylindres variable (VCM), permet de faire fonctionner le moteur sur trois des six cylindres en vitesse de croisière sur l'autoroute, ce qui donne lieu à une économie de carburant de 7 à 8 % selon les ingénieurs de Honda. Même sans ce système de désactivation, l'Odyssey ne dépasse guère les 12 litres aux 100 km en moyenne. Une excellente performance dans cette catégorie.

COMPORTEMENT ▶ Pour se rapprocher de la conduite d'une automobile, le siège du conducteur est bas. La transmission automatique à cinq rapports est placée directement sur la console centrale, près du volant, pour libérer de l'espace au plancher. Les commandes de la radio, de la climatisation et du système de navigation (en option) sont également plus près du conducteur. Le moteur n'a aucune peine à mouvoir ce véhicule de deux tonnes, remarquablement agile pour sa taille, silencieux et très facile à conduire. Deux petits points à améliorer : la direction, qui n'offre pas de réelle communion entre le conducteur et la route ; et la suspension qui pourrait bénéficier d'un guidage plus précis. Je ne trouve pas grand-chose à redire au freinage, légèrement spongieux, mais tout de même efficace.

CONCLUSION ▶ L'Odyssey possède encore une fois tout ce qu'il faut pour plaire aux amateurs de fourgonnettes et conserver sa position enviable dans le palmarès de sa catégorie. Elle ne possède peut-être pas de deuxième rangée de sièges escamotables, comme la Caravan, et elle n'est pas disponible en version quatre roues motrices, mais au chapitre de la fiabilité et de l'aménagement, l'Odyssey fait encore figure de modèle.

FICHE TECHNIQUE

MOTEUR
V6 3,5 l SACT 244 ch à 5750 tr/min
couple : 240 lb-pi 5000 tr/min
(i-VTEC : 4500 tr/min)
Transmission : automatique à 5 rapports
0-100 km/h : 11,2 s
Vitesse maximale : 195 km/h
Consommation (100 km) : LX et EX : 10,8 l, EX-L et Touring : 10,1 l (octane : 87)

Sécurité active
freins ABS, assistance au freinage, distribution électronique de force de freinage, antipatinage, contrôle de stabilité électronique.

Suspension avant/arrière
indépendante

Freins avant/arrière
disques

Direction
à crémaillère, assistée

Pneus
P235/65R16

DIMENSIONS
Empattement : 3000 mm
Longueur : 5105 mm
Largeur : 1960 mm
Hauteur : 1749 mm
Poids : LX : 1991 kg, EX : 2032 kg, EX-L : 2062 kg, Touring : 2104 kg
Diamètre de braquage : 12,1 m
Coffre : 1934 l, 4173 l (sièges abaissés)
Réservoir de carburant : 80 l
Capacité de remorquage : 1588 kg

opinion

Pascal Boissé • Est-ce trop ? L'Odyssey offre un tel degré de raffinement pour une fourgonnette que l'on se demande si ce n'est pas excessif. Car, à force d'améliorer un produit, sur les plans de la mécanique, de la tenue de route et de la polyvalence de l'aménagement intérieur, on finit par faire grimper les prix au-delà de ce que la clientèle est prête à payer pour ce type de véhicule. Et c'est un peu le problème de l'Odyssey : tous les acheteurs de fourgonnettes rêvent d'en posséder une, mais la plupart se rabattent sur des solutions de rechange moins coûteuses afin de boucler leur budget. N'empêche qu'elle demeure la référence, la mesure d'excellence en fonction de laquelle toutes les autres fourgonnettes sont jugées.

PILOT

évolution | 39 400 $ à 47 300 $ |
Transport et préparation : 1455 $

www.honda.ca

UN BIBLIOTHÉCAIRE PARMI LES CULTURISTES !

– Antoine Joubert

FICHE D'IDENTITÉ

Version(s) : LX 2RM, LX 4RM, EX, EX-L
Roues motrices : 2, 4
Portières : 4
Première génération : 2003
Génération actuelle : 2003
Construction : Alliston, Ontario, Canada
Sacs gonflables : 6, frontaux, latéraux et rideaux latéraux
Concurrence : Buick Rendezvous, Chrysler Pacifica, Ford Freestyle et Edge, GMC Acadia, Kia Sorento, Mitsubishi Endeavor, Nissan Murano, Saturn Outlook, Suzuki XL-7, Toyota Highlander

AU QUOTIDIEN

Prime d'assurance :
25 ans : 3100 à 3300 $
40 ans : 2300 à 2500 $
60 ans : 2000 à 2200 $
Collision frontale : 5/5
Collision latérale : 5/5
Ventes du modèle l'an dernier
Au Québec : 737 **Au Canada :** 5213
Dépréciation (3 ans) : 40,9 %
Rappels (2001 à 2006) : 1
Cote de fiabilité : 4/5

Le Pilot fait partie de ce que j'appellerais la catégorie des utilitaires intelligents, plus «politiquement corrects», où les châssis indépendants, les gros V8 et les systèmes à quatre roues motrices conçus pour escalader l'Everest n'existent pas. Dans ce créneau, le raffinement et la technologie prennent souvent le dessus sur l'excentricité et les muscles, et c'est exactement ce que nous propose le Pilot.

CARROSSERIE ▶ Le Pilot est indifférent à beaucoup de gens. Pourquoi ? Parce que ses lignes manquent tout simplement de charme. Et ce ne sont pas les modifications esthétiques faites l'an dernier qui amélioreront les choses, puisque la partie avant, inspirée du Ridgeline, déséquilibre l'ensemble. On se console en se disant que la prudence des dessinateurs aura un effet positif à long terme, puisque le Pilot vieillit bien.

HABITACLE ▶ Le Pilot propose de série huit places assises. Bien sûr, alors que les occupants des deux premières rangées bénéficient de la classe affaire, les passagers à l'arrière doivent se contenter de la classe économique. Le siège du conducteur est confortable, mais devient glissant quand il est recouvert de cuir. Ses multiples réglages permettent une excellente position de conduite, mais un volant télescopique et des pédales ajustables l'auraient optimisée.

La planche de bord esthétique recèle quelques lacunes en matière d'ergonomie. D'abord, le levier de vitesses situé sur la colonne de direction manque de précision et l'on doit souvent s'y reprendre à deux fois pour sélectionner le mode désiré. Aussi, lorsque le véhicule est équipé du système de navigation, la chaîne audio est déplacée au bas de la console et devient difficile d'accès.

Outre ces détails, on apprécie l'ingénieuse conception de la console centrale dotée de multiples compartiments de rangement et d'un accoudoir ajustable. Comme toujours

forces

- Confort exceptionnel
- Habitacle spacieux et polyvalent
- Moteur V6 raffiné et peu gourmand
- Comportement routier
- Fiabilité

faiblesses

- Freinage qui manque de mordant
- Direction floue au centre
- Rapport équipements/prix peu compétitif
- Levier de vitesses agaçant

nouveautés en 2007

- Arrivée d'une version LX à deux roues motrices

chez Honda, la qualité d'assemblage et de finition est exceptionnelle. Ceux pour qui l'espace de chargement est un critère d'achat seront servis avec le Pilot, puisqu'il possède deux banquettes rabattables à plat, ce qui dégage un volume de 2557 litres. De plus, le Pilot peut remorquer une charge maximale de 2045 kilos.

MÉCANIQUE ▶ Au Canada, le Pilot n'était disponible qu'en version à traction intégrale, pourvue d'un système de type réactif avec gestion variable du couple. Ce système ne permet pas de s'aventurer en pleine jungle, mais il est amplement efficace pour dégager la voiture d'un banc de neige. Pour 2007, l'on a droit au LX 2RM. À cela s'ajoutent une boîte automatique à cinq rapports et un somptueux V6 de 3,5 litres, moteur raffiné, souple et puissant qui constitue à mon avis le meilleur de sa catégorie. En outre, le Pilot est l'un des véhicules les moins énergivores de sa catégorie.

COMPORTEMENT ▶ Sur la route, le Pilot est remarquable par sa douceur. Il propose un bon confort et une insonorisation exceptionnelle. Sur l'autoroute, la sensibilité aux vents latéraux est légère, mais on souhaiterait une direction plus précise. Le freinage pourrait être plus puissant, d'autant que le frein moteur est presque inexistant. En revanche, la suspension bien calibrée effectue du bon boulot. On attribue une bonne note pour l'excellente visibilité due à l'importante surface vitrée.

CONCLUSION ▶ À l'heure où le prix du pétrole s'envole, la popularité des VUS diminue. Toutefois, certains modèles réussissent à échapper à la critique des écologistes grâce à leur consommation raisonnable et à leur caractère citadin plus évident. Le Pilot est de ceux-là. On le retrouve encore aujourd'hui dans le peloton de tête, et ce, malgré une facture plutôt salée.

FICHE TECHNIQUE

MOTEUR

V6 3,5 l SACT 244 ch à 5750 tr/min (2RM : 5700 tr/min)
couple : 240 lb-pi à 4500 tr/min
Transmission : automatique à 5 rapports
0-100 km/h : 9,1 s
Vitesse maximale : 175 km/h
Consommation (100 km) : 2RM : 11,1 l, 4RM : 11,9 l (octane : 87)

Sécurité active
freins ABS, distribution électronique de force de freinage, antipatinage, contrôle de stabilité électronique

Suspension avant/arrière
indépendante

Freins avant/arrière
disques

Direction
à crémaillère, assistée

Pneus
P235/70R16

DIMENSIONS

Empattement : 2700 mm
Longueur : 4774 mm
Largeur : 1969 mm
Hauteur : 1821 mm
Poids : LX 2RM : 1934 kg, LX 4RM : 2020 kg, EX : 2040 kg, EX-L : 2052 kg
Diamètre de braquage : 11,6 m
Coffre : 461 l, 2557 l (sièges abaissés)
Réservoir de carburant : 77,2 l
Capacité de remorquage : 2045 kg

2e opinion

Jean-Pierre Bouchard • J'avais opté pour le Pilot pour notre voyage de pêche en famille dans la région de Charlevoix. À bord, nous étions cinq adultes partis pour trois jours. Le constat est simple : le Pilot possède la plupart des caractéristiques pour compter parmi les utilitaires sport urbains les plus intéressants sur le marché. Le moteur propulse le véhicule avec aisance, en plus d'afficher une consommation de carburant raisonnable pour un véhicule de ce poids. Le confort est bon et le volume de chargement est généreux. Le comportement routier montre un bel équilibre dans la plupart des situations, y compris sur chaussées dégradées et sentiers légèrement accidentés. Le Pilot ne m'a pas déçu.

RIDGELINE

évolution | 35 200 $ à 44 400 $ |
Transport et préparation : 1455 $

www.honda.ca

LA CAMIONNETTE DES COLS BLEUS

– Nadine Filion

FICHE D'IDENTITÉ

Version(s) : LX, EX-L, EX-L SR, EX-L NAVI
Roues motrices : 4
Portières : 4
Première génération : 2006
Génération actuelle : 2006
Construction : Alliston, Ontario, Canada
Sacs gonflables : 6, frontaux, latéraux avant, rideaux latéraux
Concurrence : Dodge Dakota, Ford Explorer Sport Trac, Mitsubishi Raider, Nissan Frontier, Toyota Tacoma

AU QUOTIDIEN

Prime d'assurance :
25 ans : 2400 à 2600 $
40 ans : 1600 à 1800 $
60 ans : 1400 à 1600 $
Collision frontale : 5/5
Collision latérale : 5/5
Ventes du modèle l'an dernier
Au Québec : 629 **Au Canada :** 3512
Dépréciation (3 ans) : nm
Rappels (2001 à 2006) : 1
Cote de fiabilité : 4/5

Qui aurait cru que les mots «Honda» et «camionnette» allaient un jour s'associer? Et de belle façon, s'il vous plaît: la première incursion de Honda dans le segment des pick-ups, chasse gardée des Américains, lui a valu bien des récompenses, dont celle du camion de l'année au Canada et en Amérique du Nord.

CARROSSERIE ► Au lieu de copier la concurrence, les ingénieurs de Honda ont eu l'audace d'utiliser une structure monocoque. Assemblé à Alliston (Ontario), le Ridgeline possède un espace de chargement à verrouillage de 241 litres (ou trois sacs de golf), dissimulé sous la boîte de composite. Parfait pour y mettre les effets personnels à l'abri des intempéries et des regards indiscrets. Autre belle innovation : la portière de caisse à double ouverture, vers le bas ou vers la gauche, question de faciliter le chargement. À l'horizontale, le plateau peut soutenir deux «motocross» ou un véhicule tout-terrain.

HABITACLE ► En théorie, le Ridgeline est une camionnette compacte (Toyota Tacoma, Nissan Frontier, Dodge Dakota). En pratique, son habitacle est si vaste, même pour les passagers à l'arrière, qu'on pourrait le ranger dans la catégorie des camionnettes pleine grandeur. On ne grimpe pas à bord du Ridgeline : on glisse sur les sièges. La visibilité est excellente et l'aménagement intérieur très réussi. Les commandes sont instinctives et les compartiments de rangement foisonnent. Bravo pour la grosse console centrale avec plateaux coulissants, et pour l'assise de banquette qui se relève d'un clic, dévoilant encore plus de rangement. Si vous manquez d'espace à bord du Ridgeline, achetez-vous un Winnebago. Sa charge utile est de 700 kilos, dont 500 kilos pour la caisse.

MÉCANIQUE ► Les puristes crient au scandale parce que le Ridgeline ne propose pas de moteur V8. Son V6 de 3,5 litres, jumelé à une boîte automatique 5 rapports, permet

forces

- Belles innovations, tel le rangement verrouillé sous la caisse
- Habitacle spacieux
- Comportement routier rassurant
- Éléments de sécurité de série

faiblesses

- Aucun V8
- Pas de véritable système quatre roues motrices
- Prix de base élevé

nouveautés en 2007

- Miroirs de courtoisie éclairés

le 0-100 km/h en 9 secondes. Personnellement, l'absence d'un V8 m'indispose moins que celle d'un véritable système quatre roues motrices (oui, le Ridgeline n'est équipé que d'une traction intégrale automatique). Pas de gamme basse à passer en conditions délicates. Tout au plus l'essieu bénéficie-t-il d'un verrouillage du différentiel arrière (à moins de 30 km/h). Par ailleurs, rien ne manque à la liste d'équipements de sécurité de série: rideaux gonflables aux deux rangées, contrôle d'antipatinage et de stabilité. Le système de navigation est disponible en option.

COMPORTEMENT ▶ Au volant du Ridgeline, on se croirait dans un Honda Pilot. La suspension indépendante (non, pas d'essieu rigide à l'arrière!) assure des déplacements tout en douceur. La tenue de route est solide en virage et résiste même à de bons mouvements brusques dans la direction qui, elle, est un brin trop assistée. Surprenant. Aussi, comme les roues reçoivent 100 % de la traction dans des conditions normales, la caisse n'a-t-elle pas envie de passer en tête lors de démarrages appuyés. Le freinage est efficace, on n'a pas l'impression de devoir immobiliser un autobus. Le V6 de 255 chevaux suffit pour décoller sans demander son reste ou pour doubler allègrement sur l'autoroute. Par contre, l'absence d'un V8 se fait sentir du côté de la capacité de remorquage: 2268 kilos au maximum. Les camionnettes équipées d'un V8 peuvent tirer le double.

CONCLUSION ▶ Le Ridgeline n'attirera pas les purs et durs des chantiers de construction, mais son allure masculine séduira ceux qui n'avaient jamais pensé «pick-up», de crainte de sacrifier le confort et le comportement routier auxquels ils sont habitués. Le Ridgeline coûte de 35 000 $ (version de base) à 45 000 $ (version de luxe). C'est cher, pour une camionnette sans moteur V8.

FICHE TECHNIQUE

MOTEUR
V6 3,5 l SACT 255 ch à 5750 tr/min
couple : 252 lb-pi à 4500 tr/min
Transmission : automatique à 5 rapports
0-100 km/h : 8,9 s
Vitesse maximale : 200 km/h
Consommation (100 km) : 12,3 l (octane : 87)

Sécurité active
freins ABS, assistance au freinage, répartition électronique de force de freinage, antipatinage, contrôle de stabilité électronique

Suspension avant/arrière
indépendante

Freins avant/arrière
disques

Direction
à crémaillère, assistée

Pneus
P245/65R17

DIMENSIONS
Empattement : 3100 mm
Longueur : 5253 mm
Largeur : 1938 mm
Hauteur : 1786 mm, 1808 mm (avec toit ouvrant)
Poids : LX : 2043 kg, EX-L : 2040 kg, EX-L SR : 2059 kg, EX-L NAVI : 2064 kg
Diamètre de braquage : 12,9 m
Coffre : 240,7 l (coffre dans l'espace utilitaire)
Réservoir de carburant : 83 l
Capacité de remorquage : 2268 kg

2e opinion

Hugues Gonnot • C'est franchement difficile de trouver le Ridgeline beau. En fait, il est plus maladroit que vraiment viril. C'est dommage, car cela entrave la carrière commerciale d'un véhicule qui est, quant au reste, véritablement intéressant. En reprenant la plateforme monocoque du Pilot, Honda a osé contredire les idées reçues et le Ridgeline possède de bonnes capacités de charge et de remorquage tout en ayant une bonne de tenue de route. Si le V6 est relativement économique, il manque quand même un peu de jus. L'intérieur est bien pensé, comme le fameux réceptacle sous la boîte. Avec le temps, Honda pourrait démontrer qu'il avait raison de quitter les sentiers battus.

S2000

évolution | 50 300 $ à 54 300 $ |
Transport et préparation : 1455 $

www.honda.ca

UNE MOTO SUR QUATRE ROUES

– Antoine Joubert

FICHE D'IDENTITÉ

Version(s) : unique
Roues motrices : arrière
Portières : 2
Première génération : 2000
Génération actuelle : 2000
Construction : Tochigi, Japon
Sacs gonflables : 2, frontaux
Concurrence : BMW Z4, Chrysler Crossfire cabriolet, Mercedes-Benz SLK, Nissan 350Z roadster, Porsche Boxster

AU QUOTIDIEN

Prime d'assurance :
25 ans : 3700 à 3900 $
40 ans : 2300 à 2500 $
60 ans : 2000 à 2200 $
Collision frontale : 5/5
Collision latérale : 4/5
Ventes du modèle l'an dernier
Au Québec : 45 **Au Canada :** 212
Dépréciation (3 ans) : 46,1 %
Rappels (2001 à 2006) : aucun à ce jour
Cote de fiabilité : 5/5

Contrairement à plusieurs de ses rivales, la S2000 n'a rien d'une voiture boulevardière avec laquelle on épate la galerie. Bien sûr, plusieurs vous envieront, mais le côté noble d'une Porsche Boxster n'y est pas. Toutefois, si la conduite sportive est votre dada, la S2000 a tout pour vous séduire.

CARROSSERIE ▶ Depuis quelques années, plusieurs modèles de Honda ne font pas l'unanimité. Le Ridgeline, l'Element ou même l'Accord ne sont pas réputés pour leur grande beauté. En revanche, la S2000, qui amorce en 2007 sa huitième année d'existence, est tout aussi séduisante qu'à ses premiers jours. Voiture aux lignes sobres et aiguisées, exempte d'artifices, son long museau pointu semble fendre l'air comme celui d'un avion de chasse, et ses ailes élargies lui donnent une allure musclée.

HABITACLE ▶ L'habitacle de la S2000 a été conçu en fonction de la conduite seulement. Par conséquent, on n'y trouvera ni système de navigation ni chaîne audio extraordinaires, mais les sièges sont fermes et très enveloppants.

Le conducteur (devrais-je dire le pilote ?) a droit à une position de conduite optimale, encore améliorée par un petit volant et un levier de vitesses qui s'ajustent parfaitement aux mains. Honda a modifié en 2004 les panneaux intérieurs des portières, ce qui permet un meilleur dégagement pour les coudes.

Comme tout roadster, la S2000 exige que l'on voyage léger. Les compartiments de rangement sont rares et le coffre ne peut contenir guère plus qu'une paire de souliers et qu'une raquette de tennis !

MÉCANIQUE ▶ De son petit moteur quatre cylindres, Honda réussit à extirper 237 chevaux. Cette puissance est toutefois atteinte à un régime très élevé de 7800 tours/minute, et pour ce faire il faut appuyer à fond et longtemps. Et, comme le couple à bas régime est

forces
- Un grand plaisir à conduire
- Groupe motopropulseur exquis
- Direction précise
- Fiabilité
- Très faible dépréciation

faiblesses
- Confort
- Visibilité lorsque le toit est installé
- Voiture qui oblige à voyager léger

nouveautés en 2007
- Pas de changement majeur

presque inexistant, rétrograder en jouant du levier devient un exercice nécessaire. Mais quel plaisir ! Car la boîte manuelle est si précise, si bien étagée et dotée d'un levier dont la course est si courte, qu'elle se classe parmi les meilleures du monde. Et puis, si la S2000 exige du carburant à taux d'octane élevé, elle ne consomme que de 10 à 11 litres aux 100 kilomètres.

COMPORTEMENT ▶ Voilà une voiture qui permet à son conducteur de s'exprimer librement au volant. Certes, Honda a ajouté l'an dernier un système électronique de contrôle de stabilité pour éviter les catastrophes, mais ce roadster est si bien équilibré que les risques de dérapage sont réduits au minimum.

Sur la route, la voiture n'attend que votre commandement pour se transformer en bolide. Son terrain de jeu favori ? Les routes sinueuses où les policiers sont rares. Son châssis rigide, sa suspension ferme, sa direction précise et son groupe motopropulseur prouvent une fois de plus le savoir-faire des ingénieurs de Honda. Ici, le mot d'ordre est agrément de conduite. Rares sont les voitures, même deux fois plus puissantes et quatre fois plus chères, qui m'ont donné tant de sensations. Par contre, oubliez le confort : la S2000 ne connaît pas cette notion…

CONCLUSION ▶ Si vous êtes un adepte de voitures sport, essayez la S2000. Elle ne coûte pas 125 000 $, n'exhibe aucun logo prestigieux et ne développe pas 500 chevaux, mais elle sait donner du plaisir à son conducteur. Et, dernière bonne nouvelle, la S2000 est extrêmement fiable.

FICHE TECHNIQUE

MOTEUR

L4 2,2 l DACT 237 ch à 7800 tr/min
couple : 162 lb-pi à 6800 tr/min
Transmission : manuelle à 6 rapports
0-100 km/h : 6,8 s
Vitesse maximale : 240 km/h
Consommation (100 km) : 10,3 l (octane : 91)

Sécurité active
freins ABS

Suspension avant/arrière
indépendante

Freins avant/arrière
disques

Direction
à crémaillère, assistée

Pneus
P215/45ZR17 (av.), P245/40ZR17 (arr.)

DIMENSIONS

Empattement : 2400 mm
Longueur : 4135 mm
Largeur : 1750 mm
Hauteur : 1270 mm
Poids : 1301 kg
Diamètre de braquage : 10,8 m
Coffre : 152 l
Réservoir de carburant : 50 l

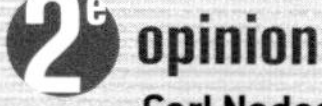

opinion

Carl Nadeau • La S2000, qui a fait les beaux jours de Honda, mériterait une refonte en profondeur. C'est une voiture qui a de grandes qualités, notamment en ce qui a trait à la tenue de route, à la précision de la direction et au freinage, mais il faut avouer que les compétiteurs poussent fort. Les 237 chevaux et, surtout, un couple modeste de 162 livres-pied accusent leur âge face aux nouvelles venues. Plus personne n'est surpris de voir des berlines intermédiaires faire le 0-100 km/h aussi vite que la S2000. Elle procure toujours d'excellentes sensations de conduite, mais elle ne doit pas être laissée entre toutes les mains : elle pourrait mordre un conducteur inexpérimenté.

évolution | 67085 $ à 67180 $ |
Transport et préparation : 1250 $

OnStar

HUMMER

www.gmcanada.com

FICHE D'IDENTITÉ

Version(s) : SUV, SUT
Roues motrices : 4
Portières : 4
Première génération : 2003
Génération actuelle : 2003
Construction : Mishawaka, Indiana, É.-U.
Sacs gonflables : 2, frontaux
Concurrence : Cadillac Escalade, Land Rover Range Rover, Lexus LX 470, Lincoln Navigator, Mercedes-Benz Classe G et GL

AU QUOTIDIEN

Prime d'assurance :
25 ans : 4900 à 5100 $
40 ans : 2700 à 2900 $
60 ans : 2500 à 2700 $
Collision frontale : nd
Collision latérale : nd
Ventes du modèle l'an dernier
Au Québec : 25 **Au Canada** : 504
Dépréciation (3 ans) : 44,1 %
Rappels (2001 à 2006) : 6
Cote de fiabilité : 1/5

LA VOITURE À GOUVERNATOR

– Hugues Gonnot

Il fallait un acteur d'Hollywood réputé pour ses personnages à la gâchette facile et recyclé en politique pour rouler en Hummvee, ce véhicule plutôt développé pour le transport militaire dans les dunes de sable que pour les rues de Beverly Hills. Celui qui est devenu ensuite le H1 est en effet inconfortable, étriqué à l'intérieur, mal construit et odieusement énergivore. Bref, tout ce que les concepteurs du H2 ont essayé de corriger. Y sont-ils arrivés?

CARROSSERIE ▶ De par sa réalisation, le design du H2 est une réussite. Transférer un style macho et purement fonctionnel d'un engin militaire à un véhicule civil sans en perdre la puissance, chapeau! Maintenant, on peut toujours se questionner quant à sa pertinence... Au moins, avec des porte-à-faux réduits, le H2 s'en tire mieux en tout-terrain que le Tahoe, sur lequel il est basé. Mais les aspects pratiques ne sont pas nécessairement son fort. Un siège de troisième rangée est disponible, mais il est inconfortable et grève une grande partie du volume de chargement. D'ailleurs, la roue de secours est passée du coffre sur le hayon, car elle occupait beaucoup d'espace. Le SUT, qui se veut un hybride de pick-up à la façon de l'Avalanche (il lui emprunte d'ailleurs son ingénieux système d'ouverture sur l'habitacle), est un peu mieux loti. L'ouverture du panneau de séparation, baptisé Midgate, permet de doubler la longueur de chargement à 1,8 mètre.

HABITACLE ▶ Indigent est le mot qui décrit le mieux cet habitacle aux plastiques durs et craquants. Pour le prix demandé, c'est insultant. Heureusement, d'après la nouvelle génération de VUS pleine grandeur, GM semble avoir enfin compris. L'espace alloué aux occupants n'est pas impressionnant par rapport aux dimensions de l'engin. Au moins, l'équipement est complet et la version 2007 peut être pourvue d'un accessoire que beaucoup demandaient : une caméra de rétrovision dont l'écran de 9 centimètres se dissimule derrière

forces
- Style macho
- Transmission intégrale destinée au hors-piste
- Version SUT intéressante pour certaines applications

faiblesses
- Style macho agressant pour certains
- Consommation délirante
- Finition intérieure lamentable
- Espace pour les occupants un peu juste

nouveautés en 2007
- Éditions spéciales Bleu glacier et Rouge victoire, couleur extérieure Bleu tout-terrain, système de caméra arrière optionnelle

réduction des rapports de 2,72:1. Enfin, le contrôle de traction électronique peut aussi bloquer le différentiel arrière dans les conditions très difficiles. De plus, une suspension pneumatique à correcteur automatique est disponible pour l'essieu arrière (pas dans le SUT).

COMPORTEMENT ► Sur route... on oublie ça ! En tout-terrain, le H2 peut passer des gués de 50 centimètres, franchir des seuils de 40 centimètres et attaquer des terrains particulièrement pentus grâce à un angle d'attaque de 40,8 degrés et à un angle de départ de 39,6 degrés. Mais qui osera sortir de la ville un engin de 70 000 $?

CONCLUSION ► Le H2 a hérité de tous les défauts du H1, à l'échelle quatre cinquièmes. Cela dit, les ventes sont en chute libre, parce que les inconditionnels ont déjà acheté le leur et que ceux qui auraient pu se laisser tenter sont maintenant effrayés par sa consommation de carburant. Le H2 est un véhicule de frime, et la frime, de nos jours, ça coûte de plus en plus cher. En outre, la nouvelle génération de Chevrolet Tahoe offre beaucoup plus d'agrément et de sophistication. Une révision rapide s'impose !

le rétroviseur central quand la marche arrière n'est pas activée.

MÉCANIQUE ► Le gros V8 de 6,0 litres avec la boîte automatique à quatre rapports est la seule configuration disponible. La puissance est là, certes, mais aussi ce qui va avec : la consommation. En conduite de tous les jours, comptez 20 litres aux 100 km. Que c'est long, remplir un réservoir de 121 litres... et que c'est cher !

Les rares personnes qui auront envie de le sortir de la ville découvriront alors un véhicule conçu pour affronter des conditions difficiles. La transmission intégrale répartit normalement le couple à 40/60 entre l'avant et l'arrière, mais il est possible de verrouiller le différentiel central à 50/50. Elle comprend aussi une gamme de

FICHE TECHNIQUE

MOTEUR
V8 6,0 l ACC 316 ch à 5200 tr/min
couple : 360 lb-pi à 4000 tr/min
Transmission : automatique à 4 rapports
0-100 km/h : 11,9 s
Vitesse maximale : 170 km/h
Consommation (100 km) : 16,8 l (octane : 87)

Sécurité active
freins ABS, répartition électronique de force de freinage, antipatinage

Suspension avant/arrière
indépendante/essieu rigide

Freins avant/arrière
disques

Direction
à billes, assistée

Pneus
LT315/70R17

DIMENSIONS
Empattement : 3118 mm
Longueur : 5170 mm, SUT : 4820 mm
Largeur : 2063 mm
Hauteur : 1993 mm
Poids : 2909 kg
Diamètre de braquage : 13,3 m
Coffre : 1132 l, 2452 l (sièges abaissés), SUT : 623 l (extérieur), 869 l (intérieur), 1492 l (sièges abaissés)
Réservoir de carburant : 121 l
Capacité de remorquage : 3182 kg

opinion

Benoit Charette • Aberration sur roues pour certains, forteresse roulante pour d'autres, le H2 ne laisse personne indifférent. Ce monstre de près de trois tonnes boit plus de 20 litres aux 100 km sans même avoir été malmené. Il faut admettre que l'intérieur est très confortable. J'ai eu l'occasion de conduire un H2 jusqu'à Sept-Îles sans jamais souffrir de maux de dos et avec l'assurance de pouvoir me sortir de n'importe quelle situation. Le voyage aller-retour m'a soulagé de 300 $ de carburant, mais la plupart des propriétaires n'en ont cure. Finalement, le H2 est comme un gros chien : il n'aime pas les petits appartements, mais préfère les grands espaces où il peut s'ébattre en liberté !

H3

évolution | 39 995 $ à 53 420 $
Transport et préparation : 1200 $

HUMMER

www.gmcanada.com

POUR ÉPATER LA GALERIE À MOINDRE COÛT

– Benoit Charette

FICHE D'IDENTITÉ

Version(s) : Base, X
Roues motrices : 4
Portières : 4
Première génération : 2006
Génération actuelle : 2006
Construction : Shreveport, Louisiane, É.-U.
Sacs gonflables : 2, frontaux, rideaux latéraux en option
Concurrence : Acura RDX, BMW X3, Land Rover LR2

AU QUOTIDIEN

Prime d'assurance :
25 ans : 4300 à 4500 $
40 ans : 2300 à 2500 $
60 ans : 2000 à 2200 $
Collision frontale : nd
Collision latérale : nd
Ventes du modèle l'an dernier
Au Québec : 112 **Au Canada :** 1250
Dépréciation (3 ans) : nm
Rappels (2001 à 2006) : aucun à ce jour
Cote de fiabilité : nm

Réputation oblige, un Hummer doit être exubérant, et le H3 ne fait pas exception à la règle. Il s'agit là d'un vrai camion pour hommes, avec une garde au sol de 23 centimètres et des pneus de 33 pouces qui rendent l'accès à bord difficile, il faut le souligner.

CARROSSERIE ► À première vue, le H3 ressemble au H2. La filiation est évidente, d'ailleurs les lignes présentent les mêmes excès. La silhouette découpée à la hache a les mêmes angles et la visibilité à bord est tout aussi mauvaise. Mais, là s'arrêtent les comparaisons : si l'on y jette un second coup d'œil, le H3 se révèle plus court de 43 centimètres et plus bas de 15 centimètres que le H2, d'où son surnom, « bébé Hummer », qui lui sied bien.

HABITACLE ► Au-delà de l'allure cow-boy, le véhicule montre un intérieur d'un bon goût étonnant. Les matériaux sont d'excellente qualité ; la finition et l'assemblage, soignés. C'est ce que j'ai vu de mieux dans toute la gamme des camions GM. On peut aussi opter pour une version habillée de cuir qui comprend même un volant gainé. Cela dit, même le modèle de base, mon véhicule d'essai, ne rappelle pas constamment au propriétaire qu'il a fait un choix économique. En effet, la finition ne manque pas de cachet, l'habitacle est très bien insonorisé, et l'assise est confortable, que vous soyez devant ou derrière. Et l'espace de chargement avalera beaucoup de bagages. De plus, le tableau de bord du H3 a été transféré dans la Pontiac Solstice avec beaucoup de succès.

MÉCANIQUE ► Sous le capot, la division Hummer a emprunté au Chevrolet Colorado le moteur cinq cylindres de 3,7 litres et de 242 chevaux, qui a l'immense avantage de ne pas être trop gourmand. Vous pourrez, en ayant le pied léger, consommer environ 12,5 litres d'essence aux 100 km, valeur semblable à celle d'une fourgonnette pleine

forces

- Assemblage et finition de qualité
- Une consommation presque raisonnable
- Excellentes aptitudes hors route

faiblesses

- Puissance un peu juste
- Essieu arrière rigide et sautillant
- Accès à bord difficile
- Visibilité nulle

nouveautés en 2007

- Nouveau moteur cinq cylindres de 3,7 litres, nouvelle version H3X plus luxueuse, système StabiliTrak de série, jantes chromées pour pneus de 33 pouces optionnelles, une nouvelle teinte de carrosserie

grandeur. Cela dit, les performances du H3 ne sont pas exceptionnelles (0-100 km/h en 10,3 secondes). Il faut dire que la bête pèse 2132 kilos, ce qui est considérable pour un VUS intermédiaire. Toutefois, après une semaine d'essai, je m'étais habitué à cette mécanique et, franchement, je préfère sacrifier un peu de puissance pour conserver un demi-sourire au moment de faire le plein.

COMPORTEMENT ► Au chapitre de la conduite, la tenue de route du H3 est confortable et son format rend le véhicule plus pratique en ville. Toutefois, l'essieu rigide à l'arrière, couplé aux énormes pneus, fait sautiller le véhicule au moindre cahot. Parmi les autres irritants, il faut mentionner la visibilité presque nulle. La conception même du véhicule, avec sa ceinture de caisse très élevée et une faible surface vitrée, crée d'immenses angles morts. Il faut littéralement se mettre le nez dans la vitre pour voir si un autre véhicule n'est pas dans le seuil de la porte. Lors des manœuvres à reculons, à moins d'avoir un autobus derrière soi, on ne voit tout simplement pas les obstacles. Pour ceux qui veulent s'amuser hors des sentiers battus, le H3 est doté d'un différentiel aux multiples configurations possibles: mode quatre roues motrices High; mode quatre roues démultipliées; ou avec le différentiel arrière qui se barre électroniquement. Ajoutez à cela une garde au sol de 23 centimètres et vous avez ce qu'il faut pour affronter les terrains les plus inhospitaliers.

CONCLUSION ► Je lève mon chapeau à GM qui a réussi à combiner l'exubérance de la famille Hummer et un sens pratique et raisonnable, ce qui en fait un véhicule plus accessible. Soulignons aussi la qualité de l'exécution. Ce véhicule m'a réconcilié avec la famille des produits Hummer.

FICHE TECHNIQUE

MOTEUR
L5 3,7 l DACT 242 ch à 5600 tr/min
couple: 242 lb-pi à 4600 tr/min
Transmission: manuelle à 5 rapports, automatique à 4 rapports (option)
0-100 km/h: 10,3 s
Vitesse maximale: 180 km/h
Consommation (100 km): nd (octane: 87)

Sécurité active
freins ABS, antipatinage, contrôle de stabilité électronique

Suspension avant/arrière
indépendante/essieu rigide

Freins avant/arrière
disques

Direction
à crémaillère, assistée

Pneus
P265/75R16

DIMENSIONS
Empattement: 2842 mm
Longueur: 4742 mm
Largeur: 1896 mm
Hauteur: 1893 mm
Poids: 2132 kg
Diamètre de braquage: 11,3 m
Coffre: 835 l, 1577 l (sièges abaissés)
Réservoir de carburant: 87 l
Capacité de remorquage: 2041 kg

opinion

Luc Gagné • À l'instar du FJ Cruiser de Toyota, le Hummer H3 est un véhicule d'excentrique. Cet imposant 4X4 qui est inutilement gros aurait besoin d'un moteur diesel pour le rendre moins détestable auprès des défenseurs de l'environnement. De plus, si sa carrosserie lui procure un champ de vision moins déplorable que celui du FJ Cruiser, sa ligne de caisse élevée et un toit surbaissé (qui ajoute à son style ravageur) limitent le champ de vision périphérique tout de même. Par rapport au Toyota FJ Cruiser, le comportement routier du H3 n'est pas aussi convaincant, surtout lorsqu'on circule sur de petites routes sinueuses bosselées où le train arrière a tendance à sautiller. Et puis, un seul concessionnaire au Québec, c'est plutôt limitatif.

ACCENT

évolution | 13 495 $ à 16 995 $ |
Transport et préparation : 1345 $

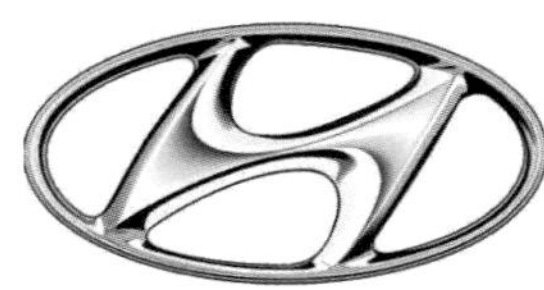

www.hyundaicanada.com

FICHE D'IDENTITÉ

Version(s) : *berl. :* GL, GL Confort, GLS, *hayon :* GS, GS Confort, GS Luxe, GS Sport
Roues motrices : avant
Portières : 2, 4
Première génération : 1995
Génération actuelle : 2006
Construction : Ulsan, Corée du Sud
Sacs gonflables : 6, frontaux, latéraux avant et rideaux latéraux
Concurrence : Chevrolet Aveo, Honda Fit, Kia Rio, Nissan Versa, Pontiac Wave, Suzuki Swift+, Toyota Yaris, Volkswagen Golf City

AU QUOTIDIEN

Prime d'assurance :
25 ans : 2100 à 2300 $
40 ans : 1200 à 1400 $
60 ans : 1000 à 1200 $
Collision frontale : 5/5
Collision latérale : 4/5
Ventes du modèle l'an dernier
Au Québec : 8451 **Au Canada :** 15 679
Dépréciation (3 ans) : 52,2 %
Rappels (2001 à 2006) : aucun à ce jour
Cote de fiabilité : 4/5

UNE SOUS-COMPACTE, VRAIMENT ?

– Nadine Filion

On n'a plus les sous-compactes qu'on avait. Qui aurait cru qu'un jour les petites « éconos » nous proposeraient sièges chauffants, six coussins gonflables et freins ABS ? La nouvelle Accent le fait. Dieu, qu'on est loin des Pony !

CARROSSERIE ► La troisième génération de la berline Accent roule chez nous depuis l'hiver dernier ; la variante à trois portes nous est arrivée cet été. Toutes deux profitent de dimensions élargies, au point qu'il faudra envisager de les classer avec les compactes... Toute en rondeurs, la dernière venue (à partir de 13 495 $) est moins longue de 235 millimètres que sa sœur à quatre portes (13 995 $). Elle propose néanmoins le même espace intérieur et son espace de chargement est plus vaste (450 litres contre 350). Cela dit, ne cherchez pas l'Accent à cinq portes ; si elle ne figure toujours pas au catalogue, c'est sans doute qu'on la réserve pour la compagnie cousine, Kia, et sa Rio5.

HABITACLE ► Même dans l'Accent de base, la qualité des matériaux et leur assemblage étonnent. Les commandes sont simples et efficaces ; les rangements, pratiques ; les sièges, confortables, même après un long périple. En fait, n'étaient les manivelles pour l'ouverture des glaces et l'ajustement des rétroviseurs, on se croirait dans une version plus étoffée de l'Accent. Surtout, il y a de quoi tomber amoureux des sièges chauffants – non, mais avez-vous déjà vu ça, vous, dans une sous-compacte ? Cette gâterie est réservée aux versions GLS et Premium, qui coûtent moins de 17 000 $, avec six coussins gonflables et ABS s'il vous plaît. Impressionnant. Aussi, peu de voitures de cette catégorie proposent le toit ouvrant, mais l'Accent le fait, dans une seule version cependant : la trois portes Sport.

MÉCANIQUE ► L'Accent est propulsée par un petit quatre cylindres de 1,6 litre, 110 chevaux et 106 livres-pied. Ce moteur est jumelé à une boîte manuelle à cinq vitesses ou, en option,

forces

- Dieu, qu'on est loin des Pony !
- Ah, les sièges chauffants...
- Six coussins gonflables et freins ABS (GLS et Premium)
- Garantie

faiblesses

- Boîte manuelle mal étagée
- Petite puissance
- Direction sans grande consistance

nouveautés en 2007

- Variante à trois portes, version « SR » exclusive au Canada (avec jupes et roues de 17 pouces)

mise d'abord sur le confort, tout comme la direction vise le «sans effort». Je reproche à peine à cette dernière son manque de consistance, tellement le reste de la voiture fait bien. Le plus important défaut de l'Accent reste sa boîte manuelle. Certes, elle est des plus faciles à manier, mais elle est mal étagée. À 120 km/h, elle fait tourner le moteur à plus de 3500 tours/minute, de quoi nous faire constamment chercher un rapport supérieur

à une automatique à quatre rapports. La consommation est frugale: à partir de Laval, jusque dans les Laurentides, puis à l'aéroport Trudeau, puis jusqu'à Sherbrooke et encore dans les Laurentides, le réservoir ne criait pas encore famine. La direction assistée permet un court diamètre de braquage (10 mètres) et la suspension est indépendante – la version Sport à trois portes raffermit cette suspension de 24 % à l'avant et de 11 % à l'arrière. La Sport voit aussi ses roues passer à 16 pouces – les autres versions ont des roues de 14 à 15 pouces.

COMPORTEMENT ▶ L'Accent à trois ou à quatre portes se faufile aisément dans la circulation et est agile dans les virages. Sa caisse solide ne souffre d'aucune vibration, et ce, même au-delà de la vitesse permise. La suspension

qui n'existe pas. Et les oreilles ne s'y habituent pas. Je recommande donc l'automatique (950 $), même si celle-ci, en montée, fait immanquablement sentir les limites du petit moteur.

CONCLUSION ▶ Si votre budget est mini-mini, la version de base de l'Accent saura vous satisfaire, ne serait-ce que parce qu'elle propose, comme toutes les autres, la meilleure garantie de l'industrie (cinq ans ou 100 000 km). Si vous disposez d'un peu plus d'argent, je vous suggère fortement les versions GLS (quatre portes) ou Premium (trois portes). Elles comprennent des éléments de sécurité indispensables (coussins gonflables latéraux et ABS) qui, autrement, ne sont pas optionnels, et puis elles proposent la plus belle exclusivité de la catégorie: les sièges chauffants. Ahhhh....

FICHE TECHNIQUE

MOTEUR
L4 1,6 l DACT 110 ch à 6000 tr/min
couple: 107 lb-pi à 4500 tr/min
Transmission: manuelle à 5 rapports, automatique à 4 rapports en option
0-100 km/h: 10,6 s
Vitesse maximale: 175 km/h
Consommation (100 km): man.: 6,9 l, auto.: 7,3 l (octane: 87)

Sécurité active
freins ABS et répartition électronique de force de freinage (GS Luxe et GLS)

Suspension avant/arrière
indépendante/essieu rigide

Freins avant/arrière
disques/tambours,
GS Luxe et GLS: disques aux 4 roues

Direction
à crémaillère, assistée

Pneus
P185/60R14, GLS: P195/55R15,
GL Sport: P205/45R16

DIMENSIONS
Empattement: 2500 mm
Longueur: hayon: 4045 mm, berl.: 4280 mm
Largeur: 1470 mm
Hauteur: 1695 mm
Poids: hayon: 1058 kg, berl.: 1068 kg
Diamètre de braquage: 10,0 m
Coffre: hayon: 479 l, berl; 351 l
Réservoir de carburant: 45 l

2e opinion

Jean-Pierre Bouchard • J'ai été étonné par la qualité de la nouvelle Accent. Cette fois, cette sous-compacte n'a rien à envier à une voiture comme la Toyota Yaris, à part peut-être son nom. La voiture montre des performances et un comportement routier honnêtes, un habitacle fonctionnel et bien équipé, le tout dans un emballage aux formes généreuses. De plus, l'Accent coûte des centaines de dollars de moins que la Yaris. Le nom du constructeur, encore parfois synonyme de « bon marché », la rend peut-être moins attrayante au chapitre de la valeur de revente. Néanmoins, elle constitue une bonne affaire dans la catégorie. La version à trois portes est intéressante elle aussi: jolie, chouette à conduire. Hyundai a fait ses devoirs.

AZERA

évolution | 34 495 $ à 37 495 $ |
Transport et préparation : 1345 $

www.hyundaicanada.com

TOUT EST DANS LE MOTEUR

– Nadine Filion

FICHE D'IDENTITÉ

Version(s) : Base, Confort
Roues motrices : avant
Portières : 4
Première génération : 2001 (XG)
Génération actuelle : 2006
Construction : Ulsan, Corée du Sud
Sacs gonflables : 8, frontaux, latéraux avant et arrière, rideaux latéraux
Concurrence : Acura TL, Buick Lucerne, Chevrolet Impala, Chrysler 300, Ford Five Hundred, Kia Amanti, Lexus ES, Nissan Maxima, Pontiac Grand Prix, Toyota Avalon

AU QUOTIDIEN

Prime d'assurance :
25 ans : 2400 à 2600 $
40 ans : 1600 à 1800 $
60 ans : 1400 à 1600 $
Collision frontale : nd
Collision latérale : nd
Ventes du modèle l'an dernier (XG350 et Azera)
Au Québec : 162 **Au Canada :** 534
Dépréciation (3 ans) : nm
Rappels (2001 à 2006) : aucun à ce jour
Cote de fiabilité : 4/5

L'Azera de Hyundai n'innove en rien. Pas de percées technologiques, pas de solutions créatives. En revanche, pour un prix alléchant, elle propose tout ce qu'il faut, dès la version de base, y compris un excellent groupe motopropulseur. Il ne lui manque que la banquette arrière chauffante et le système de navigation. C'est le luxe sans l'innovation, et l'air sans la chanson.

CARROSSERIE ► L'apparence extérieure de l'Azera est assez conservatrice. Le style est élégant et l'arrière, avec son renflement à la BMW, est sans doute la partie la plus réussie du véhicule, mais la calandre et les phares avant manquent d'attrait. C'est donc dans l'anonymat de la circulation que la grande berline se fond.

HABITACLE ► À bord, on retrouve tout ce qu'il faut, et plus encore : huit coussins gonflables, dégivreur de pare-brise, toit ouvrant, climatisation automatique bizone, etc. Le siège conducteur, réglable selon dix positions, est d'un grand confort. Pour 3000 $ de plus, on a le revêtement de cuir, les pédales réglables, le pare-soleil arrière électrique et les essuie-glaces activés par la pluie.

Si les places avant invitent les occupants à s'y faire chauffer le popotin, les places arrière restent désespérément froides. C'est dommage, d'autant que la Kia Amanti offre cet équipement en série. On déplore aussi l'absence de système de navigation, même dans les options.

Côté design, les tons de brun et de beige mêlés au similibois rougeâtre et à des appliqués d'aluminium peuvent manquer d'élégance. Et le plastique de recouvrement est plutôt rêche. Pour une berline de 35 000 $, on aurait souhaité des matériaux plus harmonieux, plus raffinés. On est, en revanche, rassuré par la qualité des assemblages. De plus, l'insonorisation est l'une des meilleures de la catégorie.

forces
- Remarquable V6, doux et puissant
- Belle liste d'équipements pour son prix
- Huit coussins gonflables

faiblesses
- Pas de banquette arrière chauffante
- Pas de système de navigation
- Allure plutôt terne
- Couleurs intérieures

nouveautés en 2007
- Aucun changement majeur

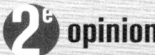

AZERA

MÉCANIQUE ▶ Ah, la belle surprise ! Le moteur V6 de 3,8 litres et de 263 chevaux qui propulse l'Azera est d'une puissance et d'une douceur remarquables. Il est jumelé à une boîte automatique à cinq rapports avec mode séquentiel.

Dans les équipements de série, on retrouve les freins ABS, l'antipatinage et même le système de stabilité. Par contre, pas de traction intégrale. Un représentant canadien de Hyundai a expliqué qu'« il y a des limites aux ressources allouées à la recherche et au développement ». Un jour, peut-être.

COMPORTEMENT ▶ Le moteur V6 procure des accélérations linéaires et le véhicule atteint le 0-100 km/h en 7 secondes. La boîte automatique est des plus douces ; on voit bien l'aiguille des révolutions qui oscille au gré des passages, mais on ne sent rien. La suspension indépendante, pas trop molle, permet des déplacements confortables. On est loin de la fermeté des berlines sport, mais le compromis est idéal pour ce type de voiture. Même sans traction intégrale, l'Azera tient bien la route sous la pluie à 140 km/h (chut !). Stable en virage, elle propose aussi une direction douce et pas trop assistée.

CONCLUSION ▶ L'an dernier, selon l'Association des journalistes automobile du Canada, la Hyundai Azera supplantait de gros calibres comme les Audi et BMW (catégorie des nouvelles voitures familiales de plus de 35 000 $). C'est donc dire que, malgré une allure plutôt terne, la berline a tout de même une grande valeur. Son groupe motopropulseur y est pour beaucoup, mais j'ajouterais que la garantie générale de 5 ans/100 000 km constitue un net avantage sur la concurrence.

Le défi, maintenant, est de convaincre les acheteurs qu'ils peuvent être aussi fiers d'avoir une Hyundai devant chez eux qu'une Toyota ou qu'une Buick.

FICHE TECHNIQUE

MOTEUR

V6 3,8 l DACT 263 ch à 6000 tr/min

couple : 255 lb-pi à 4500 tr/min

Transmission : automatique à 5 rapports avec mode manuel

0-100 km/h : 8,6 s

Vitesse maximale : 200 km/h

Consommation (100 km) : 10,0 l (octane : 87)

Sécurité active

freins ABS, répartition électronique de force de freinage, antipatinage, contrôle de stabilité électronique

Suspension avant/arrière

indépendante

Freins avant/arrière

disques

Direction

à crémaillère, assistée

Pneus

P235/55R17

DIMENSIONS

Empattement : 2780 mm

Longueur : 4895 mm

Largeur : 1850 mm

Hauteur : 1490 mm

Poids : 1648 kg

Diamètre de braquage : 11,4 m

Coffre : 470 l

Réservoir de carburant : 75 l

2e opinion

Jean-Pierre Bouchard • La XG350 commençait à être dépassée sur le plan du design et de la technologie. La nouvelle Azera est venue corriger la situation et replacer Hyundai dans le segment des voitures haut de gamme. L'Azera offre un habitacle spacieux et bien aménagé, une mécanique vigoureuse, et son prix est raisonnable compte tenu des équipements de série. Au chapitre du comportement routier, l'Azera mise sur un confort tranquille plutôt que sur une conduite dynamique. Cette voiture joue sur le même terrain qu'une Buick Lucerne V6. J'opterais toutefois pour une Sonata GLS V6 habillée de cuir qui, pour plusieurs milliers de dollars de moins, est déjà très agréable.

ELANTRA

nouveauté | 15 000 $ à 21 000 $ |
Transport et préparation : 1345 $

LE TEMPS DE LA RÉCOLTE

– Benoit Charette

FICHE D'IDENTITÉ

Version(s) : GL, GL Confort, GL Confort Plus, GL Sport, GLS
Roues motrices : avant
Portières : 4
Première génération : 1992
Génération actuelle : 2007
Construction : Ulsan, Corée du Sud
Sacs gonflables : 6, frontaux, lat. av. et rid. lat.
Concurrence : Chevrolet Cobalt, Ford Focus, Honda Civic, Kia Spectra, Mazda3, Mitsubishi Lancer, Nissan Sentra, Pontiac G5, Saturn ION, Subaru Impreza, Suzuki Aerio, Toyota Corolla, VW Rabbit et Jetta City

AU QUOTIDIEN

Prime d'assurance :
25 ans : 2100 à 2300 $
40 ans : 1300 à 1500 $
60 ans : 1100 à 1300 $
Collision frontale : nd
Collision latérale : nd
Ventes du modèle l'an dernier
Au Québec : 7540 **Au Canada :** 16 101
Dépréciation (3 ans) : 47,1 %
Rappels (2001 à 2006) : 5
Cote de fiabilité : 3/5

La reconnaissance est un processus long et frustrant. Il aura fallu plusieurs années de production de qualité, de sondages élogieux et de constantes remises en question pour que Hyundai se fasse enfin une place au soleil. Avec la venue de la quatrième génération d'Elantra, la compagnie coréenne complète son ambitieux programme 24/7 qui consistait à présenter sept nouveaux produits en vingt-quatre mois.

CARROSSERIE ▶ Hyundai a vendu plus de 148 000 Elantra au Canada depuis son lancement à l'automne 1991. En 2007, la nouvelle Elantra est disponible en cinq versions : GL, GL Confort, GL Plus, GL Sport et GLS. Sous une nouvelle robe plus expressive et aérodynamique, cette populaire berline montre une silhouette plus aboutie. Malgré son prix qui demeure à la portée de toutes les bourses, plusieurs touches lui donnent des allures de voiture plus luxueuse. Par exemple la grille aux contours chromés, les poignées de portière aux couleurs assorties à la calandre, et le dessin de l'avant et de l'arrière du véhicule qui respire le bon goût. Physiquement, l'Elantra est également plus grande que sa devancière. L'empattement est augmenté de 40 millimètres; la largeur, de 50 millimètres; et la hauteur, de 65 millimètres.

HABITACLE ▶ Ce format plus généreux se traduit par un habitacle plus vaste, si bien que l'agence américaine EPA (Environmental Protection Agency) a classé l'Elantra dans la catégorie des voitures intermédiaires. Du coup, elle devient une des compactes les plus spacieuses sur le marché. Le coffre n'est pas en reste avec un volume de 402 litres. Le tableau de bord a aussi été revu et corrigé. Ainsi, le système audio (avec lecteur CD et MP3) est maintenant placé dans le haut de la console, pour un accès plus facile. L'instrumentation simplifiée a été abaissée pour faciliter la manipulation. Par rapport à l'ancienne génération, le conducteur est assis un

forces
- Des lignes qui ont du charme
- Habitacle généreux

faiblesses
- Boîte automatique un peu désuète
- Pas d'ABS pour les modèles de base

nouveautés en 2007
- Modèle entièrement redessiné

peu plus haut (46 millimètres) et profite d'un siège confortable et ajustable. À l'arrière, l'espace est généreux et la banquette rabattable 60/40 de série permet d'accueillir un surplus de bagages.

MÉCANIQUE ► Sous le capot, Hyundai a conservé la même recette et fait toujours confiance au moteur quatre cylindres 2,0 litres de 138 chevaux. Les transmissions sont toujours la boîte manuelle à cinq rapports de série et l'automatique à quatre rapports en option, mais c'est un peu juste face à la concurrence. La plupart des boîtes automatiques ont maintenant au moins cinq rapports, pour un fonctionnement plus doux et une meilleure économie de carburant; et certaines voitures sont dotées de boîtes automatiques à six rapports, de CVT ou de transmissions manuelles à six rapports. Hyundai devra revoir cet aspect. Une chirurgie esthétique, c'est bien, mais si on ne fait rien pour le moteur, ce n'est que de la poudre aux yeux. Un essai devrait le confirmer.

COMPORTEMENT ► Les échéanciers de *L'Annuel* nous privent chaque année d'un certain nombre d'essais. Cette année, l'Elantra a été officiellement présentée à la presse à peine un mois après la parution de cette édition. Nous pouvons cependant dire que le nouveau châssis a été rigidifié et que la suspension possède maintenant des barres stabilisatrices de plus grandes dimensions. Ces atouts sont habituellement le gage d'une tenue de route solide. Les modèles GL et GL Confort possèdent encore des freins à tambours à l'arrière, sans ABS, alors que les GL Plus, Sport et GLS ont quatre freins à disques avec l'ABS de série.

CONCLUSION ► Hyundai propose en ce moment des véhicules qui comptent parmi les plus jeunes du marché. La nouvelle Elantra se distingue par son style et son habitacle généreux. La qualité est maintenant de série et Hyundai n'a jamais oublié ce qui a rendu ces produits si populaires au Québec : un prix abordable.

FICHE TECHNIQUE

MOTEUR

L4 2,0 l DACT 138 ch à 6000 tr/min
couple : 136 lb-pi à 4600 tr/min
Transmission : manuelle à 5 rapports, automatique à 4 rapports (option)
0-100 km/h : 10,2 s
Vitesse maximale : 190 km/h
Consommation (100 km) : man. et auto. : 7,2 l (octane : 87)

Sécurité active
freins ABS et répartition électronique de force de freinage (GL Plus, GL Sport, GLS)

Suspension avant/arrière
indépendante

Freins avant/arrière
GL et GL Confort : disques/tambours,
GL Plus, GL Sport et GLS : disques aux 4 roues

Direction
à crémaillère, assistée

Pneus
GL, GL Confort et GL Plus : P195/65R15,
GL Sport et GLS : P205/55R16

DIMENSIONS

Empattement : 2650 mm
Longueur : 4505 mm
Largeur : 1775 mm
Hauteur : 1480 mm
Poids : 1235 à 1313 kg
Diamètre de braquage : 10,3 m
Coffre : 402 l
Réservoir de carburant : 53 l

ENTOURAGE

nouveauté | 29 995 $ à 37 195 $
Transport et préparation : 1545 $

www.hyundaicanada.com

FICHE D'IDENTITÉ

Version(s): GL, GL Confort, GLS, GLS Cuir
Roues motrices : avant
Portières : 4
Première génération : 2007
Génération actuelle : 2007
Construction : Sohari, Corée du Sud
Sacs gonflables : 6, frontaux, latéraux avant et rideaux latéraux
Concurrence : Chevrolet Uplander, Chrysler Town & Country, Dodge Caravan, Ford Freestar, Honda Odyssey, Kia Sedona, Nissan Quest, Saturn Relay, Toyota Sienna

AU QUOTIDIEN

Prime d'assurance :
25 ans : 2200 à 2400 $
40 ans : 1400 à 1600 $
60 ans : 1200 à 1400 $
Collision frontale : 5/5
Collision latérale : 5/5
Ventes du modèle l'an dernier
Au Québec : nm **Au Canada :** nm
Dépréciation (3 ans): nm
Rappels (2001 à 2006): aucun à ce jour
Cote de fiabilité : nm

UNE SEDONA AVEC DU CHROME !

– Antoine Joubert

En 2007, Hyundai fait une incursion dans le monde des fourgonnettes, qui atteignent 11 % des ventes de véhicules automobiles au pays. Toutefois, l'Entourage ne constitue pas une réelle nouveauté, puisqu'il s'agit d'un clone de la dernière Kia Sedona, à laquelle on a ajouté quelques accents de chrome. Les efforts de Hyundai pour différencier l'Entourage de la Sedona sont loin d'être aussi convaincants que ceux qui ont permis à la clientèle de distinguer le Tucson du Kia Sportage. Cette formule copier/coller, dont les constructeurs nord-américains ont autrefois abusé, n'a pas grand intérêt pour le consommateur. D'ailleurs, les divisions comme Mercury et Plymouth (il y a très longtemps aussi: DeSoto, Edsel et Meteor), qui se composaient essentiellement de copies conformes d'autres modèles, sont aujourd'hui disparues du paysage canadien. On peut en revanche se consoler en sachant que l'Entourage n'est pas le clone d'un véhicule raté. Les quelques centaines de kilomètres parcourus au volant m'ont permis de constater qu'il s'agit actuellement, avec sa jumelle bien sûr, de la fourgonnette offrant le meilleur rapport qualité/prix du marché.

CARROSSERIE ▶ D'abord, comme la plupart des constructeurs qui proposent une fourgonnette, Hyundai a joué la carte de la prudence en préférant ne pas déplaire plutôt que de séduire. L'Entourage est donc une fourgonnette élégante et sobre, mais sans attrait particulier. Je ne lui reproche qu'une intégration esthétique discutable des rails servant à l'ouverture des portes coulissantes.

HABITACLE ▶ Comme il se doit, l'habitacle de l'Entourage déborde de compartiments de rangement et peut accueillir confortablement sept occupants. La banquette de troisième rangée, divisée à la façon 60/40, disparaît dans le plancher comme chez presque tous les concurrents. Les sièges

forces

- Rapport qualité/équipement/prix
- Habitacle spacieux et confortable
- Finition étonnante
- Confort exceptionnel
- Commodités innombrables

faiblesses

- Copie de la Sedona
- Certaines options non offertes, mais disponibles chez Kia
- Boîte automatique paresseuse

nouveautés en 2007

- Nouveau modèle

inférieure d'environ 25 % à celle de l'ancienne Sedona. La boîte automatique avec mode manuel n'est pas un modèle de rapidité, mais permet des passages de vitesses presque imperceptibles.

COMPORTEMENT ► Silencieuse, stable, extrêmement confortable et bien équilibrée, l'Entourage affiche un comportement qui plaira certainement à l'acheteur ciblé. Le freinage est rassurant et sa caisse, suffisamment rigide pour ne laisser passer aucun bruit de caisse. La tenue de route n'est évidemment pas sa caractéristique la plus marquante, mais l'Entourage a au moins le mérite d'être neutre en courbe.

baquets de la rangée centrale, très confortables, se replient, se rabattent et se retirent en un tournemain. À l'avant, la planche de bord est une belle évolution de celle de l'ancienne Kia Sedona. La disposition des commandes et des accessoires est assez semblable, mais la finition mérite désormais une mention d'honneur. Toutefois, la Sedona possède des équipements de série plus nombreux que l'Entourage.

MÉCANIQUE ► L'Entourage nous propose un nouveau V6 développant 242 chevaux, un des points forts du véhicule. Doux, silencieux et très souple, sa consommation d'essence est

CONCLUSION ► Hyundai s'attaque à un marché important au Canada, en se glissant entre les américaines, désuètes, et les japonaises, pour la plupart hors de prix. Ce qui étonne toutefois, c'est que la qualité et le rapport équipement/prix a de quoi faire rougir la concurrence asiatique, qui n'aura d'autre choix que de s'ajuster.

FICHE TECHNIQUE

MOTEUR
V6 3,8 l DACT 242 ch à 6000 tr/min
couple: 251 lb-pi à 3500 tr/min
Transmission : automatique à 5 rapports avec mode manuel
0-100 km/h : 9,2 s
Vitesse maximale: 195 km/h
Consommation (100 km): 11,0 l (octane : 87)

Sécurité active
freins ABS, répartition électronique de force de freinage, antipatinage (GLS/GLS Cuir), contrôle de stabilité électronique (GLS/GLS Cuir)

Suspension avant/arrière
indépendante

Freins avant/arrière
disques

Direction
à crémaillère, assistée

Pneus
GL et GL Confort : P225/70R16,
GLS et GLS Cuir : P235/60R17

DIMENSIONS
Empattement : 3020 mm
Longueur : 5130 mm
Largeur : 1990 mm
Hauteur : 1760 mm
Poids: 1996 kg
Diamètre de braquage : 12,1 m
Coffre : 912 l, 4007 l (sièges abaissés)
Réservoir de carburant : 80 l
Capacité de remorquage : 1588 kg

2e opinion

Nadine Filion • Côté style, la première fourgonnette d'Hyundai manque d'envergure. Elle se reprend au chapitre de la conduite, avec une tenue de route mature et un puissant V6 de 242 chevaux qui permet le 0-100 km/h en 8,5 secondes – quand même ! L'Entourage en version GLS est l'une des mieux équipées du marché, avec les Toyota Sienna et Honda Odyssey. Il faut cependant y mettre le prix : plus de 35 000 $. Malgré cela, on n'obtient ni toit ouvrant ni huitième place. M'est avis que la plus sérieuse concurrence ne viendra ni des Japonais avec leur réputation de fiabilité, ni des Américains avec leurs prix coupés, mais bien de la cousine coréenne, la Kia Sedona, qui sera un peu moins chère.

SANTA FE

nouveauté | 25 995 $ à 35 995 $
Transport et préparation : 1345 $

www.hyundaicanada.com

UN EXEMPLE À SUIVRE

– Antoine Joubert

FICHE D'IDENTITÉ

Version(s) : *GL :* 2.7 2RM, 3.3 2RM, 3.3 4RM, Premium 3.3 2RM, Premium Cuir 3.3 2RM, 3.3 Premium 4RM, *GLS :* 3.3 4RM
Roues motrices : avant, 4
Portières : 4
Première génération : 2001
Génération actuelle : 2007
Construction : Ulsan, Corée du Sud
Sacs gonflables : 6, frontaux, lat. av. et rid. lat.
Concurrence : Chevrolet Equinox, Ford Edge, Honda Pilot, Kia Sorento, Mazda CX-7, Mitsubishi Outlander, Nissan Murano, Toyota RAV4

AU QUOTIDIEN

Prime d'assurance :
25 ans : 2200 à 2400 $
40 ans : 1700 à 1900 $
60 ans : 1500 à 1700 $
Collision frontale : nd
Collision latérale : nd
Ventes du modèle l'an dernier
Au Québec : 2986 **Au Canada :** 11 519
Dépréciation (3 ans) : 45,7 %
Rappels (2001 à 2006) : 3
Cote de fiabilité : 4/5

En 2005, Hyundai a semé la controverse en lançant un second véhicule utilitaire compact, le Tucson. À son arrivée, plusieurs le percevaient comme le successeur du Santa Fe, mais Hyundai a, contre toute attente, choisi de conserver ces deux véhicules. Ce choix, fait par un constructeur inexpérimenté en matière de VUS, s'est finalement avéré excellent, puisque Hyundai a écoulé presque autant de Santa Fe que de Tucson. Ainsi, le constructeur a pratiquement réussi à doubler sa présence dans le domaine, lui permettant de devenir un joueur important, avec plus de 23 000 (23 052 pour être exact) utilitaires compacts vendus au Canada en 2005. En combinant les deux modèles, Hyundai se place au deuxième rang des meilleurs vendeurs de VUS compacts, après le Ford Escape par seulement quelques centaines d'unités (23 495 pour être exact).

Au grand bonheur des concessionnaires, la seconde génération du Santa Fe se distingue plus facilement du Tucson par sa motorisation et par ses dimensions, mais reste néanmoins dans une catégorie plus proche des véhicules compacts que des intermédiaires. Ainsi, tandis que le Tucson concurrence le Ford Escape et le Jeep Compass, le Santa Fe se mesure aux plus gros RAV4, Equinox et Outlander. Difficile de s'y retrouver? Peut-être, mais, excepté Jeep qui lance cette année deux nouveaux modèles, aucun autre constructeur n'offre autant de choix et de diversité pour un VUS à moins de 35 000 $.

CARROSSERIE ► Les lignes du premier Santa Fe n'avaient rien de sobres et ne faisaient pas l'unanimité. Le designer en chef, Joel Piaskowski, avait donc la tâche de créer une nouvelle mouture au design moins provocant, qui devait s'apparenter aux autres produits de la marque tout en conservant le caractère de l'ancien modèle. Il fallait également, comme avec la Sonata, concevoir un design plus classique, capable de résister aux années. En l'observant aujourd'hui, force est d'admettre que l'objectif a été atteint. Toutefois, on ne peut s'empêcher

forces
- Qualité générale surprenante
- Habitacle ingénieux et chaleureux
- Véhicule très confortable
- Comportement routier exemplaire
- Rapport équipements/prix imbattable

faiblesses
- Moteur 2,7 litres peu attrayant
- Léger effet de couple (2RM)
- Espace restreint à la troisième rangée

nouveautés en 2007
- Modèle entièrement redessiné

accueillir que de jeunes enfants, puisque le dégagement pour les jambes et la tête est restreint. Comme toujours, Hyundai propose un véhicule dont le rapport équipements/prix est imbattable. Je vous épargnerai ici l'énumération des caractéristiques de série, mais je peux vous assurer que le Santa Fe surclasse sur ce plan tous les RAV4, Equinox et CX-7 de ce monde. Qui plus est, le Santa Fe comporte un nombre étonnant d'éléments de sécurité qui lui permettent de surpasser tous ses rivaux.

de lui trouver plusieurs traits évoquant d'autres modèles, comme le Volkswagen Touareg ou le Subaru B9 Tribeca. En entrevue, M. Piaskowski nous a assuré qu'il s'agit là d'une pure coïncidence, mais nous en doutons.

HABITACLE ▸ La Sonata 2006 fut le premier véhicule Hyundai à posséder un habitacle comparable à celui des meilleures japonaises. Le secret de cette réussite se cache bien sûr dans la meilleure qualité d'assemblage, mais aussi dans les matériaux plus attrayants. De plus, les stylistes ont eu la bonne idée de jouer avec les couleurs pour créer un habitacle à deux tons contrastants. Cette pratique a permis d'éliminer la surabondance de gris pâle déprimant, trop souvent présent dans les voitures asiatiques. Avec le Santa Fe, on a obéi à ce principe et on a ajouté une fausse boiserie très élégante et un éclairage bleu électrique de l'instrumentation, couleur plus invitante que le vert pâle habituel. La planche de bord ergonomique contribue également par son style à faire de l'habitacle un environnement plus chaleureux que par le passé.

À l'avant, les occupants apprécieront le grand confort des sièges et l'espace généreux qui leur est accordé à tous les niveaux. Le même commentaire s'applique à la banquette de deuxième rangée, qui se rabat comme de coutume à la façon 60/40. En revanche, les versions équipées de la troisième rangée de sièges ne peuvent

MÉCANIQUE ▸ Comme son devancier, le Santa Fe propose un grand choix de modèles à deux ou à quatre roues motrices. Pour le différencier davantage du Tucson, on a toutefois éliminé le moteur à quatre cylindres pour ne conserver que deux V6. Le premier, qui n'équipe que la version GL 2RM, est le V6 de 2,7 litres bien connu, auquel s'ajoute cette année le calage variable des soupapes. Ses performances sont somme toute honnêtes, mais n'ont cependant rien à voir avec celles du V6 de 3,3 litres des versions plus huppées. D'une puissance de 242 chevaux, ce dernier moteur fait preuve d'une souplesse et d'une vivacité qu'on apprécie constamment. La puissance est disponible à tous les régimes et le couple généreux permet de se tirer sans effort de toutes les situations, même lorsque le véhicule est lourdement chargé.

La boîte automatique à cinq rapports, bien étagée, qui n'est offerte qu'avec ce V6, effectue pour sa part un boulot superbe, tout en contribuant à diminuer la consommation d'essence. Ainsi, nous avons pu enregistrer des cotes se situant entre 10,6 et 10,9 litres aux 100 km, ce qui constitue une excellente nouvelle par les temps qui courent.

COMPORTEMENT ▸ Le Santa Fe n'est évidemment pas un véhicule conçu pour escalader les montagnes. Toutefois, sa garde au sol

HISTOIRE ▼

Du pur Hyundai !

Dévoilé au Salon de l'auto de Detroit, en janvier 1999, le Hyundai Santa Fe a été le premier utilitaire conçu entièrement par le constructeur sud-coréen Hyundai. Il jouera un rôle primordial dans l'accroissement des ventes de la marque, en Amérique du Nord comme en Europe, en étant mis en évidence de multiples façons : comme plateforme d'essais pour une pile à hydrogène (FCEV) ; en étant modifié selon les tendances du tuning par des spécialistes américains de renom (au SEMA Show de 2003) ; même en l'intégrant au parcs automobiles des corps policiers (comté de Gloucestershire au Royaume-Uni).

Dévoilement du Santa Fe (Detroit 1999)

Santa Fe FCEV 2003

Santa Fe K-Daddy (SEMA 2003)

Santa Fe Modern Image (SEMA 2003)

Santa Fe Streets Concepts (SEMA 2003)

Santa Fe 2004 de la police du comté de Gloustershire (R.-U.)

SANTA FE

GALERIE ▼

1 • La banquette de deuxième rangée se rabat à la façon 60/40 pour libérer plus d'espace pour les bagages.

2 • Il y a même un pratique espace de rangement sous le plancher pour placer des objets à l'abri des regards indiscrets.

3 • Avec cette nouvelle génération, le Santa Fe rehausse sensiblement la qualité du produit comme en fait foi le choix des cuirs et la finition de grande qualité.

4 • À l'avant, les occupants ne peuvent qu'apprécier le grand confort des sièges, ainsi que l'espace généreux qui leur est accordé à tous les niveaux. Le même commentaire peut être appliqué à la banquette de deuxième rangée. Par contre, Seuls de jeunes enfants peuvent s'asseoir à la troisième rangée de sièges offerte dans certaines versions.

1

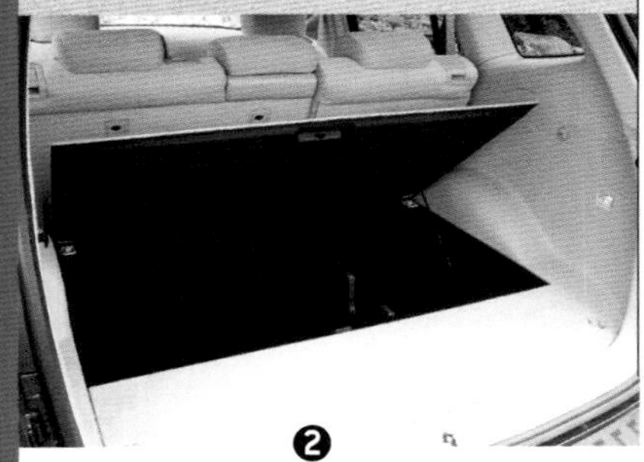

2

3

4

importante et son système de traction intégrale à différentiel central à verrouillage nous permettent de nous sortir honorablement de la plupart des situations gênantes.

Sur la route, le Santa Fe démontre un comportement très neutre. Son excellente stabilité est attribuable à une direction précise, bien assistée, et à une suspension exceptionnellement bien calibrée. Cette dernière permet d'ailleurs de négocier les virages avec beaucoup plus d'ardeur qu'autrefois, sans qu'une prise de roulis prononcée vienne nous donner froid dans le dos. Cependant, ce qui impressionne le plus, c'est certainement la grande douceur de roulement et le haut niveau d'insonorisation. À ce chapitre, le RAV4, l'un des principaux adversaires du Santa Fe, fait pâle figure. En fait, au chapitre du comportement, seul un effet de couple assez important dans les versions à traction vient ternir la fiche presque parfaite du Santa Fe.

CONCLUSION ▶ Plus élégant, plus confortable et plus pratique que jamais, le Santa Fe est un véhicule réussi sur tous les plans. Son format pratique et son prix attractif conviendront certainement à plusieurs familles canadiennes, qui apprécieront aussi sa grande qualité de construction et sa finition. Il ne faut pas oublier que les produits Hyundai sont désormais couverts par une garantie de base supérieure à celle de la majorité des concurrents, et que le taux de satisfaction de la clientèle est en hausse constante. Alors, pendant que certains constructeurs qui se croient encore les maîtres du monde traînent de la patte, et que d'autres, fort réputés, lésinent sur la qualité, Hyundai fait tous les efforts nécessaires pour se hisser au sommet. Le Santa Fe en est la preuve vivante!

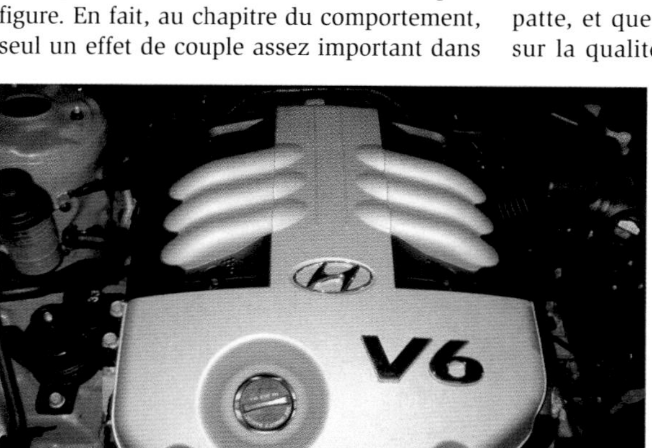

FICHE TECHNIQUE

MOTEURS

(2.7) V6 2,7 l DACT 185 ch à 6000 tr/min
couple : 183 lb-pi à 4000 tr/min
Transmission : manuelle à 5 rapports, automatique à 4 rapports en option
0-100 km/h : man. : 10,2 s, auto. : 10,9 s
Vitesse maximale : 180 km/h
Consommation (100 km) : man. : 10,3 l, auto. : 9,9 l (octane : 87)

(3.3) V6 3,3 l DACT 242 ch à 6000 tr/min
couple : 226 lb-pi à 4500 tr/min
Transmission : automatique à 5 rapports avec mode manuel
0-100 km/h : 2RM : 8,1 s, 4RM : 8,5 s
Vitesse maximale : 200 km/h
Consommation (100 km) : 2RM : 10,5 l, 4RM : 10,9 l (octane : 87)

Sécurité active
freins ABS, répartition électronique de force de freinage, antipatinage, contrôle de stabilité électronique

Suspension avant/arrière
indépendante

Freins avant/arrière
disques

Direction
à crémaillère, assistée

Pneus
GL : P235/70R16, GL Premium et GLS : P235/60R18

DIMENSIONS

Empattement : 2700 mm
Longueur : 4675 mm
Largeur : 1890 mm
Hauteur : 1795 mm
Poids : 1724 kg
Diamètre de braquage : 10,9 m
Coffre : 283 l, 2213 l (sièges abaissés)
Réservoir de carburant : 75 l
Capacité de remorquage : 907 kg

2e opinion

Bertrand Godin • Je peux l'avouer maintenant, je n'ai jamais aimé l'ancien Santa Fe. Ses ailes rondes lui donnaient un air que je n'appréciais pas. Ce qui n'est plus le cas de la nouvelle version, beaucoup plus raffinée et plus moderne. On a réussi à redéfinir le style du Santa Fe tout en lui conservant une allure bien personnelle, que l'on reconnaît au premier coup d'œil. Même son de cloche du côté de la mécanique qui est maintenant plus puissante, et de l'habitacle qui est mieux aménagé. On a considérablement amélioré la conduite du petit utilitaire qui est maintenant plus précise et qui correspond mieux à ce qu'on attend d'un véhicule de ce genre.

SONATA

évolution | 21 995 $ à 28 995 $ |
Transport et préparation : 1345 $

www.hyundaicanada.com

L'ÂGE DE LA MATURITÉ... OU PRESQUE !

– Jean-Pierre Bouchard

FICHE D'IDENTITÉ

Version(s) : GL, GLT, GLS, GL V6, GLS V6,
Roues motrices : avant
Portières : 4
Première génération : 1989
Génération actuelle : 2006
Construction : Asan, Corée du Sud
Sacs gonflables : 6, frontaux, latéraux avant et rideaux latéraux
Concurrence : Buick Allure, Chevrolet Malibu, Chrysler Sebring, Ford Fusion, Honda Accord, Kia Magentis, Mazda6, Mitsubishi Galant, Nissan Altima, Pontiac G6, Saturn Aura, Subaru Legacy, Toyota Camry, VW Passat

AU QUOTIDIEN

Prime d'assurance :
25 ans : 2200 à 2400 $
40 ans : 1500 à 1700 $
60 ans : 1100 à 1300 $
Collision frontale : 5/5
Collision latérale : 5/5
Ventes du modèle l'an dernier
Au Québec : 3161 **Au Canada :** 8175
Dépréciation (3 ans) : 47,6 %
Rappels (2001 à 2006) : 5
Cote de fiabilité : 4/5

La Sonata entame sa deuxième année depuis la refonte qui avait suscité des critiques positives et des comparaisons avec des voitures aussi bien établies que la Honda Accord ou la Toyota Camry. La Sonata serait-elle parvenue à se hisser parmi les grandes?

CARROSSERIE ► Les dessinateurs de la nouvelle génération de Sonata ont opté pour des formes plus nettes, plus contemporaines et plus... similaires à celles de leurs rivales. Cette voiture n'excite peut-être pas les pupilles sur son passage, néanmoins elle est élégante.

HABITACLE ► À bord de la Sonata, les occupants avant bénéficient d'un bon dégagement pour les jambes, mais la présence éventuelle du toit ouvrant limite la place pour la tête, spécialement chez les gens de grande taille. Le conducteur dispose d'une bonne position de conduite, d'une instrumentation claire et de commandes bien placées et faciles à utiliser. L'ensemble est simple et efficace. En règle générale, l'insonorisation est bonne, mais on entend des bruits de route sur chaussées rugueuses. Les baquets avant sont munis d'appuie-tête aisément ajustables qui améliorent la sécurité, par contre on devrait changer l'emplacement du levier de réglage du soutien lombaire du siège du conducteur, qui oblige celui-ci à se tordre le bras gauche pour l'atteindre. À l'arrière, la banquette est confortable et le dégagement pour les jambes, généreux, mais la place centrale ne dispose d'aucun appuie-tête. La bonne contenance du coffre peut être augmentée en rabattant le dossier de la banquette 60/40. Chaque portion de banquette est munie d'un verrou qui interdit l'accès au coffre depuis l'habitacle. Une bonne idée qui oblige toutefois l'utilisateur à s'engouffrer dans le coffre pour déverrouiller les banquettes. Les personnes de petite taille trouveront sans doute la manœuvre déplaisante.

forces

- Groupes motopropulseurs
- Équipements de série
- Confort de roulement
- Tandem quatre cylindres et boîte automatique

faiblesses

- Freins ABS optionnels dans la GL de base
- Pas d'appuie-tête à la place centrale arrière
- Dégagement réduit pour la tête des gens de grande taille (toit ouvrant)
- Valeur de revente

nouveautés en 2007

- Nouvelle version GLS à moteur 4 cylindres

COMPORTEMENT ► Le réglage des suspensions d'une intermédiaire constitue toujours un défi pour les ingénieurs qui doivent satisfaire les uns sans indisposer les autres. De ce fait, on atteint rarement l'équilibre. La Sonata s'en tire toutefois bien quant au confort de roulement et à la tenue de route. La suspension absorbe bien les inégalités normales de la route, la direction est rapide, et les freins à disques aux quatre roues sont efficaces. Les freins antiblocages sont malheureusement optionnels dans la version GL à moteur quatre cylindres.

MÉCANIQUE ► La Sonata comporte un moteur quatre cylindres de 2,4 litres de 162 chevaux ou un V6 de 3,3 litres de 234 chevaux. Le quatre cylindres est associé de série à une boîte manuelle à cinq rapports ou, en option, à une boîte automatique à quatre rapports. Le V6 compte sur une boîte automatique à cinq rapports. Le 2,4 litres effectue un bon travail dans la plupart des situations. Les accélérations et les reprises sont satisfaisantes et ce moteur s'active avec souplesse et discrétion, sauf en forte accélération, mais il se montre raisonnable au moment de faire le plein. La boîte automatique dispose de rapports bien étagés, dont les passages s'effectuent en douceur. Le V6 affiche un tempérament plus nerveux et fait preuve d'une plus grande onctuosité.

CONCLUSION ► Aujourd'hui, la firme coréenne dispose d'une intermédiaire qui, pour un prix compressé, possède plusieurs atouts, dont une cote de sécurité cinq étoiles, la plus élevée de la NHTSA (États-Unis). De plus, la Sonata est soutenue par une garantie étendue d'un pare-chocs à l'autre. La seule ombre au tableau concerne la valeur de revente, plus faible que chez les concurrentes nippones.

FICHE TECHNIQUE

MOTEURS

(GL et GLS) L4 2,4 l DACT 162 ch à 5800 tr/min
couple: 164 lb-pi à 4250 tr/min
Transmission : manuelle à 5 rapports, automatique à 4 rapports en option (de série dans GLT)
0-100 km/h : 9,4 s
Vitesse maximale: 185 km/h
Consommation (100 km) : man. : 8,0 l, auto. : 8,2 l (octane : 87)

(GL V6 et GLS V6) V6 3,3 l DACT 234 ch à 6000 tr/min
couple: 226 lb-pi à 3500 tr/min
Transmission : automatique à 5 rapports avec mode manuel
0-100 km/h : 7,5 s
Vitesse maximale: 225 km/h
Consommation (100 km) : 9,4 l (octane : 87)

Sécurité active
freins ABS et répartition électronique de force de freinage (option dans GL), antipatinage et contrôle de stabilité électronique (GLS V6)

Suspension avant/arrière
indépendante

Freins avant/arrière
disques

Direction
à crémaillère, assistée

Pneus
GL, GLS et GL V6 : P215/60R16,
GLS V6 : P225/50R17

DIMENSIONS

Empattement : 2730 mm
Longueur : 4800 mm
Largeur : 1832 mm
Hauteur : 1475 mm
Poids: L4 man. : 1476 kg, L4 auto. : 1481 kg, V6 : 1569 kg
Diamètre de braquage : 10,9 m
Coffre : 462 l
Réservoir de carburant : 67 l

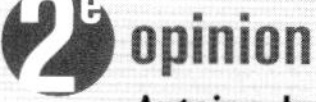

opinion

Antoine Joubert • J'avoue être déçu du design trop conservateur de la Sonata, surtout de la part d'un constructeur qui a prouvé à maintes reprises qu'il est capable d'audace. Toutefois, le reste de la voiture est une totale réussite. D'une finition sans reproches, l'habitacle est spacieux, sobre et bien aménagé. Sur la route, on remarque désormais un raffinement nouveau chez ce constructeur. Les deux groupes motopropulseurs sont agréables et technologiquement à jour, alors que le comportement général a de quoi surprendre tout le monde. Mais, le plus beau, c'est que, malgré toutes ces améliorations, la voiture est toujours aussi alléchante en matière de prix. Donc, acheteurs de Camry, ouvrez vos œillères et allez voir la Sonata.

TIBURON

évolution | 20 675 $ à 28 475 $
Transport et préparation : 1345 $

www.hyundaicanada.com

FICHE D'IDENTITÉ

Version(s) : Base, SE, Tuscani
Roues motrices : avant
Portières : 2
Première génération : 1997
Génération actuelle : 2003
Construction : Ulsan, Corée du Sud
Sacs gonflables : 2, frontaux
Concurrence : Chevrolet Cobalt SS, Honda Civic Si, Mitsubishi Eclipse, Saturn ION Red Line, Volkswagen GTI

AU QUOTIDIEN

Prime d'assurance :
25 ans : 3200 à 3400 $
40 ans : 2200 à 2400 $
60 ans : 1700 à 1900 $
Collision frontale : 5/5
Collision latérale : 4/5
Ventes du modèle l'an dernier
Au Québec : 416 **Au Canada :** 1459
Dépréciation (3 ans) : 44 %
Rappels (2001 à 2006) : 6
Cote de fiabilité : 3/5

SPORTIVE DE SALON

– Bertrand Godin

C'est avec nostalgie que j'ai pris le volant de la plus récente version de la Hyundai Tiburon. Nostalgie, parce que cette sportive originaire de Corée subira quelques changements. Il faudra cependant attendre en 2007 avant de prendre en main le nouveau modèle et j'ai dû me contenter des informations provenant du Salon de Guangzhou (Shanghai), en Chine, pour apercevoir la nouvelle silhouette de la voiture.

CARROSSERIE ▶ On parle ici de quelques retouches, dont les plus flagrantes concernent la face avant qui perd au passage un peu de sa carrure. Les lignes sont plus classiques et le pare-chocs, moins agressif. À l'arrière, les modifications sont moindres ; les deux sorties d'échappement sont à présent ovales et chromées. La vraie surprise, nous l'aurons à l'été 2007, quand Hyundai nous présentera une version décapotable. Quand je l'ai vue la première fois, cela m'a fait penser à mon voisin qui vit continuellement avec une casquette sur la tête. Quand je le vois par hasard sans son couvre-chef, c'est à peine si je le reconnais. C'est lui, mais sous un autre jour, comme la Tiburon décapotable : un look différent, mais dans une robe très semblable.

HABITACLE ▶ L'intérieur est celui d'une pure sportive : la position de conduite de base est correcte et le siège ne comporte que des ajustements manuels. Ils nous permettent quand même de trouver une position de conduite confortable, si notre taille n'est pas au-dessus de la moyenne. Le volant n'est ajustable qu'en hauteur et n'est pas télescopique, ce qui est dommage : c'est là un détail fort apprécié dans les voitures sport. Le tableau de bord est sympathique et se marie bien au style sportif. Si l'espace pour les passagers à l'avant est assez généreux pour une voiture de cette catégorie, les malheureux qui prendront place à l'arrière auront une tout autre opinion. Si jamais vous ne voulez plus que votre belle-mère vous adresse la parole,

forces
- Direction précise
- Habitacle spacieux
- Style réussi

faiblesses
- Espace arrière réduit
- Insonorisation
- Freinage pas assez efficace
- Le moteur pourrait être plus puissant

nouveautés en 2007
- Modèle partiellement redessiné plus tard dans l'année

TIBURON

invitez-la à s'asseoir à l'arrière. Elle se frappera assurément la tête contre la lunette et ne le vous pardonnera jamais. Parmi les défauts de ce petit coupé sport, soulignons l'insonorisation, qui est à améliorer, et les bruits des pneus et du moteur qui sont envahissants.

MÉCANIQUE ▶ Les changements de 2007 sont d'abord esthétiques, puisqu'on retrouve encore un bloc 2,0 litres de 138 chevaux couplé à une boîte manuelle à cinq rapports, et un bloc de 2,7 litres V6 de 172 chevaux associé à une boîte à six rapports. Ces chiffres, qui ont peu changé depuis l'année dernière, ne sont que la répétition de ce qu'on retrouve déjà dans les versions de base et Tuscani de la Tiburon. Même son de cloche du côté du châssis qui n'a pas été modifié du tout. Les dessinateurs coréens n'ont fait que redessiner la coquille, sans transmettre un peu plus de tempérament sportif au véhicule, ce qui est bien dommage et devrait lui nuire face à la concurrence qui devient de plus en plus puissante et performante.

COMPORTEMENT ▶ Heureusement, sur la route, la Tiburon n'est pas vilaine. Comme pilote, j'ai tendance à pousser toutes les voitures à leurs limites, et à ma grande surprise celles de la Tiburon sont plus éloignées que je ne le pensais. Il n'est pas question de s'aventurer avec la coréenne sur un circuit, mais malgré tout elle se laisse conduire sur les routes et procure des sensations intéressantes. La direction sensible permet aux pilotes en herbe de mener adéquatement leur bolide. Le freinage aurait cependant avantage à être revu pour fournir un peu plus de puissance quand, dans une courbe serrée, il faut sauter sur les freins avec insistance.

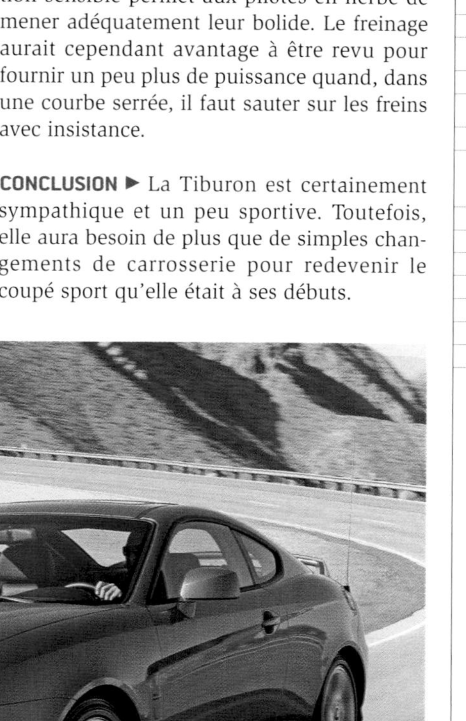

CONCLUSION ▶ La Tiburon est certainement sympathique et un peu sportive. Toutefois, elle aura besoin de plus que de simples changements de carrosserie pour redevenir le coupé sport qu'elle était à ses débuts.

FICHE TECHNIQUE

MOTEURS

(Base et SE) L4 2,0 l DACT 138 ch à 6000 tr/min
couple : 136 lb-pi à 4500 tr/min
Transmission : manuelle à 5 rapports, auto. à 4 rapports avec mode manuel (option)
0-100 km/h : 8,6 s
Vitesse maximale : 205 km/h
Consommation (100 km) : man. : 8,6 l, auto. : 8,9 l (octane : 87)

(Tuscani) V6 2,7 l DACT 172 ch à 6000 tr/min
couple : 181 lb-pi à 4000 tr/min
Transmission : manuelle à 6 rapports, auto. à 4 rapports avec mode manuel (option)
0-100 km/h : 7,7 s
Vitesse maximale : 220 km/h
Consommation (100 km) : man. : 10,6 l, auto. : 10,2 l (octane : 87)

Sécurité active
freins ABS et antipatinage (Tuscani)

Suspension avant/arrière
indépendante

Freins avant/arrière
disques

Direction
à crémaillère, assistée

Pneus
Base et SE : P205/55R16, Tuscani : P215/45R17

DIMENSIONS
Empattement : 2530 mm
Longueur : 4395 mm
Largeur : 1760 mm
Hauteur : 1330 mm
Poids : Base et SE : 1280 kg, Tuscani : 1333 kg
Diamètre de braquage : 10,9 m
Coffre : 418 l
Réservoir de carburant : 55 l

2e opinion

Carl Nadeau • Autant je peux avoir du plaisir à conduire des petits coupés sport, autant je peux m'ennuyer au volant d'une Tiburon. Les mécaniques proposées manquent de piquant et nous laissent sur notre appétit. Le châssis est bien construit, les freins sont assez efficaces et l'allure générale, plutôt réussie, mais pourtant la Tiburon est bien loin de concurrents tels que la Civic Si et la Volkswagen GTI. Je pense qu'on achète cette voiture pour une simple question d'image, pour sa pseudo-ressemblance avec une Ferrari 575M, mais l'apparence de performance n'a rien à voir avec ses capacités réelles. Elle reste une bonne voiture, supportée par une excellente garantie, mais vivement la prochaine génération !

TUCSON

évolution | 21 195 $ à 30 795 $ |
Transport et préparation : 1545 $

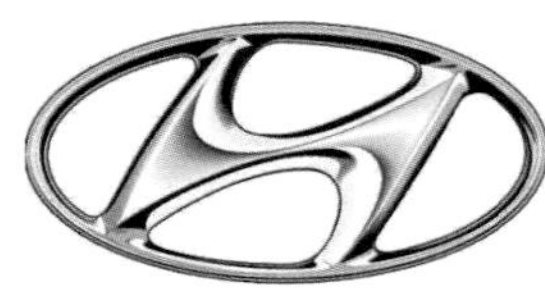

www.hyundaicanada.com

FICHE D'IDENTITÉ

Version(s) : GL, GL V6, GL TI, GL V6 TI, GLS V6 TI
Roues motrices : avant, 4RM
Portières : 4
Première génération : 2005
Génération actuelle : 2005
Construction : Ulsan, Corée du Sud
Sacs gonflables : 2, frontaux
Concurrence : Chevrolet Equinox, Ford Escape, Honda CR-V, Jeep Liberty, Kia Sportage, Mitsubishi Outlander, Nissan X-Trail, Pontiac Torrent, Saturn VUE, Subaru Forester, Suzuki Grand Vitara, Toyota RAV4

AU QUOTIDIEN

Prime d'assurance :
25 ans : 2300 à 2500 $
40 ans : 1500 à 1700 $
60 ans : 1400 à 1600 $
Collision frontale : 5/5
Collision latérale : 5/5
Ventes du modèle l'an dernier
Au Québec : 4150 **Au Canada :** 11 533
Dépréciation (1 an) : 28,8 %
Rappels (2001 à 2006) : 3
Cote de fiabilité : nm

DE L'ÉQUIPEMENT À PRIX D'AMI

– Benoit Charette

Construit sur la base de l'Elantra, le Hyundai Tucson s'inscrit dans la philosophie des utilitaires urbains qui sont plus à l'aise sur le bitume qu'en hors-piste en raison d'une faible garde au sol et du manque de puissance des moteurs pour se sortir de situations délicates.

CARROSSERIE ▶ Extérieurement, le Tucson n'a rien de vraiment surprenant ni d'original par rapport à la concurrence, mais ses lignes, dessinées par le centre de Hyundai à Los Angeles, restent séduisantes et dynamiques.

HABITACLE ▶ Les dimensions de l'habitacle du Tucson sont comparables à celles du Honda CR-V. Adaptable, l'espace de rangement arrière s'agrandit grâce à la banquette arrière et au siège passager avant rabattables. Le tapis arrière s'enlève pour exposer un plancher de plastique solide et facile à nettoyer, doté de points d'attache pour retenir toutes sortes d'objets. Les équipements varient selon la version choisie. Parmi les caractéristiques de série du Tucson, on peut citer les freins à disques aux quatre roues, les jantes en alliage de 16 pouces, le climatiseur, les glaces et les verrous de portière à commandes électriques, les coussins et les rideaux gonflables latéraux et le lecteur CD avec six haut-parleurs. Les freins ABS sont optionnels pour toutes les versions. Le produit est parfaitement fini, mais on doit encore supporter certains bruits éoliens. Heureusement, la mécanique se fait discrète en rythme de croisière.

MÉCANIQUE ▶ Les moteurs constituent le talon d'Achille de ce petit utilitaire. Bien que le quatre cylindres à traction soit disponible pour environ 20 000 $, ce véhicule ne représente que très peu d'intérêt. Incapables de tracter une charge intéressante, les 140 chevaux du quatre cylindres de 2,0 litres peinent sous l'effort. Il faut constamment rétrograder pour obtenir un peu de puissance. C'est comme si vous ajoutiez 300 kilos à une Elantra, avec le même moteur. Le six cylindres de 173 che-

forces
- Rapport prix/qualité intéressant
- Habitacle polyvalent et bien pensé
- Équipements de série étoffés

faiblesses
- Moteur quatre cylindres sans intérêt
- Boîte manuelle récalcitrante
- Bruits de vents à plus de 110 km/h

nouveautés en 2007
- Aucun changement majeur

la version à quatre roues motrices est dotée du système TOD (Torque On Demand; «couple sur demande»). Technique déjà employée chez Kia, ou sous d'autres noms chez d'autres constructeurs (e-4WD chez Mazda, par exemple), le TOD permet de faire varier la répartition du couple entre les roues avant et arrière du véhicule en fonction des situations. Dans les conditions normales, le couple est transmis en majeure partie aux roues avant. Si la configuration de la route l'impose, le système se met en marche et distribue une partie du couple aux roues arrière. Le 4X2 se transforme alors en 4X4.

vaux est le minimum nécessaire, et encore. À un peu plus de 1600 kilos, ce V6 manque de souffle sur les chemins vallonnés et ne permet qu'une maigre capacité de remorquage de 907 kilos, ce qui est peu pour un six cylindres.

COMPORTEMENT ▶ Le Tucson a beau avoir l'habitabilité, la transmission intégrale et le style d'un utilitaire, son comportement routier se rapproche davantage de celui d'une berline. C'est sur l'autoroute qu'il est le plus à l'aise. Sa suspension, issue de la berline Elantra, y est efficace et donne une bonne sensation de confort. Sur les routes aux virages serrés, le nouveau Hyundai conserve son bon comportement: sa direction se révèle agréable et directe. Elle garde le cap, même quand le vent souffle. Dépourvue de boîte de transfert,

CONCLUSION ▶ Le Tucson est un véhicule bien fini, qui propose un équipement généreux et des performances correctes avec le V6. Mais sachez qu'il s'agit d'une citadine déguisée en utilitaire, rien de plus. À mon avis, le quatre cylindres existe uniquement pour être en mesure de proposer le véhicule à meilleur prix. Si les mots «plaisir de conduire» et «performance» ne figurent pas parmi vos priorités, vous ne vous en formaliserez pas. Sinon, optez pour le V6.

FICHE TECHNIQUE

MOTEURS

(GL) L4 2,0 l DACT 138 ch à 6000 tr/min
couple: 136 lb-pi à 4500 tr/min
Transmission: manuelle à 5 rapports, automatique à 4 rapports en option
0-100 km/h: man. 2RM: 12,2 s, man. 4RM: 12,7 s
Vitesse maximale: 170 km/h
Consommation (100 km): man. 2RM: 9,3 l, auto. 2RM: 9,4 l, man 4RM: 9,7 l (octane: 87)

(GL V6 et GLS V6) V6 2,7 l DACT 173 ch à 6000 tr/min
couple: 178 lb-pi à 4000 tr/min
Transmission: automatique à 4 rapports avec mode manuel
0-100 km/h: 10,8 s
Vitesse maximale: 180 km/h
Consommation (100 km): 2RM: 10,2 l, 4RM: 10,6 l (octane: 87)

Sécurité active
freins ABS, antipatinage, contrôle de stabilité électronique

Suspension avant/arrière
indépendante

Freins avant/arrière
disques

Direction
à crémaillère, assistée

Pneus
GL: P215/65R16, GLS: P235/60R16

DIMENSIONS

Empattement: 2630 mm
Longueur: 4325 mm
Largeur: L4: 1795 mm, V6: 1830 mm
Hauteur: 1730 mm
Poids: GL 2RM: 1470 kg, GL 4RM: 1554 kg, GL V6 2RM: 1529 kg, GL et GLS V6 4RM: 1609 kg
Diamètre de braquage: 10,8 m
Coffre: 644 l, 1856 l (sièges abaissés)
Réservoir de carburant: 58 l, V6: 65 l
Capacité de remorquage: 907 kg

2e opinion

Nadine Filion • Le Hyundai Tucson est actuellement l'utilitaire le moins dispendieux du marché. Il a beau demander moins de 20 000 $ en version de base, il vient de série avec tout ce qu'il faut: freins ABS et système de stabilité, rétroviseurs chauffants et groupe électrique. Il se montre très polyvalent, côté offre: quatre cylindres ou V6, boîte manuelle ou automatique, deux ou quatre roues motrices. Très maniable, il se pilote comme un petit «kart» et offre au conducteur une bonne visibilité aux quatre coins. Les moteurs sont souples et les accélérations suffisantesƐ avec le V6. L'habitacle est bien aménagé et les rangements, fonctionnels. Il ne manque que les rideaux gonflables et l'ajustement électrique des sièges, pas même offerts en option.

FX35 / 45

évolution | 54 500 $ à 69 000 $ |
Transport et préparation : 1577 $

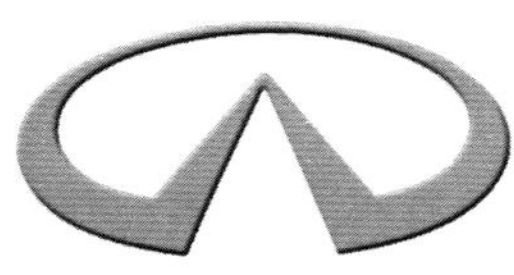

www.infiniti.ca

LE FRANKENSTEIN DE LA CIRCULATION

– Antoine Joubert

FICHE D'IDENTITÉ

Version(s) : 35, 45
Roues motrices : 4
Portières : 4
Première génération : 2003
Génération actuelle : 2003
Construction : Tochigi, Japon
Sacs gonflables : 6, frontaux, latéraux avant et rideaux latéraux
Concurrence : Acura MDX, Audi Q7, BMW X5, Buick Rainier, Cadillac SRX, Jeep Grand Cherokee, Land Rover LR3, Lexus RX, Mercedes-Benz Classe M, Porsche Cayenne, Saab 9[7X], Volkswagen Touareg, Volvo XC90

AU QUOTIDIEN

Prime d'assurance :
25 ans : 3500 à 3700 $
40 ans : 2100 à 2300 $
60 ans : 1900 à 2100 $
Collision frontale : 5/5
Collision latérale : 5/5
Ventes du modèle l'an dernier
Au Québec : 318 **Au Canada :** 1454
Dépréciation (3 ans) : 49,2 %
Rappels (2001 à 2006) : 4
Cote de fiabilité : 4/5

Ceux qui s'intéressent à l'évolution des automobiles savent que la division de luxe de Nissan, Infiniti, compte parmi les marques ayant récemment fait un changement de cap des plus radicaux. Tombée dans l'oubli dans les années 1990, la marque japonaise s'est réveillée au début du XXIe siècle avec de nouvelles créations fort dynamiques, dont l'utilitaire FX, véhicule si singulier qu'on se demande encore dans quelle catégorie le classer.

CARROSSERIE ▶ Pour beaucoup de gens, un VUS incarne leur réussite et leur attitude, mais le FX ajoute à cela l'exotisme et l'anticonformisme. Car, il faut bien l'admettre, ce véhicule est tout simplement le plus original des utilitaires sport de luxe. Sa ligne se distingue notamment par une ceinture de caisse rectiligne et très élevée, par des yeux bridés aux quatre coins et par de larges épaulettes, qui lui donnent son look de culturiste. Sans parler des jantes de 18 ou 20 pouces, de l'immense grille de calandre et des accents de chrome. Quant au pavillon, incliné vers l'arrière, qui s'achève avec un petit becquet, on croirait une casquette portée à l'envers !

HABITACLE ▶ Vous pensez vous procurer un utilitaire pour avoir de l'espace à revendre ? Oubliez le FX ! Son volume de chargement est inférieur à celui d'un utilitaire compact comme le Honda CR-V ou le Ford Escape. C'est donc dire que pour avoir droit à ce look, il faut y sacrifier l'espace intérieur. Malgré cela, l'habitacle du FX regorge d'originalité et d'innovations technologiques. On trouve sur la planche de bord au look audacieux une instrumentation à éclairage électroluminescent du plus bel effet.

Les sièges avant aux multiples réglages sont d'un confort exceptionnel malgré leur fermeté, et s'accompagnent d'accoudoirs réglables et coulissants. Toutefois, ce qui impressionne le plus est la pléiade de gadgets

forces
- Allure à couper le souffle
- Excellentes performances
- Comportement sportif
- Bonne qualité de construction

faiblesses
- Espace de chargement restreint
- Consommation importante (FX45)
- Confort moyen sur mauvais revêtement
- Visibilité arrière réduite

nouveautés en 2007
- Nouvelles jantes couleur titane, rétroviseurs extérieurs repliables (FX45)

technologiques: système de divertissement avec lecteur DVD, caméra de rétrovision, régulateur de vitesse intelligent, avertisseur de changement de voie, téléphonie Bluetooth et système de navigation très efficace figurent parmi les options disponibles.

MÉCANIQUE ▶ Pour la frime, Le FX45 propose un V8 de 4,5 litres d'une puissance de 315 chevaux, à la sonorité aussi enivrante que ses performances. Toutefois, on en paye le prix à la pompe, car l'engin consomme 16 litres aux 100 km. Voilà pourquoi le FX35 et son bien connu V6 de 3,5 litres paraît plus approprié. Avec ce dernier, vous aurez droit à des performances presque aussi relevées, tout en consommant environ 20 % moins de carburant. Dans les deux cas, la boîte automatique à cinq rapports effectue un travail sans reproche et contribue aux performances de haut niveau.

COMPORTEMENT ▶ Le FX est un véhicule agile qui ne demande qu'à parcourir les routes asphaltées. Son châssis rigide, sa direction précise et sa suspension sportive lui permettent de négocier les courbes avec témérité, telle une voiture sport. Toutefois, ne vous attendez pas à retrouver le confort d'un Lexus RX, puisque la suspension transmet aux occupants le moindre cahot. Chose certaine, le FX mérite, plus que ses compétiteurs, l'appellation d'utilitaire sport.

CONCLUSION ▶ Le besoin de se démarquer des autres est très important pour l'acheteur d'un utilitaire de luxe. Infiniti l'a compris et propose depuis quatre ans un véhicule qui excelle dans cet art. Et, bonne nouvelle, le FX, en plus d'être original et performant, est fiable et bien construit, ce qui rassurera l'acheteur qui craindrait de se lancer dans l'aventure.

FICHE TECHNIQUE

MOTEURS

(FX35) V6 3,5 l DACT 280 ch à 6200 tr/min
couple: 270 lb-pi à 4800 tr/min
Transmission: automatique à 5 rapports avec mode manuel
0-100 km/h: 7,3 s
Vitesse maximale: 230 km/h
Consommation (100 km): 12,3 l (octane: 91)

(FX45) V8 4,5 l DACT 315 ch à 6400 tr/min
couple: 329 lb-pi à 4000 tr/min
Transmission: automatique à 5 rapports avec mode manuel
0-100 km/h: 6,3 s
Vitesse maximale: 250 km/h
Consommation (100 km): 14,1 l (octane: 91)

Sécurité active
freins ABS, répartition électronique de force de freinage, assistance au freinage, antipatinage, contrôle de stabilité électronique

Suspension avant/arrière
indépendante

Freins avant/arrière
disques/tambours

Direction
à crémaillère, assistée

Pneus
FX35: P265/60R18, FX45: P265/50R20

DIMENSIONS

Empattement: 2850 mm
Longueur: 4803 mm
Largeur: 1925 mm
Hauteur: 1674 mm
Poids: FX35: 1971 kg, FX45: 2057 kg
Diamètre de braquage: 11,8 m
Coffre: 776 l, 1710 l (sièges abaissés)
Réservoir de carburant: 90 l
Capacité de remorquage: 1588 kg

2e opinion

Pascal Boissé • J'aime toujours la ligne de la FX, autant que la première fois où je l'ai vue. Je sais, combiner une voiture sport avec un utilitaire doté d'immenses roues n'est pas la proposition la plus « politically correct » qui soit. Mais au moins, ici, c'est joli à regarder, pas comme un Porsche Cayenne qui est moche comme tout. Que ce soit avec le six ou le huit cylindres, la note de l'échappement est enivrante. L'intérieur est superbe aussi, mais les baquets avant m'ont fait déchanter: malgré les nombreux réglages, je ne suis pas arrivé à trouver une position confortable. Soit ils sont creux comme une cuvette, soit le support lombaire vous frappe comme une pierre dans le bas du dos.

G35

évolution | 39 990 $ à 50 200 $ | Transport et préparation : 1569 $

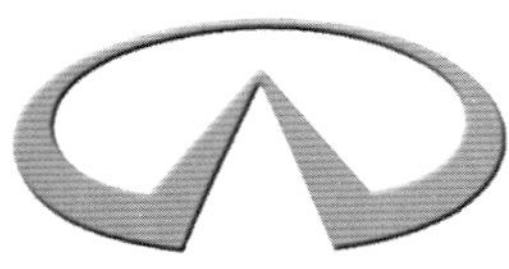

www.infiniti.ca

LA SAUVEUSE...

– Antoine Joubert

FICHE D'IDENTITÉ

Version(s) : berline : Luxury, AWD, Sport, coupé : Premium
Roues motrices : arrière, 4
Portières : 2, 4
Première génération : 2003
Génération actuelle : 2007
Construction : Tochigi, Japon
Sacs gonflables : 6, frontaux, latéraux avant et rideaux latéraux
Concurrence : Acura TL, Audi A4, BMW Série 3, Cadillac CTS, Jaguar X-Type, Lexus IS, Lincoln MKZ, Mercedes-Benz Classe C, Saab 9[3], Volvo S60

AU QUOTIDIEN

Prime d'assurance :
25 ans : 3100 à 3300 $
40 ans : 2000 à 2200 $
60 ans : 1600 à 1800 $
Collision frontale : nd
Collision latérale : nd
Ventes du modèle l'an dernier
Au Québec : 847 **Au Canada :** 4711
Dépréciation (3 ans) : 52,2 %
Rappels (2001 à 2006) : 5
Cote de fiabilité : 4/5

Vous souvenez-vous d'Amati, cette division de luxe de Mazda qui devait voir le jour au milieu des années 1990 ? Eh bien, n'eût été la G35, la division de luxe de Nissan aurait probablement sombré dans l'oubli elle aussi. En effet, il aura fallu plus de dix ans avant qu'Infiniti réussisse à séduire un nombre considérable d'acheteurs grâce à ce modèle. La G35, qui mire directement les coupés et berlines sport allemandes, s'est démarquée par ses lignes, ses performances, son agrément de conduite et son équipement très riche par rapport à son prix. Aujourd'hui, l'heure est au renouvellement, évolutif il va s'en dire, puisque la recette lancée en 2002 semble encore aujourd'hui être la bonne.

CARROSSERIE ► Il faut d'abord savoir que le coupé demeurera inchangé pour encore quelques mois, jusqu'à l'arrivée du nouveau modèle, sans doute au printemps. Le prototype Concept Coupe présenté au dernier Salon de Detroit nous donne une bonne idée de ce à quoi il faut s'attendre, c'est-à-dire un coupé toujours aussi élégant, mais avec un soupçon de raffinement supplémentaire au chapitre des traits. Quant à la berline, elle nous arrivera dès le mois d'octobre, en trois versions. Il y a d'abord la version de luxe, la plus populaire ; puis la version X à la traction intégrale ; et le modèle Sport qui se distinguera notamment par son aileron arrière et ses jupes de bas de caisse. Très belle, la nouvelle berline porte une robe très évolutive, quoique plus fuyante. Le museau, avec ses phares étirés et son capot arrondi, semble mieux fendre l'air et donne à cette berline l'air d'une voiture plus puissante.

HABITACLE ► Comme à l'extérieur, les stylistes ont faire preuve de prudence en redessinant l'habitacle. On y trouve donc toujours une planche de bord élégante et très ergonomique, ornée de cette belle horloge analogique. Bien sûr, on a pris soin, comme pour toutes les nouveautés chez Nissan, d'améliorer con-

forces
- Belle gueule
- Motorisation du tonnerre
- Version à traction intégrale
- Habitacle plus invitant
- Rapport équipements/prix alléchant

faiblesses
- Pas de boîte manuelle avec la traction intégrale
- Espace limité à l'arrière

nouveautés en 2007
- Modèle entièrement redessiné

sidérablement la qualité de finition et celle des matériaux. Aussi, l'éclairage orangé de l'instrumentation a-t-il été délaissé au profit de cadrans à éclairage bleu et blanc, surplombés d'aiguilles rouges (les stylistes sont peut-être des fans du Tricolore!). Ajoutons à cela un environnement légèrement plus spacieux et des sièges plus enveloppants. Côté équipement, Infiniti propose notamment des accessoires tels que la caméra de rétrovision, la radio satellite, la téléphonie Bluetooth et le système de navigation avec vue à vol d'oiseau, des plus agréables.

MÉCANIQUE ▶ Vous ne serez pas surpris d'apprendre que la G35 2007 sera pourvue du V6 VQ35 de 3,5 litres, utilisé dans pas moins de 50 % des modèles de la marque cette année. Légèrement retravaillé, ce moteur permettra à la G35 d'offrir des performances hors du commun en raison d'une puissance se chiffrant à 306 chevaux. D'une sonorité exaltante, il sera accompagné par une boîte automatique à cinq rapports avec mode manuel. La version Sport bénéficiera pour sa part d'une boîte manuelle à six rapports. Dans le modèle à traction intégrale, la G35 utilise un système de type réactif qui peut transférer jusqu'à 50 % de la puissance aux roues avant, en cas de patinage.

COMPORTEMENT ▶ Avec un châssis superbe, une motorisation du tonnerre et des éléments de suspension bien calibrés, la G35 est capable d'en mettre plein la vue. Cette voiture est une authentique berline sport qu'il ne faut pas ridiculiser. Elle peut faire manger la poussière à bien des Audi et BMW, tout en assurant une fiabilité nettement supérieure.

CONCLUSION ▶ La G35 est la voiture à laquelle on doit la survie d'Infiniti, mais aussi l'une des belles créations de Nissan du présent siècle. Je n'hésiterais aucunement à recommander ce modèle à un habitué des allemandes, ce qui n'est pas peu dire.

FICHE TECHNIQUE

MOTEURS

(berline) V6 3,5 l DACT 306 ch à 6800 tr/min
couple : 268 lb-pi à 5200 tr/min
Transmission : Luxury et AWD : automatique à 5 rapports avec mode manuel, Sport : manuelle à 6 rapports
0-100 km/h : man. : 6,2 s, auto. : 6,8 s
Vitesse maximale : 235 km/h
Consommation (100 km) : man. : 10,1 l, auto. : 10,3 l, AWD : 10,6 l (octane : 91)

(coupé) V6 3,5 l DACT 293 ch à 6400 tr/min (auto. : 275 ch à 6200 tr/min)
couple : 258 lb-pi à 4800 tr/min (auto. : 268 lb-pi à 4800 tr/min)
Transmission : manuelle à 6 rapports, auto, à 5 rapports avec mode manuel (option)
0-100 km/h : man. : 6,7 s, auto. : 7,4 s
Vitesse maximale : 230 km/h
Consommation (100 km) : man. : 10,8 l, auto. : 10,3 l, (octane : 91)

Sécurité active
freins ABS, répartition électronique de force de freinage, assistance au freinage, antipatinage, contrôle de stabilité électronique

Suspension avant/arrière
indépendante

Freins avant/arrière
disques

Direction
à crémaillère, assistée

Pneus
berl. : Luxury et AWD : P225/55R17, Sport : P225/50R18 (av.), P245/45R18 (arr.), coupé : P225/50R17 (av.), P235/50R17 (arr.)

DIMENSIONS

Empattement : 2850 mm
Longueur : berl. : 4750 mm, coupé : 4628 mm
Largeur : berl. : 1773 mm, coupé : 1816 mm
Hauteur : berl. : 1453 mm, berl. AWD : 1468 mm, coupé : 1392 mm
Poids : berl. : Luxury : 1587 kg, AWD : 1680 kg, Sport : 1602 kg, coupé : 1594 kg
Diamètre de braquage : berl. : 10,8 m, berl. AWD : 11,0 m, coupé : 11,4 m
Coffre : berl. : 397 l, coupé : 221 l
Réservoir de carburant : 76 l

2e opinion

Benoit Charette • J'aime beaucoup la G35, spécialement la version intégrale qui ne sacrifie rien de sa puissance en ajoutant une tenue remarquable 12 mois par année. Pour 2007, Infiniti nous présente la deuxième génération de cette berline que je situe tout juste derrière la BMW Série 3 pour le plaisir de conduire. La bonne nouvelle c'est qu'elle va offrir cinq versions pour combler tous les goûts. Cette excellente berline en aura encore plus à offrir, j'ai hâte. Et pour être compétitif non seulement sur la route, mais dans l'habitacle, Bose a dessiné un système audio unique et innovateur qui sera le premier à offrir un haut-parleur trois voies dans la porte, ça promet.

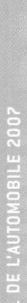

M35 / 45

évolution | 56 400 $ à 73 400 $ |
Transport et préparation : 1695 $

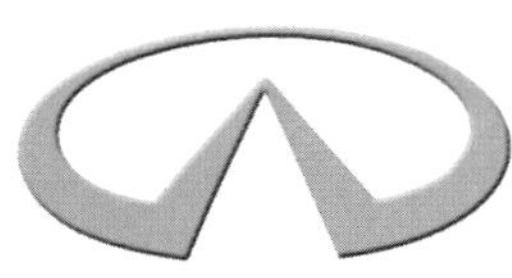

www.infiniti.ca

FICHE D'IDENTITÉ

Version(s) : 35, 35x, 35 Sport, 45, 45 Sport
Roues motrices : arrière, 4
Portières : 4
Première génération : 2003
Génération actuelle : 2006
Construction : Tochigi, Japon
Sacs gonflables : 6, frontaux, latéraux avant et rideaux latéraux
Concurrence : Acura TL, Audi A6, BMW Série 5, Cadillac STS, Jaguar S-Type, Lexus GS, Lincoln MKS, Mercedes-Benz Classe E, Saab 9^5, Volvo S80

AU QUOTIDIEN

Prime d'assurance :
25 ans : 4100 à 4300 $
40 ans : 2400 à 2600 $
60 ans : 2100 à 2300 $
Collision frontale : nd
Collision latérale : nd
Ventes du modèle l'an dernier
Au Québec : 204 **Au Canada :** 1111
Dépréciation (3 ans) : nm
Rappels (2001 à 2006) : 1 (2003)
Cote de fiabilité : nm

LA MUTATION

– Hugues Gonnot

À la seconde exacte où la première M45 avait posé les roues sur le sol nord-américain, elle était déjà totalement dépassée. Autant dire qu'elle faisait un peu tache dans la gamme et que les concessionnaires avaient hâte que la remplaçante arrive. Et, quand celle-ci est arrivée, on y a vu une mutation violente, mais rassurez-vous : elle n'est pas radioactive.

CARROSSERIE ► Il faut dire que sur ce plan, la mutation est un peu timide. Les designers ont voulu rester trop près de l'esprit de la G35 (il s'agit d'ailleurs d'une plateforme allongée de G35) et n'ont pas cherché à aller plus loin. Au moins, c'est élégant, et cela ne semble pas trop déranger les acheteurs, puisque la M. est l'une des voitures les plus vendues de sa catégorie au Canada. Il doit y avoir une raison à cela.

HABITACLE ► Une des causes du succès de la M. est dans son habitacle : en mutant, la nouvelle génération s'est retrouvée à la fine pointe de la technologie. L'équipement, de série ou optionnel, est tout simplement somptueux : clé intelligente ; reconnaissance vocale ; fonctionnalité Bluetooth ; système audio Bose 5.1 Surround à 14 haut-parleurs (308 watts) et à changeur 6 disques au tableau de bord ; navigation par satellite ; caméra de recul ; sièges avant chauffants, ventilés et réglables selon 10 positions ; système vidéo pour les passagers arrière ; sièges arrière inclinables et chauffants ; etc. La liste est longue. Ensuite, le style superbe de la planche de bord et des sièges et la qualité de fabrication et d'assemblage rendent l'intérieur particulièrement accueillant. L'ergonomie demande un peu d'adaptation, comme avec à peu près tous les systèmes multifonctions modernes. On trouve cependant, çà et là, quelques boutons dispersés. La position de conduite idéale est facile à trouver et les sièges soutiennent parfaitement bien, à l'avant comme à l'arrière.

MÉCANIQUE ► La M. est basée sur la plateforme FM de la G35, mais 60 % de ses

forces

- Groupes motopropulseurs très réussis
- Équipements somptueux
- Agrément de conduite de haut niveau
- Finition intérieure superbe
- Prix

faiblesses

- Style un peu passe-partout
- Transmission intégrale aux réactions vives

nouveautés en 2007

- Roues de 18 pouces, 10 positions d'ajustement pour le siège passager avant, nouveaux groupes d'options

éléments lui sont spécifiques. Les motorisations sont connues : VQ35 pour le V6 et VK45 pour le V8. Connues, certes, mais toujours appréciées. Ces moteurs ont du caractère, montent avec plaisir dans les tours et consomment raisonnablement. Le V8 n'apporte pas grand-chose en matière de puissance, mais son couple supérieur rend la conduite encore plus décontractée. Dans tous les cas, la boîte automatique à cinq rapports répond promptement.

La M35 peut recevoir la même transmission intégrale que les G35x et utilitaires sport FX. Baptisée ATTESA E-TS, elle fait appel à un embrayage électromagnétique à commande électronique pour la répartition de la puissance entre les essieux. Dans les conditions normales, 100 % est transféré vers l'arrière, et la M. reste donc une pure propulsion ; alors que dans les conditions de faible adhérence, jusqu'à 50 % du couple peut être envoyé à l'avant. Dans la neige, le système est convaincant, mais il semble réagir un peu trop fortement dans ses transferts et se montre un cran moins efficace qu'un système quattro.

COMPORTEMENT ▶ La G35 a été encensée à travers le monde pour son comportement. Logiquement, la M. est du même acabit. Confortable en vitesse de croisière, elle est incisive dans les virages. Cela dit, la M35 se montrera un peu plus agile que la M45, du fait d'un poids réduit sur l'avant. Ajoutez à tout cela des dispositifs de sécurité tout à fait à la page, mais parfois optionnels : éclairage actif au xénon, système de détection de sortie de voie, rideaux gonflables et ESP.

CONCLUSION ▶ En réponse à une ligne discrète, la M. propose les arguments suivants : moteurs vifs, châssis équilibré, équipement pléthorique. Et le coup de massue est le prix. Infiniti s'est montré particulièrement agressif à ce chapitre. Et ça marche sur le plan des ventes. Le public a déjà oublié la première génération. Une mutation réussie !

FICHE TECHNIQUE

MOTEURS

(M35) V6 3,5 l DACT 275 ch à 6200 tr/min
couple : 268 lb-pi à 4800 tr/min
Transmission : automatique à 5 rapports avec mode manuel
0-100 km/h : 7,2 s
Vitesse maximale : 235 km/h
Consommation (100 km) : M35 : 10,9 l, M35x : 11,3 l (octane : 91)

(M45) V8 4,5 l DACT 325 ch à 6400 tr/min
couple : 336 lb-pi à 4000 tr/min
Transmission : automatique à 5 rapports avec mode manuel
0-100 km/h : 6,0 s
Vitesse maximale : 250 km/h
Consommation (100 km) : 11,5 l (octane : 91)

Sécurité active
freins ABS, répartition électronique de force de freinage, assistance au freinage, antipatinage, contrôle de stabilité électronique

Suspension avant/arrière
indépendante

Freins avant/arrière
disques

Direction
à crémaillère, assistée

Pneus
P245/45R18, M45 Sport : P245/40R19

DIMENSIONS

Empattement : 2900 mm
Longueur : 4900 mm
Largeur : 1798 mm
Hauteur : 1509 mm, M35x : 1524 mm
Poids : M35 : 1764 kg, M35x : 1834 kg, M45 : 1817 kg, M45 Sport : 1829 kg
Diamètre de braquage : 11,2 m, M35x : 11,0 m
Coffre : 422 l
Réservoir de carburant : 76 l

2e opinion

Carl Nadeau • Les séries M sont d'excellentes voitures, luxueuses à souhait, qui offrent une bonne dose d'adrénaline sans négliger le confort. On est loin des appliqués de plastique de bas de gamme qui envahissent malheureusement plusieurs modèles Nissan. Le tableau de bord est esthétique et simple à consulter. Il y a aussi tout un éventail d'innovations technologiques bien pensées, qui ne limitent en rien la conduite inspirée. J'aime bien le régulateur de vitesse intelligent et l'avertisseur de changement de voie qui ramène à l'ordre le conducteur distrait. Souples et performants, les deux moteurs proposés sont excellents malgré leur consommation d'essence un peu élevée.

Q45

évolution | 88 400 $
Transport et préparation : 1645 $

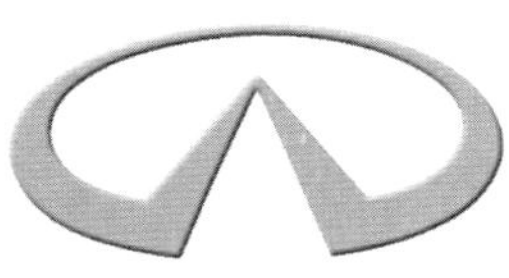

www.infiniti.ca

C'EST FINI

– Benoit Charette

FICHE D'IDENTITÉ

Version(s) : Privilège
Roues motrices : arrière
Portières : 4
Première génération : 1990
Génération actuelle : 2002
Construction : Tochigi, Japon
Sacs gonflables : 6, frontaux, latéraux avant, rideaux latéraux
Concurrence : Acura RL, Audi A8, BMW Série 7, Jaguar XJ8, Lexus LS, Mercedes-Benz Classe S

AU QUOTIDIEN

Prime d'assurance :
25 ans : 4600 à 4800 $
40 ans : 2700 à 2900 $
60 ans : 2300 à 2500 $
Collision frontale : nd
Collision latérale : nd
Ventes du modèle l'an dernier
Au Québec : 5 **Au Canada :** 31
Dépréciation (3 ans) : 53,5 %
Rappels (2001 à 2006) : 2
Cote de fiabilité : nd

J'avais conclu ma chronique de l'an dernier, dans *L'Annuel de l'automobile*, en soulignant que, malgré les efforts de Nissan, l'Infiniti Q45 n'était plus dans le coup. Il fallait complètement repenser le modèle ou l'abolir. Infiniti a choisi la deuxième option et la Q45 ne revient pas en 2007. Nous lui consacrons tout de même ces quelques lignes, car les concessionnaires possèdent encore quelques modèles 2006, si la chose vous intéresse.

CARROSSERIE ▶ Il y a eu trois générations distinctes de Q45. La première est arrivée fin 1989, comme une énigme. Les pubs ne montraient pas la voiture et personne ne connaissait Infiniti à cette époque. Son allure anonyme et surtout sa boucle de ceinture en guise de calandre en ont laissé plusieurs perplexes. La deuxième génération est arrivée en 1997. Malgré des lignes moins tarabiscotées, on sentait que le vaisseau amiral de Nissan n'avait pas encore trouvé son identité. Elle ressemblait encore trop à une grosse Nissan. Finalement, la dernière mouture de 2002 était plus aboutie, certes, mais ses lignes n'avaient rien de noble, ce qui est impardonnable pour une voiture de près de 90000 $. Au fil des générations, la silhouette peu convaincante fut en bonne partie responsable du manque d'intérêt des acheteurs.

HABITACLE ▶ L'intérieur a toujours été richement décoré. Les boiseries, spécialement celles de la dernière génération, proposaient de belles nuances et de jolies couleurs. Malheureusement, le plastique du tableau de bord semblait provenir directement de la Sentra, ce qui est insultant pour une voiture de ce prix. Comme dans toute grande berline, les places arrière sont généreuses et le coffre, large et facilement accessible. Malgré de nombreux ajustements, je n'ai jamais été capable de trouver une position de conduite idéale et le support n'était pas parfait. Sur les routes en lacets, le corps dodeline de gauche à droite. Au centre du tableau de bord se trouve un écran de contrôle inutilement complexe qui est censé répondre à une suite de commandes

forces
- Conduite sportive
- Moteur inspirant
- Finition de qualité (sauf plastique)

faiblesses
- Manque de style (carrosserie)
- Roulis important dans les courbes

nouveautés en 2007
- Aucun changement majeur

vocales pour vous éviter de le manipuler en conduisant. Il faut cependant articuler comme un professeur de diction pour se faire comprendre.

MÉCANIQUE ▶ La Q45 n'a jamais été avare de puissance. À ses débuts, le V8 développait déjà 267 chevaux, quand bien des voitures concurrentes en offraient à peine 200. La dernière génération du V8 de 4,5 litres développait 340 chevaux, couplé à une boîte automatique à cinq rapports complétée par un différentiel arrière autobloquant et par l'antidérapage VDC, avec antipatinage intégré. Ce V8 avait été élaboré à partir du V6 3,5 litres de Nissan. Les gens d'Infiniti avaient aussi ajouté quelques raffinements techniques, comme des soupapes en titane, des culasses modulaires à quatre soupapes par cylindre, un vilebrequin à polissage fin, des pistons allégés et un ventilateur de refroidissement à entraînement hydraulique. Résultat: un moteur d'une souplesse étonnante qui ne laissait jamais sentir sa mauvaise humeur.

COMPORTEMENT ▶ Le moteur n'émet à peine plus qu'un sifflement feutré à vitesse de croisière. Contrairement à Lexus, Jaguar ou Mercedes, qui misent avant tout sur le confort et la complète isolation de la cabine des intrusions de la route, la Q45 a toujours fait une place de choix à une conduite plus sportive. La puissance arrive tôt et de manière un peu brusque si vous ne connaissez pas la voiture. Il faut moins de 7 secondes pour effacer le 0-100 km/h. La direction répond très vite à la moindre sollicitation, ce qui est inhabituel pour une voiture de cette taille. Le seul ingrédient qui a toujours fait défaut à cette belle harmonie est le châssis, qui ne suivait pas les prouesses dont étaient capables le moteur et les suspensions.

CONCLUSION ▶ Les ventes plus que discrètes et la forte concurrence auront finalement eu raison de cette voiture que Nissan a bien tenté de faire aimer, mais sans succès. Aura-t-elle un successeur? Pour le moment, Infiniti a d'autres priorités, mais il leur faudra éventuellement un porte-étendard, alors restez à l'écoute.

FICHE TECHNIQUE

MOTEUR
V8 4,5 l DACT 340 ch à 6400 tr/min
couple : 333 lb-pi à 4000 tr/min
Transmission : automatique à 5 rapports avec mode manuel
0-100 km/h : 6,5 s
Vitesse maximale : 250 km/h
Consommation au 100 km : 11,4 l (octane : 91)

Sécurité active
freins ABS, assistance au freinage, distribution électronique de force de freinage, antipatinage, distribution électronique de force de freinage

Suspension avant/arrière
indépendante

Freins avant/arrière
disques

Direction
à crémaillère, assistée

Pneus
P245/45R18

Dimensions
Empattement : 2870 mm
Longueur : 5100 mm
Largeur : 1844 mm
Hauteur : 1491 mm
Poids : 1744 kg
Diamètre de braquage : 11,0 m
Coffre : 385 l
Réservoir de carburant : 81 l

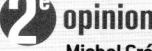

2e opinion

Michel Crépault • Une autre mal-aimée ! Et pourtant, Infiniti touche presque au but, soit prouver aux Nord-Américains qu'il n'y a pas que Lexus, parmi les constructeurs asiatiques, qui puisse assembler une berline de réputation internationale. L'habitacle bardé de gadgets et d'accents luxueux répond présent, bien qu'il y ait encore des matériaux qui déparent l'homogénéité souhaitable. Le V8 fournit la puissance nécessaire, mais peut-être que les baquets trop mous n'incitent pas le conducteur à profiter des muscles mis à sa disposition. La carrosserie n'est certes pas vilaine, même s'il vous serait difficile de me dessiner une Q45 de mémoire. Autrement dit, cette Infiniti a plusieurs qualités, mais aussi un chapelet de bémols à la traîne.

QX56

évolution | 78 200 $

Transport et préparation : 1653 $

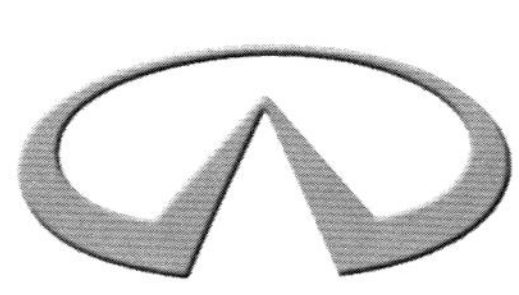

www.infiniti.ca

À LA PÊCHE AUX GROS POISSONS

– **Benoit Charette**

FICHE D'IDENTITÉ

Version(s) : 7 pass., 8 pass.
Roues motrices : 4
Portières : 4
Première génération : 2004
Génération actuelle : 2004
Construction : Canton, Mississippi, É.-U.
Sacs gonflables : 6, frontaux, latéraux avant et rideaux latéraux
Concurrence : Cadillac Escalade, Hummer H2, Land Rover Range Rover, Lexus LX 470, Lincoln Navigator

AU QUOTIDIEN

Prime d'assurance :
25 ans : 3700 à 3900 $
40 ans : 2300 à 2500 $
60 ans : 2000 à 2200 $
Collision frontale : 4/5
Collision latérale : nd
Ventes du modèle l'an dernier
Au Québec : 52 **Au Canada :** 362
Dépréciation (2 ans) : 38,1 %
Rappels (2001 à 2006) : aucun à ce jour
Cote de fiabilité : 2/5

Infiniti a dû examiner les bénéfices engendrés par le Cadillac Escalade et le Lincoln Navigator et se dire qu'elle pouvait elle aussi partir à la conquête des nouveaux riches, ceux qui ont un revenu annuel de plus de 250 000 $ et pour qui la démesure n'a pas de limite. Voisin du Nissan Titan et de l'Armada sur la ligne de montage de Canton, au Mississippi, le QX56 utilise une grande partie des pièces de ces deux véhicules, suivant ainsi une recette éprouvée des constructeurs américains.

CARROSSERIE ► Physiquement, Infiniti ne fait pas dans la dentelle. Sa calandre intimidante, sa taille de mammouth et ses portes surdimensionnées transmettent un message très clair quant aux intentions de l'entreprise. Construit sur le châssis à échelle du Titan, le QX56 pèse 2594 kilos. Infiniti a choisi l'approche à l'américaine en y allant dans la démesure, plutôt que l'approche plus subtile des constructeurs allemands comme Porsche, BMW ou Mercedes.

HABITACLE ► L'intérieur est un mélange de bois, d'aluminium et de... plastique. On sent qu'Infiniti a voulu créer quelque chose de haut de gamme, mais ne semble pas avoir trouvé la marche à suivre. Il est clair que l'inspiration provient de la Q45, avec les mêmes essences de bois, mais il y a une ombre au tableau : le mauvais plastique. Quant au reste, le véhicule aurait pratiquement besoin d'un interphone pour permettre aux passagers avant et arrière de se parler. Pour le transport de marchandises, les deux rangées de sièges arrière peuvent se rabattre pour former un plancher entièrement plat malgré la console de la deuxième rangée. Le volume du coffre atteint alors 2750 litres. Toutefois, avec sept passagers à bord, il ne reste pas beaucoup d'espace dans le coffre.

MÉCANIQUE ► Le seul changement au programme en 2007 est un léger surplus de puissance. Le V8 de 5,6 litres développe à présent 320 chevaux et le couple gagne 5 livres-pied,

forces

- Puissant
- Agréable à conduire
- Très spacieux

faiblesses

- Curieux profil
- Certains détails de finition laissent à désirer
- Dois-je mentionner sa soif de carburant ?

nouveautés en 2007

- Puissance et couple du moteur légèrement augmentés, une nouvelle teinte de carrosserie : saphir pacifique

à 393. Jumelé à une boîte automatique très douce à cinq rapports, le QX56 profite du système de traction à quatre roues motrices développé pour d'autres produits de la famille Nissan-Infiniti, le ATTESA-ETS, qui fait varier la répartition du couple entre les essieux avant et arrière. En plus de proposer un système antipatinage de série, le QX56 est doté d'un système de contrôle dynamique du véhicule qui détecte les dérapages. Pour remettre le véhicule sur le droit chemin, l'ordinateur réduit la puissance du moteur et applique les freins. Le système fonctionne, mais il est lent, probablement en raison de la forte inertie du véhicule. Si l'envie vous prend de faire l'école buissonnière, vous avez droit à une boîte de transfert à deux gammes. Il est à noter que les pneus d'origine (265/70R18) sont conçus pour le bitume et non pour la boue.

COMPORTEMENT ▶ Malgré sa masse imposante, le QX56 est d'une agilité surprenante et facile à conduire, sauf dans les rues étroites. Les 32 kilos supplémentaires de matériaux insonorisants (par rapport à l'Armada) ont permis à Infiniti de concevoir un intérieur plus serein. Lors de mes deux essais au volant, j'ai noté une forte tendance à plonger lors d'arrêts brusques, un sentiment assez désagréable, mais ce n'est pas dangereux. Les freins offrent une performance correcte, mais il est difficile d'être endurant lorsque vous devez immobiliser deux tonnes et demie de métal. Alors, quand vous roulez en file indienne sur l'autoroute, gardez vos distances.

CONCLUSION ▶ Que vous ayez une famille de six enfants ou que vous soyez simplement un amateur de grands espaces, le QX56 suscite peu de critiques, excepté sa morphologie peu invitante à première vue. Très plaisant à conduire, il fait jeu égal avec les meilleurs modèles américains, et ce, jusqu'à la pompe, malheureusement !

FICHE TECHNIQUE

MOTEUR

V8 5,6 l DACT 320 ch à 4900 tr/min
couple : 393 lb-pi à 3600 tr/min
Transmission : automatique à 5 rapports
0-100 km/h : 7,7 s
Vitesse maximale : 180 km/h
Consommation (100 km) : 15,1 l (octane : 87)

Sécurité active
freins ABS, répartition électronique de force de freinage, assistance au freinage, antipatinage, contrôle de stabilité électronique

Suspension avant/arrière
indépendante

Freins avant/arrière
disques

Direction
à crémaillère, assistée

Pneus
P265/70R18

DIMENSIONS

Empattement : 3130 mm
Longueur : 5255 mm
Largeur : 2002 mm
Hauteur : 1998 mm
Poids : 2594 kg
Diamètre de braquage : 12,5 m
Coffre : 566 l, 2750 l (sièges abaissés)
Réservoir de carburant : 106 l
Capacité de remorquage : 3992 kg

opinion

Antoine Joubert • En partant du principe qu'il n'y a rien de trop gros pour le marché américain, Nissan a mis au point l'Armada. Et comme les constructeurs ont des versions de luxe de tous leurs gros jouets, le QX56 a suivi. Quand le souci d'encombrement n'est pas au programme, la fluidité des lignes devient secondaire. Ce réfrigérateur sur roues fait deux mètres de large et se distingue par habitacle largement supérieur à la moyenne et son propre code postal. Comme tout véhicule haut de gamme qui se respecte, les dernières « bébelles » s'y retrouvent, DVD, système audio Bose et la musique du gros V8 que votre pompiste entend arriver chez lui avec un énorme sourire.

S-TYPE

évolution | 64 295 $ à 90 395 $ |
Transport (préparation en sus): 995 $

www.jaguar.ca

FICHE D'IDENTITÉ

Version(s) : 3,0, 4,2, R
Roues motrices : arrière
Portières : 4
Première génération : 2000
Génération actuelle : 2000
Construction : Birmingham, Angleterre
Sacs gonflables : 6, frontaux, latéraux avant et rideaux latéraux
Concurrence : Acura RL, Audi A6, BMW Série 5, Cadillac STS, Infiniti M, Lexus GS, Lincoln MKS, Saab 9[5], Volvo S80

AU QUOTIDIEN

Prime d'assurance :
25 ans : 4000 à 4200 $
40 ans : 2800 à 3000 $
60 ans : 2300 à 2500 $
Collision frontale : nd
Collision latérale : 4/5
Ventes du modèle l'an dernier
Au Québec : 53 **Au Canada :** 281
Dépréciation (3 ans) : 62,1 %
Rappels (2001 à 2006) : 5
Cote de fiabilité : 1/5

ALOURDI, ASSOUPI, ENDORMI...

– **Michel Crépault**

Le fameux chat se complaît au coin du feu. Une autre flamme danse encore derrière ses paupières, mais celles-ci sont mi-closes. Une souris passe, il la regarde à peine. Son maître lui apporte un bol de lait frais et le voilà qui s'anime un peu. Ford a justement annoncé que sa division féline aurait droit à quelques bonheurs supplémentaires en 2007. De quoi peut-être gratifier le bel animal de nouvelles caresses, jusqu'à ce qu'il se rendorme, faute d'attentions. À moins qu'il ne change de domicile, c'est-à-dire de maître...

CARROSSERIE ▸ La silhouette continue de respirer l'élégance, malgré l'âge. Mais la stratégie de l'immobilisme, ponctuée de légères gymnastiques esthétiques au fil des ans, n'est peut-être pas la meilleure quand des marques à l'héritage moins glorieux en profitent pour fondre des carrosseries qui ressemblent justement à celle du gros chat. L'imitation est une forme de flatterie, mais un leader doit distancer ses rivaux en se vautrant dans l'avant-garde, et non dans le passé. La Type R se reconnaît à son pare-chocs, à sa prise d'air, à ses échappements en acier inoxydable et à son aileron intégré. La «grosse» nouvelle pour 2007: un ensemble SV8 qui vaut à la R quelques taches de chrome.

HABITACLE ▸ Pendant que la R s'enorgueillit du kit SV8, la liste des équipements de série des deux autres modèles se bonifie. Par exemple, la 4,2 comprend désormais un système de navigation, un cuir spécial et la technologie Bluetooth (des faveurs accordées à la R l'an dernier). Du côté de la 3,0, on ajoute des sièges avant chauffants améliorés (toujours en cuir), du noyer, des essuie-glaces intelligents (ils détectent la pluie et s'activent). Même stratégie: ce qui était l'an dernier l'ensemble Premium est dorénavant de série. Rendons au chat des griffes qu'il n'a jamais perdues, à savoir son art de marier le cuir et le bois. C'est dodu, c'est confortable, c'est un style encore unique. Une plus grande exclusivité a d'ailleurs été conçue

forces

- Silhouette altière qui vieillit bien
- Habitacle au cachet particulier
- Moteurs pour toutes les bourses

faiblesses

- Comportement un brin erratique
- Pauvre dégagement à la banquette
- Vision et marketing déficients

nouveautés en 2007

- Introduction de l'ensemble SV8 pour le modèle R qui comprend un cuir et du bois distinctifs, un régulateur de vitesse intelligent et des accents de chrome à l'extérieur, liste allongée de l'équipement de série pour les modèles 3,0 et 4,2.

300 chevaux. Pas assez? Le 4,2 en version suralimentée ajoute rien de moins que 100 chevaux. Trois moulins, tous couplés à une boîte automatique ZF à six rapports. Les aides électroniques habituelles (traction, stabilité et dosage de la force de freinage) sont au rendez-vous.

COMPORTEMENT ▶ Ces chats sont encore pétants de santé. Même avec le V6, les roues arrière de 17 pouces produisent une bonne poussée. Les 18 pouces de la R accompagnent un chant qui frise le rugissement. Il y a seulement un manque de communication entre les éléments mécaniques et la cabine ornée de cuir et de bois. Il n'y a rien de direct ou de complice avec la S-Type. Elle en fait à sa tête. Difficile par contre de ne pas trouver une position de conduite agréable, puisque le volant, le siège, le pédalier et les rétroviseurs sont ajustables électriquement. Et une fois ces réglages trouvés, on les enregistre tous en mémoire.

CONCLUSION ▶ Le feu crépite, on attend la suite. Les quelques amateurs qui restent se sentiront-ils attendris devant ce chat racé mais qui a peut-être rendez-vous avec la SPCA, faute de soins réels?

pour la R SV8 qui a droit à un grain de cuir différent, à des boiseries distinctes et, notez bien, à un régulateur de vitesse intelligent comme les essuie-glaces (sauf qu'il ne détecte pas la pluie, lui, mais plutôt les distances dangereuses entre votre véhicule et celui qui vous précède). Par rapport à la 3,0, la 4,2 ajoute des joliesses comme la navigation, les phares au xénon, le store mécanisé pour la lunette et une cartouche de six CD qui persiste malheureusement à se cacher dans le coffre à bagages. Quant au modèle R, il continue de faire le beau avec notamment des sièges, un volant et un pommeau arborant un pelage spécial.

MÉCANIQUE ▶ Un animal, trois ronronnements. D'abord le V6 de 3,0 litres qui fournit 235 chevaux. Puis le V8 de 4,2 litres, bon pour

FICHE TECHNIQUE

MOTEURS

(3.0) V6 3,0 l DACT 235 ch à 6800 tr/min
couple : 216 lb-pi à 3000 tr/min
Transmission : automatique à 6 rapports avec mode manuel
0-100 km/h : 7,9 s
Vitesse maximale : 195 km/h
Consommation (100 km) : 8,9 l (octane : 87)

(4.2) V8 4,2 l DACT 300 ch à 6000 tr/min
couple : 310 lb-pi à 4100 tr/min
Transmission : automatique à 6 rapports avec mode manuel
0-100 km/h : 6,5 s
Vitesse maximale : 195 km/h
Consommation (100 km) : 9,4 l (octane : 91)

(R) V8 4,2 l suralimenté DACT 400 ch à 6100 tr/min
couple : 413 lb-pi à 3500 tr/min
Transmission : automatique à 6 rapports avec mode manuel
0-100 km/h : 5,6 s
Vitesse maximale : 249 km/h
Consommation (100 km) : 10,2 l (octane : 91)

Sécurité active
freins ABS, répartition électronique de force de freinage, assistance au freinage, antipatinage, contrôle de stabilité électronique

Suspension avant/arrière
indépendante

Freins avant/arrière
disques

Direction
à crémaillère, assistée

Pneus
3.0 et 4.2 : P235/50R17, R : P275/35R18

DIMENSIONS

Empattement : 2908 mm
Longueur : 4904 mm
Largeur : 2059 mm (avec rétroviseurs)
Hauteur : 1447 mm
Poids : 3.0 : 1708 kg, 4.2 : 1751 kg, R : 1843 kg
Diamètre de braquage : 11,2 m
Coffre : 399 l
Réservoir de carburant : 70 l

opinion

Benoit Charette • Dotée d'une esthétique plaisante et d'un habitacle raffiné, la S-Type a corrigé ses défauts de jeunesse au fil des ans et elle est devenue un véhicule digne de la marque Jaguar. On pourrait toutefois lui reprocher des places arrière et un coffre un peu étroits. Au chapitre de la conduite, le six cylindres accomplit un travail honnête, mais l'onctueux V8 mérite le détour. La boîte automatique à six rapports convient tout à fait au caractère aristocratique de cette voiture que l'on achète pour le confort avant les performances et qui possède toujours ce charme que Jaguar a su transmettre de génération en génération. Dommage que la version diesel soit réservée à l'Europe.

évolution | 87 500 $ à 105 000 $
Transport (préparation en sus) : 995 $

www.jaguar.ca

LA CLASSE, SANS FIORITURES

– Benoit Charette

FICHE D'IDENTITÉ

Version(s) : XJ8, XJ8L Vanden Plas, XJR, Super V8
Roues motrices : arrière
Portières : 4
Première génération : 1968
Génération actuelle : 2004
Construction : Coventry, Angleterre
Sacs gonflables : 6, frontaux, latéraux avant, rideaux latéraux
Concurrence : Audi A8, BMW Série 7, Infiniti Q45, Lexus LS 460, Maserati Quattroporte, Mercedes-Benz Classe S

AU QUOTIDIEN

Prime d'assurance :
25 ans : 4900 à 5100 $
40 ans : 3100 à 3300 $
60 ans : 2400 à 2600 $
Collision frontale : 5/5
Collision latérale : 5/5
Ventes du modèle l'an dernier
Au Québec : 39 **Au Canada :** 250
Dépréciation (3 ans) : 59,3 %
Rappels (2001 à 2006) : 2
Cote de fiabilité : 2/5

C'est lors d'un voyage d'affaires en Angleterre que j'ai pris la mesure de la Jaguar XJ Vanden Plas à empattement allongé. Avec la conduite à droite et un système de navigation d'une redoutable efficacité, je me suis senti comme un Britannique dans son île, au volant de la plus anglaise des berlines de luxe.

CARROSSERIE ▶ Après quelques retouches l'an dernier, dont l'installation de nouveaux clignotants latéraux et de verre acoustique qui réduit à néant les bruits dans l'habitacle, il semble que rien de majeur ne soit au programme pour 2007. Difficile de modifier un classique qui a à peu près conservé les proportions du modèle d'origine de 1968. Il faudra toutefois que Jaguar s'attaque un jour à cette difficile tâche car, malgré une allure encore désirable, beaucoup de clients se tournent vers de grandes berlines aux lignes plus modernes.

HABITACLE ▶ Je dois féliciter Jaguar qui a su allier convivialité, modernisme et tradition dans l'habitacle. D'abord la tradition : un espace intérieur unique qui sent bon le cuir fin et le bois laqué. Ensuite, le modernisme : un écran tactile de 17,5 centimètres qui rassemble toutes les fonctions vitales de la voiture. L'apprentissage en est simple et l'utilisation, intuitive. En outre, le système de navigation m'a guidé partout en Angleterre sans jamais me faire faux bond. Ai-je besoin de souligner le très haut niveau de confort des sièges, la finition irréprochable et un silence princier qui vous oblige à consulter souvent l'indicateur de vitesse ? Car, avec le ronronnement tranquille du moteur qui dort à bas régime sur l'autoroute, il est très facile de dépasser les 150 km/h sans s'en rendre compte.

MÉCANIQUE ▶ Il existe seulement deux versions du même moteur V8. D'abord la version atmosphérique de 4,2 litres qui développe 294 chevaux très souples, silencieux, qui savent se faire oublier à vitesse de croisière.

forces

- Silhouette classique, élégante
- Sécurité exceptionnelle
- Coque très rigide
- Performance de haut niveau

faiblesses

- Aluminium difficile à réparer
- Transmission intégrale non disponible
- Coffre au volume insuffisant

nouveautés en 2007

- Technologie sans fil Bluetooth disponible, rehaussement du tableau de bord (XJR), ajout de chrome à l'extérieur

et l'aérodynamisme. Pour réduire le bruit du moteur dans l'habitacle, Jaguar recourt à un système d'isolation phonique conçu avec des matériaux insonores disposés sur la face inférieure du capot du moteur, à des joints parfaitement étanches entre le capot et le compartiment moteur, et à une nouvelle structure de tablier à double paroi. De plus, dans tous les modèles XJ, un verre feuilleté acoustique permet de réduire davantage les bruits dans l'habitacle. Ajoutez à cela une structure en aluminium très rigide et vous filerez à toute vitesse sans le moindre stress. Cependant, pour être véritablement dans le coup, Jaguar devrait songer à doter ses futures XJ d'une transmission intégrale. Car, soyons honnêtes, l'hiver n'avantage pas ce genre de voiture.

Et le modèle XJR qui profite d'un compresseur qui porte la puissance à 390 chevaux, réduisant le 0-100 km/h de une seconde par rapport au moteur de base. La boîte automatique ZF, qui s'harmonise parfaitement avec le moteur, offre aussi l'avantage d'une grande simplicité d'utilisation, sans boutons ni palettes derrière le volant. Jaguar a compris que sa clientèle aime les choses simples et c'est très bien ainsi.

COMPORTEMENT ► La suspension pneumatique à réglage d'assiette automatique et à commande électronique équipe tous les modèles. Ce système permet d'abaisser automatiquement la voiture à vitesse élevée, de manière à en augmenter la stabilité

CONCLUSION ► Jaguar a probablement atteint les limites de son art avec la présente génération de XJ. Pour conquérir une nouvelle clientèle et de nouveaux horizons, les ingénieurs devront tôt ou tard s'atteler à une refonte. La survie à long terme de la marque en dépend.

FICHE TECHNIQUE

MOTEURS

(XJ8, XJ8L, Vanden Plas) V8 4,2 l
DACT 294 ch à 6100 tr/min
couple : 303 lb-pi à 4100 tr/min
Transmission : automatique à 6 rapports
0-100 km/h : 6,6 s
Vitesse maximale : 195 km/h
Consommation (100 km) : 11,9 l (octane : 91)

(XJR, Super V8) V8 4,2 l suralimenté DACT
390 ch à 6150 tr/min
couple : 399 lb-pi à 3500 tr/min
Transmission : automatique à 6 rapports
0-100 km/h : 5,3 s
Vitesse maximale : 250 km/h
Consommation (100 km) : 13,2 l (octane : 91)

Sécurité active
freins ABS, assistance au freinage, distribution électronique de force de freinage, antipatinage, contrôle de stabilité électronique

Suspension avant/arrière
indépendante

Freins avant/arrière
disques

Direction
à crémaillère, assistée

Pneus
XJ8 : P235/55R17, Vanden Plas : P235/50R18, XJR : P255/40R19, Super V8 : P255/40R19

DIMENSIONS

Empattement : 3033 mm, emp. long : 3160 mm
Longueur : 5090 mm, emp. long : 5125 mm
Largeur : 1943 mm
Hauteur : 1448 mm, emp. long : 1455 mm
Poids : XJ8 : 1690 kg, Vanden Plas : 1741 kg, XJR : 1789 kg, Super V8 : 1841 kg
Diamètre de braquage : 11,6 m, emp. long : 12,0 m
Coffre : 464 l
Réservoir de carburant : 85 l

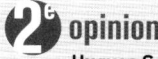

2e opinion

Hugues Gonnot • La Jaguar XJ, c'est plein de bonnes trouvailles gâchées par une mauvaise idée. Le châssis en aluminium permet de réduire le poids du véhicule, ce qui influence positivement la tenue de route et la consommation. Les moteurs offrent le velouté et la puissance nécessaires, et la commande en J de la boîte de vitesses est très agréable à utiliser. À l'intérieur, le cuir et le bois ne servent plus à masquer une mauvaise qualité de construction. De plus, l'écran tactile est probablement le meilleur système multifonctions de tout le segment du haut de gamme. Mais pourquoi alors Jaguar s'entête-t-elle à dessiner le même char depuis presque quarante ans ? ! ? Un peu d'audace, gentlemen.

XK / XKR

nouveauté | 103 000 $ à 113 000 $ | Transport (préparation en sus) : 995 $

www.jaguar.ca

FICHE D'IDENTITÉ

Version(s) : coupé, cabriolet
Roues motrices : arrière
Portières : 2
Première génération : 1997
Génération actuelle : 2007
Construction : Coventry, Angleterre
Sacs gonflables : 4, frontaux, latéraux avant
Concurrence : Aston Martin V8 Vantage, BMW Série 6, Cadillac XLR, Chevrolet Corvette, Dodge Viper, Lexus SC, Maserati Coupé et Spyder, Mercedes-Benz Classe SL, Porsche 911

AU QUOTIDIEN

Prime d'assurance :
25 ans : 6300 à 6500 $
40 ans : 3600 à 3800 $
60 ans : 3200 à 3600 $
Collision frontale : nd
Collision latérale : nd
Ventes du modèle l'an dernier
Au Québec : 12 **Au Canada :** 83
Dépréciation (3 ans) : 52,6 %
Rappels (2001 à 2006) : 3
Cote de fiabilité : nm

NOUVEAU SOUFFLE

– **Benoit Charette**

Dans le monde élitiste des voitures de luxe, un modèle demeure pertinent tant et aussi longtemps qu'il incarne une ou deux valeurs importantes aux yeux des acheteurs. Par exemple, Lexus est un modèle de fiabilité, BMW est reconnue pour son attitude sportive, le système quattro et la finition intérieure impeccable caractérisent Audi, et Mercedes est le summum technologique. Quant à Jaguar, elle symbolise depuis toujours la sensualité et la beauté suave. Après dix ans passés sur le marché sans grandes modifications, la XK8 avait vu ses ventes chuter, comme tous les autres produits Jaguar d'ailleurs. Avec moins de cent acheteurs par année au Canada et face à des concurrents comme Porsche, BMW et Mercedes qui renouvellent leurs produits, l'heure était au changement. Le créateur des Aston Martin DB 7 et DB 9, Ian Callum, a mis quatre ans à refaire l'image de la XK (on ne dit plus XK8), mais cela en valait la peine, puisque le résultat est très réussi.

CARROSSERIE ► Face à la concurrence, la XK est le cygne dans une volée de canards. Callum a su saisir le sens de la tradition et de l'élégance pour créer une sensualité difficile à reproduire avec des feuilles de métal. De la grille ovale aux lignes tendues des panneaux de custode, en passant par l'arrière fuyant du coupé, la Jaguar XK respire la classe et le prestige. Cela dit, Callum a d'abord développé le modèle décapotable, puisque, si on enlève simplement le toit du coupé, on n'obtient pas nécessairement une belle décapotable. « Je ne voulais pas concevoir une baignoire sur roues », remarque Ian Callum. Par contre, si la décapotable est belle, sexy, le coupé sera beau. Je dois quand même admettre que je préfère le coupé, puisque la décapotable perd un peu de son charme avec le toit en toile. Jaguar a décidé de ne pas faire un modèle avec toit rigide pour ne pas dénaturer la vocation même de la voiture. Ian Callum explique qu'un surplus d'espace est requis pour

forces

- Rigidité exceptionnelle de la coque
- Assemblage et finition sans reproche
- Tenue de route impressionnante
- Lignes époustouflantes

faiblesses

- Places arrière
- Pilier A massif qui obstrue la vue

nouveautés en 2007

- Nouveau modèle

supplémentaires, spécialement dans la décapotable, qui est pourvue d'un minuscule coffre. Le système Smart Key permet de démarrer et (en option) d'ouvrir le véhicule sans clé, à la condition d'avoir celle-ci dans sa poche. La planche de bord arbore deux compteurs ronds de part et d'autre d'un écran LCD de technologie TFT. Un écran tactile central de 18 centimètres permet une sélection intuitive des paramètres téléphoniques, audio, de climatisation et de navigation.

accueillir le toit à l'arrière. Il aurait donc fallu allonger sensiblement la voiture et, visuellement, les résultats ne collaient pas à l'image souhaitée par l'équipe de design. Il faudra donc choisir entre le coupé et la décapotable. Cela dit, la XK, en plus d'être sensuelle, révèle sous sa robe une technologie de pointe qui lui permet d'être concurrentielle à plus d'un chapitre. La principale caractéristique est la technologie *Lightweight*, une architecture en aluminium introduite avec la XJ actuelle. Unique en son genre, cette technologie consiste en un châssis et en une carrosserie où l'aluminium est l'ingrédient de base. S'inspirant de l'aéronautique, où robustesse et légèreté sont des facteurs cruciaux, Jaguar a produit une structure exceptionnellement résistante mais légère, à la fois rivetée et encollée à l'époxy. Cette méthode a permis de réduire le poids de la coque de plus de 125 kilos par rapport à sa devancière et de diminuer le nombre de joints de moitié. Résultat : la coque est plus simple et plus rigide.

HABITACLE ▶ L'approche simple et minimaliste se poursuit dans l'habitacle toujours *so british*. Les nouvelles dimensions plus généreuses augmentent l'espace disponible pour les jambes et les épaules. Quant aux sièges arrière, toujours plutôt décoratifs, ils pourront toujours accueillir des bagages

La concurrence devrait tirer des leçons de ce système merveilleusement simple, probablement le meilleur de l'industrie. La transmission ZF très progressive inaugure une nouvelle génération de boîtes automatiques pour Jaguar, remplaçant le système de verrouillage en « J » par un nouveau système séquentiel en « L ». La nouvelle boîte compte six rapports et trois modes d'opération, dont le mode automatique aux changements de vitesses presque imperceptibles. Avec la boîte en position sport, le moteur rétrograde automatiquement dans les courbes, conserve un régime plus élevé et répond instantanément aux sollicitations de l'accélérateur. Vous pouvez aussi faire installer des palettes derrière le volant. Ce mode de conduite peut être activé en tout temps (il prend la relève si vous êtes en mode automatique ou sport) et permet au chat de sortir ses griffes.

MÉCANIQUE ▶ Pour le moment, la XK est dotée d'une mécanique huit cylindres de 4,2 litres et de 300 chevaux. Jaguar nous promet, avant la fin de 2006, une version XKR de 420 chevaux chevaux. Le moteur est monté sur un sous-châssis qui élimine toutes les vibrations parasites dans l'habitacle. Pour renforcer le côté sportif de la XK, Jaguar a mis au point un système de contrôle de stabilité à trois niveaux et un

HISTOIRE ▼

Évocations félines...

Le nom Jaguar évoque la grâce des bolides britanniques d'antan. Une construction très typée qui n'était pas parfaite pour autant... Mais une Jaguar, on l'aimait tout entière – même pour ses défauts ! Issues d'un constructeur rivé à ses traditions (parfois même de façon excessive), les sportives qui ont arboré le *Leaper* (la petite statuette représentant un jaguar bondissant introduite en 1956) ont séduit et impressionné, dès l'époque glorieuse des SS (pour *Swallow Sidecar*), appellation de la marque utilisée jusqu'en 1945. Plus près de nous, quatre générations de sportives ont marqué tour à tour l'histoire de l'automobile, chacune à leur façon : les XK (1948-1961), les E-Type (1961-1975), les XJ-S (1975-1996) et les XK et XKR (1996-2006).

SS 100 1936

XK 120 1949

XK120 1953

XK 150 1957

XJ-S 1975

XKR 2006

XK / XKR

GALERIE ▼

1 • La transmission à six vitesses ZF très progressive introduit une nouvelle génération de boîtes automatiques pour Jaguar, remplaçant le système familier de verrouillage en « J » par un nouveau système séquentiel. Celui-ci est désormais conçu en « L ».

2 • La planche de bord arbore deux compteurs ronds de part et d'autre d'un écran LCD reposant sur la technologie TFT. Un écran tactile central de 18 centimètres permet une sélection intuitive des paramètres téléphoniques, audio, de climatisation et de navigation. La concurrence devrait tirer des leçons de ce système facile à apprivoiser, probablement le meilleur de l'industrie.

3 • La mise en marche et l'arrêt du moteur se font à l'aide d'un bouton.

4 • Le responsable de la conception Ian Callum (à genoux devant la voiture) et son équipe de designers.

5 • Grand-tourisme dans la forme et la finition, le nouveau XK possède les qualités dynamiques d'une pure sportive.

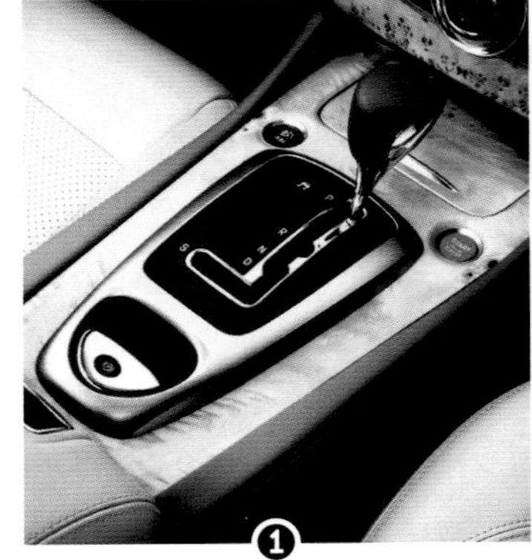

❶

❷

❸

❹

❺

système de valves dans le système d'échappement qui modifie le son du moteur en fonction du régime. Au moment de démarrer la voiture, le système est présent. Si vous appuyez une fois sur le bouton, vous êtes en mode omniprésent où le système est moins intrusif. Et, si vous voulez réellement vous faire plaisir, vous gardez le doigt sur le bouton trois secondes et... plus rien !

COMPORTEMENT ▶ La légèreté nouvelle de la XK, combinée aux 300 chevaux du moteur V8, ajoute beaucoup de grâce au félin. Sa conduite m'a complètement séduit. Grand tourisme dans la forme et la finition, le nouveau XK, coupé ou cabriolet, a les qualités dynamiques d'une pure sportive. Aussi rapide que le système à double embrayage d'Audi, la transmission séquentielle à six rapports de Jaguar est d'une grande souplesse, même à plus de 200 km/h. Pour ajouter le confort à la rapidité, la technologie CATS (Computer Active Technology Suspension) offerte en option permet d'aplanir la route à l'aide de valves hydrauliques qui ajustent la suspension selon l'état de la chaussée et la vitesse de la voiture. Toutefois, même avec ses 300 chevaux, cette XK manque un peu de puissance pour faire la lutte aux concurrentes de sa catégorie. Il vous faudra opter pour la XKR pour avoir entre les mains un véhicule capable de performances réellement sportives.

CONCLUSION ▶ Belle et confortable, cette Jaguar m'a donné beaucoup de plaisir de conduite. Que ce soit en cabriolet ou en coupé, la nouvelle XK a réussi à faire passer la médiocre habitabilité récurrente des Jaguar comme un trait de caractère. Jaguar a besoin d'un modèle capable de refaire l'image et la santé financière de l'entreprise. La XK pourra certainement redonner ses lettres de noblesse à ce vieux félin qui ne demande qu'à montrer les dents.

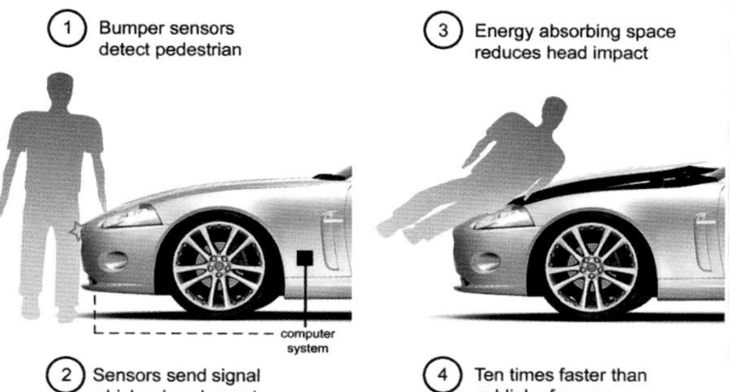
1 Bumper sensors detect pedestrian
3 Energy absorbing space reduces head impact
computer system
2 Sensors send signal which raises bonnet using pyrotechnics
4 Ten times faster than a blink of an eye

FICHE TECHNIQUE

MOTEURS
[XK] V8 4,2 l DACT 300 ch à 6000 tr/min
couple : 310 lb-pi à 4100 tr/min
Transmission : automatique à 6 rapports avec mode manuel
0-100 km/h : 6,2 s
Vitesse maximale : 249 km/h
Consommation (100 km) : 12,6 l (octane : 91)

[XKR] V8 4,2 l DACT 420 ch à 6250 tr/min
couple: 413 lb-pi à 4000 tr/min
Transmission : automatique à 6 rapports avec mode manuel
0-100 km/h : 4,9 s
Vitesse maximale: 250 km/h
Consommation (100 km) : 14,7 l (octane : 91)

Sécurité active
freins ABS, répartition électronique de force de freinage, assistance au freinage, antipatinage, contrôle de stabilité électronique

Suspension avant/arrière
indépendante

Freins avant/arrière
disques

Direction
à crémaillère, assistée

Pneus
P245/45R18 (av.), P255/45R18 (arr.), XKR: P245/40ZR19

DIMENSIONS
Empattement : 2752 mm
Longueur : 4791 mm
Largeur : 1892 mm
Hauteur : coupé : 1322 mm, cabrio. : 1329 mm
Poids : coupé : 1595 kg, cabrio. : 1635 kg, XKR : 1665 kg , XKR cabrio. : 1715 kg
Diamètre de braquage : 11,0 m
Coffre : 300 l
Réservoir de carburant : 74 l

2e opinion

Bertrand Godin • La précédente XK se faisait vieille et sa fiabilité aléatoire rappelait les pires années de l'industrie automobile anglaise. Avec la nouvelle XK, Jaguar se montre confiant. Entièrement revue, elle bénéficie des dernières avancées technologiques. Le résultat est à la hauteur de la tradition de luxe britannique. Quant aux performances, elles sont bonnes, bien que le moteur de 300 chevaux donne parfois l'impression d'être un peu juste... à cause d'un excellent châssis. Par contre, si vous espérez loger deux passagers à l'arrière, bonne chance ! Malgré tout, la XK est une voiture superbe et sa technologie est maintenant à la page.

X-TYPE

évolution | 47 000 $ à 51 000 $ |
Transport (préparation en sus) : 995 $

www.jaguar.ca

FICHE D'IDENTITÉ

Version(s) : 3.0 berline et Sportwagon
Roues motrices : 4
Portières : 4
Première génération : 2002
Génération actuelle : 2002
Construction : Halewood, Angleterre
Sacs gonflables : 6, frontaux, latéraux avant et rideaux latéraux
Concurrence : Acura TSX, Audi A4, BMW Série 3, Cadillac CTS, Infiniti G35, Lexus IS, Lincoln MKZ, Mercedes-Benz Classe C, Saab 9^3, Volvo S60

AU QUOTIDIEN

Prime d'assurance :
25 ans : 3300 à 3500 $
40 ans : 2300 à 2500 $
60 ans : 1700 à 1900 $
Collision frontale : 4/5
Collision latérale : 4/5
Ventes du modèle l'an dernier
Au Québec : 127 **Au Canada :** 586
Dépréciation (3 ans) : 51,3 %
Rappels (2001 à 2006) : 3
Cote de fiabilité : 2/5

LE CŒUR N'Y EST PLUS

– Benoit Charette

Lors du lancement de la X-Type en 2001, Jaguar avait l'ambition de rendre ses véhicules accessibles au plus grand nombre. Une opération délicate, car il ne fallait pas égratigner au passage l'image de marque en vendant un sous-produit. Force est de constater que Jaguar s'est trompé. En voyant que la X-Type empruntait châssis et moteur chez Ford, les consommateurs n'ont pas mordu à l'hameçon. Pire : cinq ans plus tard, les gens s'imaginent que tous les produits Jaguar utilisent un maximum de pièces Ford. Histoire d'une stratégie qui a mal tourné.

CARROSSERIE ▶ Les lignes sont probablement l'aspect le mieux réussi de la voiture. Même en empruntant le châssis de la Mondéo de deuxième génération (l'équivalent de notre défunte Ford Contour), Jaguar a réussi à lui donner la filiation familiale et le charme unique de la marque anglaise. J'ai une faiblesse pour le « break de chasse », la familiale aussi pratique que jolie. De son capot bien taillé aux rondeurs bien moulées, en passant par le format pratique, je n'ai rien à redire à la silhouette.

HABITACLE ▶ Ici, on peut juger la voiture de deux manières. D'un côté, les occupants profitent d'un confort permettant de longues étapes. La principale qualité est la sonorité. Il faut dire que Jaguar a mis le paquet avec l'insonorisation poussée du soubassement et du compartiment moteur. Les supports du moteur ont aussi été conçus pour amoindrir les vibrations. L'intérieur est très accueillant et les cuirs de qualité. Difficile d'en dire autant des plastiques et de la disposition du tableau qui est fortement inspiré par Ford. Les places avant mettent l'accent sur le confort, sans oublier une certaine fermeté pour bien soutenir le dos. À l'arrière, la banquette est un peu trop raide et l'assise en souffre.

forces
- Style plaisant
- Insonorisation supérieure
- Tenue de route rassurante

faiblesses
- Moteur de base anémique
- Tableau de bord peu inspiré
- Plastique de qualité moyenne

nouveautés en 2007
- Toit ouvrant et sièges rabattables de série dans la berline, système de contrôle de stabilité de série dans tous les modèles, nouvelles roues de 17 pouces, nouveau système audio

X-TYPE

MÉCANIQUE ▶ Lors d'un récent séjour en France, j'ai eu l'occasion de faire l'essai de la meilleure Jaguar X-Type sur le marché. Le quatre cylindres 2,2 litres turbodiesel à rampe commune développe 155 chevaux et autant de couple qu'un semi-remorque. Jumelé à l'unique boîte manuelle à six rapports, ce moteur transforme complètement la personnalité de la voiture. Le problème, c'est que ce moteur est seulement disponible en Europe. Ici, le choix se résume à un V6, à un 3,0 litres qui accomplit bien le travail, mais manque du raffinement propre à Jaguar. En un mot, Jaguar a été incapable de camoufler les origines modestes de cette mécanique et c'est là que le bât blesse.

COMPORTEMENT ▶ Sur l'autoroute, on a du mal à deviner la vitesse de la voiture, défaut de beaucoup de berlines de luxe. Dans ce cocon velouté, on atteint vite 160 km/h. Obligation donc d'actionner le régulateur de vitesse, un accessoire qui mériterait une meilleure ergonomie dans un véhicule de prestige. Les parcours autoroutiers se déroulent sans soucis majeurs. Il est vraiment dommage que le turbodiesel ne traverse pas l'Atlantique. Ce moteur aussi véloce que le 3,0 litres, mais moins bruyant, offre plus de couple et de meilleures reprises. J'ai parcouru un peu plus de 1000 kilomètres avec un plein de carburant diesel. Le seul défaut de ce diesel est la vibration gênante qu'il transmet au volant.

CONCLUSION ▶ Trop modeste pour être à la hauteur d'une véritable Jaguar, la X-Type se vend à un prix qui a découragé beaucoup de clients potentiels. Il faut aussi souligner que dans cette catégorie «la cour est pleine», pour employer une expression bien de chez nous. Pour le même prix, il y a beaucoup mieux sur le marché.

FICHE TECHNIQUE

MOTEUR

V6 3,0 l DACT 227 ch à 6800 tr/min
couple : 206 lb-pi à 3000 tr/min
Transmission : automatique à 5 rapports avec mode manuel
0-100 km/h : 7,8 s
Vitesse maximale : 195 km/h
Consommation (100 km) : 9,8 l (octane : 87)

Sécurité active
freins ABS, répartition électronique de force de freinage, antipatinage, contrôle de stabilité électronique

Suspension avant/arrière
indépendante

Freins avant/arrière
disques

Direction
à crémaillère, assistée

Pneus
P205/55R16, Sportwagon P225/45R17

DIMENSIONS

Empattement : 2710 mm
Longueur : berl. : 4672 mm, fam. : 4716 mm
Largeur : 1788 mm
Hauteur : berl. : 1392 mm, fam. : 1483 mm
Poids : berl. : 1595 kg, fam. : 1694 kg
Diamètre de braquage : 10,8 m
Coffre : berl. : 453 l, fam. : 1415 l (sièges arrière repliés)
Réservoir de carburant : 61 l

opinion

Hugues Gonnot • Réduire le charme Jaguar au cuir et au bois, c'est comme réduire le Québec à la neige et à Céline. C'est pourtant ce qu'ont pensé les experts en marketing de Ford en lançant la petite X-Type afin d'aller chercher les Série 3, Classe C et autres A4. Seulement, voilà : avec une plateforme Ford de traction et des moteurs sans raffinement, les acheteurs n'ont tout simplement pas suivi. Pourtant, la X-Type n'est pas une mauvaise voiture. Elle n'est pas désagréable à conduire et, à l'intérieur, le charme des matériaux nobles opère. De plus, nous avons la chance d'avoir au Canada la jolie version familiale. Si Jaguar décide de poursuivre l'expérience, il devra donner plus de substance à la prochaine génération.

COMMANDER

Jeep

www.daimlerchrysler.ca

FICHE D'IDENTITÉ

Version(s) : Sport, Limited
Roues motrices : 4
Portières : 4
Première génération : 2006
Génération actuelle : 2006
Construction : Detroit, Michigan, É.-U.
Sacs gonflables : 4, frontaux et rideaux latéraux
Concurrence : Buick Rainier, Chevrolet TrailBlazer, Chrysler Aspen, Dodge Durango, Ford Explorer, GMC Envoy, Nissan Pathfinder, Toyota 4Runner

AU QUOTIDIEN

Prime d'assurance :
25 ans : 3300 à 3500 $
40 ans : 2100 à 2300 $
60 ans : 1900 à 2100 $
Collision frontale : 5/5
Collision latérale : 4/5
Ventes du modèle l'an dernier
Au Québec : 56 **Au Canada :** 477
Dépréciation (3 ans) : nm
Rappels (2001 à 2006) : 1
Cote de fiabilité : nm

« C'T'AFFAIRE-LÀ ! »

– **Pascal Boissé**

Quand on pilote un Jeep Commander, la question que nous posent sans cesse les gens est : « C'est quoi, c't'affaire-là ? » On finit par répondre qu'il s'agit d'un gros utilitaire à sept places qui partage une grande partie de sa plateforme mécanique avec le Jeep Grand Cherokee. Mais cela ne suffit pas à effacer la moue d'incrédulité de nos interlocuteurs. En effet, la carrosserie du Commander a de quoi laisser les gens perplexes : en le dessinant, Jeep semble avoir rayé d'un trait plus d'un siècle de design automobile et d'étude de l'aérodynamisme.

CARROSSERIE ► Le Commander doit permettre à Jeep de disposer d'un véhicule à trois rangées de sièges tout en lançant un défi à Hummer avec ses formes aussi primitives qu'anguleuses. Ainsi, Jeep souhaite sans doute reconquérir le créneau des véhicules d'aspect militaire. Donc, pour braver son principal rival, le Commander atteint des sommets d'inélégance, sans toutefois avoir autant de personnalité que le Hummer. Tout compte fait, bien que le Commander ait le gabarit d'un gros utilitaire, on n'arrive pas à le percevoir comme robuste ou viril. Et, même s'il a l'air d'un véhicule dispendieux, il n'a ni la prestance ni le raffinement d'autres gros utilitaires. Bref, le Commander ressemble davantage à une monstrueuse familiale, haute sur ses pattes, qu'à un véritable véhicule tout-terrain.

HABITACLE ► Même si ses formes extérieures le font paraître énorme, le Commander est moins vaste qu'il n'y paraît, et l'espace intérieur est limité. Les deux premières rangées de sièges pourront accommoder des adultes sans problèmes, mais la dernière rangée est à réserver aux enfants. Pour favoriser le confort des passagers, les rangées de sièges sont disposées en gradin, ce qui permet à tous de bien voir vers l'avant. De ce fait, par contre, la visibilité arrière, dont on souhaiterait profiter quand on recule, est pratiquement nulle,

forces

- Tenue de route confortable
- Sièges rabattables pratiques
- Finition intérieure
- Moteur HEMI

faiblesses

- Design discutable
- Visibilité arrière nulle
- Places arrière exiguës
- Pas d'espace pour les bagages quand la troisième rangée est relevée

nouveautés en 2007

- Version de base renommée Sport, moteur 4,7 litres avec éthanol E85, modifications au 3,7 l, Quadra-Trac I de série (3,7 l), Quadra-Trac II de série (5,7 l), options : télédémarreur, caméra de rétrovision, hayon à commande électrique

COMMANDER

surtout lorsque les dossiers de la troisième rangée sont relevés et occultent la moitié de la lunette arrière. Dans ces circonstances, on dit merci au radar qui nous permet de reculer «au son». Il est à noter que le Commander est doté d'un rideau de sécurité latéral gonflable qui protège les occupants des trois rangées.

MÉCANIQUE ▶ Selon la version du véhicule, Jeep propose trois moteurs: le V6 de 3,7 litres, le V8 de 4,7 litres et le V8 HEMI de 5,7 litres. Seule la boîte automatique à cinq rapports est disponible, mais elle s'adapte à trois systèmes de traction différents, dont le Quadra-Drive II et ses différentiels à glissement limité contrôlés électroniquement. Dommage que Jeep n'offre pas (pas encore?) un bon gros diesel, qui serait le moteur rêvé pour ce véhicule.

COMPORTEMENT ▶ Grâce à sa suspension calibrée pour la route, le Commander, stable et confortable, autorise de longs trajets. Malgré ses formes, on y entend peu de bruits de vent, même à plus de 140 km/h. À basse vitesse, par contre, la mollesse extrême de la suspension devient inconfortable et nous donne l'impression de franchir un fossé au moindre nid-de-poule. Par ailleurs, le charme toujours envoûtant du moteur HEMI opère une fois de plus: sa puissance et son couple déplacent sans effort la masse du Commander et lui confèrent une aisance surprenante à se glisser dans la circulation. L'essieu arrière rigide se fait discret sur la route, mais il rassurera les purs et durs du tout-terrain et ceux qui doivent tracter de lourdes charges.

CONCLUSION ▶ Avec sa tenue de route agréable, ses aptitudes en hors-piste et son moteur puissant, le Commander vous inspirera confiance. Vous pourrez aussi affirmer avec aplomb que votre utilitaire compte parmi les véhicules les plus disgracieux de notre époque.

FICHE TECHNIQUE

MOTEURS

(Sport) V6 3,7 l SACT 210 ch à 5200 tr/min
couple : 235 lb-pi à 4000 tr/min
Transmission : automatique à 5 rapports
0-100 km/h : 11,1 s
Vitesse maximale : 180 km/h
Consommation (100 km) : 12,7 l (octane : 87)

(Limited, option Sport) V8 4,7 l SACT 235 ch à 4500 tr/min
couple : 305 lb-pi à 3600 tr/min
Transmission : automatique à 5 rapports avec mode manuel
0-100 km/h : 9,3 s
Vitesse maximale : 185 km/h
Consommation (100 km) : 14,7 l (octane : 87)

(option Limited) V8 5,7 l ACC 330 ch à 5000 tr/min
couple : 375 lb-pi à 4000 tr/min
Transmission : automatique à 5 rapports avec mode manuel
0-100 km/h : 7,9 s
Vitesse maximale : 200 km/h
Consommation (100 km) : 16,2 l (octane : 87)

Sécurité active
freins ABS, antipatinage, contrôle de stabilité électronique

Suspension avant/arrière
indépendante/essieu rigide

Freins avant/arrière
disques

Direction
à crémaillère, assistée

Pneus
P245/65R17

DIMENSIONS

Empattement : 2781 mm
Longueur : 4787 mm
Largeur : 1900 mm
Hauteur : 1826 mm
Poids : 3,7 l : 2189 kg, 4,7 l : 2253 kg, 5,7 l : 2383 kg
Diamètre de braquage : 11,2 m
Coffre : 170 l, 1950 l (sièges abaissés)
Réservoir de carburant : 78 l
Capacité de remorquage : 3,7 l : 1588 kg, 4,7 l : 2948 kg, 5,7 l : 3265 kg

2e opinion

Nadine Filion • Pas sûre... Je ne suis pas sûre que le retour aux proportions classiques du Jeep soit une réussite stylistique. Certes, le HEMI 5,7 litres est puissant, mais vous ne voulez pas être la personne qui payera le plein d'essence... Pour le reste, le Commander est bien conçu. Sept passagers prennent place confortablement à bord, les rangements sont nombreux et pratiques, sièges et banquette se replient en un tournemain. Je ne déplore qu'un hayon lourd, difficile à manipuler, un accès difficile aux places arrière et des revêtements de plastique de qualité inférieure. Cela dit, ne boudez pas le système d'assistance au stationnement (optionnel), vous en aurez largement (!) besoin.

COMPASS

nouveauté | 17 995 $ à 24 355 $
Transport et préparation : 1050 $

Jeep

www.daimlerchrysler.ca

L'ART D'EXPLOITER UN NOM QUI VEND BIEN

– Antoine Joubert

FICHE D'IDENTITÉ

Version(s) : Sport, North, Limited
Roues motrices : avant, 4
Portières : 4
Première génération : 2007
Génération actuelle : 2007
Construction : Belvidere. Illinois, É.-U.
Sacs gonflables : 4, frontaux et rideaux latéraux (latéraux en option)
Concurrence : Ford Escape, Honda CR-V, Hyundai Tucson, Kia Sportage, Nissan X-Trail, Saturn VUE, Subaru Forester, Suzuki Grand Vitara, Toyota RAV4

AU QUOTIDIEN

Prime d'assurance :
25 ans : 2100 à 2300 $
40 ans : 1400 à 1600 $
60 ans : 1200 à 1400 $
Collision frontale : nd
Collision latérale : nd
Ventes du modèle l'an dernier
Au Québec : nm **Au Canada :** nm
Dépréciation (3 ans) : nm
Rappels (2001 à 2006) : nm
Cote de fiabilité : nm

Malgré l'augmentation des prix de l'essence, les VUS disponibles sur le marché ne cessent d'augmenter. Certes, ce ne sont plus les gloutons (Commander et Grand Cherokee) qui sont en forte demande, mais la quantité de modèles offerts dépasse quand même aujourd'hui celle des berlines, ce qui est considérable. Et si vous voulez mon avis, c'est parfaitement compréhensible. Aujourd'hui, un véhicule à caractère familial doit être polyvalent pour satisfaire le plus d'exigences possibles. Il est donc tout à fait normal de voir arriver cette année, uniquement chez Jeep, trois nouveaux VUS. Le premier, apparu au mois d'août dernier, se nomme Compass. Il s'agit d'un modèle qui déroge totalement à ce que Jeep a produit jusqu'ici. Toutefois, comme la marque a bonne mine et que la clientèle aime y être associée, DaimlerChrysler s'est simplement dit qu'il fallait l'exploiter à fond.

CARROSSERIE ▶ D'abord, pour éviter que le lecteur mordu de vrais 4X4 ne perde son temps dans ces pages, il faut savoir que le Compass est un véhicule monocoque, offert en version tractée ou intégrale, qui dérive directement de la nouvelle compacte de Dodge, la Caliber. Ce véhicule n'a rien d'un coureur des bois et ne prétend pas l'être non plus. En revanche, son style assez musclé et facilement associable aux autres modèles de la marque réussit d'emblée à nous faire croire le contraire. La grille de calandre à sept barres verticales, les phares circulaires avec prolongement sur le capot et les ouvertures d'ailes carrées sont des caractéristiques esthétiques qui lui confèrent une allure plus virile que celle de sa cousine. Toutefois, je ne suis pas prêt à me prononcer positivement sur l'harmonie entre les signatures visuelles propres à Jeep et la robe contemporaine du Compass. Certains éléments, comme les pare-chocs et les feux de position triangulaires avant, ne cadrent pas bien avec le reste du véhicule qui, de prime abord, s'avère réussi.

forces
- Véhicule polyvalent
- Prix alléchant
- Confort étonnant
- Habitacle accueillant
- Système à 4RM efficace

faiblesses
- Performances ordinaires
- Agrément de conduite mitigé
- Finition pourrait être meilleure

nouveautés en 2007
- Nouveau modèle

HABITACLE ▶ Le Compass propose dans l'ensemble un habitacle qui ressemble beaucoup à celui de la Caliber, ce qui est une bonne chose. On remarque notamment des similitudes avec la planche de bord, le bloc central au bas duquel est placé le levier de vitesses, et avec le volant à quatre branches dont la prise en main est excellente. Toutefois, l'instrumentation se démarque par des cadrans autour desquels se trouvent, comme sur une boussole (compass), de petites flèches directrices aux fonctions purement esthétiques. En passant, sachez que pour le Jeep Compass la boussole est optionnelle !

En ouvrant la portière, on se retrouve donc, comme avec la Caliber, en présence d'un habitacle intéressant tant pour son style que pour l'agencement des couleurs. La version Limited reçoit une sellerie de cuir deux tons, du plus bel effet. Cependant, il semble que la qualité d'assemblage et de finition ne soit pas à la hauteur de ce à quoi DaimlerChrysler nous a habitués au cours des dernières années. On a déjà vu pire, mais on sait qu'il est actuellement possible de mieux faire.

À bord, le conducteur a droit à une position de conduite exempte de toute critique. Le siège est confortable et réglable verticalement au moyen d'un cric semblable à celui des produits Volkswagen. Contrairement au Liberty, l'espace disponible est fort généreux, et ce, devant comme derrière. L'espace utilitaire s'exploite facilement, en raison d'une découpe efficace des panneaux intérieurs et d'une banquette rabattable à plat. Le plancher du coffre est composé d'une matière plastique résistante, qui reprend le design de panneaux métalliques communément appelés checker plates.

MÉCANIQUE ▶ Là aussi, les similitudes avec la Caliber sont nombreuses. D'abord, le Compass utilise le plus puissant des trois world engine conçus en collaboration avec Hyundai et Mitsubishi. Il s'agit d'un quatre cylindres de 2,4 litres à calage variable des soupapes, appréciable notamment pour sa souplesse et sa faible soif de carburant. On le marie à une boîte manuelle à cinq rapports très agréable à utiliser, ou à une automatique à variation continue qui s'accompagne d'un mode manuel. Qu'importe l'option choisie, les performances sont adéquates, sans plus. Il faut dire que les 172 chevaux travaillent fort pour traîner la lourde carcasse de ce Jeep. Curieusement, les versions à quatre roues motrices ne m'ont pas semblé plus lentes en accélération, malgré un surplus de poids considérable. De ce côté, le Compass reçoit un système à quatre roues motrices appelé Freedom-Drive I, à prise constante, doté d'un différentiel central à verrouillage manuel. Pour constater son efficacité, j'ai pu essayer le véhicule sur des routes de gravier inégales et dans une sablière. Bien sûr, le Compass ne fait pas aussi bien qu'un Wrangler à ce chapitre, mais se débrouille de manière franchement surprenante compte tenu de son attirail. Vous n'aurez donc aucun mal à vous rendre au chalet ou à vous sortir des bancs de neige.

COMPORTEMENT ▶ Sur la route, force est de constater que les lois de la physique font

HISTOIRE ▼

L'auto Jeep

L'idée de rendre la marque Jeep accessible au grand public ne date pas d'hier. Aux lendemains de la Seconde Guerre, Willys-Overland (propriétaire de la marque à l'époque) lançait deux Jeep « civiles » : la Station Wagon (1946) et l'élégante Jeepster décapotable (1948). Au milieu des années 1960, après le rachat de la marque par American Motors, une seconde génération de Jeepster fit son apparition. Ce n'est toutefois qu'à partir de l'an 2000 que des efforts concertés ont été mis de l'avant pour arriver à cette fin. Trois prototypes présentés par DaimlerChrysler, qui a racheté la marque en 1987, ont pavé la voie à la Compass : la Varsity et deux prototypes nommés Compass.

Station Wagon 1946

Jeepster 1948

Jeepster Commando 1967

Prototype Varsity 2000

Prototype Compass 2002

Prototype Compass 2005

COMPASS

GALERIE ▼

1-2 • Le partage technologique offre bien des avantages. Dans un premier temps, il permet d'afficher des prix plus compétitifs en économie d'échelle, car la recherche et le développement profitent à plus d'un modèle. Ainsi, le haut-parleur qui bascule de la Caliber est aussi disponible dans le Compass. Économie d'échelle aussi pour la production. Les deux modèles sont construits sur le même châssis à la même usine en Illinois.

3 • Fidèle à la tradition à sept grilles, le Compass va s'appuyer sur la grande réputation des produits Jeep pour partir à la conquête d'une nouvelle clientèle plus jeune.

4 • Le Compass reçoit un système à quatre roues motrices appelé Freedom-Drive I, qui consiste en un système à prise constante, doté d'un différentiel central à verrouillage manuel que l'on actionne du bout des doigts.

5 • L'espace utile s'exploite quant à lui facilement, en raison d'une découpe régulière des panneaux intérieurs et d'une banquette rabattable à plat. Le plancher du coffre est composé d'une matière plastique résistante, qui reprend le design de panneaux métalliques communément appelés *checker plates*.

①

②

③

④

⑤

leur boulot. Parce que le Compass n'est pas tout à fait un VUS et que ses racines sont issues d'une automobile, il se comporte donc comme tel. Cela se traduit par une excellente tenue de cap, par une stabilité très appréciable en virage malgré un certain roulis, et par une maniabilité qui permet une conduite plus incisive en milieu urbain. Évidemment, les jantes de 17 ou 18 pouces jouent ici un très grand rôle, puisqu'elles contribuent à améliorer la stabilité et l'équilibre du véhicule. La suspension est cependant moins ferme que celle des modèles qui seront vendus en Europe. Il en résulte un confort notable, mais aussi une mollesse de l'amortissement qui n'est parfois pas très agréable.

Au quotidien, le Compass est un véhicule qu'on apprécie pour son confort et son côté pratique exceptionnel. L'insonorisation générale est bonne; la visibilité, sauf au trois quarts arrière, est adéquate; et les bruits de caisse et les cliquetis sont inexistants. En revanche, j'avoue que l'agrément de conduite, surtout avec la boîte CVT, n'y est pas vraiment. Le Compass est capable de bien des choses, mais ne transmet que peu de sensations au conducteur. Peut-être un jour verrons-nous apparaître une version SRT4 capable de régler ce problème?

CONCLUSION ► On nous propose le Compass à partir d'environ 18 000 $ (wow!), mais disons que cette version Sport à deux roues motrices ne sera pas la plus populaire. Selon DaimlerChrysler, le modèle le plus répandu chez nous sera une version North à quatre roues motrices, vendue autour de 23 000 $. Compte tenu de la richesse de son équipement et de tout ce qu'il est en mesure d'offrir, ce véhicule me semble une véritable aubaine. Il ne reste en fait qu'à savoir si la clientèle acceptera de conduire un Jeep qui, en dépit des apparences, n'en est pas vraiment un.

FICHE TECHNIQUE

MOTEUR

L4 2,4 l DACT 172 ch à 6000 tr/min
couple : 165 lb-pi à 4400 tr/min
Transmission : manuelle à 5 rapports, automatique à variation continue avec mode manuel (option)
0-100 km/h : 2RM : 10,2 s, 4RM : 10,7 s
Vitesse maximale : 185 km/h
Consommation (100 km) : 4RM : man. : 8,4 l, CVT : 9,3 l (octane : 87)

Sécurité active
freins ABS, antipatinage, contrôle de stabilité électronique

Suspension avant/arrière
indépendante

Freins avant/arrière
disques/tambours

Direction
à crémaillère, assistée

Pneus
Sport : P215/60R17, North : P215/65R17, Limited : P215/55R18

DIMENSIONS

Empattement : 2635 mm
Longueur : 4405 mm
Largeur : 1761 mm
Hauteur : 1632 mm
Poids : Sport/North 2RM : 1404 kg, Sport/North 4RM : 1472 kg, Limited 2RM : 1450 kg, Limited 4RM : 1520 kg
Diamètre de braquage : roues de 17 po. : 10,8 m, roues de 18 po. : 11,3 m
Coffre : 643 l, 1519 l (sièges abaissés)
Réservoir de carburant : 51 l
Capacité de remorquage : 907 kg (avec groupe remorquage)

2e opinion

Jean-Pierre Bouchard • L'arrivée du Compass devrait permettre d'assurer la survie de la division Jeep et d'attirer des acheteurs intéressés par sa polyvalence et sa sobriété. Le petit véhicule mi-utilitaire, mi-familiale, reprend la plupart des composants de la Dodge Caliber. Au chapitre de la conception, aucune véritable révolution, exception faite de l'utilisation d'une plateforme de traction avant. L'habitacle combine fonctionnalité et confort, alors que le comportement routier s'apparente à celui de sa cousine. Les irritants : des bruits de route et une finition plastique de qualité discutable. Sinon, le petit moteur quatre cylindres de 2,4 litres effectue un travail très honnête. Jeep met le cap dans la bonne direction.

GRAND CHEROKEE

Transport et préparation : 1100 $

www.daimlerchrysler.ca

FICHE D'IDENTITÉ

Version(s) : Laredo, Limited, Overland, SRT/8
Roues motrices : 4RM
Portières : 4
Première génération : 1993
Génération actuelle : 2005
Construction : Detroit, Michigan, É.-U.
Sacs gonflables : 4, frontaux et rideaux latéraux
Concurrence : Chevrolet TrailBlazer, Chrysler Aspen, Dodge Durango, Ford Explorer, GMC Envoy, Nissan Pathfinder, Toyota 4Runner

AU QUOTIDIEN

Prime d'assurance :
25 ans : 3500 à 3700 $
40 ans : 2100 à 2300 $
60 ans : 1700 à 1900 $
Collision frontale : 5/5
Collision latérale : 5/5
Ventes du modèle l'an dernier
Au Québec : 1825 **Au Canada :** 9166
Dépréciation (3 ans) : 55,8 %
Rappels (2001 à 2006) : 11
Cote de fiabilité : 1/5

VICTIME DE LA CRISE PÉTROLIÈRE...

– Antoine Joubert

C'est au moment où les VUS n'ont plus la cote que Jeep nous propose le meilleur des Grand Cherokee, capable désormais de satisfaire à la fois les amateurs de 4X4, les citadins et les adeptes des hautes performances. L'arrivée d'une version diesel permet aussi de séduire ceux qui ont une once de conscience environnementale (quoique Grand Cherokee et écologie ne font normalement pas bon ménage).

CARROSSERIE ▶ La firme DaimlerChrysler, adulée à maintes reprises pour sa contribution à l'embellissement du parc automobile nord-américain, ne peut recevoir d'éloges quant au Grand Cherokee. Autrefois sexy et macho, il a été remplacé en 2005 par un modèle au design très générique, qui a moins de prestance que la plupart de ses rivaux. Ses formes carrées, qui renforçaient la stature du véhicule, ont plutôt eu l'effet contraire, si bien qu'il a perdu un peu de son âme. Seule la version SRT8, dont l'existence en insulte plusieurs, se montre plus frondeuse.

HABITACLE ▶ Le Grand Cherokee de dernière cuvée offre un habitacle nettement plus convaincant que celui de son devancier, principalement en matière de style et d'ergonomie. D'abord, la planche de bord deux tons et l'instrumentation plus moderne améliorent nettement l'apparence, alors que la disposition des accessoires permet une manipulation plus instinctive. Toutefois, il faut savoir que l'habitacle de ce Jeep est loin d'être aussi spacieux qu'on pourrait le croire, à un point tel que les personnes de grandes tailles risquent de l'écarter. Mais il est vrai que notre impression varie selon la version. On peut être impressionné par les superbes sièges de la version SRT8, par la sellerie de cuir et les boiseries du modèle Limited, mais on ne peut qu'être déçu par le tissu bon marché des sièges du modèle Laredo.

MÉCANIQUE ▶ En 2005, le Grand Cherokee proposait trois moteurs, soit un V6 et deux V8, dont le fameux HEMI qui a fait tant jaser.

forces

- Plusieurs motorisations
- Bonnes aptitudes hors route
- Confort exceptionnel
- Version SRT8 hallucinante
- Un diesel, enfin...

faiblesses

- Glouton sur quatre roues
- Habitabilité réduite
- Lignes moins originales qu'avant
- Certains matériaux bon marché à bord

nouveautés en 2007

- Feux arrière redessinés, nouveau moteur Diesel (Bluetec), moteur 4,7 l compatible avec essence à l'éthanol E85, modifications du 3,7 l, rideaux gonflables latéraux de série, nouveaux groupes d'options, cinq nouvelles couleur de carrosserie

L'an dernier, Jeep a lancé un second moteur HEMI d'une cylindrée de 6,1 litres, portant ainsi la puissance à 415 chevaux. Équipant uniquement la version SRT8, cette motorisation permet au véhicule de passer de 0 à 100 km/h en moins de temps qu'un Cayenne Turbo. Toutefois, la mécanique qui retient davantage l'attention cette année est certainement ce nouveau moteur V6 de 3,0 litres turbodiesel, plus rationnel, qui autorisera une bonne puissance et un très grand couple tout en consommant raisonnablement le carburant.

COMPORTEMENT ► Ce que j'appelle l'ère de la danse, c'est-à-dire l'époque où le Grand Cherokee était aussi stable qu'un monocycle, est bel et bien révolue. D'abord, de grandes améliorations ont été apportées à la suspension, permettant un meilleur appui au sol et une élimination presque complète du sautillement. Il est vrai que l'amortissement est encore mou, mais, par rapport à ce qu'on a déjà connu, quel progrès ! Pour le reste, la direction est nettement plus précise qu'autrefois, et le freinage, plus puissant. Malgré ces perfectionnements, le Grand Cherokee n'a rien perdu de ses aptitudes hors route. Il est toutefois évident que la version SRT8, avec ses «bottines» de 20 pouces et sa suspension surbaissée, n'est pas celle qu'il faut choisir pour aller jouer dans la boue. En revanche, pour la tenue de route, la puissance et la frime, c'est le véhicule par excellence.

CONCLUSION ► Ses capacités hors route sont indéniables, son confort est exceptionnel et sa fiabilité semble s'être améliorée radicalement. Hélas ! malgré tous ces éloges, le Grand Cherokee est condamné à perdre en popularité, en raison de l'augmentation du coût du carburant. La version à moteur diesel peut atténuer ce problème, mais jamais plus ce véhicule ne connaîtra le succès du début des années 2000.

FICHE TECHNIQUE

MOTEURS

(Laredo) V6 3,7 l SACT 210 ch à 5200 tr/min
couple : 235 lb-pi à 4000 tr/min
Transmission : automatique à 5 rapports avec mode manuel
0-100 km/h : 9,7 s
Vitesse maximale : 180 km/h
Consommation (100 km) : 12,3 l (octane : 87)

(Limited et option Laredo) V8 4,7 l SACT 230 ch à 4700 tr/min
couple : 290 lb-pi à 3700 tr/min
Transmission : automatique à 5 rapports avec mode manuel
0-100 km/h : 8,6 s
Vitesse maximale : 185 km/h
Consommation (100 km) : 13,7 l (octane : 87)

(Overland et option Limited) V8 5,7 l ACC 325 ch à 5100 tr/min
couple : 370 lb-pi à 3500 tr/min
Transmission : automatique à 5 rapports avec mode manuel
0-100 km/h : 7,4 s
Vitesse maximale : 205 km/h
Consommation (100 km) : 14,2 l (octane : 89)

(option Laredo, Limited et Overland) V6 3,0 l turbodiesel DACT 215 ch à 3800 tr/min
couple : 376 lb-pi à 1600 tr/min
Transmission : automatique à 5 rapports avec mode manuel
0-100 km/h : nd
Vitesse maximale : nd
Consommation (100 km) : nd (diesel)

(SRT8) V8 6,1 l ACC 415 ch à 6200 tr/min
couple : 410 lb-pi à 4800 tr/min
Transmission : automatique à 5 rapports avec mode manuel
0-100 km/h : 5,4 s
Vitesse maximale : 235 km/h
Consommation (100 km) : 16,7 l (octane : 91)

Sécurité active
freins ABS, distribution électronique de force de freinage, antipatinage, contrôle de stabilité électronique

Suspension avant/arrière
indépendante/essieu rigide

Freins avant/arrière
disques

Direction
à crémaillère, assistée

Pneus
Laredo et Limited : P235/65R17, Overland : P245/65R17, SRT8 : P255/45R20 (av.), P285/40R20 (arr.)

DIMENSIONS

Empattement : 2781 mm
Longueur : 4740 mm, SRT8 : 4953 mm
Largeur : 1862 mm
Hauteur : 1720 mm, SRT8 : 1694 mm
Poids : Laredo : 2036 kg, Limited : 2128 kg, Overland : 2148 kg, SRT8 : 2161 kg
Diamètre de braquage : 11,3 m
Coffre : 978 l, 1909 (sièges abaissés)
Réservoir de carburant : 78 l

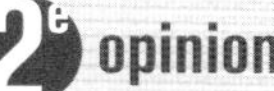

opinion

Hugues Gonnot • Le Grand Cherokee n'est pas facile à classer : il a l'équipement des véhicules de luxe, sans tout à fait en avoir la finition, mais son prix le rangerait plutôt dans la catégorie des utilitaires. Est-ce un véhicule de route ou un tout-terrain ? Cette distinction est encore plus difficile à établir dans le cas de la version SRT8. Chose certaine, le Grand Cherokee est très efficace en tout-terrain, mais, à cause de l'essieu arrière rigide, il est sujet aux sautillements sur la route. Les moteurs sont de tradition américaine, c'est-à-dire qu'ils boivent sans grande modération, surtout le HEMI, malgré son système de désactivation des cylindres. Bref, il n'est ni vraiment utilitaire ni vraiment sport (sauf le SRT8).

LIBERTY

Jeep

www.daimlerchrysler.ca

FICHE D'IDENTITÉ

Version(s) : Sport, Limited,
Roues motrices : 4
Portières : 4
Première génération : 2002
Génération actuelle : 2002
Construction : Toledo, Ohio, É.-U.
Sacs gonflables : 2, frontaux (rideaux latéraux optionnels)
Concurrence : Dodge Nitro, Nissan Xterra, Suzuki Grand Vitara

AU QUOTIDIEN

Prime d'assurance :
25 ans : 2900 à 3100 $
40 ans : 1900 à 2100 $
60 ans : 1500 à 1700 $
Collision frontale : 5/5
Collision latérale : 5/5
Ventes du modèle l'an dernier
Au Québec : 2560 **Au Canada** : 13 282
Dépréciation (3 ans) : 42,2 %
Rappels (2001 à 2006) : 7
Cote de fiabilité : 3/5

BANDE À PART

– Benoit Charette

Alors que presque tous ses concurrents possèdent un profil citadin, le Liberty est resté fidèle aux valeurs chères à Jeep. Plus petit que les autres membres de la famille, il conserve ses attributs de coureur des bois et commence à avoir du plaisir là où les autres n'osent s'aventurer. Une stratégie qui semble sourire au Liberty, troisième par les ventes au Canada, l'an dernier, chez les petits utilitaires (après Ford Escape et Honda CR-V).

CARROSSERIE ► Pas de révolution stylistique majeure en 2007, le taux de testostérone des modèles étant directement proportionnel à la version choisie. Le modèle Sport, sobre, n'en donne pas plus que nécessaire. Le Limited propose une image plus classique avec sa calandre chromée et ses contours de roues assortis à la couleur de la carrosserie. Finalement, pour les Indiana Jones et Lara Croft de ce monde, le Renegade exhibe des lignes de sport extrême avec sa grille décorée de phares de rallye et ses roues de 17 pouces.

HABITACLE ► Le Liberty a conservé l'âme de celui qui aime faire l'école buissonnière. Les poignées placées sur les montants du pare-brise, la planche de bord très droite et les matériaux solides nous plongent tout de suite dans l'univers du vrai tout-terrain. Depuis deux ans, Jeep offre également des harmonies de couleurs plus douces à l'intérieur, ce qui allège l'atmosphère. Les commandes de climatisation sont très simples à utiliser, mais l'entourage chromé de la partie centrale du tableau de bord, du meilleur effet, est malheureusement réservé à la Limited. En bref, voilà un véhicule sans prétention, de bon caractère et au confort tout à fait acceptable.

MÉCANIQUE ► Jeep est le seul dans ce segment à offrir un moteur diesel qui utilise la technologie à rampe commune et bénéficie d'un turbocompresseur à géométrie variable (VGT) pour vous faire profiter de tout le couple à plus bas régime. Ce moteur de

forces
- Véritable capacité hors route
- Le seul à offrir une mécanique diesel
- Bonne tenue de route

faiblesses
- V6 gourmand
- Diesel bruyant à froid
- Espaces de rangement limités

nouveautés en 2007
- Version Renegade retirée du catalogue, moteur CRD discontinué

taliers, on doit faire un certain nombre de compromis. Dans l'ensemble, le comportement routier du Liberty est rigoureux. Par contre, je donne une note plus faible pour l'essieu rigide à l'arrière qui vous résonne dans le coccyx si la route n'est pas parfaitement plane. Pour ceux qui veulent profiter du savoir-faire de Jeep, tous les modèles sont équipés avec la transmission intégrale partielle Command-Trac, qui

160 chevaux, mais surtout de 295 livres-pied de couple, consomme environ 11 litres aux 100 km. Pas mal pour un véhicule qui frôle les deux tonnes à vide. Même si Jeep a travaillé fort pour réduire le bruit et les vibrations produits par ce diesel (couvre-culasse, supports moteurs hydrauliques, matériaux absorbants), il est encore bruyant à froid, mais se fait un peu plus discret à vitesse de croisière. Si le prix de l'essence ne vous fait pas peur, il y a le V6 de 3,7 litres et de 210 chevaux, qui consomme environ 15 litres aux 100 km. Personnellement, je préfère le diesel, sans hésitation.

COMPORTEMENT ► Pour obtenir d'excellentes performances dans les lieux inhospi-

permet de rouler en mode propulsion afin d'économiser du carburant sur la route, et qui propose une gamme courte ou longue en mode quatre roues motrices. En option, le système Selec-Trac offre en plus un mode quatre roues motrices en prise continue, comme une véritable traction intégrale.

CONCLUSION ► Plus 4X4 de campagne que citadin, le Liberty reste fidèle à un esprit vagabond. Le nouveau Compass fera la lutte aux CR-V et RAV4 de ce monde, mais, si vous désirez un utilitaire de taille raisonnable capable de véritables prouesses hors route, le Liberty fait bande à part.

FICHE TECHNIQUE

MOTEUR

V6 3,7 l SACT 210 ch à 5200 tr/min
couple : 235 lb-pi à 4000 tr/min
Transmission : manuelle à 6 rapports, automatique à 5 rapports (option)
0-100 km/h : 10,2 s
Vitesse maximale : 185 km/h
Consommation (100 km) : man. : 13,1 l, auto. : 13,2 l (octane : 87)

Sécurité active
freins ABS

Suspension avant/arrière
indépendante

Freins avant/arrière
disques

Direction
à crémaillère, assistée

Pneus
Sport : P225/75R16, Limited : P235/65R17

DIMENSIONS

Empattement : 2649 mm
Longueur : 4430 mm
Largeur : 1819 mm
Hauteur : 1784 mm
Poids : Sport : 1735 kg, Limited : 1846 kg,
Diamètre de braquage : 12 m
Coffre : 821 l, 1954 l (sièges abaissés)
Réservoir de carburant : 78 l
Capacité de remorquage : 2268 kg

opinion

Antoine Joubert • Supposé être un 4X4 pur et dur, le Liberty a réussi avec brio à faire oublier le Cherokee. Comme son devancier, il excelle en conduite hors route, mais propose en plus un habitacle confortable et soigné, un comportement sur route très honnête et une qualité de construction qui n'a rien à voir avec ce qu'on a connu par le passé. Qui plus est, le Liberty affiche une feuille de route honorable du côté de la fiabilité, ce qui explique sans doute son excellente valeur de revente. Cette année, il est toutefois dommage de voir disparaître la version CRD à moteur diesel, qui n'aura connu qu'une brève carrière en sol nord-américain. Il nous reste donc que le V6, certes gourmand, mais capable de belles prouesses.

PATRIOT

nouveauté | 23 000 $ à 29 000 $ |
Transport et préparation : 1050 $

www.daimlerchrysler.ca

FICHE D'IDENTITÉ

Version(s) : Sport, Limited
Roues motrices : avant, 4
Portières : 4
Première génération : 2007
Génération actuelle : 2007
Construction : Belvidere, Illinois, É.-U.
Sacs gonflables : 6, frontaux, latéraux avant et rideaux latéraux
Concurrence : Chevrolet Equinox, Ford Escape, Hyundai Tucson, Honda CR-V, Kia Sportage, Mitsubishi Outlander, Nissan X-Trail, Pontiac Torrent, Saturn VUE, Suzuki Grand Vitara, Toyota RAV4

AU QUOTIDIEN

Prime d'assurance :
25 ans : 2100 à 2300 $
40 ans : 1400 à 1600 $
60 ans : 1200 à 1400 $
Collision frontale : nd
Collision latérale : nd
Ventes du modèle l'an dernier
Au Québec : nm **Au Canada :** nm
Dépréciation (3 ans) : nm
Rappels (2001 à 2006) : nm
Cote de fiabilité : nm

LA CALIBER *HEAVY DUTY*

– Hugues Gonnot

Coup sur coup, Jeep lance deux petits utilitaires quatre cylindres. Se seraient-ils un peu beaucoup compliqué la vie, chez Jeep, demandez-vous? Disons plutôt qu'ils ont couru un risque mesuré. La Compass est la première Jeep qui n'est pas « Trail Rated », c'est-à-dire qu'elle n'a pas les capacités traditionnelles qu'on est en droit d'attendre d'une Jeep en hors-piste. Rajoutez une allure un peu biscornue et vous comprenez pourquoi Jeep s'est gardé une porte de sortie avec un véhicule qui, sur la même base que la Compass, c'est-à-dire celle de la Dodge Caliber, ressemble à une Jeep traditionnelle et en possède les attributs de tout-terrain.

CARROSSERIE ► C'est bien simple, le Patriot fait penser à l'ancien Cherokee (1984 -2001). Belle référence, car ce modèle est encore très recherché par les vrais amateurs de Jeep. Cette boîte carrée est pourvue de pneus de 17 pouces.

HABITACLE ► Quant à l'ambiance intérieure, on est en terrain très connu, puisqu'il s'agit exactement de la planche de bord de la Caliber. On retrouve donc une ergonomie de bon niveau et des plastiques acceptables, mais pas toujours très flatteurs. Il y a aussi les petits extras sympathiques de la Caliber : porte-gobelets éclairés, prise 115 volts, enceintes mobiles dans la porte arrière, étui pour iPod dans la console centrale, tissu des sièges antitache, lampe de plafonnier amovible. La liste des équipements, de série ou optionnels, est très complète.

MÉCANIQUE ► Toute la base mécanique provient, vous vous en doutez, de la Caliber. Mais le seul moteur disponible est le nouveau 2,4 litres issu d'un développement commun avec Hyundai et Mitsubishi. Il utilise le calage variable des soupapes d'admission et d'échappement. Il est équipé d'une boîte manuelle à cinq rapports ou d'une boîte automatique à variation continue. Ailleurs dans le monde, il existe une version turbodiesel de 2,0 litres avec

forces
- Design rassurant
- Bonne base technique
- Équipement de haut niveau

faiblesses
- Consommation et reprises à vérifier
- Finition encore à améliorer un peu

nouveautés en 2007
- Nouveau modèle

PATRIOT

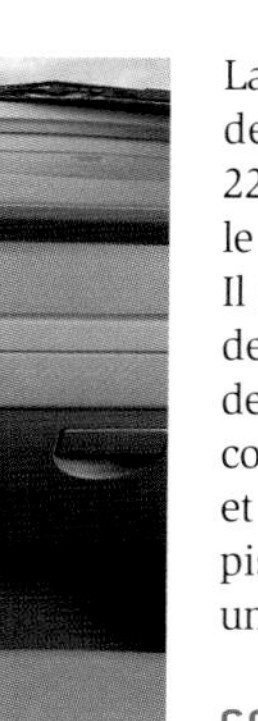

une boîte manuelle à six rapports. Au rythme où le prix du carburant augmente, nous pourrions le voir chez nous plus rapidement que prévu. Le Patriot vient, au choix, en traction ou à quatre roues motrices (transmission Freedom Drive I), ou bien avec un ensemble hors route (Freedom Drive II Off Road). C'est avec cet ensemble que le Patriot se distingue de ses cousins, puisqu'il n'est pas disponible avec les Caliber et Compass. En plus de la transmission intégrale de base (système à répartition variable de couple et verrouillage du différentiel central pour les conditions de faible adhérence), il ajoute une gamme de vitesse réduite (19:1), un pneu de rechange de pleine grandeur, des plaques de protection sous le châssis, des crochets de remorquage, des antibrouillards et un ajustement en hauteur du siège du conducteur.

La garde au sol augmente aussi de 25 millimètres et passe à 228 millimètres. Ainsi équipé, le Patriot devient «Trail Rated». Il peut alors traverser des gués de 480 millimètres de profondeur. Sur le plan des aides à la conduite, le contrôle de traction et l'ESP sont adaptés au hors-piste, alors que l'on retrouve une assistance à la descente.

COMPORTEMENT ► Nous n'avons pas encore eu l'occasion de conduire le Patriot mais, d'après l'essai d'un Caliber R/T (2,4 litres et transmission intégrale), il est possible de tirer quelques conclusions. La plateforme est assez lourde et les remises en vitesses ne risquent pas d'être fulgurantes, alors que la consommation promet d'être relativement élevée (probablement moins en traction). Côté tenue de route, c'est assez bien équilibré et le freinage semble à la hauteur. Mais tout cela reste à vérifier lors d'un essai en bonne et due forme.

CONCLUSION ► Jeep ne sait pas vraiment ce que le public dira de la Compass. Au moins, avec le Patriot, la marque est en terrain connu et ne risque pas de dérouter les inconditionnels, qui seront même certainement très heureux de pouvoir enfin s'acheter une Jeep quatre cylindres.

FICHE TECHNIQUE

MOTEUR

L4 2,4 l DACT 172 ch à 6000 tr/min
couple : 165 lb-pi à 4400 tr/min
Transmission : manuelle à 5 rapports, automatique à variation continue avec mode manuel (option)
0-100 km/h : nd
Vitesse maximale : nd
Consommation (100 km) : nd (octane : 87)

Sécurité active
freins ABS, répartition électronique de force de freinage, assistance au freinage, antipatinage, contrôle de stabilité électronique

Suspension avant/arrière
indépendante

Freins avant/arrière
disques

Direction
à crémaillère, assistée

Pneus
Sport : P205/70R16, Limited : P215/60R17

DIMENSIONS

Empattement : 2635 mm
Longueur : 4411 mm
Largeur : 1756 mm
Hauteur : 1637 mm
Poids : Sport 2RM : 1410 kg, Sport 4RM : 1475 kg, Limited 2RM : 1437 kg, Limited 4RM : 1509 kg
Diamètre de braquage : 10,8 m
Coffre : 652 l, 1535 l (sièges abaissés)
Réservoir de carburant : 2RM : 51,5 l, 4RM : 51,1 l
Capacité de remorquage : 907 kg

WRANGLER

nouveauté | 26 445 $ à 29 895 $ |
Transport et préparation : 1100 $

Jeep

www.daimlerchrysler.ca

FICHE D'IDENTITÉ

Version(s) : X, Sahara, Rubicon
Roues motrices : 4
Portières : 2, 4
Première génération : 1987
Génération actuelle : 2007
Construction : Toledo, Ohio, É.-U.
Sacs gonflables : 2, frontaux, latéraux optionnels
Concurrence : Hummer H2, Nissan Xterra, Toyota FJ Cruiser

AU QUOTIDIEN

Prime d'assurance :
25 ans : 3200 à 3400 $
40 ans : 1800 à 2000 $
60 ans : 1500 à 1700 $
Collision frontale : nd
Collision latérale : nd
Ventes du modèle l'an dernier
Au Québec : 1234 **Au Canada :** 5378
Dépréciation (3 ans) : 44,4 %
Rappels (2001 à 2006) : 5
Cote de fiabilité : 3/5

PLUS MODERNE, AUSSI ROBUSTE

– Nadine Filion

Malgré les nouvelles bébelles à son bord, le Wrangler reste indéniablement un Jeep. Dès les premiers instants au volant, on renoue avec le feeling Jeep.

Contrairement à certains de mes collègues, j'ai toujours aimé les Jeep entre tous les véhicules que je teste, j'opterais encore et toujours pour le bon vieux Jeep. Après tout, c'est le seul véhicule décapotable qui peut nous mener où bon nous semble ! Je vous rassure : la nouvelle génération reste fidèle aux origines vieilles de soixante-cinq ans. Dans la célèbre Rubicon Trail où nous l'avons malmené en août dernier, le Wrangler a réagi comme d'habitude : en maître.

Sur la route, le passage des ans lui a apporté ce que même les puristes ne décrieront pas : la stabilité et un peu plus de confort. Avec, en prime, quelques gadgets bien plaisants, notamment la radio satellite et le système de navigation. D'autres surprises ? D'abord, l'appellation Wrangler pour le territoire canadien, que DaimlerChrysler a finalement pu récupérer chez GM. « Ce fut une longue bataille », nous a confié un porte-parole. Aussi, un prix diminué d'en moyenne 3600 $. En fait, le nouveau Wrangler de base (X) coûte moins de 20 000 $, et la version la plus « robuste » ne dépasse pas les 30 000 $. Enfin, on assiste au retour de la version Sahara qui se distingue avec, en grande première mondiale..., les vitres et portières électriques. Boy, sortez le champagne, le Jeep vient d'atteindre la maturité !

CARROSSERIE ► Il y a une limite à ce qu'on peut faire avec une boîte carrée sur quatre roues. Surtout qu'il fallait conserver les signes distinctifs du légendaire Jeep : phares ronds, calandre à sept branches, pare-brise rectangulaire inclinable – tout au plus ce dernier se courbe-t-il un brin, dans une ultime tentative d'aérodynamisme. Résultat : le nouveau Wrangler n'est pas tombé loin de l'arbre. Sauf peut-être pour cette vague et fugace impression de... Hummer H3. À qui la faute ? Peut-être aux

forces
- Le virtuose du hors-piste
- Version Unlimited
- Meilleure stabilité en route
- Bravo pour ce toit rigide modulaire
- Système de navigation, radio satellite

faiblesses
- Petit look Hummer H3?
- Design intérieur trop cosmétique
- Affiche radio illisible au soleil

nouveautés en 2007
- Modèle entièrement redessiné

charnières des portières, toujours bien visibles. Justement, parlant des portières, la variante Unlimited, qui nous est arrivée en 2004 et qui permet de transporter bagages ET amis, établit une nouvelle marque pour 2007: quatre portières. Vous avez bien lu: quatre portières. C'est une première, depuis le Willys 1941.

Une autre première? Ce Wrangler Unlimited accueille cinq passagers, et non plus quatre. De plus, sa banquette se replie en une configuration 60/40 fort pratique. Sans ce repli, ce Wrangler allongé propose tout de même trois fois plus d'espace de rangement que le Wrangler régulier.

HABITACLE ▶ Parce qu'il se fait substantiellement plus large (180 millimètres), le nouveau Wrangler propose une cabine plus spacieuse. Tant mieux. Surtout, les sièges avant offrent davantage de soutien latéral, pour plus de confort. Personnellement, je ne suis pas entichée du design intérieur, qui fait appel à des plastiques bon marché et à une allure qui tente le techno. L'ensemble est cosmétique et la console centrale, recouverte d'un matériau caoutchouteux, devient bouillante sous un soleil de plomb. Ce même Galarneau rend l'affichage radio illisible.

En revanche, bravo pour ce nouveau toit rigide modulaire à trois panneaux. Il est plus facile à découvrir que l'ancien toit rigide et, du coup, fort pratique si l'on ne veut ou ne peut se payer «les deux toits», comme on dit dans le jargon. Côté options, le Wrangler fait un grand pas technologique avec les coussins gonflables latéraux et la radio satellite (avant de crier au scandale, sachez que de toute façon la radio satellite ne fonctionne pas au fond des bois). Ajoutez le système de navigation et le dispositif MyGig (un disque dur pouvant stocker des photos ou 150 heures de musique), et voilà que le Wrangler se met à la page. Et pas qu'à moitié!

MÉCANIQUE ▶ Qu'on se le dise tout de suite: le «petit» quatre cylindres est disparu. Et le moteur six cylindres en ligne (4,0 litres) cède la place à un V6 de 3,8 litres, pour 202 chevaux et 237 livres-pied. Comme pour le dernier TJ (2006), la boîte manuelle de série compte six vitesses. L'optionnelle automatique ne gagne aucun rapport. Les ingénieurs ont été clairs: cette boîte quatre rapports a fait ses preuves, pas question de changer ce qui fonctionne si bien. Là où les puristes s'époumoneront, c'est à l'idée des freins ABS et du système de stabilité, de série. Mais je dis: du calme. Sur la route, ces aides à la conduite peuvent sauver des vies – et elles en sauvent. Pourquoi s'en passer? D'autant que, en hors-piste, le tout est désactivé ou adapté en conséquence.

En vrac, et pour ceux que ça intéresse: la rigidité du châssis a augmenté de 100 % et le réservoir d'essence se trouve désormais entre les essieux, et non plus à l'arrière – merci à la nouvelle plateforme d'assemblage. Les tambours aux freins arrière sont des choses du passé et les roues de 15 pouces ont tiré leur révérence au profit de roues de 16, 17, voire 18 pouces (en option, version Sahara).

COMPORTEMENT ▶ Comme je l'écrivais plus haut: Le Wrangler conserve ses gènes Jeep si particuliers. À commencer par cette direction à bille toujours si fortement assistée –

HISTOIRE ▼

Constance...

On pourrait comparer la Jeep Wrangler à une Morgan britannique. Depuis son apparition, la technologie employée a évolué, mais pas l'esthétique. Le mythe de la Jeep passe-partout est ce qu'achètent les consommateurs bien plus que le véhicule lui-même! On a donc vu plusieurs variantes se succéder: à toit rigide, un pick-up et un Wrangler Unlimited à habitacle allongé, etc.

CJ-2A 1941

CJ-3B 1953

CJ-5 1966

CJ-7 Renegade

Scrambler 1982

Renegade 1982

TJ Unlimited 2004

WRANGLER

GALERIE ▼

1 • L'habitacle fait appel à des plastiques bon marché et à une allure qui tente le « techno » sans beaucoup de succès.
2 • Modernité oblige, il y a même un petit rangement sous le plancher de l'espace de chargement.
3 • Parce qu'il se fait substantiellement plus large (18 cm), le nouveau Wrangler propose une cabine plus spacieuse ; tant mieux. Surtout, les sièges avant offrent davantage de soutien latéral, pour plus de confort.
4-5 • Le Jeep Rubicon est toujours le roi du hors-route et offre dorénavant un peu plus d'espace de chargement (page suivante).

1

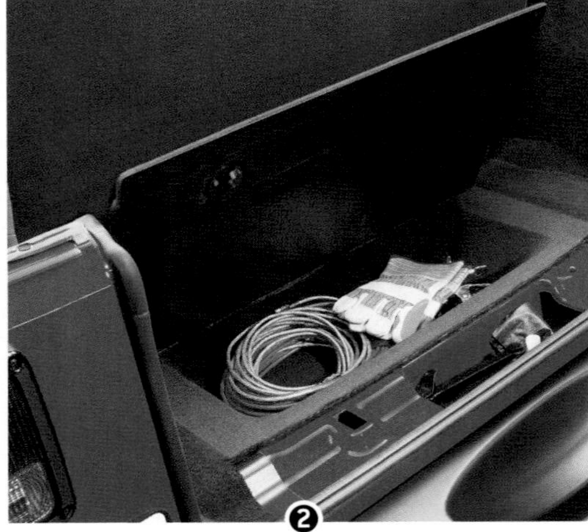

2

3

4

5

WRANGLER

ce qu'on déteste ailleurs, on l'aime beaucoup ici! Pas de grand bouleversement côté performances, puisque le nouveau V6 n'a gagné que 12 chevaux. En revanche, il profite du contrôle électronique, ce qui lui permet de délivrer une puissance plus constante, surtout en hors-piste. Les essieux rigides et la suspension (toujours à multiraccords à l'arrière) préservent cette bonne vieille tenue de route à la Jeep. L'amélioration est cependant considérable côté stabilité, grâce à un empattement plus long et à une voie élargie (90 millimètres). Finie, cette impression de risquer le capotage à chaque virage.

J'ai eu la chance – quel euphémisme! – de «vivre» la Rubicon Trail en l'an 2000. Les jamborees Wrangler TJ qu'on y avait lancés avaient relevé le défi avec brio. Imaginez maintenant ce qu'on a pu faire avec les nouveaux Wrangler Rubicon... Ceux-ci comptent sur un système quatre roues motrices Rock-Track (le ratio à bas régime est de 4h1, par rapport à 2,72:1 pour le Command-Trac des versions X et Sahara). Ils misent également sur des essieux Dana 44 plus musclés et sur des différentiels avant et arrière qui se verrouillent. Difficile de rester coincé quelque part, à moins de vouloir faire le con. Besoin d'encore plus de marge de manœuvre? Nouveauté en 2007, une barre antiroulis (de série dans le Rubicon) peut être déconnectée à même le tableau de bord, pour une amplitude augmentée de 33 %.

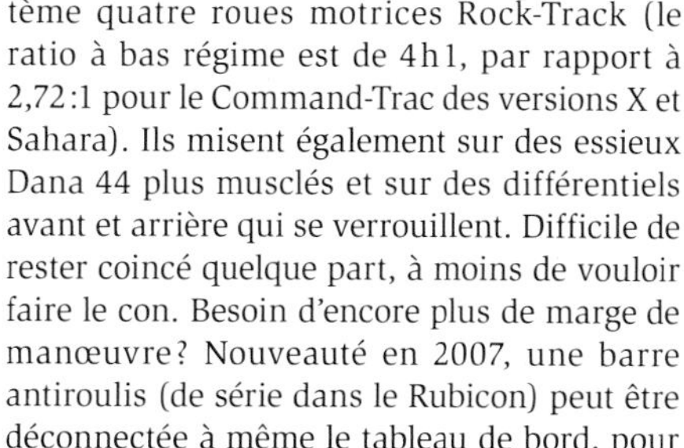

Oh, j'ai oublié de vous dire... Cette virée dans la Rubicon, nous l'avons faite avec la version Unlimited. Et je vous confirme que le demi-mètre de plus par rapport à la version dite régulière ne handicape en rien l'aventure.

CONCLUSION ▶ La nouvelle génération de Wrangler – la onzième en soixante-cinq ans, si je ne m'abuse – fait suite à une génération qui s'est montrée à la hauteur pendant près de dix ans. Après le CJ, le YJ et le TJ, voici donc le JK.

Et n'allez surtout pas croire que ces initiales signifient Just Kidding...

FICHE TECHNIQUE

MOTEUR
V6 3,8 l ACC 205 ch à 5200 tr/min
couple : 240 lb-pi à 4000 tr/min
Transmission : manuelle à 6 rapports, automatique à 4 rapports (option)
0-100 km/h : nd
Vitesse maximale : nd
Consommation par 100 km : nd (octane : 87)

Sécurité active
freins ABS, antipatinage, contrôle de stabilité électronique

Suspension avant/arrière
essieu rigide

Freins avant/arrière
disques

Direction
à crémaillère, assistée

Pneus
X : P225/75R16, Sahara : P255/75R17, Rubicon : LT255/75R17

DIMENSIONS
Empattement : 2424 mm, Unlimited : 2946 mm
Longueur : 3881 mm, Unlimited : 4404 mm
Largeur : 1873 mm
Hauteur : 1800 mm
Poids : X : 1403 kg, Sahara : 1475 kg, Rubicon : 1532 kg, Unlimited : X : 1848 kg, Sahara : 1936 kg, Rubicon : 1957 kg
Diamètre de braquage : 10,6 m, Unlimited : 12,6 m
Coffre : 190 l, 1600 l (sièges abaissés), Unlimited : 1310 l, 2460 l (sièges abaissés)
Réservoir de carburant : 72 l
Capacité de remorquage : 907 kg

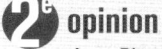

2e opinion

Jean-Pierre Bouchard • Le Jeep a commencé à prendre l'assaut des routes au début des années 1940. Soixante-cinq plus tard, Jeep réussit, enfin, à concocter un petit 4X4 qui ne trahit pas ses origines et ajoute, en plus, deux ingrédients importants : le confort et l'agrément de conduite. La dizaine de kilomètres franchis sur la Rubicon Trail ont confirmé une fois de plus les talents de ce véhicule passe-partout. Car rien, ou bien peu de chose, ne l'arrête. Et ceux parcourus sur les routes secondaires ont démontré que le TJ – aujourd'hui Wrangler – pouvait être autre chose qu'un tape-cul. L'équipe de Jeep a, dans l'ensemble, bien fait ses devoirs. Ce n'est pas parfait mais c'est une nette amélioration.

AMANTI

www.kia.ca

FICHE D'IDENTITÉ

Version(s) : Base, Cuir, Luxe
Roues motrices : avant
Portières : 4
Première génération : 2004
Génération actuelle : 2007
Construction : Sohari, Corée du Sud
Sacs gonflables : 8, frontaux, latéraux avant et arrière, rideaux latéraux
Concurrence : Buick Allure et Lucerne, Chrysler 300, Ford Five Hundred, Hyundai Azera, Lexus ES 350, Mercury Grand Marquis, Nissan Maxima, Toyota Avalon

AU QUOTIDIEN

Prime d'assurance :
25 ans : 2300 à 2500 $
40 ans : 1600 à 1800 $
60 ans : 1300 à 1500 $
Collision frontale : 4/5
Collision latérale : 4/5
Ventes du modèle l'an dernier
Au Québec : 219 **Au Canada :** 884
Dépréciation (2 ans) : 40,9 %
Rappels (2001 à 2006) : aucun à ce jour
Cote de fiabilité : 5/5

UN COMPLET-CRAVATE À L'AUBAINERIE !

– Antoine Joubert

Si vous avez déjà franchi le seuil d'un magasin l'Aubainerie, vous savez que cette chaîne n'a rien à voir avec les Croteau d'autrefois. Évidemment, on n'y retrouve pas de vêtements griffés, mais, pour habiller convenablement une famille à coût modique, c'est imbattable. Qui plus est, il est possible d'y dénicher chemises, cravates, pantalons et vestons à des prix compétitifs. Chez Kia, la même analogie s'applique : on propose une gamme de véhicules abordables et de bonne qualité, sans prétention, tout en tentant une petite incursion dans le monde du luxe. Et, chez Kia, le haut de gamme se nomme Amanti.

CARROSSERIE ► S'inspirant de modèles nord-américains (Chrysler LHS, Lincoln Town Car) et européens (Mercedes-Benz Classe E, Jaguar S-Type), les dessinateurs de l'Amanti ont malheureusement accouché d'une carrosserie qui ne fait pas l'unanimité. Les formes tarabiscotées, la trop forte présence du chrome et l'immense grille de calandre donnent une impression de surcharge. Résultat : on frôle le kitsch, la « quétainerie » Même les retouches esthétiques, que l'on pourra voir en 2007, ne changent vraiment pas grand-chose au style.

HABITACLE ► L'habitacle a lui aussi fait l'objet de retouches, notamment au niveau des sièges qui deviennent chauffants et réfrigérants et qui disposent d'une multitude de réglages, tout comme le pédalier, ajustable électriquement. Le choix des couleurs est à présent plus vaste. Présentée au dernier Mondial de Paris, la nouvelle Opirus profitera, comme sa devancière, d'un rapport équipements/prix en décalage total avec ceux des coûteuses voitures allemandes. Décidément, les dessinateurs de l'Amanti ont fait du meilleur travail du côté du style. En ouvrant la portière, on découvre un habitacle où cuir, chrome et similibois s'harmonisent mieux que dans l'ancienne version et occupent tout l'espace disponible. À l'œil, le résultat est plus joyeux et la qualité des matériaux est étonnante. Il faut aussi

forces

- Luxe et qualité à bon prix
- Confort
- Habitabilité impressionnante
- Garantie rassurante

faiblesses

- Consommation d'essence
- Tenue de route déplorable
- Style discutable
- Forte dépréciation

nouveautés en 2007

- Retouche esthétique en cours d'année, moteur 3,8 litres à venir

AMANTI

souligner la rigueur de l'assemblage, qui a de quoi ridiculiser une Lincoln Town Car.

MÉCANIQUE ▶ Pesant près de 1900 kilos, l'Amanti est une voiture lourde qui exigeait beaucoup de son V6 de 3,5 litres. Utilisé à toutes les sauces chez Kia, ce moteur a malheureusement toujours été réputé pour sa grande soif de carburant. La bonne nouvelle, c'est que ce moteur disparaît au profit d'un V6 3,8 de 262 chevaux, plus en accord avec les ambitions de cette berline. Elle efface dorénavant le 0-100 km/h en 7,5 secondes et atteint 230 km/h, contre 9,2 secondes et 220 km/h jusqu'à présent. De jolis gains de performance qui s'accompagnent d'une baisse de 4,4 % de l'appétit de ce nouveau bloc, annoncé par le constructeur à 10,9 litres aux 100 km. Les performances ne sont pas vilaines, le couple est généreux, mais on sent toujours que le moteur travaille fort, malgré sa grande souplesse, et même s'il est jumelé à une boîte automatique à cinq rapports.

COMPORTEMENT ▶ Avec l'Amanti, il faut s'attendre au comportement feutré d'une Buick des années 1980, les bruits de caisse en moins. Cela signifie donc un roulis extrêmement prononcé dans les virages, un freinage spongieux et une surassistance de la direction. Les adeptes d'anciennes Cadillac adoreront, mais si vous êtes un conducteur de Mini Cooper qui n'a pas le pied marin, prenez deux cachets de Gravol avant de monter à bord !

CONCLUSION ▶ Bien construite, offerte à prix alléchant et dotée d'une bonne garantie, l'Amanti est une voiture qui a beaucoup à offrir, mais il faut accepter un style, un confort et un comportement routier qui évoquent le passé. Si tels sont vos goûts, voilà une voiture à considérer. Toutefois, je vous inviterais d'abord à jeter un coup d'œil du côté de Hyundai, qui propose depuis l'an dernier une Azera plus performante, plus moderne et tout aussi confortable.

FICHE TECHNIQUE

MOTEUR
V6 3,8 l DACT 262 ch à 5500 tr/min
couple : 261 lb-pi à 3500 tr/min
Transmission : automatique à 5 rapports avec mode manuel
0-100 km/h : 7,5 s
Vitesse maximale : 230 km/h
Consommation (100 km) : 10,9 l (octane : 87)

Sécurité active
freins ABS, antipatinage, contrôle de stabilité électronique

Suspension avant/arrière
indépendante

Freins avant/arrière
disques

Direction
à crémaillère, assistée

Pneus
P225/60R16

DIMENSIONS
Empattement : 2800 mm
Longueur : 4979 mm
Largeur : 1850 mm
Hauteur : 1486 mm
Poids : 1820 kg
Diamètre de braquage : 11,4 m
Coffre : 440 l
Réservoir de carburant : 70 l

opinion

Nadine Filion • Si l'on dissimulait le logo « Kia » et qu'on vous demandait de tester l'Amanti, je vous jure que vous n'auriez que de bons commentaires au sujet de la berline pleine grandeur. D'abord, elle a fière allure avec ses inserts de chrome. Son comportement routier est peut-être celui d'une Buick, mais le confort est au rendez-vous. L'habitacle est spacieux, silencieux et luxueux. Les équipements sont complets, avec climatisation bizone, essuie-glaces automatiques et rétroviseurs chauffants. Les équipements de série comprennent freins ABS, antipatinage, antidérapage et coussins gonflables pour tous les occupants. Tout y est, et pour plusieurs milliers de dollars de moins que la concurrence.

MAGENTIS

nouveauté | 21 895 $ à 27 795 $

Transport et préparation : 1250 $

www.kia.ca

SORTIE DE L'OMBRE À L'HORIZON

– Jean-Pierre Bouchard

FICHE D'IDENTITÉ

Version(s) : LX, LX Premium, LX V6, LX V6 Luxe
Roues motrices : avant
Portières : 4
Première génération : 2001
Génération actuelle : 2007
Construction : Sohari, Corée du Sud
Sacs gonflables : 6, frontaux, latéraux avant et rideaux latéraux
Concurrence : Chevrolet Malibu, Chrysler Sebring, Ford Fusion, Honda Accord, Hyundai Sonata, Mazda6, Mitsubishi Galant, Nissan Altima, Pontiac G6, Saturn Aura, Subaru Legacy, Toyota Camry, Volkswagen Jetta et Passat

AU QUOTIDIEN

Prime d'assurance :
25 ans : 2200 à 2400 $
40 ans : 1500 à 1700 $
60 ans : 1100 à 1300 $
Collision frontale : nd
Collision latérale : nd
Ventes du modèle l'an dernier
Au Québec : 486 **Au Canada :** 1862
Dépréciation (3 ans) : 53,2 %
Rappels (2001 à 2006) : 1
Cote de fiabilité : nm

Kia, qui souhaite compter parmi les cinq plus grands constructeurs mondiaux d'ici 2010, a connu une croissance fulgurante en Amérique du Nord ces dernières années. Pour y parvenir, l'entreprise compte notamment sur sa berline intermédiaire, la Magentis, revue de pied en cap.

CARROSSERIE ► Les lignes des Magentis de première génération étaient plutôt banales. Aujourd'hui, elles sont plus dynamiques, ce qui devrait aider la Magentis à sortir de l'anonymat.

La berline utilise une plateforme adaptée de la dernière génération de Sonata, mais la différence visuelle est suffisante pour séduire sa propre clientèle.

HABITACLE ► Au chapitre des dimensions, la deuxième mouture de Magentis gagne des millimètres. L'empattement et la longueur bénéficient respectivement de 20 millimètres et de 15 millimètres additionnels, alors que la hauteur du véhicule augmente de 70 millimètres, ce qui procure un généreux dégagement pour la tête.

Au volant, on dispose de commandes à portée de main et d'une instrumentation simple et facile à consulter. Par contre, la buse de ventilation à gauche de la console centrale dirige l'air directement sur la main droite du conducteur. La version LX d'entrée de gamme bénéficie d'une foule d'équipements de série, dont les sièges chauffants, les commandes de la radio au volant, et six sacs gonflables. Les baquets sont fermes et confortables. Dans l'ensemble, la finition est assez bien exécutée, mais le plastique des boutons de la radio et des commandes au volant semble fragile. Le coffre gagne 34 litres et atteint maintenant 420 litres. L'insonorisation est impressionnante, compte tenu du prix de la berline.

MÉCANIQUE ► Le capot abrite un moteur quatre cylindres de 2,4 litres. Associé

forces

- Prix concurrentiel
- Équipements de série
- Moteur quatre cylindres souple
- Douceur du V6

faiblesses

- Certaines failles ergonomiques (buse de ventilation)
- Certains matériaux (plastique)
- Rembourrage des sièges

nouveautés en 2007

- Nouveau modèle

MAGENTIS

de série à une boîte manuelle à cinq rapports, il développe 161 chevaux (un gain de 23 chevaux), assez pour mouvoir la voiture avec aisance et souplesse dans la plupart des situations.

La boîte automatique séquentielle à cinq rapports, optionnelle, fonctionne avec douceur. L'étagement des rapports favorise avant tout l'économie de carburant et le passage rapide au cinquième rapport diminue un peu l'agrément de conduite en deçà des 100 km/h, mais le mode manuel permet de corriger le tir. Par ailleurs, Kia n'a pas jugé bon d'utiliser le V6 de 3,3 litres de la Sonata.

COMPORTEMENT ► Afin de distinguer la Magentis de sa cousine, la Hyundai Sonata, les ingénieurs ont réglé ses suspensions « à l'européenne ». Avons-nous pour autant l'impression de conduite une BMW ou une Audi ? Non, mais la Magentis procure toutefois un bon confort de roulement (que des pneus de qualité supérieure amélioreraient) et elle absorbe avec fermeté les inégalités de la chaussée tout en montrant une tenue de route décente. Cela dit, la différence avec la conduite d'une Sonata est bien légère. La voiture dispose en équipement de série de freins à disques aux quatre roues et du système ABS.

CONCLUSION ► Tout compte fait, la Magentis est une berline concurrentielle, d'autant plus que la fourchette des prix a diminué de plusieurs centaines de dollars. À moins de 22 000 $, l'intermédiaire dispose d'un groupe motopropulseur agréable, d'un comportement routier honnête et d'une liste d'équipements de série étoffée. Ajoutez-y une garantie étendue et l'affaire semble dans le sac. La nouvelle Magentis possède tous les atouts pour prendre son essor.

FICHE TECHNIQUE

MOTEURS

(LX et LX Premium) L4 2,4 l DACT 161 ch à 5800 tr/min
couple : 163 lb-pi à 4250 tr/min
Transmission : manuelle à 5 rapports, automatique à 5 rapports avec mode manuel en option (de série dans LX Premium)
0-100 km/h : 9,4 s
Vitesse maximale : 185 km/h
Consommation (100 km) : man. : 8,0 l, auto. : 8,1 l (octane : 87)

(LX V6 et LX V6 Luxe) V6 2,7 l DACT 185 ch à 6000 tr/min
couple : 182 lb-pi à 4000 tr/min
Transmission : automatique à 5 rapports avec mode manuel
0-100 km/h : 8,7 s
Vitesse maximale : 210 km/h
Consommation (100 km) : auto. : 8,9 l (octane : 87)

Sécurité active
freins ABS, répartition électronique de force de freinage, antipatinage (LX Premium et LX V6 Luxe), contrôle de stabilité électronique (LX Premium et LX V6 Luxe)

Suspension avant/arrière
indépendante

Freins avant/arrière
disques

Direction
à crémaillère, assistée

Pneus
P205/60R16, LX V6 Luxe : P215/50R17

DIMENSIONS

Empattement : 2720 mm
Longueur : 4735 mm
Largeur : 1805 mm
Hauteur : 1480 mm
Poids : L4 : 1425 kg, V6 : 1491 kg
Diamètre de braquage : 10,8 m
Coffre : 420 l
Réservoir de carburant : 62 l

opinion

Nadine Filion • Si le style extérieur n'a pas encore suffisamment de gueule pour remporter les concours de design, le comportement routier de la Magentis s'est amélioré radicalement. Le « petit » moteur procure des accélérations dynamiques qui savent en cacher les limites (161 chevaux), alors que le V6 paraît plus puissant que les 185 chevaux annoncés. Toutes nos félicitations à Kia qui a échappé à l'escalade des coûts : même avec des équipements de série tels que l'ABS, les commandes audio au volant et les six coussins gonflables, la nouvelle Magentis (de base) coûte toujours moins de 22 000 $. On aime.

13 595 $ à 16 295 $
Transport et préparation : 1090 $

www.kia.ca

OH ! C'EST DU SÉRIEUX...

– Antoine Joubert

FICHE D'IDENTITÉ

Version(s) : *berl.* : EX, EX Commodité, *Rio5* : EX, EX Commodité, EX Sport
Roues motrices : avant
Portières : 4
Première génération : 2002
Génération actuelle : 2006
Construction : Sohari, Corée du Sud
Sacs gonflables : 2, frontaux
Concurrence : Chevrolet Aveo, Honda Fit, Hyundai Accent, Nissan Versa, Pontiac Wave, Suzuki Swift+, Toyota Yaris

AU QUOTIDIEN

Prime d'assurance :
25 ans : 2000 à 2200 $
40 ans : 1100 à 1300 $
60 ans : 900 à 1100 $
Collision frontale : nd
Collision latérale : nd
Ventes du modèle l'an dernier
Au Québec : 2509 **Au Canada** : 6926
Dépréciation (3 ans) : 58,8 %
Rappels (2001 à 2006) : 3
Cote de fiabilité : nm

Soyons francs, la première génération de la plus petite des Kia n'était pas très convaincante. Certes, elle affichait une bouille sympathique, mais son manque de raffinement l'a vite reléguée au dernier rang de sa catégorie.

Il fallait donc que Kia revienne à la charge en 2006 avec un produit capable d'affronter les Honda Fit, Nissan Versa, Toyota Yaris. Un an après son arrivée, on doit admettre que le mandat a été pleinement rempli.

CARROSSERIE ► Dotée ou non d'un hayon, la Rio a fière allure. Son look jeune et dynamique attire la clientèle ciblée, séduite au premier coup d'œil. Ses lignes s'inspirent légèrement de celles de sa devancière, ce qui est loin d'être une mauvaise chose.

Toutefois, et contrairement à la tendance, les concepteurs ont cette fois choisi d'habiller la Rio de larges moulures latérales noires qui lui donnent un petit côté européen. Certains aiment, d'autres non, mais ces moulures protègent efficacement des petits chocs les panneaux de carrosserie.

HABITACLE ► Pour avoir essayé simultanément une Toyota Yaris et une Kia Rio5, je peux affirmer que la vie à bord de la voiture coréenne est drôlement plus agréable. D'abord, la position de conduite est supérieure et ne donne pas l'impression d'être assis debout ! Les sièges confortables moulent parfaitement chacune des parties du corps, permettant ainsi de longs trajets sans fatigue. Qui plus est, les versions mieux garnies, qui coûtent moins de 16 500 $, sont équipées de sièges chauffants à l'avant, une première dans cette catégorie.

À l'arrière, deux occupants peuvent s'installer sans se plaindre d'un manque de dégagement. Kia n'a pas lésiné sur la qualité des matériaux et le souci du détail en matière de design et d'ergonomie.

MÉCANIQUE ► La Rio partage l'ensemble de ses éléments mécaniques et structuraux

forces
- Excellente qualité générale
- Bon agrément de conduite
- Habitacle invitant et bien aménagé
- Bonne insonorisation
- Facture facile à digérer

faiblesses
- Puissance modeste
- Boîte automatique peu invitante
- Essuie-glace arrière à balayage fixe (Rio5)

nouveautés en 2007
- Pas de changement

avec sa cousine, la Hyundai Accent. Le petit quatre cylindres de 1,6 litre qui loge sous son capot est apprécié pour sa grande souplesse et sa discrétion. Il n'est pas très puissant, mais sa consommation de carburant se situe dans la moyenne, soit à mi-chemin entre la Toyota Yaris (la meilleure) et la Chevrolet Aveo (la pire). Si vous hésitez entre les boîtes manuelle et automatique, sachez que la Rio s'accommode mieux de la première. Le levier de vitesses est souple et agréable à utiliser, et la boîte favorise de meilleures performances et une économie de carburant substantielle.

COMPORTEMENT ► Kia chausse la Rio de pneus Hankook Optima, qui font du bon boulot. Pourvue d'un châssis tout neuf, la voiture montre une grande rigidité sur la route et ne semble pas souffrir lorsqu'on la malmène. Agile et maniable, elle obéit avec précision, sans délai, à la moindre manœuvre.

La direction est rapide et précise, le diamètre de braquage, minime, et la suspension bien calibrée permet à la fois une tenue de route saine et un confort étonnant. De plus, la Rio est certainement la sous-compacte la mieux insonorisée.

CONCLUSION ► En 2007, la concurrence sera féroce avec l'arrivée des Honda Fit, Nissan Versa, Hyundai Accent à hayon et Chevrolet Aveo remodelée. Y aura-t-il une place pour la Rio? Certainement, puisque l'agrément de conduite, la qualité générale du produit, le rapport équipement/prix et la garantie sont des éléments qui la favorisent. Et il ne faudrait surtout pas la bouder, sous prétexte qu'elle porte un écusson moins noble.

FICHE TECHNIQUE

MOTEUR
L4 1,6 l DACT 110 ch à 6000 tr/min
couple: 107 lb-pi à 4500 tr/min
Transmission: manuelle à 5 rapports, automatique à 4 rapports (option)
0-100 km/h: 11,8 s
Vitesse maximale: 180 km/h
Consommation (100 km): man.: 6,8 l, auto.: 6,9 l (octane: 87)

Sécurité active
aucune

Suspension avant/arrière
indépendante/essieu rigide

Freins avant/arrière
disques/tambours

Direction
à crémaillère, assistée

Pneus
EX, EX Commodité: P175/70R14,
EX Sport: P185/65R14

DIMENSIONS
Empattement: 2500 mm
Longueur: berl.: 4240 mm, Rio5: 3990 mm
Largeur: 1695 mm
Hauteur: 1470 mm
Poids: berl.: 1105 kg, Rio5: 1114 kg
Diamètre de braquage: 10,1 m
Coffre: berl.: 337 l, Rio5: 447 l, 1405 l (sièges abaissés)
Réservoir de carburant: 45 l

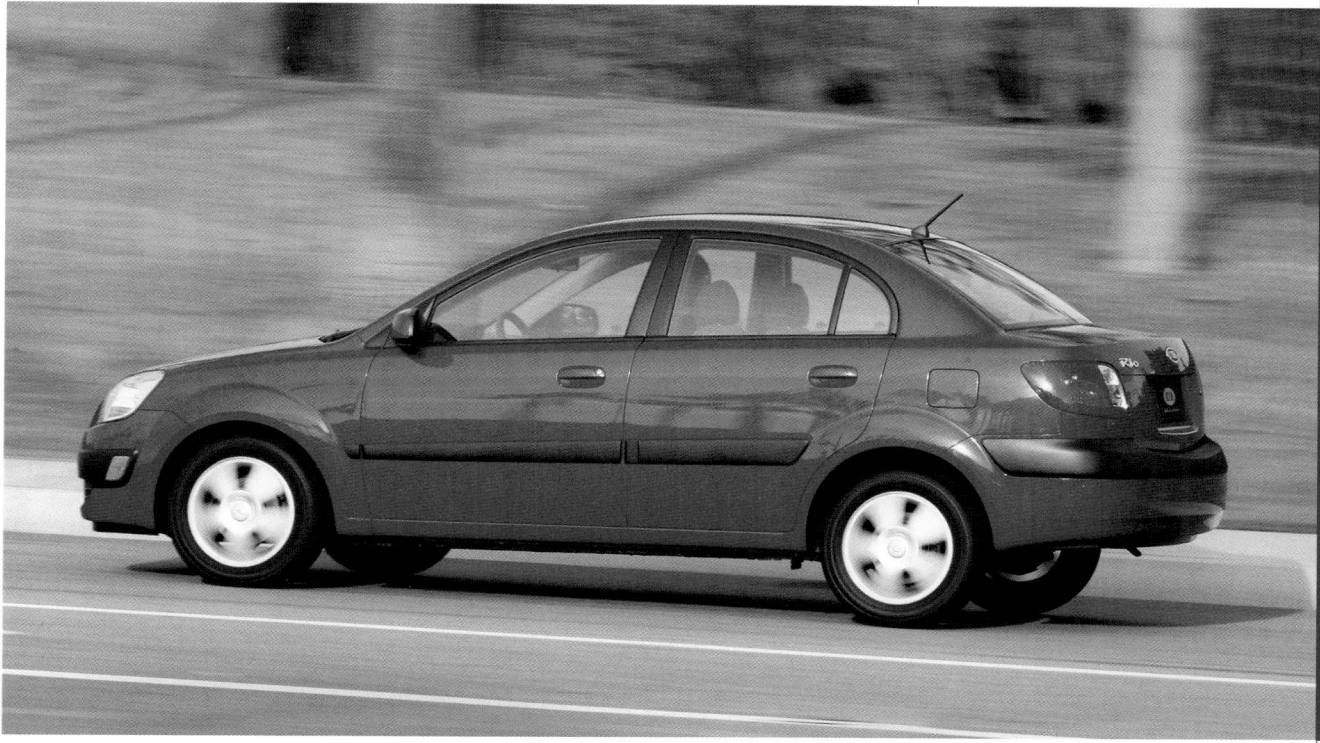

opinion

Luc Gagné • Les Kia Spectra et Rio sont deux automobiles impressionnantes par la qualité de leur assemblage, leur conception et leur comportement routier. Par rapport à leurs devancières respectives, ces deux voitures ont fait un bond en avant de plusieurs années-lumière, si bien qu'elles se comparent désormais très favorablement à leurs rivales nippones. La Rio Sport constitue aussi une alternative alléchante à la Mazda3 Sport, croyez-le ou non. Par son prix, bien entendu, qui peut être nettement inférieur, et par l'excellent rapport qualité/prix qu'elle procure. En outre, si la berline Rio est amusante à conduire et qu'elle est offerte à bon prix, son coffre trop exigu ne facilite aucunement le chargement de colis encombrant.

RONDO

nouveauté | nd
Transport et préparation : nd

Kia Carens, version coréenne de la Rondo

www.kia.ca

FICHE D'IDENTITÉ

Version(s) : LX, EX
Roues motrices : avant
Portières : 4
Première génération : 2007
Génération actuelle : 2007
Construction : Corée du Sud
Sacs gonflables : 6, frontaux, latéraux avant, rideaux latéraux
Concurrence : Mazda 5, Chevrolet HHR, Mercedes-Benz Classe B

AU QUOTIDIEN

Prime d'assurance :
25 ans : 2100 à 2300 $
40 ans : 1100 à 1300 $
60 ans : 1000 à 1200 $
Collision frontale : nm
Collision latérale : nm
Ventes du modèle l'an dernier
Au Québec : nm **Au Canada :** nm
Dépréciation (3 ans) : nm
Rappels (2001 à 2006) : nm
Cote de fiabilité : nm

NOUVEAU MULTISEGMENT À LA CORÉENNE

– Michel Crépault

Kia prévoyait d'abord l'appeler Carens, comme en Europe, mais le constructeur a finalement retenu le nom Rondo pour l'Amérique du Nord (une bonne idée, à mon sens, puisque «Carens» sonne un peu trop comme «carence» – imaginez-vous en train de stationner une insuffisance dans votre garage...). Au moment d'écrire ces lignes, Kia Canada ne pouvait nous donner une date de mise en vente, si ce n'est «au début de 2007». Qui plus est, l'équipe de L'Annuel de l'automobile ne l'a pas encore testée. En revanche, vous en donner un aperçu, ça, nous le pouvons...

CARROSSERIE ► Sur le plan des dimensions, la Rondo sera moins longue qu'une Sedona (environ 4,50 mètres par rapport à 5,13 mètres). En Europe, la nouvelle Carens a été annoncée par le prototype Multi-S, présenté au salon de Francfort sur une plateforme plus généreuse dérivée de celle de la Magentis. Doit-on parler d'une fourgonnette ou d'un véhicule multisegment (*crossover*) ? Le relationniste de la marque penche davantage vers le deuxième créneau, sans pour le moment en mettre sa main au feu... La grille de calandre arbore deux barres chromées et une prise d'air centrale à ras le sol. La Rondo a des allures de véhicule utilitaire sport. Son aérodynamisme n'est pas vilain, avec un Cx de 0,32 (contre 0,35 pour l'ancien modèle).

HABITACLE ► La Rondo disposera d'un intérieur capable de transporter sept passagers quand le propriétaire aura coché l'option des deux sièges aménagés dans la soute à bagages. Sinon, il s'agira d'une cinq places. Des études menées par Kia auprès des consommateurs ont démontré que ces derniers ne détesteraient pas un véhicule capable d'accueillir sept personnes, au besoin, sans qu'il soit démesurément long. Les designers se sont donc rabattus sur une architecture assez recherchée pour réussir ce tour de force. Par exemple, ils ont innové quant à la position du réservoir de carburant de

forces
- À découvrir

faiblesses
- À découvrir

nouveautés en 2007
- Un nouveau modèle que Kia Canada devrait faire son entrée dans les salles d'exposition du pays au début de la nouvelle année

60 litres, qui a été dessiné de manière à abaisser le plancher de 40 millimètres. Ce faisant, on a déniché de l'espace supplémentaire sous la deuxième rangée de sièges pour le bénéfice des deux passagers du fond. Les dossiers des places médianes et arrière se replient pour créer une soute à bagages au plancher plat. Aucune des places n'est amovible, mais celles du fond peuvent disparaître dans le plancher. Avec cinq sièges occupés, l'espace de rangement dépasse les 400 litres.

MÉCANIQUE ► Les Européens ont droit à deux moteurs quatre cylindres de 2,0 litres, soit un turbodiesel de 120 chevaux et un autre à essence de 144 chevaux (certains pays ont aussi droit à un 1,6 litre diesel). Le turbodiesel est couplé à une boîte manuelle à six rapports, alors que le Theta à essence est jumelé à une boîte manuelle comptant un rapport de moins. Les deux engins peuvent être greffés en option à une transmission automatique à quatre vitesses dotée d'un mode sport autorisant le changement manuel séquentiel des vitesses. On ignore encore ce dont hériteront les Canadiens.

COMPORTEMENT ► On nous promet des balades à l'enseigne du confort grâce à une suspension entièrement indépendante, à des disques (ventilés à l'avant) secondés par l'ABS, à un répartiteur électronique de la force de freinage, et à une direction à crémaillère à assistance hydraulique qui, fortement démultipliée, n'exige que 2,86 tours pour faire voyager les roues de 16 pouces (peut-être 17 pouces en option) d'une butée à l'autre.

CONCLUSION ► Versions à cinq ou à sept places, finitions LX ou EX, la Rondo, fusion européenne d'un monospace et d'un VUS compact, promet d'être un joueur intéressant si on en juge au tour de force que Kia a accompli avec la Sedona.

Kia Carens, version coréenne de la Rondo

FICHE TECHNIQUE

MOTEURS

L4 2,4 l DACT 158 ch à 6000 tr/min
couple : nd
Transmission : automatique 4 vitesses avec mode séquentiel
0-100 km/h : nd
Vitesse maximale : 185 km/h
Consommation (100 km) : man. : 8,8 l (estimé)

V6 2,7 l DACT 185 ch à 5800 tr/min
couple : nd
Transmission : automatique 4 vitesses avec mode séquentiel
0-100 km/h : nd
Vitesse maximale : 190 km/h
Consommation (100 km) : man. : 10,3 l (estimé)

Sécurité active
freins ABS

Suspension avant/arrière
indépendante

Freins avant/arrière
disques/tambours

Direction
à crémaillère, assistée

Pneus
De série : P205/60R16 V6, option : 225/50R17

DIMENSIONS

Empattement : 2700 mm
Longueur : 4540 mm
Largeur : 1800 mm
Hauteur : 1650 mm
Poids : 1580 kg
Diamètre de braquage : 10,8 m (roues de 15 po) 11 m (roues de 17 po)
Coffre : 414 litres, 2106 l (sièges abaissés)
Réservoir de carburant : 60 l

SEDONA

évolution | 29 495 $ à 31 895 $
Transport et préparation : 1295 $

www.kia.ca

FICHE D'IDENTITÉ

Version(s) : LX, EX
Roues motrices : avant
Portières : 4
Première génération : 2002
Génération actuelle : 2006
Construction : Asan, Corée du Sud
Sacs gonflables : 6, frontaux, latéraux avant et rideaux latéraux
Concurrence : Buick Terraza, Chevrolet Uplander, Dodge Caravan, Ford Freestar, Honda Odyssey, Hyundai Entourage, Nissan Quest, Saturn Relay, Toyota Sienna

AU QUOTIDIEN

Prime d'assurance :
25 ans : 2200 à 2400 $
40 ans : 1400 à 1600 $
60 ans : 1200 à 1400 $
Collision frontale : 5/5
Collision latérale : 5/5
Ventes du modèle l'an dernier
Au Québec : 917 **Au Canada :** 3683
Dépréciation (3 ans) : 55,8 %
Rappels (2001 à 2006) : 8
Cote de fiabilité : 4/5

LE TROUBLE-FÊTE

– Benoit Charette

Depuis que le siège social, Hyundai, a intégré ses dernières technologies chez Kia, la qualité des produits a fait un grand bond en avant. Après la petite et très sexy Rio, c'est maintenant au tour de la Sedona de profiter d'une cure de rajeunissement.

Plus de puissance, plus d'éléments de sécurité, plus d'espace pour les passagers, plus d'équipements de série. Bref, Kia vient jouer les trouble-fêtes en offrant un produit comparable aux meilleures fourgonnettes de sa catégorie, mais à prix plus avantageux.

CARROSSERIE ▶ Quant à la silhouette, rien de révolutionnaire : une fourgonnette est avant tout pratique. Mais la cabine avancée lui donne une allure moderne qui, de profil, n'est pas sans rappeler la Dodge Caravan.

À 5,13 mètres, la version allongée est plus longue que les Toyota Sienna (5,08 mètres) et Honda Odyssey (5,10 mètres), mais la version régulière satisfera ceux qui n'ont pas besoin de tout cet espace.

HABITACLE ▶ Là où la Sedona a sans doute le plus à offrir, c'est à l'intérieur. La version de base (LX), à 29 495 $, possède des équipements de série à faire rougir d'envie les concurrents, par exemple les six coussins gonflables (deux à l'avant, deux latéraux, et deux rideaux gonflables qui occupent toute la longueur du véhicule) ou le sonar de recul. Il y a aussi les freins à disques avec ABS aux quatre roues, une climatisation trizone, un antivol, un avertisseur de basse pression des pneus, toutes les fonctions électriques et des appuie-tête pourvus de la fonction contre le coup du lapin mise au point par Volvo. De plus, on peut escamoter la troisième banquette dans le plancher pour créer un maximum d'espace.

Si vous n'avez pas assez de tout cela, la version EX est disponible en trois finitions avec toutes les options imaginables, même un système de navigation. Les matériaux sont de bonne qualité et l'espace abonde pour les passagers et pour le rangement.

forces
- Rapport qualité/prix
- Espace généreux
- Assemblage et finition de qualité

faiblesses
- Légers bruits de vent
- Accélération manquant un peu de tonus

nouveautés en 2007
- Aucun changement majeur

SEDONA

MÉCANIQUE ► Depuis 2006, le moteur V6 de 3,5 litres a cédé le pas à une nouvelle motorisation baptisée Alpha, un V6 de 3,8 litres et de 244 chevaux, qui équipe aussi l'Amanti et le nouveau Sorento. Très souple et linéaire, il est accouplé à une transmission automatique à cinq rapports qui travaille en douceur.

Difficile de parler de franches accélérations avec un véhicule de 2000 kilos, mais le couple de 253 livres-pied permet d'excellentes montées en régime, même avec six passagers.

COMPORTEMENT ► La Sedona surprend par son aplomb. La direction à assistance variable est précise et le silence de roulement équivaut à celui des meilleures fourgonnettes. Seul un léger bruit de vent se fait entendre à plus de 110 km/h, mais rien de vraiment gênant. La monte de série est en 16 pouces, alors que les roues de 17 pouces des versions EX améliorent d'un cran la tenue de route. Sur l'autoroute, la Sedona EX consomme environ 12,3 litres aux 100 km. Un rendement moyen pour une fourgonnette, mais une amélioration par rapport à l'ancienne génération.

CONCLUSION ► Les gens qui envisagent l'achat d'une fourgonnette devraient examiner de près la plus récente offre de Kia. Pour des équipements semblables, la Sedona coûte de 5000 $ à 6000 $ de moins que la concurrence et offre la meilleure garantie de l'industrie sans sacrifier la qualité du produit. Toyota et Honda ne sont plus seuls au sommet du podium.

FICHE TECHNIQUE

MOTEUR
V6 3,8 l DACT 244 ch à 6000 tr/min
couple : 253 lb-pi à 3500 tr/min
Transmission : automatique à 5 rapports
0-100 km/h : 9,3 s
Vitesse maximale : 195 km/h
Consommation (100 km) : 11,0 l (octane : 87)

Sécurité active
freins ABS, antipatinage, contrôle de stabilité électronique

Suspension avant/arrière
indépendante

Freins avant/arrière
disques

Direction
à crémaillère, assistée

Pneus
LX : P225/70R16, EX : P235/60R17

DIMENSIONS
Empattement : 3020 mm
Longueur : 5130 mm
Largeur : 1985 mm
Hauteur : LX : 1760 mm, EX : 1830 mm
Poids : LX : 1990 kg, EX : 2107 kg
Diamètre de braquage : 12,1 m
Coffre : 912 l, 4007 l (sièges abaissés)
Réservoir de carburant : 80 l
Capacité de remorquage : 1587 kg

opinion

Michel Crépault • Kia s'était déjà aventurée dans le segment des fourgonnettes, mais sa mouture de 2002 souffrait de problèmes sévères, dont le V6 trop gourmand n'était pas le moindre. Puis, en 2006, on a eu droit à un moteur tout à coup frugal. Ce problème de taille réglé, Kia poursuit la bonification de son offre en s'inspirant sans vergogne du catalogue des ténors du créneau. On retrouve ainsi les sièges arrière qui-jouent-à-la-cachette de la Honda Odyssey, l'empattement allongé d'une Grand Caravan et l'équipement luxueux d'une Toyota Sienna. Il reste que les appliques de faux bois risquent d'en laisser plusieurs songeurs. Mais qu'ils se souviennent avant tout que son rapport qualité/prix est encore son plus bel attrait.

SORENTO

évolution | 27 895 $ à 37 595 $ | Transport et préparation : 1395 $

www.kia.ca

PLUS DE OUMPH !

– Jean-Pierre Bouchard

FICHE D'IDENTITÉ

Version(s) : LX, EX, EX-L
Roues motrices : 4
Portières : 4
Première génération : 2003
Génération actuelle : 2003
Construction : Sohari et Hwasung, Corée du Sud
Sacs gonflables : 6, frontaux, latéraux avant et rideaux latéraux
Concurrence : Chevrolet TrailBlazer, Dodge Durango, Ford Explorer, GMC Envoy, Honda Pilot, Jeep Grand Cherokee, Mitsubishi Endeavor, Nissan Pathfinder, Toyota 4Runner

AU QUOTIDIEN

Prime d'assurance :
25 ans : 3000 à 3200 $
40 ans : 1900 à 2100 $
60 ans : 1700 à 1900 $
Collision frontale : 4/5
Collision latérale : 5/5
Ventes du modèle l'an dernier
Au Québec : 1046 **Au Canada :** 3246
Dépréciation (3 ans) : 45,8 %
Rappels (2001 à 2006) : 1
Cote de fiabilité : 3/5

Kia a lancé de nombreux produits intéressants depuis quelques années. Le constructeur sud-coréen s'est particulièrement illustré avec des véhicules au rapport qualité/prix honnête. Le Sorento fait partie de cette catégorie.

CARROSSERIE ► La carrosserie du Sorento repose sur un véritable châssis de camion, ce qui en fait un utilitaire sport digne de ce nom. Ce châssis comprend neuf traverses pour assurer une rigidité accrue et la solidité nécessaire pour la conduite en terrains accidentés. Au chapitre des dimensions, le véhicule est pour ainsi dire une sorte d'entre-deux : le Sorento est en effet plus court qu'un Jeep Grand Cherokee ou qu'un Ford Explorer, mais plus long qu'un Jeep Liberty ou qu'un Ford Escape. Même chose du côté de l'empattement. Par ailleurs, l'année-modèle 2007 apporte son lot d'améliorations esthétiques qui touchent les phares, les feux et les pare-chocs. Mais l'amélioration la plus importante a été faite sous le capot.

HABITACLE ► L'accès à bord du véhicule ne pose aucune difficulté particulière et la bonne position de conduite se trouve aisément. Les matériaux utilisés sont de belle facture, alors que la finition, dans l'ensemble, est soignée. La cabine étouffe avec efficacité les divers bruits. Les sièges avant sont confortables pour les passagers de toutes les tailles, y compris les plus grands. L'instrumentation et les commandes sont bien disposées. Quant à la banquette arrière, deux occupants de grande taille peuvent y prendre place confortablement. Ces derniers disposeront d'un bon dégagement pour la tête et les jambes. Les espaces de rangement sont nombreux ; et la capacité de chargement, adéquate, peut être augmentée par le rabattement des dossiers de la banquette. L'équipement est complet, et ce, même avec la version de base.

MÉCANIQUE ► Cette année, la véritable révélation du Sorento se trouve à l'intérieur du compartiment moteur, où se trouve un V6

forces

- Capacité de remorquage
- Moteur V6 de 3,8 litres
- Conception solide

faiblesses

- Consommation de carburant
- Freins

nouveautés en 2007

- Nouveau moteur 3,8 l, nouvelles jantes d'alliage, légères retouches à la carrosserie, rideaux gonflables latéraux, contrôle de stabilité électronique et indicateur de basse pression des pneus de série, planche de bord légèrement redessinée

qui fonctionne comme une transmission intégrale. Le Sorento dispose, par ailleurs, d'une capacité de remorquage de 2270 kilos (5000 livres).

de 3,8 litres qui développe une puissance de 262 chevaux (par comparaison aux 192 chevaux du précédent V6) et qui produit un couple de 260 livres-pied (43 livres-pied de plus). Ce moteur, associé de série à une boîte automatique à cinq rapports avec mode manuel, permet au Sorento de réussir des performances bien plus enlevées que celles de l'ancien 3,5 litres. De plus, le nouveau moteur devrait montrer une plus grande frugalité au moment de passer à la pompe. (Le précédent moteur avait une grande soif de carburant.) La boîte manuelle ne figure plus au programme, mais la boîte automatique fonctionne avec douceur. La version de base est dotée d'un boîtier de transfert avec modes 2 Hi, 4 Hi et 4 Low, alors que la version de haut de gamme profite d'un mode 4X4 Auto,

COMPORTEMENT ▶ L'utilitaire de Kia procure un bon confort sur la plupart des revêtements et réagit avec douceur aux imperfections de la route. Les mouvements de caisse sont bien contrôlés et la tenue de route est prévisible pour ce type de véhicule à la garde au sol élevée. Les freins pourraient toutefois montrer plus d'entrain à la tâche.

CONCLUSION ▶ Ce robuste utilitaire sport constitue une solution intéressante aux petits ou aux moyens utilitaires sport qui, parfois, sont offerts à un prix comparable à celui du Sorento, plus spacieux et mieux adapté à la conduite hors-piste. Le nouveau moteur devrait le rendre encore plus concurrentiel. Kia est, sans contredit, un constructeur d'automobiles étonnant. Au fil des ans, la marque a réussi à s'imposer grâce à des véhicules de bonne qualité et à surpasser des constructeurs comme Mitsubishi sur le plan des parts de marché.

FICHE TECHNIQUE

MOTEUR
V6 3,8 l DACT 262 ch à 6000 tr/min
couple : 260 lb-pi à 4500 tr/min
Transmission : automatique à 5 rapports
0-100 km/h : 10,5 s (estimé)
Vitesse maximale : 180 km/h (estimé)
Consommation par 100 km : 11,6 l (octane : 87)

Sécurité active
freins ABS, répartition électronique de force de freinage, antipatinage, contrôle de stabilité électronique

Suspension avant/arrière
indépendante/essieu rigide

Freins avant/arrière
disques

Direction
à crémaillère, assistée

Pneus
P245/70R16

DIMENSIONS
Empattement : 2710 mm
Longueur : 4567 mm
Largeur : 1863 mm, 1884 mm (avec revêtements latéraux)
Hauteur : 1730 mm
Poids : nd
Diamètre de braquage : 11,1 m
Coffre : 889 l, 1880 l (sièges abaissés)
Réservoir de carburant : 80 l
Capacité de remorquage : 2268 kg

2e opinion

Antoine Joubert • Le Sorento entame en 2007 sa cinquième année d'existence et Kia lui a fait plusieurs modifications, notamment au chapitre du réservoir d'essence. Il faut l'admettre : il se vidait auparavant en un temps record. Cette année, avec l'arrivée d'un nouveau V6 de 3,8 litres, les choses iront mieux côté moteur. Pour le reste, le Sorento est un véhicule solide et agréable à conduire et à regarder, pouvant convenir à de nombreuses familles. Il propose une bonne capacité de remorquage et s'accompagne d'une garantie de base de cinq ans, qui a tout pour rassurer l'acheteur. Comble de bonheur, sa fiabilité et le taux de satisfaction de ses propriétaires sont supérieurs à la moyenne.

SPECTRA ⊜ Hyundai Accent

jumeau | 15 995 $ à 21 175 $ | Transport et préparation : 1090 $

www.kia.ca

FICHE D'IDENTITÉ

Version(s) : *berl. :* LX, LX Commodité, EX, *Spectra5 :* EX, EX Commodité, EX Sport
Roues motrices : avant
Portières : 4
Première génération : 2000 (Sephia)
Génération actuelle : 2005
Construction : Asan Bay, Corée du Sud
Sacs gonflables : 6, frontaux, lat. av., rid. lat.
Concurrence : Chevrolet Cobalt et Optra5, Dodge Caliber, Ford Focus, Honda Civic, Hyundai Elantra, Mazda3, Mitsu. Lancer, Nissan Sentra, Pontiac G5, Subaru Impreza, Suzuki Aerio et SX4, Toyota Corolla, VW Golf/Jetta City et Rabbit

AU QUOTIDIEN

Prime d'assurance :
25 ans : 2100 à 2300 $
40 ans : 1100 à 1300 $
60 ans : 1000 à 1200 $
Collision frontale : 4/5
Collision latérale : 4/5
Ventes du modèle l'an dernier
Au Québec : 2727 **Au Canada :** 6865
Dépréciation (3 ans) : 60,6 %
Rappels (2001 à 2006) : 2
Cote de fiabilité : 4/5

PAS LA PLUS INSPIRANTE EN VILLE, MAIS...

– **Nadine Filion**

CARROSSERIE ► Deux modèles de Spectra figurent au catalogue de Kia : une berline et un modèle à hayon. La berline est toujours plutôt anonyme, mais heureusement la Spectra5 est plus palpitante.

HABITACLE ► La Spectra possède une habitabilité qui la place parmi les meilleures de sa catégorie. Cinq adultes peuvent y prendre place plutôt confortablement. Cependant, le coffre perd au change (345 litres), et, si la banquette arrière se rabat aisément (60/40), elle ne s'aplatit pas tout à fait. Les matériaux sont bien choisis et bien assemblés, mais leur design est peu original. En revanche, du côté de la Spectra5, on a l'impression de se trouver à bord d'une marque japonaise. Les sièges sont confortables et l'insonorisation, un cran au-dessus de la moyenne.

MÉCANIQUE ► Le quatre cylindres de 2,0 litres (138 chevaux, 136 livres-pied) est jumelé à une boîte manuelle cinq vitesses ou, en option, à l'automatique quatre rapports. Les freins sont à disques aux quatre roues, sauf pour la version de base qui doit se contenter de tambours à l'arrière. L'ABS n'est proposé que dans la version de haut de gamme. Les roues de série sont de 15 pouces – 16 pouces pour la Spectra5.

COMPORTEMENT ► C'est dommage, mais la Spectra ne corrige pas les préjugés : elle se comporte comme ces voitures coréennes des années 1990, avec une suspension qui s'écrase en virage. Heureusement, le phénomène est moins prononcé dans la Spectra5, qui profite d'ajustements plus fermes. La direction, trop assistée, enlève toute impression de contrôle. La boîte automatique est honnête, mais la manuelle se fait plus molle. La voiture est stable, mais sa conduite n'est pas des plus inspirantes.

CONCLUSION ► Malgré tout, la Spectra constitue une bonne affaire pour ceux, rationnels ou raisonnables, qui se déplacent simplement du point A au point B. Ils seront heureux de l'espace intérieur (surtout pour la version *hatchback*), de la faible consommation d'essence et de la garantie 5-5-5, l'une des plus généreuses de l'industrie.

forces
- Habitacle des plus spacieux
- Bon rapport qualité/prix
- Garantie 5-5-5 et vidanges d'huile à vie

faiblesses
- Conduite peu inspirante
- Lignes banales de la berline
- Boîte manuelle molle

nouveautés en 2007
- Système audio avec prise auxiliaire USB pour MP3

QUI DIT MIEUX ?

– **Antoine Joubert**

Jusqu'à maintenant, il n'existait aucun VUS compact moins cher que le Sportage, mais, en 2007, c'est le Jeep Compass qui remporte la palme. Malgré cela, Kia propose toujours avec le Sportage un rapport qualité/équipement/prix difficile à battre.

CARROSSERIE ► Sans moulures de bas de caisse ni porte-bagages, les versions à moteur quatre cylindres font bon marché Néanmoins, on apprécie sa bouille sypathique et l'équilibre de ses lignes, qui vieilliront probablement mieux que celles du Tucson.

HABITACLE ► Intelligemment conçu et vêtu de matériaux de bonne qualité, l'habitacle du Sportage est à l'abri de bien des critiques. On y trouve une bonne ergonomie, un équipement de série généreux et une grande modularité des sièges. Les six sacs gonflables et le régulateur de vitesse de série constituent les deux avantages face au Tucson.

MÉCANIQUE ► Le V6, souple et doux, pèche par une consommation beaucoup trop importante. En raison du caractère économique du Sportage, la meilleure solution est donc le quatre cylindres, légèrement poussif en accélération, mais tout de même convenable. Il est jumelé de série à une boîte manuelle un peu élastique mais bien étagée, pouvant être accouplée à son tour au système de traction intégrale.

COMPORTEMENT ► Sans être passionnant à conduire, le Sportage offre un excellent compromis entre agilité et confort. Donc, malgré un certain roulis et une direction qui manque de précision, il est à l'aise sur la route, sécuritaire et équilibré.

CONCLUSION ► Clone non identique du Hyundai Tucson, le Sportage a apporté une nouvelle dynamique dans cette catégorie de VUS, en offrant pour un prix défiant toute concurrence une longue liste d'équipements de luxe et de sécurité. Kia a également misé sur sa garantie imbattable pour attirer la clientèle.

www.kia.ca

FICHE D'IDENTITÉ

Version(s): LX : Commodité, Commodité AWD, V6, V6 AWD, V6 Luxe AWD
Roues motrices : avant, 4
Portières : 4
Première génération : 2000
Génération actuelle : 2005
Construction : Asan, Corée du Sud
Sacs gonflables : 6, frontaux, latéraux avant et rideaux latéraux
Concurrence : Chevrolet Equinox, Ford Escape, Honda CR-V, Jeep Compass et Patriot, Mitsubishi Outlander, Nissan X-Trail, Pontiac Torrent, Saturn VUE, Subaru Forester, Suzuki

AU QUOTIDIEN

Prime d'assurance :
25 ans : 2300 à 2500 $
40 ans : 1500 à 1700 $
60 ans : 1400 à 1600 $
Collision frontale : 5/5
Collision latérale : 5/5
Ventes du modèle l'an dernier
Au Québec : 1337 **Au Canada :** 4820
Dépréciation (1 an): 27,7 %
Rappels (2001 à 2006): 3
Cote de fiabilité : 4/5

forces

- Rapport qualité/prix imbattable
- Équipements de série étonnants
- Plusieurs caractéristiques de sécurité
- Souci du détail à bord
- L4, man. à 5 rapports et 4 RM intéressant

faiblesses

- V6 assoiffé
- Moteur quatre cylindres peu puissant
- Apparence dénudée (modèle de base)

nouveautés en 2007

- Prise audio auxiliaire pour capacité de lecture MP3

GALLARDO

évolution | 259 500 $ à 295 000 $
Transport et préparation : 2400 $

www.lamborghini.com

FICHE D'IDENTITÉ

Version(s) : 5.0, SE, Spyder
Roues motrices : 4RM
Portières : 2
Première génération : 2004
Génération actuelle : 2004
Construction : Sant'Agata, Italie
Sacs gonflables : 4, frontaux et latéraux
Concurrence : Aston Martin DB9, Bentley Continental GT, Ferrari F430, Mercedes-Benz SL, Porsche 911

AU QUOTIDIEN

Prime d'assurance :
25 ans : nd
40 ans : 7400 à 7800 $
60 ans : 6300 à 6700 $
Collision frontale : nd
Collision latérale : nd
Ventes du modèle l'an dernier
Au Québec : nd **Au Canada :** nd
Dépréciation (3 ans) : nd
Rappels (2001 à 2006) : 1
Cote de fiabilité : nm

FINIES LES DIVAS

– **Hugues Gonnot**

Malgré le titre de cet article, n'allez surtout pas croire que la Gallardo manque de caractère. Du sang chaud italien coule en elle, mais il est teinté d'un peu de rigueur allemande qui ne lui fait que du bien. L'histoire pour le moins chaotique de Lamborghini a toujours empêché la marque d'investir suffisamment dans ses voitures. Les Countach, qui ont fait rêver tant de monde, étaient de superbes machines, mais à la qualité de construction lamentable. Les choses se sont améliorées à l'arrivée d'Audi en 1998, dont l'une des priorités était de relancer la lignée des « petites » Lamborghini (dont les Jarama, Urraco, Jalpa) que la marque essayait vainement de développer depuis une dizaine d'années.

CARROSSERIE ► Les lignes, qui sont l'œuvre du Belge Luc Donkerwolke, mélangent avec bonheur les courbes et les arêtes. Le style est simple, sans fioritures, loin des folies des années 1980. La nouvelle Spyder s'accommode très bien de la disparition du toit. La capote électrique se dissimule sous un nouveau capot en fibre de carbone et elle possède une vitre en verre rétractable électriquement qui fait aussi office de déflecteur aérodynamique. Pour la protection des occupants, des arceaux se déploient dès que la voiture atteint une inclinaison de 40 degrés.

HABITACLE ► L'intérieur fleure bon la qualité de construction : Audi est manifestement passé par là. On reconnaît d'ailleurs quelques composants des voitures d'Ingolstadt. Le cuir est omniprésent et les coloris sont surprenants. Dommage que l'espace soit exigu, spécialement pour les pieds dans la version manuelle. Les équipements de série sont complets, mais on peut aussi installer le guidage par satellite, un ordinateur de bord ou un système d'alarme. Le coffre, situé à l'avant, est minuscule. Les week-ends en amoureux sont encore possibles, à la condition de voyager légèrement.

forces
- Style épuré
- Moteur magnifique
- Conduite facile
- Finition de qualité

faiblesses
- Espace intérieur exigu
- Coffre minuscule
- Boîte e-gear

nouveautés en 2007
- Aucun changement majeur

GALLARDO

MÉCANIQUE ▶ Revues en 2006, les Gallardo sont encore plus sportives qu'auparavant. Le moteur développe 20 chevaux de plus, l'échappement fait mieux circuler l'air et produit un son encore plus enivrant, la direction est 20 % plus directe et les rapports de boîte ont été raccourcis. Les équipements de série comprennent une transmission intégrale à visco-coupleur, un différentiel à glissement limité à 45 %, et un ESP calibré pour la conduite sportive.

COMPORTEMENT ▶ En conduite quotidienne, la Gallardo est étonnamment civilisée: insonorisation et confort soignés (mais rassurez-vous, on entend encore les harmonies du V10), pédale d'embrayage d'une dureté acceptable, commande de boîte manuelle assez douce. Lamborghini a même ajouté une suspension ajustable en hauteur à l'avant pour les accès aux stationnements souterrains. Au-delà de 3500 tours/minute, on pénètre littéralement dans un autre monde: la poussée est saisissante, mais non pas brutale comme dans la Murciélago, cet engin qui doit être dompté. Agile et prévenante, la Gallardo est facile à placer et ne cherche pas la dérobade. Le châssis est extrêmement rigide, même celui de la Spyder. Les pneus Pirelli PZero ont une fabuleuse adhérence et sont aussi disponibles en version Corsa ou pour la neige. Le freinage, confié à des étriers Brembo, est puissant et progressif. Quant à la boîte à embrayage piloté e-gear, qui équipe près de 70 % des Gallardo, le levier sur la console centrale a été remplacé par des boutons, et les vitesses se passent grâce à des palettes placées derrière le volant. Si, en mode normal, les vitesses passent avec une certaine douceur, en mode sport les passagers se font secouer à chaque changement. La boîte manuelle reste incontournable.

CONCLUSION ▶ Présentée en 2003, la Gallardo est déjà devenue le modèle le plus vendu de l'histoire de la marque. Elle est si facile à conduire que vous pouvez vous prendre pour un pilote au volant. Que de chemin parcouru!

FICHE TECHNIQUE

MOTEUR
V10 5,0 l DACT 520 ch à 8000 tr/min
couple: 377 lb-pi à 4500 tr/min
Transmission: manuelle à 6 rapports, séquentielle à 6 rapports en option
0-100 km/h: 4,2 s
Vitesse maximale: 315 km/h
Consommation (100 km): 16,5 l (octane: 94)

Sécurité active
freins ABS, antipatinage, contrôle de stabilité électronique

Suspension avant/arrière
indépendante

Freins avant/arrière
disques

Direction
à crémaillère, assistée

Pneus
P235/35R19 (av.), P295/30R19 (arr.)

DIMENSIONS
Empattement: 2560 mm
Longueur: 4300 mm
Largeur: 1900 mm
Hauteur: 1165 mm, Spyder: 1184 mm
Poids: 1430 kg, Spyder: 1570 kg
Diamètre de braquage: 11,5 m
Coffre: nd
Réservoir de carburant: 90 l, Spyder: 80 l

opinion

Benoit Charette • Seconde Lamborghini de l'ère Audi, la Gallardo montre un mélange pas toujours heureux de caractéristiques italiennes et d'allemandes. Dans la colonne des plus, les Germains ont su conserver les lignes d'avion de chasse qui ont toujours distingué la marque de Sant'Agata. Dans la colonne des moins, malgré son V10 de 520 chevaux, la Gallardo demeure discrète et son comportement est un peu pataud. Il lui manque le chien d'une Porsche GT3 et le chant haut perché d'une Ferrari F430. L'intérieur, autrefois excentrique, avait le mérite d'être unique. Aujourd'hui, Audi a si bien peaufiné et policé cette voiture qu'il lui manque ce parfum de délinquance qui la rendrait vraiment exceptionnelle.

MURCIÉLAGO

évolution | 270 500 $ US
Transport et préparation : nd

www.lamborghini.com

FICHE D'IDENTITÉ

Version(s) : LP640
Roues motrices : 4
Portières : 2
Première génération : 2003 (Murciélago)
Génération actuelle : 2003
Construction : Sant'Agata, Italie
Sacs gonflables : 2, frontaux
Concurrence : Aston Martin Vanquish, Ferrari 599 Fiorano

AU QUOTIDIEN

Prime d'assurance :
25 ans : 15 000 à 15 500 $
40 ans : 9500 à 9800 $
60 ans : 8000 à 8500 $
Collision frontale : nd
Collision latérale : nd
Ventes du modèle l'an dernier
Au Québec : nd **Au Canada :** nd
Dépréciation (3 ans) : n.d.
Rappels (2001 à 2006) : 2
Cote de fiabilité : nd

ÉVOLUER L'EXTRÊME

– Carl Nadeau

La Murciélago a toujours été une voiture qui sort des rangs et qui ne se soucie pas de l'ordre établi, au même titre que ses consœurs Countach et Diablo. La seconde génération de la Murciélago, baptisée LP640 en raison de la position de son moteur (longitudinale posteriore) et de sa puissance (640 chevaux), va secouer les concurrents à coup sûr. Malgré peu de changements extérieurs apparents, la LP640 présente des évolutions importantes à tous les niveaux : moteur, transmission, suspension, échappement, freins et électronique. Cela devrait amplement suffire pour qu'elle demeure dans le peloton de tête des supervoitures.

CARROSSERIE ► Le modèle roadster attendra «sagement» jusqu'à l'an prochain pour subir des transformations esthétiques et mécaniques, mais le coupé bénéficie d'améliorations aérodynamiques, esthétiques et mécaniques dès maintenant. Les pare-chocs avant et arrière ont été refaits pour favoriser l'allure déjà agressive de la voiture, et l'échappement a été incorporé au sein du diffuseur du pare-chocs arrière. La forme épouse vraiment la fonction : les prises d'air sur les côtés de la voiture sont différentes à droite et à gauche. Presque fermées à droite (derrière les entrée d'air), elles sont grandes ouvertes à gauche pour amener l'air nécessaire au refroidissement du radiateur d'huile. Les miroirs et les essuie-glaces ont même été revus pour améliorer l'aérodynamisme. Je vous suggère d'ailleurs une option (puisque l'acheteur moyen n'en est pas à quelques milliers de dollars près) : le capot translucide qui met en valeur la superbe mécanique du LP640.

HABITACLE ► La configuration du poste de conduite rend les commandes accessibles. On a redessiné les sièges cette année pour en augmenter le confort, les appuie-tête sont refaits, et le design de cuir baptisé Q-citura fait très chic. Les mêmes motifs sont repris sur les contre-portes, sur la console et même sur la voûte du toit. Le groupe instrument a

forces
- Performances infernales
- Prestige assuré
- Boîtes de vitesses améliorées
- Étonnante facilité de conduite

faiblesses
- Prix des options
- Disponibilité plus que limitée
- Coût d'entretien
- Prix d'achat

nouveautés en 2007
- Nouvelle version LP640

MURCIÉLAGO

été amélioré et la radio est remplacée par une unité dotée d'un écran de 17 centimètres qui lit les DVD, MP3 et WMA. Pour perpétuer la tradition Lambo, les acheteurs pourront commander (moyennant un prix exorbitant) un intérieur selon leurs spécifications.

MÉCANIQUE ▶ Pour Lamborghini, les moteurs représentent l'âme des voitures, et on a donc travaillé très fort pour lui rendre hommage. Le moteur en V à 60 degrés passe de 6,2 à 6,5 litres et sa puissance impressionnante bondit de 580 à 640 chevaux. La nouvelle mécanique, combinée à l'aérodynamisme revu, force les ingénieurs à limiter la vitesse maximale à 360 km/h ! C'est vous dire à quel point la voiture est performante. Le 0-100 km/h est d'ailleurs bouclé en seulement 3,4 secondes. Contrairement aux précédentes générations qui étaient reconnues pour des changements de vitesses laborieux, les nouvelles boîtes s'opèrent facilement, sans forcer, et elles sont particulièrement efficaces. Certains essayeurs m'ont même confié que la voiture est si rapide et performante qu'ils préfèrent utiliser la boîte motorisée pour se concentrer sur la conduite.

COMPORTEMENT ▶ La tenue de route est précise et la suspension, efficace et ferme, mais il faut rester bien concentré au volant. La plupart des acheteurs n'oseront jamais désactiver le contrôle de traction. Soit dit en passant, l'acheteur sage déboursera de 15 000 à 20 000 $ supplémentaires pour l'option des freins carbone et céramique, qui sont les seuls à la hauteur des performances de la supermachine.

CONCLUSION ▶ Le Murciélago est indéniablement une voiture qui fait tourner les têtes et seuls quelques membres de l'élite pourront mettre la main sur le LP640 cette année, puisque cinq exemplaires à peine seront disponibles chez nous en 2007, et chacune a déjà trouvé preneur – les chanceux !

FICHE TECHNIQUE

MOTEUR
V12 6,5 l DACT 48s, 640 ch à 8000 tr/min
couple : 479 lb-pi à 4800 tr/min
Transmission : manuelle à 6 rapports, auto. à 6 rapports avec mode manuel (option)
0-100 km/h : 3,4 s
Vitesse maximale : 340 km/h
Consommation (100 km) : 25,5 l (octane : 95)

Sécurité active
freins ABS, répartition électronique de force de freinage, assistance au freinage, antipatinage, contrôle de stabilité électronique

Suspension avant/arrière
indépendante

Freins avant/arrière
disques

Direction
à crémaillère, assistée

Pneus
P245/35R18 (av.), P335/30R18 (arr.)

DIMENSIONS
Empattement : 2665 mm
Longueur : 4610 mm
Largeur : 2058 mm
Hauteur : 1135 mm
Poids : 1665 kg
Diamètre de braquage : 12,6 m
Coffre : nd
Réservoir de carburant : 100 l

opinion

Benoit Charette • Démonstratif est certainement l'adjectif qui décrit le mieux la Murciélago. Le V12 offre maintenant, en version S, 640 chevaux de pure jouissance. Tout comme la Gallardo, la finition intérieure n'a plus rien à voir avec l'amateurisme d'autrefois, grâce à Audi qui y a remis de l'ordre. La transmission à quatre roues motrices autorise, par le biais d'un visco-coupleur, une tenue de route sans faille et une répartition de la puissance rassurante. Peu de voitures génèrent de telles sensations à haut régime. Les performances sont très relevées et le moteur hurle de bonheur. Audi a su rendre la position de conduite agréable et la suspension, remarquable de confort.

LR2

nouveauté | nd

Transport et préparation : 995 $

www.landrover.com

LE CHAÎNON QUI MANQUAIT

– Michel Crépault

FICHE D'IDENTITÉ

Version(s) : SE, HSE
Roues motrices : 4
Portières : 4
Première génération : 2002 (Freelander)
Génération actuelle : 2007
Construction : Solihull, Angleterre
Sacs gonflables : 6, frontaux, latéraux avant et rideaux latéraux
Concurrence : Acura RDX, BMW X3, Hummer H3

AU QUOTIDIEN

Prime d'assurance :
25 ans : 4000 à 4200 $
40 ans : 2500 à 2700 $
60 ans : 2200 à 2400 $
Collision frontale : nd
Collision latérale : nd
Ventes du modèle l'an dernier (Freelander)
Au Québec : 56 **Au Canada :** 312
Dépréciation (3 ans) : nm
Rappels (2001 à 2006) : 3 (Freelander)
Cote de fiabilité : nm

Le Freelander, le bébé de Land Rover, avait été bien reçu en Europe (le plus populaire de son segment), mais nettement moins bien en Amérique. Il sera remplacé par le LR2. Nous avons pu le voir en action au Centre d'essai et de design de Land Rover à Gaydon, en banlieue de Londres, mais nous n'aurons la chance de le conduire qu'en décembre, puis sa mise en marché nord-américaine aura lieu au printemps.

CARROSSERIE ► Malgré des dimensions similaires, le LR2 se démarque esthétiquement du Freelander et se rapproche du LR3 et, surtout, du Range Rover Sport. En fait, grâce au LR2, on dira désormais de l'éventail de modèles de la compagnie qu'il est visuellement homogène. Plusieurs éléments de design iconiques s'imbriquent ici comme les pièces d'un puzzle. Par exemple les rebords surélevés du capot qui forment vallée au centre. Ces crêtes, typiques de Land Rover, servent aussi de repères lorsqu'on s'adonne à du hors route sérieux. Autres caractéristiques : les phares costauds, mais cristallins ; et les ouïes latérales, très distinctives de la marque, empruntées au Range Rover Sport. Bref, la silhouette monocoque du LR2 est un heureux mélange de formes géométriques qui annonce un véhicule robuste, passe-partout et moderne.

HABITACLE ► Je ne peux pas commenter l'intérieur, puisque celui que j'ai vu n'était pas encore achevé. Chose certaine, on en dira éventuellement qu'il a le même aspect massif que celui de ses grands frères, dont le tableau de bord équarri déborde d'interrupteurs bien visibles. Le LR2 transportera cinq personnes dans un environnement plus spacieux que le Freelander. Bien que la roue de secours ait quitté l'extérieur du hayon pour se faufiler sous le plancher de la soute à bagages, l'espace est généreux : volume de 755 à 1670 litres, selon la position des dossiers arrière. Il y aura notamment un bouton *Start*, un

forces
- Vu de près, il inspire confiance, mais attendons de le conduire...

faiblesses
- Même raisonnement...

nouveautés en 2007
- Modèle entièrement redessiné

dispositif de navigation à écran tactile (option comprise dans le kit Techno), des essuie-glaces intelligents et un sonar arrière.

MÉCANIQUE ► Land Rover nous offre un premier six cylindres en ligne monté transversalement dans un 4X4 compact. L'engin de 3,2 litres, 4 soupapes par cylindre et 233 chevaux (174 pour le Freelander) a été développé par Volvo, l'entreprise sœur qui l'utilise dans les S80 et XC90. Il sera couplé à une transmission automatique six rapports dotée du CommandShift manuel. Selon les premiers tests, le nouveau LR2 afficherait une consommation combinée de 11,2 litres aux 100 km. Les Européens auront bien sûr droit, en plus, à un moteur diesel.

COMPORTEMENT ► Pour ne pas trahir sa réputation, Land Rover a voulu faire du LR2 un 4X4 compact de luxe et performant dans toutes les conditions. Les angles de départ et d'approche ont été prévus en conséquence. Même si le LR2, comme le Freelander avant lui, ne sera pas pourvu d'un boîtier de transfert (utile en tout-terrain), le nouvel utilitaire sera néanmoins équipé d'une pléiade d'aides électroniques qui faciliteront la vie du conducteur, dont le dispositif Terrain Response qui permet au système 4X4 permanent de travailler le plus efficacement possible selon les conditions routières. Un autre gadget fascinant, le Hill Descent Control, autorise le conducteur à dévaler une côte sans avoir à se soucier de quoi que ce soit, surtout pas de la pédale de frein. On a trouvé le moyen de l'améliorer encore en ajoutant le Gradient Release Control, lequel veillera à ce que le redémarrage dans une pente se fasse de façon très douce. Enfin, Land Rover compte empêcher les tonneaux avec le Roll Stability Control.

CONCLUSION ► Notre boule de cristal prédit que le LR2 connaîtra un meilleur sort que le Freelander en Amérique parce que, contrairement à son prédécesseur, il a d'abord et avant tout été conçu pour nous. Plus spacieux, plus puissant, plus agréable à regarder. Il ne nous reste plus qu'à l'essayer pour confirmer ces nombreuses premières bonnes impressions.

FICHE TECHNIQUE

MOTEUR

L6 3,2 l DACT 233 ch à 6300 tr/min
couple : 234 lb-pi à 3200 tr/min
Transmission : automatique à 6 rapports avec mode manuel
0-100 km/h : 8,9 s
Vitesse maximale : 200 km/h
Consommation (100 km) : 11,2 l (octane : 91)

Sécurité active
freins ABS, répartition électronique de force de freinage, assistance au freinage, antipatinage, contrôle de stabilité électronique

Suspension avant/arrière
indépendante

Freins avant/arrière
disques

Direction
à crémaillère, assistée

Pneus
P255/60R18

DIMENSIONS

Empattement : 2660 mm
Longueur : 4500 mm
Largeur : 1910 mm
Hauteur : 1740 mm
Poids : 1770 kg
Diamètre de braquage : 11,4 m
Coffre : 755 l, 1670 l (sièges abaissés)
Réservoir de carburant : 70 l

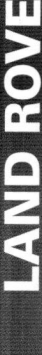

LR3

évolution | 53 900 $ à 68 900 $
Transport et préparation : 995 $

www.landrover.com

UN MONSTRE EN SMOKING

– Benoit Charette

FICHE D'IDENTITÉ

Version(s) : V6, V8 SE, V8 HSE
Roues motrices : 4
Portières : 4
Première génération : 2005
Génération actuelle : 2005
Construction : Solihull, Angleterre
Sacs gonflables : 8, frontaux, latéraux avant et arrière, rideaux latéraux
Concurrence : Acura MDX, Audi Q7, BMW X5, Buick Rainier, Cadillac SRX, Infiniti FX, Lexus RX et GX, Mercedes-Benz Classe M, Porsche Cayenne, Saab 9⁷X, VW Touareg, Volvo XC90

AU QUOTIDIEN

Prime d'assurance :
25 ans : 4100 à 4300 $
40 ans : 2600 à 2800 $
60 ans : 2200 à 2400 $
Collision frontale : nd
Collision latérale : nd
Ventes du modèle l'an dernier
Au Québec : 190 **Au Canada :** 916
Dépréciation (1 an) : 26 %
Rappels (2001 à 2006) : 4
Cote de fiabilité : nd

Premier Land Rover conçu entièrement sous la gouverne de Ford, le LR3 poursuit, tout comme le Discovery avant lui, dans la veine de l'originalité. Présenté pour la première fois au public en 1989, le Discovery était on ne peut plus carré, mais le LR3 y ajoute un peu plus de classe… et du poids.

CARROSSERIE ► Examiné sous tous les angles, le LR3 possède une silhouette militaire. C'est propre, carré ; rien ne dépasse. La calandre au style industriel arbore le petit logo Land Rover en retrait (c'est la tradition), comme un grain de beauté au visage. Pour ceux qui aiment le genre, c'est une réussite, mais nous sommes loin des formes plus évasées d'un Volkswagen Touareg qui a presque l'air d'un fromage fondu en comparaison. J'aurais tout de même aimé que la ligne de ceinture de caisse se poursuive sur les ailes. Elle s'interrompt abruptement à la porte avant et brise l'harmonie.

HABITACLE ► Difficile de critiquer l'intérieur : chaque passager a droit à un siège individuel et tout le luxe qu'on attend d'un véhicule de ce prix est présent. Tous les sièges se replient pour constituer beaucoup d'espace de chargement (2560 litres). Et puis, comme toute anglaise qui se respecte, l'habitacle embaume le bon cuir. La position de conduite est plus que confortable et l'immense surface vitrée permet une visibilité parfaite. Et le système audio Harman-Kardon vous comblera de bonheur.

MÉCANIQUE ► Vous pouvez choisir entre deux mécaniques, dont un V6 de 4,0 litres et 215 chevaux qui a du mal à mouvoir cette masse imposante de près de 2500 kilos à vide. Même en profitant d'une boîte séquentielle à six rapports, cela manque de conviction. Le seul choix logique est donc le V8 4,4 litres de 295 chevaux provenant de chez Jaguar. Souple, puissant, silencieux et gourmand, il s'acquitte de sa tâche sans sourciller. Cela dit, le LR3 consommera régulièrement plus de

forces
- Véritable hors route
- Visibilité remarquable
- Moteur V8 bien adapté
- Système audio Harman-Kardon délirant

faiblesses
- Dieu, que c'est lourd !
- Seigneur, que ça consomme !
- Accès difficile à la troisième banquette

nouveautés en 2007
- Aucun changement majeur

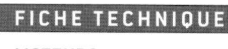

20 litres aux 100 km. Par ailleurs, dans la plus pure tradition de Land Rover, qui s'appuie sur un savoir-faire légendaire en matière de performance hors route, on vous propose l'interface Terrain Response. Le conducteur identifie le type de terrain sur lequel il roule (route, route glissante, boue, sable et rocaille) et la voiture s'occupe du reste en adaptant la traction, le passage des vitesses, la réactivité du moteur, la hauteur de caisse (suspension pneumatique), la dureté et le débattement des suspensions. Le système est simple, intuitif et d'une efficacité redoutable grâce à la fée électronique qui donne des airs de ballerine à ce monstre.

COMPORTEMENT ► Land Rover devait concilier deux qualités contradictoires: créer un véhicule à la tenue irréprochable à la fois sur la route et hors route. Dans le cas de l'ancien Discovery, les ingénieurs avaient échoué. Cette fois-ci, ils ont donc opté pour un système différent, breveté, baptisé Integrated Body-Frame, qui propose la légèreté et la rigidité d'un monocoque, jumelées à la robustesse d'un châssis séparé, le tout fabriqué par hydroformage. Il en résulte un comportement plus serein, mais attention: vous n'êtes pas dans une berline de luxe. La garde au sol et le poids considérable demandent une vigilance constante sur route sinueuse. L'arrière sautille quand la chaussée se déforme. Heureusement, les freins peuvent rapidement calmer les ardeurs de la bête, en toute sécurité. Il faut remercier les aides à la conduite qui donnent toute sa dignité au LR3, qui serait certainement plus misérable sans ses béquilles technologiques.

CONCLUSION ► Le LR3 n'est ni économique ni écologique, mais sa conduite est à des années-lumière de son prédécesseur. Si le Discovery était un veau, même avec un V8, le LR3 est presque une gazelle. Un véritable véhicule à tout faire.

FICHE TECHNIQUE

MOTEURS

(V6) V6 4,0 l DACT 215 ch à 4500 tr/min
couple: 265 lb-pi à 3000 tr/min
Transmission: automatique à 6 rapports avec mode manuel
0-100 km/h: 11,3 s
Vitesse maximale: 180 km/h
Consommation (100 km): 14,2 l (octane: 91)

(SE et HSE) V8 4,4 l DACT 295 ch à 5500 tr/min
couple: 315 lb-pi à 4000 tr/min
Transmission: automatique à 6 rapports avec mode manuel
0-100 km/h: 9,1 s
Vitesse maximale: 195 km/h
Consommation (100 km): 14,3 l (octane: 91)

Sécurité active
freins ABS, assistance au freinage, répartition électronique de force de freinage, antipatinage, contrôle de stabilité électronique, contrôle de descente en pente

Suspension avant/arrière
indépendante

Freins avant/arrière
disques

Direction
à crémaillère, assistée

Pneus
SE: P235/70R18, HSE: P255/55R19

DIMENSIONS
Empattement: 2885 mm
Longueur: 4848 mm
Largeur: 1915 mm
Hauteur: 1891 mm
Poids: V6: 2411 kg, V8: 2461 kg
Diamètre de braquage: 11,5 m
Coffre: 280 l, 2560 l (sièges abaissés)
Réservoir de carburant: 86,3 l
Capacité de remorquage: 3500 kg

opinion

Hugues Gonnot • Je n'étais pas un admirateur des produits Land Rover. Mais force est de reconnaître que la reprise par Ford semble avoir été une bonne chose pour la marque. Le LR3 se montre remarquablement homogène. Pour un gros VUS, sa tenue de route est adéquate et son comportement en tout-terrain est celui d'un vrai véhicule de franchissement, surtout grâce à sa remarquable interface Terrain Response et à son intéressant châssis mixte. L'habitacle est invitant et ses plastiques, sans être superbes, son acceptables. Évidemment, il n'est pas bon marché et tout le monde n'aimera pas son style extérieur, mais c'est là une question de goût qui ne se discute pas.

RANGE ROVER

Transport (sans préparation) : 995 $

www.landrover.com

FICHE D'IDENTITÉ

Version(s) : RR : V8TD, HSE, Supercharged, RR Sport : HSE, Supercharged
Roues motrices : 4
Portières : 4
Première génération : 1970
Génération actuelle : 2003
Construction : Solihull, Angleterre
Sacs gonflables : 6, frontaux, latéraux avant, rideaux latéraux
Concurrence : Cadillac Escalade, Infiniti QX, Lexus LX, Lincoln Navigator, Mercedes-Benz Classe G, Porsche Cayenne

AU QUOTIDIEN

Prime d'assurance :
25 ans : 5600 à 5800 $
40 ans : 3300 à 3500 $
60 ans : 2900 à 3100 $
Collision frontale : 5/5
Collision latérale : 5/5
Ventes du modèle l'an dernier
Au Québec : 178 **Au Canada :** 820
Dépréciation (3 ans) : 48,9 %
Rappels (2001 à 2006) : 6
Cote de fiabilité : 2/5

IMPOSANT, MAIS DYNAMIQUE

– Benoit Charette

Roi incontesté des véritables VUS de luxe, le Range Rover sait se sortir d'un mauvais pas. Il a même ajouté quelques cordes à son arc en 2007. Toutefois, ces utilitaires modernes sont plutôt considérés comme des dévoreurs d'asphalte hauts sur pattes, et l'arrivée d'une version Sport ne fait que confirmer cette tendance.

CARROSSERIE ► La version traditionnelle et la version Sport proposent deux approches distinctes. Développé sur la base d'un LR3, le Range Rover Sport est plus court et moins carré que la version traditionnelle. Sa silhouette est tout aussi massive, mais gagne énormément en dynamisme. Pour obtenir cet effet, le pare-brise et le toit sont plus inclinés que pour le Range classique, les surfaces vitrées sont affinées par des montants noirs, et les passages de roues sont encore plus gonflés. Un Range Rover ne passe jamais inaperçu, quel que soit le modèle, mais la version Sport est tout simplement exubérante avec ses énormes jantes de 20 pouces et sa calandre menaçante. Les projecteurs bi-xénon à faisceaux orientables sont plus larges et de forme moins rectangulaire. Le capot est gonflé au centre et non plus sur les côtés. De profil, les ouïes verticales du modèle classique font place à de plus petits aérateurs dans le modèle Sport qui montre aussi des bas de caisse plus massifs et une sortie d'échappement bien visible qui libère le souffle de la bête.

HABITACLE ► Land Rover a allongé sa liste d'équipements de série en 2007. Le programme électronique Intuitive Terrain Response, qui s'adapte au type de terrain où vous évoluez, fait maintenant partie des équipements de série de tous les modèles. Vous serez sans doute heureux d'apprendre que les sièges, en plus d'être chauffants, sont maintenant refroidis pour vous soulager en pleine canicule. De plus, on y trouve des espaces de rangement plus nombreux, dont une boîte à gants double. Land Rover affirme aussi avoir amélioré le climatiseur et le système de chauffage. Comme touche

forces

- Tenue de route inébranlable
- Capacité hors route impressionnante
- Quel raffinement !

faiblesses

- Transmission un peu paresseuse
- Consommation élevée
- Prix

nouveautés en 2007

- Range Rover à moteur turbodiesel

RANGE ROVER

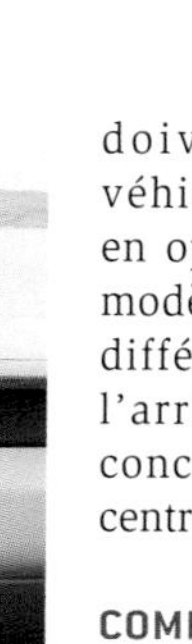

finale, l'esthétisme de la console centrale a été modifié. Le charme anglais est toujours présent à bord, mais l'intérieur de la version Sport est plus «musclé», avec des sièges mieux sculptés.

MÉCANIQUE ▶ Les organes vitaux proviennent de chez Jaguar. La version HSE hérite d'un moteur V8 de 4,4 litres de 306 chevaux, alors que le Range Sport fait confiance à un V8 à compresseur de 4,2 litres de cylindrée, qui développe la coquette puissance de 390 chevaux. Dans les deux cas, une boîte automatique ZF à six rapports se charge de distribuer la puissance aux quatre roues. Quasiment inaudible au ralenti, l'imposant compresseur siffle de bonheur dès que vous écrasez l'accélérateur dans les versions Supercharged. Les adeptes du hors-piste doivent savoir que le véhicule peut être équipé en option (de série dans les modèles Supercharged) d'un différentiel électronique à l'arrière, fonctionnant de concert avec le différentiel central électronique.

COMPORTEMENT ▶ Quelle que soit la version, le Range Rover est un roc sur la route. À bord, on ne perçoit pas son poids, mais on se sent en sécurité. La stabilité du véhicule est inébranlable, peu importe le style de conduite, et la suspension pneumatique réagit bien dans toutes les situations. Qu'il s'agisse d'enchaîner une suite de courbes serrées ou de franchir un ravin, le Range dispose d'un éventail impressionnant d'aides à la conduite. Seul irritant: le compresseur du Range Rover Sport est du type On-Off. À cause de l'arrivée un peu tardive du couple jumelé à une transmission un peu lente, la puissance se manifeste brusquement, comme une tonne de briques. Le tout manque de raffinement.

CONCLUSION ▶ Contre vents et marées, Land Rover reste fidèle à son image de marque et demeure le seul véritable utilitaire pour gentleman.

FICHE TECHNIQUE

MOTEURS

(HSE) V8 4,4 l DACT 306 ch à 5750 tr/min, RR Sport: 300 ch à 5500 tr/min
couple: 325 lb-pi à 4000 tr/min, RR Sport: 315 lb-pi à 4000 tr/min
Transmission: automatique à 6 rapports avec mode manuel
0-100 km/h: RR: 8,7 s, RR Sport: 8,9 s
Vitesse maximale: RR: 200 km/h, RR Sport: 209 km/h
Consommation (100 km): RR: 14,3 l, RR Sport: 14,2 l (octane: 91)

(Supercharged) V8 4,2 l suralimenté DACT 396 ch à 5750 tr/min, RR Sport: 390 ch à 5750 tr/min
couple: 420 lb-pi à 3500 tr/min, RR Sport: 410 lb-pi à 3500 tr/min
Transmission: automatique à 6 rapports avec mode manuel
0-100 km/h: RR: 7,1 s, RR Sport: 7,6 s
Vitesse maximale: RR: 210 km/h, RR Sport: 225 km/h
Consommation (100 km): 15 l (octane: 91)

(V8TD) V8 3,6 l turbodiesel DACT 272 ch à nd
couple: 472 lb-pi à 2000 tr/min
Transmission: automatique à 6 rapports avec mode manuel
0-100 km/h: 9,2 s
Vitesse maximale: 210 km/h
Consommation (100 km): 11,3 l (diesel)

Sécurité active
freins ABS, assistance au freinage, répartition électronique de force de freinage, antipatinage, contrôle de stabilité électronique

Suspension avant/arrière
indépendante

Freins avant/arrière
disques

Direction
à crémaillère, assistée

Pneus
RR: HSE: P255/55R19, Supercharged: P255/50R20, RR Sport: HSE: P255/50R19, Supercharged: P275/40R20

DIMENSIONS

Empattement: RR: 2880 mm, RR Sport: 2745 mm
Longueur: RR: 4972 mm, RR Sport: 4788 mm
Largeur: RR: 2192 mm, RR Sport: 2170 mm
Hauteur: RR: 1905 mm, RR Sport: 1817 mm
Poids: RR: HSE: 2483 kg, Supercharged: 2557 kg, RR Sport: HSE: 2480 kg, Supercharged: 2572 kg
Diamètre de braquage: 11,6 m
Coffre: RR: 2122 l (sièges abaissés), RR Sport: 2013 l (sièges abaissés)
Réservoir de carburant: RR: 104,5 l, RR Sport: 88 l
Capacité de remorquage: 3500 kg

2e opinion

Michel Crépault • On le sait: il suffit souvent d'y mettre le prix pour obtenir un objet qui durera toute notre vie. Le Range Rover fait partie de ces produits qu'on achète pour qu'une dépense se transforme en investissement. Très tôt, la marque anglaise a acquis la réputation de fabriquer des véhicules invincibles. Par contre, ils étaient inconfortables et pataudss. Depuis que BMW, d'abord, puis Ford sont venus faire un tour, le produit a trouvé ses marques. Le Range Rover symbolise désormais le summum en matière d'utilitaire. La déclinaison des modèles prouve la qualité de la base. Une critique: le comportement parfois sec de la boîte et la raideur des dossiers arrière.

ES 350

nouveauté | 42 900 $ à 54 300 $
Transport et préparation : 1775 $

www.lexus.ca

FICHE D'IDENTITÉ

Version(s) : 350
Roues motrices : avant
Portières : 4
Première génération : 1991
Génération actuelle : 2007
Construction : Tochigi, Japon
Sacs gonflables : 8, frontaux, latéraux avant, rideaux latéraux et au niveau des genoux à l'avant
Concurrence : Acura TL, Buick Lucerne, Cadillac CTS, Chrysler 300, Hyundai Azera, Kia Amanti, Lincoln MKZ, Nissan Maxima, Toyota Avalon, Volkswagen Passat

AU QUOTIDIEN

Prime d'assurance :
25 ans : 3500 à 3700 $
40 ans : 2300 à 2500 $
60 ans : 1700 à 1900 $
Collision frontale : nd
Collision latérale : nd
Ventes du modèle l'an dernier
Au Québec : 343 **Au Canada :** 2385
Dépréciation (3 ans) : 39,7 %
Rappels (2001 à 2006) : 2
Cote de fiabilité : 5/5

IL N'Y A PAS QUE LE SPORT

– Nadine Filion

Le grand défi des constructeurs est de concevoir des modèles qui plairont au plus grand nombre d'automobilistes possible. Mais alors, comment concilier les goûts sportifs de certains avec le besoin de confort des autres ? Lexus a trouvé la solution : proposer deux modèles différents. Ainsi, l'IS mise sur les performances ; et la cinquième génération de l'ES, sur le bien-être.

CARROSSERIE ► Le nouveau style de Lexus donne fière allure à l'ES aux lignes élégantes, qui s'harmonisent particulièrement bien avec la teinte Amande Mica, d'un brun-beige chaud métallisé. La plateforme de l'ES est celle, révisée, de la Camry. Il s'agit donc d'une traction, alors que l'IS est une propulsion. Au fil des générations, elle a conservé à peu près les mêmes dimensions, mais son empattement s'allonge de 50 millimètres et elle grossit de 62 kilos. Trois versions figurent au catalogue : de base (42 900 $), Premium (avec phares au xénon à éclairage adaptatif) et Premium Ultra (système de navigation, caméra de recul, toit panoramique qui surplombe les passagers arrière, etc.).

HABITACLE ► Comme toujours, Lexus propose un habitacle d'une qualité irréprochable, aux commandes efficaces et intuitives, aux matériaux sélectionnés avec soin. J'aime particulièrement le velouté du plafond. La cabine est aérée, le conducteur voit bien partout, et la Smart Key est appréciée. La console centrale, qui s'ouvre dans le sens du mouvement du bras, est une brillante innovation. Surprise : alors que les Lexus sont réputées pour leur insonorisation parfaite, un bruit de vent s'infiltre à la hauteur des piliers A de l'ES, même à 90 km/h. Par ailleurs, les passagers de grande taille pesteront contre l'arche de roue qui entrave l'accès aux places arrière, mais ils apprécieront les sièges confortables, sans doute les plus moelleux des véhicules de ce segment.

forces

- Lignes élégantes
- Habitacle irréprochable
- Places arrière extrêmement moelleuses
- Grande douceur de roulement

faiblesses

- Bruits de vent aux piliers A
- Accès aux places arrière
- Léger roulis dans les virages serrés
- Direction manquant un peu de consistance

nouveautés en 2007

- Modèle entièrement redessiné

MÉCANIQUE ► L'ES adopte le V6 de 3,5 litres qui équipe aussi l'IS, le RX 350, la Camry et l'Avalon. Le moteur produit 272 chevaux (54 de plus que pour l'ancienne ES), mais consomme 4 % moins de carburant. L'automatique à cinq rapports est remplacée par une automatique à six vitesses. Désormais, le système de stabilité compte parmi les équipements de série. Aux sacs et rideaux gonflables s'ajoutent des coussins pour les genoux du passager et du conducteur. Les roues passent de 16 à 17 pouces. Ne cherchez pas la traction intégrale : selon les dirigeants de Lexus Canada, la demande ne justifie pas une telle offre.

COMPORTEMENT ► Le V6 de 3,5 litres fait de l'excellent boulot et développe sans effort une puissance plus que suffisante, dans une souplesse qui ne laisse rien deviner des changements de rapports. Les reprises sont dynamiques (80 à 120 km/h en 5,5 secondes) malgré une demi-seconde d'inertie lorsqu'on enfonce sérieusement l'accélérateur. La suspension, révisée en profondeur, fait tout pour annihiler les inégalités de la route. Parfait pour rouler des heures et des heures, comme sur un nuage. En contrepartie, la berline souffre d'un léger roulis en virages rapides, tout de même stabilisé par des barres avant et arrière. Le freinage, secondé par l'ABS et l'assistance d'urgence, est excellent. On croirait presque avoir affaire à une direction électrique, mais non, elle conserve son lien mécanique. Cela dit, son ajustement manque un brin de consistance. Le conducteur ne développera pas ici de tendances agressives. En fait, tout dans la voiture exige qu'on la manie en douceur.

CONCLUSION ► L'ES ne propose peut-être rien de révolutionnaire, mais son offre est complète : technologie à jour, belles lignes, conception intelligente et de bonne qualité. Son plus grand avantage est de satisfaire la clientèle ciblée des Buick et des défunts Oldsmobile. Eh oui, on peut encore avoir envie de rouler dans le plus grand des conforts.

FICHE TECHNIQUE

MOTEUR
V6 3,5 l DACT 272 ch à 6200 tr/min
couple : 254 lb-pi à 4700 tr/min
Transmission : automatique à 6 rapports avec mode manuel
0-100 km/h : 7,3 s
Vitesse maximale : 220 km/h
Consommation (100 km) : 9,1 l (octane : 87)

Sécurité active
freins ABS, répartition électronique de force de freinage, assistance au freinage, antipatinage, contrôle de stabilité électronique

Suspension avant/arrière
indépendante

Freins avant/arrière
disques

Direction
à crémaillère, assistée

Pneus
P215/55R17

DIMENSIONS
Empattement : 2775 mm
Longueur : 4855 mm
Largeur : 1820 mm
Hauteur : 1450 mm
Poids : 1624 kg
Diamètre de braquage : 11,8 m
Coffre : 416 l
Réservoir de carburant : 70 l

2e opinion

Hugues Gonnot • L'ancienne ES 350 était un modèle de calme, de silence et d'ennui profond. La nouvelle génération arrive avec un style toujours élégant et consensuel, mais plus expressif. Le nouveau 3,5 litres renouvelle les performances de la voiture et l'anémique boîte automatique à cinq rapports a cédé la place à une boîte à six rapports toujours aussi douce, mais nettement plus prompte. Toujours très confortable, l'ES accepte cependant mieux une allure plus soutenue. À l'intérieur, le silence est impressionnant et la finition, tout simplement irréprochable. Et puis, compte tenu de sa fiabilité légendaire, il devient bien difficile de lui trouver des défauts!

GS

évolution | 64 300 $ à 88 000 $ |
Transport et préparation : 1775 $

www.lexus.ca

FICHE D'IDENTITÉ

Version(s) : 350, 350 AWD, 430, 450h
Roues motrices : arrière, 4
Portières : 4
Première génération : 1993
Génération actuelle : 2006
Construction : Tahara, Japon
Sacs gonflables : 10, frontaux, latéraux avant, latéraux arrière (sauf 350 éd.spé.), rideaux latéraux et au niveau des genoux à l'avant
Concurrence : Acura RL, Audi A6, BMW Série 5, Cadillac STS, Infiniti M, Jaguar S-Type, Mercedes-Benz Classe E, Saab 9^5, Volvo S80

AU QUOTIDIEN

Prime d'assurance :
25 ans : 3300 à 3500 $
40 ans : 2200 à 2400 $
60 ans : 1800 à 2000 $
Collision frontale : 5/5
Collision latérale : 5/5
Ventes du modèle l'an dernier
Au Québec : 157 **Au Canada :** 824
Dépréciation (3 ans) : 45,6 %
Rappels (2001 à 2006) : 2
Cote de fiabilité : 5/5

BERLINE TOUT CONFORT

– Bertrand Godin

En tant que pilote, j'ai une idée assez précise de ce que devrait être une voiture sport. En tout cas, je le croyais jusqu'à ce que je monte à bord de la Lexus GS. Cette berline très luxueuse a beau avoir un moteur performant, des freins efficaces et une conduite très précise, elle ne correspond tout de même pas aux critères que j'avais à l'esprit. Mais Lexus semble convaincu du contraire.

CARROSSERIE ► Quand on l'examine bien, on voit que la GS cultive l'aristocratie dans une discrétion typiquement japonaise. C'est très « politiquement correct ». Pourtant, bien malin celui qui, sans consulter les photos, serait capable de décrire parfaitement la luxueuse japonaise. C'est un peu comme si la silhouette agréable de cette berline était trop anonyme pour s'ancrer dans nos souvenirs. Un peu comme la petite voisine qui nous a fait soupirer pendant des années, mais dont nous ne parvenons pas à nous rappeler le visage. Mettant à profit le principe de L-Finesse que Lexus a mis de l'avant, on retrouve des lignes légèrement amincies, un capot proéminent mais agréable, et surtout une courbe de toit accentuée, qui fait penser à la Nissan Maxima.

HABITACLE ► La GS, même si elle est dépassée dans la gamme Lexus par la LS, est tout de même un véhicule de grand luxe. Peu importe la version, elle propose des équipements dignes d'une voiture de ce prix, mais c'est avec la version hybride qu'ils sont le plus nombreux, puisque celle-ci est la seule à ne posséder aucune liste d'options : elle vous arrive tout équipée, avec le système GPS, les sièges chauffants et ventilés, et tout ce que pouvez souhaiter.

MÉCANIQUE ► Il y a autant de choix de moteurs que de versions disponibles. La version de base, la 350, peut compter sur le moteur V6 de 303 chevaux qui est d'une surprenante souplesse. Même avec son poids

forces

- Moteur hybride efficace
- Beaucoup de luxe
- Moteur V8 souple

faiblesses

- V6 un peu limité
- Options dispendieuses
- Silhouette peu remarquable

nouveautés en 2007

- Nouveau moteur V6, arrivée de la version 450h à motorisation hybride, modification des noms et des équipements dans les groupes d'options

rapide que le V8, réalisant le 0-100 km/h en moins de 5,8 secondes. En outre, son statut de véhicule hybride lui permet d'être certifié SULEV (Super Ultra Low Emission Vehicle), ce qui fera plaisir à mes petits amis écolos.

COMPORTEMENT ► J'ai commencé mon texte en disant que la GS n'est pas une voiture sportive, et c'est dans la conduite qu'on ressent le plus cette insuffisance. Comme

imposant, il monte rapidement en régime et ne demande pas un gros effort à la voiture. La version intégrale donne un meilleur aplomb. En revanche, la GS 430, avec son moteur V8, ne manque pas de puissance. Ses 300 chevaux sont bien utilisés et bien répartis grâce à la transmission automatique six rapports, progressive et rapide. Une troisième voiture, la GS 450 hybride, s'ajoute à la gamme. Ici, 339 chevaux logent sous le capot, grâce à la combinaison du moteur électrique et du moteur à essence. La technologie Hybrid Synergy Drive de Toyota permet une certaine forme d'économie d'essence, mais c'est surtout la puissance supplémentaire qu'elle procure qui intéresse le pilote que je suis. Car, quand on y regarde de plus près, on se rend compte que la version hybride est plus

toutes les Lexus, elle réagit au quart de tour quand on lui commande un virage ou qu'on freine avec puissance. Mais, comme la direction est très assistée et que la conduite est aseptisée, on a presque l'impression que la GS se conduit toute seule. Bref, elle nous procure trop peu de sensations pour être réellement agréable.

CONCLUSION ► Lexus a bien voulu mettre de la puissance dans son moteur, mais a joué la carte du confort. Dans cette optique, la GS offre un excellent compromis, mais le confort s'impose au détriment d'une réelle performance. Autrement dit, le confort l'emporte sur le sport.

FICHE TECHNIQUE

MOTEURS

(GS 350) V6 3,5 l DACT 303 ch à 6200 tr/min
couple : 274 lb-pi à 4800 tr/min
Transmission : automatique à 6 rapports avec mode manuel
0-100 km/h : 6,6 s, AWD : 7,4 s
Vitesse maximale : 235 km/h
Consommation (100 km) : 9,3 l, AWD : 9,8 l (octane : 91)

(GS 430) V8 4,3 l DACT 300 ch à 5600 tr/min
couple : 325 lb-pi à 3400 tr/min
Transmission : automatique à 6 rapports avec mode manuel
0-100 km/h : 6,2 s
Vitesse maximale : 250 km/h
Consommation (100 km) : 10,8 l (octane : 91)

(GS 450h) V6 3,5 l DACT + électrique à aimant permanent, 339 ch à 6200 tr/min
couple : 362 lb-pi à 4800 tr/min
Transmission : automatique à variation continue avec mode manuel
0-100 km/h : 5,8 s
Vitesse maximale : 235 km/h
Consommation (100 km) : 8,3 l (octane : 91)

Sécurité active
freins ABS, répartition électronique de force de freinage, assistance au freinage, antipatinage, contrôle de stabilité électronique

Suspension avant/arrière
indépendante

Freins avant/arrière
disques

Direction
à crémaillère, assistée

Pneus
350 et 350 AWD : P225/50R17,
430 et 450h : P245/40R18

DIMENSIONS
Empattement : 2850 mm
Longueur : 4825 mm
Largeur : 1820 mm
Hauteur : 1425 mm, 350 AWD : 1435 mm
Poids : 350 : 1680 kg, 350 AWD : 1755 kg, 430 : 1700 kg, 450h : 1875 kg
Diamètre de braquage : 11,2 m, 350 AWD : 11,4 m
Coffre : 360 l, 450h : 229 l
Réservoir de carburant : 71 l, 450h : 65 l

opinion

Jean-Pierre Bouchard • Chez Lexus, la GS a toujours été la plus dynamique des grandes berlines. La version hybride 450h m'a particulièrement enchanté. Cette technologie procure des accélérations et des reprises impressionnantes en plus de fonctionner avec une discrétion remarquable. La berline est en outre confortable et plaisante à conduire. L'élément négatif majeur de la version hybride demeure l'exiguïté du coffre, qui arrive à peine à contenir quelques sacs d'épicerie. Cela dit, la division de Toyota a réussi à conjuguer les attributs d'une technologie hybride maintenant mature, au raffinement d'une voiture de haut de gamme, tout en lui insufflant un brin de sportivité.

GX 470

évolution | 68 100 $ à 74 400 $ |
Transport et préparation : 1775 $

www.lexus.ca

FICHE D'IDENTITÉ

Version(s) : 470
Roues motrices : 4
Portières : 4
Première génération : 2004
Génération actuelle : 2004
Construction : Tahara, Japon
Sacs gonflables : 6, frontaux, latéraux avant et rideaux latéraux
Concurrence : Cadillac Escalade, Land Rover Range Rover, Lincoln Navigator, Mercedes-Benz Classe GL

AU QUOTIDIEN

Prime d'assurance :
25 ans : 4900 à 5100 $
40 ans : 3100 à 3300 $
60 ans : 2500 à 2700 $
Collision frontale : 5/5
Collision latérale : 5/5
Ventes du modèle l'an dernier
Au Québec : 54 **Au Canada :** 668
Dépréciation (2 ans) : 36,2 %
Rappels (2001 à 2006) : aucun à ce jour
Cote de fiabilité : 4/5

UN *TRUCK* CHIC

– Benoit Charette

Le GX 470, qui en réalité n'est rien d'autre qu'un Toyota 4Runner aux manières plus distinguées, est arrivé en 2004 pour combler un vide dans la gamme des VUS chez Lexus, entre le RX et le gros et inutile LX. En fait, la venue du GX a précipité la perte du LX car, pour presque 40 000 $ de moins, le GX est plus moderne, plus plaisant à conduire et presque aussi gros que le LX.

CARROSSERIE ► Ses lignes ne laissent aucun doute : le GX est un véritable utilitaire. Construit sur le même châssis que le Toyota 4Runner, il profite de la même carrosserie à longerons fermés posés sur des traverses. Un rouage intégral actionne les quatre roues à travers un différentiel central de type Torsen qui fait varier automatiquement le couple entre les essieux avant et arrière à partir de la répartition de base 40/60, selon les conditions. Le GX hérite également du boîtier de transfert séparé du 4Runner et d'un différentiel central qui se verrouille à l'aide d'un bouton, ce qui augmente ses capacités tout-terrain, tout comme les systèmes de contrôle de descente (DAC) et d'ascension (HAC) des fortes pentes. Bref, il est capable d'en prendre sous ses airs un peu BCBG.

HABITACLE ► Même avec ses gènes de coureur des bois, le GX est un véritable Lexus à l'intérieur. Le cuir est de série et l'équipement habituel des véhicules de ce prix s'y trouve. La seule option disponible est le système de navigation avec caméra de recul et écran multimédia avec lecteur de DVD et écouteurs sans fil. L'espace n'est pas un problème à l'avant ni à l'arrière, et chacun peut se réchauffer ou se rafraîchir à sa guise, car le système de climatisation est double. Une chaîne stéréo Mark Levinson de 240 watts, avec changeur de six CD et contrôles arrière, est de série. Il y a des places pour huit, de série, avec une troisième banquette pour les jeunes, divisible 50/50. Cela dit, on y observe un défaut commun à plusieurs véhicules japonais : le hayon

forces
- Finition intérieure
- Équipement complet
- Capacités de hors-piste et de remorquage
- Rouage intégral efficace

faiblesses
- Bruit de vent important à plus de 105 km/h
- Hayon qui s'ouvre du mauvais côté
- Glouton

nouveautés en 2007
- Aucun changement majeur

à charnières, plutôt que d'ouvrir vers le haut, s'ouvre vers la droite, du mauvais côté du trottoir pour nous, mais pas pour les Japonais qui conduisent à droite. Un détail, peut-être, mais c'est très agaçant.

MÉCANIQUE ► Comme le véhicule pèse 2150 kilos, le V8 de 4,7 litres n'est pas de trop. Ce moteur, qui sert de base aux Tundra, 4Runner et LX 470, développe 263 chevaux, ce qui n'impressionne pas d'emblée, mais il faut considérer les 323 livres-pied de couple qui rendent accessible rapidement toute la puissance. Ce couple est aussi très utile pour remorquer une charge qui peut atteindre 2948 kilos. Comme tous les moteurs conçus chez Toyota, celui-ci est très silencieux et raffiné, et il est jumelé à une transmission automatique à cinq rapports. Pour atténuer un peu le côté trop camion de la conduite, Lexus utilise une suspension variable et adaptative. Le confort de roulement en est fortement amélioré, peu importe la surface. Le conducteur peut sélectionner le calibrage de la suspension en actionnant un bouton.

COMPORTEMENT ► Sur la route, le GX est tout à fait agréable, sauf que mon véhicule d'essai laissait entendre un fort bruit de vent dès qu'on franchissait les 105 km/h, chose inacceptable pour un véhicule de ce prix. Et sachez que la consommation de carburant, peu importe votre style de conduite, sera très importante. Durant ma semaine d'essai, il m'a été impossible de brûler moins de 15,7 litres aux 100 km, et ce, avec au plus un seul passager.

CONCLUSION ► Au final, le GX est un excellent véhicule à tout faire. Très luxueux, il peut passer sans mal de l'opéra au sous-bois et tracter votre bateau jusqu'au chalet sans rougir. Le 4Runner peut aussi faire tout cela, mais le GX s'adresse à ceux qui désirent un emballage plus huppé.

FICHE TECHNIQUE

MOTEUR
V8 4,7 l DACT 263 ch à 5400 tr/min
couple : 323 lb-pi à 3400 tr/min
Transmission : automatique à 5 rapports
0-100 km/h : 9,7 s
Vitesse maximale : 180 km/h
Consommation (100 km) : 13,4 l (octane : 87)

Sécurité active
freins ABS, répartition électronique de force de freinage, assistance au freinage, antipatinage, contrôle de stabilité électronique

Suspension avant/arrière
indépendante/essieu rigide

Freins avant/arrière
disques

Direction
à crémaillère, assistée

Pneus
P265/65R17

DIMENSIONS
Empattement : 2790 mm
Longueur : 4780 mm
Largeur : 1880 mm
Hauteur : 1895 mm
Poids : 2150 kg
Diamètre de braquage : 11,7 m
Coffre : 1238 l, 2513 l (sièges abaissés)
Réservoir de carburant : 87 l
Capacité de remorquage : 2948 kg

opinion

Carl Nadeau • Ce ne sont pas tous les manufacturiers qui sont capables de marier le format imposant d'un utilitaire à l'esthétique d'une voiture de luxe, mais Lexus a réussi l'exploit. De plus, grâce à sa plateforme de Four Runner, le GX 470 possède d'étonnantes capacités hors route. La finition intérieure n'a rien à envier aux autres modèles de la marque, mais son gros défaut concerne la troisième rangée de sièges, trop petite, un classique dans la catégorie. Lorsqu'on prend le volant, on surplombe la route dans un océan de luxe et de confort. C'est incroyable de penser que certains acheteurs vont rouler hors route avec le GX, mais il est si à l'aise dans ces conditions qu'on peut considérer que c'est son habitat naturel.

IS 250/350

évolution | 36 300 $ à 48 900 $
Transport et préparation : 1775 $

www.lexus.ca

FICHE D'IDENTITÉ

Version(s) : 250, 250 4RM, 350
Roues motrices : arrière, 4
Portières : 4
Première génération : 1999
Génération actuelle : 2006
Construction : Tochigi, Japon
Sacs gonflables : 8, frontaux, latéraux avant, rideaux latéraux et au niveau des genoux à l'avant
Concurrence : Acura TSX, Audi A4, BMW Série 3, Cadillac CTS, Infiniti G35, Jaguar X-Type, Mercedes-Benz Classe C, Saab 9[3], Volvo S60

AU QUOTIDIEN

Prime d'assurance :
25 ans : 3300 à 3500 $
40 ans : 2200 à 2400 $
60 ans : 1800 à 2000 $
Collision frontale : 4/5
Collision latérale : 5/5
Ventes du modèle l'an dernier
Au Québec : 148 **Au Canada :** 861
Dépréciation (3 ans) : 46,1 %
Rappels (2001 à 2006) : 2
Cote de fiabilité : 5/5

SPORTIVE DE FIN DE SEMAINE

– Michel Crépault

Renouvelée l'an dernier, la gamme des IS comprend une 250 à propulsion, une autre à traction intégrale, et une 350 à propulsion.

CARROSSERIE ► La silhouette des IS n'enflamme pas l'imagination, mais il faudrait être de mauvaise foi pour la trouver banale comme la précédente IS 300. Le nez pointu, les phares bagarreurs, la caisse haute, les réflecteurs aux formes bizarroïdes et le double échappement donnent des accents d'originalité à cette famille quand même conçue pour des acheteurs matures. Une mention spéciale à la peinture « tungstène nacré », qui donne un look irréel à l'auto.

HABITACLE ► Dans la 250, la sobriété règne ; dans la 350, plus coûteuse, les boutons foisonnent. Le dégagement pour la tête est limité à cause d'un pavillon pressé d'imiter celui d'un coupé. Les baquets sont confortables mais manquent de support sous les cuisses. Une longueur d'assise ajustable serait la bienvenue. L'espace attribué à la banquette arrière est un peu juste, comme chez la concurrence, et la cinquième place est surtout là pour vous dépanner.

La colonne de direction est ajustable électriquement, ce qui garantit une bonne position de conduite. L'accès et le démarrage sans clé (dispositif SmartAccess) fonctionnent sans heurts. Le bouton du contrôle de la traction et le sélecteur des trois modes de conduite (Sport, Normal et Neige) sont mal situés, dissimulés par le volant. On évitera de les chercher pendant qu'on conduit, mais, inévitablement, on aura besoin de le faire dès qu'une surface glissante apparaîtra… Les IS proposent des avertisseurs ajustables de la vitesse et des changements de rapports grâce à deux témoins qui s'allument au moment où on atteint une certaine vitesse ou un certain régime. Ces gadgets assurent une conduite optimale tout en permettant au pilote de converser avec son passager.

forces

- Trio de modèles pour tous les goûts
- Assemblage irréprochable
- Véhicules plaisants à regarder et à conduire

faiblesses

- Dégagement à la tête trop juste
- Seuil de coffre élevé
- Absence d'une version 350 manuelle

nouveautés en 2007

- Modification des groupes d'options dans les modèles 250 en cours d'année, nouvelles couleurs de carrosserie

cette aide. Cela dit, il ne faut pas y chercher la personnalité d'une authentique sportive. Certes, le moteur est fougueux et l'échappement émet un chant inspirant, mais c'est une Lexus, une berline qui mise avant tout sur la bienséance. Les palettes séquentielles au volant sont agréables au toucher, mais la sélection des rapports n'est pas assez rapide. La suspension manque de fermeté et les freins ne sont pas assez puissants. La direction, retranchée dans ses limites, ne travaille pas en chœur avec l'accélérateur et les freins. Par exemple, si on attaque agressivement un virage, le freinage devient difficile à doser. Si on tient le régime au-delà de 5000 tours/minute, il faut se méfier de l'accélérateur qui met du temps à réagir; mais, dès qu'il se réveille, il propulse la voiture vers l'extérieur. Puisqu'on ne peut pas désactiver les contrôles de la traction et de la stabilité, impossible de laisser l'arrière décrocher... Oh, et puis, où donc se cache l'IS 350 manuelle?

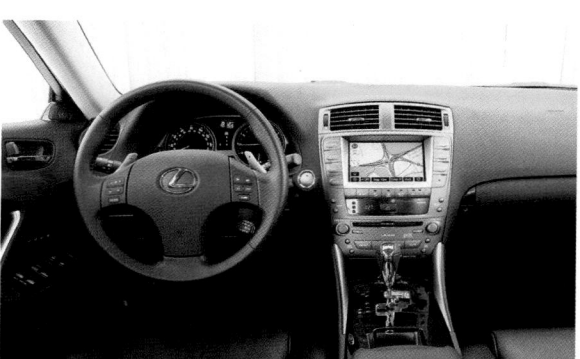

MÉCANIQUE ► La 250 utilise un V6 de 2,5 litres et 204 chevaux, tandis que la 350 dispose de 102 chevaux supplémentaires grâce à une cylindrée de un litre de plus. La 350, ainsi que la version à traction intégrale de la 250, est équipée d'une boîte automatique à six rapports complétée par des palettes au volant. La 250 de base possède en équipement de série une transmission manuelle à six vitesses, mais acceptera l'automatique moyennant supplément.

COMPORTEMENT ► L'IS 350 a du cœur au ventre. Il suffit de le lui rappeler et la voilà qui vous catapulte de 0 à 100 km/h en 6,8 secondes. La voiture est truffée de systèmes technologiques. Dans une situation d'urgence ou même de panique, le pilote sera à même d'apprécier toute cette aide.

CONCLUSION ► Voilà des critiques dont tiendra compte seulement l'accro à l'adrénaline. Pour les autres (la majorité des acheteurs de Lexus), les attributs des IS en font une famille axée sur la souplesse, le bon goût et même la sécurité d'esprit (voir la version à traction intégrale).

FICHE TECHNIQUE

MOTEURS

(250 et 250 AWD) V6 2,5 l DACT 204 ch à 6400 tr/min
couple : 185 lb-pi à 4800 tr/min
Transmission : manuelle à 6 rapports, automatique à 6 rapports avec mode manuel (option, de série dans 250 AWD)
0-100 km/h : 8,3 s
Vitesse maximale : 225 km/h
Consommation (100 km) : man. : 9,6 l, auto. : 8,3 l, auto AWD : 9,1 l (octane : 91)

(350) V6 3,5 l DACT 306 ch à 6400 tr/min
couple : 277 lb-pi à 4800 tr/min
Transmission : automatique à 6 rapports avec mode manuel
0-100 km/h : 6,8 s
Vitesse maximale : 240 km/h
Consommation (100 km) : 9,3 l (octane : 91)

Sécurité active
freins ABS, répartition électronique de force de freinage, assistance au freinage, antipatinage, contrôle de stabilité électronique

Suspension avant/arrière
indépendante

Freins avant/arrière
disques

Direction
à crémaillère, assistée

Pneus
250 : P205/55R16, 250 AWD : P225/45R17, 350 : P225/45R17 (av.), P245/45R17 (arr.)

DIMENSIONS
Empattement : 2730 mm
Longueur : 4575 mm
Largeur : 1800 mm
Hauteur : 1425 mm, 250 AWD : 1440 mm
Poids : 250 : 1567 kg, 250 AWD : 1656 kg, 350 : 1600 kg
Diamètre de braquage : 10,2 m
Coffre : 378 l
Réservoir de carburant : 65 l

opinion

Pascal Boissé • La première génération de l'IS était une maladroite reproduction de BMW Série 3. On dit que l'imitation est la plus sincère forme de flatterie, mais Lexus avait exagéré. Pour cette deuxième génération de l'IS, Lexus a décidé d'assumer pleinement son identité japonaise en créant un produit original qui ne doit rien à personne. Certains détails intérieurs sont d'un raffinement extrême et les proportions de la carrosserie sont beaucoup mieux maîtrisées qu'avant. Cependant, l'expérience de conduite aseptisée de l'IS est d'un ennui mortel. Bien qu'il s'agisse d'une propulsion, le contrôle électronique de la puissance annihile toute forme de plaisir que procurerait un léger dérapage du train arrière.

LS 460

nouveauté | 85 000 $ à 106 200 $

Transport et préparation : 1175 $

www.lexus.ca

FICHE D'IDENTITÉ

Version(s) : 460, 460 l
Roues motrices : arrière
Portières : 4
Première génération : 1990
Génération actuelle : 2007
Construction : Tahara, Japon
Sacs gonflables : 8, frontaux, latéraux avant et arrière, rideaux latéraux
Concurrence : Audi A8, BMW Série 7, Infiniti Q45, Mercedes-Benz Classe S

AU QUOTIDIEN

Prime d'assurance :
25 ans : 4600 à 4800 $
40 ans : 3500 à 3700 $
60 ans : 3300 à 3500 $
Collision frontale : nd
Collision latérale : nd
Ventes du modèle l'an dernier
Au Québec : 31 **Au Canada :** 229
Dépréciation (3 ans) : 53,3 %
Rappels (2001 à 2006) : 2
Cote de fiabilité : 5/5

LA POURSUITE DE LA PERFECTION

– Michel Crépault

Voici la quatrième génération de LS, porte-étendard de Lexus. Pour l'occasion, et pour la première fois de son histoire, la division de luxe de Toyota a organisé un lancement international. C'était en Autriche, à Salzbourg, berceau de Mozart dont on fêtait d'ailleurs le deux cent cinquantième anniversaire de naissance. Et ce n'était pas un hasard...

CARROSSERIE ► À ses débuts en 1990, la LS était carrément un clone de Mercedes-Benz. Elle a depuis lors mérité ses lettres de noblesse, mais, cette réputation enviable, la LS ne la doit pas à ses formes exotiques ou originales. Bien que le design de l'auto obéisse à la philosophie dite *L-Finesse*, où l'on recherche un équilibre entre simplicité et élégance, on ne peut pas dire qu'une LS, nouvelle ou pas, fait tourner les têtes. Le coefficient de pénétration dans l'air a beau afficher un étonnant Cx de 0,26, l'auto a l'air banal. Merci au petit aileron de requin (l'antenne) qui brise la monotonie, et aux échappements encastrés qui épicent la croupe. Les mensurations de la LS 460 sont légèrement supérieures à celles de la précédente LS 430. De plus, Lexus lance la LS 460 l, une version à empattement allongé de 12 centimètres qui profiteront surtout aux passagers arrière. Le coffre imposant peut avaler quatre sacs de golf. Et un modèle hybride, la LS 600hL à traction intégrale, qui mariera la puissance d'un 5,0 litres à un moteur électrique, verra le jour au début de l'année prochaine.

HABITACLE ► On n'achète pas une LS pour calciner du caoutchouc quand le feu passe au vert. Le vrai show se déroule dans l'habitacle. Or, que reçoit-on en échange de plusieurs liasses de billets ? D'abord, le calme. Depuis sa naissance, la LS roule comme si le monde extérieur n'existait pas, grâce, entre autres choses, aux glaces très épaisses. De plus, Lexus a poussé le raffinement jusqu'à

forces

- Confort royal et comportement sécuritaire
- Qualité et finition supérieures
- Chaîne hi-fi qui aurait redonné l'ouïe à Beethoven

faiblesses

- Conduite aseptisée
- Beaucoup d'options, contrairement aux premières années
- Fauteuil Ottoman mal exploité

nouveautés en 2007

- Modèle entièrement redessiné

ajuster les différents sons de l'auto comme s'il s'agissait d'un instrument de musique digne de Mozart (vous voyez le lien avec Salzbourg ? !). On a éliminé certains sons disgracieux et on a embelli ceux qui restent. Par exemple, le bruit d'une portière qui se ferme évoque la solidité de l'auto. Après l'ouïe, le toucher : le cuir du volant a été poli et frotté pour le rendre d'une douceur rare. Dans une berline de ce gabarit, la banquette arrière revêt une grande importance, aussi les designers de la nouvelle LS y ont-ils mis le paquet, mais il y a au moins deux bémols. D'abord, la plupart des gâteries sont optionnelles ; ensuite, elles ne sont pas toutes heureuses. Je pense au fauteuil « Ottoman », disponible à l'arrière à droite. Imaginez un fauteuil d'avion, de la classe Affaires, qui peut s'étirer presque à l'horizontale. Sauf que, pour y arriver, il faut replier le siège du passager avant. Autrement dit, le confort d'un occupant exige le sacrifice d'un autre. Drôle de logique. Heureusement, d'autres options sont plus sensées : dossiers et appuie-tête réglables, glacière, massages, jusqu'à 11 sacs gonflables, système de navigation dernier cri, liaison Bluetooth de dix-neuvième génération, climatiseur pourvu d'un diffuseur qui auréole de fraîcheur les occupants au lieu de les gifler, système de DVD dont l'écran motorisé jaillit du plafond sur demande. Lexus confie à Mark Levinson la conception du système de divertissement depuis de nombreuses années, et celui-ci affirme s'être surpassé. Par conséquent, il paraît que, si vous vouliez jouir chez vous d'un système 7.1 à 19 haut-parleurs, semblable à celui de la LS, vous devriez dépenser 100 000 $. Autrement dit, vous payez la sono et l'auto vous est offerte en prime...

Cela dit, il est vrai que le système décoiffe par sa puissance, mais aussi par sa justesse, et cette merveille comblera les mélomanes (encore Mozart, ha ! ha !). Par ailleurs, la meilleure innovation est sans doute le Neural-Net, un capteur infrarouge qui mesure la température du corps des passagers arrière et qui ajuste la température de la cabine en conséquence. Ne me demandez pas s'il y aura des effets secondaires sur l'organisme ! Mais ce n'est pas tout. Que diriez-vous d'un Advanced Parking Guidance System ? En théorie, le conducteur n'aura plus besoin de savoir se garer en parallèle, puisque l'auto s'en chargera pour lui. En pratique, le système fonctionne, mais si lentement que la cacophonie de klaxons des autres automobilistes vous découragera de l'utiliser.

MÉCANIQUE ► Satoru Maruyamano, ingénieur en chef de la nouvelle LS, et son équipe ont développé un nouveau V8 de 4,6 litres, qu'ils ont ensuite jumelé à la première transmission automatique à huit rapports du monde. Pourquoi huit ? À mon avis, pour damer le pion à Mercedes-Benz et à sa transmission à sept rapports. Grâce aux 380 chevaux, le 0-100 km/h s'inscrit en 5,7 secondes, mais la vitesse maximale a été bridée à 210 km/h... pour les routes nord-américaines. En Europe, la limite est de 250 km/h, et les pneus de 18 pouces

HISTOIRE ▼

La « Mercedes nippone »

Le projet « F1 » de Toyota voit le jour en 1984. Il consiste à lancer une berline de prestige en Amérique au début des années 1990. Une marque baptisée Lexus, pour que le message soit clair. En mai 1986, des prototypes roulent sur les *autobahnen* allemandes. Puis, en janvier 1989, la LS 400 [LS pour *Luxury Sedan*] est dévoilée simultanément aux salons de Detroit et de Los Angeles. C'est le début d'une grande aventure qui entraînera Honda et Nissan, qui lanceront les marques Acura et Infiniti. Mazda tentera d'en faire autant, mais d'importants problèmes financiers empêcheront la sienne, Amati, de naître.

LS 400 1989

LS 400 1996

LS 430 2006

LS 600h 2008

LS 460

GALERIE ▼

1 • Comme toute grande berline qui se respecte, la Lexus LS 460 transpire le luxe et le bon goût.
2 • Parmi toute la technologie disponible, on trouve un système de navigation de série très efficace, surtout dans un pays inconnu.
3 • Lexus, comme d'autres constructeurs, pousse le raffinement jusqu'à à offrir des sièges qui sont à la fois chauffants et climatisés. Le réglage désiré s'effectue via la console centrale en allant dans la zone bleue pour le froid et rouge pour la chaleur.
4 • Voici le Neural-Net, un capteur infrarouge qui lit la température du corps des passagers arrière et qui ajuste la température de la cabine en fonction des degrés sélectionnés.
5 • En option, les passagers arrière ont droit à un centre de divertissement, avec écran vidéo, sono Mark Levinson avec son ambiophonique surround 7.1 et une prise 115 volt pour brancher le portable, un vrai bureau mobile.

1

2

3

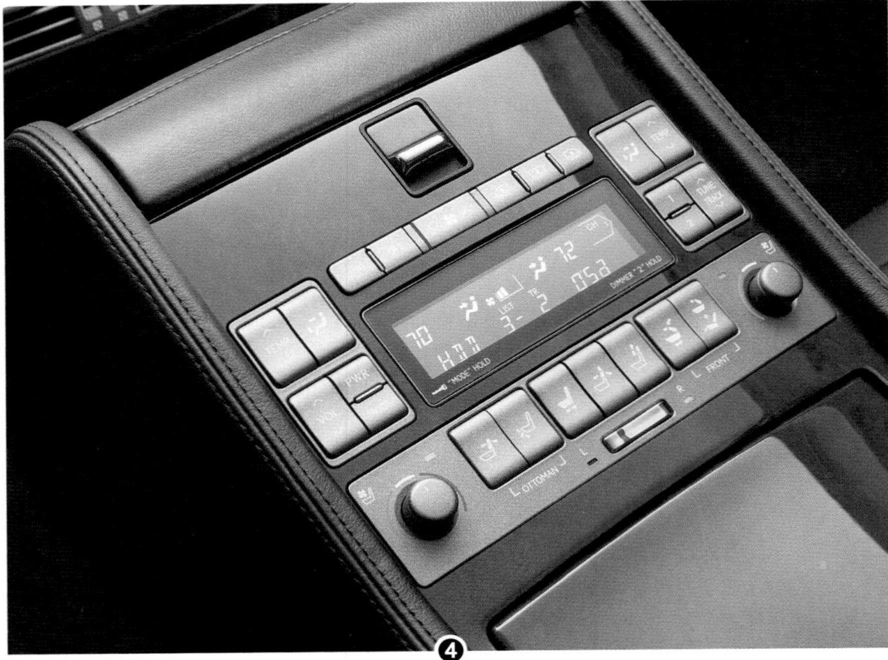

4

5

(19 pouces en option) ont été modifiés en conséquence. Le V8 se montre pourtant frugal, avec une consommation moyenne de 11 litres aux 100 km, comme un moteur de plus petite cylindrée (disons de 3,5 litres). La suspension peut être pneumatique dans la version allongée, et cette option en appelle une autre: le Variable Gear Ration Steering qui affine les mouvements de la direction. Une suspension à caractère plus sportif est comprise avec l'ensemble Premium Grand Touring.

COMPORTEMENT ► On démarre en enfonçant un bouton rond, pendant que la clé repose au fond d'une poche ou d'un sac à main. Puis on se laisse bercer. Au fil des années, Lexus a jonglé avec l'idée d'insuffler plus de mordant à sa LS, car on lui reproche d'être si parfaite qu'elle prive le conducteur des sensations de la route. Malheureusement, la nouvelle LS 460 ne déroge pas à cette tendance. Bien sûr, on peut s'amuser manuellement avec les huit vitesses pour se distraire, mais on se lasse vite de ce jeu et on revient au mode automatique. On peut aussi désormais désactiver le contrôle de traction (une idée qui fut à mon avis davantage suggérée par les médias que par les consommateurs) pour se payer de petites frayeurs, mais c'est comme si l'on refilait à Éric Lapointe une partition de... Mozart.

CONCLUSION ► La Lexus LS 460 fait partie d'un segment qui représente 2 % du marché canadien. Si la LS offrait de série tous les gadgets prévus à son menu, son prix dépasserait sans doute 150 000 $. Voilà pourquoi Toyota les a placés dans la colonne des options. Autre temps, autre stratégie. Une bonne voiture? Assurément. Elle est même admirable à plus d'un titre, si ce créneau vous convient. Bref, préférez-vous Mozart ou AC/DC?

FICHE TECHNIQUE

MOTEUR
V8 4,6 l DACT 380 ch à 6400 tr/min
couple: 367 lb-pi à 3500 tr/min
Transmission: automatique à 8 rapports avec mode manuel
0-100 km/h: 5,7 s
Vitesse maximale: 210 km/h (limitée)
Consommation (100 km): 11,0 l (octane: 91)

Sécurité active
freins ABS, répartition électronique de force de freinage, assistance au freinage, antipatinage, contrôle de stabilité électronique

Suspension avant/arrière
indépendante

Freins avant/arrière
disques

Direction
à crémaillère, assistée

Pneus
P235/50R18, P245/45R19 (option)

DIMENSIONS
Empattement: 2969 mm, L: 3091 mm
Longueur: 5029 mm, L: 5151 mm
Largeur: 1875 mm
Hauteur: 1475 mm
Poids: 1980 kg, L: 2025 kg
Diamètre de braquage: n.d.
Coffre: 510 l, 340 l (avec climatisation arrière)
Réservoir de carburant: 84 l

2e opinion

Benoit Charette • Tout comme les États ennemis en pleine course aux armements durant la guerre froide, les constructeurs de voitures de prestige font dans la surenchère. La plus récente Lexus LS 460 propose un siège inspiré de ceux des jets privés, avec repose-pied (pas très réussi); une assistance automatique au stationnement (pratique); et, pour narguer Mercedes, une boîte automatique à huit rapports. Ce qu'il faut retenir de tout cela, c'est que Lexus a appris le raffinement, mais son adhésion récente à ce club sélect ne lui vaut pas encore le prestige que les BMW, Mercedes et Audi ont acquis depuis bien des années. L'entreprise nippone est sur la bonne voie, mais n'a pas encore découvert la recette du prestige germanique.

LX 470

évolution | 101 400 $
Transport et préparation : 1775 $

www.lexus.ca

FICHE D'IDENTITÉ

Version(s) : 470
Roues motrices : 4
Portières : 4
Première génération : 1996
Génération actuelle : 1999
Construction : Araco, Japon
Sacs gonflables : 6, frontaux, latéraux avant et rideaux latéraux
Concurrence : Cadillac Escalade, Hummer H2, Infiniti QX56, Land Rover Range Rover, Lincoln Navigator, Mercedes-Benz Classe G

AU QUOTIDIEN

Prime d'assurance :
25 ans : 5400 à 5600 $
40 ans : 3500 à 3700 $
60 ans : 3100 à 3300 $
Collision frontale : 5/5
Collision latérale : 5/5
Ventes du modèle l'an dernier
Au Québec : 9 **Au Canada :** 72
Dépréciation (3 ans) : 53,3 %
Rappels (2001 à 2006) : aucun à ce jour
Cote de fiabilité : 4/5

ABUSIF

– **Antoine Joubert**

Les articles traitant de gros VUS comme le Lexus LX 470 rapportent tous que leur consommation démesurée est néfaste pour l'environnement. Ici, il est toutefois inutile de discuter de cela puisque, avant tout, c'est le chiffre au bas de la feuille de vitre qui choque : plus de 100 000 $ pour un Toyota Land Cruiser en tenue de gala, c'est pratiquement une insulte à l'intelligence.

CARROSSERIE ► Porte-étendard de la famille des VUS Lexus, ce véhicule n'est pas, contrairement aux croyances de plusieurs, un produit original. Il s'agit en fait d'un clone du Toyota Land Cruiser vendu chez nos voisins du Sud, auquel on a greffé des attributs plus nobles. Malgré cela, avec son design à la fois vieillot et conservateur, le LX 470 n'a rien pour épater la galerie. Nous sommes loin de l'extravagance d'un Escalade ou d'un Navigator ! Pour le côté m'as-tu-vu, on repassera.

HABITACLE ► Dans la plus pure tradition Lexus, le degré de finition de l'habitacle est exemplaire. Les sièges des deux premières rangées offrent un confort princier, mais la dernière banquette exige une grande souplesse tellement elle est difficilement accessible. Signe des temps, cette dernière n'est pas rabattable à plat, mais on peut en revanche la replier en deux parties sur les parois latérales, un peu comme avec le Honda Element. Côté équipement, le LX 470 propose à peu près tout, y compris la navigation par satellite et une fabuleuse chaîne audio Mark Levinson. Lexus a même équipé son VUS d'une fonction d'aide à la conduite nocturne, qui projette sur le pare-brise une petite image où se voit tout obstacle sur la route. En fait, le seul oubli inacceptable est un système de divertissement avec lecteur DVD, que Lexus a choisi d'offrir en option au prix de 4798 $! Avouez qu'il faut le faire !

forces

- Qualité d'assemblage et finition exceptionnelle
- Surenchère d'équipements
- Construction robuste
- Habitacle confortable

faiblesses

- Prix aberrant
- Conception vieillotte
- Style trop conservateur
- Consommation démesurée (19 l/100 km)
- Instabilité du train arrière (essieu rigide)

nouveautés en 2007

- Système de divertissement avec lecteur DVD et écran ACL ajouté à l'équipement de série, une couleur de carrosserie supprimée

MÉCANIQUE ► Le LX 470 fait appel à un V8 de 4,7 litres qui, depuis l'an dernier, est doté du système de calage variable des soupapes. Cela lui confère une puissance de 275 chevaux (bien modeste à côté des 403 chevaux du Cadillac Escalade), tout juste suffisante pour permettre à un véhicule de ce gabarit de se déplacer avec grâce. Malgré sa puissance limitée, on apprécie sa souplesse et son faible niveau sonore. La boîte automatique tente pour sa part d'offrir des passages de vitesses imperceptibles, mais sa paresse devient agaçante dans les bouchons de circulation.

COMPORTEMENT ► Pesant près de 2500 kilos, le LX 470 semble à première vue soudé à la chaussée, mais le simple fait de circuler à basse vitesse sur une route cahoteuse nous fait prendre conscience des méfaits d'un essieu arrière rigide. Donc, pendant que la concurrence innove avec des systèmes de suspension plus évolués que les autres, Lexus propose l'instabilité et l'inconfort (entendons-nous) pour 25 000 $ de plus. Ce désavantage déplorable s'ajoute bien sûr aux lois de la physique qui permettent rarement à un véhicule presque aussi haut que large d'échapper aux roulis et d'être insensible aux effets des vents latéraux. Comme si tout cela n'était pas suffisant, la direction est floue, surassistée et totalement déconnectée de la route. Heureusement que les nombreux systèmes d'aide à la conduite peuvent corriger les erreurs souvent causées par cette conception dépassée.

CONCLUSION ► Le LX 470 a beau être un véhicule de qualité, d'une fiabilité exemplaire, il reste que son style démodé et son manque de raffinement mécanique et technologique le place loin derrière ses concurrents qui, en outre, coûtent 25 % de moins. Voilà pourquoi seulement 19 lx 470 ont trouvé preneur au Québec l'an dernier. À mon avis, c'est encore trop...

FICHE TECHNIQUE

MOTEUR
V8 4,7 l DACT 275 ch à 5400 tr/min
couple: 332 lb-pi à 3400 tr/min
Transmission: automatique à 5 rapports
0-100 km/h: 8,7 s
Vitesse maximale: 180 km/h
Consommation (100 km): 15,3 l (octane: 87)

Sécurité active
freins ABS, répartition électronique de force de freinage, assistance au freinage, antipatinage, contrôle de stabilité électronique

Suspension avant/arrière
indépendante/essieu rigide

Freins avant/arrière
disques

Direction
à crémaillère, assistée

Pneus
P275/60R18

DIMENSIONS
Empattement: 2850 mm
Longueur: 4890 mm
Largeur: 1940 mm
Hauteur: 1850 mm
Poids: 2450 kg
Diamètre de braquage: 12,1 m
Coffre: 510 l, 2560 l (sièges abaissés)
Réservoir de carburant: 96 l
Capacité de remorquage: 2948 kg

2e opinion

Michel Crépault • Je rédige cette note sur le LX 470 alors que je viens d'en terminer une autre sur le Range Rover. Même prix. Et..., et là s'arrête la comparaison. Aller plus loin, ce serait comme comparer une chaise Obus avec un pouf, un percheron avec un pur-sang, un... Le gros utilitaire, cousin du Land Cruiser, donne dans le luxe et même dans l'opulence; il suffit de jeter un œil à la facture pour en être assuré. Mais alors que le VUS anglais se comporte avec flegme, voire avec une sévérité un brin teutonne, le LX 470 se dandine, louvoie, flotte et rebondit – merci à l'essieu arrière rigide. Comme Lexus apprécie les directions sans saveur, c'est comme si vous pilotiez un gros paquet d'ouate.

RX 350 / 400H

évolution | 51 550 $ à 62 200 $
Transport et préparation : 1775 $

www.lexus.ca

FICHE D'IDENTITÉ

Version(s) : 350, 400h
Roues motrices : 4
Portières : 4
Première génération : 1999
Génération actuelle : 2004
Construction : Kyushu, Japon
Sacs gonflables : 8, frontaux, latéraux avant, rideaux latéraux et au niveau des genoux
Concurrence : Acura MDX, Audi Q7, BMW X5, Buick Rainier, Cadillac SRX, Infiniti FX, Land Rover LR3, Mercedes-Benz Classe M, Porsche Cayenne, Saab 9-7X, Volkswagen Touareg, Volvo XC90

AU QUOTIDIEN

Prime d'assurance :
25 ans : 4100 à 4300 $
40 ans : 2800 à 3000 $
60 ans : 2400 à 2600 $
Collision frontale : 5/5
Collision latérale : 5/5
Ventes du modèle l'an dernier
Au Québec : 645 **Au Canada :** 4857
Dépréciation (3 ans) : 46,1 %
Rappels (2001 à 2006) : 3
Cote de fiabilité : 5/5

UN ACHAT SANS RIX

– **Hugues Gonnot**

On achète d'abord un utilitaire sport Lexus pour la tranquillité d'esprit : fiabilité, finition, insonorisation. À d'autres, les départs fumants et l'ostentation. Nous sommes ici entre gentlemen.

CARROSSERIE ► C'est sobre, de bon goût, élégant. Du Lexus, quoi... Dans une catégorie où les dimensions ne cessent d'enfler, on apprécie son format encore raisonnable. Le meilleur moyen de distinguer un 350 d'un 400h, hormis le logo, c'est par le dessin spécifique des jantes et l'entrée d'air supplémentaire sur le pare-chocs avant.

HABITACLE ► L'harmonie règne dans l'habitacle du RX : planche de bord aux lignes élégantes et à l'ergonomie impeccable, qualité de construction sans faille, sièges confortables (mais un peu justes quant au soutien latéral), insonorisation de premier plan. Comme d'habitude, l'équipement est complet dès le modèle de base (si l'on peut dire), mais Lexus ne se montre pas spécialement généreux. Et la politique des options par groupes peut faire grimper rapidement la facture si vous désirez un équipement spécifique, puisque vous ne pouvez pas l'obtenir séparément de son groupe.

MÉCANIQUE ► En passant de 330 à 350, le RX gagne 40 chevaux, 9 livres-pied de couple (obtenus un peu plus haut cependant) et une consommation normalisée qui diminue de 0,2 litre aux 100 km. Sur le papier, c'est tout bon... et dans la réalité aussi. Le moteur est d'une grande souplesse à tous les régimes. Il est accouplé à une excellente boîte automatique qui réagit avec une grande douceur, sans que cela ne se fasse trop au détriment de la vitesse de passage des rapports. Dans les conditions normales, la transmission répartit la puissance également entre les essieux avant et arrière. Le différentiel central peut cependant faire varier cette répartition si l'une des roues a une adhérence réduite. Impossible

forces

- Véhicule zen à tous les étages
- Finition impeccable
- Tenue de route d'un bon niveau
- Fiabilité
- Valeur de revente

faiblesses

- Modèle hybride cher
- Transmission intégrale lente (hybride)
- Groupes d'options

nouveautés en 2007

- Moteur de 3,5 litres, système audio prêt pour le satellite et compatibilité MP3 et WMA, pare-brise revu pour réduire de 2 dB les bruits de vent, moniteur de pression des pneus, écran d'affichage de la navigation plus lisible

RX 350 / 400H

La transmission intégrale est totalement différente de celle du 350. Il s'agit d'un système sur demande qui fait appel à un moteur électrique installé dans le train arrière. Une différence qui a son importance.

COMPORTEMENT ▶ On ne s'attend pas à virevolter de virage en virage au volant d'un RX. Pourtant, en conditions normales, il se comporte avec élégance et autorise une conduite sereine. Lorsque la chaussée se dégrade, le RX 350 s'en tire encore bien. Par contre, le RX 400h démolit un peu cette belle sérénité à cause du système de transmission intégrale qui met trop de temps à réagir lorsque les roues se mettent à patiner où que le camion se met à déraper. Vous voilà prévenu.

d'ajouter une gamme courte ou un blocage de différentiel mais, vu la philosophie de l'engin, ce n'est pas un manque. La première fois qu'on démarre le RX 400h, il ne se passe rien. On se dit qu'il doit y avoir un problème, mais comme c'est un Lexus on finit par croire que quelque chose nous échappe. En fait, on ne démarre plus le RX 400h au sens propre du terme: on met ses circuits sous tension. Nuance! Puis on appuie doucement sur l'accélérateur et seul le moteur électrique s'active. En appuyant plus fort, le moteur à essence embarque à son tour. C'est la beauté d'un véhicule hybride parallèle: les moteurs électrique et thermique peuvent fonctionner séparément ou simultanément. À pleine charge, le moteur électrique agit comme un boost et procure un surplus de puissance.

CONCLUSION ▶ Pourquoi acheter un RX? Parce que c'est un achat sans risques. Le RX est même bon pour le cœur, puisqu'il vous satisfera suffisamment sans trop faire monter votre pression artérielle. Et, si vous avez vraiment à cœur l'environnement, vous pouvez opter pour la version hybride. Mais il faudra effectivement avoir du cœur, car vous n'êtes pas près d'amortir le surcoût (comptez environ 160000 km à 1,20$ le litre).

FICHE TECHNIQUE

MOTEURS

(RX 350) V6 3,5 l DACT 270 ch à 6200 tr/min
couple: 251 lb-pi à 4700 tr/min
Transmission: automatique à 5 rapports avec mode manuel
0-100 km/h: 7,8 s
Vitesse maximale: 200 km/h
Consommation (100 km): 10,7 l (octane: 87)

(RX 400h) V6 3,3 l DACT + électrique à aimant permanent, 268 ch à 5600 tr/min
couple: 212 lb-pi à 4400 tr/min
Transmission: automatique à variation continue
0-100 km/h: 7,8 s
Vitesse maximale: 180 km/h
Consommation (100 km): 9,6 l (octane: 87)

Sécurité active
freins ABS, répartition électronique de force de freinage, assistance au freinage, antipatinage, contrôle de stabilité électronique

Suspension avant/arrière
indépendante

Freins avant/arrière
disques

Direction
à crémaillère, assistée

Pneus
RX 350: P225/65R17, RX 400h: P235/55R18

DIMENSIONS
Empattement: 2715 mm
Longueur: RX 350: 4730 mm, RX 400h: 4755 mm
Largeur: 1845 mm
Hauteur: RX 350: 1680 mm, RX 400h: 1740 mm
Poids: RX 350: 1855 kg, RX 400h: 1981 kg
Diamètre de braquage: 11,4 m
Coffre: RX 350: 1080 l, 2400 l (sièges abaissés), RX 400h: 900 l, 2050 l (sièges abaissés)
Réservoir de carburant: RX 350: 72,5 l, RX 400h: 65 l
Capacité de remorquage: 1587 kg

2e opinion

Benoit Charette • Si certains utilitaires de luxe allemands aiment bien se faire « brasser », ce n'est pas du tout le cas du RX 350. Les sièges qui manquent de maintien latéral et l'antidérapage qui s'enclenche brutalement à la moindre perte de motricité ne se prêtent guère à une conduite dynamique. Toutefois, cette Lexus brille par son ergonomie soignée et sa présentation raffinée. Cet utilitaire discret est l'un des plus populaires auprès des femmes en raison de son raffinement, de sa modularité et de ses aspects pratiques. Les sièges arrière coulissent pour augmenter le volume du coffre. Les sièges avant peuvent adopter la position couchette. Et l'ouverture du hayon se fait automatiquement par le biais d'une télécommande.

SC 430

évolution | 92 650 $ à 93 850 $ |
Transport et préparation : 1775 $

www.lexus.ca

FICHE D'IDENTITÉ

Version(s) : 430
Roues motrices : arrière
Portières : 2
Première génération : 2002
Génération actuelle : 2002
Construction : Tahara, Japon
Sacs gonflables : 4, frontaux et latéraux
Concurrence : BMW Série 6, Cadillac XLR, Chevrolet Corvette, Maserati Spyder, Mercedes-Benz Classe SL

AU QUOTIDIEN

Prime d'assurance :
25 ans : 7300 à 7500 $
40 ans : 5000 à 5200 $
60 ans : 4100 à 4300 $
Collision frontale : nd
Collision latérale : nd
Ventes du modèle l'an dernier
Au Québec : 34 **Au Canada :** 212
Dépréciation (3 ans) : 48,6 %
Rappels (2001 à 2006) : aucun à ce jour
Cote de fiabilité : 4/5

QUAND IMMOBILISME RIME AVEC CLASSICISME

– Michel Crépault

Mine de rien, la Lexus SC 430 nous accompagne depuis 1992. Dix ans plus tard, on nous offrait sa dernière mouture. Depuis, pas de changement, et ce n'est pas 2007 qui y changera grand-chose. Devrait-on s'en plaindre ? En effet, pourquoi changer une formule gagnante ?

CARROSSERIE ► Elle ressemble toujours à une fève sur quatre roues. Mais quelle belle fève ! Des formes harmonieuses, galbées et sensuelles, qui n'ont pas pris une ride. Dès ses premières apparitions, on avait compris que les designers de Tahara, au Japon, avaient touché le gros lot. Pareille voiture, remarquez, est d'abord conçue pour la plage, préférablement californienne. Le toit rigide escamotable a été imité par plusieurs rivaux. Il n'est pas le plus rapide à se déployer, mais il épouse l'auto avec élégance. Les seuls changements en 2007 concernent la suppression de trois teintes de carrosserie et l'ajout d'une nouvelle, noir obsidienne (j'ai ouvert mon *Larousse* pour apprendre que cela signifie « roche volcanique vitreuse de couleur sombre à noire »). L'édition spéciale Pebble Beach demeure. L'heureux élu hérite alors d'un extérieur blanc nacré (l'attention suprême que porte Lexus aux couches de peinture explique l'attrait de la coque sur le commun des mortels), d'un intérieur rouge piment, de roues en alliage G-Spider de 18 pouces et d'emblèmes au nom du mythique terrain de golf. Il va sans dire que le coffre d'une SC 430, même avec le toit replié, peut avaler plusieurs fers et autant de bois.

HABITACLE ► Vous voilà au volant d'un charmant petit boudoir où abonde le cuir lisse, l'instrumentation de luxe et le bois précieux. Que l'on choisisse des garnitures en érable ou en noyer, l'effet est magique. La version Pebble Beach met en valeur un érable noir moucheté qui ne donne pas sa place. Quant au volant gainé de cuir et de bois, il demeure l'un de mes favoris à empoigner. Que dis-je : à

forces

- Formes à la beauté inaltérable
- Finition qui inspire la sérénité
- Comportement sain

faiblesses

- Places arrière à peu près inutiles
- Manque d'inspiration au volant qui pourrait en agacer certains
- Une exclusivité qui se paye

nouveautés en 2007

- Élimination de trois couleurs de carrosserie et ajout du noir obsidienne

cela ne correspondrait ni au profil de l'acheteur type ni à la vocation de l'auto. Mais, si vous insistiez, une orgie d'aides électroniques veilleraient à vous garder vivant.

caresser! Le fournisseur officiel de sono haut de gamme de Lexus, la firme Mark Levinson, a truffé l'habitacle de neuf haut-parleurs. Le résultat est probant, mais il est temps que la SC 430 pousse l'expérience audio encore plus loin, à l'instar de la toute nouvelle LS 460. Un dernier détail: si le dégagement aux deux sièges baquets avant est remarquable, celui des deux places arrière est misérable.

MÉCANIQUE ▶ Lexus reprend le V8 à bloc en alliage d'aluminium de 4,3 litres DACT à 32 soupapes et distribution à calage variable intelligent (VVT-i). Malgré ses 288 chevaux, c'est une soie, à l'image du reste de l'auto. En théorie, vous pouvez atteindre 250 km/h et signer un 0-100 km/h en 6,5 secondes, mais

COMPORTEMENT ▶ La vie est belle en SC 430. Ses formes exquises doivent déteindre sur le quotidien... Le chant du moteur s'efface derrière celui de la chaîne stéréo ou du vent qui remue à peine l'habitacle. Les matériaux qui vous cernent respirent la beauté. Dois-je ajouter que ce récital de sensations raffinées et le comportement sage et réfléchi de la SC 430 séduisent essentiellement des passagers d'âge mûr?

CONCLUSION ▶ Bien que la SC 430 soit sur nos routes depuis un certain temps, je me surprends encore à me retourner sur son passage. Au prix qu'elle coûte, on comprend pourquoi on n'en croise pas autant que des Yaris. L'acheteur jouit donc d'une certaine exclusivité qui flatte son ego. Ajoutez à cela le fait qu'il se balade dans un cabriolet presque parfait et on devine qu'il s'agit d'un client satisfait (comme les sondages le démontrent depuis douze ans).

FICHE TECHNIQUE

MOTEUR
V8 4,3 l DACT 288 ch à 5600 tr/min
couple: 317 lb-pi à 3400 tr/min
Transmission: automatique à 6 rapports avec mode manuel
0-100 km/h: 6,5 s
Vitesse maximale: 250 km/h
Consommation (100 km): 10,6 l (octane: 91)

Sécurité active
freins ABS, répartition électronique de force de freinage, assistance au freinage, antipatinage, contrôle de stabilité électronique

Suspension avant/arrière
indépendante

Freins avant/arrière
disques

Direction
à crémaillère, assistée

Pneus
P245/40R18

DIMENSIONS
Empattement: 2620 mm
Longueur: 4534 mm
Largeur: 1825 mm
Hauteur: 1350 mm
Poids: 1742 kg
Diamètre de braquage: 10,8 m
Coffre: 266 l
Réservoir de carburant: 75 l

2e opinion

Benoit Charette • Malgré une carrière peu reluisante, la SC 430 maintient le cap en 2007. Dans un monde où la surenchère fait partie du quotidien, la SC offre un certain nombre d'avantages, comme une finition irréprochable, un silence de fonctionnement étonnant et les performances feutrées du V8. Toutefois, cette pappy-mobile est décevante au chapitre de la rigidité, n'offre que des places arrière symboliques et un freinage perfectible. Son achat est une alternative intéressante à la Cadillac XLR ou au coupé Mercedes SL uniquement dans la mesure où vous recherchez le confort avant tout, car la performance n'est pas la tasse de thé de la SC. À en juger par son succès mitigé, il semble que les gens bien nantis cherchent autre chose.

MARK LT ⊖ Ford Série F

jumeau | 54 499 $

Transport et préparation : 1200 $

www.ford.ca

FICHE D'IDENTITÉ

Version(s) : emp. court, emp. long
Roues motrices : 4
Portières : 4
Première génération : 2006
Génération actuelle : 2006
Construction : Dallas, Texas, É.-U.
Sacs gonflables : 2, frontaux
Concurrence : Cadillac Escalade EXT, Chevrolet Silverado et Avalanche, Hummer H2 SUT, Ford F-150, GMC Sierra, Nissan Titan, Toyota Tundra

AU QUOTIDIEN

Prime d'assurance :
25 ans : 2400 à 2600 $
40 ans : 1600 à 1800 $
60 ans : 1400 à 1600 $
Collision frontale : 5/5
Collision latérale : 5/5
Ventes du modèle l'an dernier
Au Québec : 59 **Au Canada :** 467
Dépréciation (3 ans) : nm
Rappels (2001 à 2006) : 2
Cote de fiabilité : 3/5

POURQUOI ?

– Nadine Filion

Pourquoi un Lincoln Mark LT? Pour se faire remarquer. Avec tout ce chrome et sa gigantesque calandre, le Mark LT s'assure de ne pas vous faire rater votre entrée.

CARROSSERIE ► Le Mark LT se contente d'une seule variante, soit une seule cabine à quatre portières (SuperCrew). Cette année, à la caisse de 5,5 pieds s'ajoute toutefois la possibilité d'une caisse plus longue de un pied. Notez que la version à deux roues motrices disparaît, faute de popularité, pour laisser toute la place à la version à quatre roues motrices.

HABITACLE ► L'intérieur du Mark LT est luxueux et son insonorisation, de qualité. Le Lincoln comprend des équipements qui, chez son cousin Ford, sont généralement optionnels: sièges chauffants, pédales à réglage électrique, toit ouvrant. Côté espace, nous avons fait la preuve que trois passagers prennent confortablement place à l'arrière.

MÉCANIQUE ► Seul le «gros» V8 de 5,4 litres se glisse sous le capot du Mark LT, pour développer 300 chevaux et tracter 4037 kilos. Les roues de 20 pouces (de série) prennent la relève des roues de 18 pouces. On ne dispose que d'une seule boîte automatique à quatre rapports.

COMPORTEMENT ► 300 chevaux, c'est suffisant pour ébranler la lourde camionnette. Et, une fois celle-ci lancée, on s'assure d'une balade tout en douceur. Attention dans les virages, toutefois: on est loin de piloter une Ferrari, il faut donc retenir ses ardeurs de Schumacher.

CONCLUSION ► Un dernier point: à 54 499 $, le Lincoln Mark LT ne coûte pas beaucoup plus cher qu'un F-150 Lariat King Ranch, finalement...

forces
- Pour ne jamais rater ses entrées
- Habitacle luxueux et confortable
- Comportement routier tout en douceur

faiblesses
- Ne vous prenez pas pour Schumacher
- Boîte automatique de vieille technologie
- Rien d'écologique sous le capot

nouveautés en 2007
- Assistance au stationnement, toit ouvrant et vitre arrière à coulissement électrique désormais de série, roues qui passent de 18 à 20 pouces, caisse de 6,5 pieds disponible, disparition de la version à deux roues motrices

BLING-BLING

– Benoit Charette

Le cousin du Ford Edge en met plein la vue et devient par le fait même le premier véhicule *crossover* de la famille Lincoln. Puisque, au moment de mettre sous presse, il n'avait pas été possible d'en faire l'essai, nous nous contenterons d'une présentation.

CARROSSERIE ► Avec la large calandre horizontale chromée et les jantes de 18 pouces disponibles en finition aluminium ou chrome, sans oublier les feux arrière composés de 16 diodes, le MKX a tout pour plaire.

HABITACLE ► Pour se démarquer de l'Edge, le MKX est hyper luxueux et très clinquant. Il partagera avec sa petite sœur MKZ un système audio certifié THX II. Au programme : 14 haut-parleurs et 600 watts de son haute définition. Ailleurs, il y a du cuir partout, des inserts de bois, des sièges avant entièrement réglables à mémorisation, avec chauffage et climatisation intégrés. Même les sièges arrière sont chauffants. Il faut aussi ajouter un système de navigation DVD avec écran de 16,5 cm et un toit ouvrant panoramique.

MÉCANIQUE ► Sous le capot se trouve la prochaine génération de V6 de Ford. Ce moteur de 3,5 litres en aluminium et de 265 chevaux est accouplé à une boîte de vitesses automatique à six rapports. C'est le même moteur que celui de l'Edge et il remplacera sous peu les vieux 3,0 litres de l'ancienne Taurus.

COMPORTEMENT ► Avec une mécanique capable de suivre la cadence, un centre de gravité qui n'est pas trop élevé et une pléiade d'aides électroniques à la conduite, notamment un Roll Stability Control (RSC) qui vous évitera de vous retrouver les quatre roues en l'air, le MKX semble prêt à vous procurer de bonnes sensations au volant.

CONCLUSION ► Le MKX semble plutôt réussi, ce qui est de bon augure pour la survie de Ford, qui a bien besoin de se remettre sur pieds.

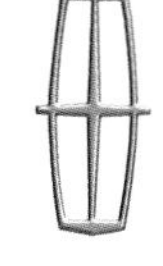

www.ford.ca

FICHE D'IDENTITÉ

Version(s): 2RM, 4RM
Roues motrices : avant, 4
Portières : 4
Première génération : 2007
Génération actuelle : 2007
Construction : Oakville, Ontario, Canada
Sacs gonflables : 6, frontaux, latéraux avant et rideaux latéraux
Concurrence : Acura MDX, BMW X5, Land Rover LR3, Lexus GX 470, Mercedes-Benz ML, VW Touareg, Volvo XC90

AU QUOTIDIEN

Prime d'assurance :
25 ans : 2800 à 3000 $
40 ans : 1900 à 2100 $
60 ans : 1500 à 1700 $
Collision frontale : nd
Collision latérale : nd
Ventes du modèle l'an dernier
Au Québec : nm **Au Canada :** nm
Dépréciation (3 ans): nm
Rappels (2001 à 2006): nm
Cote de fiabilité : nm

forces

- Lignes spectaculaires
- Équipement pléthorique
- Système audio impressionnant

faiblesses

- Il faudra en faire l'essai

nouveautés en 2007

- Nouveau modèle

MKZ

⊖ Ford Fusion

jumeau | 37 499 $ à 39 599 $ |
Transport et préparation : 1250 $

www.ford.ca

L'ÉTOFFE D'UNE CHAMPIONNE

– **Nadine Filion**

Il faudra s'y faire : en 2007, la berline Lincoln s'appellera MKZ. La Lincoln Et elle coûtera toujours de 10 000 à 15 000 $ de plus que la Ford Fusion.

CARROSSERIE ► Comme pour la Fusion, la MKZ est assemblée au Mexique, sur l'excellente plateforme de la Mazda6, mais elle est plus longue de 7 centimètres. Curieusement, les passagers arrière disposent d'un peu moins d'espace. Les lignes extérieures sont plaisantes à l'œil. La calandre adopte le style traditionnel Lincoln.

HABITACLE ► Le design de la Lincoln a indéniablement fait l'objet d'une plus grande attention. Le revêtement de cuir sable et fauve, avec des appliqués d'érable aux teintes ensoleillées, est du plus bel effet et rappelle l'intérieur des riches Lexus. Quelques équipements sont ajoutés à la MKZ, notamment la climatisation bizone et des sièges électriques pour le conducteur ET le passager. La voiture propose aussi des options inconnues à la Fusion : sièges avant ventilés, système de navigation (facile d'emploi), phares au xénon et chaîne audio numérique. Les coussins et rideaux gonflables aux deux rangées sont dorénavant de série.

MÉCANIQUE ► En 2007, la MKZ délaisse le V6 de 3,0 litres (qui continue sa carrière avec la Fusion) au profit d'un nouveau V6 de 3,5 litres produisant 42 chevaux de plus (à 263 chevaux). La boîte automatique à six rapports est toujours disponible, malheureusement toujours sans mode séquentiel.

COMPORTEMENT ► Au volant de la MKZ, on apprécie le châssis rigide, la suspension ferme, l'impression de conduire une berline plus grande. Sans se montrer des plus exubérants, le nouveau V6 est plus agréable que l'ancien. La nouvelle variante à traction intégrale profite d'une direction ajustée à la mode « sport ». La différence est notable avec celle, plus légère, de la version à deux roues motrices.

CONCLUSION ► Pourquoi payer davantage pour la berline de luxe, alors que sa jumelle fait très bien le boulot ?

FICHE D'IDENTITÉ

Version(s) : unique
Roues motrices : avant, 4
Portières : 4
Première génération : 2006
Génération actuelle : 2006
Construction : Sonora, Mexique
Sacs gonflables : 6, frontaux, latéraux avant et rideaux latéraux
Concurrence : Acura TL, Audi A4, BMW Série 3, Cadillac CTS, Infiniti G35, Jaguar X-Type, Lexus ES, Mercedes-Benz Classe C, Saab 9³, Volvo S60

AU QUOTIDIEN

Prime d'assurance :
25 ans : 2700 à 2900 $
40 ans : 1700 à 1900 $
60 ans : 1600 à 1800 $
Collision frontale : 4/5
Collision latérale : 5/5
Ventes du modèle l'an dernier (Zephyr)
Au Québec : 28 **Au Canada :** 270
Dépréciation (3 ans) : nm
Rappels (2001 à 2006) : aucun à ce jour
Cote de fiabilité : nm

forces

- V6 plus doux que pour la Fusion
- Belles lignes
- Habitacle du plus bel effet
- Options inconnues de la Fusion

faiblesses

- De 10 000 $ à 15 000 $ de plus que pour la Fusion
- Toujours pas de boîte séquentielle
- Moins d'espace pour les passagers arrière

nouveautés en 2007

- Lincoln Zephyr renommée MKZ, nouveau V6 de 3,5 litres, carrosserie légèrement retouchée, nouvelles jantes de 17 pouces, nouvelles couleurs de carrosserie

75 845 $ à 80 900 $
Transport et préparation : 1200 $

jumeau

Ford Expedition ⊖ NAVIGATOR

ENCORE PLUS GROS..., MAIS PLUS RAFFINÉ

– Antoine Joubert

Comme l'Expedition, le Navigator subit cette année plusieurs changements. Le plus marquant est l'arrivée d'une version allongée, qui lui permet de se mesurer à l'Escalade, lui aussi disponible en format 3X Large.

CARROSSERIE ► La cuvée 2007 se distingue davantage par son approche plus contemporaine. Les nombreux changements esthétiques ne plairont pas à tous, mais on ne peut pas reprocher à Lincoln de tout faire pour redorer son blason, terni depuis un bon moment. Pour ma part, j'apprécie le mélange d'aluminium brossé et de chrome, qui crée un bel impact visuel.

HABITACLE ► Différent de celui de l'Expedition, l'habitacle du Navigator est un endroit où s'harmonisent le luxe, le raffinement et la technologie. Il propose un confort royal et des équipements incroyables. De plus, il faut applaudir les concepteurs qui ont su rehausser les normes de l'assemblage et de la finition. Franchement réussi, cet habitacle !

MÉCANIQUE ► Sur ce plan, les changements sont plus discrets et l'on retrouve toujours le V8 de 5,4 litres de 300 chevaux et la boîte automatique à six rapports. Voilà qui semble désormais bien maigre à côté du Cadillac Escalade et de ses 403 chevaux !

COMPORTEMENT ► Malgré son poids considérable, le Navigator affiche de bonnes aptitudes routières. Bien sûr, on a tout axé sur le confort, mais pas au détriment du comportement comme chez d'autres constructeurs. En 2007, une nouvelle suspension arrière et de plus gros disques de frein autorisent une meilleure stabilité. De ce fait, la sécurité et le confort sont accrus.

CONCLUSION ► Il ne s'agit certes pas d'un véhicule politiquement correct, mais, si vous aimez ces grosses bêtes, je ne tenterai pas de vous diriger ailleurs. Chose certaine, il s'agit là d'une belle riposte à Cadillac et, à ce jour, du meilleur des Navigator.

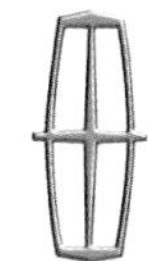

www.ford.ca

FICHE D'IDENTITÉ

Version(s) : Ultimate
Roues motrices : 4
Portières : 4
Première génération : 1998
Génération actuelle : 2003
Construction : Wayne, Michigan, É.-U.
Sacs gonflables : 6, frontaux, latéraux avant et rideaux latéraux
Concurrence : Cadillac Escalade, Hummer H2, Infiniti QX56, Land Rover Range Rover, Lexus GX et LX, Mercedes-Benz Classe G et GL, Porsche Cayenne

AU QUOTIDIEN

Prime d'assurance :
25 ans : 4400 à 4600 $
40 ans : 2800 à 3000 $
60 ans : 2400 à 2600 $
Collision frontale : 5/5
Collision latérale : 5/5
Ventes du modèle l'an dernier
Au Québec : 131 **Au Canada :** 1025
Dépréciation (3 ans) : 55,1 %
Rappels (2001 à 2006) : 5
Cote de fiabilité : 2/5

forces

- Nouveau style
- Confort royal
- Luxe et équipements
- Habitacle bien conçu
- Comportement routier surprenant

faiblesses

- Consommation hallucinante
- Encombrement tout aussi hallucinant
- Le moteur pourrait être plus puissant
- Les écologistes vous fusillent du regard !

nouveautés en 2007

- Carrosserie partiellement redessinée, marchepieds à déploiement électrique de série, jantes en aluminium chromé de 20 pouces de série

TOWN CAR

évolution | 58 499 $ à 68 499 $ |
Transport et préparation : 1250 $

www.ford.ca

FICHE D'IDENTITÉ

Version(s) : Signature Limited, Signature L, Designer
Roues motrices : arrière
Portières : 4
Première génération : 1982
Génération actuelle : 1998
Construction : Wixom, Michigan, É.-U.
Sacs gonflables : 4, frontaux et latéraux avant
Concurrence : Cadillac DTS

AU QUOTIDIEN

Prime d'assurance :
25 ans : 3500 à 3700 $
40 ans : 2300 à 2500 $
60 ans : 2100 à 2300 $
Collision frontale : 5/5
Collision latérale : 5/5
Ventes du modèle l'an dernier
Au Québec : 130 **Au Canada :** 1265
Dépréciation (3 ans) : 61,7 %
Rappels (2001 à 2006) : 5
Cote de fiabilité : 3/5

LE RESPECT DE LA TRADITION

– Bertrand Godin

Quand j'étais jeune, mon père était fou des voitures. Encore aujourd'hui, il ne peut s'empêcher de se retourner dès qu'il voit un bolide un peu fringant, et il s'est même procuré une Mustang décapotable rouge. Mon grand-père aussi adore les véhicules en tous genres, et à 70 ans bien sonnés il continue d'apprécier la conduite et toutes les émotions que cela lui procure. Tout cela explique sans aucun doute pourquoi je suis devenu moi-même un passionné de la conduite et des voitures. Dans une telle famille, on se demande à quoi sert une Lincoln. Puis, je me suis dit que ma famille n'est peut-être pas une référence, et que pour les retraités la priorité est de se rendre à destination le plus confortablement possible. Eh bien, voilà exactement ce que la Town Car propose.

CARROSSERIE ► Si je voulais faire une blague, je vous dirais que je suis incapable de dire si la carrosserie de la Town Car a changé depuis sa création. On a modernisé quelques angles et raffermi quelques arêtes, certes, mais dans l'ensemble la voiture a conservé sa silhouette aux dimensions généreuses qui nous ramène un peu aux anciennes voitures américaines de notre enfance. Elle est de ces modèles qui semblent immuables, dont les lignes intemporelles font partie de notre quotidien.

HABITACLE ► Même à l'intérieur, ce sont les dimensions qui retiennent l'attention. À l'avant comme à l'arrière, les passagers profitent d'un dégagement supérieur à la moyenne. Les sièges de cuir sont confortables et accueillants, un peu comme les divans de votre salon. Mais ne cherchez pas de support latéral dans ces sièges, qui sont d'abord destinés à vous faire sentir comme chez vous. Le tableau de bord, un peu à l'image de la carrosserie, est d'une sobriété étudiée. Les boiseries foncées installées en haut de la planche de bord apportent une petite touche de luxe, mais dans l'ensemble rien n'a vraiment évolué. La Lincoln Town

forces
- Espace intérieur
- Moteur très fiable
- Prix raisonnable

faiblesses
- Suspensions trop molles
- Direction trop assistée
- Transfert de poids trop marqué

nouveautés en 2007
- Phares à décharge à haute intensité de série dans Designer

TOWN CAR

Car, dans ses versions Signature et Limited, est une immense berline destinée à un public qui s'intéresse davantage au simple confort qu'au plaisir de conduire.

MÉCANIQUE ► Avec la Town Car, pas de fiche technique complexe. Un seul moteur, un V8 de 4,6 litres, développe 239 chevaux. Pas trop rapide cependant, ce qui rend l'accélération de la grosse voiture très linéaire et sans surprise, mais efficace, ce qui convient parfaitement à la clientèle ciblée. Mariée à cette mécanique éprouvée qui n'a presque jamais de faille, on retrouve une transmission automatique à quatre rapports qui a été légèrement recalibrée au fil des ans pour suivre avec précision les exigences du moteur. On a bien l'impression parfois qu'elle est un peu lente à réagir, mais on ne s'attend pas d'une voiture du genre qu'elle réagisse comme une voiture de course. Le mariage entre la transmission et le moteur est donc bien fait et ces éléments sont d'une fiabilité exemplaire.

COMPORTEMENT ► Il est évident que la conduite d'une Lincoln Town Car n'a rien de commun avec celle d'une petite sportive. La direction est très assistée, peu importe la vitesse à laquelle on circule, et les suspensions sont calibrées d'abord pour le confort des occupants. Il faut donc s'attendre à passablement de roulis en virage et à un transfert de poids marqué en accélération et en freinage. Ce qui signifie par exemple que, si vous freinez avec puissance, le nez de la voiture plongera vers l'avant. Ce qui n'a que peu d'influence, outre un certain inconfort, si on roule à faible vitesse, mais peut entraîner un changement de trajectoire si on roule plus vite.

CONCLUSION ► La Town Car n'est pas ma voiture de rêve, mais elle a certainement de quoi plaire à une certaine clientèle.

FICHE TECHNIQUE

MOTEUR
V8 4,6 l SACT 239 ch à 4900 tr/min
couple : 287 lb-pi à 4100 tr/min
Transmission : automatique à 4 rapports
0-100 km/h : 8,8 s
Vitesse maximale : 180 km/h
Consommation (100 km) : 11,3 l (octane : 87)

Sécurité active
freins ABS, antipatinage

Suspension avant/arrière
indépendante/essieu rigide

Freins avant/arrière
disques

Direction
à crémaillère, assistée

Pneus
P225/60R17

DIMENSIONS
Empattement : 2990 mm, L : 3142 mm
Longueur : 5471 mm, L : 5623 mm
Largeur : 1986 mm
Hauteur : 1499 mm, L : 1501 mm
Poids : 1982 kg, L : 2029 kg
Diamètre de braquage : 12,2 m, L : 12,6 m
Coffre : 594 l
Réservoir de carburant : 72 l
Capacité de remorquage : 680 kg

2e opinion

Antoine Joubert • Si les aéroports et les hôtels n'existaient pas, la Town Car, destinée principalement à la clientèle de ces lieux, disparaîtrait sans doute. Car il faut l'admettre, elle est d'abord conçue pour ceux qui prennent place à l'arrière, et non pour être conduite par eux. Tout est donc une question de confort et l'on profite d'une banquette en cuir moelleuse, d'une excellente insonorisation, d'un espace immense pour les jambes, et du supposé privilège d'être installé à bord d'une Lincoln. D'ailleurs, aux yeux du reste du monde, la Town Car est devenue une icône, pratiquement comme les taxis londoniens.

ELISE

nouveauté | 58 550 $
Transport et préparation : 1445 $

www.lotuscars.co.uk

FICHE D'IDENTITÉ

Version(s) : unique
Roues motrices : arrière
Portières : 2
Première génération : 2006
Génération actuelle : 2006
Construction : Angleterre
Sacs gonflables : 2, frontaux
Concurrence : Audi TT, BMW Z4, Honda S2000, Mercedes-Benz Classe SLK, Nissan 350Z, Porsche Boxster

AU QUOTIDIEN

Prime d'assurance :
25 ans : 3700 à 3900 $
40 ans : 2700 à 2900 $
60 ans : 2300 à 2500 $
Collision frontale : nd
Collision latérale : nd
Ventes du modèle l'an dernier
Au Québec : nm **Au Canada :** nm
Dépréciation (3 ans) : nm
Rappels (2001 à 2006) : aucun à ce jour
Cote de fiabilité : nm

ELISE, JE T'AIME !

– Antoine Joubert

Du temps de ma jeunesse, les visiteurs pouvaient apercevoir toutes sortes d'affiches sur les murs de ma chambre, dont certaines illustraient la Lotus Esprit, ma voiture de rêve à cette époque. L'occasion de renouer avec la marque, plusieurs années plus tard, fut donc pour moi absolument impossible à laisser passer. Apparue en 1995 sur le continent Européen, la petite Lotus Elise est depuis cette date la référence ultime auprès des amateurs de sportives sans compromis, adeptes d'une légèreté qui autorise des performances exceptionnelles malgré un moteur d'origine modeste. C'est pour des raisons de conformité aux tests de collision et à des phares non réglementaires qu'il nous a été interdit pendant tout ce temps de profiter de cette petite merveille. Une voiture qui répond parfaitement bien au vieil adage du fondateur de la marque, Colin Chapman, qui a toujours dit que «light is right».

CARROSSERIE ▶ Contrairement à certains journalistes, c'est à Montréal que j'ai eu la chance de rencontrer enfin l'Elise de mes rêves, chez le seul concessionnaire Lotus du Québec. Je l'avais bien sûr aperçue auparavant dans les différents Salons de l'automobile, mais je n'avais jamais eu de contact direct avec elle. Ainsi, en apercevant la vingtaine d'exemplaires parfaitement alignés sur le parking du concessionnaire, j'ai écarquillé les yeux de joie. L'Elise a provoqué chez moi un véritable coup de foudre qui ne s'est toujours pas atténué. D'abord, je dois féliciter le constructeur d'avoir eu l'audace de ne pas proposer que des couleurs classiques, gris argent ou noir, mais une vingtaine de teintes dont plusieurs sont d'une rare originalité. La carrosserie en fibres de verre affiche, pour sa part, une forte personnalité qui laisse deviner toutes les potentialités de la voiture. Peu importe le point de vue, l'Elise est d'une grande beauté, et, ce qui étonne le plus, c'est son âge : en effet, elle a été lancée pour la première fois en Europe en 1995. Plusieurs retouches esthétiques ont été apportées à la voiture en 2001,

forces
- Agrément de conduite exceptionnel
- Lignes sensationnelles
- Grande rigidité structurelle
- Mécanique reconnue
- Poids plume

faiblesses
- Inconfort chronique
- Équipements de série réduits
- Facture salée
- Trois concessionnaires seulement au Canada

nouveautés en 2007
- Nouveau modèle

MÉCANIQUE ▶ En appuyant sur le Engine start button, situé à gauche du volant, on met en marche une mécanique d'origine Toyota utilisée actuellement dans les Corolla et Matrix XRS. Il s'agit du moteur à quatre cylindres de 1,8 litre à calage variable des soupapes, qui grâce à une unité de contrôle électronique revue par Lotus, parvient ici à développer 190 chevaux. Performant surtout à haut régime, ce moteur est parfaitement adapté à la voiture. Il fait preuve de vivacité et d'une grande souplesse, tout en laissant échapper une sonorité qui flatte l'oreille. Il est jumelé à une boîte manuelle à six rapports, qui est sans reproches. Eh non, pas de boîte automatique au menu ! Vous croyez que cette artillerie mécanique ne peut meubler les conversations techniques snobinardes que vous avez avec votre entourage ? Sans doute avez-vous raison. Toutefois, attendez de voir ce que ce modeste moteur de Corolla peut faire dans un bolide qui pèse à peine 100 kilos de plus qu'une Smart ! Vos copains propriétaires de Boxster et autres S2000 en resteront bouche bée.

mais il s'agit essentiellement d'une Lotus de douze ans. Qui l'aurait cru ?

HABITACLE ▶ Ne cherchez ni le luxe ni le confort à bord de l'Elise, il n'y en a pas : les équipements de série se limitent au climatiseur, au verrouillage, aux rétroviseurs électriques et à un système audio de qualité très moyenne. Vous désirez des glaces électriques ou des porte-gobelets ? Vous devrez alors vous tourner vers les équipements optionnels. Quant à ceux qui ne sont pas particulièrement exercés physiquement, sachez que prendre place à bord d'une Elise est digne d'une discipline olympique, surtout lorsque le toit, souple ou rigide, est en place. Une fois installé au joli volant Momo, on remarque que le siège, dont le dossier n'est pas réglable, est très enveloppant mais peu rembourré. On a le sentiment très net d'être à bord d'une voiture de course où l'aluminium prédomine sur le plancher, sur la console, sur les panneaux latéraux et sur la partie inférieure du tableau de bord. Seuls les panneaux des portières et le dessus de la planche de bord sont enjolivés d'un plastique qui n'a rien à voir avec ceux utilisés chez BMW. Autrement dit, le but n'est pas de vous isoler du monde en vous divertissant par toutes sortes de moyens, mais bien plutôt de vous aider à mieux vous concentrer sur la conduite, tout en vous permettant d'être accompagné de votre tendre moitié.

COMPORTEMENT ▶ Le moteur en marche et la ceinture de sécurité bien bouclée, il ne me reste plus qu'à relâcher l'embrayage pour découvrir tout le potentiel de cette voiture. La première chose qui me frappe en sortant de la cour du concessionnaire, c'est la grande fermeté des amortisseurs au contact d'une suite de petits nids-de-poule dans la chaussée. Là aussi, je constate que le confort de l'Elise est inexistant. En revanche, le châssis est d'une grande rigidité. Pourvue d'un cadre d'aluminium deux fois plus léger qu'une structure d'acier conventionnelle, l'Elise peut aussi lutter efficacement contre l'ennemi numéro un : le poids. Immédiatement, je pousse un peu la voiture en prenant bien soin de ne pas dépasser les 6000 tours/minute, conformément aux instructions de Lotus selon lesquelles on doit

HISTOIRE ▼

Une sportive qui a de « l'Elan »

Descendante de l'Elan des années 1960, l'Elise était prévue pour une production limitée. Toutefois, son succès inespéré a ramené Lotus à l'avant-scène de l'industrie artisanale britannique. On a d'ailleurs extrait une quinzaine de variantes pour la route et la piste de cette voiture, comme la 340er, une hybride piste/route, et l'Exige, un bolide conçu pour la compétition. Quant au coupé basé sur l'Elise que réclamaient les amateurs depuis longtemps, il est apparu cette année sous le nom évocateur d'Europa S.

Elan (1962-1973)

Elan (1990-1995)

Elise 1996

Elise 340e 2000

Elise NGV 2004

Elise 2004 (police de Norfolk, RU)

Exige 2005

ELISE

GALERIE

1 • On sent immédiatement que l'on met les pieds dans une voiture de course en entrant dans cette Lotus avec la prédominance de l'aluminium qui recouvre presque tout, y compris le levier de vitesses.

2 • Ne cherchez aucune trace de luxe ou de confort à bord de l'Elise, elle n'en offre pas. L'équipement de série se limite au climatiseur, au verrouillage et aux rétroviseurs à commande électrique, ainsi qu'à un système audio de qualité très moyenne.

3 • En appuyant sur le « engine start button », situé à gauche du volant, on met en marche une mécanique d'origine Toyota, utilisée actuellement dans les Corolla et Matrix XRS. Il s'agit du quatre cylindres de 1,8 litre à calage variable des soupapes, qui grâce à une unité de contrôle électronique plus permissive, parvient ici à développer 190 chevaux.

4 • Le confort est très spartiate à bord de l'Elise. Les sièges très moulants ont toutefois peu de rembourrage et le dossier est fixe. Vous devez donc conduire dans une position très droite. Pour certains, cela ajoute au plaisir de la voiture sport, pour d'autres ça donne simplement mal au dos.

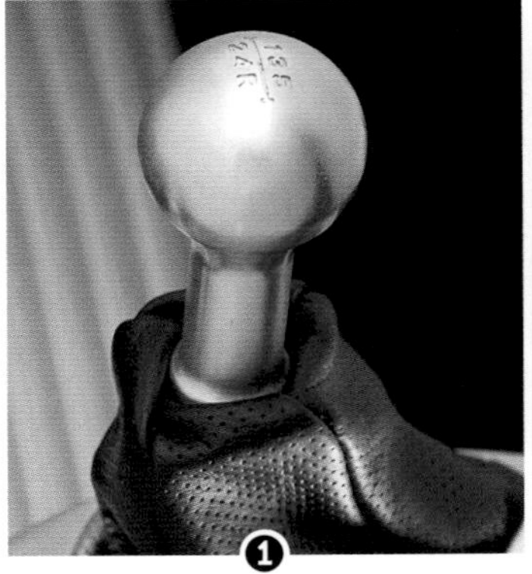
1

2

3

4

attendre que le moteur ait atteint sa température normale avant de le pousser à la limite. Peu après, je m'efforce de découvrir ce que la voiture a dans le ventre avant de la conduire sur son terrain de jeu favori, les virages. Tout de suite, je sens que le moteur Toyota veut m'en mettre plein la vue et, tout à fait à l'aise avec le bolide, je fonce à toute vitesse dans les courbes, histoire de faire décrocher l'arrière, ce qui n'est pas une tâche facile. En fait, l'Elise s'accroche au bitume avec un tel mordant que le système antipatinage, optionnel, me semble à peu près inutile. Chaussée d'une monte pneumatique généreuse 175/55R16 à l'avant et 225/45R17 à l'arrière, l'Elise possède une motricité exemplaire et un freinage diabolique. Je dois donc admettre que l'Elise est une voiture d'une rare agilité, qui peut certainement faire de grandes choses en piste.

Mais, par-dessus tout, elle nous procure un incroyable agrément de conduite. Avec elle, on ne souhaite tout simplement pas se rendre à destination.

CONCLUSION ▶ La Lotus est une pure sportive, très efficace et sans frime. Au menu, peu de confort, peu d'équipements mais beaucoup de bruit et de sensations. Et maintenant, voyons le prix. En y rajoutant quelques options et les frais de transport et de préparation, l'Elise atteint facilement 65 000 $. À ce prix, on peut se procurer une BMW Z4 généreusement équipée, ou bien une S2000 avec en prime une Honda Fit pour passer l'hiver. Toutefois, ces choix ne peuvent équivaloir au plaisir de rouler dans une telle voiture, purement sportive et différente de tout ce qui se trouve sur nos routes. Bien sûr, il faut se rendre à Montréal pour l'entretien et les réparations, c'est un irritant si vous habitez loin de la ville, mais consolez-vous : l'Elise n'est pas très gourmande...

FICHE TECHNIQUE

MOTEUR

L4 1,8 l DACT, 190 ch à 7800 tr/min

couple : 138 lb-pi à 6800 tr/min

Transmission : manuelle à 6 rapports

0-100 km/h : 5,2 s

Vitesse maximale : 240 km/h

Consommation (100 km) : nd (octane : 91)

Sécurité active

freins ABS, antipatinage (option)

Suspension avant/arrière

indépendante

Freins avant/arrière

disques

Direction

à crémaillère, non assistée

Pneus

P175/55R16 (av.), P225/45R17 (arr.)

DIMENSIONS

Empattement : 2301 mm

Longueur : 3785 mm

Largeur : 1720 mm

Hauteur : 1143 mm

Poids : 900 kg

Diamètre de braquage : n.d.

Coffre : nd

Réservoir de carburant : 40 l

opinion

Benoit Charette • Si vous examinez la fiche technique d'une Lotus Élise, vous ne tomberez pas à la renverse. Mais attendez de prendre la route avec une voiture de 900 kilos habillée en voiture de course. Très précise en direction, l'Élise se place au millimètre près, et il faut être très prudent sous la pluie en raison de la largeur de ses pneumatiques qui ne font pas bon ménage avec la chaussée humide. Les dérobades arrière, bien qu'aisément contrôlables jusqu'à un certain point, deviendront nettement plus brutales à haute vitesse. Cette véritable sportive se conduit comme un kart et distille mieux que n'importe quelle autre voiture le pur plaisir de conduire.

QUATTROPORTE

évolution | 148 865 $ à 164 250 $ |
Transport et préparation : 3450 $

www.maserati.com

FICHE D'IDENTITÉ

Version(s) : Base, GT, Executive GT
Roues motrices : arrière
Portières : 4
Première génération : 2005
Génération actuelle : 2005
Construction : Modène, Italie
Sacs gonflables : 6, frontaux, latéraux avant, rideaux latéraux
Concurrence : Audi A8, BMW Série 7, Infiniti Q45, Jaguar XJ, Lexus LS, Mercedes-Benz Classe S et CLS

AU QUOTIDIEN

Prime d'assurance :
25 ans : 7000 à 7200 $
40 ans : 4400 à 4600 $
60 ans : 3500 à 3700 $
Collision frontale : nd
Collision latérale : nd
Ventes du modèle l'an dernier
Au Québec : nd **Au Canada :** nd
Dépréciation (3 ans) : nm
Rappels (2001 à 2006) : 2
Cote de fiabilité : nd

LE SUMMUM DU CLASSICISME

– Bertrand Godin

Un classique parmi les classiques, voilà ce qu'est la Maserati Quattroporte. Dessinée par Pininfarina, le designer attitré de Ferrari, cette autre voiture italienne affiche un style incomparable.

CARROSSERIE ► Forcément, un classique n'évolue que fort peu. On lui a bien greffé cette année une nouvelle calandre et on lui a installé aux quatre coins des roues de 20 pouces. Mais, pour le reste, rien de neuf. Les lignes sobres (trop ?) de la Quattroporte, son avant légèrement plongeant et son arrière coupé plutôt abruptement sont indémodables. On a aussi doté la Quattroporte d'une garde au sol très basse, à la manière européenne. Et, signe distinctif par excellence, trois ouïes percent chaque flanc. Elles ne sont pas que décoratives, mais aussi très pratiques, puisqu'elles aident à refroidir le moteur.

HABITACLE ► L'habitacle est à la hauteur de la réputation de la marque, combinant une finition riche et une position de conduite sans reproche. Qui a dit en effet qu'une voiture de luxe classique ne devait pas procurer d'excitantes sensations de conduite ? Et, justement, une bonne partie du plaisir de posséder une Quattroporte tient à la position du conducteur. Les ajustements du siège nous aident à trouver cette position idéale, tout en nous offrant un support incroyable, peu importe les conditions dans lesquelles évolue l'auto (aussi bien vous le confesser tout de suite : oui, j'ai un peu essayé de la déstabiliser...). En prime, chaque propriétaire est invité à personnaliser l'intérieur selon un éventail d'options et une palette de coloris et de motifs dont la limite dépend de la profondeur de votre compte d'épargne.

MOTEUR ► Avec ses 400 chevaux, voilà un V8 bien né. Pas seulement en vertu de sa puissance, mais aussi grâce à certaines astuces techniques qui contribuent à mieux exploiter le muscle. Je pense ici notamment au carter

forces
- Moteur puissant et efficace
- Châssis rigide
- Contrôle de traction intelligent
- Lignes classiques

faiblesses
- Embrayage piloté coûteux
- Transmission automatique lente
- Silhouette un peu trop sage

nouveautés en 2007
- Pas de changement

QUATTROPORTE

lubrifié à sec, ainsi qu'aux pompes à l'huile et à l'eau qui sont assemblées de façon à abaisser le centre de gravité. Le résultat se fait sentir tout de suite par un comportement exemplaire en virage. Le lien avec le moteur est électronique, grâce au système «drive by wire» qui relie la pédale d'accélérateur à la gestion par puces de l'ouverture des gaz. La transmission, dérivée de la Cambiocorsa, a vu la vitesse de passage de ses rapports s'accélérer par rapport à l'ancienne version.

COMPORTEMENT ► Personnellement, j'aurais pu faire le tour du monde au volant de la Quattroporte, et j'aurais encore eu envie de la conduire. La précision de la direction transmet parfaitement au pilote l'adhérence des pneus. Cette belle compréhension vous donne confiance dans les courbes. On avale littéralement les virages avant que le système Skyhook (un dispositif d'aide au pilotage - encore électronique! - qui s'occupe du contrôle de la traction) entre en action. Et encore, on doit pousser la voiture dans ses derniers retranchements. Quant au freinage, il est puissant, surtout avec les nouveaux freins Brembo ventilés proposés cette année. Sauf qu'un peu plus de rigidité du côté de la pédale de frein elle-même serait bien appréciée. La transmission à six rapports est contrôlée grâce à des palettes au volant qui ajoutent encore un brin de sportivité au comportement de la voiture, malgré des réponses parfois tardives de la boîte automatique. Le moteur est plus silencieux dans la Quattroporte que dans la Spyder, une constatation qui ne me satisfait pas toujours, puisque j'adore la musique italienne, surtout les concertos en V8 majeur!

CONCLUSION ► Quand on additionne toutes ses qualités, la Maserati Quattroporte s'affirme à la fois comme une vraie sportive - au volant - et comme une véritable limousine de luxe - vue de l'extérieur. On découvre rapidement l'ampleur de cette double personnalité et il est plutôt facile d'y prendre goût.

FICHE TECHNIQUE

MOTEURS
V8 4,2 l DACT 400 ch à 7250 tr/min
couple : 326 lb-pi à 4750 tr/min
Transmission : séquentielle à 6 rapports
0-100 km/h : 5,4 s
Vitesse maximale : 265 km/h
Consommation (100 km) : 16,5 l (octane : 91)

Sécurité active
freins ABS, antipatinage, contrôle de stabilité électronique, répartition électronique de force de freinage, assistance au freinage

Suspension avant/arrière
indépendante

Freins avant/arrière
disques

Direction
à crémaillère, assistée

Pneus
P245/45R18 (av.), P285/40R18 (arr.)

DIMENSIONS
Empattement : 3064 mm
Longueur : 5052 mm
Largeur : 1895 mm
Hauteur : 1438 mm
Poids : 1985 kg
Diamètre de braquage : 12,3 m
Coffre : 450 l
Réservoir de carburant : 90 l

opinion

Benoit Charette • C'est bien connu, les Italiens ne font rien comme les autres, et, chez Maserati, le prestige prend une forme tout à fait différente. Le très beau dessin de Pininfarina fait preuve d'une élégance toute sensuelle et le moteur d'origine Ferrari offre une symphonie grisante. Le plaisir de conduire est toutefois amoindri par une boîte robotisée mal synchronisée et par une suspension mieux adaptée aux longues balades autoroutières qu'aux chemins en lacets. La Quattroporte met l'accent sur les lignes, le brio mécanique et le comportement plutôt que sur les obsessions d'ingénieurs perfectionnistes qui veulent concevoir une voiture sans défauts. C'est ce qui fait son charme et la rend unique.

SPYDER / GRANSPORT

Transport et préparation 3450 $

www.maserati.com

FICHE D'IDENTITÉ

Version(s) : GT, Cambiocorsa, Vintage
Roues motrices : arrière
Portières : 2
Première génération : 2004
Génération actuelle : 2004 : Coupe, 2006 : Spyder
Construction : Modène, Italie
Sacs gonflables : 2, frontaux
Concurrence : Aston Martin DB9, Bentley Continental GT, BMW Série 6, Cadillac XLR, Dodge Viper, Ferrari F430, Jaguar XK, Lexus SC 430, Mercedes-Benz Classe SL, Porsche 911

AU QUOTIDIEN

Prime d'assurance :
25 ans : 7000 à 7300 $
40 ans : 4400 à 4700 $
60 ans : 3500 à 3700 $
Collision frontale : nd
Collision latérale : nd
Ventes du modèle l'an dernier
Au Québec : nd **Au Canada :** nd
Dépréciation (3 ans) : 37,5 %
Rappels (2001 à 2006) : 3
Cote de fiabilité : nd

LUXE ET PERFORMANCE, MARIAGE À L'ITALIENNE

– **Bertrand Godin**

Je suis un mordu des voitures qui déclenchent des poussées d'adrénaline, c'est vrai. Quand on réussit à jumeler performance et grand style, alors ce n'est plus de l'attirance, c'est une drogue. Et, quand l'auto exhibe en plus le trident de Maserati, j'ai du mal à conserver toute mon objectivité. Disons que je vais essayer…

CARROSSERIE ▶ L'un des plus beaux exemples de ce genre de voiture, c'est le modèle GranSport (ou Spyder) de Maserati, dont l'original date des années 1950, quand le légendaire carrossier Frua avait créé ce superbe coupé. Évidemment, la version moderne a évolué et la GranSport, présentée sous forme de concept en 2004, a été remise au goût du jour avec des améliorations remarquables. Elle a toutefois conservé sa silhouette musculaire, dont l'aérodynamisme (Cx de 0,33) est quasiment sans reproche.

HABITACLE ▶ Ce même raffinement, cet aspect à la fois élégant et convivial, se retrouve aussi à l'intérieur. Pour tout dire, l'habitacle est un pur délice. La qualité des matériaux est sans faille et la clientèle fortunée peut même les personnaliser à l'aide d'une palette de teintes inouïes. Une attention que certains constructeurs de voitures de luxe n'ont pas encore compris. Quant au confort des sièges, il est plus que respectable. Comme le dit Fangio dans le document de présentation de la voiture : « Elle me va comme un gant. » Ceux qui me connaissent savent que rien ne m'est plus pénible que de m'asseoir à l'arrière d'un véhicule – le pilote en moi rechigne, il veut se retrouver au volant, bon ! Mais, conscience professionnelle oblige, je me suis astreint à ce pénible exercice pour votre bénéfice et, ma foi, je n'ai pas trop détesté cela. L'espace y est étonnant pour une voiture sport. Même la lunette, pourtant fortement inclinée, laisse suffisamment de dégagement pour la tête d'un passager normalement constitué.

MÉCANIQUE ▶ Le cœur de la Maserati Gransport, c'est son moteur V8 à 90°, fruit d'un

forces
- Design intemporel
- Mécanique de virtuose
- Intérieur charmant

faiblesses
- Transmission séquentielle capricieuse
- Fiabilité à démontrer
- Prix corsé

nouveautés en 2007
- Pas de changement majeur

les six rapports grâce à deux palettes montées au volant. Voilà une transmission presque manuelle, pourvue d'un embrayage hydraulique dont il faut cependant se méfier. À vitesse de croisière, on change les vitesses sans même lever le pied. Mais lors d'un départ arrêté il faut être prudent, au risque de faire patiner l'embrayage, d'occasionner une surchauffe... et de se retrouver avec une facture de réparation qui devrait être astronomique. Pour la circulation en ville, le mode automatique fait très bien l'affaire, mais je préfère de loin le mode sport qui permet de gonfler les performances. Une fois bien en place, en avant la cavalerie pour des accélérations de 0 à 100 km/h qui ne prennent que 4,7 secondes, accompagnées d'une musique incomparable. Même à plus de 200 km/h sur un circuit de course, j'ai toujours pu compter sur un freinage puissant et durable.

partenariat avec Ferrari qui dessine et fabrique les pièces, alors que le tout est assemblé chez Maserati. Les 400 chevaux sont certes impressionnants, mais ils le sont encore plus quand on se rend compte qu'ils proviennent d'un engin qui ne pèse que 183 kilos. Option supplémentaire – et quelque peu onéreuse: la Skyhook, une suspension active qui agit sur les amortisseurs afin de contrôler l'assiette de la voiture. Grâce à des capteurs placés sur la suspension et le châssis, le dispositif contrôle les transferts de poids pour permettre une meilleure répartition des masses.

COMPORTEMENT ► Maserati profite aussi des recherches de Ferrari sur les transmissions, ce qui a donné naissance à la Cambiocorsa, une boîte de style F1 permettant de changer

CONCLUSION ► La GranSport est-elle une voiture de performance aux tendances luxueuses, ou un coupé de grand luxe aux prétentions sportives? Difficile de trancher la question. Quoi qu'il en soit, la voiture excelle. Il ne reste plus qu'à prier un brin pour que la fiabilité soit au rendez-vous...

FICHE TECHNIQUE

MOTEUR

V8 4,2 l DACT 390 ch (coupé: 400 ch) à 7000 tr/min
couple: 333 lb-pi à 4500 tr/min
Transmission: manuelle à 6 rapports, séquentielle à 6 rapports (Cambiocorsa)
0-100 km/h: 4,7 s
Vitesse maximale: 285 km/h
Consommation (100 km): 16,7 l (octane: 91)

Sécurité active
freins ABS, assistance au freinage, antipatinage

Suspension avant/arrière
indépendante

Freins avant/arrière
disques

Direction
à crémaillère, assistée

Pneus
P235/35R19 (av.), P265/30R19 (arr.)

DIMENSIONS

Empattement: 2659 mm, Spyder: 2440 mm
Longueur: coupé: 4523 mm, Spyder: 4303 mm
Largeur: 1821 mm, Spyder: 1822 mm
Hauteur: 1288 mm, Spyder: 1305 mm
Poids: coupé: 1676 kg, Spyder: 1730 kg
Diamètre de braquage: coupé: 12,0 m, Spyder: 11,5 m
Coffre: 300 l
Réservoir de carburant: 88 l

2e opinion

Benoit Charette • Outre une finition luxueuse avec cuir et des performances qui décoiffent, la GranSport a l'énorme avantage de pouvoir accueillir quatre adultes à bord. De plus, les sièges antérieurs s'avancent électriquement pour nous permettre d'accéder plus facilement à l'arrière et de prendre place dans des baquets aussi bien sculptés qu'à l'avant. Toutefois, cela ne nous empêche pas de souffrir de maux de dos, en raison de la suspension qui camoufle mal les irrégularités de nos routes. Le coffre est un peu juste pour partir en week-end à quatre, mais pour deux ça peut aller. Prévoyez de fréquents arrêts pour faire le plein: un V8 de cette puissance a toujours soif et le réservoir ne contient que 80 litres.

57 ET 62

évolution | 332 500 $ à 382 500 $US | Transport et préparation : 1595 $

www.mercedes-benz.ca

IL ÉTAIT UNE FOIS UNE MAYBACH QUI SE VOULAIT SPORTIVE

– Nadine Filion

FICHE D'IDENTITÉ

Version(s) : 57, 57 S, 62
Roues motrices : arrière
Portières : 4
Première génération : 1921
Génération actuelle : 2004
Construction : Sindelfingen, Allemagne
Sacs gonflables : 8, frontaux, latéraux avant et arrière, rideaux latéraux
Concurrence : Bentley Arnage, Rolls-Royce Phantom

AU QUOTIDIEN

Prime d'assurance :
25 ans : 8000 à 8200 $
40 ans : 6600 à 7000 $
60 ans : 6000 à 6300 $
Collision frontale : 5/5
Collision latérale : 5/5
Ventes du modèle l'an dernier
Au Québec : 0 **Au Canada :** 6
Dépréciation (3 ans) : nd
Rappels (2001 à 2006) : aucun à ce jour
Cote de fiabilité : nm

Si j'avais 500 000 $ à investir dans une voiture, je me paierais sans doute la Maybach 62, avec chauffeur, bien sûr. Surprise : la moitié des acheteurs lui préfèrent la version « courte », la Maybach 57. Plusieurs se sont apparemment plaints des performances décevantes et d'une suspension trop complaisante. Il n'en fallait pas plus pour que naisse la Maybach 57 S. « S » comme dans « Special » ou comme dans « Sans intérêt » ?

CARROSSERIE ▶ La Maybach propose une multitude de combinaisons possibles, dont toutes sortes de coloris de carrosserie deux tons, des matériaux variés et des équipements des plus sophistiqués, mais la philosophie est différente quant à la Maybach 57 S, dont la carrosserie monochrome ne se décline qu'en deux teintes : noir baltique ou argent Nevada. L'habitacle ne comporte que des appliqués de laque ou de carbone, voire de peuplier anthracite (optionnel). Le cuir est noir, ou bien blanc avec surpiqûres noires très chic. Pourquoi une telle « simplicité volontaire » ? Pour que les décideurs de ce monde n'aient à décider de rien, pour une fois. La 57 S se distingue aussi des autres Maybach notamment par une calandre plus agressive (notez les lamelles doubles qui sont plus écartées), des jantes spécifiques, des pneus « hybrides » de 20 pouces spécialement conçus par Michelin, et des embouts d'échappement remodelés en trapèze.

HABITACLE ▶ Le confort d'une Maybach est indiscutable. Les sièges individuels arrière sont plus confortables que les fauteuils de première classe des grandes compagnies aériennes. Ils s'inclinent, s'étirent, se couchent, se creusent, chauffent, se ventilent, massent. Un La-Z-Boy n'en fait pas autant. De plus, la finition est parfaite et l'insonorisation, à toute épreuve. Chaque rangement recèle une surprise : télécommande pour les écrans de télé incorporés aux sièges avant, écouteurs qui suppriment les bruits environnants, téléphones et réfrigérateur miniature dans l'accoudoir, voire coupes à champagne avec porte-gobelets en étoile (pour

forces
- V12 très puissant
- Places arrière les plus confortables de l'industrie
- Multitude de combinaisons possibles
- Nouvelle version S

faiblesses
- Avez-vous un demi-million à dépenser?
- Une limousine « sport » ?
- Trois tonnes en mouvement

nouveautés en 2007
- Version 57 S

COMPORTEMENT ▶ Les puristes diront que l'ajout de 69 chevaux et 94 livres-pied à un moteur qui était déjà très puissant permet d'atteindre le 0-100 km/h en 5 secondes ; moi je dis qu'une limousine « sport », longue de 5,7 mètres et plus large qu'un Hummer H3, a quelque chose de cocasse. Le V12 a beau être incroyablement puissant, le véhicule pèse tout de même trois tonnes et souffre inévitablement d'un peu de roulis, suspension raffermie ou pas. Si le freinage est des plus convaincants, la direction donne une impression de lourdeur. Avec un diamètre de braquage de 13,4 mètres, oubliez la balade dans les petites rues du Vieux-Québec ! Cependant, grâce à l'empattement, vous êtes assuré d'une excellente stabilité sur route. Et, si vous percevez un bruit de vent aux piliers A, c'est parce que, à votre insu, vous roulez à plus de 170 km/h...

la Maybach 62). Dans cette dernière, l'espace à l'arrière est réellement immense. Ajoutez le toit électrotransparent, les glaces latérales aussi vastes qu'une baie vitrée, le chaleureux mélange de cuir, de suède et de bois, et vous voilà au paradis des gens riches et célèbres.

MÉCANIQUE ▶ Comme les clients exigeaient plus de puissance, le V12 développé par Mercedes-AMG (toujours signé du nom du technicien responsable) passe de 5,5 à 6,0 litres et développe 612 chevaux (69 de plus) et 737 livres-pied (94 de plus). La boîte automatique à cinq rapports reste la même, mais la suspension a été raffermie de 15 % et abaissée de 15 millimètres. Il n'y a toujours pas de traction intégrale.

CONCLUSION ▶ Si d'ores et déjà vous ne magasiniez pas pour une Maybach, la nouvelle version « S » ne vous fera pas changer d'avis. En revanche, elle pourrait bien faire disparaître du catalogue la version 57 régulière. Cela dit, Maybach pourrait-elle envisager de produire la superbe Exelero ? Là, on parlerait sport !

FICHE TECHNIQUE

MOTEURS

(57 et 62) V12 5,5 l biturbo SACT 550 ch à 5250 tr/min
couple : 664 lb-pi à 2300 tr/min
Transmission : automatique à 5 rapports
0-100 km/h : 57 : 5,4 s, 62 : 5,7 s
Vitesse maximale : 270 km/h
Consommation (100 km) : 57 : 16,1 l, 62 : 16,3 l (octane : 91)

(57 S) V12 6,0 l biturbo SACT 612 ch à 5100 tr/min
couple : 737 lb-pi à 4000 tr/min
Transmission : automatique à 5 rapports
0-100 km/h : 5,0
Vitesse maximale : 275 km/h
Consommation (100 km) : 16,4 l (octane : 91)

Sécurité active
freins ABS, assistance au freinage, distribution électronique de force de freinage, antipatinage, contrôle de stabilité électronique

Suspension avant/arrière
indépendante

Freins avant/arrière
disques

Direction
à billes, assistée

Pneus
P275/50R19

DIMENSIONS

Empattement : 57 : 3390 mm, 62 : 3827 mm
Longueur : 57 : 5728 mm, 62 : 6165 mm
Largeur : 1980 mm
Hauteur : 57 : 1572 mm, 62 : 1573 mm
Poids : 57 : 2735 kg, 62 : 2855 kg
Diamètre de braquage : 57 : 13,4 m, 62 : 14,8 m
Coffre : 605 l
Réservoir de carburant : 110 l

2e opinion

Michel Crépault • J'ai cherché le mot « démesure » dans mon dictionnaire français-allemand et je croyais y trouver le terme « Maybach ». À quoi sert vraiment de commenter pareil navire ? ! Les amateurs ont déjà, à mon avis, l'étoile argentée de Benz tatouée quelque part. Au lieu de se tourner vers Rolls-Royce (BMW) ou Bentley (Volkswagen), ils regardent en direction d'un autre constructeur allemand – le leur – et ils ajoutent dans leur garage un énième véhicule pour tenir compagnie à la SL de madame, à la SLR de collection et au Geländewagen pour aller chasser le terroriste. Deux téléphones trônent dans l'habitacle. Ils servent bien sûr à placer des appels distincts, mais ils aident aussi les occupants à communiquer entre eux.

évolution | 16 295 $ à 21 485 $
Transport et préparation : 1225 $

www.mazda.ca

UNE COMPACTE JOVIALISTE

– Pascal Boissé

FICHE D'IDENTITÉ

Version(s) : GX, GS, GT, Mazdaspeed3
Roues motrices : avant
Portières : 4
Première génération : 2004
Génération actuelle : 2004
Construction : Hiroshima, Japon
Sacs gonflables : 6, frontaux, lat. av. et rid. lat.
Concurrence : Chevrolet Cobalt et Optra, Dodge Caliber, Ford Focus, Honda Civic, Hyundai Elantra, Kia Spectra, Mitsubishi Lancer, Nissan Sentra, Pontiac G5 et Vibe, Saturn ION, Suzuki Aero et SX4, Subaru Impreza, Toyota Corolla et Matrix, VW Rabbit et Jetta

AU QUOTIDIEN

Prime d'assurance :
25 ans : 2300 à 2500 $
40 ans : 1400 à 1600 $
60 ans : 1100 à 1300 $
Collision frontale : 4/5
Collision latérale : 3/5
Ventes du modèle l'an dernier
Au Québec : 23 687 **Au Canada :** 50 713
Dépréciation (2 ans) : 31,5 %
Rappels (2001 à 2006) : 2
Cote de fiabilité : 4/5

Le caractère sportif de la marque Mazda est plus qu'un slogan, et la Mazda3 en est la preuve. Cette enfant chérie des automobilistes québécois a réussi à séduire un large public, et pas seulement avec des arguments rationnels. Son tempérament espiègle et enjoué y est aussi pour quelque chose. Globalement, la Mazda3 est plus agréable à conduire et plus facile à vivre, au quotidien, que ses rivales. Cette génération est maintenant arrivée à mi-parcours et subit cette année de nombreuses retouches. Elle voit aussi sa gamme s'étoffer avec l'arrivée d'une version ultraperformante : la Mazdaspeed3.

CARROSSERIE ▶ Des deux carrosseries proposées, c'est la berline qui possède les lignes les plus harmonieuses, alors que sa consœur à cinq portes affiche des formes, disons, plus controversées. On aime ou déteste l'allure étrange de cette espèce de familiale que Mazda n'ose pas nommer ainsi. De par la forme fuyante de son pavillon, la berline dispose d'un coffre dont l'ouverture est assez limitée. Je préfère, personnellement, le style de la berline, mais, pour des considérations pratiques, j'opterais certainement pour la cinq portes, plus logeable. Les boucliers des pare-chocs avant et arrière ont été redessinés pour 2007, mais la portion inférieure de la calandre, trop basse, reste très vulnérable.

HABITACLE ▶ L'intérieur de l'habitacle et bien ficelé. Il n'y a rien à redire de la finition, et l'ensemble nous donne l'impression de nous asseoir dans une voiture de catégorie supérieure, surtout si l'on opte pour la sellerie de cuir. Par contre, l'insonorisation est très insuffisante, particulièrement au niveau des passages de roue. Au printemps, le moindre impact d'un gravillon se répercute dans l'habitacle et on a constamment la sensation de rouler sur un chemin de terre. De plus, on entend fortement les objets qui s'entrechoquent dans le coffre. Grâce à une colonne de direction ajustable et télescopique, la position de

forces

- Agrément de conduite
- Bonnes performances
- Habitacle agréable et bien fini
- Position de conduite

faiblesses

- Insonorisation perfectible
- Ouverture du coffre limitée (berline)
- Consommation d'essence
- Places arrière un peu justes
- Pas d'appuie-tête central (arrière)

nouveautés en 2007

- Nouvelle version Mazdaspeed3, freins antiblocage et répartition électronique de force de freinage de série, sacs gonflables latéraux et rideaux latéraux de série, prise de courant auxiliaire dans tous les modèles

tion électronique très évoluée du couple moteur assurera une réponse linéaire et contrôlée. Par ailleurs, au prix exigé pour la Mazdaspeed3, on préférera probablement regarder du côté d'une vraie sportive...

conduite légèrement surélevée est aussi agréable que rassurante. Les places arrière sont correctes, sans plus, pour la catégorie.

MÉCANIQUE ▶ Les versions de base GX et GS sont pourvues d'un moteur 2,0 litres, alors que les versions plus équipées ont droit au pétillant 2,3 litres. Ce dernier est plus agréable à utiliser qu'un moteur de plus faible cylindrée, mais sa consommation d'essence s'accroît rapidement bien au-delà des valeurs publiées si on a le pied pesant. La Mazda3 ne fait pas juste «vroom-vroom», elle fait «glou-glou» aussi! La Mazdaspeed3, quant à elle, sera pourvue d'une variante supervitaminée et turbocompressée de ce moteur que l'on trouve déjà dans la Mazdaspeed6 et qui produira ici plus de 250 chevaux. C'est certainement trop pour cette voiture, mais Mazda nous affirme qu'une ges-

COMPORTEMENT ▶ La Mazda3 se distingue par son agrément de conduite et sa maniabilité, surtout en ville. Le couple généreux du moteur 2,3 litres permet «d'en garder sous la pédale» sans avoir à constamment ramer avec le levier de vitesses. En passant, la boîte manuelle est un vrai charme. La Mazda3 s'accroche bien en virage, mais il ne faut jamais oublier qu'il ne s'agit pas d'une véritable voiture sport: si on la pousse trop, on peut sentir un léger effet de couple. Pour 2007, les rideaux de sécurité latéraux font dorénavant partie de l'équipement de base, tout comme les freins antiblocage et le système de répartition de freinage électronique.

CONCLUSION ▶ Le succès de la Mazda3 est pleinement mérité: cette voiture très homogène n'a pas de défaut majeur et elle fait tout très bien. De plus, elle est jolie à voir, son comportement routier est aussi sain que sympathique, et elle est maintenant plus sécuritaire qu'avant. Dans sa catégorie, elle reste un choix de premier plan.

FICHE TECHNIQUE

MOTEURS

(GX, GS) L4 2,0 l DACT 148 ch à 6500 tr/min
couple: 135 lb-pi à 4500 tr/min
Transmission: manuelle à 5 rapports, auto. à 4 rapports avec mode manuel (option)
0-100 km/h: 9,4 s
Vitesse maximale: 188 km/h
Consommation (100 km): man.: 7,3 l, auto.: 7,8 l (octane: 87)

(Sport GS, GT) L4 2,3 l DACT 156 ch à 6500 tr/min
couple: 150 lb-pi à 4000 tr/min
Transmission: manuelle à 5 rapports, auto. à 5 rapports avec mode manuel (option)
0-100 km/h: 8,8 s
Vitesse maximale: 188 km/h
Consommation (100 km): man.: 8,0 l, auto.: 8,2 l (octane: 87)

(Mazdaspeed3) L4 2,3 l turbo DACT 270 ch à 5500 tr/min
couple: 280 lb-pi à 3000 tr/min
Transmission: manuelle à 6 rapports
0-100 km/h: 6,5 s
Vitesse maximale: 240 km/h
Consommation (100 km): 10,6 l (octane: 91)

Sécurité active
freins ABS, répartition électronique de force de freinage

Suspension avant/arrière
indépendante

Freins avant/arrière
disques

Direction
à crémaillère, assistée

Pneus
GX et GS: P195/65R15, Sport GS: P205/55R16, GT: P205/50R17, Mazdaspeed3: P215/45R18

DIMENSIONS

Empattement: 2640 mm
Longueur: berl.: 4530 mm, GT: 4540 mm, Sport: 4485 mm
Largeur: 1755 mm
Hauteur: 1465 mm
Poids: berl.: 1249 à 1350 kg, Sport: 1325 à 1361 kg, Mazdaspeed3: nd
Diamètre de braquage: 10,4 m
Coffre: berl.: 323 l, Sport: 484 l, 884 l (sièges abaissés)
Réservoir de carburant: 55 l

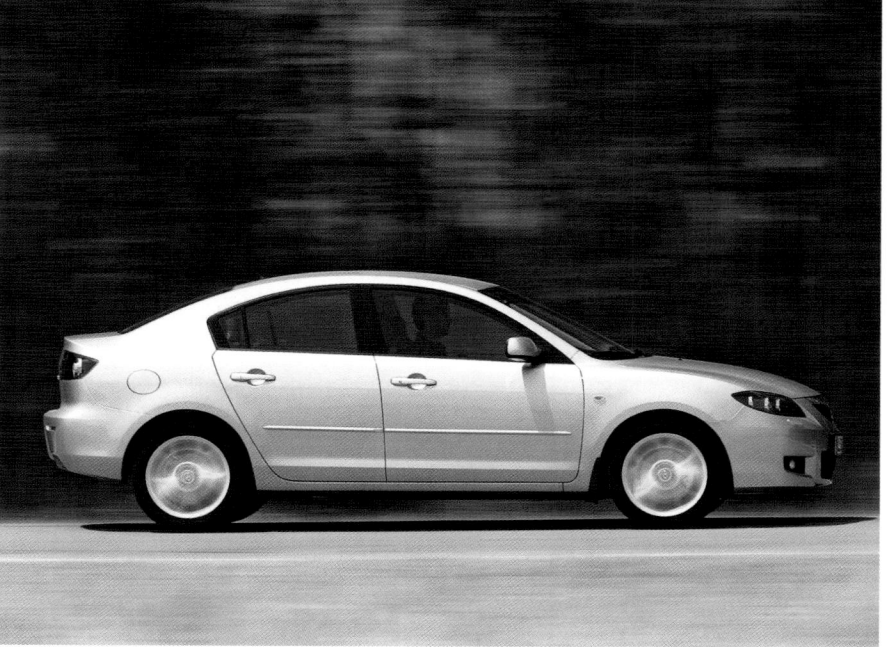

2e opinion

Jean-Pierre Bouchard • À l'heure actuelle, et depuis son arrivée sur le marché, les ventes de la Mazda3 battent des records au Québec et au Canada, au grand dam des concurrents. Ce succès est attribuable à un heureux amalgame d'ingrédients: carrosserie aux lignes aguichantes, aménagement intérieur contemporain et comportement routier pointu. Mon cœur penche vers la version Sport, pour son allure et sa polyvalence. De plus, la Mazda3 est une des compactes les plus agréables à conduire au quotidien. Au chapitre de la consommation de carburant, toutefois, elle se classe derrière certaines rivales comme la Honda Civic ou la Toyota Corolla. À corriger. Autrement, chapeau!

évolution | 19 995 $ à 22 795 $ |
Transport et préparation : 1390 $

www.mazda.ca

BEAU, BON, PAS CHER

– Pascal Boissé

FICHE D'IDENTITÉ

Version(s) : GS, GT
Roues motrices : avant
Portières : 4
Première génération : 2006
Génération actuelle : 2006
Construction : Hiroshima, Japon
Sacs gonflables : 2, frontaux, (latéraux avant et rideaux latéraux dans GT)
Concurrence : Kia Rondo

AU QUOTIDIEN

Prime d'assurance :
25 ans : 2300 à 2500 $
40 ans : 1400 à 1600 $
60 ans : 1200 à 1400 $
Collision frontale : nd
Collision latérale : nd
Ventes du modèle l'an dernier
Au Québec : 1108 **Au Canada** : 2552
Dépréciation (3 ans) : nm
Rappels (2001 à 2006) : 1
Cote de fiabilité : nm

Alors qu'on se demande s'il faut dire « fourgonnette » ou « minifourgonnette » pour décrire des véhicules tels la Dodge Caravan ou la Honda Odyssey, la Mazda5 est, à proprement parler, une vraie minifourgonnette. Plus petite, plus abordable et plus économique que les autres, mais tout aussi pratique, à moins que vous n'ayez besoin de la troisième rangée de sièges pour loger des adultes. En outre, la 5 est bien dessinée.

CARROSSERIE ► Même si Mazda semble avoir réussi l'exploit de créer une minifourgonnette sur la plateforme mécanique d'une compacte (Mazda3), en y ajoutant des portes coulissantes facilitant l'accès aux places arrière, les plus érudits se souviendront des Nissan Multi et Axxess qui lui ont pavé la voie. Les lignes dynamiques de la Mazda5 incarnent habilement la sportivité propre à la marque, sans pour autant réduire son habitabilité, optimale pour un véhicule de ce gabarit. Un détail bien pensé : le hayon qui s'ouvre en deux temps. Malheureusement, la Mazda5 possède une grande calandre, très vulnérable en stationnement urbain, car elle est située à la hauteur du pare-chocs des autres véhicules.

HABITACLE ► À l'instar d'autres produits Mazda, l'intérieur de la 5 associe la sportivité à des teintes sombres. Jusque-là, une seule garniture de siège était au catalogue mais, pour 2007, un revêtement de cuir brun optionnel vient s'ajouter au tissu noir déjà offert. La finition est soignée, mais la qualité des plastiques laisse un peu à désirer. C'est moins bien que pour d'autres produits Mazda, en tout cas. Cela dit, l'aménagement de l'habitacle est très polyvalent : les quatre sièges arrière peuvent se rabattre, et ceux de la deuxième rangée peuvent se reculer ou s'avancer d'environ 15 centimètres. Les places de la deuxième rangée sont acceptables si l'on recule les sièges, mais les places arrière deviennent alors impraticables. À bord de la Mazda5, on peut donc transporter

forces
- Espace intérieur polyvalent
- Moteur agréable
- Rapport qualité/prix

faiblesses
- Choix de garniture limité (intérieur)
- Calandre fragile
- Espace limité pour les bagages

nouveautés en 2007
- La puissance du moteur a été modifiée, groupe Cuir ajouté, couleurs ajoutées : une extérieure, couleurs supprimées : trois extérieures

quatre adultes en réservant l'espace arrière pour les bagages. Mais, si l'on utilise les six places disponibles pour les occupants, il n'y a pratiquement plus d'espace de chargement.

MÉCANIQUE ► Seul le moteur à quatre cylindres de 2,3 litres est disponible. C'est toujours un moteur agréable, mais il peut être gourmand avec d'autres véhicules de la gamme Mazda. Ici, compte tenu de l'étagement des rapports et malgré la masse du véhicule, la consommation reste très raisonnable.

Les performances sont adéquates pour ce segment, mais ce n'est rien de foudroyant. Outre la boîte manuelle à cinq rapports, on peut commander une boîte automatique dotée d'un mode «sport» permettant de passer les rapports manuellement. Dans les deux cas, le levier de vitesses est situé sur la console centrale pour dégager l'espace au plancher.

COMPORTEMENT ► Les prestations routières sont bien adaptées à ce type du véhicule, pour peu qu'on conduise la Mazda5 comme une fourgonnette. Si l'on pousse un peu, encouragé en cela par la vigueur du moteur, on découvre les limites du véhicule: en virage serré, l'adhérence du train avant peut laisser à désirer, et l'effet de couple ne tarde pas à se manifester. Ici, une barre antiroulis plus rigide aurait certainement fait merveille.

CONCLUSION ► Unique dans son créneau, la Mazda5 est bien positionnée sur le marché, car la clientèle québécoise a tendance à préférer des véhicules plus petits et moins gourmands. Bien entendu, la 5 est moins spacieuse que des fourgonnettes plus grosses, et ce n'est pas le véhicule idéal pour une famille nombreuse, mais elle reste très logeable si vous n'avez qu'un ou deux marmots à conduire à l'école. De plus, sa tenue de route nous fait oublier que nous sommes au volant d'une fourgonnette, ce qui n'est vraiment pas à dédaigner.

FICHE TECHNIQUE

MOTEUR
L4 2,3 l DACT 153 ch à 6500 tr/min
couple: 147 lb-pi à 4500 tr/min
Transmission: manuelle à 5 rapports, automatique à 4 rapports avec mode manuel en option
0-100 km/h: 9,6 s
Vitesse maximale: 190 km/h
Consommation (100 km): man.: 9,3 l, auto.: 9,8 l (octane: 87)

Sécurité active
freins ABS, répartition électronique de force de freinage

Suspension avant/arrière
indépendante

Freins avant/arrière
disques

Direction
à crémaillère, assistée

Pneus
GS: P205/55R16, GT: P205/50R17

DIMENSIONS
Empattement: 2750 mm
Longueur: 4610 mm
Largeur: 1755 mm
Hauteur: 1630 mm
Poids: man.: 1512 kg, auto.: 1538 kg
Diamètre de braquage: 10,6 m
Coffre: 112 l, 857 l (sièges abaissés)
Réservoir de carburant: 60 l

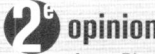

2e opinion

Jean-Pierre Bouchard • Je félicite Mazda d'avoir lancé la Mazda5, une intelligente « microfourgonnette » qui propose une polyvalence et une habitabilité parfaites pour une jeune famille. Ce véhicule me rappelle un peu l'ancienne Nissan Axxess, très populaire au Québec au début des années 1990. La voiture est maniable et agile, mais ses performances ne sont pas impressionnantes, à cause du poids, surtout avec la boîte automatique. La position de conduite n'est pas non plus confortable pour les personnes de grande taille qui trouveront le dégagement pour les jambes un peu juste. La Mazda5 constitue néanmoins une heureuse solution de rechange à la traditionnelle fourgonnette.

6

évolution | 23 795 $ à 38 795 $ |
Transport et préparation : 1275 $

www.mazda.ca

SPORTIVE, OU TRÈS SPORTIVE !

– **Antoine Joubert**

FICHE D'IDENTITÉ

Version(s) : GS, GS V6, GT, GT V6, Mazdaspeed6, Sport
Roues motrices : avant, 4
Portières : 4
Première génération : 2004
Génération actuelle : 2004
Construction : Flat Rock. Michigan, É.-U.
Sacs gonflables : 2, frontaux, (lat. avant et rideaux lat. dans GT, GT V6 et Mazdaspeed6)
Concurrence : Chevrolet Malibu, Chrysler Sebring, Honda Accord, Hyundai Sonata, Kia Magentis, Mitsu. Galant, Nissan Altima, Pontiac G6, Saturn Aura, Subaru Legacy, Toyota Camry, VW Jetta /Passat

AU QUOTIDIEN

Prime d'assurance :
25 ans : 2300 à 2500 $
40 ans : 1400 à 1600 $
60 ans : 1200 à 1400 $
Collision frontale : 5/5
Collision latérale : 3/5
Ventes du modèle l'an dernier
Au Québec : 5029 **Au Canada :** 11 738
Dépréciation (2 ans) : 31,5 %
Rappels (2001 à 2006) : 4
Cote de fiabilité : 4/5

Mazda comptait autrefois sur des modèles comme les 929 et Millenia pour rehausser son image. Mais le luxe n'est pas l'affaire de tous et Mazda l'a rapidement compris. Après avoir connu une suite d'échecs au cours des années 1990, le constructeur a par conséquent choisi de repartir à zéro en lançant de nouveaux modèles à saveur sportive qui lui apportent une image distinctive. De la 626, on est donc passé à la Mazda6 au printemps 2003.

CARROSSERIE ► Qu'importe le modèle, la Mazda6 a fière allure. Tant mieux, car cette catégorie des intermédiaires regorge de voitures esthétiquement fades. Les lignes de la 6 sont bien ciselées, sobres et équilibrées ; elles vieilliront bien. Toutefois, trop d'acheteurs, pour se distinguer, ont opté, sur la berline, pour l'ensemble GFX avec jupes de bas de caisse et aileron. On se démarque plus facilement avec la version « ordinaire » ou avec la Mazdaspeed6. Il est aussi possible de le faire avec la version Sport à hayon, seule de la catégorie à offrir ce type de carrosserie, ou avec la familiale qui n'a comme concurrentes que les Volkswagen Passat et Subaru Legacy.

HABITACLE ► La Mazda6 propose un contenu à l'image du contenant : il n'y a aucune fioriture et le tout est sobrement présenté, avec élégance. Touche sportive oblige, on y retrouve un beau volant à trois branches et une instrumentation à l'éclairage rougeâtre. La planche de bord est un modèle d'ergonomie : toutes les commandes et les accessoires sont soigneusement disposés. Au volant, le conducteur repose sur un siège aux formes enveloppantes, qui apporte à la fois confort et maintien. Les versions GT, avec sellerie de cuir, sont pourvues de sièges avant chauffants. Quant au toit ouvrant optionnel dans la GS et de série dans la GT, il diminue de beaucoup la garde au toit.

forces

- Lignes séduisantes
- Grand choix de versions
- Agrément de conduite supérieur
- Performances de haut niveau (Mazdaspeed6)

faiblesses

- Moteur V6 peu compétitif
- Grand diamètre de braquage
- Confort diminué avec roues de 18 pouces

nouveautés en 2007

- Pas de changement majeur

MÉCANIQUE ▶ Le V6 d'origine Ford offre une bonne puissance, mais son manque de raffinement le place un pas derrière la concurrence. En termes clairs, il est grognon et plus assoiffé que la moyenne. Désagréable avec une boîte manuelle, il s'accommode mieux de l'automatique à six rapports, qui fait un excellent boulot. Le moteur quatre cylindres de 160 chevaux serait une meilleure option, car il propose une puissance adéquate, une grande souplesse et une plage d'accélération très étendue tout en se contentant de peu de carburant. Quant au quatre cylindres turbocompressé de la Mazdaspeed6, sa souplesse et son punch élèvent la passion à un niveau très rare dans cette catégorie. Il fait équipe avec une boîte manuelle à six rapports et avec un système de traction intégrale à répartition active du couple.

COMPORTEMENT ▶ La Mazda6 n'a pas de sport que son image. Sur la route, elle démontre un dynamisme supérieur à la concurrence. La rigidité du châssis, la direction précise et les éléments de suspension bien calibrés permettent une conduite vraiment captivante, sans effets négatifs sur le confort, à condition d'éviter les jantes optionnelles de 18 pouces. Sachez aussi que le poids supplémentaire du V6 modifie la répartition des masses, ce qui influence le comportement. Quant à la Mazdaspeed6, on a affaire à une véritable voiture de rallye. Sa structure renforcée, sa suspension plus ferme, ses freins surdimensionnés et son groupe motopropulseur rageur permettent au conducteur d'éprouver des sensations fortes.

CONCLUSION ▶ La Mazda6 est une voiture réussie. Elle se distingue par un comportement invitant, des lignes séduisantes et par un grand choix de modèles. Mais, pardessus tout, elle prouve qu'une voiture intermédiaire n'est pas forcément ennuyeuse, ce que plusieurs constructeurs n'ont pas encore compris.

FICHE TECHNIQUE

MOTEURS

(GS et GT) L4 2,3 l DACT 160 ch à 6000 tr/min
couple : 155 lb-pi à 4000 tr/min
Transmission : manuelle à 5 rapports, auto. à 5 rapports avec mode manuel (option)
0-100 km/h : 8,2 s
Vitesse maximale : 210 km/h
Consommation (100 km) : man. : 8,4 l, auto. : 8,5 l (octane : 87)

(GS V6 et GT V6) V6 3,0 l DACT 215 ch à 6000 tr/min
couple : 199 lb-pi à 5000 tr/min
Transmission : manuelle à 5 rapports, auto. à 6 rapports avec mode manuel (option)
0-100 km/h : 7,2 s
Vitesse maximale : 230 km/h
Consommation (100 km) : man. : 10,1 l, auto. : 10,0 l (octane : 87)

(Mazdaspeed6) L4 2,3 l turbo DACT 274 ch à 5500 tr/min
couple : 280 lb-pi à 3000 tr/min
Transmission : manuelle à 6 rapports
0-100 km/h : 6,6 s
Vitesse maximale : 240 km/h
Consommation (100 km) : 10,5 l (octane : 91)

Sécurité active
freins ABS, répartition électronique de force de freinage et antipatinage (de série dans GT, GT V6 et Mazdaspeed6, en option dans GS et GS V6)

Suspension avant/arrière
indépendante

Freins avant/arrière
disques

Direction
à crémaillère, assistée

Pneus
berl. GS, berl. GS V6, Sport GS et fam. GS V6 : P205/60R16, berl. GT, berl. GT V6, Sport GS V6, Sport GT et fam. GT V6 : P215/50R17, Sport GT V6 et Mazdaspeed6 : P215/45R18

DIMENSIONS

Empattement : 2675 mm
Longueur : berl. et Sport : 4745 mm, fam. : 4770 mm
Largeur : 1780 mm
Hauteur : berl. et Sport : 1440 mm
Poids : berl. L4 : 1387 kg, berl. V6 : 1504 kg, Sport L4 : 1446 kg, Sport V6 : 1526 kg, fam. V6 : 1559 kg, Mazdaspeed6 : 1628 kg
Diamètre de braquage : 11,8 m, Mazdaspeed6 : 11,2 l
Coffre : berl. : 429 l, Sport : 626 l, 1622 l (sièges abaissés), fam. : 959 l, 1712 l (sièges abaissés), Mazdaspeed6 : 351 l
Réservoir de carburant : 68 l, Mazdaspeed6 : 60 l

2e opinion

Luc Gagné • Vous souvenez-vous de la Mazda 626 ? Elle avait un moteur correct, un comportement routier correct, une allure hmmm disons correcte. La Mazda6 a effacé cette image de voiture sans saveur. Car la « 6 » offre une conduite et un comportement routier stimulants, des mécaniques pimpantes, des aménagements modernes et efficaces et le choix de quatre versions très typées : une berline conventionnelle, alléchante alternative aux Accord et Camry ; une berline à hayon, modèle particulièrement polyvalent qui est exclusif à la marque actuellement ; une familiale aussi pratique que performante ; enfin, une Mazdaspeed6 qui s'aligne sur des voitures comme la Subaru Legacy 2.5GT Spec B. Ma préférée : la familiale.

CX-7

nouveauté | 31 995 $ à 35 195 $
Transport et préparation : 1390 $

www.mazda.ca

LE NOUVEAU CARROSSE DES GENS ACTIFS

– Michel Crépault

FICHE D'IDENTITÉ

Version(s) : GS, GT
Roues motrices : avant, 4
Portières : 4
Première génération : 2007
Génération actuelle : 2007
Construction : Hiroshima, Japon
Sacs gonflables : 6, frontaux, latéraux avant et rideaux latéraux
Concurrence : Chevrolet Equinox, Ford Edge, Honda CR-V, Hyundai Santa Fe, Kia Sorento, Mitsubishi Outlander, Pontiac Torrent, Saturn VUE, Subaru Outback, Suzuki Grand Vitara, Toyota RAV4

AU QUOTIDIEN

Prime d'assurance :
25 ans : 2800 à 3000 $
40 ans : 1900 à 2100 $
60 ans : 1500 à 1700 $
Collision frontale : nd
Collision latérale : nd
Ventes du modèle l'an dernier
Au Québec : nm **Au Canada :** nm
Dépréciation (3 ans) : nm
Rappels (2001 à 2006) : nm
Cote de fiabilité : nm

« La CX-7 est le croisement entre une voiture sport et un utilitaire, et non pas entre un utilitaire et une familiale », précise d'emblée Shunsuke Kawasaki, responsable du développement du nouveau véhicule multisegment de Mazda. Autrement dit, la CX-7 n'offrirait pas seulement de l'espace, mais aussi des performances. Allons voir…

CARROSSERIE ▶ Les Japonais ne sont pas que vis et boulons : ils adorent baptiser leurs projets d'expressions très colorées, par exemple *Metropolitan Hawk* pour la CX-7. Traduction littérale : faucon urbain. Le plus amusant, c'est que le produit final correspond assez bien à l'image évoquée, puisque la silhouette de la CX-7 ressemble à un oiseau de proie. Et son « urbanité » la destine aux citadins actifs. M. Kawasaki ajoute : « La CX-7 combine les beautés naturelles aux beautés technologiques créées par l'homme. » Mazda accorde beaucoup d'importance à la filiation entre ses modèles et elle tient à ce qu'on y reconnaisse l'ADN de l'entreprise : la calandre en bec de prédateur, les phares protubérants, la large trappe d'air et les ailes musclées. Dans le cas de la CX-7, ces éléments dynamiques veulent charmer la clientèle des DINKs (Double Income No Kids).

HABITACLE ▶ M. Kawasaki, l'ingénieur, a dû relever un défi imposé par ses supérieurs : compléter l'auto en vingt-cinq mois plutôt qu'en trente-deux mois. Force est de constater qu'il s'en est bien tiré, ne dépassant l'échéancier que d'un petit mois. Qu'aurait-il changé à la voiture s'il avait eu de plus de temps pour la concevoir ? « J'aurais peaufiné l'intérieur de façon à le rendre encore plus luxueux », a-t-il répondu. Les principaux cadrans sont logés dans une nacelle à l'aspect de l'aluminium qui reprend les formes d'un oiseau aux ailes déployées. La boîte à gants est grande. En faisant basculer l'écran de navigation, on découvre un rangement pour six disques compacts. Si, en plein jour,

forces
- Silhouette aguichante
- Comportement routier qui fuit la morosité
- Intérieur soigné

faiblesses
- Informations numériques éparpillées
- Angles morts au trois quarts arrière
- N'a pas tous les chevaux de la Mazdaspeed6

nouveautés en 2007
- Nouveau modèle

n'indique pas le nombre d'occupants, mais bien le gabarit du véhicule, selon un code corporatif). Le moteur quatre cylindres de 244 chevaux ne fait passer sa puissance qu'à l'aide d'une boîte automatique à six rapports, alors que la Mazdaspeed6 utilise exclusivement une transmission manuelle. Ce qui explique en bonne partie l'écart de 30 chevaux entre les deux modèles. Dommage. Le système optionnel de traction intégrale envoie le couple de l'avant vers l'essieu arrière. En fait, deux plaques magnétiques tournoyant à grande vitesse déterminent le pourcentage du couple (jusqu'à 90 %) qui sera utilisé à l'arrière. De plus, un différentiel Torsen privilégie celle des deux roues arrière qui possède la meilleure traction. Sur une chaussée normale et en conduite sportive, la répartition du couple sera à peu près égale, soit 50-50.

plusieurs écrans de navigation deviennent illisibles, celui de la Mazda CX-7 s'incline ou modifie sa luminosité sur de simples ordres du système de reconnaissance vocale. J'ai d'ailleurs été agréablement surpris de constater que le dispositif a reconnu mon drôle d'anglais. L'ensemble le plus luxueux comprend la sellerie de cuir de belle facture. Les dossiers arrière se rabattent facilement à plat, avec les appuie-tête, pour former une surface de chargement idéale. Sous le plancher du hayon se dissimule un pneu de secours temporaire. Des crochets aux flancs permettent d'arrimer des objets.

MÉCANIQUE ▶ Pour façonner leur CX-7, les ingénieurs de Mazda ont pigé dans le gros coffre à outils de Ford: le moteur de 2,3 litres turbocompressé de la Mazdaspeed6, le système de freinage de la Ford Edge, la suspension avant de la MPV japonaise (différente de la nôtre), et j'en passe. Une fois assemblée, l'auto se présente comme un multisegment (ou *crossover*) qui, à l'instar des autres Mazda, entend offrir de la puissance. La CX-7, débarquée en mai dernier chez nous, aura des petites sœurs. En fait, elle est la première de trois véhicules Mazda conçus spécifiquement pour l'Amérique du Nord. Le prochain sera la CX-9 à sept passagers (le chiffre compris dans la dénomination alphanumérique

COMPORTEMENT ▶ La première fois que *L'Annuel de l'automobile* a fait connaissance avec la CX-7, il s'agissait d'un véhicule dit de préproduction équipé d'un pare-brise trop mince. Malgré cela, notre séance d'essai sur les routes californiennes n'a jamais mis en évidence des bruits parasites qui auraient trahi un squelette trop faible. Par ailleurs, M. Kawasaki a été clair avec ses ingénieurs: «Concentrez-vous sur le siège du conducteur, sur son environnement immédiat; ensuite vous pourrez vous occuper des passagers.» En exagérant un brin, c'est comme si le patron avait demandé à ses hommes de transformer une RX-8 en utilitaire sport! Les ingénieurs se sont quand même plaints du style préconisé par Iwao Koizumi, le chef designer. Par exemple, la forte inclinaison du pare-brise et l'arc abaissé du toit leur ont compliqué la tâche au moment d'assurer du dégagement pour la tête des occupants. Mais qu'on se

HISTOIRE ▼

Des hybrides trompe-l'œil

Le concept de l'hybride résultant du croisement d'une fourgonnette et d'une familiale est sur les planches à dessins des designers depuis longtemps, comme en témoigne cet échantillon de prototypes Mazda. Une quinzaine d'années séparent les prototypes Gissya et MX-Crossport (ce dernier étant annonciateur du modèle de série CX-7). Pourtant, à l'instar de l'ensemble, ces deux prototypes partagent plusieurs attributs communs, dont une esthétique audacieuse et réaliste tout à la fois. Une excentricité esthétique qui a réussi à la Nissan Murano, et qui fait que les traits distinctifs de la CX-7, sorte de trompe-l'œil, n'évoquent pas la proximité avec une Mazda6 familiale et une MPV.

Prototype Gissya 1991

Prototype CU-X 1995

Prototype Nextourer 1999

Prototype MX-Sportstourer 2001

Prototype MX-Flexa 2004

Prototype MX-Crossport 2005

CX-7

GALERIE ▼

1 • En faisant basculer l'écran de navigation, on découvre la cachette des six disques compacts. Si, en plein jour, plusieurs écrans de navigation deviennent illisibles, celui de Mazda s'incline ou modifie son éclairage sur ordre du système de reconnaissance vocale.

2 • Les principaux cadrans sont logés dans une nacelle d'aspect aluminium qui reprend les formes d'un oiseau aux ailes déployées.

3 • Les portes-gobelets sont logés dans la console centrale et peuvent accueillir de généreux formats de boissons.

4 • Les dossiers arrière se rabattent facilement à plat, sans avoir à ôter les appuie-tête, pour former une surface de chargement idéale. Sous le plancher du hayon se dissimule un pneu de secours temporaire. Des crochets aux flancs permettent d'arrimer des objets.

5 • Le CX-7 profite d'un haut degré de sécurité pour ses occupants avec coussins frontaux, latéraux et des rideaux gonflables.

❶

❷

❸

❹

❺

rassure, ils y sont parvenus. Et une partie des informations numériques se profilent dans une fenêtre en forme de meurtrière à la base de ce pare-brise, loin du regard. Une autre incongruité concerne le contrôle du volume de la chaîne audio, placé loin du conducteur. Mais on finit par comprendre la logique : ce bouton est destiné au passager, alors que le conducteur utilise le contrôle encastré dans le volant.

Cela dit, les ingénieurs ont travaillé fort sur les sensations de conduite. Sans être une bombe, la CX-7 déborde de vitalité. Sa direction est vive et sa suspension attaque la chaussée avec beaucoup d'assurance. Si Mazda s'en était tenu aux goûts des Américains, elle aurait mis un V6 dans sa CX-7. « Mais, justement, dit M. Kawasaki, on voulait faire différent. Le turbo permet au couple de se faire sentir à bas régime, tandis que le moteur s'amuse dans les zones élevées. » Résultat : la CX-7 se révèle aussi impétueuse qu'une Infiniti FX35 (V6).

CONCLUSION ▶ Chez Mazda, de nos jours, tout part de la Mazda6. Elle est le tronc de l'arbre généalogique. Désormais, il faut y ajouter la branche CX-7. Mazda estime que les rivaux immédiats s'appellent Honda CR-V, Toyota RAV4 et Nissan Murano. L'objectif est d'en vendre 5000 exemplaires par année.

Pendant que les États-Unis ont droit à trois versions, le Canada en a deux : GS et GT. Pour la GS, il n'y a que deux options : le grand toit ouvrant (1000 $) et la traction intégrale (2000 $). Seule la GT peut s'enorgueillir de l'ensemble Luxury (1000 $) ou Navigation (3150 $). À mon humble avis, trois attributs contribueront au succès de la CX-7. D'abord, son design : l'auto n'est pas vilaine, peu importe le point de vue. Deuxièmement, les performances du turbo et de la traction intégrale optionnelle. Enfin, ses équipements de série complets et ses options sophistiquées ou pratiques.

FICHE TECHNIQUE

MOTEUR
L4 2,3 l turbo DACT 244 ch à 5000 tr/min
couple : 258 lb-pi à 2500 tr/min
Transmission : automatique à 6 rapports avec mode manuel
0-100 km/h : 7,8 s
Vitesse maximale : 200 km/h
Consommation (100 km) : 2RM : 10,9 l, 4RM : 11,1 l (octane : 91)

Sécurité active
freins ABS, répartition électronique de force de freinage, assistance au freinage, antipatinage, contrôle de stabilité électronique

Suspension avant/arrière
indépendante

Freins avant/arrière
disques

Direction
à crémaillère, assistée

Pneus
P235/60R18

DIMENSIONS
Empattement : 2750 mm
Longueur : 4675 mm
Largeur : 1872 mm
Hauteur : 1645 mm
Poids : 2RM : 1683 kg, 4RM : 1782 kg
Diamètre de braquage : 11,4 m
Coffre : 848 l, 1658 l (sièges abaissés)
Réservoir de carburant : 69 l
Capacité de remorquage : 907 kg

2e opinion

Nadine Filion • La Mazda CX-7 donne tout son sens à l'expression « sport utilitaire ». Les accélérations sont franches et dynamiques, le turbo n'accepte aucun temps mort, la tenue de route est athlétique et le freinage, très agressif. Le tout est réuni dans une enveloppe des plus agréables à l'œil, avec ces courbes fluides et audacieuses, ce pare-brise incliné bien bas et cette ligne de toit plongeante. La séquentielle à six rapports fait du bon boulot, mais elle ne propose pas les commandes au volant. Personnellement, je ne débourserais pas pour la traction intégrale sur demande. Sur des chemins de terre devenus boueux après la pluie, la CX-7 à deux roues motrices a très bien su se débrouiller...

nouveauté | nd

Transport et préparation : nd

www.mazda.ca

UNE NOUVELLE TENDANCE PREND RACINE

– Benoit Charette

FICHE D'IDENTITÉ

Version(s) : GS, GT
Roues motrices : avant, 4
Portières : 4
Première génération : 2007
Génération actuelle : 2007
Construction : nd
Sacs gonflables : 6, frontaux, latéraux avant et rideaux latéraux
Concurrence : Buick Rendezvous, Chrysler Pacifica, Ford Freestyle, GMC Acadia, Honda Pilot, Mitsubishi Endeavor, Nissan Murano, Saturn Outlook, Subaru B9 Tribeca, Toyota Highlander

AU QUOTIDIEN

Prime d'assurance :
25 ans : 3000 à 3200 $
40 ans : 2200 à 2400 $
60 ans : 1900 à 2100 $
Collision frontale : nd
Collision latérale : nd
Ventes du modèle l'an dernier
Au Québec : nm **Au Canada :** nm
Dépréciation (3 ans) : nm
Rappels (2001 à 2006) : nm
Cote de fiabilité : nm

C'est au dernier Salon de l'auto de New York que Mazda nous a montré quelle forme prendra son futur véhicule familial qui arrivera en décembre chez les concessionnaires. Tendance lourde en ce moment, plusieurs constructeurs s'orientent vers les véhicules multisegments aux lignes plus contemporaines que les fourgonnettes. Du même coup, l'arrivée du CX-9 sonne le glas pour le vieillissant MPV.

CARROSSERIE ▶ Pour décrire le véhicule simplement, on peut dire que le CX-9 est un CX-7 à sept passagers. Alors, pourquoi ne pas avoir baptisé le CX-9, CX-7; et le CX-7, CX-5? Mystère. Physiquement, le CX-9 sort des sentiers battus avec ses lignes plus sportives que la majorité des véhicules multisegments. Son allure fluide, ses roues proéminentes et son arrière en relief ne manquent pas d'attirer l'attention. La présence de chrome sur la calandre et aux embouts d'échappement ajoute une touche de qualité. Finalement, la courbure prononcée du pare-brise lui donne des allures de voiture sport.

HABITACLE ▶ Comme tout véhicule familial qui se respecte, le CX-9 est très polyvalent. Par exemple, la deuxième rangée de sièges, rabattable 60/40, repose sur des rails et peut coulisser sur 12 centimètres. De plus, ses dossiers s'inclinent pour le plus grand bonheur de ceux qui veulent prendre leurs aises lorsque la troisième rangée est inoccupée. Pour accéder à cette troisième rangée, il suffit d'une simple opération qui abaisse et pousse le siège vers l'avant, laissant 60 centimètres d'espace pour se glisser sur une banquette 50/50 assez généreuse pour accueillir deux adultes (trois en forçant). En cas de besoin, les deuxième et troisième banquettes se replient complètement pour former un plancher plat entre le pare-choc arrière et les sièges avant. Quant à l'ambiance à bord, Mazda opte pour le contemporain avec une combinaison de commandes cylindriques qui se marient de belle manière avec un tableau de bord en forme de T et des accents métalliques parsemés çà et là. La qualité des matériaux est sans reproche

forces
- Lignes sympathiques
- Espace généreux

faiblesses
- Un essai routier sera nécessaire

nouveautés en 2007
- Nouveau modèle

et les commandes intuitives sont de la bonne dimension. Pour la protection optimale des occupants, le CX-9 est pourvu, en plus de coussins gonflables latéraux, de rideaux gonflables pour les trois rangées de sièges.

MÉCANIQUE ► Contrairement au CX-7, qui doit ses performances à un moteur quatre cylindres turbo, le CX-9 opte pour un V6 de 3,5 litres. La puissance préliminaire est donnée à 250 chevaux. Pour assurer une conduite en souplesse, Mazda a jumelé ce moteur à une boîte automatique à six rapports. Vous aurez aussi la liberté de choisir entre un modèle à traction et une version à transmission intégrale. Pour distribuer la puissance aux quatre roues, Mazda utilise le même système que pour le CX-7 et la MazdaSpeed6. Un coupleur hydraulique à commande électronique relié au différentiel arrière ajuste automatiquement la distribution du couple jusqu'à 50 % aux roues arrière, selon les conditions de la route.

COMPORTEMENT ► Que vous optiez pour la version GS ou la GT, le CX-9 bénéficie d'une ossature solide. La plateforme rigide est supportée par une série d'aides électroniques à la conduite. En plus des habituels antipatinage, antidérapage et contrôle de stabilité, le CX-9 propose aussi le RSC (Roll Stability Control), un système antitonneau. La suspension est calibrée pour favoriser l'agilité et l'agrément de conduite. Pour un surplus de traction, la version GT offre de série des roues de 20 pouces, alors que la version GS est pourvue de roues de 18 pouces. Cela dit, sachez que la facture sera salée quand vous aurez à changer les pneus, et puis vous n'en trouverez pas dans le 20 pouces pour l'hiver.

CONCLUSION ► Au moment de mettre sous presse, à la lumière des informations préliminaires, le CX-9 semble avoir tous les atouts pour réussir, dont des lignes modernes, un châssis rigide et beaucoup d'espace qui se transforme facilement au gré de vos besoins. Si le prix est bon, le succès suivra rapidement.

FICHE TECHNIQUE

MOTEURS

(GS et GT) V6 3,5 l DACT 250 ch à 6000 tr/min
couple : 240 lb-pi à 4000 tr/min
Transmission : automatique à 6 rapports avec mode manuel
0-100 km/h : nd
Vitesse maximale : nd
Consommation (100 km) : nd (octane : 87)

Sécurité active
freins ABS, répartition électronique de force de freinage, assistance au freinage, antipatinage, contrôle de stabilité électronique

Suspension avant/arrière
indépendante

Freins avant/arrière
disques

Direction
à crémaillère, assistée

Pneus
GS : P245/60R18, GT : P245/50R20

DIMENSIONS

Empattement : 2876 mm
Longueur : 5070 mm
Largeur : 1936 mm
Hauteur : GS : 1730 mm, GT : 1735 mm
Poids : nd
Diamètre de braquage : nd
Coffre : 487 l
Réservoir de carburant : nd
Capacité de remorquage : 1588 kg

www.mazda.ca

PLUS LA SEULE, MAIS ENCORE UNIQUE

– **Hugues Gonnot**

FICHE D'IDENTITÉ

Version(s) : GX, GS, GT
Roues motrices : arrière
Portières : 2
Première génération : 1990
Génération actuelle : 2006
Construction : Hofu, Japon
Sacs gonflables : 2, frontaux, (latéraux dans GT)
Concurrence : Chrysler PT Cruiser cabrio., Mini Cooper cabrio., Pontiac Solstice, Saturn Sky, Volkswagen New Beetle cabrio.

AU QUOTIDIEN

Prime d'assurance :
25 ans : 2900 à 3100 $
40 ans : 1800 à 2000 $
60 ans : 1600 à 1800 $
Collision frontale : nd
Collision latérale : nd
Ventes du modèle l'an dernier
Au Québec : 305 **Au Canada :** 857
Dépréciation (3 ans) : 39,1 %
Rappels (2001 à 2006) : 2
Cote de fiabilité : 4/5

Comme vrai roadster deux places, axé sur le plaisir de conduite, elle était la seule jusqu'à l'an dernier. Puis Pontiac a introduit la Solstice. Voici tout de suite le punch : la Solstice n'arrive en rien à la taille de la MX-5. Point !

CARROSSERIE ▶ La troisième génération s'est voulue plus évolutive en matière de design. Apparemment, on ne change pas une équipe qui gagne. On peut ne pas aimer la forme quelconque des phares, mais les passages de roues élargis lui donnent encore plus de présence. Pour 2007, la grosse nouveauté est l'apparition d'un toit rigide rétractable électriquement. Les puristes vont crier à l'outrage ! D'accord, mais c'est une tendance lourde dans le segment des cabriolets, et qu'ils se rassurent : le surplus de poids est de seulement 37 kilos, et Mazda annonce qu'il ne change pratiquement pas la répartition de ce poids, condition vitale de l'agrément de conduite. Pas de prix annoncé officiellement au moment de mettre sous presse, mais cette option pourrait coûter de 1500 à 2000 $. De plus, parce qu'il occupe le même espace que le toit en toile, il ne modifie pas la contenance du coffre. Tant mieux, parce que ce n'était pas Byzance ! Parlant du toit rigide, celui-ci, grâce à sa cinématique en Z, s'ouvre d'un simple coup de main. Génial !

HABITACLE ▶ Le progrès à l'intérieur, sur le plan de l'esthétique, des matériaux ou de l'espace, est encore plus notable. De plus, une nouvelle colonne de direction réglable en hauteur permet enfin de trouver une bonne position de conduite. La version d'accès, la GX, n'est pas dépouillée : ABS, confort électrique, radio six haut-parleurs avec commandes au volant, régulateur de vitesse. La GS reprend un équipement similaire, mais est plus sportive au niveau des trains roulants. Enfin, la GT est tout équipée : phares au xénon, verrouillage intelligent, climatisation.

MÉCANIQUE ▶ Doté du calage variable de l'admission, le 2.0 MZR monte dans les tours

forces
- Plaisir intact
- Tenue de route enthousiasmante
- Équipement de bon niveau
- Qualité de finition
- Nouveau toit rigide

faiblesses
- Pas de volant ajustable en profondeur
- Coffre encore un peu juste

nouveautés en 2007
- Toit rigide rétractable optionnel, freins ABS avec répartition électronique de force du freinage de série, modifications des choix de couleurs

sans rechigner tout en offrant une valeur de couple acceptable à bas régime (90 % du couple est disponible dès 2500 tours/minute). Il est secondé par d'excellentes boîtes de vitesses manuelles à cinq ou six vitesses et aux rapports rapprochés. Et ceux qui veulent seulement profiter du plein air peuvent toujours cocher l'option de la boîte automatique à six rapports (avec palettes au volant dans le modèle GT). Croisons les doigts pour que le moteur de la future Mazdaspeed soit celui de la Mazda3 (au moins 250 chevaux).

COMPORTEMENT ▶ La base d'un bon roadster, c'est un châssis rigide. Par rapport à la deuxième génération, la résistance à la flexion est augmentée de 22 % et celle à la torsion, de 47 %. Ensuite, il y a le poids. Malgré l'augmentation des dimensions, des performances et de l'équipement, le poids n'augmente que de 4 kilos. Puis, il y a les suspensions. La troisième génération bénéficie d'une nouvelle suspension arrière multibras et d'une suspension avant à double triangulation revue. Enfin, il y a la direction. Son mécanisme à crémaillère est encore plus précis. Sur la route, tous ces chiffres se transforment en un bonheur de chaque instant. On fait corps avec la voiture à chaque virage. Le tableau est complété par un levier de vitesses d'une précision diabolique (quoiqu'un peu accrocheur à froid). Le confort est aussi en progrès et la direction, bien que très ferme, s'avère suffisamment légère en manœuvres. Enfin, le freinage a aussi progressé grâce aux épures de suspensions améliorées et aux plus gros disques. Ceux qui veulent vraiment privilégier le comportement doivent se tourner vers la version GS ou choisir le groupe Performance dans la GT pour bénéficier de l'essieu arrière à glissement limité, de l'ESP et d'amortisseurs sport Bilstein.

CONCLUSION ▶ La MX-5 a réussi à progresser partout sans perdre l'ingrédient de base qui a fait son succès : le plaisir. Oui, elle est plus chère que la Solstice, mais elle vaut chaque dollar de plus.

FICHE TECHNIQUE

MOTEUR

L4 2,0 l DACT 166 ch à 6700 tr/min
couple : 140 lb-pi à 5000 tr/min
Transmission : GX : manuelle à 5 rapports, GS et GT : manuelle à 6 rapports, automatique à 6 rapports avec mode manuel en option
0-100 km/h : man. : 7,7 s, auto. : 8,2 s
Vitesse maximale : man. : 205 km/h, auto. : 190 km/h
Consommation (100 km) : man. : 8,4 l, auto. : 8,9 l (octane : 91)

Sécurité active
freins ABS, répartition électronique de force de freinage

Suspension avant/arrière
indépendante

Freins avant/arrière
disques

Direction
à crémaillère, assistée

Pneus
GX : P205/50R16, GS et GT : P205/45R17

DIMENSIONS

Empattement : 2330 mm
Longueur : 3990 mm
Largeur : 1720 mm
Hauteur : 1245 mm
Poids : man. 5 rapports : 1108 kg, man. 6 rapports : 1119 kg, auto. : 1132 kg
Diamètre de braquage : 9,4 m
Coffre : 150 l
Réservoir de carburant : 48 l

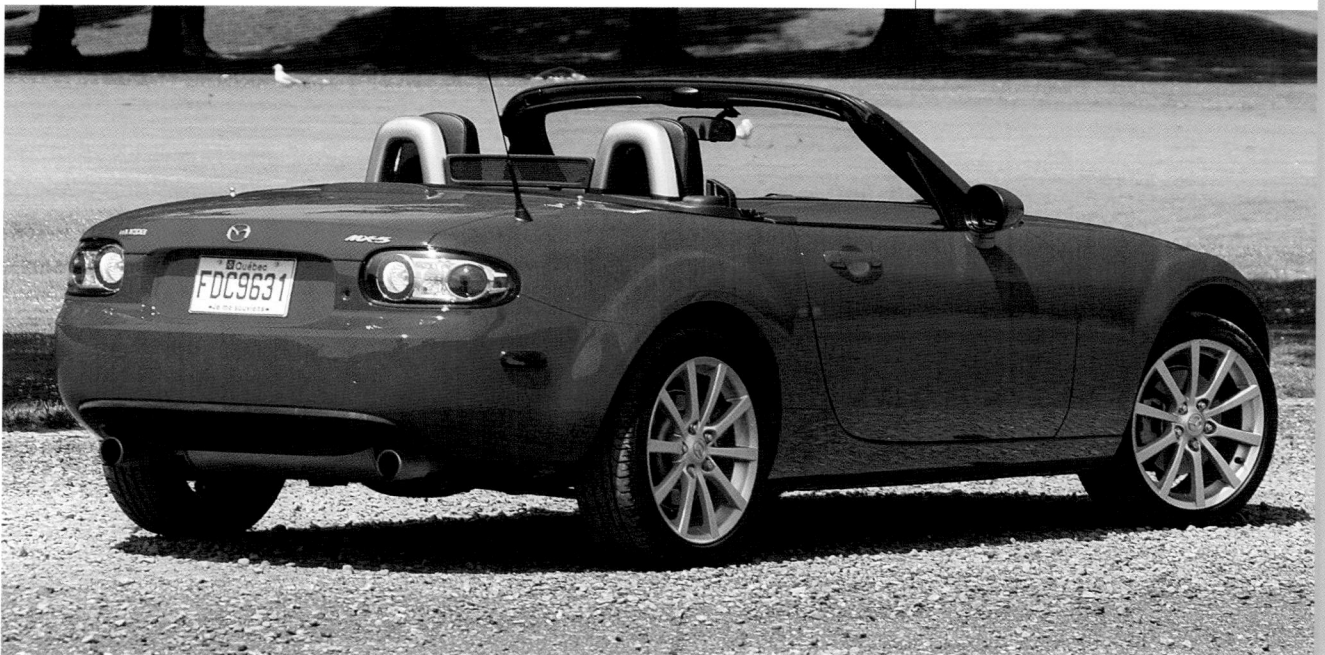

opinion

Michel Crépault • La MX-5 est devenue une icône de sa génération, au même titre que la MG des années 1960. Elle ne nous surprend plus (d'autant moins que les designers ont respecté sa silhouette lors de la dernière refonte), parce qu'elle fait partie du paysage des roadsters comme le lys sur notre drapeau. Les améliorations récentes sont gagnantes : le porte-gobelets dans la portière qui permet au coude de débrayer sans gêne, un meilleur dégagement pour la tête, le sélecteur de vitesses plus franc que jamais et la capote qui, toujours d'une main et en cinq secondes, fait maintenant entendre un clic rassurant quand on la dépose derrière sa tête.

RX-8

évolution | 37 195 $ à 40 395 $ |
Transport et préparation : 1275 $

www.mazda.ca

FICHE D'IDENTITÉ

Version(s) : GS, GT
Roues motrices : arrière
Portières : 4
Première génération : 2004
Génération actuelle : 2004
Construction : Hiroshima, Japon
Sacs gonflables : 4, frontaux et latéraux
Concurrence : Audi TT, BMW Série 3 coupé, Chrysler Crossfire, Infiniti G35 coupé, Mercedes-Benz Classe C coupé, Nissan 350Z

AU QUOTIDIEN

Prime d'assurance :
25 ans : 3100 à 3300 $
40 ans : 1900 à 2100 $
60 ans : 1700 à 1900 $
Collision frontale : 4/5
Collision latérale : 4/5
Ventes du modèle l'an dernier
Au Québec : 504 **Au Canada :** 1663
Dépréciation (2 ans) : 37,5 %
Rappels (2001 à 2006) : 4
Cote de fiabilité : 3/5

BANDE À PART

– Benoit Charette

Véritable vitrine technologique du constructeur japonais, la Mazda RX-8 est innovante sur plusieurs plans. Par exemple, nombre de constructeurs ont tenté de commercialiser le moteur rotatif, mais Mazda est le seul à avoir réussi à le faire à grande échelle. La marque a même remporté les 24 heures du Mans en 1991 avec un moteur Wankel comportant quatre rotors et développant 700 chevaux. La chevauchée du RX-8 est plus modeste, mais non dénuée de passion.

CARROSSERIE ▶ C'est le manque d'intérêt et le prix trop élevé de la RX-7 qui a causé sa perte. Le côté sportif séduit encore la clientèle masculine, mais par définition la voiture sport est destinée aux célibataires. La RX-8 est pourvue de deux petites portes arrière qui s'ouvrent à 80 degrés pour un accès à bord plus facile, même pour les adultes. Les lignes peu orthodoxes du véhicule, tout droit sorti d'une bande dessinée japonaise, sont devenues plus familières après trois ans. Cette allure, à défaut d'être véritablement attirante, n'a pas d'équivalent sur la route, ce qui rend la RX-8 unique.

HABITACLE ▶ Les sièges bien galbés enveloppent le conducteur et on est plutôt bien installé à l'arrière grâce à l'espace suffisant pour les jambes et les épaules, si on ne mesure pas plus de 1,80 mètre. Le coffre de 290 litres est pratique. L'ambiance est clairement sportive, avec une console centrale des plus ergonomiques et un petit volant à trois branches qui permet une bonne prise. En option, la version GT propose sellerie de cuir, climatisation automatique, phares au xénon, alarme et chaîne audio Bose. Le motif en triangle du moteur Wankel est aussi représenté à différents endroits stratégiques dans l'habitacle, une belle idée.

MÉCANIQUE ▶ Inventé par l'ingénieur allemand Felix Wankel, le moteur rotatif fonctionne sans vilebrequin ni soupapes, mais avec un rotor au centre du carter. À la fois plus compact et plus

forces
- Véritable coupé quatre places
- Châssis très solide
- Moteur plaisant à haut régime

faiblesses
- Manque de couple
- Très forte consommation
- Réservoir à essence trop petit
- Version automatique déconseillée

nouveautés en 2007
- Ajout et suppression de couleurs intérieures et extérieures

léger qu'un moteur à combustion classique, il se rapproche en agrément d'un six cylindres. Le bloc de la Mazda RX-8, baptisé Renesis, compte deux rotors de 654 cm3 et développe 232 chevaux en version manuelle, 212 en automatique. Son grand défaut est le manque de couple. Il faut pousser à plus de 7500 tours/minute pour profiter réellement des potentialités de la voiture. Toutefois, ce moteur produit une très belle sonorité, en particulier à haut régime. Disposant d'une excellente commande de boîte de vitesses, il est performant à l'accélération (0-100 km/h en 6,0 secondes), mais peine dans les reprises, en particulier sur l'autoroute où il est préférable de rétrograder. Autre point faible: la consommation qui rivalise carrément avec celle d'un V8. De plus, l'autonomie est ridicule à cause du petit réservoir de 60 litres.

COMPORTEMENT ► Comme toutes les propulsions, la RX-8 est très plaisante à conduire. La suspension est ferme, mais l'amortissement bien calibré assure un bon confort. Les trajectoires se dessinent du bout des doigts grâce à un train avant incisif et une direction très précise. Elle est parfaite pour vos promenades du dimanche sur les chemins de campagne tortueux. Même si la RX-8 profite d'un bon arsenal d'aides à la conduite (antipatinage, différentiel à glissement limité et contrôle de stabilité), ces systèmes ne sont pas incommodants et laissent le conducteur avoir beaucoup de plaisir avant de s'activer. Le freinage est puissant et résistant. Par contre, la puissance haut perchée vous oblige à rétrograder continuellement pour être dans le bon régime. Et puis, même si la version automatique existe, le plaisir au volant y est réduit de 75 % en raison du manque de puissance et de la boîte très paresseuse.

CONCLUSION ► Si vous acceptez de brûler 17 litres d'essence aux 100 km lorsque vous poussez un peu la mécanique, la RX-8 est aussi agréable que la MX-5, le toit en plus. Il s'agit d'une sportive civilisée, pratique, avec laquelle il est possible de s'amuser énormément tout en étant confortable au quotidien.

FICHE TECHNIQUE

MOTEURS

(manuelle) double rotor 232 ch à 8500 tr/min
couple : 159 lb-pi à 5500 tr/min
Transmission : manuelle à 6 rapports
0-100 km/h : 6,0 s
Vitesse maximale : 230 km/h
Consommation (100 km) : 13,0 l (octane : 91)

(automatique) double rotor 212 ch à 7500 tr/min
couple : 159 lb-pi à 5000 tr/min
Transmission : automatique à 6 rapports, séquentielle
0-100 km/h : 7,0 s
Vitesse maximale : 210 km/h
Consommation (100 km) : 12,8 l (octane : 91)

Sécurité active
freins ABS, distribution électronique de force de freinage, antipatinage (GT), contrôle de stabilité électronique (GT)

Suspension avant/arrière
indépendante

Freins avant/arrière
disques

Direction
à crémaillère, assistée

Pneus
P225/45R18

DIMENSIONS

Empattement : 2700 mm
Longueur : 4424 mm
Largeur : 1770 mm
Hauteur : 1340 mm
Poids : man. : 1389 kg, auto. : 1404 kg
Diamètre de braquage : 10,6 m
Coffre : 290 l
Réservoir de carburant : 60 l

opinion

Bertrand Godin • On lui reproche sa forte consommation d'essence et sa puissance un peu juste, mais la RX-8 compense ces défauts par de très belles qualités. Elle a droit, par exemple, à un design extérieur absolument sans reproche. Mais c'est surtout par son style de conduite qu'elle se distingue. Au volant de la RX-8, j'ai parfois l'impression de me retrouver sur un circuit de karting, même si le châssis n'est pas à la hauteur de mes attentes. La voiture entière est dévouée à son pilote. C'est lui qui a la meilleure position, le plus d'espace (les passagers arrière n'ont que quelques centimètres de liberté) et le plus grand confort. Une situation agréable si l'on est seul, mais beaucoup moins pour un usage quotidien.

CLASSE B

évolution | 31 400 $ à 35 400 $ |
Transport et préparation : 1795 $

www.mercedes-benz.ca

FICHE D'IDENTITÉ

Version(s) : B200, B200T
Roues motrices : avant
Portières : 4
Première génération : 2006
Génération actuelle : 2006
Construction : Stuttgart, Allemagne
Sacs gonflables : 4, frontaux et latéraux
Concurrence : Audi A3, Volvo V50

AU QUOTIDIEN

Prime d'assurance :
25 ans : 2300 à 2500 $
40 ans : 1400 à 1600 $
60 ans : 1100 à 1300 $
Collision frontale : 4/5
Collision latérale : 5/5
Ventes du modèle l'an dernier
Au Québec : 167 **Au Canada :** 817
Dépréciation (3 ans) : nm
Rappels (2001 à 2006) : 1
Cote de fiabilité : nm

MERCEDES MALGRÉ TOUT

– Pascal Boissé

Malgré sa taille compacte, son architecture innovante et un prix abordable (tout est relatif, bien sûr, car nous sommes chez Mercedes), la Classe B n'est pas un produit d'entrée de gamme. Il lui manque quelques cylindres pour faire jeu égal avec ses grandes sœurs mais, quant au reste, il s'agit d'une vraie Mercedes-Benz, avec tout ce qu'on est en droit d'attendre d'une voiture de cette marque : une finition impeccable, un souci méticuleux du détail et un déferlement de technologie (trop, peut-être).

CARROSSERIE ► La Classe B profite des acquis de la Classe A qui évolue exclusivement en Europe, mais son dessin semble moins inspiré. Les designers de Mercedes-Benz ont travaillé très fort pour conférer un peu de finesse à un volume patatoïde. Pour adoucir le profil du pilier A trop massif, ils ont gommé ses proportions à l'aide d'appliques de plastique noir. Ensuite, des plis et des nervures qui s'entrechoquent ont réussi à lui donner un air de famille avec le reste de la gamme Mercedes-Benz. À défaut d'avoir le caractère statutaire des berlines de la marque, la Classe B est néanmoins sympathique. Et l'étoile à trois branches, sur la calandre, lui apporte une certaine prestance.

HABITACLE ► L'architecture en sandwich du plancher de la Classe B améliore l'habitabilité et la sécurité. Ainsi, en cas de collision, le groupe motopropulseur incliné s'encastre entre les deux niveaux du plancher pour protéger les occupants. Malgré son petit gabarit, le volume intérieur du véhicule est comparable à celui d'une Classe E. Les places sont très spacieuses, surtout à l'avant, mais l'espace de chargement à l'arrière est limité. La banquette arrière peut être rabattue en deux sections et le volume de chargement passe alors de 544 à 1530 litres. Les matériaux qui garnissent l'intérieur sont de première qualité. L'habitacle lumineux dégage une impression d'espace, car le seuil des immenses surfaces vitrées est très bas. Le toit ouvrant fait

forces
- Intérieur agréable et de qualité
- Tenue de route
- Structure sécuritaire

faiblesses
- Mollesse des commandes
- Moteurs un peu rugueux
- Prix élevé

nouveautés en 2007
- Équipement de série rehaussé, nouveaux groupes d'options

de lattes transparentes ajoute aussi à la clarté ambiante, mais paraît fragile.

MÉCANIQUE ▶ Les deux moteurs 2,0 litres procurent de bonnes performances au véhicule, mais le turbo n'a pas le même raffinement que le 2,0T à injection directe de Volkswagen, qui est plus doux et plus nerveux. À bas régime, il émet un son de tracteur, et l'on croit parfois avoir affaire à un diesel. Sur l'autoroute, le sifflement du turbo est assez présent dans l'habitacle. Bien que la boîte de vitesses manuelle soit proposée dans les équipements de série (cinq rapports dans la B200 et six rapports dans la B200T), la majorité des acheteurs opteront assurément pour la boîte automatique de type CVT, dont le logiciel fonctionne selon deux modes : Confort ou Sport. À l'usage, par contre, la différence est très subtile.

COMPORTEMENT ▶ La Classe B est à la fois stable et agile ; on la conduit très facilement. Elle glisse comme un tapis volant et l'on ne se rend pas toujours compte de la vitesse réelle à cause d'une certaine mollesse des commandes. La direction, assistée électromécaniquement, paraît trop démultipliée, voire floue, et coupe les sensations de la route. L'accélérateur et les puissants freins font preuve de la même onctuosité. D'ailleurs, de la direction jusqu'au freinage, en passant par la boîte de vitesses et tous les accessoires, tout dans cette voiture est piloté et policé par un système électronique aux fonctions complexes. La Classe B est gorgée d'électronique mais, à ce chapitre, les Mercedes-Benz ont eu de nombreux problèmes de fiabilité.

CONCLUSION ▶ Malgré la volonté de Mercedes de proposer un modèle accessible à une clientèle plus jeune, il est probable que les acheteurs de Classe B auront le cheveu grisonnant et qu'il s'agira pour eux de la seconde Mercedes du ménage. Après tout, pour le prix d'une Classe B, un jeune couple pourrait se payer deux voitures : une Mazda5 et une Toyota Yaris, par exemple.

FICHE TECHNIQUE

MOTEURS

(B200) L4 2,0 l DACT 134 ch à 5750 tr/min
couple : 136 lb-pi à 3500 tr/min
Transmission : manuelle à 5 rapports, automatique à variation continue (option à 7 rapports)
0-100 km/h : 10,1 s
Vitesse maximale : 196 km/h
Consommation (100 km) : man. : 8,0 l, auto. : 8,2 l (octane : 87)

(B200T) L4 2,0 l turbo DACT 193 ch à 5000 tr/min
couple : 206 lb-pi à 1800 tr/min
Transmission : manuelle à 6 rapports, automatique à variation continue (option à 7 rapports)
0-100 km/h : 7,6 s
Vitesse maximale : 210 km/h
Consommation (100 km) : man. : 8,6 l, auto. : 8,5 l (octane : 91)

Sécurité active
freins ABS, répartition électronique de force de freinage, assistance au freinage, antipatinage, contrôle de stabilité électronique

Suspension avant/arrière
indépendante/essieu rigide

Freins avant/arrière
disques/tambours

Direction
à crémaillère, assistée

Pneus
P205/55R16, P215/45R17 (option)

DIMENSIONS

Empattement : 2778 mm
Longueur : 4270 mm
Largeur : 1777 mm
Hauteur : 1604 mm
Poids : B200 : 1345 kg, B200T : 1370 kg
Diamètre de braquage : 11,95 m
Coffre : 544 l, 1530 l (sièges abaissés)
Réservoir de carburant : 54 l

opinion

Nadine Filion • Tant qu'à se payer « l'étoile à cinq branches » avec une Classe B, on souhaite le confort : cuir, sièges chauffants, etc. Ou encore ces options inattendues pour la catégorie : système de navigation, phares adaptatifs au xénon, toit panoramique, etc. La facture grimpe d'autant. Personnellement, je n'arriverais pas à me satisfaire du quatre cylindres de 134 chevaux, quand une version turbo toute friponne développe 190 chevaux. Un bon mot pour l'espace de chargement et pour la position de conduite élevée. Une mauvaise note pour la suspension parabolique qui révèle pas mal tout des cahots de la route et pour une direction électromécanique qui manque de consistance.

CLASSE C

évolution | 38 400 $ à 53 600 $ |
Transport et préparation : 1595 $

www.mercedes-benz.ca

FICHE D'IDENTITÉ

Version(s) : C230, C280, C280 4MATIC, C350 Sport, C350 4MATIC
Roues motrices : arrière, 4
Portières : 4
Première génération : 1994
Génération actuelle : 2001
Construction : Sindelfingen, Allemagne
Sacs gonflables : 8, frontaux, latéraux avant et arrière, rideaux latéraux
Concurrence : Acura TL et TSX, Audi A4, BMW Série 3, Cadillac CTS, Infiniti G35, Jaguar X-Type, Lexus IS, Lincoln, MKZ, Saab 9^5, Volvo S40 et S60

AU QUOTIDIEN

Prime d'assurance :
25 ans : 2900 à 3100 $
40 ans : 2000 à 2200 $
60 ans : 1700 à 1900 $
Collision frontale : 4/5
Collision latérale : 5/5
Ventes du modèle l'an dernier
Au Québec : 1071 **Au Canada :** 4844
Dépréciation (3 ans) : 47,3 %
Rappels (2001 à 2006) : 3
Cote de fiabilité : 2/5

HOMOGÈNE

– **Benoit Charette**

Avant l'arrivée de la Classe B, la « petite » Classe C a longtemps été le modèle d'entrée de la famille. Autrefois austère et sans véritable intérêt, elle est devenue très agréable avec une gamme plus étoffée. Comme toutes les Mercedes, elle est chère, mais s'avère particulièrement efficace et homogène.

CARROSSERIE ▶ On remarque une simplification de la gamme en 2007. Seulement cinq modèles sont désormais proposés, cinq berlines : d'abord une C230, suivie de la C280 à deux roues motrices ou en version 4MATIC, et la même configuration pour les modèles 350. La C230 coupé et la C55 AMG ont été retirées du catalogue. Physiquement, il n'y a pas beaucoup de changements depuis les retouches esthétiques de 2004. Notons de nouvelles jantes en alliage pour les C230 et les C280, et un nouveau groupe sport très réussi qui donne des allures de petite AMG à la 230. On nous annonce déjà que la prochaine Classe C, prévue pour l'an prochain, s'inspirera fortement de la S.

HABITACLE ▶ Pour être à l'aise dans une Classe C, il faut voyager avec quatre personnes à bord et non cinq. L'habitabilité à l'arrière n'est pas très généreuse et la cinquième place centrale est peu accueillante. L'équipement est assez complet, même pour les modèles de base. Il est même préférable de s'en tenir au minimum, car les options sont non seulement très nombreuses, mais aussi très chères. Malheureusement, il faut souvent se résoudre à payer ces groupes d'options (à la logique un peu obscure) pour profiter des dernières innovations technologiques de la marque. Mais il est alors presque possible de transformer la Classe C en petite Classe S.

MÉCANIQUE ▶ Outre la disparition du modèle 55 AMG de 362 chevaux, il n'y a pas d'autres changements notables. Les 230 comprennent

forces

- V6 impressionnant (350)
- Boîte automatique à sept rapports très réussie
- Confort remarquable

faiblesses

- Habitabilité arrière moyenne
- Options nombreuses et chères
- Charnières de coffre gênantes

nouveautés en 2007

- Ensemble Elégance de série dans tous les modèles, disparition du coupé C230 et de la berline C55 AMG, nouvelle clé SmartKey, équipement de série rehaussé dans tous les modèles, groupe Sport reprend certains éléments de la C55 AMG

CLASSE C

une mécanique V6 de 2,5 litres et de 201 chevaux. Pour la 280, le V6 de 3,0 litres développe 228 chevaux et la 350 est dotée d'un V6 de 3,5 litres de 268 chevaux. La 230 et la 350 sont les seules qui soient disponibles avec une boîte manuelle à six rapports. Les versions 280 et 350 proposent de série une boîte automatique à sept rapports (optionnelle avec la 230). Les modèles 4MATIC sont livrables seulement avec la boîte automatique à cinq rapports.

COMPORTEMENT ► La Mercedes Classe C est l'une des rares berlines de sa catégorie à être équipée de la transmission aux roues arrière. Essayée sous une pluie battante, elle a démontré l'étendue des progrès réalisés par les propulsions ces dernières années. Il faut dire que, en plus du châssis sain et très rigide, le conducteur dispose de tous les garde-fous électroniques. Cependant, aucune de ces aides n'est véritablement efficace dans la neige. Si vous avez vraiment l'intention de conduire la voiture à longueur d'année, les modèles 4MATIC sont les seuls à vous assurer de l'adhérence à chaque instant. Quant au reste, la berline Mercedes possède un amortissement de référence qui privilégie toujours le confort. De plus, le groupe Sport vous permettra d'appuyer un peu plus fort sur l'accélérateur sans mettre votre vie en danger. La direction, lourde en ville, s'avère une alliée précieuse sur les routes étroites où elle devient beaucoup plus docile à mesure que le régime augmente, alors que le freinage puissant fait paraître la voiture toute légère.

CONCLUSION ► Grâce au plaisir qu'elle nous procure et à ses équipements de série ou optionnels (selon vos moyens), la Classe C a tout pour plaire. Le V6 de la 350 est réellement impressionnant et se compare aux meilleurs moteurs de BMW. Si vous n'avez pas besoin de tout l'espace d'une Classe E et désirez une voiture semblable au chapitre du rendement

FICHE TECHNIQUE

MOTEURS

(C230) V6 2,5 l DACT 201 ch à 6200 tr/min
couple : 181 lb-pi à 2700 tr/min
Transmission : manuelle à 6 rapports, automatique à 7 rapports avec mode manuel (option)
0-100 km/h : 8,4 s
Vitesse maximale : 210 km/h
Consommation (100 km) : 10,3 l (octane : 91)

(C280) V6 3,0 l DACT 228 ch à 6000 tr/min
couple : 221 lb-pi à 2700 tr/min
Transmission : automatique à 7 rapports avec mode manuel, automatique à 5 rapports avec mode manuel (4MATIC)
0-100 km/h : 7,2 s, 4MATIC : 7,6 s
Vitesse maximale : 210 km/h
Consommation (100 km) : 9,3 l, 4MATIC : 10,2 l (octane : 91)

(C350) V6 3,5 l DACT 268 ch à 6000 tr/min
couple : 258 lb-pi à 2400 tr/min
Transmission : manuelle à 6 rapports, automatique à 7 rapports avec mode manuel, automatique à 5 rapports avec mode manuel (de série dans 4MATIC)
0-100 km/h : 6,4 s, 4MATIC : 6,9 s
Vitesse maximale : 210 km/h
Consommation (100 km) : 9,6 l, 4MATIC : 10,8 l (octane : 91)

Sécurité active
freins ABS, répartition électronique de force de freinage, assistance au freinage, antipatinage, contrôle de stabilité électronique

Suspension avant/arrière
indépendante

Freins avant/arrière
disques

Direction
à crémaillère, assistée

Pneus
P205/55R16, C350 Sport : P225/45R17 (av.), P245/40R17 (arr.)

DIMENSIONS

Empattement : 2715 mm
Longueur : 4526 mm, C350 Sport : 4531 mm
Largeur : 1728 mm
Hauteur : 1426 mm
Poids : C230 : 1565 kg, C280 : 1570 kg, C280 4MATIC : 1656 kg, C350 Sport : 1585 kg, C350 4MATIC : 1671 kg
Diamètre de braquage : 10,8 m
Coffre : 340 l
Réservoir de carburant : 62 l

2e opinion

Antoine Joubert • Il est pratiquement impossible de résumer la Classe C en une centaine de mots. Toutefois, en observant chacune des nombreuses versions disponibles, on constate qu'elles possèdent toutes le même dénominateur commun : la grâce qui se dégage de cette fameuse étoile d'argent qui orne avec noblesse le capot de chacune d'elles. Avec la Classe C, en revanche, Mercedes nous fait payer très cher le privilège de pouvoir afficher notre statut. Certes, il s'agit d'une voiture bien construite, confortable et agile, mais qui manque vraiment de caractère. Et que dire de l'équipement de série, une véritable honte face à n'importe qu'elle berline intermédiaire qui, pour la moitié du prix, nous en offre deux fois plus !

CLASSE CL

nouveauté | 139 500 $ à 194 500 $ |
Transport et préparation : 1595 $

www.mercedes-benz.ca

FICHE D'IDENTITÉ

Version(s) : 550, 600
Roues motrices : arrière
Portières : 2
Première génération : 2007
Génération actuelle : 2007
Construction : Sindelfingen, Stuttgart, Allemagne
Sacs gonflables : 6, frontaux, latéraux avant et rideaux latéraux
Concurrence : Bentley Continental GT, Ferrari 612 Scaglietti

AU QUOTIDIEN

Prime d'assurance :
25 ans : 7200 à 7400 $
40 ans : 4500 à 4700 $
60 ans : 3600 à 3800 $
Collision frontale : nd
Collision latérale : nd
Ventes du modèle l'an dernier
Au Québec : nd **Au Canada :** nd
Dépréciation (3 ans) : 54,2 %
Rappels (2001 à 2006) : 5
Cote de fiabilité : nd

L'ESPRIT GRAND-TOURISME

– Hugues Gonnot

Par son poids et sa taille, la CL n'est pas la voiture idéale pour aller s'amuser sur de petits chemins de campagne. Son truc à elle, c'est de vous faire traverser le continent dans le plus absolu confort et en totale sérénité.

CARROSSERIE ▶ Comme c'est le cas depuis toujours, la CL calque son style sur celui de la Classe S. Le renouvellement de cette dernière l'an passé avait globalement été très bien salué. Mais n'allez pas limiter la CL à une S deux portes. De nombreux éléments ont été retravaillés pour lui donner une allure unique : calandre avant plus inclinée, phares particuliers, disparition du montant B, design spécifique du pilier C, passages de roues revus. Au final, la CL est superbe. Et attendez de voir le groupe esthétique AMG avec ses roues de 19 pouces ! La nouvelle génération prend un peu de volume (plus longue de 75 millimètres ; plus large de 14 millimètres ; et plus haute de 20 millimètres) et la contenance du coffre augmente de 40 litres.

HABITACLE ▶ La planche de bord provient directement de la Classe S. Le compteur de vitesse est remplacé par un afficheur multifonction à cristaux liquides. On trouve au centre l'écran du système COMAND, dont le bouton rotatif sur la console rappelle le fameux iDrive tant décrié de BMW. Bonne nouvelle, il est plus intuitif que celui de BMW, mais ce n'est pas encore la panacée.

L'ambiance à bord est superbe : choix de cuirs fins et de boiseries uniques (encore plus exclusif dans la 600), alors qu'un éclairage spécifique de la planche de bord se prolonge tout autour de l'habitacle. La suppression du pilier central a permis l'utilisation de sièges intégraux, comprenant les systèmes de retenue. Ils peuvent masser et s'adapter à la morphologie du conducteur, alors que le soutien latéral s'ajuste automatiquement en fonction des courbes.

MÉCANIQUE ▶ Les deux premiers moteurs disponibles sont ceux déjà installés dans la

forces

- Lignes superbes
- Système PRE-SAFE
- Grande routière

faiblesses

- Tous les défauts traditionnels d'une voiture de luxe pour simples mortels (prix, consommation, inaccessibilité...), fiabilité à surveiller (surtout l'électronique)

nouveautés en 2007

- Nouveau modèle

Classe S. Par rapport à l'ancienne CL, le V8 passe de 5,0 litres à 5,5 litres et la puissance, de 302 à 382 chevaux. Le V12 biturbo a été revu et développe 510 chevaux au lieu de 493. Il conserve par contre sa boîte à cinq rapports. Devraient suivre la CL 63 AMG en remplacement de la CL 55 (V8 atmosphérique de 507 chevaux) et la CL 65 (V12 de 6,0 litres de 604 chevaux).

Les freins semi-électroniques de l'ancienne génération ont été remplacés par un système hydraulique plus conventionnel, car ils avaient connu de nombreuses défaillances.

COMPORTEMENT ▶ La panoplie d'aides à la conduite est comprise. La suspension retient le système ABC (Active Body control) qui ajuste l'amortissement et peut supprimer presque complètement le roulis en virage. On peut ajouter la vision de nuit par caméra infrarouge, l'assistance au stationnement, le régulateur de vitesse adaptatif par radar. L'éclairage bi-xénon vient de série et comprend cinq modes spécifiques pour s'adapter à l'environnement. Bien sûr, il y a l'ABS, l'ESP, l'aide au freinage d'urgence, mais c'est banal... Ce qui l'est moins, c'est la deuxième génération de système de détection d'accident potentiel PRE-SAFE. Il peut prédire, à l'aide de différents capteurs du châssis, si un accident se produira. Il ajuste alors la position des sièges de façon optimale pour le déploiement des coussins gonflables et ferme les vitres et le toit ouvrant pour éviter les éjections. Il peut maintenant exécuter des freinages préventifs. Il prévient le conducteur de l'imminence d'un impact et calcule la force nécessaire pour l'éviter. Cette puissance est immédiatement accessible dès que le conducteur touche la pédale. S'il ne réagit pas, le système applique automatiquement 40 % de la force de freinage disponible pour réduire la sévérité de l'impact.

CONCLUSION ▶ Sur le papier, la nouvelle CL est plus que jamais une grand-tourisme. Dans ce segment peu encombré, elle se veut la référence en matière de technologie. Un essai routier nous confirmera si tout cela en vaut vraiment le coup... ou le coût !

FICHE TECHNIQUE

MOTEURS

(CL550) V8 5,5 l DACT 382 ch à 6000 tr/min
couple : 391 lb-pi à 2800 tr/min
Transmission : automatique à 7 rapports avec mode manuel
0-100 km/h : 5,6 s
Vitesse maximale : 210 km/h
Consommation (100 km) : 12,5 l (octane : 91)

(CL600) V12 5,5 l biturbo SACT 510 ch à 5000 tr/min
couple : 612 lb-pi à 1800 tr/min
Transmission : automatique à 5 rapports avec mode manuel
0-100 km/h : 4,7 s
Vitesse maximale : 210 km/h
Consommation (100 km) : 15,4 l (octane : 91)

Sécurité active
freins ABS, répartition électronique de force de freinage, assistance au freinage, antipatinage, contrôle de stabilité électronique

Suspension avant/arrière
indépendante

Freins avant/arrière
disques

Direction
à crémaillère, assistée

Pneus
P255/45R18 (av.), P275/45R18 (arr.)

DIMENSIONS

Empattement : 2955 mm
Longueur : 5065 mm
Largeur : 1871 mm
Hauteur : 1418 mm
Poids : CL550 : 2034 kg, CL600 : 2218 kg
Diamètre de braquage : 11,6 m
Coffre : 365 l
Réservoir de carburant : 90 l

CLASSE CLK

évolution | 67800$ à 115000$
Transport et préparation : 1595$

www.mercedes-benz.ca

FICHE D'IDENTITÉ

Version(s) : *coupé :* CLK350, CLK550, *cabrio. :* CLK350, CLK550, CLK63 AMG
Roues motrices : arrière
Portières : 2
Première génération : 1998
Génération actuelle : 2003
Construction : Stuttgart, Allemagne
Sacs gonflables : 6, frontaux, latéraux avant et rideaux latéraux, cabrio. : nd
Concurrence : Audi A4 cabrio., BMW Série 3 coupé et cabrio., Infiniti G35 coupé, Saab 9[3] cabrio., Volvo C70

AU QUOTIDIEN

Prime d'assurance :
25 ans : 5400 à 5600 $
40 ans : 3400 à 3600 $
60 ans : 2600 à 2800 $
Collision frontale : nd
Collision latérale : nd
Ventes du modèle l'an dernier
Au Québec : nd **Au Canada :** nd
Dépréciation (3 ans) : 46,5 %
Rappels (2001 à 2006) : 1
Cote de fiabilité : 2/5

PLUS MUSCLÉE

– **Michel Crépault**

La Classe CLK poursuit son évolution en faisant fi de la flambée des prix du pétrole, puisqu'elle propose en 2007 des moteurs encore plus puissants. La 350, coupé et cabriolet, nous revient inchangée, car sa succession à la CLK320 ne date que de l'an dernier. En revanche, la CLK500 cède sa place à la 550, elle aussi offerte en configuration à toit dur ou souple, alors que la CLK55 d'AMG, pourtant déjà dévoreuse d'asphalte, part à la retraite en faveur de la CLK63, un monstre en chemise de soie disponible uniquement en cabriolet.

CARROSSERIE ► Ce n'est pas la plus excitante des Benz à contempler. Comprenez-moi bien : la famille CLK promène des silhouettes très agréables, mais elles n'incitent personne à se retourner sur leur passage. Elles n'ont pas la bouille exotique des SL, par exemple. Cette sagesse dans les traits s'explique en bonne partie par l'obligation des designers à produire une voiture capable de transporter confortablement quatre adultes et leurs bagages. Bien entendu, dès qu'on y ajoute les jupes et tabliers agressifs du modèle AMG, on carbure avec quelque chose de plus exclusif, tout comme d'ailleurs le prix de départ de 115000$...

HABITACLE ► La liste de l'équipement de série de la 350 prend du mieux en 2007 avec l'ajout des sièges avant chauffants, d'un passe-ski et d'un toit de verre coulissant (dans le coupé, bien sûr). Un nouvel ensemble optionnel Premium regroupe le sonar arrière, une sono Harman/Kardon 7.1, un lecteur à six disques et le démarrage sans clé (Keyless Go). Pour sa part, le nouveau kit Sport comprend des étriers de disques plus spectaculaires, des jantes spéciales de 17 pouces, des pneus de performance, une suspension abaissée, un intérieur deux tons et un pédalier conjuguant aluminium et caoutchouc. La CLK550 reprend les gâteries comprises de série à bord de la 350 et leur ajoute des palettes séquentielles montées au volant et des phares bi-xénon actifs. L'ensemble facultatif Premium est le même, mais ne cherchez pas

forces
- Gamme solide et homogène
- Sièges qui chassent la fatigue
- Version AMG terrorisante, mais apprivoisée

faiblesses
- Design relativement sage (sauf l'AMG)
- Coffre du cabriolet minimaliste
- Factures salées, à l'achat et à l'entretien

nouveautés en 2007
- Deux nouveaux moteurs (CLK550 et CLK63 AMG remplacent CLK500 et CLK55 AMG), nouvelle clé SmartKey, équipement de série rehaussé, nouveaux groupes d'options

COMPORTEMENT ▶ Si vous êtes du genre pressé, la 63 AMG peut accélérer de 0 à 100 km/h en moins de 5 secondes. Les autres CLK ne sont pas lambines non plus, la plus «lente» (le cabriolet V6) signant quand même un chrono de 6,7 secondes. L'assemblage est solide. Le paysage défile pendant qu'une suspension athlétique prend soin d'adoucir les mauvais revêtements. La haute ceinture de caisse présente l'avantage de repousser à l'extérieur les rafales de vent désagréables; par contre, la visibilité s'en trouve affectée, particulièrement lors des marches arrière avec capote relevée.

l'ensemble Sport. La cabine de la 63 se distingue notamment par ses accents d'aluminium et son instrumentation AMG qui nous propulsent dans un univers techno chic et racé.

MÉCANIQUE ▶ Le V6 des 350 demeure à 268 chevaux, tandis que le nouveau V8 de 5,5 litres en développe 382, soit 80 de plus que la précédente CLK500. Le cabriolet CLK63 AMG reçoit un V8 naturellement aspiré de 6,2 litres qui développe la bagatelle de 475 chevaux. La transmission Speedshift 7G-TRONIC doublée de commandes au volant est proposée pour tous les modèles. Seule l'AMG a des roues à cinq raies de 18 pouces. La sécurité active est assurée par une panoplie d'aides électroniques qui maximisent les chances du propriétaire de garder le bon cap en tout temps.

CONCLUSION ▶ Bien que le coffre des versions à toit souple soit du genre lilliputien, la gamme CLK présente en général un excellent compromis entre les vocations pratique et ludique d'une automobile. Les prix sont corsés et l'entretien, à l'avenant. Une Audi A4 cabriolet? Une Série 3 de BMW à toit souple à la place? Chacun de ces modèles inspire un comportement routier distinctif, de même qu'une allure et un environnement luxueux. Le palmarès de la fiabilité au bout de trois ans serait l'un de mes critères décisifs. Et encore, la garderez-vous aussi longtemps?

FICHE TECHNIQUE

MOTEURS

(CLK350) V6 3,5 l DACT 268 ch à 6000 tr/min
couple: 258 lb-pi à 2400 tr/min
Transmission: automatique à 7 rapports avec mode manuel
0-100 km/h: 6,4 s, cabrio.: 6,7 s
Vitesse maximale: 250 km/h
Consommation (100 km): 10,1 l (octane: 91)

(CLK550) V8 5,5 l SACT 382 ch à 6000 tr/min
couple: 391 lb-pi à 2800 tr/min
Transmission: automatique à 7 rapports avec mode manuel
0-100 km/h: 5,2 s, cabrio.: 5,3 s
Vitesse maximale: 250 km/h
Consommation (100 km): 11,8 l (octane: 91)

(CLK63 AMG) V8 6,2 l suralimenté SACT 475 ch à 6800 tr/min
couple: 465 lb-pi à 5000 tr/min
Transmission: automatique à 7 rapports avec mode manuel
0-100 km/h: 4,7 s
Vitesse maximale: 250 km/h
Consommation (100 km): 14,7 l (octane: 91)

Sécurité active
freins ABS, répartition électronique de force de freinage, assistance au freinage, antipatinage, contrôle de stabilité électronique

Suspension avant/arrière
indépendante

Freins avant/arrière
disques

Direction
à crémaillère, assistée

Pneus
CLK350 et CLK550: P225/45R17 (av.), P245/40R17 (arr.), CLK63 AMG: P225/40R18 (av.), P255/35R18 (arr.)

DIMENSIONS

Empattement: 2715 mm
Longueur: 4652 mm
Largeur: 1991 mm
Hauteur: 1413 mm
Poids: CLK350 coupé: 1625 kg, CLK550 coupé: 1690 kg, CLK350 cabrio.: 1745 kg, CLK550 cabrio.: 1800 kg, CLK63 AMG cabrio.: 1850 kg
Diamètre de braquage: 10,8 m
Coffre: coupé: 294 l, cabrio.: 244 l
Réservoir de carburant: 62 l

 opinion

Benoit Charette • La CLK regroupe toutes les qualités propres aux produits Mercedes: douceur de roulement, boîte automatique onctueuse, confort total tant dans la version coupé que cabriolet. Si elle dispose de quatre vraies places, on peut toutefois lui reprocher une garde au toit un peu juste qui oblige les passagers de grande taille à se tordre le cou. En raison de ses nombreuses qualités, la CLK connaît un succès qui ne s'est jamais démenti au fil des années, même si son prix est élevé, comme celui des nombreuses options d'ailleurs. Toutefois, le plaisir de conduire une Mercedes est à ce prix, et cela ne semble pas être un obstacle pour les amateurs qui sont toujours aussi nombreux.

CLASSE CLS

évolution | 93 200 $ à 128 000 $ |
Transport et préparation : 1595 $

www.mercedes-benz.ca

FICHE D'IDENTITÉ

Version(s) : CLS550, CLS63 AMG
Roues motrices : arrière
Portières : 4
Première génération : 2006
Génération actuelle : 2006
Construction : Sindelfingen, Allemagne
Sacs gonflables : 6, frontaux, latéraux avant et rideaux latéraux
Concurrence : Audi A6 et S6, BMW Série 5 et M5, Cadillac STS, Infiniti M

AU QUOTIDIEN

Prime d'assurance :
25 ans : 5400 à 5600 $
40 ans : 3400 à 3600 $
60 ans : 2600 à 2800 $
Collision frontale : 5/5
Collision latérale : 5/5
Ventes du modèle l'an dernier
Au Québec : nd **Au Canada :** nd
Dépréciation (3 ans) : nm
Rappels (2001 à 2006) : 1
Cote de fiabilité : nm

ET PUIS QUOI ENCORE ?

– **Hugues Gonnot**

On le sait, un bon design fait vendre. On sait aussi qu'un coupé, c'est plus sexy qu'une berline. Partant de ces deux constatations, Mercedes s'est fendu d'un produit hybride. Mais rien à voir avec l'écologie.

CARROSSERIE ► Dieu qu'elle est belle, cette CLS ! Qui pourrait croire que sous d'aussi gracieuses lignes élancées se cache une Classe E? Mais la CLS est plus longue, plus large et surtout plus basse que cette dernière. L'impression est amplifiée par la hauteur réduite des vitres. Après, ça se gâte. Mercedes nous présente la CLS comme un coupé quatre portes, mais l'idée n'a rien de révolutionnaire puisque les Américains avaient des quatre portes à toit dur sans montants (qui sont encore présents sur la CLS) dès les années 1950. La CLS n'est pas un coupé. Point ! Et cette beauté a un prix: la visibilité périphérique, surtout de trois quarts arrière. Et dire que Mercedes fait payer les gens pour le radar de stationnement !

HABITACLE ► La filiation avec la Classe E est plus évidente à l'intérieur. Mercedes a revu le haut de la planche de bord pour l'accorder avec l'extérieur. Encore une fois, l'effet est réussi. Pour le reste, on retrouve les mêmes composants que pour la Classe E. Le système COMAND demande une petite période d'adaptation. Comme toujours dans une Mercedes, les sièges sont parfaits et permettent de longs voyages sans fatigue. À l'arrière, les passagers devront par contre composer avec le toit tombant qui réduit l'espace pour la tête. Côté équipement, Mercedes a fait des efforts cette année et la CLS550 reçoit maintenant de série la navigation par satellite, le système audio Harman/Kardon Logic 7, les phares bi-xénon actifs et le volant chauffant, le tout pour une augmentation symbolique du prix. Le système PRE-SAFE de détection d'accident vient aussi de série. Avec tout ça, la liste des options ressemble déjà moins à une insulte.

forces

- Lignes à couper le souffle
- Motorisations extrêmement souples
- Boîte sept rapports qui fait la différence

faiblesses

- Surcoût par rapport à la Classe E
- Rapport équipements/prix encore défavorable
- Fiabilité de l'électronique

nouveautés en 2007

- Deux nouveaux moteurs, boîte auto. 7G-Tronic de série, système PRE-SAFE de série, nouvelle clé SmartKey, système de capteur de pluie à deux niveaux de sensibilité, freins adaptatifs de série, équipement de série rehaussé

MÉCANIQUE ► Remaniement général sous le capot ! La CLS500 devient CLS550 et bénéficie du bloc de 5,5 litres inauguré l'an dernier dans la Classe S. Associé à une boîte automatique dont les passages de rapports se font avec une incroyable fluidité, il pousse très fort… mais sans effort. Quelle souplesse ! Et ce n'est que l'entrée. Car le plat principal, c'est le nouveau bloc atmosphérique de 6,2 litres (curieusement, la voiture est présentée comme la CLS 63) totalement développé par la division AMG et qui remplace le V8 suralimenté de 5,5 litres. Entièrement fabriqué en aluminium à haute résistance, il comprend plusieurs éléments de construction issus de la concurrence. Par rapport au 5,5 litres, la puissance augmente de 8 %, mais le couple diminue de 10 %. La bonne nouvelle, c'est que cela permet d'installer une 7G-Tronic (recalibrée) à la place de la boîte cinq rapports. Résultat : la CLS 63 est encore plus performante que la CLS 55 ! Le système de freinage a aussi été revu. Le Sensotronic (un hybride entre les freins électriques et hydrauliques) est remplacé par un système conventionnel, car ce Sensotronic avait connu son lot de problèmes, notamment logiciels.

COMPORTEMENT ► Les Mercedes sont davantage des grandes routières que de vraies sportives dans l'âme. La CLS a de la tenue en toutes circonstances et la suspension pneumatique Airmatic fait merveille. Mais il manque encore le petit côté rageur qui la rendrait totalement attachante.

CONCLUSION ► Par rapport à la Classe E, la CLS est plus belle, moins habitable et surtout horriblement plus chère pour des équipements équivalents. La pilule est un peu difficile à avaler. Mais c'est un joli coup que Mercedes a réussi là, car l'investissement est minimal et les retombées sont maximales, tant en bénéfices qu'en visibilité. Il s'agit d'ailleurs d'une tendance qui se développe, puisque plusieurs autres constructeurs, majoritairement européens, travaillent sur des « coupés quatre portes » qui devraient arriver sur le marché d'ici trois ans.

FICHE TECHNIQUE

MOTEURS

(CLS550) V8 5,5 l DACT 382 ch à 6000 tr/min
couple : 391 lb-pi à 2800 tr/min
Transmission : automatique à 7 rapports avec mode manuel
0-100 km/h : 5,4 s
Vitesse maximale : 250 km/h
Consommation (100 km) : 12,8 l (octane : 91)

(CLS63 AMG) V8 6,2 l suralimenté DACT 507 ch à 6800 tr/min
couple : 465 lb-pi à 5200 tr/min
Transmission : automatique à 7 rapports avec mode manuel
0-100 km/h : 4,5 s
Vitesse maximale : 250 km/h
Consommation (100 km) : 14,3 l (octane : 91)

Sécurité active
freins ABS, répartition électronique de force de freinage, assistance au freinage, antipatinage, contrôle de stabilité électronique

Suspension avant/arrière
indépendante

Freins avant/arrière
disques

Direction
à crémaillère, assistée

Pneus
CLS550 : P245/45R18,
CLS63 AMG : P255/35R19 (av.),
P285/30R19 (arr.)

DIMENSIONS

Empattement : 2854 mm
Longueur : 4910 mm
Largeur : 1873 mm
Hauteur : 1390 mm
Poids : CLS550 : 1810 kg, CLS63 AMG : 1910 kg
Diamètre de braquage : 11,2 m
Coffre : 362,5 l
Réservoir de carburant : 80 l

opinion

Antoine Joubert • En me rendant au bureau régional de Mercedes-Benz pour prendre possession d'une CLS500 flambant neuve, j'anticipais avec fébrilité une semaine d'essai mémorable. J'ai donc pris le volant de cette voiture en profitant bien sûr de son grand confort et de ses performances exaltantes. Malheureusement, mon moment de bonheur s'est vite envolé lorsque, après avoir parcouru seulement huit kilomètres, j'ai rencontré un véritable nid d'autruche qui fut fatal pour le pneu comme pour la roue. J'ai donc ramené la CLS le jour même, avec cette petite roue de secours temporaire ridicule, ressentant une grande colère envers celui qui est resté accoté sur sa pelle plutôt que de s'en servir…

CLASSE E

évolution | 67800 $ à 119800 $ | Transport et préparation : 1595 $

www.mercedes-benz.ca

POUR ROULER JUSQU'À MOSCOU !

– Nadine Filion

FICHE D'IDENTITÉ

Version(s) : E320 Bluetec, E350 4MATIC, E350 4MATIC familiale, E550 4MATIC, E63 AMG
Roues motrices : arrière, 4
Portières : 4
Première génération : 1996
Génération actuelle : 2003
Construction : Sindelfingen, Allemagne
Sacs gonflables : 8, frontaux, latéraux avant et arrière, rideaux latéraux
Concurrence : Acura RL, Audi A6, BMW Série 5, Cadillac STS, Infiniti M, Jaguar S-Type, Lexus GS, Saab 9^5, Volvo S80

AU QUOTIDIEN

Prime d'assurance :
25 ans : 4100 à 4300 $
40 ans : 2900 à 3100 $
60 ans : 2500 à 2700 $
Collision frontale : 4/5
Collision latérale : 5/5
Ventes du modèle l'an dernier
Au Québec : 453 **Au Canada :** 2244
Dépréciation (3 ans) : 57,4 %
Rappels (2001 à 2006) : 3
Cote de fiabilité : 1/5

En 2007, la Classe E a subi près de 2000 modifications. Certes, il faut avoir l'œil pour déceler les changements esthétiques. Sous le pied, cependant, les nouveaux moteurs plus puissants ne mentent pas. Surtout dans la nouvelle E63 AMG…

CARROSSERIE ▶ Cette année, la Classe E perd des variantes familiales. En Amérique du Nord, seule l'E350 est offerte en « wagon » – les E550 et E63 AMG ne sont proposées qu'en versions quatre portes. Une chose est sûre, les dimensions intérieures et extérieures n'ont pas changé dans la foulée du dernier restylage. Tout au plus, la calandre arbore un V plus prononcé, alors que les rétroviseurs et les phares arrière ont été revus. Un détail marque néanmoins la différence : les phares avant héritent de persiennes (!), pour un regard plus insaisissable.

HABITACLE ▶ L'intérieur de la Classe E est un cocon. Le silence est feutré, comme dans une forteresse rembourrée de matériaux finement assemblés. J'aime particulièrement ce suède, si doux au toucher, qui tapisse le plafond. Les sièges sont confortables et les passagers arrière trouvent l'espace convenable. Le coffre, dans la version familiale, comprend un pratique système de rangement. Le hayon à ouverture électrique est alors de série – optionnel pour les berlines. Côté équipements, le système précollision (dans la Classe S depuis 2002) et les appuie-tête adaptatifs sont désormais disponibles de série. Par contre, l'Amérique n'a droit ni au système de freinage adaptatif ni à l'éclairage « encore plus intelligent », qui équipent pourtant les nouvelles Classe E européennes. La raison ? Nos autorités nord-américaines n'ont toujours pas avalisé ces technologies.

MÉCANIQUE ▶ La plupart des moteurs de la Classe E ont sensiblement grimpé en puissance, à commencer par le V8, qui passe de 5,0 litres à 5,5 litres (pour 80 chevaux de plus,

forces

- Habitacle cocon
- Système précollision de série
- Nouveau moteur diesel, « le plus propre du monde »
- Version AMG à 507 chevaux…

faiblesses

- Une seule variante familiale : E350 Estate
- L'Amérique boude le freinage adaptatif et l'éclairage « encore plus intelligent »
- Sans *Autobahn*, difficile d'apprécier toute la puissance de l'AMG…

nouveautés en 2007

- Partie avant partiellement redessinée, nouveau volant, gamme simplifiée, version diesel Bluetec, nouvelle version E63 AMG, nouveau moteur V8 (E550 4MATIC), nouvelle clé SmartKey, système PRE-SAFE de série

à 382 chevaux). Ce moteur tiré de la Classe S a forcé la mise à niveau de la variante AMG. Celle-ci délaisse le «55» pour un 6,2 litres suralimenté (!), prêt à délivrer 507 chevaux. L'E350 gagne quelques chevaux (à 268 chevaux), alors qu'un nouveau six cylindres diesel à technologie BlueTec propose 210 chevaux. Son échappement hérite d'une série de convertisseurs catalytiques et d'un filtre à particules destinés à en faire «le moteur le plus propre du monde». Il sera encore plus sophistiqué en 2008, avec l'ajout d'une solution vaporisée directement dans l'échappement. La transmission séquentielle à sept rapports équipe les versions à deux roues motrices – elle ajoute les commandes au volant pour l'AMG. Les variantes à traction intégrale se contentent toujours de l'automatique à cinq rapports.

COMPORTEMENT ► Il faut «clancher» sur l'*Autobahn* au moins une fois dans sa vie pour comprendre la solidité des voitures allemandes. Même à 240 km/h, la Classe E ne bronche pas. Elle talonne la circulation qui file devant, imperturbable. Ce n'est qu'en jetant un œil à l'instrumentation qu'on se rend compte de sa vitesse impressionnante. Les ingénieurs disent avoir raffermi la direction de 10 % et, d'après les réactions moins anesthésiantes, on pourrait croire à un affermissement plus important encore. Ils ont aussi réajusté la suspension de façon à diminuer le roulis en virage. Là encore, c'est réussi. Personnellement, je vote pour la suspension AirMatic (de série dans les E550 et E63) qui, en conduite sportive, passe du mode Confort à un mode d'amortissement plus ferme.

L'E320 diesel ne manque pas de punch, certes, mais elle fait un peu pâle figure face aux versions plus musclées.

CONCLUSION ► Et que dire de l'AMG, sinon qu'il s'agit d'excitation pure et simple? Le moteur de 507 chevaux rugit, la voiture bondit et l'étoile à trois pointes avale l'Autobahn. De quoi vouloir rouler jusqu'à Moscou sans même s'arrêter!

FICHE TECHNIQUE

MOTEURS

(E320 Bluetec) L6 3,0 l turbodiesel DACT 210 ch à 3800 tr/min
couple: 388 lb-pi à 1600 tr/min
Transmission: automatique à 7 rapports avec mode manuel
0-100 km/h: 6,8 s
Vitesse maximale: 250 km/h
Consommation (100 km): nd (diesel)

(E350 4MATIC) V6 3,5 l DACT 268 ch à 6000 tr/min
couple: 258 lb-pi à 2400 tr/min
Transmission: automatique à 5 rapports avec mode manuel
0-100 km/h: 7,1 s, fam.: 7,4 s
Vitesse maximale: 250 km/h, fam.: 245 km/h
Consommation (100 km): 10,9 l (octane: 91)

(E550 4MATIC) V8 5,5 l SACT 382 ch à 6000 tr/min
couple: 391 lb-pi à 2800 tr/min
Transmission: automatique à 5 rapports avec mode manuel
0-100 km/h: 5,5 s
Vitesse maximale: 250 km/h
Consommation (100 km): 12,6 l (octane: 91)

(E63 AMG) V8 6,2 l suralimenté DACT 507 ch à 6800 tr/min *couple:* 465 lb-pi à 5200 tr/min
Transmission: automatique à 7 rapports avec mode manuel
0-100 km/h: 4,5 s
Vitesse maximale: 250 km/h
Consommation (100 km): 14,0 l (octane: 91)

Sécurité active
freins ABS, répartition électronique de force de freinage, assistance au freinage, antipatinage, contrôle de stabilité électronique

Suspension avant/arrière
indépendante

Freins avant/arrière
disques

Direction
à crémaillère, assistée

Pneus
E320 Bluetec: P225/55R16, E350 4MATIC: P245/45R17, E550 4MATIC: P245/40R18 (av.), P245/45R18 (arr.), E63 AMG: P245/40R18 (av.), P265/35R18 (arr.)

DIMENSIONS

Empattement: 2854 mm
Longueur: 4856 mm, fam.: 4888 mm
Largeur: 2063 mm
Hauteur: 1483 mm, fam.: 1506 mm
Poids: E320 Bluetec: 1750 kg, E350 4MATIC: 1785 kg, E350 4MATIC fam.: 1920 kg, E550 4MATIC: 1880 kg, E63 AMG: 1840 kg
Diamètre de braquage: 11,4 m
Coffre: 408 l, fam.: 1153 l
Réservoir de carburant: 80 l

2e opinion

Benoit Charette • Sous ses airs sobres et ses manières de bourgeoise bien élevée, la Classe E est la plus polyvalente des Mercedes. Pour ceux qui ont la fibre verte, le nouveau moteur diesel Bluetec offre une économie impressionnante et il est aussi plus propre que les moteurs à essence. À l'autre bout du spectre, il y a la nouvelle coqueluche des amateurs de missiles routiers, l'E63 AMG avec ses 507 chevaux et sa boîte sept vitesses, même si vous en utiliserez rarement plus de trois. La 350 est probablement le meilleur compromis et la 550 vous donnera toute la puissance qu'il vous faut sans que vous déboursiez une fortune pour la 63. Bref, une bien belle famille de véhicules.

CLASSE G

évolution | 112 000 $ à 155 000 $ | Transport et préparation : 1595 $

www.mercedes-benz.ca

FICHE D'IDENTITÉ

Version(s) : G500, G55 AMG
Roues motrices : 4
Portières : 4
Première génération : 1979
Génération actuelle : 2002
Construction : Autriche
Sacs gonflables : 2, frontaux
Concurrence : Cadillac Escalade, Hummer H2, Land Rover Range Rover, Lincoln Navigator, Lexus LX 470

AU QUOTIDIEN

Prime d'assurance :
25 ans : 7000 à 7300 $
40 ans : 4400 à 4700 $
60 ans : 3500 à 3700 $
Collision frontale : 4/5
Collision latérale : 4/5
Ventes du modèle l'an dernier
Au Québec : 4 **Au Canada :** 384
Dépréciation (3 ans) : 47,7 %
Rappels (2001 à 2006) : 1
Cote de fiabilité : nd

UNE BÊTE DE SOMME

– Bertrand Godin

Je crois que je peux lire dans vos pensées : comment un pilote de course peut-il se retrouver au volant de l'utilitaire sport le plus imposant (enfin, l'un des plus imposants) de l'industrie ? ! J'avoue m'être moi-même posé la question, mais j'y ai rapidement répondu : je suis comme n'importe quel chroniqueur automobile. Et ce n'est pas parce que le véhicule a davantage l'air d'un char d'assaut que d'une Formule 1 que je vais le négliger...

CARROSSERIE ► La Classe G (avec un G qui, comme tout le monde le sait, provient de *Geländewagen*, mot allemand signifiant « voiture de terrain » ou « tout-terrain », eh oui, madame, les pilotes aussi ont de la culture...) n'a rien d'une Miss Univers. Sa silhouette est tout, sauf gracieuse et raffinée. Son look boîte-de-carton-peinte-en-gris, c'est exactement cela et rien d'autre. Personne n'a jamais tenté d'adoucir le moindre des angles de ce gros véhicule ni de lui donner une allure un tant soit peu moderne. Même les clignotants avant, au lieu d'être insérés dans le bloc optique, sont simplement vissés sur le capot, aux extrémités des ailes. Quant au hayon, il est imposant (comme le reste) et se termine par l'inévitable pneu de secours accroché à la portière. Même la fenestration semble calquée sur celle d'un autobus scolaire. Difficile, donc, de passer inaperçu avec ce genre de véhicule conçu davantage pour la jungle (où personne ne le voit...) que pour les zones urbaines.

HABITACLE ► L'intérieur affiche l'air militaire de l'extérieur. Précisons tout de même qu'on a installé une sellerie de cuir très confortable, mais l'atmosphère générale se rapproche plus d'une salle de régiment que d'un hôtel de luxe. Les commandes sont multiples, généralement bien placées, mais on a oublié de donner du style à la planche de bord. D'un simple point de vue pratique, on n'a pas non plus touché le gros lot. Par exemple, on a

forces
- Capacités hors route
- Version AMG très amusante

faiblesses
- Silhouette dépassée
- Consommation excessive
- Habitacle trop sévère

nouveautés en 2007
- Retour du modèle G55 AMG

voulu faire une concession au modernisme en installant un lecteur à six disques compacts, mais il faut farfouiller dans le coffre pour le charger !

MOTEUR ► Le moteur V8 de 5,0 litres de 292 chevaux, doublé d'un couple de 336livres-pied à 2800 tours/minute, fournit des performances honorables pour une bête de ce poids. Vous aurez cependant deviné que, personnellement, j'opterais pour la version AMG, de retour en 2007, avec son moteur suralimenté de 5,5 litres armé de 469 chevaux. Vous avez le choix, soit une boîte automatique à cinq rapports pour la version AMG ou à sept rapports avec la 500.

COMPORTEMENT ► Ce gros utilitaire teuton a des adeptes (notamment l'armée canadienne) et ses capacités hors route sont au-delà de toute commune mesure. On l'a ainsi équipé d'un véritable système 4X4 à prise constante. Le conducteur peut cependant choisir la gamme de rapports qui convient à la situation, c'est-à-dire qu'il peut le verrouiller en « 4 LO » sans avoir à immobiliser le véhicule. Du même geste, et avec un seul bouton, il peut verrouiller les trois différentiels du véhicule (avant, arrière et central) pour distribuer également la puissance entre les roues. Tout cela avec l'aide d'une garde au sol parmi les plus élevées de la catégorie, et des angles d'approche plus généreux que la majorité des autres tout-terrains. Même moi, pourtant peu familier avec le hors-piste sérieux, je n'ai pas réussi à m'enliser. Cela dit, j'ai davantage apprécié le G sur la route, même si ses suspensions sont trop molles et que sa direction est totalement imprécise.

CONCLUSION ► Dépassée, la Classe G ? Personne ne niera le fait qu'elle consomme beaucoup et qu'elle soit affublée d'un physique plutôt ingrat. Mais en matière de bête de somme, elle continue d'être en avant de la parade.

FICHE TECHNIQUE

MOTEURS

(G500) V8 5,0 l SACT 292 ch à 5500 tr/min
couple : 336 lb-pi à 2800 tr/min
Transmission : automatique à 7 rapports avec mode manuel
0-100 km/h : 8,7 s
Vitesse maximale : 200 km/h
Consommation (100 km) : 16,9 l (octane : 91)

(G55 AMG) V8 5,5 l suralimenté SACT 469 ch à 6100 tr/min
couple : 516 lb-pi à 2650 tr/min
Transmission : automatique à 5 rapports avec mode manuel
0-100 km/h : 5,8 s
Vitesse maximale : 200 km/h
Consommation par 100 km : 17,0 l (octane : 91)

Sécurité active
freins ABS, répartition électronique de force de freinage, assistance au freinage, antipatinage, contrôle de stabilité électronique

Suspension avant/arrière
essieu rigide

Freins avant/arrière
disques

Direction
à billes, assistée

Pneus
G500 : P265/60R18, G55 AMG : P285/55R18

DIMENSIONS

Empattement : 2850 mm
Longueur : 4714 mm
Largeur : 1811 mm
Hauteur : 1977 mm
Poids : G500 : 2515 kg, G55 AMG : 2536 kg
Diamètre de braquage : 13,3 m
Coffre : 1280 l, 2250 l (sièges abaissés)
Réservoir de carburant : 96 l
Capacité de remorquage : 3500 kg

2e opinion

Benoit Charette • Malgré ses vingt-sept ans bien sonnés, le G se paye une petite chirurgie esthétique pour 2007. Si cela n'est pas suffisant, la version G55 AMG revient avec le même V8 5,5 litres additionné d'un compresseur qui portera la puissance à 469 chevaux. Imaginez un instant, filez un 0-100 km/h en 5,5 secondes au volant de ce char d'assaut. Sur le plan esthétique, cette nouvelle version AMG (uniquement disponible avec la version à châssis long) se démarque par des phares bi-xénon, des antibrouillards « intelligents » (éclairage en virage) et surtout de nouvelles jantes de 18 pouces gris titane qui mettent en valeur la monte pneumatique à peine démesurée (285/55).

CLASSE GL

nouveauté | 76 500 $
Transport et préparation : 1595 $

www.mercedes-benz.ca

FICHE D'IDENTITÉ

Version(s) : 450
Roues motrices : 4
Portières : 4
Première génération : 2007
Génération actuelle : 2007
Construction : Huntsville, Alabama, É.-U.
Sacs gonflables : 8, frontaux, latéraux avant et arrière, rideaux latéraux
Concurrence : Cadillac Escalade, Hummer H2, Infiniti QX56, Lexus GX et LX, Lincoln Navigator, Land Rover Range Rover

AU QUOTIDIEN

Prime d'assurance :
25 ans : 6800 à 7000 $
40 ans : 4100 à 4300 $
60 ans : 3300 à 3500 $
Collision frontale : 5/5
Collision latérale : 5/5
Ventes du modèle l'an dernier
Au Québec : nm **Au Canada :** nm
Dépréciation (3 ans) : nm
Rappels (2001 à 2006) : nm
Cote de fiabilité : nm

GELÄNDEWAGEN LIGHT

– Hugues Gonnot

La multiplication des gammes chez Mercedes-Benz au cours des dernières années laisse pantois. Et la marque à l'étoile ne semble pas être prête à lever le pied. On a longtemps cru que le GL allait remplacer le Classe G, alias le Geländewagen. Ce vénérable 4X4, d'abord conçu pour l'armée allemande, est un baroudeur dans la plus pure tradition. Cela fait maintenant vingt-sept ans qu'il malmène les vertèbres de ses riches occupants. Mais en fait, les deux gammes seront vendues parallèlement. Histoire d'être davantage dans l'esprit du XXIe siècle et de s'attaquer à de sérieux concurrents, l'Audi Q7 en tête, le GL édulcore son côté baroudeur. C'est peut-être cela que signifie le L de GL: Light. À moins que ce soit «Long», car le GL est un véhicule à sept places.

CARROSSERIE ▶ Avant de parler design, parlons technique. Le GL est basé sur la plateforme du ML, renouvelé l'an dernier. Le Classe R est aussi basé sur cette plateforme et tous les trois sont produits dans la même usine. La précision est importante, car le GL aurait très bien pu ressembler à un ML allongé, mais les designers ont choisi de lui donner une allure plus musclée, plus conforme à son nom. Ainsi, les lignes sont plus macho, plus carrées, mais montrent quand même une certaine élégance. On est loin du côté brutal et sans raffinement du G. Par rapport au ML, le GL voit son empattement augmenter de 160 millimètres ; sa longueur totale, de 300 millimètres ; et sa hauteur, de 25 millimètres. Le but est d'offrir plus d'espace pour les occupants de la troisième rangée – nous y reviendrons. Vu son gabarit, le GL reçoit judicieusement, de série, un radar arrière d'aide au stationnement (qui peut être jumelé à une caméra optionnelle). L'espace de chargement est bien découpé et varie de 300 à 1240 litres (avec la troisième banquette rabattue électriquement), et à 2300 litres (avec la deuxième banquette rabattue).

Les jantes de base ont 18 pouces, mais Mercedes propose deux modèles supplémentaires de 20 pouces. Les phares à éclairage adaptatif au xénon sont par contre optionnels.

forces

- Intérieur très accueillant
- Tenue de route bluffante
- Boîte auto. à sept rapports convaincante
- Équipement plus complet que d'habitude...

faiblesses

- ... mais on aimerait qu'il y en ait encore un peu plus
- Fiabilité de l'électronique sous surveillance

nouveautés en 2007

- Nouveau modèle

la navigation disponible avec le groupe Premium pour 3900 $.

Les passagers arrière sont choyés, et ce, sur les deux rangées de sièges. L'augmentation de la longueur du véhicule a permis de rendre la troisième banquette vraiment accueillante pour deux adultes, qui n'auront pas de problème à s'y installer, car l'accès est assez facile.

HABITACLE ▶ En montant dans le GL, c'est le cas de le dire, on pénètre dans un univers connu, puisque la planche de bord provient directement du ML. Bonne chose, puisqu'elle est superbe et bien construite. Ses matériaux d'excellente qualité sont agréables au toucher, alors que l'ergonomie est globalement bonne. Globalement car, comme dans beaucoup de voitures modernes, il y a de nombreuses fonctions, et un petit détour par le manuel d'instructions est inévitable. Le système COMAND demande un petit temps d'acclimatation, mais reste facile d'accès.

La position de conduite idéale est facile à trouver, alors que les sièges, extrêmement confortables, maintiennent bien le corps. L'insonorisation est aussi excellente. La bonne nouvelle concerne les équipements de série. Mercedes semble se montrer de moins en moins radin (on parle quand même d'un véhicule de plus de 76 000 $). Ainsi, le propriétaire bénéficie d'essuie-glaces automatiques, d'un moniteur de pression des pneus, d'un toit ouvrant, de la climatisation automatique, de sièges en cuir synthétique (de belle facture) et chauffants à l'avant. La liste des options disponibles est plutôt courte et vise avant tout la personnalisation : entrée sans clé, régulateur de vitesse intelligent, volant chauffant, système audio Harman/Kardon LOGIC7, ensemble de divertissement DVD, et

MÉCANIQUE ▶ Du fait de l'augmentation de poids de près de 250 kilos, le GL se passe de la motorisation à six cylindres. Le seul moteur disponible pour l'instant est un nouveau V8 de 4,6 litres. Avec 335 chevaux, il déplace avec aisance le GL et permet de remorquer jusqu'à 3400 kilos. Il est couplé avec l'excellente transmission automatique 7G-TRONIC qui effectue les changements de rapports en douceur et permet de diminuer la consommation.

Suivront ensuite deux autres motorisations : le V8 de 5,5 litres développant 382 chevaux, déjà vu dans la Classe S ; et le très intéressant moteur turbodiesel. D'une cylindrée de 3,0 litres, ce V6 développera 224 chevaux grâce à son système d'injection directe et à son turbo à géométrie variable. Son originalité vient de son système de dépollution, baptisé BLUETEC, qui respecte les normes de pollution américaines, même celles de la Californie, encore plus strictes. Pour ce faire, le BLUETEC fait appel à un catalyseur d'oxydation qui réduit les oxydes d'azote, et à un filtre qui piège les particules de suie noire. Ce filtre est régénéré par injection d'urée. Parce que la consommation d'urée est très faible (environ 0,1 litre aux 100 km), le conducteur n'a pas à s'en occuper et la recharge est faite lors des entretiens réguliers. En plus de son excellente valeur de couple, ce moteur devrait permettre au GL de consommer moins de 10 litres aux 100 km. Un argument convaincant par les temps qui courent.

La transmission intégrale de base est similaire à celle du ML. Le système 4MATIC est

HISTOIRE ▼

Un histoire de guerre

Il est difficile de comprendre comment deux véhicules aussi différents que le Classe M. et le Classe G (ou *Gelaendewagen*) se côtoient toujours au sein de la gamme Mercedes-Benz. Le Classe M, qui a été lancé en 1997, est un véhicule moderne, alors que le G ressemble à un Jeep militaire. La réponse est là, car le G a justement été mis au point à la fin des années 1970 pour des besoins militaires. On raconte que le shah d'Iran, un important actionnaire de Daimler-Benz à l'époque où il était encore au pouvoir, aurait été à l'origine de la création de ce véhicule. Il en aurait même commandé 20 000 pour l'armée iranienne, contrat que n'aurait pas honoré par le régime des Ayatollahs, qui lui a succédé avant leur livraison. C'est le gouvernement argentin qui en aurait profité, en équipant son armée de ces premiers Classe G. Des véhicules dont plusieurs ont terminé leur existence dans les Falkland, durant le conflit qui a opposé l'Argentine à l'Angleterre.

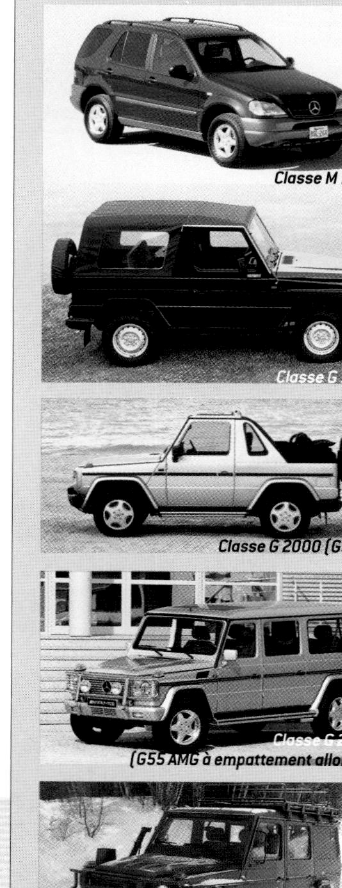

Classe M 1997

Classe G 1979

Classe G 2000 (G320)

Classe G 2001 (G55 AMG à empattement allongé)

Classe G 2004 (armée canadienne)

CLASSE GL

GALERIE

1 • De série, le GL vient avec la suspension pneumatique AIRMATIC. Avec l'ensemble Hors Route, l'amortissement adaptatif en continu est ajouté.

2 • L'espace de chargement est bien découpé et varie de 300 à 1240 litres (troisième banquette rabattue, de façon électrique) à 2300 litres avec la deuxième banquette rabattue. De plus, le plancher se rabat bien à plat pour y glisser un maximum de bagages.

3 • Les passagers arrière sont choyés, et ce, sur les deux rangées de siège. L'augmentation de la longueur a permis de rendre la troisième banquette vraiment accueillante pour deux adultes, qui n'auront d'ailleurs pas de problème à s'y installer, car l'accès est assez facile.

4 • Ce qui est unique au GL, c'est l'ensemble optionnel Hors Route. Facturé 2800 $, il comprend une gamme courte, le verrouillage des différentiels arrière et central, une assistance électronique à la descente, des plaques de protection sous le châssis ainsi qu'une suspension à air modifiée autorisant une garde au sol pouvant atteindre 30,7 centimètres (3 hauteurs préréglées sont disponibles). Si vous avez vraiment envie de lancer un utilitaire de ce prix dans la boue, il n'y a aucun problème.

❶

❷

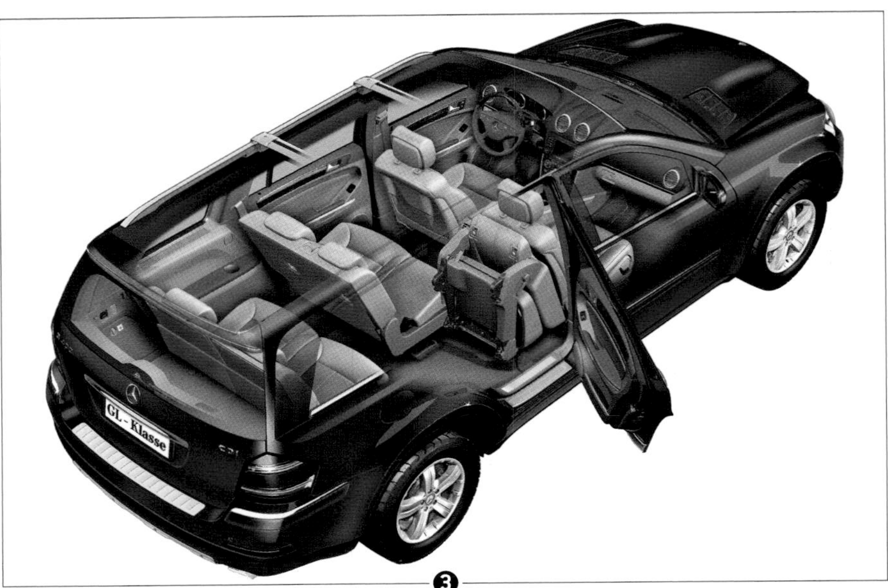

❸

❹

complété par le 4-ETS, un blocage électronique du différentiel qui peut transférer la puissance sur les roues qui ont le plus de traction, même lorsque trois roues patinent. Le mode Off Road, activé par un simple bouton, modifie l'ABS, le contrôle de traction, l'accélérateur électronique et les points de changement de rapports de la boîte automatique. Ce qui est unique au GL, c'est l'ensemble optionnel Hors Route. À 2800$, il comprend une gamme courte, le verrouillage des différentiels arrière et central, une assistance électronique à la descente, des plaques de protection sous le châssis, et une suspension à air modifiée, autorisant une garde au sol pouvant atteindre 307 millimètres (trois hauteurs préréglées sont disponibles).

De série, le GL comprend la suspension pneumatique AIRMATIC. Avec l'ensemble Hors Route, l'amortissement adaptatif en continu est ajouté.

COMPORTEMENT ▶ Quelle surprise nous avons eue lors de la prise en main sur les routes tortueuses de la Napa Valley, près de Los Angeles ! Malgré un poids de plus de 2,4 tonnes et un centre de gravité plutôt élevé, le GL n'a pas fait preuve d'un comportement pachydermique. Bien au contraire. La suspension pneumatique (adaptative sur notre véhicule d'essai) a fait merveille et autorisait des vitesses de passage en virage assez impressionnantes, le tout dans la plus grande décontraction et le plus grand confort. C'est bien simple, on n'a jamais eu l'impression d'être à bord d'un engin de ce gabarit.

En hors-piste, le franchissement de terrains accidentés se fait en douceur grâce à une gestion électronique efficace.

CONCLUSION ▶ On le savait, le ML est bien né et le GL poursuit dans cette direction. La concurrence du côté des VUS de luxe à sept places se fait de plus en plus virulente, mais le GL ne manque pas d'arguments. Et même que, pour une fois, son prix se situe dans la moyenne.

FICHE TECHNIQUE

MOTEUR
V8 4,7 l DACT 335 ch à 6000 tr/min
couple : 339 lb-pi à 2700 tr/min
Transmission : automatique à 7 rapports avec mode manuel
0-100 km/h : 7,6 s
Vitesse maximale : 210 km/h
Consommation (100 km) : 13 l (octane : 91)

Sécurité active
freins ABS, répartition électronique de force de freinage, assistance au freinage, antipatinage, contrôle de stabilité électronique

Suspension avant/arrière
indépendante

Freins avant/arrière
disques

Direction
à crémaillère, assistée

Pneus
P265/60R18

DIMENSIONS
Empattement : 3075 mm
Longueur : 5088 mm
Largeur : 2127 mm
Hauteur : 1840 mm
Poids : 2430 kg
Diamètre de braquage : 12,1 m
Coffre : 300 l, 2300 l (sièges abaissés)
Réservoir de carburant : 100 l

opinion

Michel Crépault • Le GL est la solution qu'ont trouvée les dirigeants pour garder chez eux les clients qui lorgnent un Escalade. Or, dès que vous aurez décidé que c'est ce genre de véhicule qu'il vous faut, filez chez un concessionnaire Benz. Disons que la marque s'y connaît au chapitre des moteurs et du luxe. Le GL pourrait aussi jouer à la chèvre des montagnes, mais vous seriez sage de choisir alors l'indestructible G. Le confort est à l'honneur, comme le prouve les sixième et septième places plus généreuses que dans un Lexus LX 470. Le toit panoramique typique à Benz reçoit aussi mon vote. Entre les deux V8, mon cœur balance puisque, à ce stade-ci, la consommation n'importe plus vraiment.

CLASSE ML

www.mercedes-benz.ca

FICHE D'IDENTITÉ
Version(s) : ML350, ML320 Bluetec, MI500, ML63 AMG
Roues motrices : 4
Portières : 4
Première génération : 1998
Génération actuelle : 2006
Construction : Tuscaloosa, Alabama, É.-U.
Sacs gonflables : 8, frontaux, latéraux avant et arrière, rideaux latéraux
Concurrence : Acura MDX, Audi Q7, BMW X5, Buick Rainier, Cadillac SRX, Infiniti FX, Land Rover LR3, Lexus RX, Porsche Cayenne, Saab 9[7X], Volkswagen Touareg, Volvo XC90

AU QUOTIDIEN	
Prime d'assurance :	
25 ans : 4700 à 4900 $	
40 ans : 3100 à 3300 $	
60 ans : 2300 à 2500 $	
Collision frontale : 5/5	
Collision latérale : 5/5	
Ventes du modèle l'an dernier	
Au Québec : 388	**Au Canada :** 2251
Dépréciation (3 ans) : 58,8 %	
Rappels (2001 à 2006) : 3	
Cote de fiabilité : 3/5	

DE ZÉRO À HÉROS

– Hugues Gonnot

Lancée en 1997, la première génération de ML avait fait pâlir l'étoile de Mercedes-Benz. Premier véhicule de la marque construit en sol américain, sa qualité de construction et son comportement routier étaient déplorables. Nous attendions donc avec certaines appréhensions la seconde génération. Mais, c'est bien connu, les ingénieurs allemands sont orgueilleux. Et puis ils avaient cette fois-ci une cible précise : le BMW X5 qui, lui, n'avait pas raté sa rentrée.

CARROSSERIE ▶ Son style n'est pas révolutionnaire, mais on reconnaît tout de suite le ML. Les designers ont conçu un véhicule moderne, certes, mais dont les lignes manquent de simplicité. C'est à peu près le seul reproche qu'on peut lui faire, car la finition est superbe. Il est à noter que le vernis de peinture est fait de nanoparticules de céramique qui créent un lustre plus profond.

HABITACLE ▶ Si l'intérieur de l'ancienne génération était raté, celui de la nouvelle génération frise la perfection. Les plastiques sont superbes (sauf à certains endroits moins visibles) et parfaitement assemblés ; et l'ergonomie est impeccable, même si on a besoin de temps pour s'habituer au système COMAND. Le sélecteur de vitesses, inspiré de celui de la BMW Série 7, se limite maintenant à un petit levier à droite de la colonne de direction, complété par des boutons de commande séquentielle au volant. Un peu déroutant au début, ce système s'avère en fait très pratique. La position de conduite est parfaite et le confort des sièges, d'un excellent niveau. L'augmentation des dimensions générales et de l'empattement en particulier profite aux occupants qui ont droit à un espace généreux. Du côté des équipements, on semble enfin s'éloigner des mesquineries traditionnelles de la marque, et la liste des options reste relativement courte.

MÉCANIQUE ▶ Si les deux moteurs (excluant le V6 turbodiesel) se ressemblent par la

forces
- Tenue de route de berline
- Capacités hors route
- Qualité de l'intérieur
- Consommation (par rapport au poids)

faiblesses
- Équipements
- Fiabilité
- Prix

nouveautés en 2007
- Deux nouvelles versions : ML320 Bluetec et ML63 AMG, appuie-tête actifs de série, nouvelle clé SmartKey, équipement de série rehaussé, nouveaux groupes d'options

puissance, le couple largement supérieur du V8 s'accommode mieux du poids du ML (et on ne parle pas du monstrueux ML63 AMG avec un nouveau bloc de 6,2 litres). Tous quatre sont couplés à une boîte automatique à sept rapports. Loin d'être un gadget, cette boîte permet d'obtenir de bonnes valeurs de consommation et des reprises vives. De plus, les passages de rapports se font dans une douceur totale. La transmission intégrale 4MATIC peut transférer le couple aux roues qui ont le plus de motricité, même lorsque trois roues patinent. Dans des conditions normales, la répartition est égale entre l'avant et l'arrière. De plus, la voiture est dotée d'une assistance à la descente et d'un antirecul pour les démarrages dans les côtes. La suspension AIRMATIC (optionnelle dans les 350 et 500; de série dans l'AMG) comprend un contrôle adaptatif de l'amortissement et permet de varier la hauteur de caisse (plus ou moins 80 millimètres) et d'abaisser le véhicule au-delà des 120 km/h pour une meilleure stabilité.

COMPORTEMENT ▶ Sur la route, le ML est l'un des plus vifs de sa catégorie. La direction est précise et l'amortissement contrôle parfaitement bien les mouvements, spécialement avec la suspension AIRMATIC. La vraie surprise vient cependant du comportement hors route. Si plusieurs concurrents peuvent se vanter d'avoir des blocages de différentiels ou une gamme basse, le ML ne compte que sur la gestion électronique du 4MATIC. Malgré tout, ce système est efficace. En position Off Road, le fonctionnement de la transmission intégrale, de la boîte automatique et l'ABS est modifié. On franchit alors les obstacles en douceur. Ceux qui préfèrent les attributs d'un vrai 4X4 doivent se tourner vers le GL450.

CONCLUSION ▶ Le ML de seconde génération est bien né. Il est cher, mais ses concurrents immédiats le sont aussi. La seule véritable inquiétude, et elle est importante, concerne la fiabilité de l'électronique, mais Mercedes semble avoir fait des progrès de ce côté-là.

FICHE TECHNIQUE

MOTEURS

(ML350) V6 3,5 l DACT 268 ch à 6000 tr/min
couple : 258 lb-pi à 2400 tr/min
Transmission : automatique à 7 rapports avec mode manuel
0-100 km/h : 8,4 s
Vitesse maximale : 225 km/h
Consommation (100 km) : 12,1 l (octane : 91)

(ML320 Bluetec) L6 3,0 l turbodiesel DACT 221 ch à 3800 tr/min
couple : 376 lb-pi à 1600 tr/min
Transmission : automatique à 5 rapports avec mode manuel
0-100 km/h : 8,6 s
Vitesse maximale : 215 km/h
Consommation (100 km) : nd (diesel)

(ML500) V8 5,0 l SACT 301 ch à 5600 tr/min
couple : 339 lb-pi à 2700 tr/min
Transmission : automatique à 7 rapports avec mode manuel
0-100 km/h : 6,9 s
Vitesse maximale : 240 km/h
Consommation (100 km) : 14,7 l (octane : 91)

(ML63 AMG) V8 6,2 l DACT 503 ch à 6800 tr/min
couple : 465 lb-pi à 5200 tr/min
Transmission : automatique à 5 rapports avec mode manuel
0-100 km/h : 5,0 s
Vitesse maximale : 250 km/h
Consommation (100 km) : 17 l (octane : 91)

Sécurité active
freins ABS, répartition électronique de force de freinage, assistance au freinage, antipatinage, contrôle de stabilité électronique

Suspension avant/arrière
indépendante

Freins avant/arrière
disques

Direction
à crémaillère, assistée

Pneus
P255/55R18, ML63 AMG : P295/40R20

DIMENSIONS

Empattement : 2915 mm
Longueur : 4788 mm
Largeur : 1910 mm
Hauteur : 1815 mm
Poids : ML350 : 2145 kg, ML320 Bluetec : 2210 kg, ML500 : 2185 kg, ML63 AMG : 2370 kg
Diamètre de braquage : 11,6 m
Coffre : 833 l, 2050 l (sièges abaissés)
Réservoir de carburant : 95 l
Capacité de remorquage : 2500 kg

opinion

Benoit Charette • Sans avoir l'air tout chamboulé, le ML a été complètement redéfini l'an dernier. Si la première génération n'avait convaincu personne, la deuxième est beaucoup plus mature. Du nouveau châssis monocoque aux motorisations bien complétées par la boîte automatique à sept rapports, le ML est devenu un modèle à suivre dans cette catégorie. L'ancien tableau de bord tapissé de mauvais plastique a été jeté aux oubliettes. De ce fait, l'aspect général de la planche de bord est beaucoup plus moderne. Pas de doute, Mercedes a tiré la leçon de sa première expérience. Beaucoup plus pertinent, le nouveau ML est plus rapide, plus agile, mieux construit et plus confortable.

CLASSE R

évolution | 64 400 $ à 80 800 $ |
Transport et préparation : 1595 $

www.mercedes-benz.ca

FICHE D'IDENTITÉ

Version(s) : R320, R350, R500, R63 AMG
Roues motrices : 4
Portières : 4
Première génération : 2006
Génération actuelle : 2006
Construction : Tuscaloosa, Alabama, É.-U.
Sacs gonflables : 8, frontaux, latéraux avant et arrière et rideaux latéraux
Concurrence : Chrysler Pacifica

AU QUOTIDIEN

Prime d'assurance :
25 ans : 3200 à 3500 $
40 ans : 2200 à 2500 $
60 ans : 1600 à 1900 $
Collision frontale : nd
Collision latérale : nd
Ventes du modèle l'an dernier
Au Québec : 58 **Au Canada :** 265
Dépréciation (3 ans) : nm
Rappels (2001 à 2006) : 2
Cote de fiabilité : nm

MAIS ENCORE ?

– Nadine Filion

On se demande ce que vient faire la Classe R dans la gamme Mercedes. À mi-chemin entre l'utilitaire et le *station-wagon*, elle a certes le mérite d'accueillir six passagers et d'offrir une vaste habitabilité. Mais encore ?

CARROSSERIE ▶ Certains la trouvent laide, d'autres l'adorent. Moi, je la trouve élégante et racée, mais le hayon aurait pu se passer de cette grande glace noire au design peu raffiné. Longue de plus de cinq mètres, elle peut être encombrante dans les parkings. Est-ce la jumelle de la Chrysler Pacifica ? Non, répond Mercedes : les deux véhicules ne sont pas assemblés dans la même usine et n'ont pas le même empattement (3215 millimètres pour la Mercedes ; 2954 millimètres pour la Pacifica).

HABITACLE ▶ À bord de la Classe R, tout respire la sérénité. Il faut bien sûr apprivoiser les nombreuses commandes, mais l'habitacle ne suscite aucun reproche.

Les sièges sont recouverts de cuir et de suède, une combinaison fort agréable au toucher, et qui maintient les passagers en place. Les « capitaines » de la deuxième rangée sont aussi confortables que ceux de l'avant. Cependant, on s'en doute, les places de troisième rangée sont restreintes, notamment à la tête en raison d'un toit plongeant. Quand tous les sièges sont relevés, on peut à peine y glisser deux ou trois valises de cabine (266 litres), mais, une fois les deux rangées rabattues, l'espace de chargement atteint 2044 litres. Un bon mot pour le toit panoramique en deux parties (seule la première partie peut coulisser), dont la surface vitrée de plus de 1,5 mètre carré éclaire tout le monde.

MÉCANIQUE ▶ Sous le capot de la Classe R350, on trouve un V6 de 3,5 litres (268 chevaux), alors que la Classe R500 est propulsée par un V8 de 5,0 litres (302 chevaux). Ce dernier n'est pas très écologique et brûle 18,1 litres d'essence aux 100 km en ville ! Il

forces
- Habitacle sans reproche
- Toit panoramique

faiblesses
- Traction intégrale de série
- Voiture encombrante dans les parkings
- Espace de chargement limité (lorsque sièges relevés)

nouveautés en 2007
- Version R63 AMG et R320 à moteur diesel

faut sans doute en accuser la traction intégrale (4MATIC) qui équipe de série toutes les variantes de la Classe R. En tout temps, la puissance est distribuée également entre les essieux avant et arrière. M'est avis que la Classe R n'a pas besoin d'une telle transmission intégrale et que le bon vieux système d'antipatinage aurait suffi. En 2007 s'ajoutent au catalogue une variante diesel (la R320 CDI reprend le L6 de la Classe E qui produit ici 201 chevaux et 376 livres-pied) et une version R63 AMG, au V8 de 507 chevaux.

COMPORTEMENT ► Personnellement, je ne m'intéresserais pas à la R500, et encore moins à la R63 AMG, quand la R350 est pleinement satisfaisante. Le V6 est suffisant pour mettre en branle les 2200 kilos du véhicule et assurer des reprises dynamiques, surtout si l'on utilise à bon escient les sept rapports de la boîte séquentielle. J'aurais cependant une nette préférence pour la version diesel, pour son impressionnant couple et sa frugalité. Cela dit, le comportement routier de la Classe R est tout à fait serein. La suspension indépendante nous donne l'impression de flotter au-dessus du bitume. Grâce à la direction légère, toutes les manœuvres se font sans effort. Le freinage est puissant et très progressif, de sorte que la lourde Classe R s'immobilise aussi bien qu'une Classe B. Conséquence de toutes ces assistances, les impressions de conduite sont subtiles. Il nous a fallu le vent des Rocheuses pour sentir que le véhicule bronchait sur les bosses – oh, à peine…

CONCLUSION ► Ceux qui envisagent de se procurer une Mercedes n'ont pas les mêmes moyens que d'autres. Il reste qu'ils devront dépenser près de 65 000 $ pour une Classe R de base, sans même le système de navigation, ni la suspension AirMatic, ni le toit ouvrant panoramique !

FICHE TECHNIQUE

MOTEURS

(R320 CDI) L6 3,2 l turbodiesel DACT 201 ch à 4200 tr/min
couple : 369 lb-pi à 1800 tr/min
Transmission : automatique à 5 rapports avec mode manuel
0-100 km/h : 9,8 s
Vitesse maximale : 210 km/h
Consommation (100 km) : 9,3 l (diesel)

(R350) V6 3,5 l DACT 268 ch à 6000 tr/min
couple : 258 lb-pi à 2400 tr/min
Transmission : automatique à 7 rapports avec mode manuel
0-100 km/h : 8,0 s
Vitesse maximale : 210 km/h
Consommation (100 km) : 12,3 l (octane : 91)

(R500) V8 5,0 l SACT 302 ch à 5600 tr/min
couple : 339 lb-pi à 2750 tr/min
Transmission : automatique à 7 rapports avec mode manuel
0-100 km/h : 6,7 s
Vitesse maximale : 210 km/h
Consommation (100 km) : 15,2 l (octane : 91)

(R63 AMG) V8 6,3 l DACT 507 ch à 6800 tr/min
couple : 465 lb-pi à 5200 tr/min
Transmission : automatique à 7 rapports avec mode manuel
0-100 km/h : 5,1 s
Vitesse maximale : 250 km/h
Consommation (100 km) : 16,3 l (octane : 91)

Sécurité active
freins ABS, répartition électronique de force de freinage, assistance au freinage, antipatinage, contrôle de stabilité électronique

Suspension avant/arrière
indépendante

Freins avant/arrière
disques

Direction
à crémaillère, assistée

Pneus
R320 CDI et R350 : P235/65R17, R500 : P255/55R18, R63 AMG : P265/45R20

DIMENSIONS

Empattement : 3215 mm
Longueur : 5157 mm
Largeur : 1922 mm
Hauteur : 1661 mm
Poids : R320 CDI : 2220 kg, R350 : 2225 kg, R500 : 2270 kg, R63 AMG : 2375 kg
Diamètre de braquage : 12,4 m
Coffre : 266 l, 2044 l (sièges abaissés)
Réservoir de carburant : 95 l

opinion

Benoit Charette • Si votre budget est capable de digérer une facture de plus de 60 000 $, voici un véhicule qui combine la douceur de roulement d'une grande berline et un espace capable d'accueillir confortablement six passagers. Lorsqu'on pose le regard pour la première fois sur la Classe R, elle fait immanquablement penser à une Chrysler Pacifica, mais avec plus de prestige. À l'avant, les larges ouvertures de radiateur et le becquet en pointe constituent une signature facile à reconnaître, même quand le véhicule vous suit. La très longue ligne arquée des vitres latérales tend à atténuer le format de la bête, longue de 5,16 mètres. Une fourgonnette de luxe qui privilégie le confort et la tenue de route. Et le V6 est amplement suffisant.

CLASSE S

nouveauté | 118 500 $ à 228 000 $ | Transport et préparation : 1595 $

www.mercedes-benz.ca

FICHE D'IDENTITÉ

Version(s) : S550, S600, S65 AMG
Roues motrices : arrière, 4RM (S550)
Portières : 4
Première génération : 1992
Génération actuelle : 2007
Construction : Sindelfingen, Stuttgart, Allemagne
Sacs gonflables : 8, frontaux, latéraux avant et arrière, rideaux latéraux
Concurrence : Audi A8, Bentley Flying Spur, BMW Série 7, Infiniti Q45, Jaguar XJ, Lexus LS, Maserati Quattroporte

AU QUOTIDIEN

Prime d'assurance :
25 ans : 7200 à 7400 $
40 ans : 4100 à 4300 $
60 ans : 3600 à 3800 $
Collision frontale : 5/5
Collision latérale : 5/5
Ventes du modèle l'an dernier
Au Québec : 75 **Au Canada :** 455
Dépréciation (3 ans) : 59,3 %
Rappels (2001 à 2006) : 6
Cote de fiabilité : 2/5

UNE CLASSE À PART

– **Benoit Charette**

Après les récents renouvellements de la BMW Série 7 et de l'Audi A8, Mercedes, qui n'avait pas retouché sa grande Classe S depuis 1999, se devait de réagir. Ainsi, subissant plus qu'une refonte, cette neuvième génération des grandes berlines qui ont vu le jour en 1951 écrit un nouveau chapitre dans la longue tradition du luxe chez Mercedes.

CARROSSERIE ▸ Visuellement, la nouvelle Classe S 2007 reprend certains traits de la Maybach, comme les ailes et le coffre, mais ses passages de roues saillants évoquent puissance et dynamisme, ce qui contraste avec la légendaire esthétique conservatrice de la série. On dirait même que Mercedes s'est inspirée de la BMW Série 7, avec son couvercle de coffre légèrement bombé. La version 2007 s'est allongée de 48 millimètres par rapport à la version de 2006. Plus large et plus haute, elle offre également plus d'espace aux passagers, surtout à l'arrière, là où le propriétaire se retrouve le plus souvent. Un toit ouvrant panoramique, comparable à ceux proposés par la Classe E et la Maybach, est disponible moyennant supplément.

HABITACLE ▸ La comparaison avec BMW se poursuit à l'intérieur. Le système de gestion informatique COMAND rappelle le système iDrive, avec un bouton rotatif pour centraliser les informations. Mais, contrairement à BMW, Mercedes a eu la brillante idée (tout comme Audi) de permettre l'accès direct aux fonctions les plus utilisées, comme la climatisation, la radio, le GPS et le téléphone. Et puis la commande de la boîte automatique est placée derrière le volant, comme dans la BMW Série 7. Fidèle à sa réputation, Mercedes propose aussi toute une suite d'innovations technologiques. La Classe S comprend une caméra de recul, des sièges capables de masser les passagers, et des feux d'arrêts dont l'intensité varie selon la puissance du freinage, produisant un éclat maximal lors

forces
- Nirvana technologique
- Silence de roulement divin
- Sécurité optimale
- Puissance incroyable (V12)

faiblesses
- Fourchette de prix faramineuse
- Entretien et réparations à donner des maux de tête
- Fiabilité incertaine depuis quelques années

nouveautés en 2007
- Nouveau modèle

si la voiture conserve l'appellation S500 en Europe, elle porte ici le nom de S550. Un tout nouveau moteur V8 de 5,5 litres et de 382 chevaux fait appel à la technologie des quatre soupapes par cylindre et à la distribution à programme variable. Plus tard en 2006 furent lancés un modèle S600 à moteur V12 biturbo de 5,5 litres et de 510 chevaux (produisant un couple de 612 livres-pied), et un modèle S65 AMG mû par un moteur V12 biturbo de 6,0 litres et de 604 chevaux. Les modèles 550 et 600 sont équipés d'une boîte automatique à sept rapports adaptative, d'une grande douceur.

d'une manœuvre d'urgence. De plus, la visibilité nocturne est grandement améliorée grâce à un dispositif infrarouge optionnel (2500$) qui permet de détecter un objet ou une personne sur la route à plus de 150 mètres. La sécurité est toujours au cœur des préoccupations de Mercedes et le système PRE-SAFE, lancé avec la Classe S en 2002, a été amélioré dans la cuvée 2007. En plus de resserrer automatiquement les ceintures avant et d'ajuster la position du siège avant droit (et des sièges arrière électriques, en option) dans les précieuses secondes qui précèdent un impact possible, le système referme le toit s'il est ouvert. Dans la nouvelle Classe S, les vitres latérales se referment aussi pour offrir un meilleur soutien aux coussins en rideaux, et d'autres coussins peuvent se gonfler pour favoriser le soutien latéral. Le régulateur de vitesse DISTRONIC, qui maintient une distance préétablie avec le véhicule qui vous précède, est remplacé par le système optionnel DISTRONIC PLUS. Intégré à la dernière version du PRE-SAFE, ce système basé sur la technologie radar fonctionne à presque toutes les vitesses, et ce, jusqu'à 200 km/h. Il est donc particulièrement utile dans des conditions de circulation peu fluides.

MÉCANIQUE ▸ Le moteur V8 est incontournable dans la Classe S au Canada. Même

COMPORTEMENT ▸ Les autoroutes européennes sont encore les meilleurs endroits pour mettre à l'épreuve la fougue des mécaniques et, croyez-moi, la Classe S ne manque pas de panache. Notre première journée d'essai s'est déroulée au volant de la S600, sur l'autoroute qui relie Milan à Saint-Moritz. Un jet privé pour la route est l'expression qui résume le mieux ma pensée. Fort d'une puissance quasiment infinie, j'ai roulé à 240 km/h avec une facilité déconcertante. Ailleurs, sur les routes en lacets dans les cols des Alpes, on pouvait ressentir davantage le poids éléphantesque de la bête. Toutefois, avec la quantité incroyable de systèmes électroniques embarqués, Mercedes arrive presque à donner des airs de ballerine à cette semi-remorque, qui est tout de même dotée d'une suspension pneumatique AIRMATIC qui contrôle adéquatement les mouvements de caisse. On peut sélectionner sur le tableau de bord trois modes d'amortissement : Sport, Confort et Manuel, tous les trois accouplés au mode de fonctionnement de la boîte de vitesses. Le mode Sport raffermit l'amortissement et abaisse la hauteur de caisse de 2 centimètres au delà de

HISTOIRE ▼

Une classe à part

L'appellation Classe S (*S-Klasse* en allemand) est une abréviation de l'expression *Sonderklasse* qui signifie « classe spéciale ». Une appellation adoptée pour les grandes berlines produites de 1972 à 1980, celles qui sont surnommées « W 116 » dans les registres du constructeur – un catalogue semblable à celui de Ludwig Köchel, qui a répertorié les œuvres de Mozart. Or, si la Classe S a développé un luxe ostentatoire au fil des générations, ses origines demeurent humbles, comme le rappelle une de ses ancêtres, la « W 180 » des années 1950.

220S 1956 (W180)

300 SE 1959 (W111)

250 S 1965 (W108)

Classe S 1973 (W116)

Classe S 1980 (W126)

Classe S 1991 (W140)

Classe S 1999 (W220)

CLASSE S

GALERIE ▼

1 • Le système de gestion informatique COMAND prend des allures de système iDrive (BMW), avec un bouton rotatif pour centraliser toute l'information. Mais contrairement à BMW, Mercedes a eu la brillante idée (tout comme Audi) de donner un accès direct aux principales fonctions.

2 • Au nombre des options, Mercedes propose une caméra de recul qui affiche tout ce qu'il y a derrière le véhicule sur l'écran de navigation.

3 • Sous le couvercle du coffre, on trouve un triangle réflecteur mais aussi un parapluie, pourtant nous ne sommes pas chez les Anglais.

4 • Comme des propriétaires prennent place à l'arrière, Mercedes a aménagé une tablette pour permettre de prendre des notes. Sans doute avec une plume Mont Blanc !

5 • Dans la S600, en plus du centre de commande à l'arrière, vous retrouvez également un frigo qui peut garder bien au frais quatre de vos meilleures bouteilles de champagne, c'est James Bond qui apprécierait.

❶

❷

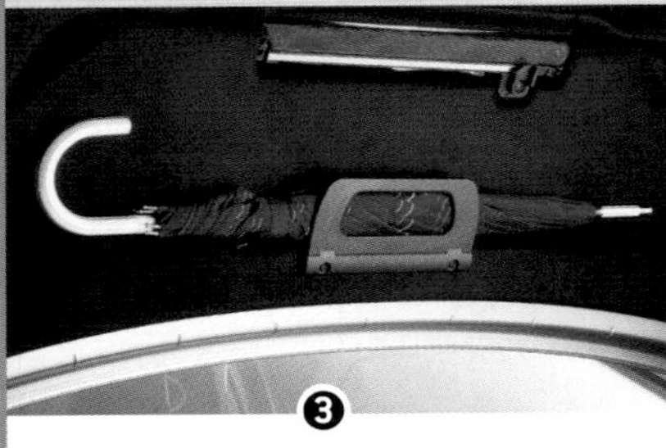

❸

❹

❺

120 km/h, tout en autorisant des passages de vitesses au voisinage de la zone rouge. Et, si le roulis ne paraît pas assez maîtrisé, il est encore possible de se procurer le système ABC optionnel (Active Body Control), qui réduit de 60 % le reste des mouvements de caisse. De quoi donner à la Classe S une pointe de sportivité. Cela dit, le silence de fonctionnement du véhicule est remarquable. L'autre modèle disponible, la S550 à 118 500 $, peut difficilement être qualifié de modèle de base. Sur les autoroutes européennes, le couple et la puissance sont un cran au-dessous de la 600, mais, sur nos routes, le 0-100 km/h effacé en 5,6 secondes (4,7 pour la 600) place la 550 coude à coude avec la Corvette et la Porsche 911, et ce, malgré ses 2500 kilos. En revanche, sur les routes en lacets, la 550, moins lourde et plus maniable que la 600, négocie mieux que cette dernière les virages serrés. Il faut aussi louanger la boîte automatique à sept rapports d'une onctuosité sans égale. Ajoutons simplement que les Européens profitent en plus d'une version 350 avec moteur six cylindres très enthousiaste. Le vieux continent verra aussi son modèle le plus populaire revenir en force, la version diesel avec son moteur V6 de 3,2 litres, qui se distingue par son confort et sa sobriété.

CONCLUSION ▶ À chaque génération, on se dit qu'il sera toujours plus difficile de hausser la barre, mais Mercedes semble encore capable de se surpasser. Il faudra tout de même que la firme de Stuttgart s'assure que tous ces beaux systèmes technologiques sont au point. La fiabilité, au cours des dernières années, n'était pas au beau fixe. Mais la magie opère toujours: on se sent riche, simplement en prenant le volant d'une Mercedes.

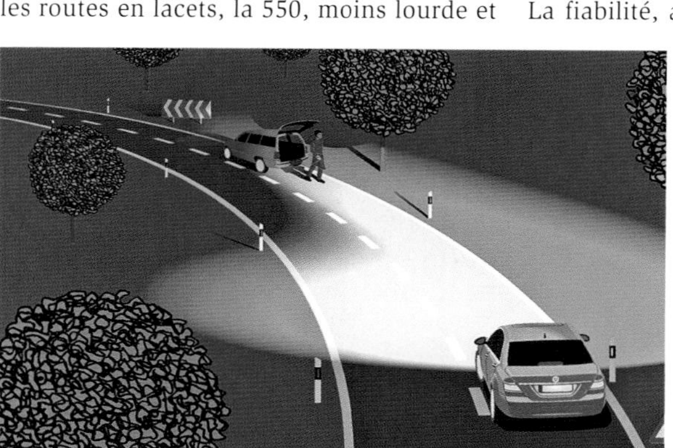

FICHE TECHNIQUE

MOTEURS

(S550) V8 5,5 l DACT 382 ch à 6000 tr/min
couple: 391 lb-pi à 2800 tr/min
Transmission: automatique à 7 rapports avec mode manuel
0-100 km/h: 5,6 s
Vitesse maximale: 210 km/h
Consommation (100 km): 12,1 l (octane: 91)

(S600) V12 5,5 l SACT 510 ch à 5000 tr/min
couple: 612 lb-pi à 1800 tr/min
Transmission: automatique à 5 rapports avec mode manuel
0-100 km/h: 4,7 s
Vitesse maximale: 250 km/h
Consommation (100 km): nd (octane: 91)

(S65 AMG) V12 6,0 l biturbo SACT 604 ch à 4800 tr/min
couple: 738 lb-pi à 2000 tr/min
Transmission: automatique à 5 rapports avec mode manuel
0-100 km/h: 4,2 s
Vitesse maximale: 250 km/h
Consommation (100 km): nd (octane: 91)

Sécurité active
freins ABS, répartition électronique de force de freinage, assistance au freinage, antipatinage, contrôle de stabilité électronique

Suspension avant/arrière
indépendante

Freins avant/arrière
disques

Direction
à crémaillère, assistée

Pneus
S550: P255/45R18, S600: P255/45R18 (av.), P275/45R18 (arr.), S65 AMG: P255/35R20 (av.), P275/35R20 (arr.)

DIMENSIONS

Empattement: 3165 mm
Longueur: 5210 mm
Largeur: 1872 mm
Hauteur: 1473 mm
Poids: S550: 2025 kg, S600: 2220 kg, S65 AMG: 2285 kg
Diamètre de braquage: 12,2 m
Coffre: 462 l
Réservoir de carburant: 90 l

opinion

Jean-Pierre Bouchard • La reine des berlines haut de gamme porte la griffe S. La refonte du porte-étendard de la marque à l'étoile a été un succès, particulièrement en matière de design, plus fort et plus distinctif que celui de la précédente génération. La Maybach y est d'ailleurs pour quelque chose. Le V8 de 5,5 litres propulse avec grâce, célérité, douceur et onctuosité cette imposante masse. L'arsenal impressionnant de dispositifs de sécurité me rappelle que les plus riches bénéficient toujours d'un avantage en matière de protection. Les options sont toujours aussi nombreuses et onéreuses. Je me prosterne néanmoins devant cette majestueuse berline que j'ai adoré conduire.

CLASSE SL

évolution | 133 500 $ à 248 000 $ | Transport et préparation : 1595 $

www.mercedes-benz.ca

FICHE D'IDENTITÉ

Version(s) : SL550, SL55 AMG, SL600, SL65 AMG
Roues motrices : arrière
Portières : 2
Première génération : 1954
Génération actuelle : 2003
Construction : Bremen, Allemagne
Sacs gonflables : 4, frontaux et latéraux
Concurrence : Aston Martin DB9, Bentley Continental GTC, BMW Série 6, Cadillac XLR, Chevrolet Corvette, Dodge Viper, Ferrari F430, Maserati Spyder, Lamborghini Gallardo, Porsche 911

AU QUOTIDIEN

Prime d'assurance :
25 ans : 6500 à 6700 $
40 ans : 4100 à 4300 $
60 ans : 3200 à 3400 $
Collision frontale : nd
Collision latérale : nd
Ventes du modèle l'an dernier
Au Québec : 77 **Au Canada :** 416
Dépréciation (3 ans) : 52,6 %
Rappels (2001 à 2006) : 2
Cote de fiabilité : 1/5

CINQUANTE ANS DE PRESTIGE

– Benoit Charette

Peu de voitures ont si fièrement porté le sceau de l'excellence depuis si longtemps. Introduite en 1955 (coupé) et en 1957 (décapotable), la SL incarne tout le savoir-faire de Mercedes. Pour souligner le cinquantième anniversaire de la décapotable, les ingénieurs de Stuttgart ont procédé à un rafraîchissement visuel et greffé sous le capot les plus récents développements mécaniques.

CARROSSERIE ▶ Les améliorations stylistiques sont discrètes : pare-chocs, grille de radiateur, jantes, feux, alors que les modèles AMG sont désormais pourvus d'une grille de radiateur spécifique (pour mieux refroidir ces mécaniques démoniaques). Les versions AMG ont aussi droit à des inserts chromés, à de nouveaux feux arrière de teinte spéciale, à de nouvelles jantes spécifiques en alliage léger, brillant, de 18 pouces à rayons, et à un système d'échappement sportif avec deux ensembles de sorties jumelées et chromées.

HABITACLE ▶ L'habitacle un peu austère des anciens modèles possède désormais des garnissages en fibre de carbone dans les versions AMG. Le volant sport ergonomique à jante spécialement moulée reçoit maintenant des palettes de changement de rapports en aluminium argenté. Le conducteur bénéficie aussi d'un nouveau jouet : le Racetimer. Cet appareil enregistre les chronos au tour sur les circuits privés et mémorise non seulement le temps le plus rapide, mais aussi la vitesse moyenne, la vitesse maximale et la distance parcourue. Le combiné d'instrumentation a été légèrement redessiné et il intègre une nouvelle horloge à affichage numérique.

MÉCANIQUE ▶ Plafonnant à 302 chevaux depuis quelques années déjà, la SL500 troque son ancien bloc V8 5,0 contre le tout dernier 5,5 apparu sous le capot de la Classe S. La puissance fait un bond considérable, à 382 chevaux. Il vous faudra seulement 5,4 secondes pour atteindre la vitesse de 100 km/h. Déjà intimi-

forces
- Puissance à revendre
- Paroxysme du luxe
- Châssis très rigide

faiblesses
- Visibilité restreinte en mode coupé
- Coffre minuscule en mode décapotable
- Pour millionnaire seulement

nouveautés en 2007
- Nouveau moteur V8 (SL550), moteur V12 5,5 litres modifié, parties avant et arrière redessinées, nouvelles jantes d'alliage, modifications dans l'habitacle, système Keyless Go de série, phares au bi-xénon de série

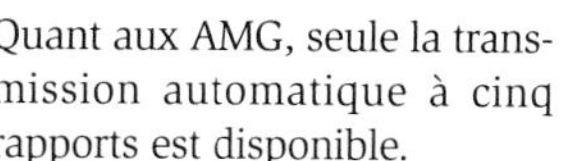

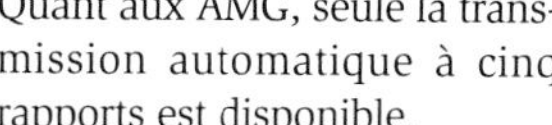

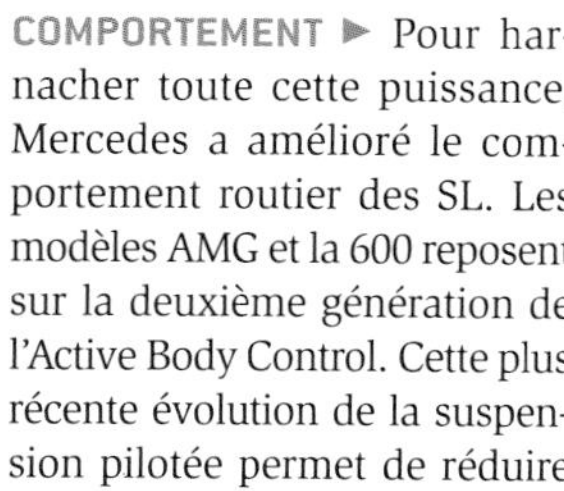

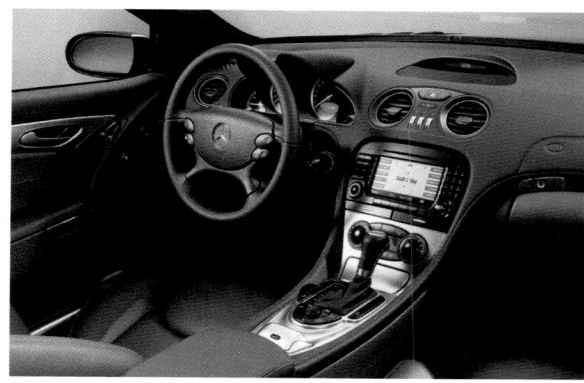

dante à 493 chevaux, la SL55 AMG développera 510 chevaux en 2007. Cette puissance supplémentaire est attribuable à une nouvelle unité de gestion moteur et à un nouveau compresseur de suralimentation équipé d'un papillon plus large optimisant l'alimentation en air. La nouvelle SL55 AMG accélère de 0 à 100 km/h en 4,5 secondes, mais se bloque toujours électroniquement à 250 km/h. Pour ceux qui ont un portefeuille bien garni, la SL600, avec son V12 biturbo de 5,5 litres, passe de 493 à 510 chevaux. Et, pour ceux qui n'en ont jamais assez, l'ultime SL, la 65 AMG, est de retour avec son V12 de 6,0 litres biturbo de 604 chevaux. La transmission 7G-TRONIC est un équipement de série dans la SL500, mais vous pouvez obtenir l'option Sport dans la SL600, qui permet un passage des rapports 30 % plus rapide en mode manuel. Quant aux AMG, seule la transmission automatique à cinq rapports est disponible.

COMPORTEMENT ▶ Pour harnacher toute cette puissance, Mercedes a amélioré le comportement routier des SL. Les modèles AMG et la 600 reposent sur la deuxième génération de l'Active Body Control. Cette plus récente évolution de la suspension pilotée permet de réduire de 60 % les mouvements de caisse. De la même manière, la direction bénéficie d'une calibration plus directe, ce qui rend la voiture plus réactive en conduite sportive. Avec 510 chevaux sous le pied droit, la réaction est immédiate. Grâce à sa suspension pilotée et à la très grande rigidité du châssis, ce chariot de 2 tonnes est gracieux même dans les cols de montagnes. La réserve de puissance paraît infinie et, même lorsque vous activez le rupteur électronique, à près de 250 km/h, la voiture est encore en pleine accélération.

CONCLUSION ▶ Mercedes souligne que le Canada est l'un des pays où les modèles AMG sont les plus populaires. La SL représente actuellement 45 % des ventes dans la catégorie des roadsters de luxe. Avec un produit d'une aussi grande qualité, Mercedes conservera son avantage.

FICHE TECHNIQUE

MOTEURS

(SL550) V8 5,5 l DACT 382 ch à 6000 tr/min
couple : 391 lb-pi à 2800 tr/min
Transmission : automatique à 7 rapports avec mode manuel
0-100 km/h : 5,4 s
Vitesse maximale : 250 km/h
Consommation (100 km) : 13,5 l (octane : 91)

(SL55 AMG) V8 5,5 l suralimenté SACT 510 ch à 6100 tr/min
couple : 531 lb-pi à 2600 tr/min
Transmission : automatique à 5 rapports avec mode manuel
0-100 km/h : 4,5 s
Vitesse maximale : 250 km/h
Consommation (100 km) : 15,0 l (octane : 91)

(SL600) V12 5,5 l biturbo SACT 510 ch à 5000 tr/min
couple : 612 lb-pi à 1900 tr/min
Transmission : automatique à 5 rapports avec mode manuel
0-100 km/h : 4,5 s
Vitesse maximale : 250 km/h
Consommation (100 km) : 15,1 l (octane : 91)

(SL65 AMG) V12 6,0 l biturbo SACT 604 ch à 6800 tr/min
couple : 738 lb-pi à 2000 tr/min
Transmission : automatique à 5 rapports avec mode manuel
0-100 km/h : 4,2 s
Vitesse maximale : 250 km/h
Consommation (100 km) : 16,9 l (octane : 91)

Sécurité active
freins ABS, répartition électronique de force de freinage, assistance au freinage, antipatinage, contrôle de stabilité électronique

Suspension avant/arrière
indépendante

Freins avant/arrière
disques

Direction
à crémaillère, assistée

Pneus
SL550 et SL600 : P255/40R18 (av.), P285/35R18 (arr.), SL55 AMG et SL6 AMG :P255/35R19 (av.), P285/30R19 (arr.)

DIMENSIONS
Empattement : 2560 mm
Longueur : 4532 mm
Largeur : 2033 mm (comprend les rétroviseurs)
Hauteur : SL550 et SL600 : 1298 mm, SL55 AMG et SL65 AMG : 1295 mm
Poids : SL550 : 1910 kg, SL55 AMG : 2025 kg, SL600 : 1960 kg, SL65 AMG : 2120 kg
Diamètre de braquage : 11,0 m
Coffre : 235 l
Réservoir de carburant : 80 l

2e opinion

Michel Crépault • La SL est l'une des plus belles voitures. Le museau épuré rappelant la SLR, les flancs athlétiques percés d'ouïes géantes, le toit escamotable à l'arc raffiné ; en bref, c'est une sculpture sur roues. J'ai toutefois des réserves du côté de la conduite ; ou, du moins, j'en avais... En 2007, le plus « faible » maillon du quatuor canadien développe quand même 382 chevaux. Avant, pour obtenir la sportivité que suggère pareille flèche de métal, j'avais besoin de la version SL55 AMG, qui heureusement demeure sur le marché. Du côté du V12, sorciers d'AMG ou pas, on frôle le délire mécanique. Cela dit, je donnerais cher pour que ces SL se comportent comme des Porsche.

CLASSE SLK

évolution | 59 950 $ à 84 050 $ |
Transport et préparation : 1595 $

www.mercedes-benz.ca

FICHE D'IDENTITÉ

Version(s) : SLK280, SLK350, SLK55 AMG
Roues motrices : arrière
Portières : 2
Première génération : 1997
Génération actuelle : 2005
Construction : Bremen, Allemagne
Sacs gonflables : 6, frontaux, latéraux et aux genoux
Concurrence : Audi TT roadster, BMW Z4 et M oadster, Chrysler Crossfire roadster, Honda S2000, Nissan 350Z roadster, Porsche Boxster

AU QUOTIDIEN

Prime d'assurance :
25 ans : 5100 à 5300 $
40 ans : 3100 à 3300 $
60 ans : 2600 à 2800 $
Collision frontale : 5/5
Collision latérale : 5/5
Ventes du modèle l'an dernier
Au Québec : nd **Au Canada :** nd
Dépréciation (3 ans) : 44,7 %
Rappels (2001 à 2006) : 2
Cote de fiabilité : 2/5

SPORTIVE DU DIMANCHE

– Carl Nadeau

Nos cousins germaniques savent y faire quand il s'agit de construire des roadsters. Alors que Porsche et BMW mènent la concurrence grâce à leurs capacités sportives hors du commun, Mercedes joue la carte du confort au détriment des capacités dynamiques.

CARROSSERIE ► Comment ne pas tomber amoureux de la SLK ? Sa silhouette est superbe, avec le toit baissé ou relevé. Quel bonheur de bénéficier d'un toit dur qui se rétracte facilement, sur la simple pression d'un bouton. Les courageux pourront ainsi rouler quatre saisons, sans s'embarrasser d'un toit dur amovible qui ramasse la poussière tout l'été durant. Peu importe sous quel angle on admire la voiture, elle est superbe, tout simplement. Ses lignes marient admirablement le passé glorieux de Mercedes avec les considérations modernes d'esthétique et d'aérodynamisme. La SLK 55 AMG pousse plus loin en ajoutant une touche d'agressivité qui ne prive en rien la voiture de sa classe naturelle. En fait, elle est encore plus belle !

HABITACLE ► Pour les conducteurs qui aiment se faire bichonner en roulant les cheveux au vent, voici la voiture tout indiquée. Les sièges sont pourvus d'une multitude d'ajustements, le volant devient instantanément le prolongement naturel de vos mains et le levier de vitesses est parfait. L'habitacle sobre est bardé de luxe et la qualité des matériaux contribue à l'expérience positive de conduite. Certains boutons et commandes du tableau de bord sont inutilement compliqués, mais les instruments sont bien conçus. Il y a d'ailleurs une option que vous ne pouvez refuser (de série dans l'AMG), elle est baptisée Airscarf. Il s'agit en fait de conduits d'aération situés à la hauteur de la nuque, qui soufflent un jet d'air chaud pour vous protéger de l'air frisquet. Quel bonheur de rouler par temps frais (souvent le cas au début et en fin de saison) sans devoir porter un foulard pour éviter les torticolis.

forces
- Toit dur bien conçu
- Allure superbe
- Chauffage Airscarf
- Confort

faiblesses
- Version AMG décevante
- Contenance du coffre
- Direction moins précise que les concurrents

nouveautés en 2007
- Équipement de série rehaussé, nouveaux groupes d'options, Ensemble Sport AMG désormais non disponible dans SLK280

MÉCANIQUE ▶ Trois moteurs sont proposés dans la SLK, mais j'ai une préférence pour le modèle 350. La version 55 AMG, survitaminée avec ses 355 chevaux et ses 376 livres-pied de couple, n'est disponible qu'avec la boîte automatique, mais le poids élevé de l'ensemble pénalise considérablement la tenue de route, et la consommation d'essence est élevée. Quant au 3,5 litres, il semble avoir été conçu pour la SLK: souple et doux en conduite normale, il peut s'avérer très vivant lorsqu'on le sollicite. Cette mécanique nous permet d'atteindre le 100 km/h en départ arrêté en seulement 5,6 secondes et il sirote l'essence avec sa consommation de 8,6 litres aux 100 km sur l'autoroute – pas mal. La boîte six vitesses bénéficie d'un excellent guidage et l'étagement est bien conçu. Les acheteurs au budget plus serré pourront se rabattre sur la version 280, qui offre une performance très honnête et fait économiser 6500$ lors de l'achat.

COMPORTEMENT ▶ La SLK est confortable à souhait, les modèles pourvus des moteurs V6 sont équilibrés et ont peu de roulis en virage. Des essais sur piste ont confirmé les capacités surprenantes de l'ensemble. Le confort demeure pourtant l'argument majeur des SLK, puisqu'elles ne peuvent rivaliser avec les Porsche et BMW en matière de tenue de route. La SLK nous incite à faire de longues balades et à oublier les soucis quotidiens. La déception majeure concerne le modèle AMG: on a l'impression de conduire un gros muscle car plutôt qu'un Mercedes. La puissance y est, c'est indéniable, mais le comportement routier est décevant. Il y a beaucoup de roulis, du sous-virage à l'entrée des courbes, et la puissance passe difficilement au sol. Une voiture à oublier pour les amateurs de conduite sportive sur les routes sinueuses.

CONCLUSION ▶ Il est presque impossible de ne pas succomber au charme de cette Mercedes: elle joint l'utile à l'agréable et on peut en profiter durant nos quatre saisons.

FICHE TECHNIQUE

MOTEURS

(SLK280) V6 3,0 l SACT 228 ch à 6000 tr/min
couple: 221 lb-pi à 2700 tr/min
Transmission: manuelle à 6 rapports, auto. à 7 rapports avec mode manuel (option)
0-100 km/h: 6,3 s
Vitesse maximale: 250 km/h
Consommation (100 km): 10,0 l (octane: 91)

(SLK350) V6 3,5 l SACT 268 ch à 5700 tr/min
couple: 258 lb-pi à 3000 tr/min
Transmission: manuelle à 6 rapports, auto. à 7 rapports avec mode manuel (option)
0-100 km/h: 5,6 s
Vitesse maximale: 250 km/h
Consommation (100 km): 10,5 l (octane: 91)

(SLK55 AMG) V8 5,5 l suralimenté SACT 355 ch à 5750 tr/min
couple: 376 lb-pi à 4000 tr/min
Transmission: automatique à 7 rapports avec mode manuel
0-100 km/h: 4,9 s
Vitesse maximale: 250 km/h
Consommation (100 km): 12,8 l (octane: 91)

Sécurité active
freins ABS, assistance au freinage, répartition électronique de force de freinage, antipatinage, contrôle de stabilité électronique

Suspension avant/arrière
indépendante

Freins avant/arrière
disques

Direction
à crémaillère, assistée

Pneus
SLK280: P205/55R16 (av.), P225/50R16 (arr.), SLK350: P225/45R17 (av.), P245/40R17 (arr.), SLK55 AMG: P225/40R18 (av.), P245/35R18 (arr.)

DIMENSIONS

Empattement: 2430 mm
Longueur: 4089 mm
Largeur: 1778 mm
Hauteur: 1296 mm
Poids: SLK280: 1475 kg, SLK350: 1495 kg, SLK55 AMG: 1550 kg
Diamètre de braquage: 10,5 m
Coffre: 190 l
Réservoir de carburant: 70 l

opinion

Benoit Charette • Très véloce, la SLK n'est pas pour autant une sportive pure et dure, comme la Porsche Boxster, à moins d'opter pour la 55 AMG, une brute bien élevée. Même si le style est beaucoup plus masculin que la première génération, c'est encore le confort qui prime au volant, caractéristique plutôt rare dans cette catégorie. Si la rigidité de la caisse est toujours à la hauteur, une direction plus précise serait appréciée. La version 350 a tout pour vous combler, mais les puristes qui en ont les moyens préféreront la 55 AMG, qui décoiffe sérieusement. Ses meilleurs atouts sont ses lignes sensuelles et son toit rigide qui la transforme en coupé en un tournemain, la rendant utilisable toute l'année.

CLASSE SLR

évolution | 450 000 $ US
Transport et préparation : 2750 $ US

www.mercedes-benz.ca

FICHE D'IDENTITÉ

Version(s) : unique
Roues motrices : arrière
Portières : 2
Première génération : 2005
Génération actuelle : 2005
Construction : Surrey, Angleterre
Sacs gonflables : 6, frontaux, latéraux, rideaux latéraux
Concurrence : Ferrari Enzo, Porsche Carrera GT, Saleen S7

AU QUOTIDIEN

Prime d'assurance :
25 ans : 15 000 à 15 300 $
40 ans : 9500 à 9800 $
60 ans : 8000 à 8500 $
Collision frontale : nd
Collision latérale : nd
Ventes du modèle l'an dernier
Au Québec : 0 **Au Canada :** 28
Dépréciation (3 ans) : nd
Rappels (2001 à 2006) : aucun à ce jour
Cote de fiabilité : nm

UN NEZ, MA CHÈRE

– Benoit Charette

L'appellation SLR a connu ses premières heures de gloire avec un pilote légendaire. En 1955, Stirling Moss remportait en Italie, au volant d'une 300SLR toute neuve, la célèbre course des Mille miles en un temps record de 10 heures, 7 minutes et 48 secondes, jamais battu depuis. En 2005, Mercedes a ressuscité la fameuse appellation SLR et a construit en collaboration avec McLaren, son partenaire de F1, une GT de très haut calibre.

CARROSSERIE ▶ Le joyau de l'écurie Mercedes est tellement complexe que la première fois que je l'ai vu, il m'a fallu dix minutes pour absorber les informations pertinentes. Il faut faire le tour de la voiture pour apprécier sa stature. En débutant avec sa protubérance qui n'en finit plus à l'avant, vous vous dirigerez ensuite lentement vers les portes à ouverture en élytre. Les sorties d'échappement latérales, les ouïes d'aération, les jantes de 18 pouces et le becquet arrière servant d'aérofrein lors de freinages appuyés invitent à la contemplation. Si vous vous demandez pourquoi Mercedes en demande plus de 450 000 $US, la coque et le châssis en fibre de carbone y sont pour quelque chose. Ce matériau très dispendieux permet de réduire le poids de 30 % sans y sacrifier la rigidité.

HABITACLE ▶ Fabriqué chez McLaren en Angleterre selon les normes de qualité Mercedes, le SLR possède des gènes de voiture grand-tourisme. Alors que les véritables sportives sont en général assez dépouillées, la SLR propose cuir, fibre de carbone et aluminium en abondance. Le plastique n'a pas été invité. Le compteur, dont la graduation constitue une mise en garde quant aux capacités du bolide, contraste avec l'aménagement intérieur, sobre et sans fioriture. Les sièges électriques très moulants offrent aussi un avant-goût de ce qui vous attend. Pour rester en contact avec le monde, on dispose d'un système de navigation et d'un téléphone. Qui a dit qu'une voiture qui peut dépasser 330 km/h ne pouvait pas être luxueuse?

forces

- Silhouette à couper le souffle
- Performances exceptionnelles

faiblesses

- Tenue de route inconfortable
- Moteur très bruyant
- Pas de boîte manuelle

nouveautés en 2007

- Pas de changement

MÉCANIQUE ► Ici, Mercedes a choisi une mécanique connue, son V8 de 5,4 litres. Pas de V10 comme Porsche ou de noble V12 comme Ferrari ou Lamborghini. Le son du monstre, dont l'échappement se trouve directement à la sortie du moteur, ressemble à s'y méprendre au rugissement d'une voiture du circuit Nascar. Difficile d'associer un son aussi animal avec une voiture de prestige. En toute honnêteté, je n'y suis pas encore habitué. Toutefois, les chiffres ne mentent pas.

Méchant, enivrant et très gourmand, ce V8 de 617 chevaux propulse le SLR à 100 km/h en moins de 4 secondes. Pour la transmission comme pour le moteur, le SLR a fait son marché chez AMG. Il se contente d'une boîte automatique à cinq rapports à commande séquentielle au volant. Plusieurs ont mis en question cette seule boîte automatique, qui ne s'accorde pas très bien avec la vocation ultrasportive de la voiture.

COMPORTEMENT ► Quand on introduit la clé de contact électronique, le bouton Start, dissimulé sous un clapet du levier de vitesses, devient rouge. On soulève le clapet, façon avion de chasse, et on a droit instantanément à un hurlement. Le bruit produit par ce V8 est assourdissant. Les rares journalistes qui ont eu la chance de conduire ce véhicule vous diront que le freinage est très délicat et que la conduite demande une concentration de chaque instant. La suspension très raide rend la voiture inconfortable et le bruit du moteur devient rapidement envahissant. Mais on oublie presque tout grâce aux prouesses du moteur qui peut vous amener à 300 km/h en moins de 30 secondes si vous avez le chemin libre.

CONCLUSION ► La SLR brille davantage par son esthétique et ses vocalises à l'accélération que par son comportement dynamique. Comme tous les objets de culte, cette voiture n'a rien de rationnel et c'est ce qui fait sa beauté… et son prix.

FICHE TECHNIQUE

MOTEUR

V8 5,4 l suralimenté SACT 617 ch à 6500 tr/min

couple : 575 lb-pi à 3250 tr/min

Transmission : automatique à 5 rapports, séquentielle

0-100 km/h : 3,8 s

Vitesse maximale : 334 km/h

Consommation (100 km) : 15,8 l (octane : 94)

Sécurité active

freins ABS, assistance au freinage, distribution électronique de force de freinage, antipatinage, contrôle de stabilité électronique

Suspension avant/arrière

indépendante

Freins avant/arrière

disques

Direction

à crémaillère, assistée

Pneus

P245/40R18 (av.), P295/35R18 (arr.)

DIMENSIONS

Empattement : 2700 mm

Longueur : 4656 mm

Largeur : 1908 mm

Hauteur : 1260 mm

Poids : 1694 kg

Diamètre de braquage : 12,2 m

Coffre : 272 l

Réservoir de carburant : 97,6 l

GRAND MARQUIS

www.ford.ca

FICHE D'IDENTITÉ

Version(s) : LS Ultimate
Roues motrices : arrière
Portières : 4
Première génération : 1974
Génération actuelle : 1992
Construction : St.Thomas, Ontario, Canada
Sacs gonflables : 4, frontaux et latéraux
Concurrence : Buick Lucerne, Chrysler 300, Hyundai Azera, Kia Amanti, Toyota Avalon

AU QUOTIDIEN

Prime d'assurance :
25 ans : 2000 à 2200 $
40 ans : 1400 à 1600 $
60 ans : 1200 à 1400 $
Collision frontale : 5/5
Collision latérale : 4/5
Ventes du modèle l'an dernier
Au Québec : 58 **Au Canada :** 691
Dépréciation (3 ans) : 55,7 %
Rappels (2001 à 2006) : 3
Cote de fiabilité : 3/5

UN VIEUX CHAR NEUF !

– **Antoine Joubert**

Depuis quinze ans, Ford produit sous cette forme la Crown Victoria, réservée de ce côté-ci de la frontière aux flottes commerciales, et sa jumelle la Grand Marquis. Pourtant, lors de son lancement en 1992, la conception de cette voiture était déjà vétuste. Alors, pourquoi continue-t-on à produire cette pièce de musée ? Simplement parce que la demande est toujours présente, que la fabrication est peu coûteuse et que la concurrence directe est inexistante.

CARROSSERIE ▶ La Grand Marquis est la dernière survivante de cette catégorie de voitures que certains se plaisent à surnommer les « paquebots ». Longue de 5,4 mètres (ou 2,2 Smart), dotée de lignes démodées et d'un coffre gigantesque, elle est d'une espèce à part. Qui plus est, elle repose sur un châssis séparé vieux de vingt-huit ans, ce qui en dit long sur son degré de raffinement technologique. Cela dit, les acheteurs de cette berline ne souhaitent probablement pas entrer dans la modernité, et la Grand Marquis permet de combler ce désir de traditionalisme.

HABITACLE ▶ Prendre place à bord d'une Grand Marquis évoque de bons ou de mauvais souvenirs. Pour certains, cela rappelle le bon vieux temps, quand papa promenait la famille et le chien à la campagne avec le coffre rempli de provisions et de filets à papillons ! Pour d'autres, se glisser à l'intérieur de cette grosse américaine leur remémore plutôt un regrettable moment où ils ont circulé à bord d'une voiture semblable avec les mains menottées. Qu'importe, tous ont déjà pris place dans une berline traditionnelle comme la Grand Marquis, où espace et confort sont maîtres. Dites-vous bien qu'en 2007, la Grand Marquis n'a pas changé. La planche de bord a toujours l'air d'un madrier (2X4) dont on aurait poncé les coins, les banquettes avant et arrière sont toujours aussi confortables et dépourvues de support latéral, et l'espace intérieur est encore aussi vaste.

forces

- Confort de salon
- Habitacle spacieux
- Construction robuste
- Mécanique éprouvée
- Fiabilité rassurante

faiblesses

- Conception archaïque
- Qualités dynamiques discutables
- Support latéral inexistant
- Craquements et bruits éoliens agaçants

nouveautés en 2007

- Une seule version offerte, sacs gonflables latéraux de série, organisateur d'espace de chargement de série, sièges en cuir chauffants à réglage électrique en 8 directions de série, jantes de 16 pouces à 16 rayons de série, jantes de 16 pouces à 9 rayons en option

GRAND MARQUIS

MÉCANIQUE ▶ Avec la Grand Marquis, il est étonnant de constater que même la sonorité du moteur provient d'une autre époque. Bien adapté à la voiture, ce moteur propose une puissance adéquate, mais surtout un généreux couple permettant des accélérations en douceur et une bonne capacité de remorquage. Il est bien servi par une boîte automatique à quatre rapports, qui a l'avantage de se faire très discrète.

COMPORTEMENT ▶ Voiture propulsée, la Grand Marquis est loin d'être à la hauteur dans les conditions hivernales, quoi qu'en disent les policiers. Elle est grosse, légèrement instable en raison de l'essieu rigide à l'arrière, et elle patine facilement en dépit de son système antipatinage (!). Ses qualités dynamiques sont limitées, en revanche le freinage est excellent et la tenue de route n'est pas vilaine, bien que la voiture soit très mollement suspendue. Ce qu'il faut retenir avant tout, c'est le confort que la Grand Marquis procure à ses occupants. Installez-vous à l'avant ou à l'arrière, bouclez votre ceinture et laissez-vous bercer. Ici, l'insonorisation est poussée, la suspension travaille d'abord pour qu'on ne sente presque rien. Pour obtenir une note parfaite à ce chapitre, le constructeur devrait toutefois améliorer l'assemblage : les bruits éoliens et les craquements ne sont pas rares à bord.

CONCLUSION ▶ Demandez-moi quel serait le meilleur choix entre la Grand Marquis et la Chrysler 300 et je ne vous dirigerais certainement pas chez un concessionnaire Ford. Il est difficile de vendre un iPod à ceux qui vénèrent encore les disques en vinyle. Ces derniers doivent tout simplement savoir que la Grand Marquis est une bonne voiture. Ses longues années de service en sont la preuve éloquente.

FICHE TECHNIQUE

MOTEUR
V8 4,6 l SACT 224 ch à 4800 tr/min
couple : 275 lb-pi à 4000 tr/min
Transmission : automatique à 4 rapports
0-100 km/h : 8,8 s
Vitesse maximale : 166 km/h
Consommation (100 km) : 11,3 l (octane : 87)

Sécurité active
freins ABS, antipatinage

Suspension avant/arrière
indépendante/essieu rigide

Freins avant/arrière
disques

Direction
à crémaillère, assistée

Pneus
P225/60R16

DIMENSIONS
Empattement : 2910 mm
Longueur : 5361 mm
Largeur : 1988 mm
Hauteur : 1480 mm
Poids : 1802 kg
Diamètre de braquage : 12,3 m
Coffre : 583 l
Réservoir de carburant : 72 l
Capacité de remorquage : 907 kg

2e opinion

Benoit Charette • Les modes, comme les tendances, sont cycliques. Pour les nostalgiques, la Grand Marquis est tout ce qui reste des grandes routières des années 1970. Spacieuse et confortable, sa simplicité générale a conquis une clientèle qui ne désire pas autre chose. Tout sur cette voiture nous ramène vingt-cinq ans en arrière. La conduite est approximative, les sièges très larges n'offrent aucun support, les plastiques, malgré quelques améliorations, semblent fabriqués par le plus chiche des soumissionnaires. Mais il y a des gens à qui tout cela convient parfaitement. Tant qu'il y aura des acheteurs, la voiture sera disponible, c'est la loi du marché.

COOPER

évolution | 28 350 $ à 34 100 $ |
Transport et préparation : 1895 $

www.mini.ca

FICHE D'IDENTITÉ

Version(s) : Cooper, Cooper S 2008
Roues motrices : avant
Portières : 2
Première génération : 2002
Génération actuelle : 2007
Construction : Oxford, Angleterre
Sacs gonflables : 6, frontaux, latéraux, rideaux latéraux conducteur et passager avant
Concurrence : Audi TT, Chrysler Crossfire, Honda S2000, Mercedes-Benz SLK, Nissan 350Z, Porsche Boxster et Cayman

AU QUOTIDIEN

Prime d'assurance :
25 ans : 3000 à 3200 $
40 ans : 1800 à 2000 $
60 ans : 1500 à 1700 $
Collision frontale : 4/5
Collision latérale : 4/5
Ventes du modèle l'an dernier
Au Québec : 719 **Au Canada :** 3 401
Dépréciation (3 ans) : 43.8 %
Rappels (2001 à 2006) : 4
Cote de fiabilité : 3/5

LA MINI MAGIE !

– Antoine Joubert

Si vous saviez à quel point j'aime la Mini ! En fait, ce n'est pas tant le look ou les performances de la version S qui me font craquer, mais bien l'ensemble de son œuvre. C'est une histoire d'amour qui dure depuis le 8 janvier 2000, jour où j'ai posé pour la première fois les yeux sur la Mini, au Salon de Detroit. Je me suis dit alors : « Voilà LA voiture que j'attendais ; un pocket rocket pratique et agile, aussi agréable à conduire qu'un roadster. » Et vous savez quoi ? C'est exactement ce qu'elle est. Toutefois, je ne suis pas emballé par les modifications de cette année. S'il existe une voiture qui doit rester petite, c'est bien la Mini. Alors, pourquoi la grossir ?

CARROSSERIE ► La Mini, c'est une pure réussite esthétique qui ne prendra jamais une ride. Néanmoins, les designers ont cru bon de lui apporter quelques modifications, prétendument pour la remettre au goût du jour. Je ne saurais vous dire pourquoi, mais c'est ainsi. Et, malheureusement, notre chère Mini prend cette année du gallon. La partie arrière n'a droit qu'à un léger rafraîchissement qui ne change aucunement sa forme, mais la partie avant est gonflée de partout. Par conséquent, le joli petit museau du modèle 2006 est remplacé par un gros pif qui n'a pas sa place ici. Espérons que je m'y habituerai…

HABITACLE ► Le cockpit de la Mini accueille quatre adultes de taille moyenne, sans plus. Les passagers arrière n'ont pas le sentiment d'être à l'étroit en raison de l'importante surface vitrée, mais on ne peut pas dire que l'espace est généreux. La disposition inhabituelle de l'instrumentation n'est pas un problème et contribue à l'essence même du style de l'habitacle. Cette année, la Mini peut recevoir, comme la Mustang, cinq couleurs d'éclairage pour la planche de bord, que le conducteur peut modifier à son gré.

MÉCANIQUE ► Le plus gros capot de la nouvelle Mini ne se justifie pas par la présence

forces
- Agrément de conduite exceptionnel
- Performances relevées (S)
- Style indémodable
- Bonne valeur de revente

faiblesses
- Modifications esthétiques discutables
- Modèle de base peu puissant
- Confort limité sur mauvais revêtement
- Fiabilité quelconque

nouveautés en 2007
- Éditions spéciales seulement, changement complet à venir au printemps 2007

en mesure de procurer une forte dose de plaisir à son conducteur. Le châssis très rigide, la suspension ferme et les roues placées aux quatre coins de la voiture lui permettent de faire preuve d'une agilité tout à fait épatante. Imaginez donc ce qu'il advient d'une Cooper S équipée de roues plus grandes, d'un amortissement encore plus ferme et d'un surplus de puissance de 55 chevaux, le tout en conjonction avec une

d'un plus gros moteur, puisqu'elle conserve le quatre cylindres de 1,6 litre, qui n'est plus d'origine Chrysler, mais plutôt développé en partenariat avec Peugeot. Toutefois, ce moteur a droit à un gain de cinq chevaux, tant pour le modèle de base que pour la version S. Cette dernière, auparavant pourvue d'un moteur à compresseur volumétrique, reçoit désormais un turbocompresseur qui devrait permettre un couple plus généreux à bas régime. Un essai en bonne et due forme devra cependant être fait pour le confirmer. Côté transmission, aucun changement n'est notable: les boîtes manuelles à cinq et à six rapports sont toujours présentes, tout comme l'automatique optionnelle à six rapports.

COMPORTEMENT ▶ La version de base, malgré sa faible puissance, est tout de même

merveilleuse direction à assistance électrique! C'est l'extase, tout simplement. Bien sûr, il ne faut pas s'attendre au confort d'une Lexus, mais c'est le prix à payer.

CONCLUSION ▶ Contrairement à la New Beetle qui s'est démodée en seulement quelques années, la Mini demeure aujourd'hui aussi attrayante qu'à ses débuts. Ses lignes plus intemporelles y sont certainement pour quelque chose, mais disons que son petit caractère démoniaque la rend plus susceptible de plaire à tous. D'ailleurs, je ne pourrais vous citer une autre voiture que la Mini, considérée comme «char de femme», qui plaît autant à la gent masculine. Espérons simplement que l'embonpoint du modèle 2007 ne viendra pas gâcher cette belle histoire...

FICHE TECHNIQUE

MOTEURS

(Mini Cooper) L4 1,6 l DACT 120 ch à 6000 tr/min
couple: 118 lb-pi à 4250 tr/min
Transmission: manuelle 6 rapports, auto. à 6 rapports, séquentielle à 6 rapports
0-100 km/h: 9,0 s
Vitesse maximale: 200 km/h
Consommation (100 km): 7,5 l (octane: 91)

(Mini Cooper S) L4 1,6 l turbocompressé DACT 175 ch à 5500 tr/min
couple: 177 lb-pi à 1600 tr/min
Transmission: manuelle 6 rapports, auto. à 6 rapports, séquentielle à 6 rapports
0-100 km/h: 7,0 s
Vitesse maximale: 225 km/h
Consommation par 100 km: 8,8 l (octane: 91)

Sécurité active
freins ABS, répartition électronique de force de freinage, contrôle des freins en virage, antipatinage, contrôle de stabilité dynamique

Suspension avant/arrière
indépendante

Freins avant/arrière
disques

Direction
assistée électromécanique EPAS à deux niveaux d'assistance

Pneus
Mini Cooper: P175/65R15,
Mini Cooper S: P195/65R16,
Option Cooper S: P205/45R17

DIMENSIONS
Empattement: 2467 mm
Longueur: 3699 mm, Cooper S: 3714 mm
Largeur: 1683 mm
Hauteur: 1407 mm
Poids: 1130 kg
Diamètre de braquage: 10,6 m
Coffre: nd
Réservoir de carburant: 50 l

opinion

Carl Nadeau • Il reste encore quelques mois de service à la Mini Cooper dans sa forme actuelle, avant l'arrivée de la nouvelle génération. Pour l'instant, vous pouvez vous procurer des éditions spéciales (Mini Cooper Soho Edition et Cooper S Rallye Edition) qui permettront à l'actuelle génération de terminer sa carrière en beauté. La Mini procure d'excellentes sensations de conduite, souvent au détriment du confort, mais on lui pardonne facilement ses défauts. La finition nous rappelle le lien de parenté avec BMW, même si la console centrale semble improvisée et de bas de gamme. La nouvelle Mini sera mieux finie et beaucoup plus confortable, si vous êtes prêt à patienter un an de plus...

ECLIPSE

évolution | 25 998 $ à 36 998 $ | Transport et préparation : 1095 $

MITSUBISHI

www.mitsubishicars.ca

AVEC OU SANS TOIT ?

– **Benoit Charette**

FICHE D'IDENTITÉ

Version(s) : *coupé* : GS, GT, GT-P, *Spyder* : GS, GT-P
Roues motrices : avant
Portières : 2
Première génération : 1990
Génération actuelle : 2006
Construction : Normal, Illinois, É.-U.
Sacs gonflables : 4, frontaux et latéraux avant (+ rideaux latéraux dans le coupé)
Concurrence : Ford Mustang, Honda Accord coupé, Hyundai Tiburon, Pontiac G6, Toyota Solara

AU QUOTIDIEN

Prime d'assurance :
25 ans : 3700 à 3900 $
40 ans : 2400 à 2600 $
60 ans : 2000 à 2200 $
Collision frontale : nd
Collision latérale : nd
Ventes du modèle l'an dernier
Au Québec : 296 **Au Canada** : 1257
Dépréciation (3 ans) : 44,8 %
Rappels (2001 à 2006) : 2
Cote de fiabilité : nm

Les passionnés se demandent sans cesse si une voiture est plus attirante avec ou sans toit. Une chose est certaine, la nouvelle Eclipse Spyder n'a rien perdu de son charme dans sa transition de coupé à décapotable. J'oserais même dire que la décapotable m'a réellement fait apprécier la voiture.

CARROSSERIE ► La ligne est sans l'ombre d'un doute le meilleur argument de vente. Entre le Concept E présenté au Salon de Detroit en 2004 et le modèle de production l'année suivante, l'Eclipse a conservé la même silhouette futuriste et la même calandre provocatrice, avec ou sans toit. C'est une des rares voitures sport abordable aux lignes exotiques sensuelles et racées. Si vous ajoutez le groupe aérodynamique, il n'y manque plus rien.

HABITACLE ► Si l'aménagement de la GS est un peu simpliste, celui de la GT reflète mieux l'esprit d'avant-garde de la voiture. Bien que les sièges très enveloppants soient bas, l'accès est facile et le confort, tout à fait adéquat.

Une fois installé, la position de conduite est bonne à l'exception de deux petits irritants : le volant est inclinable mais non télescopique, et le toit ouvrant du coupé occasionnera quelques frottements de crâne aux conducteurs de grande taille. Autre défaut : les espaces de rangement sont petits et en nombre insuffisant.

Comme toutes les voitures à vocation sportive, les places arrière sont avant tout symboliques, mais peuvent convenir à des préadolescents. Parmi les points positifs, soulignons la planche de bord moderne avec des cadrans qui semblent provenir du monde de la moto, les matériaux de qualité et un système audio optionnel Rockford Fosgate que je vous recommande chaudement. La capote avec triple isolant est très bien conçue et met 19 secondes à monter ou à descendre sous l'action d'un seul bouton. De plus, pas de couvert encombrant à placer par-dessus le toit : tout disparaît dans le coffre.

forces

- Version GT
- Puissant V6 plein de couple
- Transmission manuelle
- Tenue de route et freins
- Garantie

faiblesses

- Visibilité (surtout la Spyder)
- Coffre minuscule et peu pratique (Spyder)
- Rangement insuffisant
- Places arrière (coupé)

nouveautés en 2007

- Version Spyder

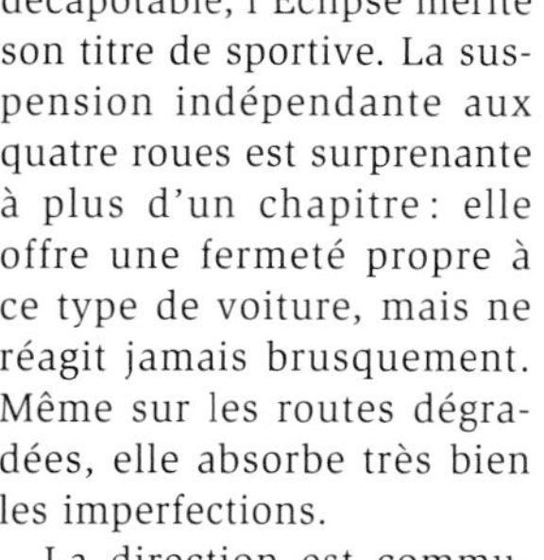

décapotable, l'Eclipse mérite son titre de sportive. La suspension indépendante aux quatre roues est surprenante à plus d'un chapitre : elle offre une fermeté propre à ce type de voiture, mais ne réagit jamais brusquement. Même sur les routes dégradées, elle absorbe très bien les imperfections.

La direction est communicative et autorise un réel plaisir de conduire. Si vous poussez un peu plus fort, vous vous rendrez compte que la voiture met du temps à décrocher et que les freins, même sous la torture, se comportent très bien. La boîte de vitesses manuelle, bien étagée et progressive, ajoute au plaisir de conduire.

MÉCANIQUE ▶ Pour rester dans l'esprit que dégage la voiture, vous devez opter pour les 263 chevaux du V6 (260 pour la Spyder). Sa conception n'est pas très moderne et le moteur produit un léger effet de couple lors des fortes accélérations, mais la puissance est instantanée à tous les régimes. L'autre possibilité est à mon avis purement économique, mais, avec 101 chevaux de moins dans l'équation, vous n'êtes plus au volant de la même voiture. De sportive, l'Eclipse devient ordinaire et n'offre pas plus d'agrément qu'une simple berline. Pour ceux qui veulent avoir l'air sans la chanson.

COMPORTEMENT ▶ Vive, précise et revêtue d'un châssis très rigide, même pour la

CONCLUSION ▶ Nettement plus intéressante que l'ancienne génération, cette Eclipse, dans sa configuration GT, est une vraie sportive. En plus d'être performante, son prix est raisonnable et sa garantie, sans égale. En prime, vous obtenez un excellent confort, et la version décapotable est très sexy. Quant à la GS, prenez au moins le groupe Sport pour lui donner un peu de gueule.

FICHE TECHNIQUE

MOTEURS

(GS) L4 2,4 l SACT 162 ch à 6000 tr/min
couple : 162 lb-pi à 4000 tr/min
Transmission : manuelle à 5 rapports, automatique à 4 rapports avec mode manuel en option
0-100 km/h : 9,4 s
Vitesse maximale : 190 km/h
Consommation (100 km) : man. : 9,0 l, auto. : 9,1 l (octane : 87)

(GT-P) V6 3,8 l SACT 263 ch à 5750 tr/min
couple : 260 lb-pi à 4500 tr/min
Transmission : manuelle à 6 rapports, automatique à 5 rapports avec mode manuel en option
0-100 km/h : 7,2 s
Vitesse maximale : 225 km/h
Consommation (100 km) : man. : 10,8 l, auto. : 10,2 l (octane : 87)

Sécurité active
freins ABS, antipatinage (GT-P)

Suspension avant/arrière
indépendante

Freins avant/arrière
disques

Direction
à crémaillère, assistée

Pneus
GS : P225/50R17, GT-P : P235/45R18

DIMENSIONS

Empattement : 2575 mm
Longueur : 4565 mm
Largeur : 1835 mm
Hauteur : *coupé :* GS : 1358 mm, GT-P : 1366 mm, Spyder : 1381 mm
Poids : *coupé :* GS : 1485 kg, GT-P : 1608 kg, *Spyder :* GS : 1575 kg, GT-P : 1705 kg
Diamètre de braquage : 12,2 m
Coffre : coupé : 445 l, Spyder : 147 l
Réservoir de carburant : 67 l

2e opinion

Luc Gagné • Comment le constructeur d'une voiture aussi impressionnante que la Lancer EVO peut-il développer un duo coupé/cabriolet esthétiquement audacieux, mais dont le comportement routier et les performances laissent tant à désirer ? Car personne ne reste indifférent devant une Eclipse, et à juste titre. Et puis, le comportement routier de cette voiture a progressé par rapport aux Eclipse de l'ancienne mouture. Mais pas assez. Le diamètre de braquage demeure énorme et la finition est perfectible. De plus, le comportement routier n'est en rien comparable à celui d'une 350Z et S2000. À prix égal, j'opterais plutôt pour une Hyundai Tiburon.

ENDEAVOR

évolution | 34 998 $ à 42 698 $ |
Transport et préparation : 1095 $

MITSUBISHI
www.mitsubishicars.ca

FICHE D'IDENTITÉ

Version(s) : LS 2RM, LS 4RM, Limited 4RM
Roues motrices : avant, 4
Portières : 4
Première génération : 2004
Génération actuelle : 2004
Construction : Normal, Illinois, É.-U.
Sacs gonflables : 4, frontaux et latéraux
Concurrence : Buick Rendezvous, Chrysler Pacifica, Ford Freestyle, GMC Acadia, Honda Pilot, Mazda CX-9, Nissan Murano, Saturn Outlook, Subaru B9 Tribeca, Toyota Highlander

AU QUOTIDIEN

Prime d'assurance :
25 ans : 3100 à 3300 $
40 ans : 2300 à 2500 $
60 ans : 2200 à 2400 $
Collision frontale : 5/5
Collision latérale : 5/5
Ventes du modèle l'an dernier
Au Québec : 175 **Au Canada :** 1040
Dépréciation (2 ans) : 38,8 %
Rappels (2001 à 2006) : 5
Cote de fiabilité : 4/5

QUEL DOMMAGE !

– **Antoine Joubert**

Certains véhicules, excellents et pleins de bon sens, ne connaissent jamais le succès qu'ils auraient mérité. Par exemple l'Endeavor, dont les ventes au Québec sont à peine supérieures à celles d'une Porsche 911. Pourquoi ce véhicule reste-t-il toujours dans l'ombre de ses concurrents ? Il est pourtant de bonne qualité lui aussi, aussi fiable qu'eux sans être plus cher. En fait, le problème tient à la perception qu'ont les gens de ce manufacturier méconnu, qui a eu quelques déboires financiers. Il n'en faut malheureusement pas davantage pour miner la crédibilité d'un constructeur qui gagne pourtant à être connu.

CARROSSERIE ▶ Quand on ne s'appelle pas Toyota ou Honda et que la concurrence se nomme Murano ou Rendezvous, on ne peut se permettre d'afficher un design banal et sans saveur. Dans cette catégorie où se démarquer semble être une règle tacite, le Mitsubishi Endeavor ne fait donc pas dans la dentelle. Ses lignes caractéristiques ne ressemblent à rien d'autre et pourraient certainement inspirer quelques constructeurs en mal d'imagination. Imposant, tarabiscoté et musclé, il affiche un sourire antipathique et semble le fruit d'un croisement entre Garfield et Goldorak. On peut ne pas l'aimer, mais on ne peut lui reprocher son manque d'originalité.

HABITACLE ▶ Contrairement à certains de ses compétiteurs, l'Endeavor n'a pas de troisième rangée de sièges, mais ses deux rangées permettent aux occupants de voyager en tout confort dans un environnement au style inusité. Selon la version, on a droit ou non à la sellerie de cuir souple et de belle qualité, mais l'essentiel du style provient de la planche de bord, certes très plastique, mais qui se démarque par ses formes inhabituelles et son éclairage de très bon goût. Les sièges proposent, pour leur part, un confort assez ouaté pouvant plaire à une certaine clientèle, mais on déplore l'absence de véritables supports latéraux. Il faut toutefois souligner la qualité

forces

- Style original
- Véhicule très confortable
- Moteur V6 agréable
- Fiabilité et garantie
- Bonne qualité de construction

faiblesses

- Forte dépréciation
- Pas de troisième rangée de sièges
- Diamètre de braquage
- Transmission à quatre rapports seulement

nouveautés en 2007

- Modèle édition spéciale

d'assemblage, puisque ni craquement ni bruit de caisse ne se font entendre.

MÉCANIQUE ▶ Ici, on ne retrouve aucun système de calage variable des soupapes, ni même de culasse à double arbre à cames en tête. Le seul moteur offert est un vieux V6 de 3,8 litres abondamment utilisé, mais qui a fait ses preuves en matière de fiabilité. Les 225 chevaux n'ont à première vue rien d'excitant, mais font nettement sentir leur présence sur la route. Il faut aussi admettre que le couple maximal disponible à un régime plus bas que la moyenne des concurrents permet des reprises honorables. Mais, par-dessus tout, c'est la douceur et la souplesse du moteur qu'on apprécie le plus. Certes, il est un peu grognon en accélération, mais devient vite inaudible quand on atteint la vitesse de croisière. En fait, ce moteur mériterait une boîte automatique à cinq rapports au lieu de quatre.

COMPORTEMENT ▶ Le système de transmission intégrale de type réactif s'avère passablement rapide. Sur la route, le confort général étonne en raison d'une suspension plutôt souple, ce qui explique l'important roulis en virage. Malgré cela, l'équilibre général de ce VUS est excellent et sa maniabilité est, somme toute, impressionnante. On souhaiterait cependant une direction au diamètre de braquage moins important, pour faciliter quelques manœuvres.

CONCLUSION ▶ Les Pilot et Highlander, trop insipides, ne vous disent rien? Honnêtement, je vous comprends. La solution à votre problème se trouve peut-être du côté de Mitsubishi, qui propose un Endeavor tout aussi fiable et agréable à conduire que la concurrence. Vous bénéficierez aussi de la meilleure garantie de l'industrie et d'un véhicule doublement distinct, en raison de sa rareté. Le seul prix à payer sera une dépréciation plus forte que la moyenne.

FICHE TECHNIQUE

MOTEUR
V6 3,8 l SACT 225 ch à 5000 tr/min
couple: 225 lb-pi à 3750 tr/min
Transmission: automatique à 4 rapports avec mode manuel
0-100 km/h: 9,1 s
Vitesse maximale: 195 km/h
Consommation (100 km): 2RM: 11,4 l, 4RM: 12,0 l (octane: 87)

Sécurité active
freins ABS, antipatinage (2RM)

Suspension avant/arrière
indépendante

Freins avant/arrière
disques

Direction
à crémaillère, assistée

Pneus
P235/65R17

DIMENSIONS
Empattement: 2750 mm
Longueur: 4830 mm
Largeur: 1870 mm
Hauteur: 1710 mm
Poids: LS 2RM: 1755 kg, LS 4RM: 1850 kg, Limited: 1890 kg
Diamètre de braquage: 11,7 m
Coffre: 1153 l, 2163 l (sièges abaissés)
Réservoir de carburant: 81 l
Capacité de remorquage: 2RM: 907 kg, 4RM: 1588 kg

opinion

Jean-Pierre Bouchard • Les lignes de l'Endeavor ne m'ont jamais séduit, mais, à l'instar d'autres produits de la marque, comme l'Outlander, ce VUS compte parmi les secrets bien gardés du marché. Son comportement routier et son confort s'apparentent à ceux d'une voiture. Le V6 et la boîte automatique font un mariage heureux, alors que la cabine, bien aménagée et bien construite, étouffe la plupart des bruits désagréables. L'Endeavor propose une bonne habitabilité, et ce, pour un prix de base inférieur de plusieurs milliers de dollars aux Honda Pilot et Toyota Highlander. Le défi actuel de Mitsubishi consiste surtout à convaincre les consommateurs qu'il est ici pour rester.

GALANT

évolution | 23 998 $ à 33 798 $ |
Transport et préparation : 1095 $

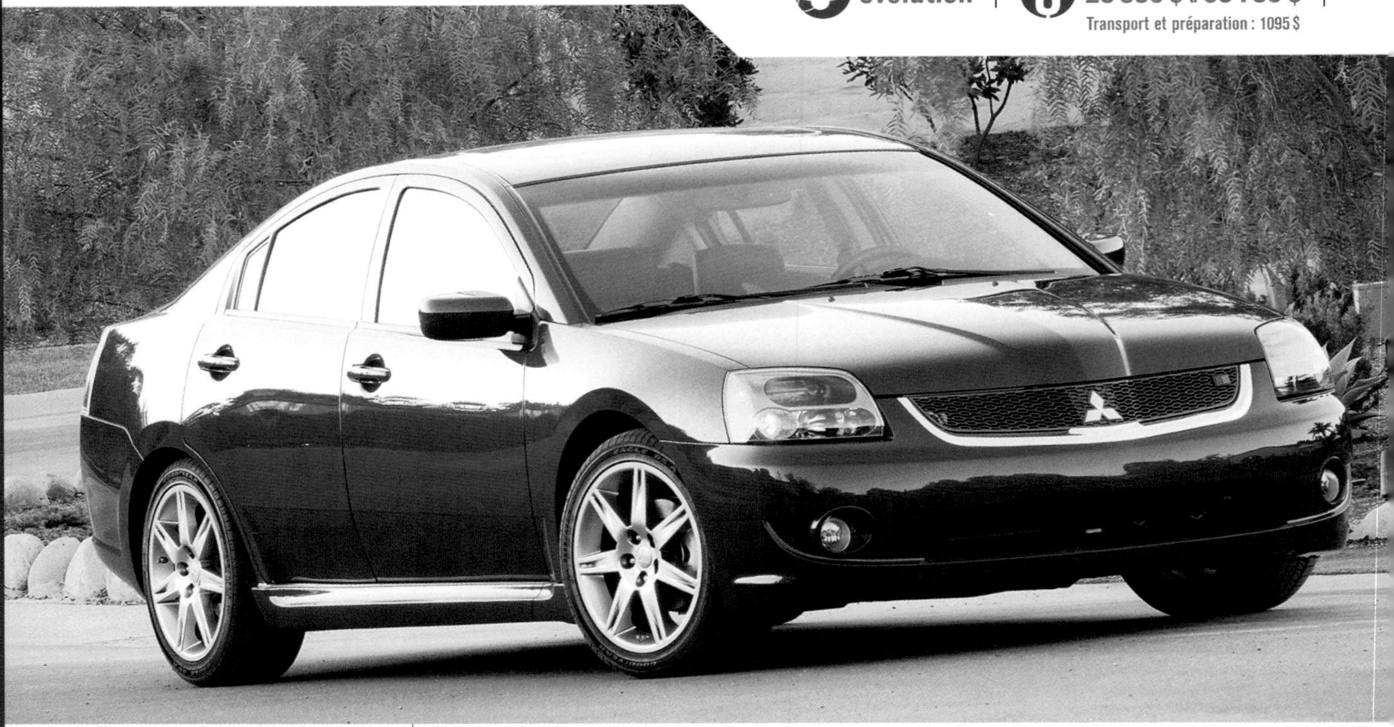

www.mitsubishicars.ca

À L'OMBRE DES INTERMÉDIAIRES

– **Jean-Pierre Bouchard**

FICHE D'IDENTITÉ

Version(s) : ES, LS, Ralliart
Roues motrices : avant
Portières : 4
Première génération : 1969
Génération actuelle : 2004
Construction : Normal, Illinois, É.-U.
Sacs gonflables : 6, frontaux, latéraux et rideaux latéraux
Concurrence : Chevrolet Malibu, Chrysler Sebring, Ford Fusion, Honda Accord, Hyundai Sonata, Kia Magentis, Mazda6, Nissan Altima, Pontiac G6, Saturn Aura, Subaru Legacy, Toyota Camry, VW Jetta et Passat

AU QUOTIDIEN

Prime d'assurance :
25 ans : 2200 à 2400 $
40 ans : 1500 à 1700 $
60 ans : 1300 à 1500 $
Collision frontale : 5/5
Collision latérale : 5/5
Ventes du modèle l'an dernier
Au Québec : 165 **Au Canada :** 971
Dépréciation (3 ans) : 56,5 %
Rappels (2001 à 2006) : 2
Cote de fiabilité : 4/5

Au Canada, l'arrivée de Mitsubishi ne s'est pas faite sans heurts. Le constructeur a donné l'impression d'être un nouveau joueur, alors que les concessionnaires Chrysler (Dodge et Eagle) avaient déjà distribué les Colt, 2000 GTX ou Talon durant nombre d'années. Ces produits ont d'ailleurs connu une certaine popularité chez nous. Cet acquis ne semble pas avoir été pris en compte au moment de lancer la marque au pays et le constructeur a dû démontrer de nouveau la viabilité de ses véhicules, y compris la Galant qui a fait l'objet d'une nette amélioration au moment de la refonte de 2004.

CARROSSERIE ► Cette année, les stylistes ont revu calandre et pare-chocs pour rendre la voiture un brin plus élégante, mais sa beauté varie en fonction de l'angle d'observation. C'est une question de goût, point. L'inutile version de base DE disparaît en 2007 au profit des versions ES, LS et Ralliart. Cette dernière possède notamment de sportives roues en alliage de 18 pouces, un becquet arrière, des jupes latérales et un moteur plus puissant.

HABITACLE ► À bord, le volume intérieur surprend. À l'avant et à l'arrière, le dégagement pour les jambes est bon, mais celui pour la tête est plus juste pour les personnes de grande taille. Les sièges sont confortables, surtout ceux habillés de tissu. La banquette arrière ne comporte que deux appuie-tête intégrés. De plus, le passager de la place centrale sera incommodé par le puits central, qui retranche le précieux espace réservé aux jambes. L'endroit conviendra néanmoins pour un siège d'enfant. Les améliorations comprennent la révision de l'inélégant volant. Le but? Atténuer l'effet utilitaire qui rappelle l'Endeavor – les deux véhicules proviennent de la même chaîne de montage. Les matériaux sont, dans l'ensemble, de belle facture, mais les plastiques pourraient être plus soyeux au toucher. Le coffre propose un bon volume de chargement. Aucun dossier rabattable, toutefois. La version

forces
- Moteurs V6 puissants
- Habitabilité supérieure
- Garantie généreuse

faiblesses
- Absence de dossier arrière rabattable
- Suspension ferme
- Essence super pour le V6

nouveautés en 2007
- Versions DE et GTS discontinuées, arrivée de la version Ralliart, grille de calandre avec jonc chromé, rideaux gonflables latéraux de série, nouvel ensemble diamant optionnel dans ES

de mise. Les V6 sont couplés à une boîte à cinq rapports avec mode séquentiel. L'ajout d'un rapport additionnel en 2007 devrait favoriser une plus grande douceur de fonctionnement et une économie de carburant accrue. Un irritant: à l'instar du quatre cylindres, le V6 manque d'onctuosité et émet un son rugueux.

COMPORTEMENT ▶ Le comportement routier de l'intermédiaire est honnête, mais certains conducteurs trouveront les réglages de suspension fermes. Les ingénieurs ont, pour 2007, supprimé la barre stabilisatrice arrière et revu la suspension des versions ES et LS. Dans l'ensemble, la tenue de route et la portée restent bonnes. Au final, la Galant dégage une impression de solidité grâce à la rigidité de la structure. À mes yeux, ce n'est toutefois pas l'intermédiaire la plus inspirante à conduire, mais ce n'est pas non plus la pire de la catégorie.

CONCLUSION ▶ Anonyme ou discrète, quelle épithète choisir? Les deux. Mitsubishi devra y porter attention. Car la plus américaine des japonaises bénéficie de certains atouts, dont des cotes de sécurité élevées et une garantie de dix ans ou de 160 000 km du groupe motopropulseur.

Ralliart bénéficie de sièges en cuir perforé et de pédales en métal, d'un système de navigation et d'un système audio de 360 watts. Les mélomanes n'en seront que ravis. Au chapitre de la sécurité, la Galant, qui aura des rideaux gonflables avant et arrière en 2007, affiche un bulletin de sécurité enviable selon les agences américaines NHTSA et IIHS.

MÉCANIQUE ▶ Au programme, moteur à quatre ou à six cylindres. Le premier fournit des prestations adéquates et conviendra dans la plupart des situations. Ce 2,4 litres fait équipe avec une efficace boîte automatique à quatre rapports. Le V6 de 230 chevaux brille par des accélérations et des reprises énergiques. Celui de la Ralliart, un 3,8 litres gonflé de 26 chevaux, promet des accélérations et des reprises encore plus inspirantes. Mais attention: essence super

FICHE TECHNIQUE

MOTEURS

(ES) L4 2,4 l SACT 160 ch à 5500 tr/min
couple: 157 lb-pi à 4000 tr/min
Transmission: automatique à 4 rapports
0-100 km/h: 9,8 s
Vitesse maximale: 190 km/h
Consommation (100 km): 8,9 l (octane: 87)

(LS) V6 3,8 l SACT 230 ch à 5250 tr/min
couple: 250 lb-pi à 4000 tr/min
Transmission: automatique à 4 rapports avec mode manuel
0-100 km/h: 7,8 s
Vitesse maximale: 200 km/h
Consommation (100 km): 10,4 l (octane: 87)

(Ralliart) V6 3,8 l SACT 256 ch à 5750 tr/min
couple: 258 lb-pi à 4500 tr/min
Transmission: automatique à 5 rapports avec mode manuel
0-100 km/h: 7,3 s
Vitesse maximale: 220 km/h
Consommation (100 km): 10,9 l (octane: 87)

Sécurité active
freins ABS, répartition électronique de force de freinage, antipatinage (V6)

Suspension avant/arrière
indépendante

Freins avant/arrière
disques

Direction
à crémaillère, assistée

Pneus
ES: P215/60R16, LS: P215/55R17, Ralliart: P235/45R18

DIMENSIONS

Empattement: 2750 mm
Longueur: 4835 mm
Largeur: 1840 mm
Hauteur: ES: 1470 mm, LS: 1475 mm, Ralliart: 1477 mm
Poids: ES: 1555 kg, LS: 1640 kg, Ralliart: 1700 kg
Diamètre de braquage: ES: 11,4 m, LS: 12,2 m, Ralliart: 12,4 m
Coffre: 377 l
Réservoir de carburant: 67 l

Hugues Gonnot • La Galant se fait rare sur nos routes. C'est plutôt dommage, car elle ne manque pas d'arguments. Certes, son style a été largement influencé par la Nissan Altima, mais il y a pire comme référence. L'intérieur est agréable et les plastiques, bien choisis. Son design n'est peut-être pas le plus moderne qui soit, mais on s'y sent bien et tout est à portée de la main. Sur la route, la Galant n'est pas aussi enjouée qu'une Altima, mais elle se défend très bien. En fait, la voiture souffre des ratés de l'introduction de Mitsubishi sur le marché canadien et elle manque de distinction, car son image de marque est encore trop floue. Dommage!

LANCER

évolution | 15 998 $ à 24 998 $ |
Transport et préparation : 1095 $

MITSUBISHI
www.mitsubishicars.ca

POUR ENCORE QUELQUES MOIS

– **Antoine Joubert**

FICHE D'IDENTITÉ

Version(s) : ES, OZ Rally, Ralliart, Sportback LS, Sportback Ralliart
Roues motrices : avant
Portières : 4
Première génération : 2003
Génération actuelle : 2003
Construction : Mizushima, Japon
Sacs gonflables : 4, frontaux et latéraux
Concurrence : Chevrolet Cobalt et Optra, Ford Focus, Honda Civic, Hyundai Elantra, Kia Spectra, Mazda3, Nissan Sentra, Pontiac G5 et Vibe, Saturn ION, Subaru Impreza, Suzuki Aerio et SX4, Toyota Corolla et Matrix, VW Jetta City et Rabbit

AU QUOTIDIEN

Prime d'assurance :
25 ans : 2100 à 2300 $
40 ans : 1400 à 1600 $
60 ans : 1100 à 1300 $
Collision frontale : 4/5
Collision latérale : 2/5
Ventes du modèle l'an dernier
Au Québec : 1362 **Au Canada :** 4009
Dépréciation (3 ans) : 60,7 %
Rappels (2001 à 2006) : aucun à ce jour
Cote de fiabilité : 4/5

Vous savez, j'aurais aimé moi aussi contempler la nouvelle Lancer et surtout me faire confirmer la disponibilité canadienne de la version Evo X (hummm...). Toutefois, rien n'était assuré au moment de mettre sous presse, si bien que je n'ai d'autre choix que de vous servir du réchauffé. Dans cet article, il est donc question de la Lancer 2006, un modèle plutôt vieillissant. Sachez cependant que le modèle actuel sera encore vendu pendant plusieurs mois et que cette voiture aux multiples talents cachés pourra représenter une affaire d'or au moment où les nouveaux modèles feront leur apparition.

CARROSSERIE ► Aussi curieux que cela puisse paraître, la version la plus répandue de la Lancer est la sportive Ralliart. Le modèle ES, un peu banal, a peu de succès, sans doute en raison de son manque de personnalité. En revanche, les jeunes amateurs de performances savent apprécier les qualités dynamiques et esthétiques de la Ralliart qui, compte tenu de son prix, fait véritablement figure d'aubaine. En plus de la berline, Mitsubishi a réintroduit en 2006 son modèle Sportback, dont la partie arrière rappelle les anciennes familiales Volvo. À défaut d'être jolie, elle possède un espace de chargement intéressant.

HABITACLE ► À bord, la Lancer peut difficilement cacher son âge. D'abord, la planche de bord au design vieillot évoque celle de l'ancienne génération de Honda Civic. Elle propose en contrepartie une ergonomie sans reproches, sauf peut-être en ce qui concerne l'éclairage nocturne des cadrans, dont l'intensité maximale est insuffisante. Dans les versions ES et LS, les sièges sont d'un confort honnête, alors que le modèle Ralliart prône davantage le maintien et la fermeté. Fonctionnel mais légèrement dépassé quant au style, l'habitacle de la Lancer est très bien assemblé et fignolé avec des matériaux de bonne qualité. Les plus récents modèles de la marque, comme l'Eclipse et l'Endeavor, proposent des

forces

- Voiture fiable et bien construite
- Agilité routière surprenante (Ralliart)
- Agrément de conduite intéressant (Ralliart)
- Garantie supérieure à la concurrence

faiblesses

- Boîte automatique paresseuse
- Consommation élevée (automatique)
- Performances modestes (ES)
- Style vieillissant

nouveautés en 2007

- Modèle entièrement redessiné qui sera lancé plus tard dans l'année

LANCER

plastiques nettement moins riches que ceux de la Lancer, ce qui laisse malheureusement croire que la qualité diminuera sur la nouvelle génération.

MÉCANIQUE ▶ La Lancer ES est la seule à offrir ce petit moteur quatre cylindres de 2,0 litres, dont les performances sont convenables, sans plus. Toutes les autres versions reçoivent le 2,4 litres de 160 chevaux dans la familiale LS et de 162 chevaux dans les Ralliart (en raison d'un échappement moins restrictif). Puissant et agréable, il ne peut se mesurer à ceux des Civic Si et Volkswagen GTI, mais a au moins le mérite d'offrir beaucoup de couple et une plage d'accélération très linéaire. Cela dit, on l'apprécie davantage avec la boîte manuelle, puisque l'automatique handicape les performances en plus de faire grimper significativement la consommation.

COMPORTEMENT ▶ La Ralliart doit sa renommée à son agilité surprenante et à son équilibre sur la route. Sa suspension très ferme n'est pas particulièrement confortable, mais permet de négocier un virage à vive allure en éliminant presque totalement le roulis. La direction très précise favorise l'agrément, au même titre que le châssis d'une étonnante rigidité. Dans le modèle ES, c'est toutefois le calme plat, avec plus de confort mais drôlement moins d'agilité. Quant à la familiale (LS ou Ralliart), son bilan est terni par l'indisponibilité de la boîte manuelle, ce qui est ridicule.

CONCLUSION ▶ Vous avez peur de Mitsubishi? Eh bien, sachez qu'il s'agit de la seule marque en Amérique du Nord qui produit une gamme de véhicules dont tous les modèles vendus au Canada sont cotés au-dessus de la moyenne par la firme Consumers Reports, en matière de fiabilité. La Lancer est donc un produit de qualité, durable, et couvert par une garantie supérieure à toutes les autres. Bon, elle n'est peut-être pas aussi à la mode qu'une Civic ou qu'une Mazda3, mais pour la sainte paix il n'y a pas mieux.

FICHE TECHNIQUE

MOTEURS
(ES et OZ Rally) L4 2,0 l DACT 120 ch à 5500 tr/min
couple : 130 lb-pi à 4250 tr/min
Transmission : manuelle à 5 rapports, automatique à 4 rapports (option)
0-100 km/h : 10,5 s
Vitesse maximale : 175 km/h
Consommation (100 km) : man. : 7,4 l, auto. : 8,2 l (octane : 87)

(LS Sportback et Ralliart) L4 2,4 l DACT 162 ch (LS : 160 ch) à 5750 tr/min
couple : 162 lb-pi (LS : 161 lb-pi) à 4000 tr/min
Transmission : manuelle à 5 rapports, automatique à 4 rapports (option, de série dans Sportback)
0-100 km/h : man. : 8,8 s, auto. : 9,7 s
Vitesse maximale : 185 km/h
Consommation (100 km) : man. : 8,8 l, auto. : 9,2 l (octane : 87)

Sécurité active
freins ABS (OZ Rally, Ralliart, en option dans ES et LS)

Suspension avant/arrière
indépendante

Freins avant/arrière
disques/tambours, Ralliart : disques aux 4 roues

Direction
à crémaillère, assistée

Pneus
ES : P185/65R14, OZ Rally et LS : P195/60R15, Ralliart : P205/50R16

DIMENSIONS
Empattement : 2600 mm
Longueur : 4585 mm, Sportback : 4605 mm
Largeur : 1695 mm
Hauteur : ES : 1373 mm, OZ : 1384 mm, Ralliart : 1365 mm
Poids : ES : 1200 kg, OZ : 1245 kg, Ralliart : 1325 kg, Sportback LS : 1370 kg, Sportback Ralliart : 1380 kg
Diamètre de braquage : ES : 10,0 m, OZ et LS : 10,2 m, Ralliart : 11,4 m
Coffre : berl. : 320 l, Sportback : 705 l, 1709 l (sièges abaissés)
Réservoir de carburant : 50 l

opinion

Pascal Boissé • On lui souhaite une remplaçante le plus tôt possible ! Quelle horreur ! Je suis persuadé que les ingénieurs qui ont conçu la vieille Dodge Neon vont se balader dans une Mitsubishi Lancer, à l'occasion, pour se remonter le moral et rire un bon coup. Bien qu'elle s'affiche en tant que produit japonais, ne vous laissez pas berner : les produits américains, même les plus médiocres, sont plus raffinés sur le plan mécanique, et le design de l'intérieur de la Lancer se compare à ce que les Coréens faisaient de plus moche il y a quinze ans. Et je ne vous ai pas encore parlé de sa carrosserie, dont les lignes sont à faire hurler. Une voiture à essayer seulement si vous êtes désespérément masochiste.

OUTLANDER

nouveauté | 26 000 $ à 36 000 $ |
Transport et préparation : 1195 $

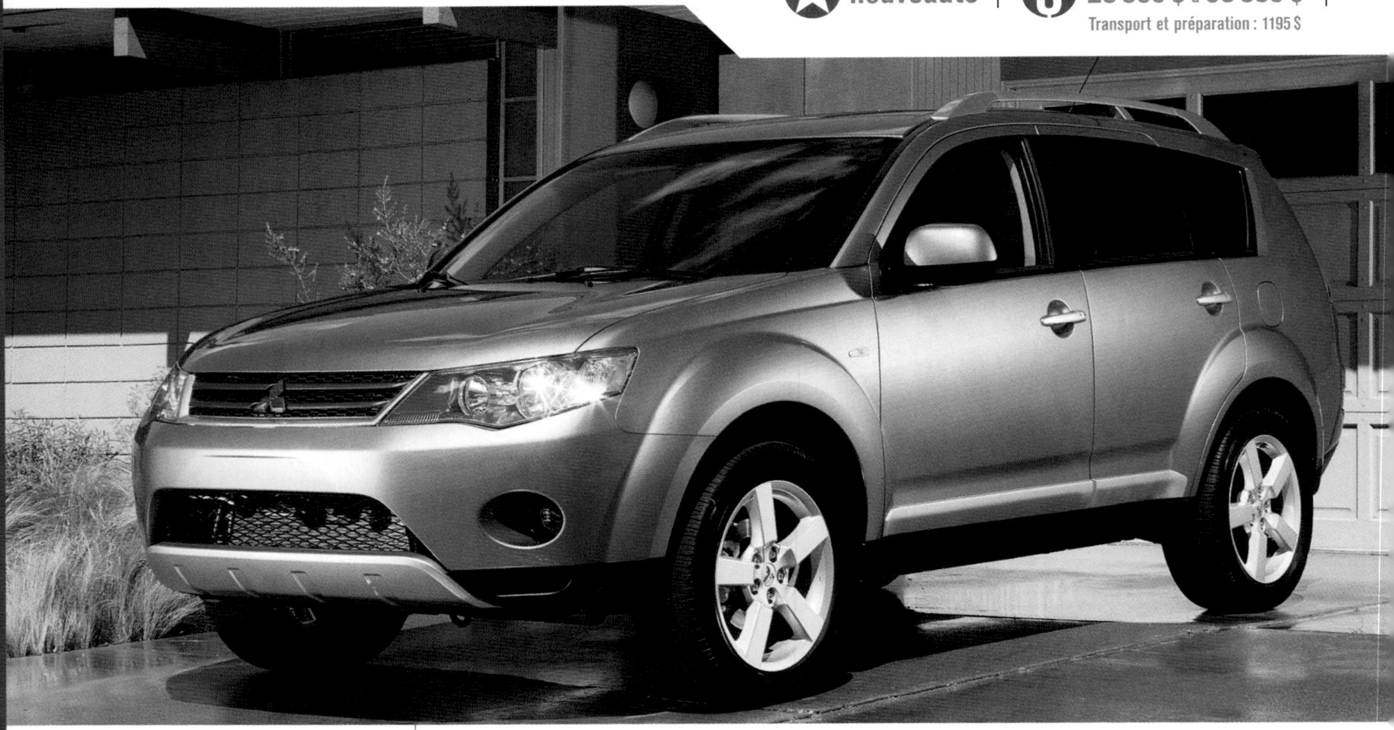

MITSUBISHI
www.mitsubishicars.ca

FICHE D'IDENTITÉ

Version(s) : LS, XLS
Roues motrices : avant, 4RM
Portières : 4
Première génération : 2003
Génération actuelle : 2007
Construction : Mizushima, Japon
Sacs gonflables : 2, frontaux, 2 latéraux et 2 rideaux gonflables
Concurrence : Chevrolet Equinox, Ford Escape, Honda CR-V, Hyundai Tucson, Jeep Liberty, Nissan X-Trail, Pontiac Torrent, Saturn VUE, Subaru Forester, Suzuki Grand Vitara, Toyota RAV4

AU QUOTIDIEN

Prime d'assurance :
25 ans : 2100 à 2300 $
40 ans : 1600 à 1800 $
60 ans : 1100 à 1300 $
Collision frontale : nm
Collision latérale : nm
Ventes du modèle l'an dernier
Au Québec : 986 **Au Canada :** 2896
Dépréciation : nm
Rappels (2001 à 2006) : 3
Cote de fiabilité : nm

DES ARGUMENTS PLUS SOLIDES

– **Hugues Gonnot**

Ces dernières années, le segment des utilitaires sport compacts a connu une poussée de croissance : tout le monde ou presque est passé au V6. Logiquement, pour son renouvellement, l'Outlander a suivi. Mais le nouvel Outlander ne se réduit pas à sa puissance.

CARROSSERIE ▶ L'un des points forts de l'ancien Outlander, c'était son style. On verra comment réagira la clientèle avec le nouveau, mais disons que les designers Mitsubishi ont déjà été plus inspirés. Reste le côté astucieux. Le toit est en aluminium, ce qui réduit le poids du véhicule et en abaisse efficacement le centre de gravité. De plus, l'espace de chargement est sensiblement plus accueillant que dans la génération précédente. Grâce à un essieu arrière multibras, la hauteur de chargement a pu être abaissée de 20 centimètres. Le hayon s'ouvre de façon traditionnelle. Il ne comprend pas de vitre mobile, mais il est complété par un petit hayon additionnel intégré au pare-chocs. Une fois ouvert, il peut supporter jusqu'à 200 kilos et servir de siège en plein air.

HABITACLE ▶ L'ancien Outlander péchait par un style intérieur un peu désuet. Nous n'avons pas les spécifications canadiennes exactes au moment de la publication, mais, selon les spécifications américaines, la version LS comprendra l'air conditionné, le confort électrique, le régulateur de vitesse, un système audio compatible MP3. La XLS bénéficiera de la climatisation automatique, de la compatibilité Bluetooth avec reconnaissance vocale, et de l'ouverture intelligente sans clé. Parmi les options, on trouvera un système audio Rockford-Fosgate de 650 watts ou bien un système de divertissement DVD, et un système de navigation par satellite de nouvelle génération où le DVD est remplacé par un disque dur de 30 gigaoctets (dont 10 serviront à stocker de la musique). L'Outlander bénéficie en outre d'une nouvelle garniture de toit qui absorbe et décompose les odeurs, dont celle de la cigarette. Parmi les changements

forces

- Performances en hausse
- Équipements dans le coup
- Modularité arrière
- Garantie Mitsubishi

faiblesses

- Image de marque
- Design un peu fade

nouveautés en 2007

- Nouveau modèle

importants, on note l'arrivée d'une configuration sept places, mais Mitsubishi est formel: il s'agit de sièges d'appoint. La troisième rangée est rabattable dans le plancher grâce aux dossiers ultra fins. Le volume qui lui est réservé devient un espace de rangement dans les modèles à cinq places.

MÉCANIQUE ▶ Un seul moteur sera disponible, un nouveau V6 en aluminium de 3,0 litres avec le système de contrôle des soupapes MIVEC. Ce système modifie selon la demande le moment d'ouverture (calage variable), mais aussi la durée d'ouverture. Résultat, le moteur développe 220 chevaux, ce qui en fait l'un des plus puissants de la catégorie. Une seule boîte de vitesse est aussi disponible, une toute nouvelle automatique à six rapports. La version XLS aura droit à des palettes au volant pour les changements manuels, une première dans le segment. Quant à la transmission intégrale, le conducteur pourra choisir entre les modes FWD (traction), 4WD Auto (transfert automatique du couple vers l'arrière en fonction de l'adhérence) et 4WD Lock (la répartition reste variable, mais favorise davantage les roues arrière).

COMPORTEMENT ▶ Mitsubishi a voulu faire de l'Outlander un véhicule de conducteur. La nouvelle plateforme plus rigide (qui servira aussi à la future génération de Lancer et d'EVO), l'empattement allongé, le centre de gravité abaissé, le nouvel essieu arrière multibras, la direction plus directe et les jantes de 18 pouces devraient effectivement assurer un comportement efficace. Reste à vérifier tout cela lors d'un essai routier.

CONCLUSION ▶ C'est apparemment l'heure de la maturité pour l'Outlander. Le groupe motopropulseur saute d'une catégorie, l'équipement est tout à fait dans le coup et sa fonctionnalité intérieure progresse. Si la tenue de route est du même niveau, il n'y a pas grand-chose qui pourrait empêcher l'Outlander de connaître le succès. Il s'agit maintenant de convaincre les consommateurs de visiter les salles d'exposition Mitsubishi...

FICHE TECHNIQUE

MOTEUR
V6 3,0 l SACT 220 ch à 6250 tr/min
couple: 204 lb-pi à 4000 tr/min
Transmission: automatique à 6 rapports
0-100 km/h: 10,0 s
Vitesse maximale: 190 km/h
Consommation (100 km): 12,5 (octane 87)

Sécurité active
freins ABS

Suspension avant/arrière
indépendante

Freins avant/arrière
disques

Direction
à crémaillère, assistée

Pneus
P215/70R16 (LS), P225/55R18 (XLS)

DIMENSIONS
Empattement: 2670 mm
Longueur: 4640 mm
Largeur: 1800 mm
Hauteur: 1680 mm
Poids: LS 2RM: 1600 kg, LS 4RM: 1665 kg, XLS 2RM: 1655 kg XLS 4RM: 1720 kg
Diamètre de braquage: 11,7 m
Coffre: 1119 l (derrière 2e rangée), 1959 l (sièges abaissés)
Réservoir de carburant: 63 l
Capacité de remorquage: 680 kg

350Z

évolution | 46 198 $ à 53 698 $
Transport et préparation : 1294 $

www.nissancanada.com

FICHE D'IDENTITÉ

Version(s) : Performance, Roadster
Roues motrices : arrière
Portières : 2
Première génération : 1970
Génération actuelle : 2003
Construction : Tochigi, Japon
Sacs gonflables : 4, frontaux et latéraux (rideaux latéraux dans coupé)
Concurrence : Audi TT, BMW Z4 et Série 3 coupé, Chevrolet Corvette, Chrysler Crossfire, Honda S2000, Infiniti G35 coupé, Mazda RX-8, Mercedes-Benz SLK, Porsche Boxster et Cayman

AU QUOTIDIEN

Prime d'assurance :
25 ans : 3500 à 3700 $
40 ans : 2200 à 2400 $
60 ans : 2000 à 2200 $
Collision frontale : 4/5
Collision latérale : 5/5
Ventes du modèle l'an dernier
Au Québec : 158 **Au Canada :** 700
Dépréciation (2 ans) : 42,2 %
Rappels (2001 à 2006) : 2
Cote de fiabilité : 4/5

EFFICACE, MAIS VIEILLISSANTE

– **Carl Nadeau**

La 350Z est une voiture qui a peu évolué depuis son lancement en 2002. Elle reste un choix intéressant, mais vivement la nouvelle génération ! Nissan a changé quelques babioles cette année pour prolonger sa vie, mais l'habitacle en plastique et le moteur trop commun nous portent à rêver à la nouvelle génération. En attendant, la Z reste un achat intéressant et procure à ses propriétaires beaucoup de plaisir et une excellente fiabilité.

CARROSSERIE ► Dès son lancement, la plupart des observateurs ont salué les lignes originales de la Z. Quelques changements modestes ont été faits au cours des années, mais elle reste presque la même, ce qui risque de déplaire aux acheteurs férus de voitures sport qui aiment la nouveauté. La silhouette est malgré tout moderne et je crois qu'elle n'est pas à la veille de se démoder. Les immenses roues combinées aux arches des passages contribuent à l'allure trapue et agressive de la Z. L'assemblage est bien fait et les échappements doubles à l'arrière annoncent la sportive.

HABITACLE ► Voilà où elle perd beaucoup de points. Il faudrait que quelqu'un demande à Nissan de renvoyer les dessinateurs à leur table. Le plastique bas de gamme est omniprésent dans l'habitacle ; cela commence par des appliqués sur le volant et continue sur la console et le tableau de bord... Triste. Les espaces de rangement sont pour la plupart mal conçus, difficiles à atteindre et peu spacieux. Heureusement, le coffre est de bonne dimension et le conducteur est choyé. Il est facile d'y trouver une position de conduite idéale, les sièges offrent un excellent maintien, et les cadrans sont lisibles (malgré leur enrobage de plastique et leur propension à vibrer). Le levier de vitesses se manie facilement et le pédalier est bien conçu, mais la prise du volant est imparfaite.

forces
- Allure méchante réussie
- Freins Brembo dignes de Porsche
- Bonnes performances
- Sièges confortables

faiblesses
- Plastiques à revoir
- Bruits de craquement
- Poids élevé
- Consommation d'essence

nouveautés en 2007
- Information non disponible au moment de mettre sous presse

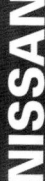

En conduite inspirée, le son du moteur est tout simplement envoûtant.

MÉCANIQUE ▶ Le moteur de la Z est capable du meilleur et du pire; certains conducteurs vont l'adorer, mais d'autres trouveront que son partage avec les Maxima, Sentra, Quest et Xterra est beaucoup trop commun pour une vraie sportive. Le couple généreux rend la conduite de tous les jours plaisante, pas besoin de pousser le régime moteur très haut pour prendre sa place dans la circulation. La puissance maximale est d'ailleurs augmentée légèrement cette année et dépassera les 300 chevaux. Sur papier, c'est impressionnant, mais en conduite sportive il manque l'étincelle qui rend les véritables sportives si spéciales. On aimerait ressentir une plus forte poussée; on dirait que l'accélération trop linéaire gomme les sensations. Les boîtes de vitesses méritent des bons commentaires malgré le levier un peu raide.

COMPORTEMENT ▶ La tenue de route est pour le moins surprenante et la direction est assez précise, à condition de ne pas trop dépasser les limites de vitesse. La Z est à l'aise sur la route et la piste, mais je recommande l'option des freins Brembo aux conducteurs avides de sensations fortes, les freins réguliers résistant moins bien à l'échauffement. Sa répartition de poids quasi parfaite (53 % à l'avant et 47 % à l'arrière) autorise des vitesses surprenantes dans les virages. Le problème, c'est qu'elle inspire facilement confiance aux conducteurs moins doués qui risquent de se faire surprendre s'ils désactivent le contrôle de traction. Ce système bien calibré protégera certains apprentis pilotes contre leurs instincts mal contrôlés.

CONCLUSION ▶ Malgré son âge, la 350Z demeure l'une des voitures les plus attrayantes à conduire. Elle a deux personnalités distinctes et se prête bien à un usage occasionnel sur piste. Sa suspension est un peu sèche et son intérieur est à revoir, mais ses qualités compensent amplement ses petits défauts.

FICHE TECHNIQUE

MOTEUR
V6 3,5 l DACT 287 ch à 6200 tr/min,
man. : 300 ch à 6400 tr/min
couple : 274 lb-pi à 4800 tr/min,
man. : 260 lb-pi à 4800 tr/min
Transmission : manuelle à 6 rapports,
auto. à 5 rapports avec mode manuel (option)
0-100 km/h : 6,2 s
Vitesse maximale : 250 km/h
Consommation (100 km) : man. : 10,1 l,
auto. : 10,5 l (octane : 91)

Sécurité active
freins ABS, antipatinage, contrôle de stabilité électronique (Performance), assistance au freinage, distribution électronique de force de freinage

Suspension avant/arrière
indépendante

Freins avant/arrière
disques

Direction
à crémaillère, assistée

Pneus
P225/45R18 (av.), P245/45R18 (arr.)

DIMENSIONS
Empattement : 2650 mm
Longueur : 4314 mm
Largeur : 1815 mm
Hauteur : coupé : 1323 mm, cabrio. : 1333 mm
Poids : Performance : 1543 kg,
Tourisme : 1545 kg, Roadster : 1633 kg
Diamètre de braquage : 10,8 m
Coffre : coupé : 193 l, cabrio. : 116 l
Réservoir de carburant : 76 l

opinion

Pascal Boissé • Pour moi, la Z c'est la rencontre de l'Orient et de l'Occident : une personnalité de muscle-car dans un kimono. En effet, cette voiture possède presque l'agilité et la précision de conduite des pures sportives, tout en affichant ce petit côté truck que l'on retrouve dans une Mustang GT, par exemple. Par contre, l'intérieur pourrait être garni de matériaux de meilleure qualité ; à ce prix-là, ce serait un minimum, il me semble. Et le contreventement qui occupe tout l'espace à bagage est une aberration. Nissan aurait pu concevoir une structure à la fois légère et rigide sans pour autant nous priver de cette plage de chargement toujours précieuse dans une voiture à deux places.

ALTIMA

nouveauté | 25 198 $ à 33 000 $
Transport et préparation : 1294 $

www.nissancanada.com

LE PREMIER HYBRIDE DE LA FAMILLE

– Benoit Charette

FICHE D'IDENTITÉ

Version(s) : 2.5S, 3.5S, 3.5SE, hybride
Roues motrices : avant
Portières : 4
Première génération : 1993
Génération actuelle : 2007
Construction : Canton, Mississippi, et Smyrna, Tennessee, É.-U.
Sacs gonflables : 6, frontaux, lat. avant, rideaux lat. (lat. et rideaux en option dans 2.5S et 3.5S)
Concurrence : Chevrolet Malibu, Chrysler Sebring, Honda Accord, Hyundai Sonata, Kia Magentis, Mazda6, Mitsubishi Galant, Pontiac G6, Subaru Legacy, Toyota Camry, VW Passat

AU QUOTIDIEN

Prime d'assurance :
25 ans : 2100 à 2300 $
40 ans : 1200 à 1400 $
60 ans : 1000 à 1200 $
Collision frontale : 4/5
Collision latérale : 3/5
Ventes du modèle l'an dernier
Au Québec : 5277 **Au Canada :** 17 037
Dépréciation (3 ans) : 48,4 %
Rappels (2001 à 2006) : 4
Cote de fiabilité : 4/5

En septembre 2002, Nissan et Toyota ont signé un accord selon lequel Nissan produirait 100 000 véhicules hybrides en cinq ans. Dans le cadre de cet accord, Toyota fournit les composants du système hybride (boîte-pont, inverseur, batterie et groupe régulateur) et Nissan développe le moteur et l'adapte pour obtenir un ensemble homogène, performant, économique et respectueux de l'environnement. L'Altima sera le premier véhicule à profiter de cette entente, mais pas le dernier.

CARROSSERIE ► Si la Versa est toute nouvelle et la Sentra, complètement redessinée, la nouvelle Altima est plutôt évolutive. On reconnaît tout de suite le concept mis de l'avant en septembre 2001. Elle a une nouvelle calandre «en T», devenue le signe distinctif des produits Nissan. Son empattement est plus court de 22,86 millimètres que le modèle précédent et sa longueur totale est plus courte de 63,5 millimètres, à 4,82 mètres. Cependant, le volume intérieur reste aussi ample. Le véhicule est plus large de 7,62 millimètres, à 1,79 mètre, alors que la hauteur reste identique, à 1,47 mètre. Les dimensions du coffre sont les mêmes que la génération précédente d'Altima. Elle possède également des roues redessinées. Et des phares au xénon à décharge à haute intensité (DHI) sont disponibles dans les modèles à moteur V6.

HABITACLE ► À l'image de tous les nouveaux produits Nissan, la qualité de l'exécution et des matériaux est à la hausse. Le plastique dur comme la pierre a fait place à un plastique beaucoup plus doux. Si vous aimez boire, il y a des porte-gobelets partout : trois dans la console centrale, deux dans les panneaux de portière ; en tout, il y en a neuf. Le volume du coffre à gants a doublé. Les intérieurs sont disponibles en trois couleurs (charbon, blond et givre), et des sièges en cuir sont optionnels. Parmi les commodités sur la liste des options, on compte le système d'allumage par pression avec clé intelligente, le système audio à neuf haut-parleurs développé par Bose, le système téléphonique Bluetooth à

forces
- Intérieur de meilleure qualité
- Mécaniques plus raffinées
- Beaucoup d'espace de rangement

faiblesses
- Nous aurions souhaité des lignes plus distinctives

nouveautés en 2007
- Nouveau modèle hybride, nouvelle plateforme, châssis redessiné

ALTIMA

mains libres et le contrôle automatique de température à deux zones.

MÉCANIQUE ► Associant le moteur essence Nissan à quatre cylindres de 2,5 litres et les nouveaux composants du système hybride fournis par Toyota, l'Altima propose une puissance combinée avoisinant les 200 chevaux. Le modèle hybride sera associé à une transmission CVT. Le moteur quatre cylindres reste l'offre de base pour l'Altima, et le V6 de 3,5 litres, véritable moteur à tout faire, se chargera des versions plus cossues. Il existe deux systèmes de transmission pour les deux moteurs V6 et quatre cylindres. Une nouvelle boîte manuelle à six vitesses et la transmission CVT (à variation continue) Xtronic évoluée de Nissan remplacent la transmission automatique conventionnelle précédente. De nouveaux systèmes d'échappements doubles sont conçus pour réduire la contre-pression d'échappement de 35 % pour le quatre cylindre, et de 50 % pour le V6. Les deux systèmes utilisent des tubes aux diamètres élargis et des pots d'échappement doubles aux embouts chromés.

COMPORTEMENT ► Avec ses nouveaux moteurs, Nissan promet une accélération plus puissante et un son plus raffiné. Le V6 profite d'une nouvelle induction jumelle, d'une friction réduite, d'un refroidissement de culasse amélioré et des nouveaux détecteurs jumeaux de détonation. Le quatre cylindres offre un accroissement de la tubulure d'admission, un meilleur rapport de compression (9,6:1 par rapport à 9,5:1) et des caractéristiques de friction réduites. Bref, Nissan améliore un concept qui offrait déjà une belle expérience de conduite.

CONCLUSION ► Avec cette Altima presque nouveau, Nissan change son allure, mais pas sa mission. Elle veut en faire un des véhicules les plus vendus de sa catégorie. Une tâche difficile avec les Camry, Accord, Sonata et Mazda6 dans le décor. Mais Nissan a nagé à contre-courant auparavant et s'est plutôt bien tirée d'affaire.

FICHE TECHNIQUE

MOTEURS

(2,5S) L4 2,5 l DACT 175 ch à 6000 tr/min
couple : 170 lb-pi à 4000 tr/min
Transmission : manuelle à 6 rapports, CVT
0-100 km/h : 8,8 s
Vitesse maximale : 190 km/h
Consommation (100 km) : man. : 8,4 l. auto. : 8,7 l (octane : 87)

(3,5 SE et SE) V6 3,5 l DACT 265 ch à 5800 tr/min
couple : 255 lb-pi à 4400 tr/min
Transmission : manuelle à 6 rapports, CVT
0-100 km/h : 7,4 s
Vitesse maximale : 215 km/h
Consommation (100 km) : 9,5 l (octane : 87)

(Hybride) L4 2,5 l DACT 175 ch à 6000 tr/min
couple : moteur électrique de 100 kW
Transmission : CVT
0-100 km/h : 8,0 s
Vitesse maximale : 200 km/h
Consommation (100 km) : 7,5 l (estimé)

Sécurité active
freins ABS, assistance au freinage, distribution électronique de force de freinage, antipatinage

Suspension avant/arrière
indépendante

Freins avant/arrière
disques

Direction
à crémaillère, assistée

Pneus
P215/60R16, SE : P215/55R17

DIMENSIONS

Empattement : 2776 mm
Longueur : 4820 mm
Largeur : 1796 mm
Hauteur : 1471 mm
Poids : nd
Diamètre de braquage : S : 11,4 m, SE : 11,8 m
Coffre : 442 l
Réservoir de carburant : 76 l

ARMADA

évolution | 53 598 $ à 60 898 $ |
Transport et préparation : 1327 $

www.nissancanada.com

FICHE D'IDENTITÉ

Version(s) : SE, LE
Roues motrices : 4RM
Portières : 4
Première génération : 2004
Génération actuelle : 2004
Construction : Canton, Mississippi, É.-U.
Sacs gonflables : 6, frontaux, latéraux avant, rideaux latéraux
Concurrence : Chevrolet Tahoe et Suburban, Ford Expedition, GMC Yukon et Yukon XL, Toyota Sequoia

AU QUOTIDIEN

Prime d'assurance :
25 ans : 3700 à 3900 $
40 ans : 2300 à 2500 $
60 ans : 2000 à 2200 $
Collision frontale : 4/5
Collision latérale : nd
Ventes du modèle l'an dernier
Au Québec : 64 **Au Canada :** 438
Dépréciation (2 ans) : 38,6 %
Rappels (2001 à 2006) : aucun à ce jour
Cote de fiabilité : 2/5

ARMADA L'INVINCIBLE

– **Jean-Pierre Bouchard**

L'Armada, ce gigantesque utilitaire sport capable d'engloutir du carburant en quantité industrielle dans son réservoir de 106 litres, est d'abord conçu pour concurrencer les gros utilitaires Américains, notamment le Chevrolet Tahoe et le Ford Expedition. La flambée du prix du pétrole ralentit toutefois les ventes de ces mastodontes, donnant ainsi un peu de répit à notre mère, la Terre.

CARROSSERIE ► Au départ, l'Armada repose sur la plateforme de la camionnette Titan, en plus d'en partager le groupe motopropulseur, ce qui lui permet de tracter des charges importantes, par exemple une roulotte ou un bateau de plaisance. Sur le plan de l'aérodynamisme, l'Armada fend l'air avec la grâce d'un camion Kenworth ou Peterbilt. Nissan le propose en deux versions, SE et LE, à quatre roues motrices.

HABITACLE ► Les dimensions imposantes de l'Armada lui permettent de disposer d'un habitacle considérable. Cet utilitaire peut accueillir, selon la version, jusqu'à huit occupants. À l'avant, le chauffeur et son passager profitent de sièges confortables et spacieux, qui n'ont rien pour vous donner envie de perdre du poids. Le dégagement pour les jambes et la tête y est généreux. L'instrumentation est bien disposée, mais l'accès à certaines commandes de la console centrale varie selon le gabarit du conducteur. Les espaces de rangement permettent d'y perdre quantité d'objets. Aux places médianes, le confort ne pose aucun problème. La dernière banquette, quant à elle, est difficile d'accès et son confort est moindre. L'espace de chargement est vaste. Par contre, la finition laisse à désirer, surtout du côté des plastiques. Au cours des dernières années, Nissan a d'ailleurs perdu des points de ce côté-là.

MÉCANIQUE ► Le mastodonte de plus de 2500 kilos (deux fois le poids d'une Versa) est propulsé par un V8 de 5,6 litres, associé

forces
- Habitabilité
- Performances du V8
- Capacité de remorquage

faiblesses
- Soif insatiable d'or noir
- Encombrement important
- Finition et assemblage perfectibles

nouveautés en 2007
- La puissance du V8 de 5,6 litres passe de 305 à 317 chevaux, système DVD de série dans la version LE, roues de 18 po chromées disponibles avec le groupe Technologie

à une boîte automatique à cinq rapports qui supporte le moteur avec compétence et discrétion. Au menu, une puissance de 317 chevaux et un couple de 385 livres-pied, dont 90 % sous la barre des 2500 tours/minute. Ce développement de puissance dans une telle plage de régime se traduit par des reprises particulièrement vigoureuses. Ce moteur ne peine jamais à la tâche. L'Armada possède la cavalerie requise pour remorquer des équipements qui peuvent peser jusqu'à 4128 kilos, ce qui le place parmi les plus performants de sa catégorie. Cela dit, l'Armada brûle régulièrement 18 litres d'essence aux 100 km.

COMPORTEMENT ▶ Le plus gros des utilitaires de Nissan est particulièrement à l'aise sur les routes, alors que sa suspension indépendante aux quatre roues lui confère une bonne assurance sur la plupart des revêtements. La suspension arrière est munie d'un correcteur d'assiette qui maintient la garde au sol à un niveau constant. De par son imposant gabarit, l'Armada est aussi agile en ville qu'un lutteur sumo dans une chorégraphie des Grands Ballets canadiens. La ville, ce n'est d'ailleurs pas son environnement de prédilection, car à lui seul il occupe l'espace de stationnement de deux Smart. Le grand diamètre de braquage complique également les manœuvres, mais l'Armada dispose fort heureusement d'un sonar de recul. La direction est, par ailleurs, bien dosée, tout comme les freins qui peuvent compter sur l'assistance au freinage d'urgence et sur un répartiteur électronique de la force de freinage.

CONCLUSION ▶ Comme ses concurrents américains, l'Armada nous attire avant tout pour son habitabilité et sa capacité de remorquage. Comme eux, il se goinfre d'essence et sa finition intérieure est inachevée. Identifiez donc vos besoins avec précision.

FICHE TECHNIQUE

MOTEUR
V8 5,6 l DACT 317 ch à 5200 tr/min
couple : 385 lb-pi à 3400 tr/min
Transmission : automatique à 5 rapports
0-100 km/h : 7,5 s
Vitesse maximale : 180 km/h
Consommation (100 km) : 18 l (octane : 87)

Sécurité active
freins ABS, assistance au freinage, distribution électronique de force de freinage, contrôle de stabilité, antipatinage.

Suspension avant/arrière
indépendante

Freins avant/arrière
disques

Direction
à crémaillère, assistée

Pneus
P265/70R18

DIMENSIONS
Empattement : 3130 mm
Longueur : 5255 mm
Largeur : 2001 mm
Hauteur : 1998 mm
Poids : 2590 kg
Diamètre de braquage : 12,5 m
Coffre : 566 l, 2750 l (sièges abaissés)
Réservoir de carburant : 106 l
Capacité de remorquage : 4128 kg

2e opinion

Carl Nadeau • Utilitaire sport de grand format, l'Armada impose le respect. Son moteur émet un son sourd qui me donne des frissons chaque fois que j'accélère, et le couple produit par ce moteur est impressionnant. Il offre une bonne capacité de charge et loge confortablement ses passagers. Son apparence est réussie, tant à l'intérieur qu'à l'extérieur, et il s'en dégage un air de solidité. Son principal défaut réside dans la direction, qui nous afflige de soubresauts importants chaque fois que la route se dégrade ; on dirait un vieux Jeep sans amortisseur de direction, dommage. Si vous êtes prêt à visiter souvent les stations-service (c'est un euphémisme), l'Armada est peut-être pour vous.

FRONTIER

évolution | 24 448 $ à 39 248 $ |
Transport et préparation : 1296 $

www.nissancanada.com

FICHE D'IDENTITÉ

Version(s) : XE, SE, NISMO, LE
Roues motrices : 2, 4
Portières : 4
Première génération : 1998
Génération actuelle : 2005
Construction : Smyrna, Tennessee, É.-U.
Sacs gonflables : 2, frontaux, (latéraux avant et rideaux latéraux de série dans NISMO et LE)
Concurrence : Chevrolet Colorado, Dodge Dakota, Ford Ranger, GMC Canyon, Honda Ridgeline, Mazda Série B, Toyota Tacoma

AU QUOTIDIEN

Prime d'assurance :
25 ans : 2500 à 2700 $
40 ans : 1700 à 1900 $
60 ans : 1400 à 1600 $
Collision frontale : 4/5
Collision latérale : 5/5
Ventes du modèle l'an dernier
Au Québec : 437 **Au Canada :** 2288
Dépréciation (3 ans) : 48,3 %
Rappels (2000 à 2005) : 9
Cote de fiabilité : nm

CONJUGUER PLAISIR ET TRAVAIL

– **Antoine Joubert**

Je l'avoue, j'ai toujours eu un faible pour les camionnettes Nissan, sans doute parce qu'il s'agit simplement du premier véhicule que j'ai conduit. À l'époque, le constructeur nippon innovait avec le concept de la camionnette compacte à cabine allongée et était renommé pour les qualités indéniables de ses 4X4 en hors-piste. Je vous l'accorde, Toyota n'a pas mis beaucoup de temps à rattraper son rival, mais il n'en reste pas moins que Nissan aura lancé un type de véhicule qui aura été fort populaire chez nous. Malheureusement, dans les années 1990, Nissan a mis trop de temps à renouveler sa camionnette compacte et a ensuite produit sa première génération du Frontier, qui n'avait rien de novateur. Ce n'est qu'en 2005, lors de l'introduction de la présente génération, que Nissan a refait honneur à son passé.

CARROSSERIE ► Comme dans le cas de Dodge et de Toyota, Nissan a choisi de délaisser le marché de la camionnette compacte pour celui des intermédiaires. Décision judicieuse, cela va sans dire, et le Frontier peut aujourd'hui satisfaire les besoins des acheteurs qui désirent plus d'espace et de confort, sans toutefois s'encombrer d'une camionnette pleine grandeur. Polyvalence oblige, Nissan ne propose désormais plus de modèle à cabine simple et ne conserve que les cabines allongées ou doubles à quatre portes. Esthétiquement, les lignes du Frontier ne sont peut-être pas aussi provocantes que celles du Toyota Tacoma, mais ont tout de même un air qui laisse deviner son côté aventurier. La caisse de chargement propose, pour sa part, un enduit anti-égratignure de série et une multitude de glissières et de points d'ancrage.

HABITACLE ► La cabine est confortable, spacieuse et très bien aménagée. Par contre, certains casiers de rangement sont mal fichus, voire inutilisables, mais la vie à bord du Frontier est somme toute conviviale. À l'avant, les sièges offrent un confort et un support

forces
- Véhicule très robuste
- Excellent moteur V6
- Comportement routier honorable
- Superbes aptitudes hors route
- Habitacle convivial

faiblesses
- Consommation d'essence excessive (V6)
- Plastiques intérieurs qui s'égratignent facilement
- Moteur quatre cylindres trop peu répandu

nouveautés en 2007
- Version LE à cab. allongée discontinuée, versions SE et LE à cab. double disponibles avec boîte longue, groupe apparence optionnel (XE), prise audio auxiliaire pour lecteur MP3, amélioration des émissions polluantes (LEV2 ULEV)

qui étonnent, et ils se font particulièrement apprécier lors des longs trajets. La planche de bord n'a, elle non plus, rien à se reprocher: tout est facilement lisible et chacune des commandes est à portée de main. Toutefois, on devra améliorer le plastique qui la recouvre, puisqu'il s'égratigne on ne peut plus facilement, en plus de ne pas être très noble d'apparence.

MÉCANIQUE ► Une seule version à deux roues motrices peut recevoir le moteur quatre cylindres de 2,5 litres, dont la soif de carburant est plus raisonnable. Sinon, il faut se tourner vers le puissant V6 de 4,0 litres, un moteur qui se démarque. Dérivé du VQ35 de 3,5 litres, il offre un couple drôlement plus généreux qui autorise une excellente capacité de remorquage. Avec ses 261 chevaux, il réussit de superbes performances en accélération, encore meilleures que celles du Tacoma. Très bien adapté au véhicule, ce moteur est en contrepartie très gourmand, au point de se comparer au V8 du Dodge Dakota.

COMPORTEMENT ► Le Frontier est d'un confort très honnête sur les sentiers battus, mais c'est d'abord la robustesse qui compte. Ses aptitudes hors route sont extraordinaires et sa grande solidité en fait un excellent outil de travail. Je l'ai personnellement utilisé pour transporter du bois de chauffage et jamais il n'a montré le moindre signe de faiblesse. Toutefois, le fait qu'il soit stable, agile et passablement silencieux sur l'autoroute en fait aussi un véhicule très agréable pour une utilisation quotidienne.

CONCLUSION ► Pour envisager d'acquérir un Frontier, il faut avoir des besoins spécifiques en matière de chargement, de remorquage et de conduite. Il s'agit d'un produit de qualité, robuste et très polyvalent, mais qui peut coûter très cher (en carburant) si votre intention n'est que de suivre la mode. Dans ce cas, un Ridgeline serait peut-être plus indiqué pour vous.

FICHE TECHNIQUE

MOTEURS

(XE) L4 2,5 l DACT 152 ch à 5200 tr/min
couple: 171 lb-pi à 4400 tr/min
Transmission: manuelle à 5 rapports, automatique à 5 rapports (option)
0-100 km/h: 10,9 s
Vitesse maximale: 175 km/h
Consommation (100 km): man.: 9,7 l, auto.: 10,9 l (octane: 87)

(SE, LE et NISMO) V6 4,0 l DACT 261 ch à 5600 tr/min
couple: 281 lb-pi à 4000 tr/min
Transmission: manuelle à 6 rapports, automatique à 5 rapports (option, de série dans LE)
0-100 km/h: man.: 8,6 s, auto.: 9,0 s
Vitesse maximale: 190 km/h
Consommation (100 km): man. 2RM: 12 l, auto. 2RM: 12,4 l, man. 4RM: 12,2 l, auto. 4RM: 12,9 l (octane: 87)

Sécurité active
freins ABS, antipatinage (V6 sauf King Cab XE et SE), contrôle de stabilité électronique (4X4 NISMO avec boîte auto.)

Suspension avant/arrière
indépendante/essieu rigide

Freins avant/arrière
disques

Direction
à crémaillère, assistée

Pneus
XE 4X2: P235/75R15, SE 4X2 et 4X4: P265/70R16, NISMO 4X4: P265/75R16, LE 4X2 et 4X4: P265/65R17

DIMENSIONS

Empattement: 3200 mm, cab. double boîte longue: 3554 mm
Longueur: 5220 mm, cab. double boîte longue: 5570 mm
Largeur: 1850 mm
Hauteur: King Cab: XE 4X2: 1745 mm, autres: 1770 mm, Crew Cab: 1780 mm, 1879 mm (avec galerie de toit)
Poids: 1665 à 2067 kg
Diamètre de braquage: auto.: 13,2 m, man.: 13,3 m
Réservoir de carburant: 80 l
Capacité de remorquage: 2948 kg

Pascal Boissé • À mon sens, le Frontier est la nouvelle référence dans la catégorie des camionnettes compactes. On n'arrive pas à déceler de failles majeures à ce produit très équilibré, mais on ne lui découvre pas non plus de caractéristiques qui le démarqueraient de la compétition. Le Frontier est moins innovant qu'un Honda Ridgeline, moins spectaculaire qu'un Toyota Tacoma et plus discret qu'un Dodge Dakota, par contre il possède tous les attributs qui en font un produit très attirant pour les vrais amateurs de camionnettes: un moteur puissant et nerveux et un châssis archisolide dérivé de celui de son grand frère, le Nissan Titan. Sa seule faiblesse est probablement les matériaux intérieurs décevants, au fini bon marché.

MAXIMA

évolution | 36 998 $ à 42 498 $ |
Transport et préparation : 1440 $

www.nissancanada.com

FICHE D'IDENTITÉ

Version(s) : 3.5 SE 5 places, 3.5 SE 4 places, 3.5 SL
Roues motrices : avant
Portières : 4
Première génération : 1978
Génération actuelle : 2004
Construction : Smyrna, Tennessee, É.-U.
Sacs gonflables : 6, frontaux, latéraux avant et rideaux latéraux
Concurrence : Acura TL, Buick Allure, Cadillac CTS, Chrysler 300, Dodge Charger, Hyundai Azera, Kia Amanti, Lexus ES, Lincoln MKZ, Pontiac Grand Prix, Toyota Avalon, Volkswagen Passat

AU QUOTIDIEN

Prime d'assurance :
25 ans : 2700 à 2900 $
40 ans : 1700 à 1900 $
60 ans : 1300 à 1500 $
Collision frontale : 5/5
Collision latérale : 4/5
Ventes du modèle l'an dernier
Au Québec : 1023 **Au Canada :** 3566
Dépréciation (3 ans) : 47,3 %
Rappels (2001 à 2006) : 4
Cote de fiabilité : 4/5

DEMI-VIE

– Benoit Charette

À sa troisième année sur le marché sous sa forme actuelle, la Maxima a atteint la moitié de son cycle de vie. Pour la maintenir dans le coup, Nissan effectuera quelques chirurgies et un léger traitement de beauté pour éliminer quelques rides à la prochaine génération. Pour l'instant, la seule grande nouvelle est l'arrivée de la transmission CVT pour toutes les versions.

CARROSSERIE ► Ceux qui ont l'œil exercé remarqueront de nouvelles courbes dans la calandre, la nouvelle configuration des blocs optiques à l'avant, et les pare-chocs redessinés. Il s'agit cependant de changements mineurs et il est difficile de voir que l'aileron arrière de la version SE est un peu plus imposant que celui de l'an dernier. Il y a tout de même ces nouvelles jantes de 17 et 18 pouces qui donnent un air plus agressif à la voiture. Nissan conserve aussi le toit panoramique Skyview en équipement de série et ajoute en option un toit ouvrant traditionnel.

HABITACLE ► L'intérieur a aussi été l'objet d'un certain nombre de modifications. En plus de ses nouvelles garnitures, le bloc central du tableau de bord est plus facile à consulter. Tous les instruments profitent dorénavant de l'éclairage Fine Vision, d'une lecture plus aisée, surtout le jour. Nissan a également rassemblé plusieurs commandes dans un nouveau système d'interface facile à consulter et à utiliser. Côté confort, les nouvelles dimensions augmentées des sièges s'ajustent mieux aux fesses et aux épaules (de la clientèle américaine!), et l'appuie-bras est de meilleure qualité. Finalement, les nouveaux équipements modernes comprennent un système de clé intelligent, de série, et dans les options un chargeur à six disques avec compatibilité MP3, un système de téléphonie sans fil Bluetooth et une radio par satellite.

MÉCANIQUE ► Si la Maxima profite toujours de la même mécanique VQ six cylindres de

forces
- Lignes originales
- Nouvel aménagement intérieur
- Confortable et silencieuse sur la route

faiblesses
- Tenue de route un peu molle (SL)
- Accélérateur prompt lors des décollages
- Léger effet de couple toujours présent

nouveautés en 2007
- Retouches esthétiques à la carrosserie, habitacle redessiné, boîte automatique à variation continue de série, nouvelles jantes d'alliage, équipement de série ajouté (exemple système d'accès sans clé)

3,5 litres, celle-ci est maintenant jumelée, comme la Murano, à une transmission CVT, la seule disponible pour tous les modèles 2007. La puissance est maintenant de 255 chevaux, 10 de moins que l'an dernier. Cette baisse de régime n'est pas attribuable à la transmission CVT, mais bien à une nouvelle méthode d'évaluation de la puissance de la SAE (Society of Automotive Engineers).

COMPORTEMENT ▶ Même avec sa boîte CVT, la nouvelle Maxima demeure très plaisante à conduire. Un de ses avantages est d'atténuer l'effet de couple qui a toujours caractérisé ce modèle. Malheureusement, il n'a pas complètement disparu et on est toujours secoué au départ, à cause de l'accélérateur qui n'est pas très progressif. Silencieuse sur l'autoroute, la Maxima ne déteste pas les routes en lacets, spécialement les versions SE qui possèdent un tarage de suspension plus sportif. Toutefois, les routes défoncées feront sautiller la voiture. La version SL, plus confortable, est pourvue d'une direction qui vous isole partiellement de la route, sa précision n'étant pas aussi bonne que dans les versions SE. La rigidité de la caisse n'est jamais prise en défaut et l'habitacle remarquablement bien insonorisé ne laisse filtrer aucun bruit de vent, pas même à plus de 125 km/h, ni bruits parasites de pneus, de la caisse ou autres.

CONCLUSION ▶ La Maxima se retrouve entre deux catégories. D'abord, il est difficile de la comparer aux Lexus et Acura, comme l'Infiniti. Ensuite, sa proximité avec l'Altima quant au format et aux équipements en fait un modèle difficile à vendre. Toutefois, grâce à ses nouveaux équipements et à son prix moindre que celui de l'Infiniti G35, la Maxima reste un achat intéressant, d'une grande fiabilité.

FICHE TECHNIQUE

MOTEUR
V6 3,5 l DACT 255 ch à 6000 tr/min
couple : 252 lb-pi à 4400 tr/min
Transmission : automatique à variation continue avec mode manuel
0-100 km/h : 6,6 s
Vitesse maximale : 230 km/h
Consommation (100 km) : 9,5 l (octane : 87)

Sécurité active
freins ABS, répartition électronique de force de freinage, assistance au freinage, antipatinage, contrôle de stabilité électronique (optionnel dans 3.5 SE 5 places)

Suspension avant/arrière
indépendante

Freins avant/arrière
disques

Direction
à crémaillère, assistée

Pneus
3.5 SE : P245/45R18, 3.5 SL : P225/55R17

DIMENSIONS
Empattement : 2825 mm
Longueur : 4938 mm
Largeur : 1821 mm
Hauteur : 1481 mm
Poids : SE : 1641 kg, SL : 1633 kg
Diamètre de braquage : 12,2 m
Coffre : 388 l
Réservoir de carburant : 76 l

opinion

Antoine Joubert • Il est vrai que les modifications esthétiques sont discrètes, mais elles apportent à la Maxima une sagesse qu'on ne ressentait guère l'an dernier. Comme le bon vin, la Maxima de dernière génération s'est raffinée avec le temps. Les éléments stylistiques discutables de la version 2004 ont été éliminés, la qualité de finition est redevenue honorable et les quelques ajouts en matière d'équipement et de technologie ont contribué à la distinguer de sa petite sœur, l'Altima. Quant à la boîte CVT, elle apporte beaucoup de nouvelles qualités, mais réduit quelque peu l'agrément de conduite. Somme toute, la nouvelle « Max » est un produit mûri qui vaut drôlement plus le détour que l'an dernier.

MURANO

évolution | 38 998 $ à 48 598 $ |
Transport et préparation : 1314 $

www.nissancanada.com

FICHE D'IDENTITÉ

Version(s) : SL, SE
Roues motrices : avant, 4RM
Portières : 4
Première génération : 2003
Génération actuelle : 2003
Construction : Kyushu, Japon
Sacs gonflables : 6, frontaux, latéraux et rideaux latéraux
Concurrence : Buick Rendezvous, Chrysler Pacifica, Ford Freestyle et Edge, GMC Acadia, Honda Pilot, Kia Sorento, Mazda CX-9, Mitsubishi Endeavor, Saturn Outlook, Subaru B9 Tribeca, Toyota Highlander

AU QUOTIDIEN

Prime d'assurance :
25 ans : 3200 à 3400 $
40 ans : 2200 à 2400 $
60 ans : 1600 à 1800 $
Collision frontale : 5/5
Collision latérale : 5/5
Ventes du modèle l'an dernier
Au Québec : 1232 **Au Canada :** 5042
Dépréciation (3 ans) : 46,5 %
Rappels (2001 à 2006) : 6
Cote de fiabilité : 4/5

LOUABLE EFFORT D'ORIGINALITÉ

– Michel Crépault

Utilitaire sport multisegment *(crossover)* conçu exclusivement pour le marché nord-américain, la Murano se présente en trois versions : SL à traction avant ou intégrale, et SE à quatre roues motrices.

CARROSSERIE ► Bien qu'elle emprunte une partie de sa plateforme aux Maxima et Quest, la Murano exhibe une carrosserie qui ne passe pas inaperçue. Louangeons les designers qui ont conçu ce nez effilé, cette fenestration généreuse et distinctive, cet arrière bombé. La Murano projette une image résolument moderne. On en croise un et notre regard est immédiatement attiré vers lui, approbateur.

HABITACLE ► Cette silhouette originale a un prix. Par exemple, le pare-brise très incliné engendre une tablette interminable au-dessus du tableau de bord. On pourrait quasiment y aménager une couchette ! Les stylistes ont plutôt subdivisé l'espace en cases sans couvercle et on est tenté d'y ranger des cartes routières, une boîte de kleenex, que sais-je encore. C'est une invitation à semer la pagaille dans un habitacle qui autrement respire l'avant-gardisme.

D'ailleurs, Nissan fait de réels efforts pour concocter des intérieurs qui brisent l'anonymat, avec les cadrans aux indications orangées, la console centrale avancée vers le conducteur, celle au plancher qui est truffée de compartiments à couvercles articulés, la caméra de marche arrière. Seul bémol : les contrôles complexes de l'écran en couleur. Il faut du temps pour s'habituer à toutes ses fonctions et l'on regrette un système plus simple. La banquette conçue pour trois occupants, mais plus confortable pour deux, est pourvue de dossiers divisibles (60/40) qui se rabattent en un tour de main, appuie-tête compris. Ils forment alors un plancher plat facile à charger. Quant au hayon bombé, il est lourd à soulever. Une poignée intérieure s'avère utile pour le refermer, mais je recommanderais au plus vite une motorisation optionnelle.

forces
- Silhouette et habitacle « songés »
- Mécanique éprouvée
- Traction intégrale toujours appréciée au Québec

faiblesses
- Transmission CVT qui ne tient pas toutes ses promesses
- Instrumentation parfois déroutante
- Un peu trop de plastique à l'intérieur

nouveautés en 2007
- Indicateur de basse pression des pneus de série, indicateur visuel de rappel de ceinture de sécurité

MURANO

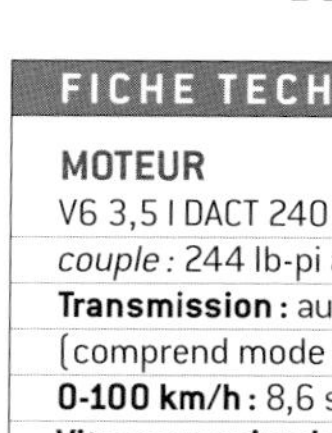

MÉCANIQUE ► La Murano est mue par l'archiconnu V6 de 3,5 litres VQ à double arbre à cames en tête de l'Altima et de la Maxima. Mais, surprise, il est couplé à une transmission à variation continue Xtronic CVT. Le modèle haut de gamme SE peut comporter un mode semi-manuel. Pour la nouvelle année, le nombre de chevaux chute de 245 à 240 à cause d'une nouvelle méthodologie de la SAE. Le couple, pour sa part, passe de 246 à 244 livres-pied.

COMPORTEMENT ► La traction intégrale intervient sur demande. En enfonçant l'interrupteur, on passe en AWD, selon l'un des deux modes, Auto ou Lock. Le verrouillage survient en deçà de 10 km/h. Dès qu'on dépasse cette vitesse, le mode Auto revient en force. Le couple sera alors réparti entre les roues avant et arrière jusque dans une proportion de 50-50, si nécessaire.

Grâce au VDC (Vehicle Dynamic Control), des capteurs agissent sur les freins et sur le couple du moteur pour réduire les risques de patinage et de dérapage. C'est un dispositif optionnel qui travaille indépendamment du contrôle de traction standard. Cela dit, la Murano se déplace bien, mais on la sent pesante. D'ailleurs, ce n'est pas qu'un désavantage. Par exemple, sa construction robuste étouffe les bruits parasites de la route. Sa forme originale fend bien l'air, mais n'incite pas à la vitesse. Dès qu'on enfonce l'accélérateur, on devine que le moteur pompe l'essence. Mieux vaut se calmer et espérer obtenir la moyenne combinée de 11,3 litres aux 100 km maintenue durant mon essai. On se serait pourtant attendu à un peu mieux avec la boîte CVT. Au moins, celle-ci assure-t-elle des accélérations douces.

CONCLUSION ► La Murano est perfectible, mais la tentative de Nissan d'en faire un véhicule différent de la concurrence est honorable. Son arsenal électronique, sa motricité intégrale et son look branché lui confèrent un statut privilégié pour qui hésite entre une familiale et un utilitaire.

FICHE TECHNIQUE

MOTEUR
V6 3,5 l DACT 240 ch à 5800 tr/min
couple : 244 lb-pi à 4400 tr/min
Transmission : automatique à variation continue (comprend mode manuel dans SE)
0-100 km/h : 8,6 s
Vitesse maximale : 195 km/h
Consommation (100 km) : 2RM : 10,2 l, 4RM : 10,5 l (octane : 87)

Sécurité active
freins ABS, répartition électronique de force de freinage, assistance au freinage, contrôle de stabilité électronique (SE), antipatinage (SE)

Suspension avant/arrière
indépendante

Freins avant/arrière
disques

Direction
à crémaillère, assistée

Pneus
P235/65R18

DIMENSIONS
Empattement : 2824 mm
Longueur : 4765 mm
Largeur : 1880 mm
Hauteur : 1709 mm
Poids : SL 2RM : 1760 kg, SE 2RM : 1820 kg, SE 4RM : 1822 kg
Diamètre de braquage : 11,4 m
Coffre : 923 l, 2311 l (sièges abaissés)
Réservoir de carburant : 82 l
Capacité de remorquage : 1588 kg

2e opinion

Jean-Pierre Bouchard • La Murano est un véhicule utilitaire sport urbain qui se distingue d'emblée par son habillage original. Ce véhicule amalgame diverses qualités : habitacle spacieux, baquets confortables, généreux dégagement aux places arrière, conduite inspirante pour un véhicule de cette catégorie. Le V6 de 3,5 litres et la transmission à variation continue forment un duo efficace. Mais après les fleurs, le pot. Au nombre des défauts figurent une visibilité trois quarts arrière lacunaire, l'intrusion de bruits de roulement, un grand diamètre de braquage ainsi qu'une tenue de route perturbée par les inégalités et qui se marie à d'agaçants craquements. Jetez un coup d'œil à la nouvelle Mazda CX-7, moins chère et fort intéressante.

PATHFINDER

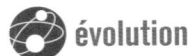

évolution | 37 698 $ à 47 498 $ |
Transport et préparation : 1307 $

www.nissancanada.com

FICHE D'IDENTITÉ

Version(s) : S, SE, LE
Roues motrices : 4
Portières : 4
Première génération : 1987
Génération actuelle : 2005
Construction : Kyushu, Japon
Sacs gonflables : 2, frontaux (latéraux avant et rideaux latéraux optionnels, de série dans LE)
Concurrence : Buick Rainier, Chevrolet TrailBlazer, Dodge Durango, Ford Explorer, GMC Envoy, Jeep Grand Cherokee, Kia Sorento, Toyota 4Runner

AU QUOTIDIEN

Prime d'assurance :
25 ans : 3600 à 3800 $
40 ans : 2300 à 2500 $
60 ans : 1700 à 1900 $
Collision frontale : 4/5
Collision latérale : 5/5
Ventes du modèle l'an dernier
Au Québec : 924 **Au Canada :** 4385
Dépréciation (3 ans) : 47,9 %
Rappels (2001 à 2006) : 1
Cote de fiabilité : 3/5

TROUVER SA VOIE

– Benoit Charette

Avec le X-Trail, le Murano, le Xterra, l'Armada, le Frontier et le Pathfinder, Nissan propose des 4X4 destinés à divers usages. Mais certains ont critiqué le rôle du Pathfinder dans cette famille. Pourtant, maintenant que plusieurs en ont un peu assez des ennuyeuses fourgonnettes, le Pathfinder constitue une bonne solution de rechange avec ses trois rangées de sièges, son poste de conduite dominant, son excellent confort et ses équipements adéquats.

CARROSSERIE ► Les lignes imposantes contribuent à rééquilibrer la testostérone des mâles qui s'étaient assagis au volant d'une fourgonnette. La grosse calandre, le capot musclé et les flancs massifs caractérisent le style de ce véhicule. Nissan a aussi conservé certaines traditions, comme les poignées des portières arrière qui sont presque dissimulées dans le pilier. Sur cette silhouette très camion, le hayon rappelle la fourgonnette. Côté châssis, le Pathfinder profite d'une suspension indépendante aux quatre roues, mais... avec un châssis séparé, comme tout bon 4X4 traditionnel.

HABITACLE ► À l'intérieur, l'espace aux places avant est généreux, mais un peu plus limité à l'arrière. C'est tout de même largement suffisant dans la plupart des cas, mais incomparable avec une fourgonnette. La configuration de série comprend un siège passager qui se rabat à plat, une deuxième rangée qui se divise 40/20/40 et une troisième 50/50. Ainsi, on peut glisser dans le véhicule des objets de plus de trois mètres de long. En outre, le porte-bagages du toit (en équipement de série) peut supporter 90 kilos. L'intérieur comporte de nombreux éléments de luxe, comme le cuir et les boiseries dans la version LE. Le centre de divertissement avec lecteur DVD et écran au plafond à l'arrière est optionnel, tout comme le système de navigation, très bien conçu, avec écran à effet 3D. À ce chapitre, rien à envier aux fourgonnettes.

forces
- Intérieur modulable
- Finition de meilleure qualité
- Excellent comportement sur route et hors route

faiblesses
- Consommation
- Plastique un peu bon marché à l'intérieur

nouveautés en 2007
- Version Off-Road discontinuée, glaces électriques avant à descente et montée d'une touche, prise audio auxiliaire pour lecteur MP3, amélioration des émission polluantes (LEV2 ULEV), une nouvelle couleur de carrosserie

MÉCANIQUE ► Le Pathfinder ne dispose que d'un seul moteur pour toutes les versions: un V6 de 4,0 litres qui développe 266 chevaux et 288 livres-pied de couple. Nissan a utilisé la transmission automatique à cinq rapports de l'Armada pour faire équipe avec ce V6. Pour affronter les terrains inhospitaliers, Nissan fait appel au système quatre roues motrices All Mode. On dispose de la position 2WD (pas vraiment utile, puisque la position Auto permet de rouler avec deux roues motrices et de moduler la répartition du couple en cas de diminution de l'adhérence) ; d'un mode Lock permettant une répartition de 50/50 entre les deux essieux et qui s'apparente à un blocage de différentiel central; et enfin d'une position Low avec boîte de transfert. La présence de ces deux derniers modes est à souligner, car les nouveaux 4X4 ont tendance à les abandonner. Ce système fonctionne par le biais d'un bouton tournant très pratique.

COMPORTEMENT ► Il n'est pas question de rouler le couteau entre les dents dans ce Pathfinder imposant et haut perché, mais la suspension indépendante permet tout de même d'attaquer les courbes avec aplomb. La boîte automatique est douce, assez rapide et bien étagée. Parmi les petits irritants, notons que la puissance arrive un peu subitement au moment du démarrage et qu'on a besoin d'un certain temps pour bien doser l'accélérateur. Grâce à la boîte de transfert et à la bonne garde au sol, les performances hors route sont supérieures à la moyenne.

CONCLUSION ► À mon sens, le Pathfinder peut remplacer avantageusement les Land Rover LR3, Jeep Grand Cherokee ou Toyota 4Runner. Il est capable des mêmes prouesses et possède un petit côté familial qui fait oublier les fourgonnettes. De plus, son prix est compétitif.

FICHE TECHNIQUE

MOTEUR
V6 4,0 l DACT 266 ch à 5600 tr/min
couple : 288 lb-pi à 4000 tr/min
Transmission : automatique à 5 rapports
0-100 km/h : 8,9 s
Vitesse maximale : 190 km/h
Consommation (100 km) : 13,6 l (octane : 87)

Sécurité active
freins ABS, assistance au freinage, répartition électronique de force de freinage, système antipatinage, contrôle de stabilité électronique

Suspension avant/arrière
indépendante

Freins avant/arrière
disques

Direction
à crémaillère, assistée

Pneus
S : P245/75R16, SE : P265/70R16, LE : P265/65R17

DIMENSIONS
Empattement : 2850 mm
Longueur : 4765 mm
Largeur : 1849 mm
Hauteur : 1852 mm,
Poids : S : 2123 kg, SE : 2184 kg, LE : 2212 kg
Diamètre de braquage : 11,9 m
Coffre : 467 l, 2243 l (sièges abaissés)
Réservoir de carburant : 76 l
Capacité de remorquage : 2722 kg

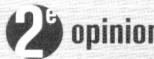

2e opinion

Antoine Joubert • Le Pathfinder, premier utilitaire de la marque, est aujourd'hui un véhicule dont les aptitudes hors route et la capacité de remorquage sont aussi poussées que son comportement sur route. Le châssis sur lequel il repose et le puissant groupe motopropulseur contribuent à faire de ce véhicule un véritable « gars de bois » en tenue de ville. En conduite hors-piste, la présence de marchepieds est cependant un véritable handicap, puisqu'ils diminuent beaucoup la garde au sol. L'habitacle terriblement mal ficelé et l'ajout maladroit de la troisième banquette résument les autres anomalies du Pathfinder. N'oublions pas non plus sa forte consommation d'essence, qui peut grever votre budget mensuel.

QUEST

évolution | 32 498 $ à 46 998 $ |
Transport et préparation : 1440 $

www.nissancanada.com

QUESTION DE LOOK !

– Antoine Joubert

FICHE D'IDENTITÉ

Version(s) : S, SL, SE
Roues motrices : avant
Portières : 4
Première génération : 1993
Génération actuelle : 2004
Construction : Canton, Mississipi, É.-U.
Sacs gonflables : 6, frontaux, latéraux avant et rideaux latéraux
Concurrence : Buick Terraza, Chevrolet Uplander, Chrysler Town & Country, Dodge Caravan, Ford Freestar, Honda Odyssey, Hyundai Entourage, Kia Sedona, Pontiac Montana SV6, Saturn Relay, Toyota Sienna

AU QUOTIDIEN

Prime d'assurance :
25 ans : 2400 à 2600 $
40 ans : 1700 à 1900 $
60 ans : 1500 à 1700 $
Collision frontale : 5/5
Collision latérale : 5/5
Ventes du modèle l'an dernier
Au Québec : 597 **Au Canada :** 2495
Dépréciation (2 ans) : 45,4 %
Rappels (2001 à 2006) : 4
Cote de fiabilité : 2/5

Après trois ans d'existence, la dernière Quest est toujours la fourgonnette la plus audacieuse du marché. À son arrivée en 2004, elle a été la cible de nombreuses critiques, pour la plupart fondées, qui ont eu un effet passablement néfaste sur les ventes et la réputation du produit. Ces erreurs de jeunesse maintenant réparées, la Quest nous arrive cette année avec une liste importante de modifications qui nous fait redécouvrir un véhicule nettement plus convaincant.

CARROSSERIE ► Qu'on l'aime ou non, il faut féliciter les dessinateurs de Nissan qui n'ont pas joué la carte du conservatisme, contrairement aux autres constructeurs de fourgonnettes. Je dois admettre que ses lignes ne me plaisent pas vraiment, mais les quelques retouches faites cette année à la calandre et au pare-chocs avant me la rendent plus sympathique. Des jantes plus inspirées et des panneaux vitrés Skyview contribuent aussi à l'enjoliver. Cependant, Nissan se trompe lorsqu'elle décrit la Quest comme une « minifourgonnette ». Désolé, mais rien dans ce véhicule ne peut être décrit comme mini. C'est du maxi à tous les niveaux, et celui qui tentera de se garer au centre-ville l'apprendra à ses dépens.

HABITACLE ► Première constatation : Nissan a repensé, au grand bonheur de tous, la planche de bord. Fini, ce bloc central façon Yaris et Saturn ION. Le conducteur a maintenant droit à un bloc d'instruments face à lui, avec cadrans analogiques. Seconde constatation : les matériaux de bonne qualité sont enfin comparables à ceux des autres créations japonaises. Spacieuse, la Quest accueille confortablement sept passagers. Même la banquette de la troisième rangée est adéquate, ce qui n'est pas le cas de toutes les fourgonnettes. Toutefois, tous les sièges manquent de support latéral. Par ailleurs, l'habitable regorge d'espaces de rangement et il est facilement modulable. Quant à l'équipement offert, il

forces
- Design original
- Mécanique fabuleuse
- Conduite assez agréable
- Habitacle très spacieux
- Meilleure qualité d'assemblage

faiblesses
- Léger effet de couple
- Sièges manquant de soutien
- Prix élevé (SE)
- Fiabilité incertaine

nouveautés en 2007
- Grille de calandre, jantes et pare-chocs avant redessinés, jupes de bas de caisse dans version SE, nouveau porte-bagages de toit, nouvelle console centrale, planche de bord redessinée

varie de complet à surréaliste, selon la version. La différence de plus de 15 000 $ entre les versions S et SE est attribuable uniquement aux gadgets.

MÉCANIQUE ▶ Qui oserait se plaindre du fait que la Quest, comme la grande majorité des produits Nissan, utilise le moteur VQ 35? Vif et performant, il est aussi discret dans la Quest. Jumelé à une boîte automatique à cinq rapports, maintenant de série dans toutes les versions, ce V6 montre une consommation de carburant fort raisonnable, autour de 12 litres aux 100 kilomètres. Assez impressionnant pour un véhicule de 1900 kilos et de 240 chevaux.

COMPORTEMENT ▶ Excepté la désagréable sensation d'effet de couple transmise dans le volant, le comportement de la Quest est satisfaisant. La direction est précise, le freinage est puissant et la suspension contribue à la fois au confort et à la bonne tenue de route. Pour certains, conduire une Quest demande toutefois une période d'adaptation, car l'arrière est si long qu'on se croirait parfois au volant d'un autobus. Qu'à cela ne tienne, une caméra de rétrovision est proposée avec la version SE. Toutefois, la lentille de cette caméra, placée juste au-dessus de la plaque d'immatriculation, se salit facilement, si bien que parfois on ne voit plus rien. Vive la technologie ! Il est à noter que la traction intégrale n'est pas disponible dans la Quest. Vous n'aurez droit qu'à l'antipatinage et, selon la version, au contrôle dynamique de stabilité.

CONCLUSION ▶ La Quest, c'est l'alternative parfaite pour l'acheteur de fourgonnette qui ne veut pas se montrer au volant d'un véhicule à l'allure banale et à la conduite ennuyeuse. Elle n'est pas révolutionnaire, mais l'originalité se vend bien, et c'est la carte que Nissan a choisi de jouer. Quant aux problèmes d'assemblage et de fiabilité, il semble que tout soit rentré dans l'ordre.

FICHE TECHNIQUE

MOTEUR
V6 3,5 l DACT 235 ch à 5800 tr/min
couple : 240 lb-pi à 4400 tr/min
Transmission : automatique à 5 rapports
0-100 km/h : 10,3 s
Vitesse maximale : 185 km/h
Consommation (100 km) : 11,0 l (octane : 87)

Sécurité active
freins ABS, répartition électronique de force de freinage, assistance au freinage, antipatinage, contrôle de stabilité électronique (SE)

Suspension avant/arrière
indépendante

Freins avant/arrière
disques

Direction
à crémaillère, assistée

Pneus
S et SL : P225/65R16, SE : P225/60R17

DIMENSIONS
Empattement : 3150 mm
Longueur : 5185 mm
Largeur : 1971 mm
Hauteur : 1826 mm
Poids : S : 1955 kg, SL : 1981 kg, SE : 2036 kg
Diamètre de braquage : nd
Coffre : 915 l, 4126 l (sièges abaissés)
Réservoir de carburant : 76 l
Capacité de remorquage : 1588 kg

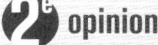

2e opinion

Benoit Charette • Dans la vie, il faut oser pour avancer, c'est ce que Nissan a voulu démontrer en 2004 lors de la présentation de la nouvelle Quest. Mais l'avant-gardisme a ses limites. Nissan a donc révisé discrètement les lignes extérieures, et l'habitacle en profondeur. En résumé, on pourrait dire que la Quest rentrera dans les rangs en 2007. Il semble que l'entreprise ait visé la mauvaise clientèle pour jouer l'innovation. L'intérieur est maintenant beaucoup plus sobre et les commandes, plus simples. Espérons seulement qu'il n'est pas trop tard pour reconquérir une clientèle qui a probablement fait un autre choix. J'aurais tout de même apprécié que Nissan modifie davantage les lignes extérieures.

SENTRA

nouveauté | 17 000 $ à 22 000 $ | Transport et préparation : 1114 $

www.nissancanada.com

LE BŒUF EST LENT, MAIS LA TERRE EST PATIENTE

– **Benoit Charette**

FICHE D'IDENTITÉ

Version(s) : 2.0, 2.0 S, 2.0 SL
Roues motrices : avant
Portières : 4
Première génération : 1983
Génération actuelle : 2007
Construction : Aguascalientes, Mexique
Sacs gonflables : 6, frontaux, latéraux avant et rideaux latéraux
Concurrence : Chevrolet Cobalt, Ford Focus, Honda Civic, Hyundai Elantra, Kia Spectra, Mazda3, Mitsubishi Lancer, Pontiac G5, Saturn ION, Subaru Impreza, Suzuki Aerio, Toyota Corolla, VW Rabbit

AU QUOTIDIEN

Prime d'assurance :
25 ans : 2100 à 2300 $
40 ans : 1600 à 1800 $
60 ans : 1200 à 1400 $
Collision frontale : nd
Collision latérale : nd
Ventes du modèle l'an dernier
Au Québec : 6104 **Au Canada :** 12 206
Dépréciation (3 ans) : 48,7 %
Rappels (2001 à 2006) : 10
Cote de fiabilité : 3/5

Il en aura fallu du temps à Nissan pour remettre la Sentra au goût du jour. Mais les Québécois sont patients. La preuve: au Canada, malgré des résultats en déclin depuis quelques années, la moitié des ventes se font au Québec.

CARROSSERIE ► C'est au Salon de Detroit que Nissan a présenté la dernière mouture de la Sentra. Aussi excitante qu'une tranche de pain, la dernière génération fait place à une voiture aux lignes plus contemporaines, qui profite de la nouvelle plateforme « C » de Nissan. Son rôle demeure toutefois le même: une berline pratique pour gens pratiques. Ses lignes fortement inspirées de la Maxima lui donnent des airs de petite voiture de luxe. Conçue pour accueillir confortablement quatre adultes, la Sentra propose une garde au toit supérieure, mais aussi plus d'espace aux épaules et aux hanches à l'avant.

HABITACLE ► Ici, le mot d'ordre est fonctionnalité. Le directeur de Nissan Canada, Ian Forsyth, décrit la voiture comme un sac à dos mobile. D'abord, les passagers seront à l'aise, puisque la nouvelle Sentra est beaucoup plus volumineuse que sa devancière. En fait, c'est la plus grande voiture compacte sur le marché. Le coffre est d'une polyvalence exceptionnelle. Les sièges arrière se rabattent à plat pour permettre le transport d'objets longs ou encombrants. La banquette arrière est divisée 60/40, avec un passage entre le coffre et l'habitacle, tout en ménageant un siège complet pour un passager. La plaque de division du coffre, configurable, est une autre innovation. Elle se place à plat au fond du coffre, ou s'installe à la verticale pour créer deux compartiments. Cette plaque durable (recouverte de la même moquette que le coffre d'un côté et d'un matériau imperméable de l'autre pour en faciliter le nettoyage) est dotée de crochets pour attacher les sacs d'épicerie. La console centrale comporte un porte-gobelets réglable et un espace réservé au téléphone cellulaire. Et je ne parle pas des nombreux

forces
- Lignes mieux tournées
- Plateforme saine
- Beaucoup d'espace pour une compacte
- Coffre ingénieux

faiblesses
- Trop tôt pour en parler

nouveautés en 2007
- Modèle entièrement redessiné

SENTRA

avec Renault, est équipé de série d'une boîte de vitesses manuelle à six rapports ou de la boîte optionnelle Xtronic CVT à variation continue. Nissan estime la consommation de carburant à 8 litres aux 100 km en ville; et à 6,6 litres aux 100 km sur la route.

COMPORTEMENT ► Une voiture pratique et fonctionnelle ne procure pas nécessairement un grand plaisir de conduire. Mais nous réserverons notre jugement, car au moment de mettre sous presse Nissan n'avait pas encore présenté le véhicule aux journalistes. Nous pouvons tout de même affirmer qu'avec une nouvelle plateforme plus rigide et 140 chevaux en réserve, vous aurez droit à une bonne expérience au volant.

CONCLUSION ► La Sentra était devenue un peu comme le Litre du marchand au dépanneur. Le genre de vin que l'on choisit parce qu'il n'y a rien d'autre. J'avais conclu mon texte de l'an dernier en souhaitant que la prochaine génération ait plus à offrir. Sur le plan purement visuel, la Sentra a fière allure et se fera davantage remarquer, ce qui est déjà beaucoup, et prometteur. Elle a ce qu'il faut pour retrouver la voie du succès.

autres espaces de rangement très pratiques. Nous avons pendant longtemps critiqué la qualité des plastiques qui laissait à désirer. Il semble que cette époque soit révolue, car les plus récents modèles de la marque, y compris la Sentra, offrent des matériaux de qualité. Parmi les options, il y a la sellerie de cuir, le système téléphonique mains-libres Bluetooth et un système audio Rockford Fosgate avec changeur automatique de six disques, amplificateur à huit voies et huit haut-parleurs.

MÉCANIQUE ► Sous cette carrosserie toute neuve, ronronne un moteur tout neuf. Il s'agit d'une motorisation quatre cylindres de 2,0 litres, qui développe 140 chevaux (contre 126 pour la génération précédente). Ce moteur plus nerveux, conçu en association

FICHE TECHNIQUE

MOTEUR

L4 2,0 l DACT 140 ch à 5100 tr/min
couple: 147 lb-pi à 4800 tr/min
Transmission: manuelle à 6 rapports, automatique à variation continue (option)
0-100 km/h: 9,5 s
Vitesse maximale: 190 km/h
Consommation (100 km): man.: 7,4 l, auto.: 7,1 l (octane: 87)

Sécurité active
freins ABS (option dans 2.0)

Suspension avant/arrière
indépendante/essieu rigide

Freins avant/arrière
disques/tambours

Direction
à crémaillère, assistée

Pneus
2.0: P205/60R15, 2.0 S, 2.0 SL: P205/55R16

DIMENSIONS

Empattement: 2685 mm
Longueur: 4567 mm
Largeur: 1791 mm
Hauteur: 1511 mm
Poids: 2.0: 1273 kg, 2.0 S: 1309 kg, 2.0 SL: 1353 kg
Diamètre de braquage: 10,8 m
Coffre: 371 l
Réservoir de carburant: 55 l

TITAN

évolution | 32 598 $ à 49 598 $ |
Transport et préparation : 1333 $

www.nissancanada.com

FICHE D'IDENTITÉ

Version(s) : XE, SE, LE (King Cab, Crew Cab)
Roues motrices : arrière, 4RM
Portières : 4
Première génération : 2004
Génération actuelle : 2004
Construction : Canton, Mississippi, É.-U.
Sacs gonflables : 2, frontaux (latéraux en option dans SE, de série dans LE)
Concurrence : Chevrolet Silverado, Dodge Ram, Ford F-150, GMC Sierra, Toyota Tundra

AU QUOTIDIEN

Prime d'assurance :
25 ans : 2500 à 2700 $
40 ans : 1800 à 2000 $
60 ans : 1400 à 1600 $
Collision frontale : 5/5
Collision latérale : nd
Ventes du modèle l'an dernier
Au Québec : 212 **Au Canada :** 1837
Dépréciation (2 ans) : 38,4 %
Rappels (2001 à 2006) : 3
Cote de fiabilité : 2/5

FIGURANT

– Benoit Charette

Il s'est vendu au Québec seulement 9000 Ford F-150 l'an dernier. GM, avec les Silverado et Sierra, frise les 10 000 unités, et Dodge s'approche du 5000 avec le Ram. Pendant ce temps, Nissan a vendu 212 Titan. Cela ne remet pas en cause la qualité du produit, mais démontre à quel point il est difficile, même avec un bon produit, de faire une percée sur le marché des camions.

CARROSSERIE ► La recette de base est bonne. Le Titan est construit sur un robuste châssis F-Alpha en acier à sections fermées. Toutefois, il perd beaucoup de points du côté de ses lignes et du choix de modèles. De face, le Titan ressemble à un gros Frontier et ses modèles comprennent une cabine allongée ou double, c'est tout. Ainsi, on limite sérieusement le nombre de clients potentiels, ce qui explique les ventes discrètes. Il y a tout de même quelques belles trouvailles. Le système d'arrimage Utili-track, installé dans la caisse, se compose de cinq rails à profil en « C » : deux dans le plancher, deux sur les rebords et un sur le panneau avant. Des crochets amovibles coulissent dans ces rails pour permettre un grand nombre de positions d'attache. Les crochets ont une résistance nominale de 200 kilos et le système Utili-track est complété par 22 renforts structuraux à la caisse qui confèrent à l'ensemble la rigidité nécessaire pour soutenir les charges.

HABITACLE ► L'habitacle du Titan est extrêmement spacieux, c'est sa plus grande qualité. Le modèle à cabine double offre le plus grand espace de sa catégorie pour les passagers arrière. Deux configurations intérieures sont possibles : six places, avec banquette avant de série et levier de vitesses à la colonne ; ou cinq places, avec ensemble Sièges capitaines optionnel comprenant des baquets à l'avant et un levier de vitesses au plancher avec grille à secteur. La seconde solution est la plus confortable. La qualité de certains plastiques n'est pas à la hauteur d'un véhicule de ce prix, mais il y a de l'espoir : tous les nouveaux modèles Nissan ont

forces
- Habitacle spacieux
- Moteur nerveux
- Direction précise

faiblesses
- Choix limité de modèles
- Consommation astronomique
- Lignes quelconques

nouveautés en 2007
- Puissance du moteur augmentée à 317 chevaux, ensemble remorquage de série (SE), jantes et accessoires chromés disponibles en option

Tout-Terrain est également proposé et comprend des rapports de boîte de vitesses plus courts, un différentiel arrière autobloquant mécanique à embrayage électronique, des amortisseurs à gaz Rancho hautes performances, des jantes de 17 pouces en alliage chaussées de gros pneus tout-terrains, des phares antibrouillards et des plaques de protection pour le radiateur, le carter d'huile et la boîte de transfert.

réglé ce problème. Le siège du passager avant peut être rabattu à plat et peut servir de plan de travail.

MÉCANIQUE ▶ Nissan a légèrement rehaussé la puissance du Titan en 2007. Le moteur V8 de 5,6 litres passe de 305 à 317 chevaux et le couple, de 379 à 385 livres-pied. La boîte de vitesses automatique à cinq rapports de série demeure la même et la capacité de remorquage est inchangée: 4309 kilos pour le King Cab; et 4218 kilos pour la version à cabine double adéquatement équipée. Dans les modèles à quatre roues motrices, le Titan reçoit une version adaptée de la boîte de transfert de pointe à commande électronique, dont les modes 2RM/4H/4LO peuvent être embrayés à la volée. Un ensemble

COMPORTEMENT ▶ Le confort prime au volant du Titan. Grâce à sa suspension avant à double triangulation et à sa suspension arrière à ressorts à lames (à deux taux de rappel), la conduite est moins «raide» que chez bien des concurrents. Le moteur est peut-être gros et vorace, mais il ne manque pas de nerfs et possède les gènes d'un *muscle car* lorsqu'on sollicite l'accélérateur. Ajoutez à cela une cabine silencieuse et une direction précise et vous avez un camion tout à fait agréable à conduire.

CONCLUSION ▶ Mal appuyé par Nissan et visant une clientèle trop restreinte, le Titan est condamné à la marginalité. Il faut agrandir ses horizons pour avoir plus de succès.

FICHE TECHNIQUE

MOTEUR
V8 5,6 l DACT 317 ch à 5200 tr/min
couple: 385 lb-pi à 3400 tr/min
Transmission: automatique à 5 rapports
0-100 km/h: 9,3 s
Vitesse maximale: 190 km/h
Consommation (100 km): 2RM: 14,3 l, 4RM: 14,7 l (octane: 87)

Sécurité active
freins ABS, distribution électronique de force de freinage

Suspension avant/arrière
indépendante/essieu rigide

Freins avant/arrière
disques

Direction
à crémaillère, assistée

Pneus
XE: P245/75R17, SE et LE: P265/70R18

DIMENSIONS
Empattement: 3550 mm
Longueur: 5695 mm
Largeur: 2001 mm
Hauteur: King Cab 2RM: 1905 mm, King Cab 4RM: 1946 mm, Crew Cab 4RM: 1948 mm
Poids: 2215 à 2428 kg
Diamètre de braquage: 13,9 m
Réservoir de carburant: 106 l
Capacité de remorquage: 4309 kg

opinion

Pascal Boissé • Ce qui nous frappe au volant d'un titanesque Titan, c'est le dynamisme de son moteur nerveux, mais qui offre un couple massif à tous les régimes. Seul un Dodge Ram pourvu d'un gros HEMI peut rivaliser avec lui. Bien sûr, ce tempérament de *muscle car* engendre une consommation de carburant qui est maintenant devenue légendaire. De ce fait, les soubresauts des prix de l'essence ont fait très mal aux ventes du Titan. L'autre embûche qu'il rencontre sur son chemin, c'est la loyauté des conducteurs de camionnettes à leur marque préférée. Difficile alors de les emmener chez Nissan pour jeter un œil à une camionnette pleine grandeur.

VERSA

www.nissancanada.com

FICHE D'IDENTITÉ

Version(s) : 1.8S, 1.8SL
Roues motrices : avant
Portières : 4
Première génération : 2007
Génération actuelle : 2007
Construction : Aguascalientes, Mexique
Sacs gonflables : 6, frontaux, latéraux avant et rideaux latéraux
Concurrence : Chevrolet Aveo, Honda Fit, Hyundai Accent, Kia Rio, Pontiac Wave, Suzuki Swift+, Toyota Yaris, Volkswagen Golf City

AU QUOTIDIEN

Prime d'assurance :
25 ans : 1900 à 2100 $
40 ans : 1400 à 1600 $
60 ans : 1100 à 1300 $
Collision frontale : nd
Collision latérale : nd
Ventes du modèle l'an dernier
Au Québec : nm **Au Canada :** nm
Dépréciation (3 ans) : nm
Rappels (2001 à 2006) : nm
Cote de fiabilité : nm

SANS VICES, LA VERSA

– **Hugues Gonnot**

Au cours des derniers mois, sont arrivées sur le marché des sous-compactes, dont plusieurs sont de très sérieuses concurrentes. Il était temps que ce segment bouge en Amérique du Nord ! Entre les nouvelles Yaris, Fit, Accent et Rio, la nouvelle Versa se glisse dans le bas de la gamme Nissan. Une nécessité, puisque la Sentra monte en grade. Parmi tous ces modèles, la Versa n'est certainement pas la moins intéressante.

CARROSSERIE ► Côté design, ce n'est pas la panacée. La version qui sera la plus populaire chez nous, la *hatchback*, manque un peu d'équilibre. À l'avant, c'est assez joli. On retrouve la calandre typique de Nissan, quelques touches de chrome, et le capot détaché des ailes produit un bel effet. C'est plutôt à l'arrière que cela devient bancal. Les énormes feux ne semblent pas convenir à la voiture. Sur ce plan, la version quatre portes, qui arrive en fin d'année 2006, paraît plus équilibrée. La version SL est équipée d'office de jantes en aluminium à six bâtons. Dans le courant de l'année, cette version pourra bénéficier d'un ensemble Sport comprenant les antibrouillards, les jupes avant et arrière, les bas de caisse, un déflecteur de toit arrière et un toit ouvrant électrique.

La Versa est l'une des plus grandes du segment et cela devrait favoriser le volume de chargement. Pourtant, elle n'est pas la plus pratique à ce niveau, et ce, pour plusieurs raisons. Premièrement, la forme des feux arrière entraîne une découpe de coffre très étriquée vers le bas, et la hauteur de chargement est un peu trop élevée. Conclusion : on doit travailler fort pour y faire entrer des cartons. Deuxièmement, la banquette se rabat (60/40), mais le dossier, une fois rabattu, est environ 20 centimètres plus élevé que le plancher du coffre. On est loin d'un plancher plat. Enfin, la banquette ne s'incline ni ne coulisse, ce qui ne crée pas d'espace pour les passagers ou les bagages. Bref, ceux pour qui l'espace de chargement

forces
- Finition intérieure
- Équipements disponibles
- Tenue de route plaisante
- Groupe motopropulseur agréable

faiblesses
- Style un peu biscornu
- Espace de chargement pas le plus pratique
- Poids élevé
- Une certaine sensibilité au vent latéral

nouveautés en 2007
- Nouveau modèle

très courant dans cette catégorie. L'insonorisation se montre dans la bonne moyenne.

L'autre point fort de la Versa est son équipement. Nissan a choisi de ne pas faire une version à prix d'appel. Quoique le premier modèle, la S, reste assez abordable. Il comprend des rétroviseurs à réglage électrique et à dégivrage, la colonne de direction inclinable, six coussins gonflables (dont deux rideaux) et des appuie-tête actifs. Pour seulement 1400$, l'ensemble optionnel Plus ajoute la climatisation, le verrouillage électrique avec télécommande, les lève-glaces électriques, les accoudoirs de porte rembourrés (très agréables), alors que l'ABS coûte 500$ (au moins, il est disponible). La SL comporte tous ces équipements, avec en plus le régulateur de vitesse, le siège conducteur à six réglages et les accoudoirs centraux à l'avant et à l'arrière. L'ensemble Technologie, à 1000$, comprend le système audio de haute qualité (280 watts et six haut-parleurs, plus un caisson de basses dans le coffre), le changeur six disques au tableau de bord avec compatibilité MP3, prise auxiliaire et commandes au volant, et puis la téléphonie mains libres Bluetooth. Ainsi équipée, il ne lui manque plus grand-chose!

est une absolue priorité devront se rabattre sur la Honda Fit.

Quant à la visibilité périphérique, c'est assez bon à l'avant, mais c'est un peu juste au trois quarts arrière à cause du pilier C assez volumineux.

HABITACLE ▶ Depuis quelques années, Nissan se faisait régulièrement critiquer pour la qualité des plastiques de l'habitacle. La marque a écouté et a réagi de belle manière. La finition intérieure de la Versa est absolument superbe et constitue l'un des gros points forts de ce modèle. On n'a absolument pas l'impression d'être dans une sous-compacte. Les nombreux plastiques rembourrés plaisent à l'œil et au toucher. La planche de bord est sobre, mais parfaitement agencée. Les porte-gobelets ne manquent pas, mais les espaces de rangement sont un tantinet chiches. On aurait préféré une vraie console centrale à la place de l'appuie-bras, et des filets de rangement dans les sièges à l'arrière.

Pour ce qui est de la position de conduite, on est assis plus droit. Cela demande un peu d'accoutumance, mais c'est confortable, d'autant que les sièges sont excellents. L'empattement généreux a permis d'aménager des places arrière très accueillantes. On a de la place pour les jambes et pour la tête. Même une personne de plus de 1,80 mètre y sera confortablement installée. Ce n'est pas

MÉCANIQUE ▶ Depuis 1999, Nissan et Renault ont lié leurs destins. La plateforme B est la première issue de cette collaboration. Elle sert à de nombreux véhicules, tant chez Renault que chez Nissan. Elle trouve ici sa première application en Amérique du Nord.

Le seul moteur disponible est un nouveau 1,8 litre à double arbre à cames en tête. Ses 122 chevaux en font l'un des plus puissants de la catégorie. De série, la Versa comprend, de base, une boîte manuelle à six rapports. La S peut recevoir en option une boîte automatique à quatre rapports, alors que la SL peut bénéficier d'une boîte CVT Xtronic.

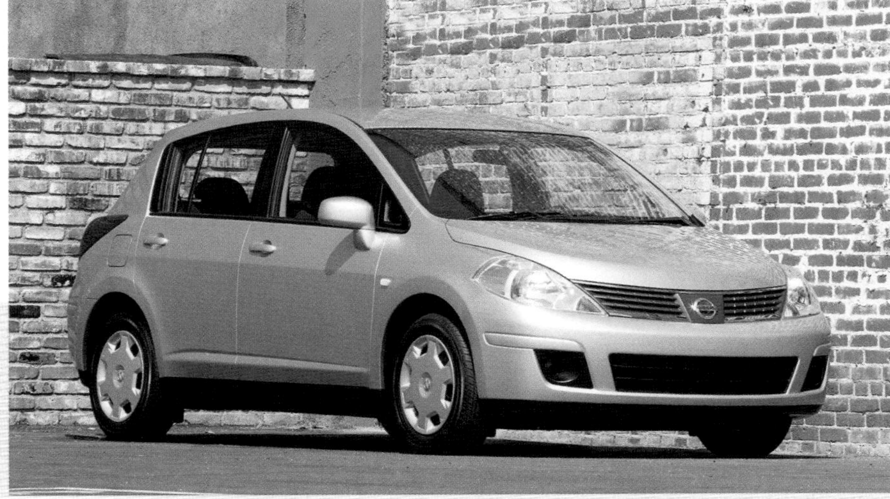

HISTOIRE ▼

Renault revient par la porte d'en arrière

Pas difficile d'oublier la Sentra en découvrant la Versa. Après tout, cette Sentra qu'on nous servait depuis 2001 avait des origines qui remontaient à 1983 ! La Versa, quant à elle, partage une large part de son architecture avec des produits modernes conçus par Renault, la Clio III entre autres. Or, puisqu'il existe une *hatchback* à trois portes dans la gamme Clio, ne pouvons-nous pas rêver de voir une Versa de même type s'ajouter à la gamme canadienne ? Par ailleurs, les cruciverbistes seront fiers d'apprendre qu'au Japon la Versa à arrière ouvrant est appelée Tiida, patronyme inspiré du mot anglais *Tide* (marée), alors que la berline, elle, se nomme Tiida Latio, nom inspiré par le mot « latitude ». Original, vous dites?

Nissan Sentra SE-R et 1,8 S 2006

Nissan Tiida et Tiida Latio 2005

Renault Clio 2006 à 3 et 5 portes

VERSA

GALERIE ▼

1 • Une clé volumineuse et de forme inhabituelle, mais très jolie.
2 • Des places particulièrement spacieuses, devant comme derrière, avec un généreux dégagement latéral, mais aussi beaucoup d'espace pour les pieds à l'arrière. À noter que le siège arrière est installé sur glissière pour offrir encore plus d'espace.
3 • Les commandes de réglage du siège du conducteur sont du côté droit du siège, donc à l'intérieur, ce qui en déroute plusieurs. Une question d'habitude.
4 • Les places avant sont généreuses, les matériaux de bien meilleure qualité que la précédente génération et la Versa est offerte avec une transmission CVT (à variation continue) de série comme presque tous les produits Nissan en 2007.
5 • Nissan a choisi de ne pas faire une version à rabais. Le modèle d'entrée, la S, reste assez abordable. Elle vient d'office avec des rétroviseurs à réglage électrique et dégivrants, la colonne de direction inclinable, six coussins gonflables (dont deux rideaux) et appuie-tête actifs.

❶

❷

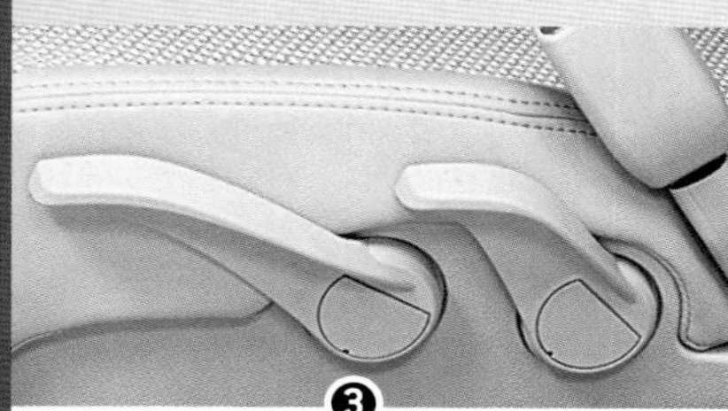

❸

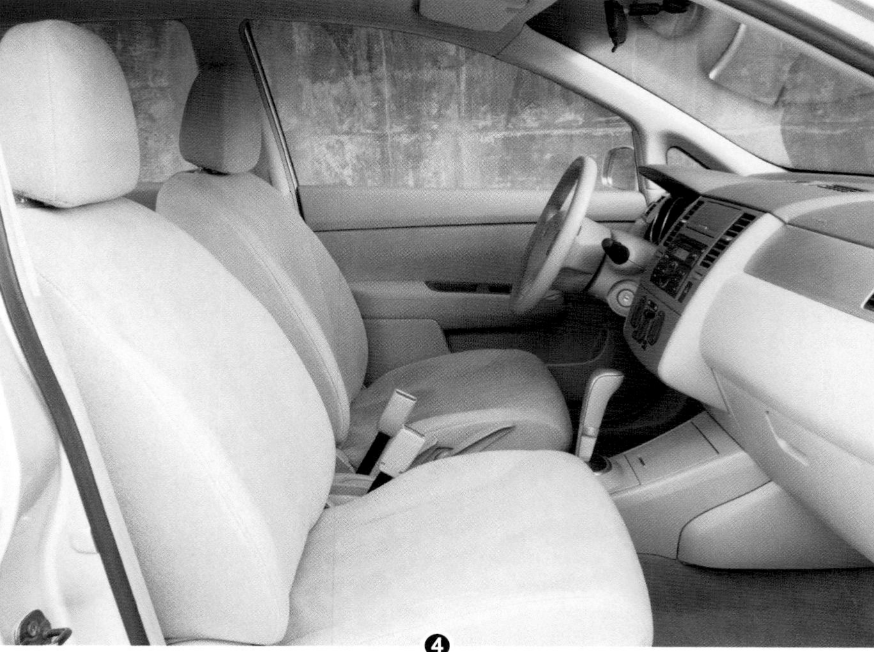

❹

❺

La suspension avant utilise un classique essieu MacPherson installé sur un sous-châssis pour isoler les vibrations. À l'arrière, on trouve un essieu de torsion en H de grande compacité, avec ressorts en caoutchouc. Les amortisseurs adoptent de nouveaux dispositifs antirebonds.

COMPORTEMENT ▶ Sur le papier, la Versa a tout ce qu'il faut pour être la plus vive. Mais l'équipement et la qualité de construction ont un prix, ou plutôt un poids. La Versa est assez lourde, ce qui annule en partie l'avantage de la puissance. Les six rapports de la boîte manuelle visent avant tout à faire baisser la consommation. Avec la CVT, on a l'impression que la voiture manque de puissance, au moins au début. Pourtant, la voiture s'insère parfaitement dans la circulation et offre finalement un certain agrément de conduite. Un bouton, placé sur le levier de vitesses et curieusement baptisé O/D Off alors qu'il n'y a pas d'overdrive, permet de maintenir le moteur un peu plus haut dans les tours, et il reste ensuite la gamme basse. Cette transmission n'hésite d'ailleurs pas à faire monter le moteur dans les tours.

Sur la route, la Versa est très stable. Les suspensions sont un tantinet fermes, spécialement sur de légères irrégularités, mais cela permet de limiter de beaucoup le roulis, qui pourrait être important pour une voiture de cette hauteur. La direction est ferme, mais pas lourde dans les manœuvres, et elle remonte correctement l'information. Pour une conduite quotidienne, elle s'avère franchement très plaisante, alors que le confort reste d'un excellent niveau.

CONCLUSION ▶ Le niveau de la catégorie vient de s'élever sensiblement dans les derniers mois. Pourtant, la Versa parvient à être l'une des meilleures, notamment pour ceux qui veulent un véhicule homogène, très bien construit, avec une bonne tenue de route. Son espace de chargement n'est pas aussi original que celui de la Fit, mais, à équipements équivalents, la Versa est moins chère. C'est un pensez-y!

FICHE TECHNIQUE

MOTEUR
L4 1,8 l DACT 122 ch à 5200 tr/min
couple: 127 lb-pi à 4800 tr/min
Transmission: manuelle à 6 rapports, automatique à 4 rapports (option dans 1.8S), automatique à variation continue (option dans 1.8SL)
0-100 km/h: 9,8 s
Vitesse maximale: 185 km/h
Consommation (100 km): man.: 7,1 l, auto.: 7,4 l (octane: 87)

Sécurité active
freins ABS, répartition électronique de force de freinage et assistance au freinage (de série dans 1.8SL, en option dans 1.8S)

Suspension avant/arrière
indépendante/essieu rigide

Freins avant/arrière
disques/tambours

Direction
à crémaillère, assistée

Pneus
P185/65R15

DIMENSIONS
Empattement: 2600 mm
Longueur: 4295 mm
Largeur: 1695 mm
Hauteur: 1535 mm
Poids: 1.8S: 1235 kg, 1.8SL: 1242 kg
Diamètre de braquage: nd
Coffre: 504 l, 1427 l (sièges abaissés)
Réservoir de carburant: 50 l

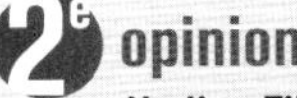

2e opinion

Nadine Filion • La Nissan Versa est un engin traître: c'est une compacte qui essaie de se faire passer pour une sous-compacte. Avantage: vous payez le prix d'une toute petite, mais vous obtenez le moteur le plus puissant de la catégorie et un espace de chargement deux fois plus volumineux que celui d'une Yaris. Si le 0-100 km/h exige 13 secondes, c'est parce que la voiture est lourde. Qui plus est, la transmission à variation continue (CVT) ne l'avantage pas. Choisissez plutôt la boîte manuelle à six (oui, six) vitesses. Bravo pour les coussins et rideaux gonflables, de série pour toutes les versions. La silhouette extérieure est intéressante, mais la calandre fait penser à une Saturn ION.

XTERRA

évolution | 33 748 $ à 37 748 $ |
Transport et préparation : 1276 $

www.nissancanada.com

FICHE D'IDENTITÉ

Version(s) : S, Off-Road, SE
Roues motrices : 4
Portières : 4
Première génération : 2000
Génération actuelle : 2005
Construction : Smyrna, Tennessee, É.-U.
Sacs gonflables : 2, frontaux, (latéraux avant et rideaux latéraux de série dans Off-Road et SE, en option dans S)
Concurrence : Dodge Nitro, Hummer H3, Kia Sorento, Jeep Liberty, Jeep Wrangler, Suzuki Grand Vitara, Toyota FJ Cruiser

AU QUOTIDIEN

Prime d'assurance :
25 ans : 2900 à 3100 $
40 ans : 2000 à 2200 $
60 ans : 1700 à 1900 $
Collision frontale : 4/5
Collision latérale : 5/5
Ventes du modèle l'an dernier
Au Québec : 535 **Au Canada :** 2799
Dépréciation (3 ans) : 45,2 %
Rappels (2001 à 2006) : 6
Cote de fiabilité : 4/5

À VOCATION UNIQUE

– Benoit Charette

Dans le monde des utilitaires, les constructeurs font tout pour différencier leurs véhicules des autres en les faisant chevaucher les segments ou même en créant de nouveaux segments à la limite de l'ésotérisme. Mais il n'y a aucune de ces complications du côté du Xterra : c'est un camion, un vrai, sans fioritures.

CARROSSERIE ► Tout chez lui respire la robustesse, dont la carrure aux angles droits et les ailes bombées et proéminentes. Construit sur un châssis en échelle à caissons, sa plateforme est la même que celle du Titan et de l'Armada, les poids lourds de Nissan. Cela dit, il faut tout de même admettre que la calandre du Xterra est un peu timide dans ce décor dominé par l'adrénaline. Nous dirons que c'est là son petit côté réservé.

HABITACLE ► On pourrait résumer l'intérieur en deux mots : simplicité volontaire. Tout est bien fait, sans excès. Et l'aménagement a été conçu en fonction d'une utilisation extrême. L'aire de chargement, baptisée Easy Clean, est revêtue d'une surface de plastique qui s'étend jusqu'au dos de la seconde rangée de sièges et qu'on peut littéralement laver à grande eau. De plus, un autre espace de chargement caché en dessous permet de séparer les choses propres et les choses sales ; dix crochets permettent d'attacher à peu près n'importe quoi ; et des rails servent à fixer au plancher l'équipement de sport ou de plein air. Il ne faut pas oublier les quatre prises de courant de 12 volts et le système audio de haut de gamme Rockford Fostgate de 380 watts (optionnel). L'habitacle est bien conçu et les sièges sont confortables, mais les garnitures sont plutôt ordinaires. Seules les garnitures chromées de la version SE ajoutent un certain charme.

MÉCANIQUE ► Le moteur V6 de 4,0 litres ne manque de souffle. Pour les puristes,

forces

- Un vrai véhicule pour aventuriers
- Moteur bien adapté
- Confort plus que correct pour ce type de véhicule

faiblesses

- Boîte manuelle peu inspirante
- Accès aux places arrière difficile
- Certains matériaux de moins bonne qualité

nouveautés en 2007

- Système audio Rockford Fosgate avec capacité de lecteur MP3 (SE), volant gainé de cuir et porte-lunettes ajoutés au modèle Off-Road, sacs gonflables latéraux et rideaux gonflables latéraux de série (Off-Road), une nouvelle couleur de carosserie

XTERRA

le Xterra propose une boîte manuelle à six rapports. Beaucoup plus populaire, la boîte automatique à cinq rapports est livrable en option ou de série dans la version SE. Équipée d'un système d'entraînement à quatre roues motrices qui s'engage en marche, la boîte de transfert à deux régimes vous permet de choisir la gamme haute ou basse, selon les conditions du terrain. Vous pouvez opter pour le différentiel arrière à blocage électronique offert dans certaines versions du Xterra. Avec en plus un différentiel à glissement limité aux quatre roues, un contrôle de l'adhérence en descente et un contrôle dynamique du véhicule pour vous aider à garder le cap et la maîtrise du véhicule, le Xterra est prêt à tout… ou presque.

COMPORTEMENT ► La suspension avant est pourvue de triangles doubles et d'une barre stabilisatrice ; et la suspension arrière, de ressorts à lames rigides pour absorber les bosses et les pires chocs. Les modèles tout-terrains sont dotés d'amortisseurs de haute performance Bilstein. Et que dire des pneus BF Goodrich prêts à tout affronter? On le voit assez: le Xterra ne se contente pas des demi-mesures et les amateurs de plein air peuvent avec lui faire du hors-piste en toute confiance, car ce véhicule peut facilement s'aventurer loin de la civilisation. Malgré son essieu rigide à l'arrière, la conduite est assez confortable, même lors de longs trajets, mais je vous recommande la boîte automatique plus souple et moins récalcitrante que la manuelle, et plus populaire auprès des acheteurs de véhicules d'occasion.

CONCLUSION ► Le Xterra est un camion assez confortable pour qu'on l'utilise au quotidien. Pratique, simple, efficace et sans gadgets inutiles, avec en prime une excellente fiabilité. Le plus grand défi pour Nissan est de trouver une clientèle qui correspond au style du véhicule.

FICHE TECHNIQUE

MOTEUR
V6 4,0 l DACT 261 ch à 5600 tr/min
couple : 281 lb-pi à 4000 tr/min
Transmission : manuelle à 6 rapports, automatique à 5 rapports (option, de série dans SE)
0-100 km/h : 9,0 s
Vitesse maximale : 190 km/h
Consommation (100 km) : man. : 12,2 l, auto. : 12,6 l (octane : 87)

Sécurité active
freins ABS, répartition électronique de force de freinage, antipatinage, contrôle de stabilité électronique

Suspension avant/arrière
indépendante/essieu rigide

Freins avant/arrière
disques

Direction
à crémaillère, assistée

Pneus
S : P265/70R16, Off-Road : P265/75R16, SE : P265/65R17

DIMENSIONS
Empattement : 2700 mm
Longueur : 4540 mm
Largeur : 1850 mm
Hauteur : 1903 mm
Poids : S : 1974 kg, Off-Road : 1996 kg, SE : 2000 kg
Diamètre de braquage : 11,4 m
Coffre : 997 l, 1861 l (sièges abaissés)
Réservoir de carburant : 80 l
Capacité de remorquage : 2268 kg

2e opinion

Jean-Pierre Bouchard • Au moment de monter à bord de la nouvelle mouture du Xterra, j'avais certaines appréhensions. Au fond de ma mémoire logeaient de vieux souvenirs plus ou moins heureux des versions antérieures, par exemple le confort moyen, les performances lacunaires, la forte consommation de carburant. Toutefois j'ai été surpris par les efforts des ingénieurs pour faire du Xterra un véhicule mieux adapté, plus confortable, mieux insonorisé, plus agréable à conduire, mieux motorisé (mais pas encore prêt à être couronné du titre de véhicule vert de l'année), et duquel se dégage une impression de solidité. Je me suis donc réconcilié avec ce véhicule qui reste un des rares vrais 4X4 compacts sur le marché.

X-TRAIL

évolution | 25 998 $ à 33 298 $
Transport et préparation : 1269 $

www.nissancanada.com

FICHE D'IDENTITÉ

Version(s) : XE 2RM, Bonavista Edition 4RM, LE 4RM
Roues motrices : avant, 4RM
Portières : 4
Première génération : 2005
Génération actuelle : 2005
Construction : Kyushu, Japon
Sacs gonflables : 2, frontaux, (lat. de série LE 4RM)
Concurrence : Chevrolet Equinox, Ford Escape, Honda CR-V, Hyundai Tucson, Jeep Compass, Kia Sportage, Mitsubishi Outlander, Pontiac Torrent, Saturn VUE, Subaru Forester, Suzuki Grand Vitara, Toyota RAV4

AU QUOTIDIEN

Prime d'assurance :
25 ans : 2300 à 2500 $
40 ans : 1700 à 1900 $
60 ans : 1500 à 1700 $
Collision frontale : nd
Collision latérale : nd
Ventes du modèle l'an dernier
Au Québec : 3144 **Au Canada :** 10 518
Dépréciation (1 an) : 28,2 %
Rappels (2001 à 2006) : aucun à ce jour
Cote de fiabilité : 4/5

ENCORE DANS LE COUP

– Nadine Filion

Depuis son arrivée en 2004, on me questionne souvent sur le Nissan X-Trail. Généralement, la personne possède une berline et veut s'acheter un utilitaire. Je demande alors si on est prêt à investir davantage en carburant. Souvent, la discussion s'arrête là. Mais, si la réponse est affirmative, je réponds que le X-Trail est effectivement intéressant.

CARROSSERIE ► Le X-Trail est l'un des rares véhicules disponibles au Canada, mais non aux États-Unis. Assemblé sur l'architecture « C » de Nissan, il a un style très carré. On peut d'ailleurs le confondre avec le Subaru Forester. Son allure n'est donc pas très tendance, surtout par comparaison avec tout ce que Nissan/Infiniti peut faire. Par contre, ce style apporte une touche de masculinité plus affirmée que chez certains concurrents.

HABITACLE ► Le X-Trail se distingue par une foule de petites innovations. On aime ses porte-gobelets chauffants ou réfrigérés, la possibilité d'un revêtement de cuir, le plastique antirayure qui tapisse l'espace de chargement jusqu'au dos de la banquette. On aime le passe-ski à même la banquette, ce qui évite de la rabattre à plat en 60/40 (à condition de retirer coussin d'assise et appuie-tête). Enfin, on aime le grand toit panoramique. L'habitacle, avec ses touches high-tech de bon goût, est bien aménagé. L'ergonomie est bonne et les commandes s'apprivoisent vite, sauf celle des rétroviseurs extérieurs, cachée à gauche du volant. Les rangements sont nombreux et accessibles, mais l'insonorisation n'est pas parfaite et on entend un peu trop distinctement les bruits extérieurs. Côté espace passager, le X-Trail n'est pas le champion de sa catégorie, mais il se rattrape avec un coffre plus vaste que la moyenne et des entrées et sorties facilitées par une garde au sol raisonnable.

MÉCANIQUE ► Pas de V6 pour le X-Trail, mais un quatre cylindres (2,5 litres) de 165 chevaux.

forces
- Nombreux éléments innovants
- Deux ou quatre roues motrices

faiblesses
- Allure pas très à la mode
- Suspension raide
- Accélérations bruyantes
- Moteur de seulement 165 chevaux

nouveautés en 2007
- Simplification de la gamme, modèle Bonavista Edition remplace le SE 4RM, boîte manuelle discontinuée

rez sans doute, quoique sa suspension presque raide cogne durement sur les routes dégradées. Le moteur quatre cylindres, sans être anémique, doit être poussé fort et ses accélérations sont bruyantes. Personnellement, je le préférais jumelé à la boîte manuelle, ce qui permettait de mieux exploiter la petite puissance disponible. Le freinage est convaincant et le court diamètre de braquage (10,6 mètres) facilite les manœuvres, mais la direction est trop légère. Et puis, avant de vous aventurer trop loin, sachez que le X-Trail n'a pas de gamme basse. Pour les plus téméraires, le Xterra est nettement préférable.

La capacité de remorquage est donc limitée à 907 kilos. Toutes les versions à deux ou à quatre roues motrices sont dotées d'une boîte automatique à quatre rapports. Une manuelle à cinq vitesses, une des rares du segment, n'est malheureusement plus disponible Le dispositif 4RM, qu'on active à l'aide d'une molette au tableau de bord, comprend les modes 2RM, automatique (le couple varie selon les besoins) et verrouillé 50/50 (jusqu'à 30 km/h).

Le X-Trail propose de série les freins ABS, mais il faut choisir la version LE et débourser 800 $ pour obtenir l'antipatinage.

COMPORTEMENT ► Si vous cherchez un utilitaire des grands boulevards, regardez ailleurs : le X-Trail a tout d'un camion. En revanche, si c'est ce que vous recherchez, vous l'aime-

CONCLUSION ► Avec l'arrivée d'un RAV4 surpuissant à trois rangées de sièges, la catégorie des utilitaires compacts se transforme. Pour l'instant, le Nissan X-Trail y demeure un concurrent intéressant, avec son caractère pratique et son prix qui ne dépasse pas 26 000 $. Il lui faudra cependant vite se mettre à la page avec une boîte automatique, un ou deux rapports de plus, et quelques chevaux additionnels.

FICHE TECHNIQUE

MOTEUR

L4 2,5 l DACT 165 ch à 6000 tr/min
couple : 170 lb-pi à 4000 tr/min
Transmission : automatique à 4 rapports
0-100 km/h : 10,4 s
Vitesse maximale : 185 km/h
Consommation (100 km) : 2RM : 9,2 l, 4RM : 9,5 l (octane : 87)

Sécurité active
freins ABS, distribution électronique de force de freinage, antipatinage (option LE)

Suspension avant/arrière
indépendante

Freins avant/arrière
disques

Direction
à crémaillère, assiste

Pneus
XE : P215/65R16, Bonavista et LE : P215/60R17

DIMENSIONS

Empattement : 2624 mm
Longueur : 4455 mm
Largeur : 1765 mm
Hauteur : 1674 mm
Poids : XE 2RM : 1426 kg, Bonavista : 1493 kg, LE 4RM : 1517 kg
Diamètre de braquage : 10,6 m
Coffre : 827 l, 2061 l (sièges abaissés)
Réservoir de carburant : 60 l
Capacité de remorquage : 907 kg

opinion

Pascal Boissé • Ce ne sera pas facile d'être un Nissan X-Trail en 2007. Ses deux principaux rivaux ont fourbi leurs armes avec de nouvelles versions entièrement révisées. En effet, le Toyota RAV4 et le Honda CR-V sont tout neufs. Mais, à défaut d'être joli, le X-Trail a quelques atouts bien à lui : comme pour une familiale, son hayon s'ouvre intelligemment, vers le haut, et aucune roue de secours extérieure ne vient vous obstruer la vue. De plus, son plancher de chargement lisse, sa banquette modulable avec une trappe à skis, son réfrigérateur intégré au tableau de bord et de nombreuses autres astuces plairont tant aux jeunes familles qu'aux amateurs de plein air.

ESPERANTE

évolution | 129 500 $ à 175 000 $
Transport et préparation : nd

www.panoz.com

EXCLUSIVITÉ ASSURÉE

– Benoit Charette

FICHE D'IDENTITÉ

Version(s) : Base, GT, GTLM
Roues motrices : arrière
Portières : 2
Première génération : 2005
Génération actuelle : 2005
Construction : Braselton, Géorgie, É.-U.
Sacs gonflables : 2, frontaux,
Concurrence : Maserati GranSport, Jaguar XK, BMW Série 6, Chevrolet Corvette, Mercedes-Benz SL

AU QUOTIDIEN

Prime d'assurance :
25 ans : nd
40 ans : nd
60 ans : nd
Collision frontale : nd
Collision latérale : nd
Ventes du modèle l'an dernier
Au Québec : nd **Au Canada :** nd
Dépréciation (3 ans) : nd
Rappels (2001 à 2006) : aucun
Cote de fiabilité : nd

Panoz est petite compagnie automobile installée à Braselton, en banlieue d'Atlanta. Elle produit des voitures depuis le milieu des années 1990 et commercialise chez nous depuis 2004 l'Esperante. Panoz, c'est aussi l'atelier G-Force qui construit les châssis en IRL et en série Star Mazda ; et c'est Elan Motorsport qui conçoit des moteurs de course (pour la série American Le Mans, entre autres). Il y a Elan Composites qui réalise des pièces en fibres de carbone et des châssis monocoques ; et Elan Precision qui fabrique des pièces sur mesure. Autrement dit, tous les besoins pour les voitures de production et de course sont comblés à l'interne. En 2007, la division course viendra en aide à la division des voitures de route.

CARROSSERIE ► Panoz annonçait récemment que la prochaine génération d'Esperante, qui arrivera à la fin du printemps 2007, sera composée d'une coque en fibres de carbone et en aluminium mise au point par la division de course. Donc, fini le vieux châssis Ford amélioré. Panoz concevra aussi une nouvelle plateforme qui servira à la fois au modèle coupé ou cabriolet. Voilà qui est prometteur.

HABITACLE ► À l'intérieur, on utilise massivement des éléments de Ford, mais Panoz a pris la peine de les remodeler pour donner un caractère propre à l'Esperante, avec ses cadrans flanqués au centre de la planche de bord. Toutefois, il reste encore beaucoup de travail au chapitre de l'ergonomie : on ne voit pratiquement pas les jauges de température et de carburant cachées par le rebord du cadran central. Le klaxon est une minuscule barre sur le pourtour du volant et il est impossible à trouver en situation d'urgence. Les boutons des rétroviseurs extérieurs sont situés sous l'accoudoir des portières, et ainsi de suite. Heureusement, Panoz a eu la bonne idée d'utiliser les sièges de l'ancienne génération de Ford Mustang. Ils sont plus confortables et offrent un soutien acceptable.

forces
- Exclusivité garantie
- Châssis en aluminium performant
- Moteur athlétique
- Bon confort de roulement

faiblesses
- Mécanisme de toit ouvrant archaïque
- Grand diamètre de braquage
- Ergonomie peu raffinée

nouveautés en 2007
- Nouveau modèle au printemps 2007

ESPERANTE

Dan Panoz, qui passe plus de cent heures par semaine à superviser toutes les étapes du développement, a beaucoup de mérite. Naturellement, avec les gènes de la Mustang, vous êtes au volant d'un muscle car. Disons que la voiture est visuellement très raffinée, mais l'est beaucoup moins au volant. Toutefois, la boîte manuelle six vitesses de la version à compresseur est plus docile que la défunte boîte de la Cobra.

MÉCANIQUE ▶ Les modèles qui sont encore en vente chez le seul concessionnaire au Québec, Auto Bugatti de Montréal, sont équipés du moteur de la Mustang Cobra qui développe 320 chevaux en version atmosphérique ou 420 avec le compresseur. Vous avez le choix entre la boîte manuelle et l'automatique. L'an prochain, le moteur sera toujours d'origine Ford, mais, comme il n'y a plus de 4,6 litres, on se tournera vers le 5,4 litres. Beaucoup de chevaux en perspective.

COMPORTEMENT ▶ J'affirme sans gêne que l'Esperante est la meilleure voiture à petit volume qu'il m'a été donné de conduire. C'est un tour de force de concevoir une voiture selon les normes modernes de rigidité et de conduite dans un atelier de cette taille. Pour profiter pleinement de la voiture, il faut adopter la conduite des balades du dimanche après-midi. À ce compte, mieux vaut se procurer le modèle de base. La version avec compresseur est puissante, mais le rugissement du moteur devient un irritant après trente minutes au volant.

CONCLUSION ▶ Panoz a réussi à bien appliquer l'adage Small is beautiful. L'Esperante est unique, bien conçue, et d'une rigidité remarquable pour une voiture artisanale. Elle est originale, facile à entretenir (moteur Ford), et Panoz la construira selon vos critères, de la couleur de la carrosserie à celle du cuir, en passant par le système audio. Vous aurez deviné que l'exclusivité a un prix.

FICHE TECHNIQUE

MOTEURS

(Base et GT) V8 4,6 l DACT 305 ch à 5800 tr/min
couple: 320 lb-pi à 4200 tr/min
Transmission: manuelle à 5 rapports, automatique à 4 rapports en option
0-100 km/h: 5,1 s, coupé: 4,9 s
Vitesse maximale: 250 km/h
Consommation (100 km): man.: 11,4 l, auto.: 11,6 l (octane: 91)

(GTLM) V8 4,6 l suralimenté DACT 420 ch à 6000 tr/min
couple: 320 lb-pi à 4500 tr/min
Transmission: manuelle à 6 rapports
0-100 km/h: 4,2 s
Vitesse maximale: 289 km/h
Consommation (100 km): 13,4 l

Sécurité active
freins ABS, antipatinage

Suspension avant/arrière
indépendante/indépendante

Freins avant/arrière
disques

Direction
à crémaillère, assistée

Pneus
Base et GT: P255/45ZR17,
GTLM: P255/45ZR18

DIMENSIONS

Empattement: 2692 mm
Longueur: 4478 mm
Largeur: 1859 mm
Hauteur: 1356 mm (décapotable)
Poids: 1488 kg (décapotable)
Diamètre de braquage: 11,5 m
Coffre: cabrio: 275 l
Réservoir de carburant: 71 l

opinion

Hugues Gonnot • Même si Panoz ne produit qu'un peu plus de 200 voitures par année, il s'agit du plus important des constructeurs américains indépendants. Les lignes de l'Esperante ne manquent pas d'élégance, mais commencent malgré tout à dater. De chez Ford proviennent de nombreux composants de la mécanique, mais aussi de l'intérieur, ce qui est dommage, car cela enlève beaucoup de caractère à la voiture. Cela dit, son châssis en aluminium autorise des performances d'un bon niveau. Sur la route, c'est un vrai *muscle car* à l'américaine, qui manque de raffinement, mais pas de charme.

G6

évolution | 22 995 $ à 35 725 $
Transport et préparation : 1200 $

OnStar

www.gmcanada.com

ON PROGRESSE, MAIS...

– Antoine Joubert

FICHE D'IDENTITÉ

Version(s) : Base, V6, GT, GTP
Roues motrices : avant
Portières : 2, 4
Première génération : 2005
Génération actuelle : 2005
Construction : Orion, Michigan, É.-U.
Sacs gonflables : 4, frontaux et rideaux latéraux (2, frontaux dans cabrio.)
Concurrence : Chevrolet Malibu, Chrysler Sebring, Ford Fusion, Honda Accord, Hyundai Sonata, Kia Magentis, Mazda6, Mitsubishi Galant, Nissan Altima, Subaru Legacy, Toyota Camry et Solara, Volkswagen Jetta et Passat

AU QUOTIDIEN

Prime d'assurance :
25 ans : 2400 à 2600 $
40 ans : 1500 à 1700 $
60 ans : 1300 à 1500 $
Collision frontale : 5/5
Collision latérale : berl. : 5/5, coupé : 3/5
Ventes du modèle l'an dernier
Au Québec : 3190 **Au Canada :** 14 038
Dépréciation (1 an) : 24,1 %
Rappels (2001 à 2006) : aucun à ce jour
Cote de fiabilité : 3/5

Pontiac a réussi à remplacer la Grand Am avec un certain bonheur (ce n'était pas difficile). En revanche, pour rivaliser avec la concurrence, on a encore du chemin à parcourir. Fort heureusement, la G6 apporte une lueur d'espoir qui laisse croire qu'un jour les berlines de GM seront vraiment compétitives.

CARROSSERIE ► D'abord, on doit applaudir les stylistes qui ont su se débarrasser du style rococo des anciennes Pontiac pour nous offrir des lignes fluides et séduisantes. Racée, la berline semble être en mouvement même lorsqu'elle est garée, comme les coupés et les coupés-cabriolets, sur nos routes depuis peu, qui affichent toutefois une allure beaucoup plus sportive. Et quelle belle innovation que ce toit rigide escamotable, qui transforme le cabriolet en un élégant coupé ! Lorsque le toit est en place, peu de gens devinent qu'il s'agit d'un cabriolet. N'est-ce pas là le plus beau des compliments ?

HABITACLE ► J'en ai assez de ces horribles plastiques qui tapissent les habitacles des Pontiac depuis des lunes ! Têtes pensantes de GM, réveillez-vous ! C'est là qu'il faut investir, et non pas dans un système OnStar de onzième génération ! Cela dit, l'habitacle de la G6, malgré ce désastreux détail, est quand même potable. Les sièges avant, particulièrement ceux de la version GTP, offrent confort et maintien, alors que la planche de bord au dessin agréable fait montre d'une excellente ergonomie. La position de conduite n'est pas vilaine, mais un volant au diamètre plus petit faciliterait les manœuvres. Quant à la visibilité arrière, elle est réduite par un coffre surélevé. Le prix du style...

MÉCANIQUE ► GM a d'abord proposé dans la berline G6 un V6 de 3,5 litres, vieux comme la terre, qui n'a comme seule qualité d'être peu gourmand. Ensuite, le quatre cylindres Ecotec de 2,4 litres, franchement

forces
- Lignes séduisantes
- Grand choix de modèles
- Habitacle confortable
- Coupé-cabriolet intéressant

faiblesses
- Moteur de 3,9 litres décourageant
- Effet de couple désagréable
- Plastiques vraiment moches
- Nombreux craquements et bruits de caisse
- Boîte automatique à quatre rapports

nouveautés en 2007
- Puissance des moteurs augmentée, nouvelle version cabrio., nouveau V6 de 3,6 litres avec boîte auto. à 6 rapports de série (GTP), direction à assistance hydraulique (GT), rétroviseur intérieur à coloration électrochimique avec boussole numérique

lors d'un dépassement à 80 km/h, la voiture peut se lancer à l'opposé de la direction souhaitée si vous accélérez sans tenir fermement le volant. En outre, la direction elle-même est une plaie, puisqu'elle est mal assistée, lente à réagir et affligée d'un diamètre de braquage trop grand. Heureusement, la voiture repose sur une plateforme rigide, qui démontre ses qualités sur la route. La suspension sait se montrer confortable sur de beaux revêtements, mais peut aussi cogner très dur sur un nid-de-poule. Bien sûr, la G6 n'échappe pas aux traditionnels bruits de caisse et craquements, qui semblent être une signature de la marque.

honnête, a équipé la berline de base, version qui semble peu convoitée. Finalement, et c'est le comble, on nous a proposé un horrible V6 de 3,9 litres à culbuteurs, qui grogne comme un ogre à la moindre sollicitation. De plus, ce moteur est gourmand, rugueux et peu performant. Pour aggraver le malheur, GM a choisi de proposer une boîte automatique à seulement quatre rapports, ce qui a un impact négatif sur le confort et la consommation. Quant à la boîte manuelle disponible uniquement avec le 3,9 litres, il vaut mieux l'oublier tout de suite. Le 3,6 litres est le meilleur choix.

COMPORTEMENT ▸ Plus le moteur est gros et plus l'effet de couple se fait sentir. Même

CONCLUSION ▸ Avec la Grand Am, il n'y avait rien à faire: c'était raté de A à Z. Ici, certains éléments sont très sains, mais il y a encore beaucoup à faire. Si vous avez à choisir une mécanique, optez pour le 3,6 litres, plus performant et plus doux que le 3,9 litres. Une meilleure insonorisation serait grandement souhaitée, de même qu'une meilleure finition intérieure. C'est tout!

FICHE TECHNIQUE

MOTEURS

(Base) L4 2,4 l DACT 169 ch à 6300 tr/min
couple: 162 lb-pi à 4500 tr/min
Transmission: automatique à 4 rapports
0-100 km/h: 9,2 s
Vitesse maximale: 180 km/h
Consommation (100 km): 8,2 l (octane: 87)

(V6, GT) V6 3,5 l ACC 224 ch à 5800 tr/min
(cabrio.: 217 ch à 5800 tr/min)
couple: 220 lb-pi à 4000 tr/min
(cabrio.: 217 lb-pi à 4000 tr/min)
Transmission: automatique à 4 rapports
0-100 km/h: 8,6 s
Vitesse maximale: 195 km/h
Consommation (100 km): 8,7 l (octane: 87)

(Option dans GT) V6 3,9 l ACC 240 ch à 6000 tr/min
couple: 241 lb-pi à 2800 tr/min
Transmission: automatique à 4 rapports, manuelle à 6 rapports en option
0-100 km/h: 7,9 s
Vitesse maximale: 195 km/h
Consommation (100 km): man.: 10,5 l, auto.: 10,9 l (octane: 87)

(V6) V6 3,6 l DACT 252 ch à 6300 tr/min
couple: 251 lb-pi à 3200 tr/min
Transmission: automatique à 6 rapports avec mode manuel
0-100 km/h: 7,3 s
Vitesse maximale: 215 km/h
Consommation (100 km): nd (octane: 87)

Sécurité active
freins ABS, antipatinage (GT, GTP), contrôle de stabilité électronique (GTP)

Suspension avant/arrière
indépendante

Freins avant/arrière
disques

Direction
à crémaillère, assistée

Pneus
Base et V6: P215/60R16, GT: P225/50R17, GTP: P225/50R18

DIMENSIONS

Empattement: 2852 mm
Longueur: 4802 mm
Largeur: 1789 mm
Hauteur: 1450 mm, coupé: 1432 mm
Poids: *berl.:* Base: 1507 kg, V6: 1513 kg, GT: 1599 kg, GTP: 1616 kg, *coupé:* GT: 1548 kg, GTP: 1582 kg, *cabrio.:* GT: 1732 kg, GTP: 1759 kg
Diamètre de braquage: Base et V6: 11,6 m, GT et GTP: 12,0 m
Coffre: berl.: 396 l, coupé: 311 l, cabrio.: 357 l, 61 l (toit abaissé)
Réservoir de carburant: 64 l

2e opinion

Pascal Boissé • L'atout de la G6, c'est sa ligne séduisante qui fait penser à un coupé, même en version berline. Je ne voyais pas venir le jour où je dirais quelque chose de positif sur le design d'un produit Pontiac. Certains ont critiqué l'intérieur mais je considère qu'il s'agit d'un net progrès. Sa motorisation fait le travail honnêtement sans prétendre égaler l'excellence japonaise. Il est seulement déplorable que Pontiac n'ait pas mieux soigné la tenue de route de la G6 qui sautille à la moindre imperfection du revêtement, et qui manque franchement d'adhérence. Quand on prétend construire des voitures pour ceux qui ont « la passion de conduire », on n'a pas le droit à l'erreur à ce chapitre !

GRAND PRIX

évolution | 25 995 $ à 36 525 $ | Transport et préparation : 1200 $

www.gmcanada.com

LA FORME AVANT LE FOND

– Pascal Boissé

FICHE D'IDENTITÉ

Version(s) : Base, GT, GXP
Roues motrices : avant
Portières : 4
Première génération : 1962
Génération actuelle : 2004
Construction : Oshawa, Ontario, Canada
Sacs gonflables : 2, frontaux, (rideaux latéraux en option)
Concurrence : Buick Allure, Chevrolet Impala, Chrysler 300, Dodge Charger, Ford Five Hundred, Honda Accord, Hyundai Sonata, Kia Magentis, Mazda6, Mitsubishi Galant, Nissan Altima et Maxima, Toyota Camry, Volkswagen Passat

AU QUOTIDIEN

Prime d'assurance :
25 ans : 2400 à 2600 $
40 ans : 1500 à 1700 $
60 ans : 1300 à 1500 $
Collision frontale : 3/5
Collision latérale : 3/5
Ventes du modèle l'an dernier
Au Québec : 1551 **Au Canada :** 10 171
Dépréciation (3 ans) : 56,8 %
Rappels (2001 à 2006) : 5
Cote de fiabilité : 4/5

Lorsqu'on veut comprendre les déboires de GM et savoir pourquoi le géant de Detroit trébuche avec des parts de marché qui s'effondrent, aucune démonstration ni aucun discours n'est plus éloquent qu'une demi-heure au volant d'une Pontiac Grand Prix. Cette voiture résume et confirme à elle seule tous les préjugés qui courent sur l'incapacité de l'industrie américaine à reprendre le dessus et à concevoir des voitures aptes à répondre aux exigences de la clientèle.

CARROSSERIE ► Pour affirmer le caractère sportif et dynamique qu'elle revendique, la Grand Prix arbore une calandre agressive et un profil de coupé. Tout cela lui confère un style racé, mais complique sérieusement l'accès aux places arrière en raison de la courbure prononcée du pavillon. Par ailleurs, le coffre est très volumineux.

HABITACLE ► C'est là, véritablement, que la nausée nous prend. Impitoyablement. La pseudo-sportivité qu'évoque la marque Pontiac pour justifier son existence prend ici le pas sur l'ergonomie et sur la simple logique. Un délire chaotique de cadrans, de boutons et de buses de ventilation orientables vous accueille à bord, où vous remarquez immédiatement la piètre qualité des plastiques du tableau de bord et où chaque pièce semble provenir d'un véhicule différent, tant par sa couleur que par sa texture. Soyez-en assuré, on ne fait pas pire ailleurs, pas même du côté des sous-compactes de moins de 15 000 $. De plus, le confort n'est pas au rendez-vous, particulièrement aux places arrière où vous serez fort malheureux si vous possédez une tête et des jambes.

MÉCANIQUE ► Le moteur de base est le vénérable V6 de 3,8 litres de 200 chevaux, trouvé dans les catacombes de GM, qui assure les services essentiels. On peut aussi compter sur une version compressée de ce même moteur qui, dans cette configuration, développe 260 chevaux. Et, pour 43 chevaux de plus, on

forces
- Là, j'ai comme un trou de mémoire...

faiblesses
- Là, faites-moi pas pomper !

nouveautés en 2007
- Indicateur de basse pression des pneus de série, nouvelles jantes chromées de 17 pouces, cinq nouvelles couleurs de carrosserie

GRAND PRIX

opte pour la version GXP avec son gros V8 de 5,3 litres. Quelqu'un aurait cependant dû prévenir les ingénieurs de Pontiac que l'installation d'un V8 de plus de 300 chevaux dans une voiture à traction, en position transversale et en porte-à-faux par surcroît, n'est pas exactement une bonne idée. Cette énorme masse de métal, mal placée, vient ruiner l'équilibre de la voiture et annihile toute prétention sportive malgré la puissance colossale disponible. Dans cette GXP, on peut passer les rapports de la seule boîte automatique offerte à l'aide de petites palettes situées derrière le volant. Ainsi, on comprend rapidement, et avec consternation, que le nombre de rapports se limite à quatre, ce qui est aussi triste qu'anachronique pour une voiture prétendument sportive.

COMPORTEMENT ▶ Banale berline sans raffinement lorsqu'elle est équipée d'un V6, la Grand Prix se transforme en une pure aberration en version GXP, avec son V8 trop puissant. Il faudrait inventer un mot pour décrire l'effet de couple monumental qui secoue dangereusement le train avant lors de fortes accélérations. Cette voiture déséquilibrée rue dans les brancards comme si elle était possédée par un esprit maléfique. Et l'esprit en question en veut aussi à votre dos, car la suspension n'a aucune souplesse.

CONCLUSION ▶ À part la belle couleur bleu foncé et la sonorité rageuse du V8 de notre véhicule d'essai, il y a peu de choses positives à dire au sujet de la Grand Prix. Malheureusement, cette voiture discrédite toute la gamme Pontiac et elle est à des années-lumière d'offrir des prestations suffisantes pour affronter les voitures qu'elle prétend concurrencer, soit la Chrysler 300, la Toyota Camry ou la Hyundai Sonata. Quant à son nom, Grand Prix, il s'agit probablement d'une allusion ironique à ce qu'elle coûte. En effet, à plus de 37 000 $, la version GXP est probablement le pire achat qu'on puisse faire avec une telle somme.

FICHE TECHNIQUE

MOTEURS

(Base) V6 3,8 l ACC 200 ch à 5200 tr/min
couple : 230 lb-pi à 4000 tr/min
Transmission : automatique à 4 rapports
0-100 km/h : 9,4 s
Vitesse maximale : 190 km/h
Consommation (100 km) : 9,5 l (octane : 87)

(GT) V6 3,8 l suralimenté ACC 260 ch à 5400 tr/min
couple : 280 lb-pi à 3600 tr/min
Transmission : automatique à 4 rapports
0-100 km/h : 7,8 s
Vitesse maximale : 210 km/h
Consommation (100 km) : 10,2 l (octane : 91)

(GXP) V8 5,3 l ACC 303 ch à 5600 tr/min
couple : 323 lb-pi à 4400 tr/min
Transmission : automatique à 4 rapports
0-100 km/h : 6,6 s
Vitesse maximale : 210 km/h
Consommation (100 km) : 10,6 l (octane : 91)

Sécurité active
freins ABS, antipatinage (option dans modèle de base), contrôle de stabilité électronique (GXP seulement)

Suspension avant/arrière
indépendante

Freins avant/arrière
disques

Direction
à crémaillère, assistée

Pneus
Base : P225/60R16, GT : P225/55R17, GXP : P255/45R18 (av.), P225/50R18 (arr.)

DIMENSIONS

Empattement : 2807 mm
Longueur : 5038 mm
Largeur : 1875 mm
Hauteur : 1420 mm, GXP : 1417 mm
Poids : Base : 1577 kg, GT : 1581 kg, GXP : 1650 kg
Diamètre de braquage : 11,3 m, GXP : 11,6 m
Coffre : 453 l, 1614 l (sièges abaissés)
Réservoir de carburant : 64,3 l

Hugues Gonnot • Pourquoi acheter une Grand Prix ? Parce qu'elle a de la gueule, spécialement les versions V6, et plus encore la GXP. Ensuite ? C'est à peu près tout. Les groupes motopropulseurs autorisent une conduite en douceur du côté des V6, mais ce n'est franchement pas ce qu'il y a de plus moderne ni de plus efficace. Quant à la GXP, avec ses 303 chevaux sur les roues avant, il s'agit tout simplement d'une aberration, puisque le train avant succombe sous les coups de butoir du V8. À l'intérieur, les plastiques semblent issus des pires modèles des années 1980, ce qui n'est pas peu dire. Mais il y a encore de l'espoir pour la prochaine génération.

MONTANA / SV6 ⊜ Chevrolet Uplander jumeau | 24 550 $ à 31 970 $

Transport et préparation : 1250 $

OnStar

www.gmcanada.com

FICHE D'IDENTITÉ

Version(s) : 1SA, 1SB, 1SC
Roues motrices : avant
Portières : 4
Première génération : 1997
Génération actuelle : 2005
Construction : Doraville, Géorgie, É.-U.
Sacs gonflables : 2, frontaux, (latéraux avant et à la 2e rangée en option, de série sur 1SC)
Concurrence : Buick Terraza, Chevrolet Uplander, Chrysler Town & Country, Dodge Caravan, Ford Freestar, Honda Odyssey, Hyundai Entourage, Kia Sedona, Nissan Quest, Saturn Relay, Toyota Sienna

AU QUOTIDIEN

Prime d'assurance :
25 ans : 2300 à 2500 $
40 ans : 1500 à 1700 $
60 ans : 1100 à 1300 $
Collision frontale : 5/5
Collision latérale : 4/5
Ventes du modèle l'an dernier
Au Québec : 4887 **Au Canada :** 23 258
Dépréciation (3 ans) : 58,7 %
Rappels (2001 à 2006) : 7
Cote de fiabilité : 2/5

MERCI, MAIS CE N'ÉTAIT PAS NÉCESSAIRE

– Benoit Charette

Le Pontiac Montana SV6 2007 est uniquement disponible au Canada. Quelle belle délicatesse de la part de GM ! Mais est-ce bien utile, avec les Chevrolet Uplander, Buick Terraza et Saturn Relay qui sont déjà présents ? Enfin, il semble que Pontiac ait la cote au Canada, alors un clone de plus pour nous, youpi !

CARROSSERIE ► Dans ce quatuor de fourgonnettes, le Pontiac est le sportif exubérant de la famille. Ses lignes sont plus extraverties et composent une silhouette plus dynamique. Par contre, comme dans bien des familles, il y a toujours un trait qui caractérise tous les membres, et ici c'est le nez, qui est aussi laid que les autres.

HABITACLE ► L'intérieur est bien conçu, les sièges de deuxième et de troisième rangées sont repliables et amovibles. La banquette de troisième rangée est divisée 50/50 et le dossier arrière se plie pour créer une surface plate. Il y a aussi de nombreux espaces de rangement et un système permettant de recouvrir une foule d'effets personnels et d'obtenir une surface de chargement à plat quand les sièges de la troisième rangée sont rabattus. La radio par satellite XM et un centre de divertissement DVD sont au nombre des options.

MÉCANIQUE ► Un nouveau moteur V6 de 3,9 litres de 240 chevaux remplace dans toutes les versions le vieux 3,5 litres de 201 chevaux qui est retiré de la circulation pour 2007. Le 3,9 est jumelé à la boîte automatique à quatre vitesses. Avec l'équipement adéquat, la Montana SV6 peut tracter un poids allant jusqu'à 1588 kilos.

COMPORTEMENT ► Comme toutes les fourgonnettes, il n'y a rien de très excitant dans la conduite. C'est gros, un peu mou, la direction est pesante. Pontiac réussit tout de même une bonne performance, surtout avec le 3,9 litres et une cabine bien insonorisée.

CONCLUSION ► Ce n'est pas la meilleure fourgonnette sur le marché, mais il y a pire.

forces

- Moteur 3,9 litres mieux adapté
- Silence de roulement
- Nombreux rangements

faiblesses

- Mécaniques peu raffinées
- Nombreux équipements optionnels qui coûtent cher

nouveautés en 2007

- Véhicule non disponible aux États-Unis, V6 de 3,9 litres de série dans tous les modèles, version à traction intégrale discontinuée, système de navigation disponible dans 1SC, deux nouvelles teintes de carrosserie

15 225 $ à 21 465 $
Transport et préparation : 1045 $

jumeau

Chevrolet Cobalt = G5

OnStar

www.gmcanada.com

À LA POURSUITE DE QUOI ?

– Hugues Gonnot

On a accompli beaucoup de progrès entre la Sunfire et la Pursuit, mais ce n'est pas suffisant pour affronter la concurrence qui a mis les bouchées doubles ces dernières années.

CARROSSERIE ► C'est classique, correctement fait, mais déjà vu cent fois auparavant. Il suffit de mettre la Pursuit à côté d'une Mazda3 ou d'une Honda Civic, voire d'une Ford Focus, pour tout comprendre. Reconnaissons tout de même que le coupé ne manque pas de charme.

HABITACLE ► Le même conservatisme sévit à l'intérieur. La finition est acceptable, mais les plastiques durs et rêches font la loi sur la planche de bord. On est loin du raffinement d'une Mazda3. Une bonne position de conduite n'est pas trop difficile à trouver, mais ceux qui veulent conduire manuellement pesteront contre un levier de vitesses placé trop en retrait.

MÉCANIQUE ► Les quatre cylindres Ecotec ne se distinguent ni par leur souplesse, ni par leur puissance, ni par leur volonté à monter dans les tours. De plus, ils sont accouplés à des boîtes manuelles à la commande adéquate, mais qui manquent un peu de rigueur. On a vu pire, mais on a vu mieux.

COMPORTEMENT ► Pas de version SS suralimentée, comme pour la Cobalt. Le train avant n'est donc pas soumis à de trop fortes contraintes et la tenue de route est honorable. On aurait tout de même souhaité une direction à assistance électrique un peu plus communicative.

CONCLUSION ► Au Canada, la G5 Pursuit est presque aussi populaire que sa cousine, la Chevrolet Cobalt, et cela en dit long sur la force du réseau Pontiac. Malheureusement, la G5 Pursuit n'apporte pas grand-chose par rapport à la concurrence. C'est une voiture assez bonne, mais qui n'offre ni l'agrément de conduite, ni l'intérieur d'une Civic ou d'une Mazda3, ni la qualité de construction d'une Corolla. Son seul avantage reste son prix, et encore.

FICHE D'IDENTITÉ

Version(s) : Base, SE, GT
Roues motrices : avant
Portières : 2, 4
Première génération : 2005
Génération actuelle : 2005
Construction : Lordstown, Ohio, É.-U.
Sacs gonflables : 2, frontaux, (rideaux latéraux en option)
Concurrence : Chevrolet Cobalt, Dodge Caliber, Ford Focus, Honda Civic, Hyundai Elantra, Kia Spectra, Mazda3, Mitsubishi Lancer, Nissan Sentra, Saturn ION, Subaru Impreza, Suzuki Aerio et SX4, Toyota Corolla, Volkswagen Rabbit

AU QUOTIDIEN

Prime d'assurance :
25 ans : 2000 à 2200 $
40 ans : 1300 à 1500 $
60 ans : 900 à 1100 $
Collision frontale : 4/5
Collision latérale : 2/5
Ventes du modèle l'an dernier
Au Québec : 4702 **Au Canada :** 16 289
Dépréciation (1 an) : 23,6 %
Rappels (2001 à 2006) : 1
Cote de fiabilité : 2/5

forces
- Voiture moyenne

faiblesses
- Voiture moyenne
- Position du levier de vitesses
- Plastiques
- Moteurs ternes

nouveautés en 2007
- Augmentation de puissance des moteurs, nouveau volant à trois branches, démarreur à distance disponible dans modèles à boîte automatique, changement de nom pour G5

SOLSTICE

www.gmcanada.com

FICHE D'IDENTITÉ

Version(s) : Base, GXP
Roues motrices : arrière
Portières : 2
Première génération : 2006
Génération actuelle : 2006
Construction : Wilmington, Delaware, É.-U.
Sacs gonflables : 2, frontaux
Concurrence : Mazda MX-5, Saturn Sky, Honda S2000

AU QUOTIDIEN

Prime d'assurance :
25 ans : 3000 à 3200 $
40 ans : 1800 à 2000 $
60 ans : 1600 à 1800 $
Collision frontale : nd
Collision latérale : nd
Ventes du modèle l'an dernier
Au Québec : 131 **Au Canada :** 517
Dépréciation (3 ans) : nm
Rappels (2001 à 2006) : aucun à ce jour
Cote de fiabilité : nm

BONNE IDÉE, MAUVAISE EXÉCUTION

– Nadine Filion

La grande qualité de la Pontiac Solstice, c'est son allure magnifique. Mais le roadster est bourré de défauts que sa spectaculaire apparence ne suffit pas à compenser.

CARROSSERIE ► La Solstice est tirée de la plateforme propulsion Kappa. Sa plus grande curiosité : un toit qui se rétracte dans le coffre (on vous parlera de ce coffre plus bas), obligeant sa porte à s'ouvrir en sens opposé. Le grand hic, c'est que la décapotable que nous avons essayée avait beau n'indiquer que 3000 km, le mécanisme du toit faisait déjà des siennes. Laissons le bénéfice du doute à cette version de préproduction, mais, même sans cet accroc, l'« opération capote » exige beaucoup de manipulations et il ne faudrait pas s'étonner l'été de voir beaucoup de Solstice non découvertes. Leurs propriétaires en auront probablement eu assez de s'échiner…

HABITACLE ► L'habitabilité de la Solstice est comparable à celui de la Mazda MX-5 et les deux occupants sont donc confortablement installés. L'ergonomie de la Solstice laisse cependant à désirer. Les commandes des glaces sont trop loin sur les contre-portes et il faut se contorsionner pour les atteindre. Et n'essayez pas d'ajuster le dossier de votre siège si la portière est fermée : la roulette est inaccessible. Pas d'espace de rangement à bord, sauf un renfoncement entre les sièges. Le coffre ? Une vraie farce. Le toit s'y escamote, ne laissant qu'une lisière de chargement où même un bon gros ananas n'entre pas. Vous pensez que ce sera mieux la capote remontée ? Que non : avec ses 153 litres, le coffre est aussi volumineux que celui de la Miata (150 litres), mais il est mal conçu. Un sac de voyage ne peut même pas y tenir. Oubliez donc le week-end en amoureux ! Ou partez seul : vous pourrez au moins mettre votre bagage sur le siège passager. Autre reproche : le plastique dur, bon marché et mal installé qui tapisse l'intérieur. Sur notre modèle d'essai, une pièce s'est détachée de la

forces
- Son allure
- Son prix

faiblesses
- Tout le reste !

nouveautés en 2007
- Version GXP, nouveau groupe d'options privilégié, siège à réglage électrique en 2 directions de série, aileron arrière et pédales métalliques en option, une nouvelle couleur de toit, une nouvelle couleur extérieure (Mean Yellow)

SOLSTICE

portière pour en révéler les entrailles. Comble du malheur: à 26495$ de base, la climatisation, le régulateur de vitesse et le groupe électrique sont optionnels.

MÉCANIQUE ▶ Le quatre cylindres Ecotec de 2,4 litres qui propulse la biplace est gourmand, du moins en ville: 11,9 litres aux 100 km. Sans doute à cause des 1330 kilos de la voiture (200 kilos de plus que la Mazda). Pontiac n'a pas lésiné sur les roues de 18 pouces, mais n'a pas jugé bon de proposer l'ABS de série. Mauvais choix. Une boîte automatique à cinq rapports s'est ajoutée, en option, à la manuelle à cinq rapports de série. Nouveauté en 2007: une version GXP, avec 47 % plus de puissance, équipée d'un Ecotec 2,0 litres turbo et de l'antidérapage StabiliTrak.

COMPORTEMENT ▶ Si le comportement routier de la Solstice était hallucinant, on pourrait lui pardonner sa pauvre ergonomie et son habitacle médiocre, mais même sa conduite est décevante. Certes, la tenue de route est bonne grâce à l'architecture rigide, mais la boîte manuelle n'offre que des passages de rapports désagréables. Le quatrième rapport est trop long et le passage à la marche arrière, récalcitrant. Les 177 chevaux produits par l'Ecotec de base sont corrects, mais les accélérations n'ont rien d'enivrantes et se font sans grâce avec un moteur qui monte dans les tours sans plaisir. Enfin, la direction transmet bien les sensations de la route, mais les suspensions sont plus sèches que sportives.

CONCLUSION ▶ GM a voulu produire l'une des décapotables les moins chères du marché. Certes, l'idée est bonne, mais dites-vous qu'à moins d'en avoir fait l'achat sans l'avoir essayée, tous ceux et celles que vous verrez au volant d'une Solstice n'ont vraiment pas compris que pour 2000$ ou 3000$ de plus, ils auraient pu trouver beaucoup mieux.

FICHE TECHNIQUE

MOTEURS

(Base) L4 2,4 l DACT 177 ch à 6600 tr/min
couple: 166 lb-pi à 4800 tr/min
Transmission: manuelle à 5 rapports, automatique à 5 rapports en option
0-100 km/h: 8,2 s
Vitesse maximale: 200 km/h
Consommation (100 km): man. et auto.: 9,8 l (octane: 91)

(GXP) L4 2,0 l turbo DACT 260 ch à 5300 tr/min
couple: 260 lb-pi à 2500 tr/min
Transmission: manuelle à 5 rapports, automatique à 5 rapports en option
0-100 km/h: 5,9 s
Vitesse maximale: 230 km/h
Consommation (100 km): 11,0 l (octane: 91)

Sécurité active
freins ABS et répartition électronique de force de freinage (option)

Suspension avant/arrière
indépendante

Freins avant/arrière
disques

Direction
à crémaillère, assistée

Pneus
P245/45R18

DIMENSIONS
Empattement: 2415 mm
Longueur: 3992 mm, 4021 mm (GXP)
Largeur: 1810 mm
Hauteur: 1273 mm
Poids: Base: 1330 kg, GXP: 1356 kg
Diamètre de braquage: 10,7 m
Coffre: 153 l, 60 l (toit abaissé)
Réservoir de carburant: 52,2 l

2e opinion

Hugues Gonnot • Fabriquer un petit roadster pour sortir Pontiac de l'anonymat semblait une bonne idée. GM est même allé jusqu'à concevoir une plateforme inédite pour un véhicule de petit volume. Le style sexy laissait présager de beaux jours. Hélas ! il suffit de se glisser dans l'habitacle exigu, de manœuvrer la capote insensée, de pousser le moteur rugueux qui n'aime pas monter dans les tours, de manier la boîte lente et mal placée, de maudire le coffre insuffisant et le comportement routier approximatif (spécialement sur le mouillé) pour que la magie s'envole. Désolé, mais Mazda, avec sa MX-5, peut se reposer sur ses lauriers pour encore un bon bout de temps.

TORRENT ⊜ Chevrolet Equinox

26 770 $ à 32 170 $
Transport et préparation : 1100 $

OnStar

www.gmcanada.com

FICHE D'IDENTITÉ

Version(s) : Base 2RM, Base 4RM, Sport 2RM, Sport 4RM
Roues motrices : avant, 4
Portières : 4
Première génération : 2006
Génération actuelle : 2006
Construction : Ingersoll, Ontario, Canada
Sacs gonflables : 2, frontaux, rideaux latéraux en option
Concurrence : Chevrolet Equinox, Ford Escape, Honda CR-V, Hyundai Tucson, Kia Sportage, Mazda CX-7, Mitsu. Outlander, Nissan X-Trail, Saturn VUE, Subaru Forester, Suzuki Grand Vitara, Toyota RAV4

AU QUOTIDIEN

Prime d'assurance :
25 ans : 2600 à 2800 $
40 ans : 1800 à 2000 $
60 ans : 1500 à 1700 $
Collision frontale : 5/5
Collision latérale : 5/5
Ventes du modèle l'an dernier
Au Québec : 405 **Au Canada :** 2083
Dépréciation (3 ans) : nm
Rappels (2001 à 2006) : aucun à ce jour
Cote de fiabilité : nd

PLUS QUE L'EQUINOX !

– Nadine Filion

Qu'est-ce que le Pontiac Torrent? Une version améliorée du Chevrolet Equinox. Point à la ligne.

CARROSSERIE ► Le Pontiac Torrent se démarque de l'Equinox par des lignes extérieures plus athlétiques et une calandre plus imposante. Rappelons que ces deux véhicules sont assemblés à Ingersoll, en Ontario.

HABITACLE ► Comme l'Equinox, le Torrent est spacieux. La banquette est peut-être un peu trop ferme, mais on peut l'avancer et la reculer, et ses dossiers s'inclinent. Là où l'Equinox offre matériaux mornes et peu agréables au toucher, le Torrent propose un aménagement plus sport et plus achevé. Seul un bruit de vent s'immisce trop dans les conversations.

MÉCANIQUE ► Contrairement à la concurrence, le Torrent n'a pas de moteur quatre cylindres. Le seul moteur disponible est un V6 de 3,4 litres qui, jumelé à une boîte automatique à cinq rapports, produit 185 chevaux.

COMPORTEMENT ► Ces 185 chevaux suffisent à la tâche; avec un moteur plus puissant, l'effet de couple au démarrage aurait été trop grand. Question d'épicer la sauce, les ingénieurs ont raffermi la suspension indépendante de près de 20 % par rapport à l'Equinox et de ce fait le Torrent est plus stable en virage et beaucoup plus plaisant à conduire. Sa direction (électrique) est également mieux centrée et transmet davantage de sensations. À mon avis, il est inutile de débourser davantage pour la version à traction intégrale.

CONCLUSION ► Le Torrent coûte un millier de dollars de plus que l'Equinox, mais c'est peu compte tenu de la conduite plus précise et des équipements de série (jantes d'aluminium, phares antibrouillards, porte-bagages tubulaire et inserts de chrome sur la planche de bord). Un dernier conseil avant de faire le saut du côté du Torrent: jetez un œil au Suzuki Grand Vitara, beaucoup moins cher.

forces
- Lignes extérieures
- Habitacle spacieux et bien conçu
- Plus plaisant à conduire que l'Equinox

faiblesses
- Pas de moteur quatre cylindres
- Moins bonne affaire que le Suzuki Grand Vitara

nouveautés en 2007
- StabiliTrak, freins à disques aux quatre roues, trois nouvelles teintes extérieures

OnStar

www.gmcanada.com

RÉGIME MINCEUR

– Benoit Charette

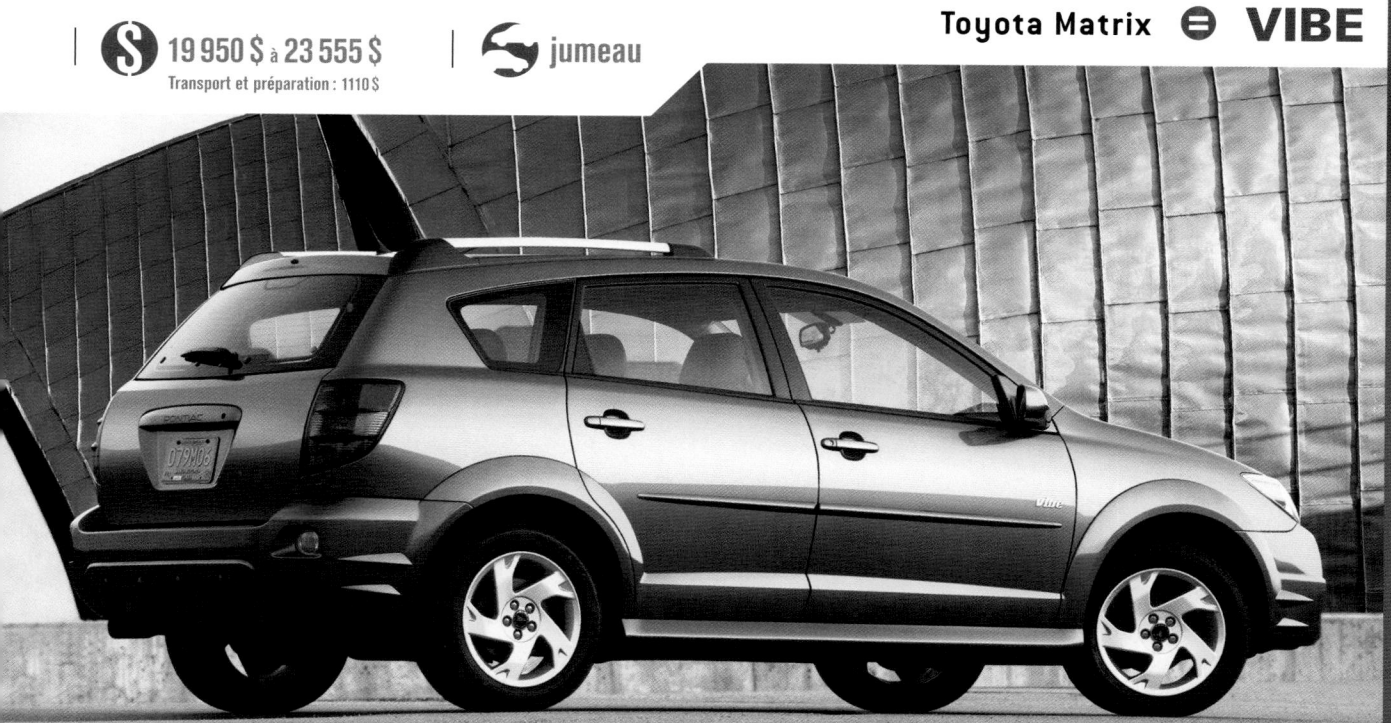

GM réduira ses dépenses en 2007 et la Vibe n'y échappera pas. Ainsi, Pontiac éliminera les versions GT et 4RM et conservera uniquement la version de base.

CARROSSERIE ▸ Difficile à classer, la Vibe est une sorte de croisement entre la voiture compacte, la familiale et le petit utilitaire. Sa ligne en hauteur et les rails de toit lui donnent d'ailleurs l'allure de petit 4X4. L'intégration des rails de toit confirme l'orientation VUS. Le seul changement en 2007 est une nouvelle teinte de bleu.

HABITACLE ▸ À bord, le style est assez réussi, davantage marqué du sceau Pontiac que Toyota. La banquette et le siège passager rabattables procurent un vaste espace de chargement plat et protégé par un couvert de coffre optionnel. Disposant d'un espace sous le plancher, le véhicule peut être pourvu d'équipements permettant le chargement d'objets plus petits dans un bac, mais aussi de vélos ou autres bagages. Notons la présence intéressante de deux prises de courant alternatif de 115 volts, à l'avant et dans le coffre.

MÉCANIQUE ▸ La seule motorisation est le moteur quatre cylindres 1,8 litre de 126 chevaux avec boîte manuelle à cinq rapports ou automatique à quatre vitesses.

COMPORTEMENT ▸ La puissance est adéquate, sans plus, mais il ne faut pas placer la barre trop haut. Toutefois, la tenue de route est l'un des points forts de la Vibe. Avec une suspension bien calibrée et une direction précise, l'expérience au volant est plus que satisfaisante, mais le niveau sonore est un peu plus élevé que la moyenne.

CONCLUSION ▸ Malgré ses quelques défauts, la Vibe continue de connaître du succès chez nous avec des ventes en progression de 16 % l'an dernier. Pratique, bien construite et abordable sont trois des qualités qui font de la Pontiac Vibe un achat intéressant pour le consommateur.

FICHE D'IDENTITÉ

Version(s) : unique
Roues motrices : avant
Portières : 4
Première génération : 2003
Génération actuelle : 2003
Construction : Fremont, Californie, É.-U.
Sacs gonflables : 2, frontaux (latéraux et rideaux latéraux en option)
Concurrence : Chevrolet Optra fam., Chevrolet HHR, Chrysler PT Cruiser, Dodge Caliber, Ford Focus ZXW, Mazda3 Sport, Subaru Impreza, Toyota Matrix

AU QUOTIDIEN

Prime d'assurance :
25 ans : 2100 à 2300 $
40 ans : 1400 à 1600 $
60 ans : 1000 à 1200 $
Collision frontale : 5/5
Collision latérale : 5/5
Ventes du modèle l'an dernier
Au Québec : 3564 **Au Canada :** 11 363
Dépréciation (3 ans) : 26,2 %
Rappels (2001 à 2006) : 1
Cote de fiabilité : 5/5

forces
- Lignes
- Espace intérieur
- Tenue de route

faiblesses
- Performances modestes
- Insonorisation

nouveautés en 2007
- Versions GT et 4RM retirées du catalogue

évolution | 104 300 $ à 170 700 $ | Transport et préparation : 1085 $

www.porsche.com

L'ARCHÉTYPE DE LA VOITURE SPORT

– Carl Nadeau

FICHE D'IDENTITÉ

Version(s) : Carrera, Carrera S, Carrera 4, Carrera 4S, Targa 4, Targa 4S, GT3, Turbo
Roues motrices : arrière, 4
Portières : 2
Première génération : 1964
Génération actuelle : 1999
Construction : Stuttgart, Allemagne
Sacs gonflables : 4, frontaux et latéraux
Concurrence : Aston Martin V8 Vantage et DB9, BMW Série 6, Chevrolet Corvette, Dodge Viper, Ferrari F430, Jaguar XK, Lamborghini Gallardo, Maserati Coupé et Spyder, Mercedes-Benz Classe SL

AU QUOTIDIEN

Prime d'assurance :
25 ans : 6900 à 7100 $
40 ans : 4500 à 4700 $
60 ans : 3900 à 4100 $
Collision frontale : nd
Collision latérale : nd
Ventes du modèle l'an dernier
Au Québec : 125 **Au Canada :** 546
Dépréciation (3 ans) : 49,5 %
Rappels (2001 à 2006) : 5
Cote de fiabilité : 4/5

Vous avez sûrement déjà eu des papillons dans l'estomac dans les instants qui précèdent le premier baisé avec votre nouvelle conquête, non ? Que l'on soit jeune ou vieux, un homme ou une femme, cela reste toujours un moment marquant. Eh bien, chaque fois que je reprends le volant de la Porsche 911, toutes ces sensations m'envahissent de nouveau. Aucune autre voiture ne me trouble de cette manière, et, croyez-moi, j'en essaie beaucoup, des voitures !

CARROSSERIE ▶ Les dessinateurs de Porsche ont réussi un tour de force : faire évoluer un classique sans le dénaturer. La 911 est en effet à la fine pointe de la technologie quant à la sécurité et à l'aérodynamisme, mais elle n'a rien perdu de son charme d'antan. Sa qualité de fabrication est irréprochable, que ce soit du côté de la peinture, des matériaux ou de l'assemblage. On ne peut pas en dire autant de toutes les voitures exotiques et hors de prix qui rivalisent avec cette belle germanique…

HABITACLE ▶ Avec l'excellente position de conduite, le tachymètre situé au centre du tableau de bord et le « speedo » gradué par tranches de 50 km/h, on constate d'emblée que cette voiture est conçue pour être pilotée. Les sièges s'ajustent verticalement, le volant télescopique se règle en hauteur, le levier des vitesses parfaitement bien placé se manie comme un charme, le pédalier semble sorti du rêve d'un pilote, et les dimensions et la prise du volant sont excellentes. Seules de petites garnitures de plastique bon marché contrastent avec la qualité du cuir et des autres matériaux. On peut reprocher à l'habitacle de ne pas receler beaucoup de rangements et aux sièges arrière d'être symboliques, mais le coffre a une contenance étonnante et l'insonorisation est excellente.

MÉCANIQUE ▶ Les ingénieurs de Zuffenhausen ont encore une fois réussi l'impossible : la nouvelle Turbo passe à 480 chevaux (60 chevaux de plus) et la mécanique a perdu

forces
- Rigidité du châssis
- Qualité de fabrication
- Moteurs extraordinaires
- Plaisir de conduite

faiblesses
- Prix élevé
- Manque d'espaces de rangement
- Climatisation difficile à régler
- Phares avant moyens
- Incite fortement à défier la loi…

nouveautés en 2007
- Arrivée des versions GT3 et Turbo

plusieurs kilos ! L'utilisation de turbocompresseurs à géométrie variable permet de conserver un couple maximum de 457 livres-pied, de 1950 à 5000 tours/minute, une augmentation de 42 livres-pied sur une plus large bande de puissance. Je suggère aux futurs propriétaires de toujours activer le fameux système PSM (contrôle de stabilité et de traction) qui leur évitera bien des problèmes tout en les faisant passer pour des as du volant ! Le système est si bien adapté aux différentes versions que la plupart des conducteurs rouleront plus rapidement en l'utilisant. Que l'on opte pour la Carrera, la S ou la Turbo, les mécaniques sont à la hauteur de l'extraordinaire châssis et elles continuent de pousser jusqu'à des vitesses indécentes (on ressent encore une forte accélération à 250 km/h...).

COMPORTEMENT ▶ La tenue de route de la 911 est tout simplement incroyable. Le châssis est si rigide et si bien conçu qu'il semble gommer les imperfections de nos routes (quel exploit !). Le volant nous transmet une excellente sensation, les moteurs sont infatigables et le freinage est exceptionnel. Je vous recommande d'ailleurs l'achat des freins en céramique (une option de plus de 11 000 $, quand même) qui obéissent instantanément et ne faiblissent jamais. Même les essuie-glaces sont irréprochables à haute vitesse et on n'entend aucun bruit de vent, pas même à 250 km/h. La suspension réglable permet de passer d'une tenue confortable sur autoroute à la fermeté nécessaire à une conduite très sportive.

CONCLUSION ▶ La 911 est la seule grande sportive qui peut rouler ici à longueur d'année sans désagréments. Elle est sûre, fiable, et ses performances se comparent avantageusement à celles de voitures beaucoup plus chères. Le voilà, mon coup de cœur !

FICHE TECHNIQUE

MOTEURS

(Carrera, Carrera 4 et Targa 4) H6 3,6 l DACT 325 ch à 6800 tr/min
couple : 273 lb-pi à 4250 tr/min
Transmission : manuelle à 6 rapports, automatique à 5 rapports avec mode manuel
0-100 km/h : *Carrera :* coupé : 5,0 s, cabrio. : 5,3 s, Carrera 4 : coupé et Targa : 5,1 s, cabrio. : 5,5 s
Vitesse maximale : Carrera : 285 km/h, Carrera 4 : 280 km/h
Consommation (100 km) : man. : 10,6 l, auto. : 10,4 l (octane : 91)

(Carrera S, Carrera 4S et Targa 4S) H6 3,8 l DACT 355 ch à 6600 tr/min
couple : 295 lb-pi à 4600 tr/min
Transmission : manuelle à 6 rapports, automatique à 5 rapports avec mode manuel
0-100 km/h : *Carrera S :* coupé : 4,8 s, cabrio. : 5,0 s, *Carrera 4S :* coupé et Targa : 5,0 s, cabrio. : 5,3 s
Vitesse maximale : Carrera S : 293 km/h, Carrera 4S : 288 km/h
Consommation (100 km) : man. : 10,6 l, auto. : 10,4 l (octane : 91)

(GT3) H6 3,6 l DACT 415 ch à 7600 tr/min
couple : 298 lb-pi à 5500 tr/min
Transmission : manuelle à 6 rapports
0-100 km/h : 4,3 s
Vitesse maximale : 310 km/h
Consommation (100 km) : nd (octane : 91)

(Turbo) H6 3,6 l biturbo DACT 480 ch à 6000 tr/min
couple : 457 lb-pi à 1950 tr/min
Transmission : manuelle à 6 rapports, automatique à 5 rapports avec mode manuel
0-100 km/h : man. : 3,9 s, auto. : 3,7 s
Vitesse maximale : 310 km/h
Consommation (100 km) : nd (octane : 91)

Sécurité active
freins ABS, répartition électronique de force de freinage, assistance au freinage, antipatinage, contrôle de stabilité électronique

Suspension avant/arrière
indépendante

Freins avant/arrière
disques

Direction
à crémaillère, assistée

Pneus
Carrera et Targa 4 : P235/40R18 (av.), P295/35R18 (arr.), Carrera S et Targa 4S, GT3 et Turbo : P235/35R19 (av.), P305/30R19 (arr.)

DIMENSIONS

Empattement : 2350 mm, GT3 : 2355 mm
Longueur : 4461 mm, GT3 : 4427 mm, Turbo : 4450 m
Largeur : 1808 mm, Turbo : 1852 mm
Hauteur : Carrera et Targa 4 : 1310 mm, Carrera S, Targa 4S et Turbo : 1300 mm, GT3 : 1280 mm
Poids : 1395 kg à 1585 kg
Diamètre de braquage : 10,6 m
Coffre : 125 l, GT3 : 105 l
Réservoir de carburant : 64 l, GT3 : 90 l, Turbo : 67 l

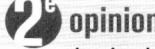

2e opinion

Antoine Joubert • Pour les m'as-tu-vu qui souhaitent afficher leur richesse, la 911 est l'outil idéal. Néanmoins, il s'agit d'une sommité en matière de haute performance. Qu'importe ce que la concurrence tente de faire, la 911 a une telle avance qu'il est difficile de croire qu'on la rattrapera un jour. Rigide comme pas une, équilibrée au gramme près, incroyablement rapide et agile comme un félin, elle se prête aussi bien à la conduite quotidienne qu'aux essais sur piste. Quant à la version Turbo, son accélération est telle qu'elle vous enfonce presque les yeux dans la tête. Plus rapide que les Viper, Corvette Z06 et Ferrari F430, elle se conduit aussi aisément qu'une Jetta ! Sans doute le meilleur des mondes..., mais à quel prix !

BOXSTER

évolution | 63 600 $ à 77 300 $ |
Transport et préparation : 1085 $

www.porsche.com

L'ART D'APPRÉCIER UN GRAND CRU

– Antoine Joubert

FICHE D'IDENTITÉ

Version(s) : Base, S
Roues motrices : arrière
Portières : 2
Première génération : 1997
Génération actuelle : 2005
Construction : Stuttgart, Allemagne
Sacs gonflables : 4, frontaux et latéraux avant
Concurrence : BMW Z4 et M Roadster, Chrysler Crossfire, Honda S2000, Mercedes-Benz SLK, Nissan 350Z roadster

AU QUOTIDIEN

Prime d'assurance :
25 ans : 6000 à 6200 $
40 ans : 3500 à 3700 $
60 ans : 3000 à 3200 $
Collision frontale : 5/5
Collision latérale : 5/5
Ventes du modèle l'an dernier
Au Québec : 122 **Au Canada :** 448
Dépréciation (3 ans) : 43 %
Rappels (2001 à 2006) : 2
Cote de fiabilité : 3/5

À la fin des années 1990, Porsche faisait partie de ce trio de manufacturiers allemands qui ont fait renaître le noble roadster. Depuis lors, la Boxster, la plus habile des sportives du genre, accumule les prix et les mentions d'honneur. Aujourd'hui, la plus « abordable » des Porsche fête son dixième anniversaire de naissance, et force est d'admettre que sa place est toujours au sommet.

CARROSSERIE ► Les adeptes puristes de la Porsche 911 ont toujours déploré la trop grande similarité des lignes de la Boxster avec leur voiture. Or, il faut savoir que c'est la 911, entièrement redessinée en 1999, qui s'est inspirée du look de la Boxster, et non l'inverse. En fait, le design de la Boxster est si réussi qu'il a à peine changé en une décennie. D'ailleurs, la refonte de 2005 a été si discrète que peu de gens peuvent distinguer les deux générations. N'est-ce pas là la preuve que nous sommes en présence de ce qu'il convient d'appeler un classique ?

HABITACLE ► À bord de la Boxster, ne cherchez pas les multiples compartiments de rangement, ni les porte-gobelets format ciné-parc, ni de porte-parapluie. On vous propose plutôt une planche de bord où le tachymètre domine et où les commandes sont évidentes (sauf bien sûr si l'on opte pour la navigation). Les deux baquets magnifiquement dessinés, à la fois confortables et enveloppants, permettent aux occupants de bénéficier d'une position optimale.

Comme il se doit, la finition est sans reproche et la qualité des matériaux, d'excellente facture. Malheureusement, la Boxster fait payer cher le luxe, puisque les équipements de série ne sont pas nombreux. Par exemple, la climatisation automatique coûte 770 $ et un simple indicateur de basse pression des pneus, 830 $.

MÉCANIQUE ► Les deux versions de la Boxster proposent un moteur de six cylin-

forces
- Comportement qui frise la perfection
- Motorisations exceptionnelles
- Agrément de conduite assuré
- Lignes sublimes et intemporelles
- Habitacle riche et efficace

faiblesses
- Coût d'achat
- Coût des très nombreuses options
- Coût d'entretien
- Coût des assurances

nouveautés en 2007
- Augmentation de puissance des moteurs

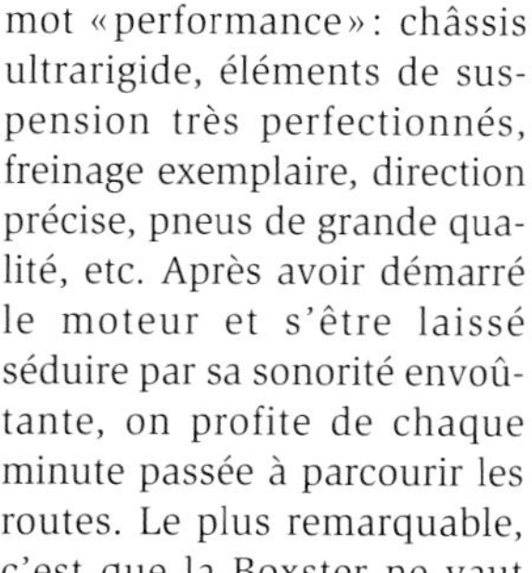

dres à plat en position centrale, d'une sonorité à faire rêver, qui n'est accessible que sous la voiture. La version de base possède un moteur de 2,7 litres et de 245 chevaux, jumelé à une boîte manuelle à cinq rapports, tandis qu'on ajoute à la version S 700 cc de cylindrée, 50 chevaux et un rapport à la boîte manuelle. Même si l'on peut considérer cette option comme une insulte aux «porschistes», beaucoup de personnes commandent leur Boxster équipée de la boîte Tiptronic à cinq rapports qui, en dépit de ses qualités, fait diminuer de moitié l'agrément de conduite.

COMPORTEMENT ► Fin prête à vous faire vivre des sensations fortes, la Boxster possède tous les éléments pour vous faire comprendre le vrai sens du mot «performance»: châssis ultrarigide, éléments de suspension très perfectionnés, freinage exemplaire, direction précise, pneus de grande qualité, etc. Après avoir démarré le moteur et s'être laissé séduire par sa sonorité envoûtante, on profite de chaque minute passée à parcourir les routes. Le plus remarquable, c'est que la Boxster ne vaut pas uniquement pour ses aptitudes sportives. On y retrouve aussi un certain confort, ce qui n'est pas le cas de certaines concurrentes, par exemple la S2000.

CONCLUSION ► En règle générale, un chroniqueur automobile est attentif au comportement des automobilistes qui l'entourent. Ainsi, j'ai remarqué que bon nombre de propriétaires de Boxster ne connaissent pas les lave-autos, font le plein de carburant ordinaire, effectuent la vidange d'huile chez Wal-Mart et roulent sur des pneus usés à la corde, avec un café et le téléphone portable à la main. Manifestement, certaines personnes ne savent pas apprécier les grands crus. Ce ne serait certainement pas mon cas!

FICHE TECHNIQUE

MOTEURS

(Base) H6 2,7 l DACT 245 ch à 6500 tr/min
couple: 201 lb-pi à 4600 tr/min
Transmission: manuelle à 5 rapports, automatique à 5 rapports avec mode manuel en option
0-100 km/h: 6,1 s
Vitesse maximale: 260 km/h
Consommation (100 km): 9,8 l (octane: 91)

(S) H6 3,4 l DACT 295 ch à 6250 tr/min
couple: 251 lb-pi à 4000 tr/min
Transmission: manuelle à 6 rapports, automatique à 5 rapports avec mode manuel en option
0-100 km/h: 5,4 s
Vitesse maximale: 272 km/h
Consommation (100 km): 11,7 l (octane: 91)

Sécurité active
freins ABS, répartition électronique de force de freinage, assistance au freinage, antipatinage, contrôle de stabilité électronique

Suspension avant/arrière
indépendante

Freins avant/arrière
disques

Direction
à crémaillère, assistée

Pneus
Base: P205/55R17 (av.), P235/50R17 (arr.), S: P235/40R18 (av.), P265/40R18 (arr.)

DIMENSIONS
Empattement: 2415 mm
Longueur: 4359 mm
Largeur: 1801 mm
Hauteur: 1292 mm
Poids: Base: 1305 kg, S: 1365 kg
Diamètre de braquage: 10,9 m
Coffre: 150 l (av.), 130 l (arr.)
Réservoir de carburant: 64 l

2e opinion

Bertrand Godin • Je l'ai dit souvent: je suis né pour conduire une Porsche. Et, parce que je suis modeste, je me contenterais avec bonheur de la plus humble de la gamme, la Boxster. Remodelée l'année dernière, elle a su garder, malgré sa puissance limitée face à ses sœurs plus grandes, des sensations de conduite dignes des meilleures sportives. Sa transmission manuelle, aussi précise qu'une boîte de course, répond avec exactitude au conducteur, ainsi que la transmission automatique Tiptronic. Ses défauts, ce sont la visibilité presque nulle (comme pour beaucoup de cabriolets) et son ergonomie déficiente. Quant au reste, la Boxster, surtout la S, est une entrée de gamme particulièrement réussie.

CAYENNE

évolution | 60 100 $ à 157 000 $ |
Transport (sans préparation) : 900 $

www.porsche.com

FICHE D'IDENTITÉ

Version(s) : V6, S, S Titanium, Turbo, Turbo S
Roues motrices : 4
Portières : 4
Première génération : 2003
Génération actuelle : 2003
Construction : Leipzig, Allemagne
Sacs gonflables : 8, frontaux, latéraux avant et arrière, rideaux latéraux
Concurrence : Acura MDX, Audi Q7, BMW X5, Cadillac SRX, Infiniti FX, Land Rover LR3 et Range Rover, Lexus RX et GX, Mercedes-Benz Classe M, Volkswagen Touareg, Volvo XC90

AU QUOTIDIEN

Prime d'assurance :
25 ans : 5700 à 5900 $
40 ans : 3500 à 3700 $
60 ans : 2900 à 3100 $
Collision frontale : nd
Collision latérale : nd
Ventes du modèle l'an dernier
Au Québec : 232 **Au Canada :** 917
Dépréciation (3 ans) : 38,3 %
Rappels (2001 à 2006) : 7
Cote de fiabilité : 2/5

ON S'Y HABITUE

– **Carl Nadeau**

Les amateurs de Porsche, et j'en suis, étaient pour la plupart assez scandalisés lors du lancement du Cayenne : on attaquait la pureté d'une marque qui produit des sportives extraordinaires. Et pourtant, signe des temps, je m'y habitue, tant et si bien que je commence même à l'apprécier, cet utilitaire.

CARROSSERIE ▶ Soyons clairs, Porsche a déjà fait beaucoup dans le passé côté design, mais le Cayenne manque un peu d'inspiration. Comme le véhicule a été développé en commun par Porsche et Volkswagen, les contraintes étaient si nombreuses qu'il ne s'agit pas là d'un modèle Porsche à part entière. En revanche, on reconnaît bien la calandre, et puis la finition extérieure est tout de même à la hauteur des standards de la marque allemande.

HABITACLE ▶ De ce côté, c'est réussi. On se sent au volant d'un immense coupé sport. Les sièges et les cadrans ont un air de famille Porsche, mais je m'ennuie de l'immense compte-tours central. Les dimensions et la prise du volant sont bonnes, mais les boutons des vitesses qui y sont incorporés sont exécrables. Heureusement, les ingénieurs travaillent à la prochaine génération des boîtes de vitesses robotisées qui seront équipées de palettes derrière le volant pour les changements de rapports. Les espaces de rangement et les porte-gobelets sont nombreux, ce qui est étonnant pour une Porsche. En fait, tout est pratique, sauf le système de navigation, difficile à utiliser.

MÉCANIQUE ▶ Du côté de la mécanique, le mariage qu'on croyait impossible entre Porsche et les utilitaires sport est réussi. Excepté la mécanique de base, qui n'existe que pour offrir un Cayenne à rabais, les moteurs V8 rendent sa conduite nettement plus vivante que celle des autres utilitaires. Le Cayenne S accélère avec force, bien que la sensation de puissance soit moindre qu'à bord d'une 911. Les modèles Turbo sont, quant à eux,

forces
- Châssis rigide
- Excellent comportement routier
- Freins
- Finition intérieure
- Espace intérieur

faiblesses
- Consommation gargantuesque
- Image de demi-Porsche
- Moteur de base peu puissant
- Silhouette terne

nouveautés en 2007
- Version Turbo S et S Titanium

presque trop puissants pour les besoins de monsieur Tout-le-monde. Quoique, à bien y penser, les acheteurs de Cayenne Turbo ne sont certainement pas comme tout le monde !

COMPORTEMENT ▶ Il faut s'habituer au centre de gravité et au poids élevés de la machine avant de la pousser dans les virages, mais, une fois acclimaté, on se surprend à augmenter le rythme. Dans les enfilades de courbes, le Cayenne se comporte comme une propulsion. J'ai pris un malin plaisir à rouler sur des routes sinueuses de campagne à un rythme soutenu. Les freins sont endurants et la suspension ajustable fait la différence. On peut modifier à loisir la hauteur de la garde au sol et la rigidité des amortisseurs, et le système est efficace sur tous les types de terrains. Le châssis rigide du Cayenne permet de bien percevoir les différents ajustements de la suspension et lui permet aussi de travailler en douceur. Il est d'ailleurs assez rare de voir un véhicule avoir un tel potentiel sur la route, sans pour autant pénaliser le comportement hors route. Outre le Touareg, le seul autre exemple que je connaisse est l'Audi Q7.

CONCLUSION ▶ Dès qu'on réussit à se sortir de l'esprit que Porsche n'aurait pas dû se lancer dans le marché des utilitaires sport, le Cayenne prend tout son sens. La moitié des ventes du constructeur sont attribuables au Cayenne et les bénéfices permettront d'élaborer d'autres modèles sport, alors que le Cayenne n'est pas une mauvaise machine. Les problèmes de jeunesse, comme les bruits de craquements dans l'habitacle, ont été réglés, mais il faut savoir que la bonne performance des modèles Porsche au chapitre de la consommation d'essence s'évanouit avec le Cayenne. En fait, le poids élevé de cet utilitaire jumelé à ses redoutables capacités dynamiques réjouiront beaucoup votre pompiste. Rien n'est parfait, mais le Cayenne me réconcilie avec les VUS.

FICHE TECHNIQUE

MOTEURS

(V6) V6 3,2 l DACT 250 ch à 6000 tr/min
couple : 229 lb-pi à 2500 tr/min
Transmission : manuelle à 6 rapports, automatique à 6 rapports avec mode manuel (option)
0-100 km/h : 9,7 s
Vitesse maximale : 214 km/h
Consommation (100 km) : man. : 13,4 l, auto. : 13,5 l (octane : 91)

(S et S Titanium) V8 4,5 l DACT 340 ch à 6000 tr/min
couple : 310 lb-pi à 2500 tr/min
Transmission : automatique à 6 rapports avec mode manuel
0-100 km/h : 7,2 s
Vitesse maximale : 242 km/h
Consommation (100 km) : 14,4 l (octane : 91)

(Turbo) V8 4,5 l biturbo DACT 450 ch à 6000 tr/min
couple : 460 lb-pi à 2250 tr/min
Transmission : automatique à 6 rapports avec mode manuel
0-100 km/h : 5,6 s
Vitesse maximale : 266 km/h
Consommation (100 km) : 15,0 l (octane : 91)

(Turbo S) V8 4,5 l biturbo DACT 520 ch à 5500 tr/min
couple : 530 lb-pi à 2750 tr/min
Transmission : automatique à 6 rapports avec mode manuel
0-100 km/h : 5,0 s
Vitesse maximale : 270 km/h
Consommation (100 km) : 15,0 l (octane : 91)

Sécurité active
freins ABS, répartition électronique de force de freinage, assistance au freinage, antipatinage, contrôle de stabilité électronique

Suspension avant/arrière
indépendante

Freins avant/arrière
disques

Direction
à crémaillère, assistée

Pneus
V6 : P235/65R17, S, S Titanium et Turbo : P255/55R18, Turbo S : P275/40R20

DIMENSIONS

Empattement : 2855 mm
Longueur : 4786 mm
Largeur : 1928 mm
Hauteur : 1699 mm
Poids : V6 : 2160 kg, S : 2245 kg, Turbo : 2355 kg, Turbo S : 2359 kg
Diamètre de braquage : 11,9 m
Coffre : 540 l, 1770 l (sièges abaissés)
Réservoir de carburant : 100 l
Capacité de remorquage : 3500 kg

opinion

Benoit Charette • L'amortissement du Cayenne est réglable en trois positions (sport, normal et confort), mais demeure toujours un brin ferme à cause des roues de 18 pouces qui répercutent toutes les irrégularités de la chaussée. Ce côté sport fera le bonheur du pilote qui sommeille en vous. Mais, le plus surprenant, c'est d'enfiler une route vraiment tortueuse pour comprendre à quel point ce pachyderme est agile. Une ballerine de deux tonnes, ce n'est pas peu dire. On se croirait presque au volant d'une sportive. Quelques minutes sur les chemins de campagne et il devient un délinquant de la route. Il est épicé et porte très bien son nom.

CAYMAN

évolution | 69 600 $ à 83 300 $
Transport et préparation : 2085 $

www.porsche.com

FICHE D'IDENTITÉ

Version(s) : Base, S
Roues motrices : arrière
Portières : 2
Première génération : 2006
Génération actuelle : 2006
Construction : Stuttgart, Allemagne
Sacs gonflables : 4, frontaux et latéraux avant
Concurrence : Audi TT, BMW M Coupé, Chrysler Crossfire, Mazda RX-8, Mercedes-Benz SLK, Nissan 350Z

AU QUOTIDIEN

Prime d'assurance :
25 ans : 6000 à 6200 $
40 ans : 3500 à 3700 $
60 ans : 3000 à 3400 $
Collision frontale : nd
Collision latérale : nd
Ventes du modèle l'an dernier
Au Québec : nm **Au Canada :** nm
Dépréciation (3 ans) : nm
Rappels (2001 à 2006) : aucun à ce jour
Cote de fiabilité : nm

FILS LÉGITIME DE LA 911 ET DE LA BOXSTER

– Benoit Charette

Que se passe-t-il lorsqu'on ajoute un toit dur à un cabriolet déjà reconnu pour son excellente rigidité ? On obtient une voiture capable de transmettre au conducteur encore plus fidèlement les moindres sensations de la route. Bienvenue dans le monde de la Cayman.

CARROSSERIE ► Côté look, la Cayman ne cache pas sa parenté avec la Boxster. Son inspiration provient de la Porsche 550-01 Panamerica 1953, mise au goût du jour. À l'avant, les optiques sont similaires et seul le bouclier diffère quelque peu, notamment les antibrouillards, ronds sur la Cayman, carrés sur la Boxster. C'est essentiellement à l'arrière que la Cayman affiche sa personnalité avec ses ailes évasées et fortement relevées. La Cayman est elle aussi pourvue d'un aileron qui se déploie de 80 millimètres au delà de 120 km/h et qui s'escamote automatiquement à une vitesse inférieure à 80 km/h.

HABITACLE ► Au premier abord, on se sent tout de suite à l'aise. Pour les habitués de la marque, c'est comme enfiler une vieille paire de jeans. La console et la planche de bord s'inspirent largement de celles de la Boxster.

On peut choisir entre trois systèmes audio, dont un spécialement conçu par Bose pour vous enchanter. La seule différence importante entre l'aménagement de la Boxster et celui de la Cayman S concerne l'espace bagage. Avec la présence d'un toit rigide, Porsche a ajouté aux 150 litres à l'avant une contenance de 260 litres sur deux paliers à l'arrière. Le tout accessible par un hayon qui s'ouvre bien grand.

MÉCANIQUE ► Ici, vous avez le choix : avec ou sans S. Équipée d'un moteur six cylindres à plat de 2,7 litres en position centrale arrière, la Cayman dispose de 245 chevaux, soit 50 de moins que la version S. Avec un moteur situé 30 centimètres derrière le conducteur et une répartition de poids de 45/55, vos sens sont rapidement sollicités.

forces
- Tenue de route
- Mécanique
- Puissance

faiblesses
- Prix élevé
- Autonomie

nouveautés en 2007
- Version de base reprenant les éléments mécaniques de la Boxster

Les 295 chevaux du six cylindres à plat amènent la Cayman S à 100 km/h en 5,4 secondes (6,1 pour la Cayman) et poussent le tachymètre jusqu'à 275 km/h (258 km/h pour la version de base).

Les moteurs au ronronnement accrocheur profitent de la technologie Variocam, conçue pour la 911. Il s'agit d'un système de calage variable de l'admission et de la levée des soupapes, absent de la Boxster. Une boîte six équipe la Cayman S (optionnelle dans la version de base, pourvue d'une boîte manuelle à cinq rapports). La Tiptronic à cinq rapports est optionnelle.

COMPORTEMENT ▶ La Cayman exécute naturellement des tâches encore difficiles pour bien des sportives. Ses freins sont puissants, mordants, et un système en céramique est optionnel. Sur circuit (j'en ai fait l'expérience), vous pouvez attendre à la dernière minute pour freiner dans une courbe tellement le système est efficace. Et même après trois heures d'abus, les freins n'avaient rien perdu de leur mordant. L'équilibre naturel de la Cayman, le son totalement envoûtant de son moteur et l'exceptionnelle tenue de route en font une voiture désirable, si sûre qu'on oublie souvent qu'on roule à grande vitesse. La Cayman propose aussi deux styles de tenue de route: normale ou sport. Sur circuit, en configuration sport, le PSM (Porsche Stability Management) s'active et tout durcit. La conduite devient moins agréable, mais plus efficace. Sur sol mouillé, l'arrière décroche facilement, mais le PSM, avec l'antipatinage, nous remet sur les rails.

CONCLUSION ▶ Au prix de 84 000 $ pour la version S, Porsche justifie l'existence du modèle de base, plus accessible. La S possède ce petit quelque chose de plus, mais la version de base n'y perd pas beaucoup au change.

FICHE TECHNIQUE

MOTEURS

(Base) H6 2,7 l DACT 245 ch à 6500 tr/min
couple: 201 lb-pi à 4600 tr/min
Transmission: manuelle à 5 rapports, automatique à 5 rapports avec mode manuel en option
0-100 km/h: 6,1 s
Vitesse maximale: 258 km/h
Consommation (100 km): 9,4 l (octane: 91)

(S) H6 3,4 l DACT 295 ch à 6250 tr/min
couple: 250 lb-pi à 4400 tr/min
Transmission: manuelle à 6 rapports, automatique à 5 rapports avec mode manuel en option
0-100 km/h: 5,4 s
Vitesse maximale: 275 km/h
Consommation (100 km): 9,4 l (octane: 91)

Sécurité active
freins ABS, répartition électronique de force de freinage, assistance au freinage, antipatinage, contrôle de stabilité électronique

Suspension avant/arrière
indépendante

Freins avant/arrière
disques

Direction
à crémaillère, assistée

Pneus
Base: P205/55R17 (av.), P235/50R17 (arr.), S: P235/40R18 (av.), P265/40R18 (arr.)

DIMENSIONS

Empattement: 2415 mm
Longueur: 4372 mm
Largeur: 1801 mm
Hauteur: 1305 mm
Poids: Base: 1300 kg, S: 1340 kg
Diamètre de braquage: 11,1 m
Coffre: 400 l
Réservoir de carburant: 64 l

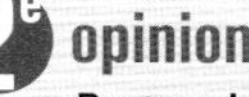

2e opinion

Bertrand Godin • La Cayman S a connu, dès sa première année, un succès éclatant, et pour cause, puisqu'il s'agit d'une des Porsche les mieux équilibrées. Mais attention, cela ne signifie pas pour autant qu'elle est sans reproche. Son moteur de 295 chevaux, vif et souple, autorise des accélérations foudroyantes, mais, pour les contrôler, la position de conduite doit être parfaite, ce que la Cayman S ne permet pas toujours. Les sièges auraient besoin d'un peu plus de support pour être vraiment confortables. Cela dit, la Cayman est plus qu'une simple Boxster avec un toit. C'est une structure plus rigide, plus raffinée; tout simplement une meilleure voiture. Ce qui n'est pas peu dire...

PHANTOM

évolution | 474 000 $
Transport et préparation : 4900 $

www.rollsroycemotorcars.co.uk

FICHE D'IDENTITÉ

Version(s) : unique
Roues motrices : arrière
Portières : 4
Première génération : 2003
Génération actuelle : 2003
Construction : Goodwood, Angleterre
Sacs gonflables : 6, frontaux, latéraux avant, rideaux latéraux
Concurrence : Bentley Arnage, Maybach 57 et 62

AU QUOTIDIEN

Prime d'assurance :
25 ans : 7200 à 7500 $
40 ans : 4500 à 4700 $
60 ans : 3600 à 3800 $
Collision frontale : nd
Collision latérale : nd
Ventes du modèle l'an dernier
Au Québec : nd **Au Canada :** nd
Dépréciation (3 ans) : nd
Rappels (2001 à 2006) : aucun à ce jour
Cote de fiabilité : nd

TASSE-TOI, FIRMIN : À MON TOUR !

– **Michel Crépault**

Dès le moment où Bentley et Rolls-Royce ont été séparés comme deux frères siamois – le premier étant adopté par Volkswagen ; le second, par BMW –, cette dernière a commencé à imaginer la Phantom, mise en vente le 1er janvier 2003.

CARROSSERIE ► La silhouette de l'énorme bateau sur roues charme ou désole, pas de réactions tièdes, mais personne ne peut nier que le résultat en impose. Monté sur les plus grosses roues de l'industrie (20 pouces), ce char d'assaut déplace son légendaire radiateur à l'aide d'un châssis Space Frame tout aluminium qui assure une exceptionnelle rigidité et, malgré tout, une masse limitée à 2500 kilos.

HABITACLE ► À bord, la première impression en est une d'espace et d'opulence. On est frappé par la qualité du cuir et du bois. De multiples essences sont proposées, percées de cadrans analogiques de vieille facture. Les buses d'aération respectent aussi la tradition : elles sont rondes et contrôlées par des tirettes au mouvement soyeux. Au plafond sont rivées deux consoles qui ressemblent à des grille-pains. BMW a choisi de simplifier l'instrumentation. Par exemple, la climatisation, elle aussi noyée dans le bois précieux, se résume à deux mollettes. La sono Lexicon est tout aussi minimaliste, du moins en apparence, mais elle est en réalité très sophistiquée ; des haut-parleurs glissés jusque sous les sièges transforment l'habitacle en salle de concert. Les contrôles des sièges sont cachés dans l'accoudoir central et il faut tout régler avant de démarrer car, après, leur accès n'est pas aisé. L'écran de navigation n'apparaît que lorsqu'on fait pivoter le bloc de bois incorporant l'horloge. Le coffre à gants est étonnant de petitesse. Cela dit, les portières sont très lourdes. Pour fermer celles de devant, il faut agripper la trappe d'aération à la base de la double glace. Dans le cas des portes arrière dites « suicide » (elles pivotent vers le coffre), on dispose heureusement d'un bouton pour les refermer électriquement à partir du confort

forces
- Conduite alerte malgré les apparences
- Assemblage à la fois artisanal et technologique
- Automobile unique

faiblesses
- Silhouette qui n'a pas que des admirateurs
- Volume du coffre décevant
- Absence de concessionnaire au Québec

nouveautés en 2007
- Nouveaux groupes d'options

PHANTOM

de la banquette. Bien entendu, l'espace arrière est tout aussi paradisiaque. On peut y croiser les jambes. Ne manque que le champagne, dites-vous? Dans le plancher du coffre, pas si énorme, se trouvent deux compartiments que certains acheteurs transforment en réfrigérateur, en cellier, en coffre-fort…

MÉCANIQUE ► Un V12 à injection directe a été emprunté à la Série 7. D'une cylindrée de 6,75 litres, il développe 453 chevaux et 75 % de son énorme couple est disponible dès 1000 tours/minute. Mais ne cherchez pas de compte-tours. BMW l'a remplacé par un cadran qui quantifie le muscle disponible. La suspension pneumatique assure une assiette équilibrée et onctueuse, alors que l'arsenal habituel des aides électroniques garde la Phantom dans le droit chemin, peu importe les gestes du pilote.

COMPORTEMENT ► *L'Annuel de l'automobile* a eu la chance de participer à des jeux peu orthodoxes pour tester l'agilité, la stabilité et la rapidité du monstre. Des épreuves de slalom, d'accélération en ligne droite et d'évitement soudain m'ont confirmé que la Phantom n'est pas qu'un carrosse pataud. En jouant du mince volant, j'ai fait valser l'auto et racler le bitume aux pneus et, toujours, la Rolls a obéi sans discuter et sans perdre son flegme. J'ai ensuite quitté la piste d'essai pour m'élancer aux environs de Los Angeles, enchaînant autoroutes, rues banlieusardes et chemins sinueux. Après avoir fait subir à la Rolls des tests que la majorité des propriétaires n'infligeront jamais à leur limousine, j'ai pu expérimenter les vertus de l'auto au quotidien: dépasser sur l'autoroute, enfiler les lacets dans la montage, freiner à un feu rouge, etc. Du gâteau, les amis, du gâteau!

CONCLUSION ► L'acheteur moyen d'une Rolls-Royce dispose d'une fortune de 20 millions de dollars. Cette brillante critique de la Phantom les soulagera peut-être de 320 000 $US. Nous compatissons…

FICHE TECHNIQUE

MOTEURS
V12 6,8 l DACT 453 ch à 5350 tr/min
couple: 531 lb-pi à 3500 tr/min
Transmission: automatique à 6 rapports
0-100 km/h: 5,9 s
Vitesse maximale: 240 km/h
Consommation au 100 km: 16,8 l (octane: 91)

Sécurité active
freins ABS, antipatinage, contrôle de stabilité électronique

Suspension avant/arrière
indépendante

Freins avant/arrière
disques

Direction
à crémaillère, assistée

Pneus
P265/40R20

DIMENSIONS
Empattement: 3570 mm
Longueur: 5834 mm
Largeur: 1990 mm
Hauteur: 1632 mm
Poids: 2485 kg
Diamètre de braquage: 12,6 m
Coffre: 460 l
Réservoir de carburant: 100 l

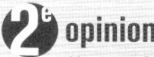

2e opinion

Hugues Gonnot • La Phantom est la candidate idéale pour une émission de téléréalité: *Extreme Makeover, Rolls-Royce edition*. Parce qu'au chapitre du style extérieur, le charme anglais a cédé sa place à un charme, disons, militaire, façon tank Sherman. Heureusement, le futur cabriolet laisse espérer une amélioration. C'est en s'attardant sur les dessous et l'intérieur que l'enchantement prend. Quelle expérience que de monter par ces portes « suicide » et de s'installer dans un habitacle qui ne comporte que des matériaux nobles. Et que dire du groupe motopropulseur signé BMW? La Phantom sait rester digne, même en virage serré pris à grande allure. Tout un cocktail de technologie et de traditions!

9^3

Transport et préparation : 1180 $

OnStar

www.gmcanada.com

FICHE D'IDENTITÉ

Version(s) : 2.0T, Aero
Roues motrices : avant
Portières : 2, 4
Première génération : 1973
Génération actuelle : 2003
Construction : Trollhätten, Suède ; Graz, Autriche
Sacs gonflables : 6, frontaux, latéraux avant et rideaux latéraux (rideaux latéraux non offerts dans cabriolet)
Concurrence : Acura TSX, Audi A4, BMW Série 3, Cadillac CTS, Infiniti G35, Jaguar X-Type, Lexus IS, Lincoln MKZ, Mercedes-Benz Classe C, Volkswagen Passat, Volvo S40, V50, S60 et V70

AU QUOTIDIEN

Prime d'assurance :
25 ans : 3000 à 3200 $
40 ans : 2100 à 2300 $
60 ans : 1600 à 1800 $
Collision frontale : 5/5
Collision latérale : 5/5
Ventes du modèle l'an dernier
Au Québec : 422 **Au Canada :** 1150
Dépréciation (3 ans) : 45,1 %
Rappels (2001 à 2006) : 5
Cote de fiabilité : 2/5

VARIATIONS SUR UN AIR CONNU

– Benoit Charette

GM semble enfin vouloir investir dans sa filiale suédoise et les responsables nord-américains ont promis de redonner ses lettres de noblesse à la petite firme de Trollhätten. On prépare déjà un successeur à la Saabaru 9^{2X} et au Saabuick 9^{7X}. Pendant ce temps, on réajuste le tir en élaborant une nouvelle 9^5, et la Saab 9^3 2007 se décline en six versions : berline, décapotable ou familiale SportCombi, chacune disponible en modèle de base ou Aero.

CARROSSERIE ▶ Saab célébrait en 2006 les vingt ans de succès du cabriolet en lançant un modèle tape-à-l'œil : le Saab 9^3 cabriolet « Édition 20e anniversaire ». Facile à reconnaître à sa peinture métallisée bleu électrique, il comprend, en plus des roues uniques de 17 pouces, les caractéristiques de la série Aero : intérieur sport en cuir parchemin avec garnitures bleu électrique et tous les éléments extérieurs assortis à la carrosserie. La SportCombi, très européenne, montre des lignes simples, bien définies et reconnaissables. La section avant est la même que celle de la berline ; seule la partie arrière est modifiée de belle manière pour accueillir un hayon. Une suspension retouchée et un ensemble de pièces aérodynamiques avec aileron arrière et bas de caisse complètent le modèle Aero.

HABITACLE ▶ La 9^3 est confortable, comme la 9^5, mais plus fonctionnelle. Les sièges en cuir ergonomiques respectent la tradition de confort de la maison. Le volant, juste de la bonne dimension, offre une excellente prise. La console centrale à fond noir mat, qui entoure les commandes du système audio et de la climatisation automatique, est pourvue d'interrupteurs logiquement disposés et de boutons tournants agréables à manipuler. La banquette arrière est confortable pour deux personnes et son dossier se replie en sections 60/40. L'équipement de série comprend le climatiseur thermostatique, l'ordinateur de

forces
- Voiture aux lignes uniques
- Excellentes performances (Aero)
- Pratique et sportive (SportCombi)

faiblesses
- Léger effet de couple en forte accélération
- Visibilité réduite (décapotable)

nouveautés en 2007
- Planche de bord redessinée, système OnStar optionnel, nouvelles jantes de 16 et 17 pouces, radio satellite XM en option dans 2.0T et de série dans Aero, système audio Bose optionnel dans berline

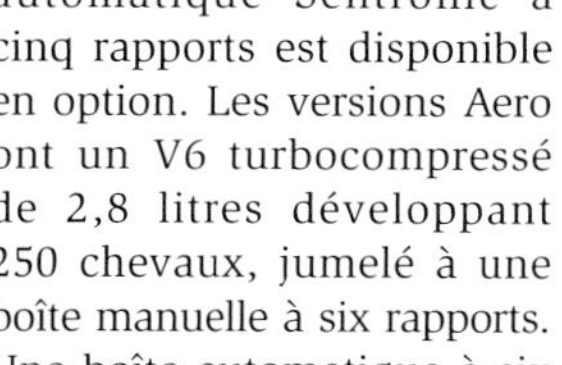

bord, le régulateur de vitesse, le volant gainé de cuir inclinable et télescopique, la chaîne AM/FM stéréo avec lecteur CD et 7 haut-parleurs, une sellerie de cuir, des jantes en alliage de 16 pouces, et puis des glaces, des rétroviseurs et des serrures à commandes électriques. Dans les versions Aero, on ajoute un toit ouvrant en verre à commande électrique, un système audio haut de gamme avec chargeur de 6 CD et 13 haut-parleurs, des sièges avant chauffants à réglages électriques, un aileron arrière et des jantes en alliage de 17 pouces.

MÉCANIQUE ► La version de base est équipée d'un quatre cylindres turbocompressé de 2,0 litres et 175 chevaux, jumelé à une boîte manuelle à cinq rapports. Une boîte automatique Sentronic à cinq rapports est disponible en option. Les versions Aero ont un V6 turbocompressé de 2,8 litres développant 250 chevaux, jumelé à une boîte manuelle à six rapports. Une boîte automatique à six rapports est aussi disponible.

COMPORTEMENT ► Sur la route, j'ai été conquis par la suspension retravaillée de la SportCombi à la tenue de route plus sportive. Avec une garde au sol plus basse et une direction assurant une excellente réaction, c'est mon modèle préféré. Naturellement, la version Aero, avec ses 250 chevaux, vous procure toutes les sensations propres aux grandes berlines européennes. Cette mécanique très discrète sait toutefois se faire entendre quand on la sollicite. La boîte manuelle à six rapports fonctionne admirablement bien et les performances sont à la hauteur. La SportCombi mérite amplement son titre de voiture sport familiale. En plus d'une conduite et d'un confort exemplaires, son hayon généreux engloutit tout ce que vous voulez… ou presque !

CONCLUSION ► La SportCombi 9³ a fière allure, les performances sont au rendez-vous et le confort est à la hauteur.

FICHE TECHNIQUE

MOTEURS

(2.0T) L4 2,0 l turbo DACT 210 ch à 5500 tr/min
couple : 221 lb-pi à 2500 tr/min
Transmission : manuelle à 5 rapports, auto. à 5 rapports avec mode manuel (option)
0-100 km/h : 7,5 s
Vitesse maximale : 210 km/h
Consommation (100 km) : man. : 9,0 l, auto. : 9,2 l (octane : 91)

(Aero) V6 2,8 l turbo DACT 250 ch à 5500 tr/min
couple : 258 lb-pi à 2000 tr/min
Transmission : manuelle à 5 rapports, auto. à 6 rapports avec mode manuel (option)
0-100 km/h : 6,9 s
Vitesse maximale : 210 km/h
Consommation (100 km) : man. : 10,5 l, auto. : 11,3 l (octane : 91)

Sécurité active
freins ABS, répartition électronique de force de freinage, assistance au freinage, antipatinage, contrôle de stabilité électronique

Suspension avant/arrière
indépendante

Freins avant/arrière
disques

Direction
à crémaillère, assistée

Pneus
2.0T : P215/55R16, Aero : P235/45R17

DIMENSIONS

Empattement : 2675 mm
Longueur : berl. : 4636 mm, cabrio. : 4633 mm, fam. : 4653 mm
Largeur : berl. et fam. : 1753 mm, cabrio. : 1760 mm
Hauteur : berl. et cabrio. : 1433 mm, fam. : 1443 mm
Poids : 1400 à 1680 kg
Diamètre de braquage : 11,9 m
Coffre : berl. : 425 l, cabrio. : 351 l, 235 l (toit abaissé), fam. : 841 l, 2047 l (sièges abaissés)
Réservoir de carburant : 62 l

2e opinion

Jean-Pierre Bouchard • La nouvelle génération de 93 est assurément la plus jolie présentée à ce jour par le constructeur. Le design est contemporain, fluide, sexy que ce soit en configuration berline, cabriolet ou familiale. Au volant, confort et ergonomie figurent en tête de liste des principaux atouts de la gamme. Le terme « poste de pilotage » prend d'ailleurs ici tout son sens. Le comportement routier est assuré. Les moteurs turbos sont fort bien adaptés aux voitures, particulièrement le V6. Ce ne sont pas des voitures parfaites, mais elles sont équilibrées. Le seul ingrédient absent du côté de Saab : une campagne de publicité suffisante pour mettre en valeur les produits du constructeur.

9^5

évolution | 43 000 $ à 44 500 $ |
Transport et préparation : 1180 $

www.gmcanada.com

FICHE D'IDENTITÉ

Version(s) : berline, SportCombi
Roues motrices : avant
Portières : 4
Première génération : 1999
Génération actuelle : 1999
Construction : Trollhättan, Suède
Sacs gonflables : 6, frontaux, latéraux avant et rideaux latéraux
Concurrence : Acura TL, Audi A6, BMW Série 5, Cadillac STS, Infiniti M, Jaguar S-Type, Lexus GS, Mercedes-Benz Classe E, Volvo S80

AU QUOTIDIEN

Prime d'assurance :
25 ans : 4100 à 4300 $
40 ans : 2800 à 3000 $
60 ans : 2600 à 2800 $
Collision frontale : 5/5
Collision latérale : 5/5
Ventes du modèle l'an dernier
Au Québec : 149 **Au Canada :** 478
Dépréciation (3 ans) : 53,7 %
Rappels (2001 à 2006) : 4
Cote de fiabilité : 3/5

REPOSITIONNEMENT

– Benoit Charette

L'heure de la retraite n'a toujours pas sonné pour le porte-étendard de Saab qui entreprend sa huitième année sur le marché. Sans faire une refonte complète, les ingénieurs de Trollhättan tentent tout de même de rester dans le coup en le rajeunissant. Une tentative louable, mais il est bien difficile de dissimuler les rides qui se font voir de part et d'autre du véhicule.

CARROSSERIE ▸ D'abord, un chiffre : 1347. C'est le nombre de changements apportés à cette berline. À un âge où la plupart des véhicules ont pris leur retraite, la 9^5 poursuit sa route. Après avoir élaboré deux modèles qui n'étaient que de pâles imitations de produits déjà existants (la 9^{7X}, qui est un Chevrolet TrailBlazer ; et la 92^X, qui est une Subaru Impreza), les ingénieurs de GM ont affirmé avoir retrouvé le feu sacré pour la division Saab. Mais cette récente profession de foi ne leur laissait pas beaucoup de temps pour créer un nouveau modèle. Face à cette situation délicate, les responsables de Saab ont cherché avant tout à sauver les apparences. Et, dans le monde de l'automobile, les apparences sont physiques, souvent faciales, et la 9^5 adopte tout simplement l'imposant faciès du prototype 9^X divulgué à Francfort en 2001. C'est beaucoup et peu à la fois car, s'il est impossible de croiser sa route sans remarquer son regard chromé, la 9^5 ne bénéficie d'aucune autre modification de cette ampleur.

HABITACLE ▸ À peu de chose près, l'intérieur est le même qu'auparavant. On y retrouve l'atmosphère feutrée typique des produits Saab. Toujours inspirée du monde de l'aviation, la console centrale évolue peu par rapport à la génération précédente : on ne note que l'apparition de quelques inserts chromés. Même chose quant à l'habitabilité. Et la 9^5 bénéficie toujours des sièges les plus confortables et ergonomiques de la famille, voire de toutes les berlines de luxe, mais les rangements ne sont toujours pas légion et l'apprentissage des

forces
- Moteur énergique
- Sièges ultraconfortables
- Atmosphère unique

faiblesses
- Effet de couple toujours présent en fortes accélérations
- Châssis vieillissant
- Très forte dépréciation

nouveautés en 2007
- Radio satellite XM de série, une nouvelle couleur intérieure

commandes demande un peu d'adaptation. La nouvelle Saab 9⁵ CombiSport possède un espace utilitaire modulaire qui vous permet de disposer d'un volume de 1047 litres, qui passe à 2067 litres lorsqu'on rabat la banquette arrière.

MÉCANIQUE ► Ici, nous pourrions parler de simplicité volontaire. Il n'existe qu'une seule version, avec une seule carrosserie et deux modèles: berline et CombiSport. Et c'est tout. Le moteur à quatre cylindres de 2,3 litres turbo développe 260 chevaux en 2007 (10 de plus que l'ancienne version Aero). On choisit entre une boîte manuelle à six rapports (celle que je préfère) et l'automatique à cinq rapports, optionnelle (1500 $).

COMPORTEMENT ► Saab a amélioré la tenue de route en ajoutant notamment des barres antiroulis jusque-là réservées à la seule version Aero. De ce fait, le châssis gagne en précision, mais la transmission automatique souffre toujours d'une certaine inertie au départ. Voilà pourquoi je lui préfère la boîte manuelle. La direction est toujours plus souple que précise et le train avant peine encore à encaisser la pleine puissance. Pas de crainte excessive pour autant: si la 9⁵ préfère être menée avec tranquillité, l'ESP livré de série se charge, en cas d'excès d'optimisme, de remettre la caisse dans le droit chemin. L'amortissement reste relativement souple et la suspension a toujours du mal à filtrer les irrégularités du pavé.

CONCLUSION ► Malgré un modèle vieillissant, la 9⁵ reste dans le coup. Saab a haussé l'équipement et la conduite au rang du modèle Aero de l'an dernier tout en réduisant substantiellement le prix. L'an dernier, l'Aero de 250 chevaux coûtait 55 000 $ la 9⁵ 2007 débute à 43 000 $ avec plus de puissance et d'équipements. Personnellement, j'ai un faible pour l'élégante CombiSport.

FICHE TECHNIQUE

MOTEUR

L4 2,3 l turbo DACT 260 ch à 5300 tr/min
couple: 258 lb-pi à 1900 tr/min
Transmission: manuelle à 5 rapports, automatique à 5 rapports avec mode manuel en option
0-100 km/h: 7,0 s
Vitesse maximale: 240 km/h
Consommation (100): man.: 9,3 l, auto.: 10,8 l (octane: 91)

Sécurité active
freins ABS, répartition électronique de force de freinage, antipatinage, contrôle de stabilité électronique

Suspension avant/arrière
indépendante

Freins avant/arrière
disques

Direction
à crémaillère, assistée

Pneus
P235/45R17

DIMENSIONS

Empattement: 2703 mm
Longueur: berl.: 4836 mm, fam.: 4841 mm
Largeur: 1792 mm
Hauteur: berl.: 1454 mm, fam.: 1465 mm
Poids: berl.: 1295 kg, fam.: 1351 kg
Diamètre de braquage: 11,3 m
Coffre: berl.: 450 l, fam.: 1048 l, 2067 l (sièges abaissés)
Réservoir de carburant: 70 l

opinion

Carl Nadeau • Sur papier, la Saab 9⁵ semble être une voiture extraordinaire, mais on déchante lorsqu'on la conduit. Je me demande où est passé l'héritage de Saab. Autrefois, ces voitures avaient un cachet particulier, mais elles semblent maintenant se fondre dans la masse des produits GM. Il faut avouer que la 9⁵ est terne. Le moteur ne donne pas de sensations de puissance, la suspension est molle, et son allure est quelconque. Ce n'est pas une mauvaise berline pour autant, mais elle ne possède pas le caractère nécessaire pour concurrencer les grandes marques européennes.

9^{7X}

évolution | 48 900 $ à 51 410 $
Transport et préparation : 1150 $

OnStar

www.gmcanada.com

CLONE DE HAUT DE GAMME

– Benoit Charette

FICHE D'IDENTITÉ

Version(s) : 4.2i, 5.3i
Roues motrices : 4
Portières : 4
Première génération : 2006
Génération actuelle : 2006
Construction : Moraine, Ohio, É.-U.
Sacs gonflables : 4, frontaux et rideaux latéraux
Concurrence : Acura MDX, Audi Q7, BMW X5, Buick Rainier, Cadillac SRX, Infiniti FX, Land Rover LR3, Lexus RX, Mercedes-Benz Classe M, Porsche Cayenne, Subaru B9 Tribeca, Volkswagen Touareg, Volvo XC90

AU QUOTIDIEN

Prime d'assurance :
25 ans : 3500 à 3700 $
40 ans : 2300 à 2500 $
60 ans : 2100 à 2300 $
Collision frontale : 3/5
Collision latérale : 5/5
Ventes du modèle l'an dernier
Au Québec : 21 **Au Canada :** 76
Dépréciation (3 ans) : nm
Rappels (2001 à 2006) : aucun à ce jour
Cote de fiabilité : nm

Le président de GM Canada, Michael Grimaldi, affirmait au début de 2006 que GM voulait s'impliquer encore une fois dans le renouveau de la petite firme suédoise. On savait déjà que l'aventure avec Subaru prenait fin et que l'on préparait une relève pour la 9^{2X}. En suivant cette ligne de pensée, nous devrions voir bientôt un successeur au 9^{7X} qui devrait posséder plus de gènes Saab en lui. Toutefois, pour 2007, le clone de luxe du Chevrolet TrailBlazer est de retour.

CARROSSERIE ► Construit sur la même chaîne de montage que le TrailBlazer, à Moraine, en Ohio, le 9^{7X} se distingue de belle manière sur le plan visuel. Les lignes reflètent le caractère plus sportif propre aux véhicules de la famille Saab. La calandre typique à trois ouvertures, les glaces de custode qui englobent les montants arrière et les roues de 18 pouces caractéristiques de la marque sont du meilleur effet. Dans l'ensemble, le 9^{7X} affiche des formes fluides, qui coulent sans interruption de l'avant à l'arrière, sans que des pare-chocs proéminents ou autres excroissances ne viennent briser l'harmonie. Du bon travail à ce chapitre.

HABITACLE ► Tout comme l'extérieur, l'intérieur comporte juste ce qu'il faut d'accent suédois pour rendre le produit crédible. Quelques petits détails, comme le porte-gobelets, le contact placé sur la console centrale et la planche de bord, donnent une touche Saab à ce spacieux engin de cinq places. Le cuir souple et un équipement pléthorique ne font toutefois pas oublier certains plastiques de qualité moyenne qui, eux, proviennent directement de chez Chevrolet. Pour 2007, le système de contrôle de la pression des pneus de GM sera de série pour tous les modèles.

MÉCANIQUE ► Les deux moteurs, les mêmes que ceux des autres membres de la famille GM, sont couplés à une transmission auto-

forces
- Comportement routier
- Direction précise
- Confort général

faiblesses
- Plastiques de mauvaise qualité à l'intérieur

nouveautés en 2007
- Indicateur de basse pression des pneus de série, nouveau système de navigation OnStar optionnel, une nouvelle couleur de carrosserie

abaissé la garde au sol et a ajouté des suspensions avant et arrière fermes, une barre stabilisatrice avant de gros diamètre et des coussinets extrêmement fermes aux bras de suspension supérieurs arrière. Les amortisseurs ont été réglés de manière à augmenter la fermeté de la suspension, donc la tenue de route. Les pneus toutes saisons (P255/55R18) de haute performance ont été spécialement créés par Dunlop pour

matique à quatre rapports. Le six cylindres en ligne de 4,2 litres développe 291 chevaux et un couple de 277 livres-pied ; et le V8 de 5,3 litres de la version Aero, 302 chevaux et 330 livres-pied. Ce V8 est équipé d'une transmission intégrale automatique de série. Les freins à disques ventilés aux quatre roues comportent des étriers à deux pistons en aluminium à l'avant et un système antiblocage aux quatre roues.

COMPORTEMENT ► C'est ici que le 9^7X offre la plus belle surprise : la conduite mollasse des produits GM devient d'une rassurante fermeté dans le Saab. La firme suédoise, qui a toujours mis l'accent sur la conduite, a fait ce qu'il fallait pour améliorer la tenue de route de ce véhicule à châssis séparé. En se basant sur le châssis de base, Saab a accrocher solidement le 9^7X à la route. La boîte de direction à rapport court de 18,5 :1 et à supports extrarigides se révèle rapide et précise. Dans l'ensemble, la direction est optimisée pour offrir une bonne sensation de centrage et de souplesse. En bref, voilà une expérience au volant très intéressante. Les ingénieurs de GM devraient prendre des notes pour bonifier leurs propres produits.

CONCLUSION ► Après avoir fait l'essai de la 9^2X, qui était intéressante mais pas très pertinente en raison de sa trop grande ressemblance avec l'Impreza, le 9^7X s'avère une belle surprise. Saab a su allier le confort avec une précision de conduite que l'on ne retrouve pas dans les autres produits de la famille GM. Voiture chère, oui, mais réussie, sans aucun doute.

FICHE TECHNIQUE

MOTEURS

(Base) L6 4,2 l DACT 291 ch à 6000 tr/min
couple : 277 lb-pi à 4800 tr/min
Transmission : automatique à 4 rapports
0-100 km/h : 8,8 s
Vitesse maximale : 175 km/h
Consommation (100 km) : 13,4 l (octane : 87)

(V8) V8 5,3 l ACC 302 ch à 5200 tr/min
couple : 330 lb-pi à 4000 tr/min
Transmission : automatique à 4 rapports
0-100 km/h : 8,4 s
Vitesse maximale : 175 km/h
Consommation (100 km) : 12,8 l (octane : 87)

Sécurité active
freins ABS, antipatinage, contrôle de stabilité électronique

Suspension avant/arrière
indépendante/essieu rigide

Freins avant/arrière
disques

Direction
à crémaillère, assistée

Pneus
P255/55R18

DIMENSIONS

Empattement : 2870 mm
Longueur : 4907 mm
Largeur : 1915 mm
Hauteur : 1740 mm
Poids : Base : 2141 kg, V8 : 2169 kg
Diamètre de braquage : 11,0 m
Coffre : 1127 l, 2268 l (sièges abaissés)
Réservoir de carburant : 83,3 l
Capacité de remorquage : 2495 à 2948 kg

opinion

Jean-Pierre Bouchard • Le 9^7X figure au sommet de la liste de mes déceptions. J'avais pourtant écouté attentivement la présentation des ingénieurs de Saab concernant les modifications apportées à cet utilitaire GM pour en faire un pur suédois. Au moment de mon essai, j'ai pu apprécier les petits détails, çà et là, dont la clé montée entre les deux sièges avant. Une chose manque toutefois : l'ADN du constructeur. Assurément, on ne découvre pas Saab au volant de ce VUS. Au volant d'un XC90, par exemple, on se sent indéniablement à bord d'un Volvo, et non pas d'un utilitaire sport Ford, alors que le 9^7X n'est rien d'autre qu'un GM en habit de gala. Ce véhicule ne met pas en valeur les atouts de la marque. Au contraire : il y fait ombrage.

S281

évolution | 54 143 $ à 68 793 $ | Transport et préparation : 1200 $

www.saleen.com

FICHE D'IDENTITÉ

Version(s) : 3V, SC
Roues motrices : arrière
Portières : 2
Première génération : 2004
Génération actuelle : 2005
Construction : Californie, É.-U.
Sacs gonflables : 4, frontaux et latéraux
Concurrence : Chevrolet Corvette, Chrysler 300 SRT8, Dodge Charger et Magnum SRT8

AU QUOTIDIEN

Prime d'assurance :
25 ans : 4100 à 4300 $
40 ans : 2500 à 2700 $
60 ans : 2000 à 2200 $
Collision frontale : 5/5
Collision latérale : 4/5
Ventes du modèle l'an dernier
Au Québec : nd **Au Canada :** nd
Dépréciation (3 ans) : nd
Rappels (2001 à 2006) : nd
Cote de fiabilité : nm

LA DURE RÉALITÉ D'UNE CONSTRUCTION ARTISANALE

– Antoine Joubert

Honnêtement, pour un peu plus de 30000 $, l'actuelle Mustang propose des performances et un agrément sans pareils, dans la plus pure tradition américaine. La S281 étant considérée comme l'ultime Mustang, j'avais donc très hâte d'en faire l'essai. Toutefois, quelques minutes au volant m'ont suffi pour constater que la somme supplémentaire exigée pour avoir droit au logo Saleen tient de la plaisanterie.

CARROSSERIE ▶ Comme les Chevrolet SSR et Hummer H2, la S281 fait partie des véhicules qui font tourner les têtes. En plus du look spectaculaire de la Mustang, la S281 affiche sa musculature par le biais de jantes chromées de 20 pouces, de jupes de bas de caisse, d'un pare-chocs avant plus agressif et d'une partie arrière rallongée où loge au centre un double embout d'échappement. Modernisme oblige, la voiture propose également des phares au xénon, dont l'efficacité est toutefois discutable. Et, puisque la singularité est l'un des principaux atouts de cette voiture, Saleen applique sur le pare-chocs avant un autocollant identifiant le numéro et la provenance du modèle.

HABITACLE ▶ Les adeptes auront attendu longtemps, mais c'est chose faite: l'habitacle de la Mustang est désormais esthétique, simple et bien aménagé. Chez Saleen, on trouve cependant le moyen de gâcher le travail en apportant des modifications qui tiennent du bricolage. D'abord, on a eu l'idée de remplacer le pommeau du levier de vitesses par un petit manche d'aluminium aussi lisse qu'une peau de bébé, donc trop glissant. Ensuite, les deux cadrans fixés à la hâte au centre de la partie supérieure de la planche de bord s'éclairent, le soir venu, à la façon de l'instrumentation d'une Volkswagen 1982. Mais, le comble, c'est que le rembourrage des sièges rend difficile, voire impossible, l'accès au levier d'ajustement du dossier. Mince consolation: les baquets sont bien sculptés et ont une fermeté digne d'une authentique voiture sport.

forces
- Objet culte pour amateurs de Mustang
- Du muscle, mais...
- Voiture unique
- Tenue de route

faiblesses
- Prix
- Bruyante
- Assemblage douteux
- Confort inexistant
- Performances relevées, mais...

nouveautés en 2007
- Nouvelle version extrême de 550 chevaux

MÉCANIQUE ▶ La S281 propose trois motorisations, dont la version 3 Valve, se distinguant d'une Mustang par un filtre à air et un système d'échappement moins restrictif, et la S281 E, dont les nombreuses modifications mécaniques permettent d'atteindre, dit-on, 550 chevaux. La version SC, la plus répandue, propose pour sa part un V8 de 4,6 litres accompagné d'un compresseur volumétrique portant la puissance à 435 chevaux. Si cela paraît énorme en théorie, dans la réalité c'est une autre histoire. Disons simplement que les 135 chevaux supplémentaires, par rapport à la Mustang de série, semblent être un peu paresseux. D'ailleurs, la SC ne fait le 0-100 km/h que 0,7 seconde plus rapidement. La S281 hérite également d'un embrayage renforcé et d'une boîte manuelle à rapports courts.

COMPORTEMENT ▶ D'abord, disons que le fait de passer plus de vingt minutes dans la voiture engendre une inévitable migraine, tant l'échappement est bruyant. Par rapport à une Mustang, la S281 affiche une tenue de route nettement supérieure en raison d'une suspension ferme et de pneus Pirelli P Zero Rosso. Toutefois, le train arrière sautille plus facilement et la fermeté extrême de la suspension élimine tout confort. Et, comme l'assemblage n'est pas la plus grande qualité d'une Saleen, craquements et bruits de caisse se multiplient rapidement.

CONCLUSION ▶ Dans la Saleen, certains éléments plaisent, d'autres déçoivent énormément. L'assemblage manque de rigueur, certaines pièces sont mal adaptées ou de piètre qualité, et le résultat sur route laisse perplexe. Le comble, c'est que son prix (69 000 $ pour notre modèle d'essai) est totalement injustifiable. Avec cet argent, vous pourriez vous procurer une belle Mustang GT et la modifier pour qu'elle soit au moins aussi performante que la Saleen, tout en vous dénichant en prime un petit Ford Escape pour l'hiver.

FICHE TECHNIQUE

MOTEURS

(3V) V8 4,6 l SACT 330 ch à 5200 tr/min
couple : 340 lb-pi à 4500 tr/min
Transmission : manuelle à 5 rapports, automatique à 5 rapports (option)
0-100 km/h : 5,6 s
Vitesse maximale : 240 km/h
Consommation (100 km) : 14,8 l (octane : 91)

(SC) V8 4,6 l suralimenté SACT 435 ch à 5800 tr/min
couple : 425 lb-pi à 4000 tr/min
Transmission : manuelle à 5 rapports, automatique à 5 rapports (option)
0-100 km/h : 5,0 s
Vitesse maximale : 270 km/h
Consommation (100 km) : 16,1 l (octane : 91)

Sécurité active
freins ABS, antipatinage

Suspension avant/arrière
indépendante/essieu rigide

Freins avant/arrière
disques

Direction
à crémaillère, assistée

Pneus
P275/35R20 (av.), P275/35R20 (arr.), SC option et S281 : P275/35R20 (av.), P275/40R20 (arr.)

DIMENSIONS

Empattement : 2720 mm
Longueur : 4803 mm
Largeur : 1880 mm
Hauteur : 1422 mm
Poids : coupé : 1525 kg, cabrio. : 1655 kg
Diamètre de braquage : 11,8 m
Coffre : coupé : 348 l, cabrio. : 275 l
Réservoir de carburant : 61 l

opinion

Benoit Charette • Steve Saleen est sorti de l'ombre lorsqu'il a présenté au monde sa sensuelle S7. Mais, depuis vingt ans, il modifiait des Mustang. Cela dit, la S281 est spectaculaire, mais c'est probablement sa seule qualité. Au chapitre de la conduite, la voiture est bruyante à tous les régimes, inconfortable à n'importe quelle vitesse, et le mugissement s'échappant du capot, qui vous enivre pendant quelques minutes, devient rapidement envahissant et carrément déplaisant au bout d'une demi-heure. Il est vrai que vous aurez droit à des sensations fortes, mais le jeu n'en vaut pas la chandelle. La S281 modifiée au Québec a été incapable de montrer la moindre fiabilité, et son prix est une véritable insulte.

AURA

nouveauté | 24 990 $ à 30 985 $ |
Transport et préparation : 1150 $

OnStar

www.gmcanada.com

FICHE D'IDENTITÉ

Version(s) : XE, XR
Roues motrices : avant
Portières : 4
Première génération : 2007
Génération actuelle : 2007
Construction : Kansas City, Kansas, É.-U.
Sacs gonflables : 6, frontaux, latéraux avant et rideaux latéraux
Concurrence : Chevrolet Malibu, Chrysler Sebring, Ford Fusion, Honda Accord, Hyundai Sonata, Kia Magentis, Mazda6, Mitsubishi Galant, Nissan Altima, Pontiac G6, Subaru Legacy, Toyota Camry, Volkswagen Jetta et Passat

AU QUOTIDIEN

Prime d'assurance :
25 ans : 2300 à 2500 $
40 ans : 1600 à 1800 $
60 ans : 1300 à 1500 $
Collision frontale : nd
Collision latérale : nd
Ventes du modèle l'an dernier
Au Québec : nm **Au Canada :** nm
Dépréciation (3 ans) : nm
Rappels (2001 à 2006) : nm
Cote de fiabilité : nm

BINGO !

– Benoit Charette

Je suis le premier à l'admettre, *L'Annuel de l'automobile* n'a pas été particulièrement tendre envers les produits Saturn, parce qu'ils ne sont tout simplement pas compétitifs. Il y a toutefois une lueur d'espoir : la nouvelle Aura. J'ai découvert avec cette berline que GM est enfin capable de rivaliser avec les meilleures voitures de sa catégorie et que cette division à l'avenir incertain vient peut-être de se trouver un modèle salvateur.

CARROSSERIE ► Si la Sky est l'étoile filante de la galaxie Saturn, l'Aura en sera le soleil. C'est avec l'aide de la division Opel que l'Aura a vu le jour. Son châssis est issu de la même plateforme que les Chevrolet Malibu, Pontiac G6 et Saab 9^3. Mais la comparaison s'arrête là. Un des ingénieurs responsables du projet nous racontait que tous les paramètres ont été révisés. Les barres antiroulis sont beaucoup plus grosses ; la configuration de la suspension, plus ferme et beaucoup plus sportive. Les renforcements au châssis sont nombreux et placés de manière stratégique. Bref, ce n'est pas du tout la même voiture, nous y reviendrons. Quant à sa silhouette, elle n'est pas sans rappeler l'ancienne génération de Chrysler Sebring. Il y a manifestement de l'inspiration européenne là-dessous. Les panneaux de polymère ont disparu (pour de bon, je l'espère). La devanture aux yeux de chat se glisse le long des pare-chocs en triangle et des flancs de la voiture en créant une ligne continue très élégante. Les roues de 18 pouces lui donnent aussi fière allure. L'ensemble de la voiture semble moulé en un seul bloc, avec de jolis détails de finition. Un travail de qualité.

HABITACLE ► Si le style extérieur plaît à l'œil, Saturn sort enfin du Moyen Âge avec le style contemporain de son intérieur. Des tissus de qualité, chose inédite pour Saturn, sont présentés dans une jolie finition deux tons du meilleur effet. Les baquets avant

forces
- Moteur 3,6 litres de toute beauté
- Châssis très rigide
- Finition sans reproche

faiblesses
- Boîte quatre vitesses un peu désuète (XE)
- Direction un peu lourde à basse vitesse

nouveautés en 2007
- Nouveau modèle

inclinables de l'Aura offrent un support ferme et plus de confort que n'importe quel autre modèle de la famille. Des sièges en cuir sont disponibles, dont une finition en cuir gaufré très détaillé avec l'intérieur Brun marocain. C'est le genre d'intérieur dont Bob Lutz et Anne Ascensio (responsable des intérieurs chez GM) nous parlent depuis des années et je leur lève mon chapeau, c'est très réussi. Il y a là plusieurs détails qu'on retrouve habituellement dans les véhicules haut de gamme. Par exemple, le tableau de bord se prolonge sur les contre-portes, ce qui crée une apparence plus intégrée. L'utilisation sélective de garnitures de chrome et de bois relève l'intérieur sans tomber dans le kitsch.

Le tableau de bord propre et bien conçu utilise des instruments analogiques avec voyants DEL, rehaussés d'une lumière ambrée et d'une animation dès la mise en marche. Les lampes du plafond et des panneaux de porte dispensent elles aussi une lumière ambiante qui recourt aux DEL. L'éclairage en décroissance de style théâtre rehausse le sentiment de haut de gamme et fournit une commodité additionnelle la nuit. Tout cela respire le bon goût, une révolution pour un produit GM. Le système audio de série comprend six haut-parleurs et une prise pour les lecteurs portables. Le système audio évolué de Saturn est aussi disponible avec radio AM/FM/CD/MP3, huit haut-parleurs, un amplificateur de 240 watts, des contrôles audio pour sièges arrière et deux écouteurs sans fil.

MÉCANIQUE ▶ Les bonnes nouvelles se poursuivent sous le capot, avec la disponibilité de deux moteurs V6. De série dans les modèles XE, on trouve le V6 3,5 litres. Combiné à une transmission automatique quatre vitesses, il génère 224 chevaux, mais ce n'est pas le meilleur exemple de raffinement: il lui manque un rapport qui favoriserait une conduite plus souple et des changements de rapports plus progressifs. Toutefois, comme le modèle de base coûte environ 25 000 $ et que la concurrence, à ce prix, propose en général un quatre cylindres, il se tire plutôt bien d'affaire.

Le moteur le plus intéressant est celui de la version XR, le V6 de 3,6 litres à double arbre à cames en tête de 252 chevaux, combiné à la toute nouvelle transmission automatique six vitesses Hydra-Matic 6T70. C'est la première berline GM à profiter d'une boîte six vitesses automatique avec l'apport additionnel du Driver Shift Control (DSC) qui permet au conducteur de changer les vitesses manuellement avec sélecteur au volant. Ce moteur est brillant. Du couple à tous les régimes, un son raffiné, des montées en régime et des reprises qu'on ignorait chez une berline américaine. Mon confrère David Booth *(National Post)* et moi ne tarissions pas d'éloges sur cette mécanique qui nous a transportés de bonheur sur les petites routes de la vallée de Santa Barbara, en Californie. Plus tard en 2007, Saturn produira l'Aura Green Line, qui utilisera un système de moteur hybride similaire à celui de la Saturn VUE Green Line de 2007. Ce sera donc la première application d'un moteur hybride pour un véhicule passager chez GM.

COMPORTEMENT ▶ La première partie de notre essai s'est déroulée au volant de

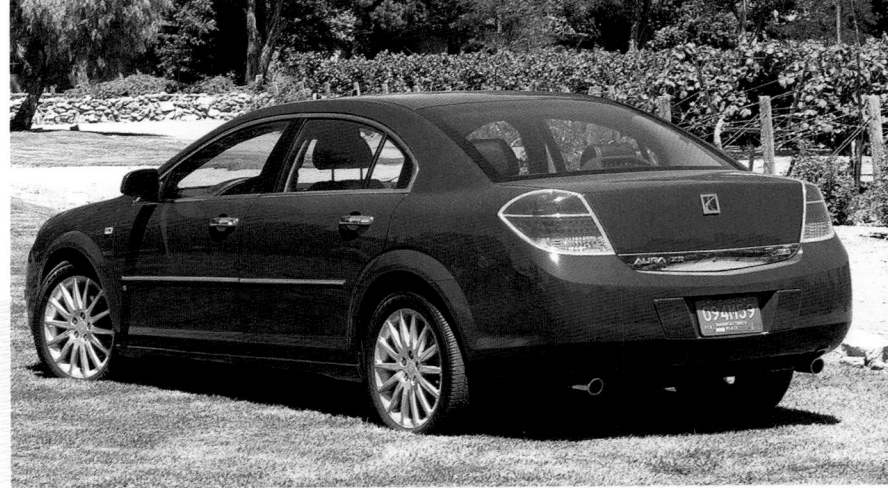

HISTOIRE ▼

Un nouveau départ

Il suffit de comparer l'Aura à la berline de la Série L dévoilée au Salon de New York de 1999 par la Canadienne Cynthia Trudell, alors présidente de Saturn Corporation, pour apprécier le second départ qui est accordé à la plus jeune marque de GM. La Série L de Saturn proposait des voitures bien pensées, habillées partiellement de panneaux de polymère résistant à la corrosion et aux petits chocs (ce que n'aura pas l'Aura). Elle manquait toutefois cruellement de caractère. D'ailleurs, si le prototype sport LST de 2001 a si peu voyagé en Amérique, c'est sans doute parce qu'il détonnait trop de la norme imposée pour la marque à l'époque...

La Canadienne Cynthia Trudell dévoile la Série L de Saturn en 2000.

LS2 2000

Prototype LST 2001

LW300 2004

Prototype Aura 2005

AURA

GALERIE ▼

1 • Saturn sort enfin du Moyen-Âge avec le style contemporain de son intérieur.
2 • Le tableau de bord utilise des instruments analogues avec voyants DEL.
3 • Les passagers à l'arrière peuvent prendre le contrôle du système audio.
4 • Des sièges en cuir sont disponibles, incluant des sièges rapportés en cuir gaufré très détaillé avec l'intérieur brun marocain en option.
5 • Le moteur le plus intéressant est celui que l'on trouve dans la version XR. Ce modèle est équipé du V6 3,6 l DACT 252 ch, combiné avec la toute nouvelle transmission automatique à six vitesses, une première chez GM.
6 • En série dans les modèles XE on trouve le V6 3,5 l. Ce moteur, combiné avec une transmission quatre vitesses automatique, génère 224 ch. Il lui manque un rapport qui offrirait une conduite plus souple et des changements de rapports plus progressifs.

❶

❷

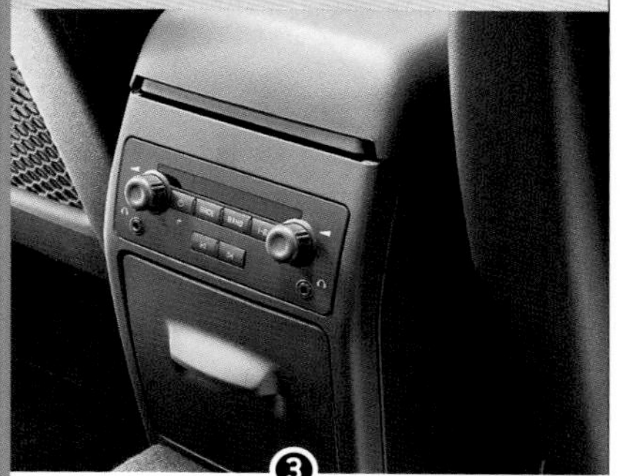

❸

❹

❺

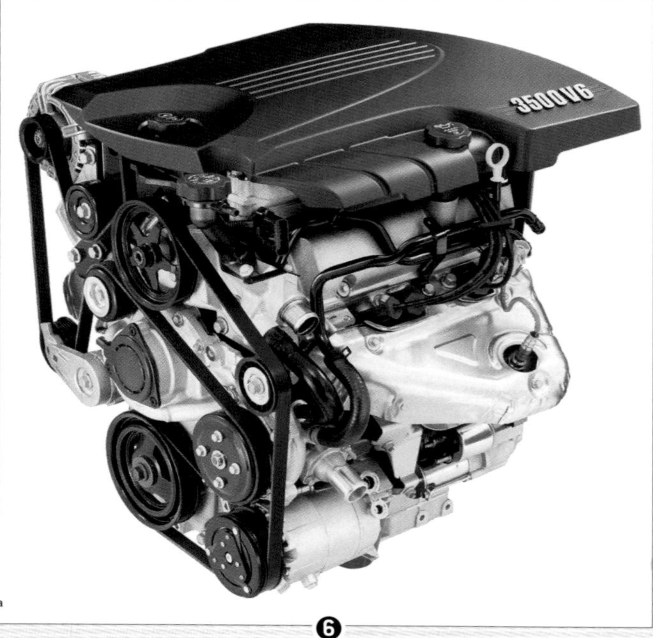

❻

la XR. Nous avons été surpris de constater avec quelle ténacité la voiture s'accrochait à la route. En apprenant le matin que cette voiture profitait de la même plateforme que celle des Pontiac G6 et Chevrolet Malibu, nos attentes étaient modestes. Mais, comme l'a souligné plus tard Mike Mealoney, un des ingénieurs responsables de la voiture, GM a tout refait. Le tarage de suspension est beaucoup plus sportif, le châssis a été renforcé aux endroits stratégiques, les barres antiroulis sont deux fois plus grosses que dans la Malibu, et le châssis est d'une rigidité à faire rougir certaines berlines allemandes.

Au final, l'expérience au volant est surprenante. Les pneus de 18 pouces collent à la route, la direction est d'une précision rassurante, son seul petit défaut: elle est un peu lourde à basse vitesse, mais sans plus. Cette Aura, véritable berline sport, devance toutes les japonaises de sa catégorie au chapitre du plaisir au volant. En après-midi, nous avons pris les commandes de la plus tranquille version XE. On reconnaît rapidement le son caractéristique des V6 à tige poussoir de GM. La conduite et les suspensions sont plus souples, la boîte quatre vitesses est plus lente à réagir, et une cinquième vitesse serait nécessaire pour être dans le coup. Mais dans l'ensemble l'offre est très honnête, et le châssis très sain de l'Aura procure une expérience au volant à la hauteur de la concurrence.

CONCLUSION ▶ Finalement, je pense que Saturn a réussi un bon coup. L'Aura semble avoir tiré les leçons du passé. Les gens de GM ont enfin conçu un véhicule qui peut lutter à armes égales avec les Honda Accord et Toyota Camry. Mais il ne faut pas baisser les bras, bien des gens ont abandonné Saturn depuis longtemps et il faudra plus qu'un modèle pour les ramener, et Saturn devra proposer d'autres produits comme l'Aura.

FICHE TECHNIQUE

MOTEURS

(XE) V6 3,5 l ACC 224 ch à 5800 tr/min
couple: 220 lb-pi à 4000 tr/min
Transmission: automatique à 4 rapports
0-100 km/h: 8,7 s
Vitesse maximale: 195 km/h
Consommation (100 km): 10,3 l (octane: 87)

(XR) V6 3,6 l DACT 252 ch à 6400 tr/min
couple: 251 lb-pi à 3200 tr/min
Transmission: automatique à 6 rapports avec mode manuel
0-100 km/h: 7,0 s
Vitesse maximale: 230 km/h
Consommation (100 km): 10,8 l (octane: 87)

Sécurité active
freins ABS, antipatinage, contrôle de stabilité électronique (XR)

Suspension avant/arrière
indépendante

Freins avant/arrière
disques

Direction
à crémaillère, assistée

Pneus
XE: P225/50R17, XR: P225/50R18

DIMENSIONS

Empattement: 2852 mm
Longueur: 4851 mm
Largeur: 1786 mm
Hauteur: 1464 mm
Poids: XE: 1601 kg, XR: 1654 kg
Diamètre de braquage: 12,3 m
Coffre: 444 l
Réservoir de carburant: 64 l

évolution | 15 500 $ à 26 270 $ | Transport et préparation : 1050 $

OnStar

www.gmcanada.com

LE BROUILLON

– Pascal Boissé

FICHE D'IDENTITÉ

Version(s) : ION-2, ION-3, Red Line
Roues motrices : avant
Portières : 4
Première génération : 2003
Génération actuelle : 2003
Construction : Spring Hill, Tennessee, É.-U.
Sacs gonflables : 2, frontaux (option : rideaux lat.)
Concurrence : Chevrolet Cobalt, Ford Focus, Honda Civic, Hyundai Elantra, Kia Spectra, Mazda3, Mitsubishi Lancer, Nissan Sentra, Pontiac G5, Subaru Impreza, Suzuki Aerio et SX4, Toyota Corolla, VW Golf, Jetta City et Rabbit

AU QUOTIDIEN

Prime d'assurance :
25 ans : 2200 à 2400 $
40 ans : 1500 à 1700 $
60 ans : 1200 à 1400 $
Collision frontale : 5/5
Collision latérale : berl. : 3/5, coupé : 4/5
Ventes du modèle l'an dernier
Au Québec : 5025 **Au Canada :** 14 154
Dépréciation (3 ans) : 44,3 %
Rappels (2001 à 2006) : 5
Cote de fiabilité : 3/5

Les critiques au vitriol proférées l'an dernier à l'endroit de l'ION par mon collègue Antoine Joubert nous ont valu les foudres du constructeur, mais aussi de quelques irréductibles de la marque Saturn. Heureusement pour nos lecteurs, nous vivons toujours dans un régime démocratique qui protège la liberté de la presse. N'en déplaise à certains, il est même de notre devoir d'avertir les consommateurs, prêts à faire un investissement important, qu'une voiture traîne de la patte dans sa catégorie. C'était précisément le cas de l'ION l'an dernier, et la situation ne s'est guère améliorée depuis, bien au contraire. Depuis son arrivée sur le marché, l'ION souffre d'une conception bâclée et d'un assemblage qui manque de rigueur. D'ailleurs, la presse automobile nord-américaine est assez unanime sur le sujet.

CARROSSERIE ▶ Malgré sa calandre esquissant un vague sourire, les lignes de la berline ION sont franchement ennuyeuses. Le coupé, doté de portes arrière inversées, offre un visage plus dynamique et possède des formes plus attrayantes. L'ION est partiellement recouverte de ces « panneaux en polymères » qui furent jadis un des traits de Saturn. Cela peut être pratique si vous regrettez votre achat au point de bombarder votre Saturn de toutes sortes d'objets, mais vous aurez à supporter des interstices assez larges pour vous y coincer les doigts. À l'heure où les tolérances réduites sont un symbole de qualité, l'ION n'est pas avantagée par sa carapace de plastique renforcé.

HABITACLE ▶ Restons polis pour ne pas attiser la colère des dévots de Saturn et disons que, malgré quelques retouches faites l'an dernier, la qualité de l'habitacle est, au mieux, décevante (admirez l'euphémisme !). De plus, on se demande pourquoi les instruments ont élu domicile au beau milieu de la planche de bord, au lieu d'être devant le conducteur, là où ç'aurait été logique et sécuri-

forces

- Concessionnaires sympathiques
- Choix de versions
- Coupé avec portes Quad
- Sièges Recaro (Red Line)

faiblesses

- Comportement routier
- Qualité d'assemblage
- Intérieur bon marché
- Ergonomie déficiente
- Confort minimal

nouveautés en 2007

- Gain de puissance de 5 chevaux pour les moteurs 2,2 l et 2,4 l, une nouvelle teinte de carrosserie : *Deep Blue*

taire. Les portes inversées du coupé permettent un accès facile aux places arrière, et la version Red Line a droit à d'authentiques sièges Recaro à l'avant. Malheureusement, les rideaux gonflables latéraux ne sont qu'optionnels dans la version ION-2.

MÉCANIQUE ► L'ION-2 est équipée d'un moteur Ecotec de 2,2 litres (145 chevaux), alors que l'ION-3 a droit à 200 cm3 et 30 chevaux de plus. Quant à la version Red Line, plus performante, elle est propulsée par un 2,0 litres de 205 chevaux, suralimenté par un compresseur volumétrique muni d'un refroidisseur intermédiaire.

COMPORTEMENT ► Il y a quelques années, j'avais testé une ION sur les pistes d'essais de GM et, dans ces conditions contrôlées, son roulement m'avait paru très doux, agréable et silencieux. Une fois sur nos belles routes québécoises, la réalité est tout autre : la suspension de notre voiture d'essai, avec seulement quelques milliers de kilomètres au compteur, avait déjà beaucoup de jeu. À la moindre irrégularité du bitume, la voiture émettait les bruits et les craquements peu rassurants qu'on associe généralement aux vieux taxis malmenés sur des centaines de milliers de kilomètres. L'assistance électrique inconsistante de la direction n'aide en rien. On a parfois l'impression de conduire une voiture téléguidée.

CONCLUSION ► On serait tenté de penser que l'ION est la jumelle des Chevrolet Cobalt et Pontiac G5. Mais ces deux dernières sont des produits plus homogènes et mieux réussis que l'ION, apparue deux ans avant elles et qui semble avoir servi de brouillon aux autres compactes de GM. Encore une fois, chez Saturn, on s'indignera probablement de nos critiques. Et les concessionnaires voudront toujours vous persuader que la Saturn ION est un bon achat.

Il n'en reste pas moins que cette berline évolue dans un segment ultracompétitif où les prestations de ses rivales sont nettement supérieures.

FICHE TECHNIQUE

MOTEURS

ION-2 L4 2,2 l DACT 145 ch à 5600 tr/min
couple : 150 lb-pi à 4200 tr/min
Transmission : manuelle à 5 rapports, automatique à 4 rapports en option
0-100 km/h : 9,6 s
Vitesse maximale : 180 km/h
Consommation (100 km) : man. : 8,1 l, auto. : 7,8 l (octane : 87)

ION-3 L4 2,4 l DACT 175 ch à 6200 tr/min
couple : 164 lb-pi à 4800 tr/min
Transmission : manuelle à 5 rapports, automatique à 4 rapports en option
0-100 km/h : 8,8 s
Vitesse maximale : 185 km/h
Consommation (100 km) : man. : 7,9 l, (octane : 87)

(Red Line) L4 2,0 l suralimenté DACT 205 ch à 5600 tr/min
couple : 200 lb-pi à 4400 tr/min
Transmission : manuelle à 5 rapports
0-100 km/h : 7,7 s
Vitesse maximale : 215 km/h
Consommation (100 km) : man. : 7,9 l, (octane : 87)

Sécurité active
option : freins ABS (de série dans Red Line), répartition électronique de force de freinage et antipatinage (non disponible dans Red Line)

Suspension avant/arrière
indépendante/semi-indépendante

Freins avant/arrière
disques/tambours,
Red Line : disques aux 4 roues

Direction
à crémaillère, assistée

Pneus
ION-2 et ION-3 : P195/60R15,
Red Line : P215/45R17

DIMENSIONS
Empattement : 2621 mm, Red Line : 2629 mm
Longueur : berl. : 4686 mm, coupé : 4699 mm
Largeur : berl. : 1707 mm, coupé : 1725 mm
Hauteur : berl. : 1458 mm, coupé : 1422 mm, Red Line : 1412 mm
Poids : berl. : 1221 kg, coupé : 1248 kg, Red Line : 1336 kg
Diamètre de braquage : 10,8 m
Coffre : berl. : 416 l, coupé : 402 l
Réservoir de carburant : 49,2 l

opinion

Antoine Joubert • Nombreux sont les vendeurs Saturn et autres travailleurs de l'automobile qui se souviennent de ma sévère critique concernant l'ION, publiée l'an dernier dans *L'Annuel*. Eh bien, cette année, mon opinion est inchangée : cette voiture, en dépit de ses motorisations intéressantes et de son réseau de concessionnaires réputé pour un excellent service après-vente, n'a rien d'intéressant à offrir. L'habitacle est mal assemblé et peu ergonomique, les sièges avant et arrière sont d'un inconfort total, et la qualité des matériaux tient de la mauvaise blague. L'ION affiche en plus un comportement routier désastreux et laisse entendre d'innombrables bruits de caisse.

OUTLOOK

nouveauté | nd
Transport et préparation : nd

www.gmcanada.com

FICHE D'IDENTITÉ

Version(s) : XE, XR
Roues motrices : avant, 4
Portières : 4
Première génération : 2007
Génération actuelle : 2007
Construction : Lansing, Michigan, É.-U.
Sacs gonflables : 6, frontaux, latéraux avant et rideaux latéraux
Concurrence : Buick Rendezvous, Chrysler Pacifica, Ford Freestyle, Honda Pilot, Hyundai Santa Fe, Mazda CX-9, Mitsubishi Endeavor, Nissan Murano, Subaru B9 Tribeca, Suzuki XL-7, Toyota Highlander

AU QUOTIDIEN

Prime d'assurance :
25 ans : 2800 à 3000 $
40 ans : 1600 à 1800 $
60 ans : 1300 à 1500 $
Collision frontale : nd
Collision latérale : nd
Ventes du modèle l'an dernier
Au Québec : nm **Au Canada :** nm
Dépréciation (3 ans) : nm
Rappels (2001 à 2006) : nm
Cote de fiabilité : nm

LE PREMIER MATIN D'UNE NOUVELLE VIE

– Benoit Charette

En 2007, GM lancera un nouveau trio de véhicules multisegments qui se veulent une réponse moderne aux familles qui désirent une solution de rechange aux fourgonnettes. Capables d'accueillir jusqu'à huit passagers, les Buick Enclave, GMC Acadia et le Saturn Outlook offrent élégance et habitabilité dans une robe tout à fait désirable.

CARROSSERIE ► Le profil de l'Outlook est épuré (ce qui n'est pas toujours le cas chez GM), avec une ligne de toit contemporaine. La lunette arrière revient sur les côtés et est légèrement en pente avec le toit, renforçant les lignes fluides du véhicule. Les poignées de portière chromées, les feux arrière horizontaux distinctifs et rehaussés de chrome, et l'aileron arrière avec au centre un feu stop à DEL sont des touches de style qui consolident l'unicité de l'Outlook, alors que les roues de 18 pouces (19 pouces en option) contribuent à équilibrer les proportions du véhicule.

HABITACLE ► L'Outlook comporte trois rangées de sièges et peut être configuré pour sept ou huit passagers. L'accès à la troisième rangée est facilité grâce au second siège coulissant articulé, une première dans l'industrie. La planche de bord basse et en retrait s'inspire de celle des berlines haut de gamme GM. Elle est facile à consulter et de bonne qualité. Visiblement, Saturn a beaucoup amélioré ses intérieurs. Tout comme l'Acadia et l'Enclave, l'Outlook possède un volume de chargement de 3313 litres quand les sièges de deuxième et de troisième rangées sont rabattus. De plus, l'Outlook offre un espace de rangement couvert qui permet de mettre des objets à l'abri des regards, sous le plancher de chargement arrière. Parmi les équipements de série de l'Outlook, mentionnons les six sacs gonflables (deux sacs frontaux à déploiement adapté pour le conducteur et le passager avant; deux sacs latéraux montés sur les sièges avant, et deux rideaux gonflables latéraux qui couvrent les trois rangées de sièges). Le véhicule est également équipé du système de détection

forces
- Une ligne homogène
- Une finition irréprochable

faiblesses
- Il faudra d'abord en faire l'essai

nouveautés en 2007
- Nouveau modèle

de capotage, qui peut activer les sacs gonflables latéraux de façon préventive si les capteurs déterminent qu'un capotage est imminent. On peut compter sur tout un éventail d'équipements optionnels, comme l'assistance au stationnement à ultrasons, le hayon électrique, le démarreur à distance, le liquide de lavage chauffé pour le pare-brise, le système de divertissements à DVD et le système de navigation.

MÉCANIQUE ▶ GM se met enfin à la page sous le capot. L'Outlook est équipé d'un moteur V6 de 3,6 litres à calage variable des soupapes. Le modèle haut de gamme XR arbore un système d'échappement double et fournit une puissance de 267 chevaux et un couple de 247 livres-pied. Le modèle XE à échappement simple développe 265 chevaux et un couple de 244 livres-pied. Ce moteur est jumelé à la toute nouvelle transmission automatique à six vitesses. L'Outlook est disponible en modèles à traction avant ou à traction intégrale.

COMPORTEMENT ▶ Nous avons eu la chance de faire connaissance avec l'Outlook lors du lancement de la nouvelle Aura, mais le modèle présenté n'était pas prêt pour la route. Donc, au moment de mettre sous presse, l'Outlook n'avait pas encore été présenté aux journalistes. Nous pouvons toutefois divulguer certaines caractéristiques. La suspension avant possède des jambes de force MacPherson avec barre stabilisatrice à action directe. La suspension arrière utilise une conception en «H» qui comporte un système de fixation isolé réduisant le bruit et les vibrations transmis au compartiment passager. Une robuste ossature de carrosserie intégrale renforcée en de nombreux points avec de l'acier à haute résistance assure une excellente rigidité de la caisse. Elle comprend aussi de l'acier à double phase à certains endroits, comme les rails bas du compartiment moteur.

CONCLUSION ▶ Saturn semble prendre un nouveau virage quant à la qualité de ses produits. Logiquement, le plaisir de conduire devrait suivre.

FICHE TECHNIQUE

MOTEUR

V6 3,6 l DACT 265 ch (XR : 267 ch) à 6600 tr/min
couple : 244 lb-pi (XR : 247 lb-pi) à 3200 tr/min
Transmission : automatique à 6 rapports avec mode manuel
0-100 km/h : nd
Vitesse maximale : nd
Consommation (100 km) : 12,5 l (estimé) (octane : 87)

Sécurité active
freins ABS, répartition électronique de force de freinage, assistance au freinage, antipatinage, contrôle de stabilité électronique

Suspension avant/arrière
indépendante

Freins avant/arrière
disques

Direction
à crémaillère, assistée

Pneus
P255/65R18, opt. : P255/60R19

DIMENSIONS

Empattement : 3021 mm
Longueur : 5097 mm
Largeur : 1986 mm
Hauteur : 1846 mm (avec porte-bagages)
Poids : 2RM : 2142 kg, 4RM : 2239 kg
Diamètre de braquage : 12,3 m
Coffre : 558 l, 3313 l (sièges abaissés)
Réservoir de carburant : 83,3 l
Capacité de remorquage : 2041 kg

RELAY ⊜ Chevrolet Uplander

jumeau | 27770 $ à 31565 $
Transport et préparation : 1250 $

OnStar

www.gmcanada.com

FICHE D'IDENTITÉ

Version(s) : 2, 3
Roues motrices : avant, 4RM
Portières : 4
Première génération : 2005
Génération actuelle : 2005
Construction : Doraville, Géorgie, É.-U.
Sacs gonflables : 2, frontaux, latéraux aux 2 premières rangées et rideaux latéraux en option, latéraux avant de série dans Relay 3
Concurrence : Buick Terraza, Chevrolet Uplander, Chrysler Town & Country, Dodge Caravan, Ford Freestar, Honda Odyssey, Hyundai Entourage, Kia Sedona, Nissan Quest, Toyota Sienna

AU QUOTIDIEN

Prime d'assurance :
25 ans : 2500 à 2700 $
40 ans : 1500 à 1700 $
60 ans : 1200 à 1400 $
Collision frontale : 5/5
Collision latérale : 4/5
Ventes du modèle l'an dernier
Au Québec : 260 **Au Canada :** 1348
Dépréciation (1 an) : 34,8 %
Rappels (2001 à 2006) : 2
Cote de fiabilité : 3/5

ELLE FAIT PERDRE LEUR TEMPS AUX VENDEURS !

– Antoine Joubert

Avant d'écrire ces lignes, j'ai soutiré quelques commentaires à un vendeur Saturn qui m'a avoué que la Relay est pour lui un boulet. À ses yeux, il est ridicule d'offrir à un prix plus élevé des produits similaires à ceux proposés chez Chevrolet ou Pontiac. J'admets que je suis d'accord avec lui.

CARROSSERIE ► Contrairement à l'Uplander, la Relay n'est disponible qu'en version à empattement allongé. Or, toujours selon le vendeur, les clients qui entrent chez Saturn ne sont pas mieux nantis que ceux de Chevrolet. Alors, pourquoi se limiter uniquement à des versions plus chères?

HABITACLE ► De finition honnête, l'habitacle de la Relay se présente mieux que sa carrosserie. La qualité d'assemblage n'est pas exceptionnelle, mais disons que c'est mieux que certains autres modèles de la marque. Toutefois, la Relay et ses jumelles sont aujourd'hui les seules fourgonnettes à ne pas être pourvues de banquettes escamotables dans le plancher.

MÉCANIQUE ► Le V6 de 3,5 litres, peu gourmand, n'est plus disponible. Il travaillait d'arrache-pied pour trimbaler la lourde carcasse de la Relay. Voilà pourquoi un nouveau V6 de 3,9 litres est proposé. Cependant, il est incompatible avec la version à transmission intégrale, pourtant plus lourde.

COMPORTEMENT ► La Relay offre un confort intéressant, une bonne tenue de route et... c'est à peu près tout. Par ses craquements, le châssis nous rappelle son âge, alors que la direction, imprécise, devient trop légère en accélération. De plus, le diamètre de braquage est comparable à celui d'un autobus.

CONCLUSION ► Notre vendeur soutient que ce produit lui fait perdre beaucoup de temps. Un client entre chez le concessionnaire, constate que le produit est similaire à celui de Chevrolet, consulte ensuite la liste des prix pour comprendre qu'il aurait dû aller directement... chez Chevrolet.

forces

- Habitacle ergonomique et agréable à l'œil
- Véhicule confortable
- Faible consommation
- Excellent service après-vente

faiblesses

- Pertinence d'une fourgonnette Saturn
- Pas de version bas de gamme
- Conception dépassée
- Lignes extérieures laides

nouveautés en 2007

- Moteur SFI V6 de 3,9 l avec distribution à programme variable dans tous les modèles, système StabiliTrak dans tous les modèles passagers, jantes en aluminium usiné 17 po de série (Relay 3)

$ 31 665 $ à 37 190 $
Transport et préparation : 995 $

jumeau Pontiac Solstice = SKY

OnStar

CIEL QU'ELLE EST BELLE, MAIS...

– Antoine Joubert

Avant son lancement, on disait de la Sky qu'il s'agissait d'une Solstice mieux exécutée. Aujourd'hui, nous savons que c'est faux, que la Sky n'a rien de plus à offrir, sauf un style différent et un équipement plus complet.

CARROSSERIE ▶ Il faut admettre que les lignes de la Sky en mettent plein la vue. C'est d'ailleurs la principale raison de son succès commercial. Face à la Solstice, elle affiche un look moins extrémiste, qui semble plaire davantage.

HABITACLE ▶ Les sièges sont d'un confort très honnête, malgré un faible maintien. Toutefois, l'assemblage et la finition sont horribles, les plastiques sont de mauvais goût et les espaces de rangement, symboliques. De plus, il est impossible d'ajuster le dossier du siège lorsque la portière est fermée, l'espace pour la main étant inexistant. On imagine le dégagement pour les jambes et les bras ! Quant au coffre, il ne sert qu'à ranger le toit, qui occupe plus de 90 % de l'espace disponible. Ridicule !

MÉCANIQUE ▶ Comme la boîte manuelle, le moteur Ecotec n'est pas vilain, mais manque de raffinement. Une sonorité plus inspirée et une plage de puissance mieux répartie permettraient à la Sky de mieux se comparer à la MX-5 en matière de motorisation.

COMPORTEMENT ▶ Sur la route, la voiture est stable, relativement confortable et capable de belles prouesses en virage. La direction étonne par sa précision et la suspension démontre un bel équilibre. Il faudrait toutefois améliorer le freinage, la visibilité, et éliminer les craquements et bruits de caisse qui donnent l'impression de voyager à bord d'une voiture *made in China*.

CONCLUSION ▶ On dirait que les concepteurs ont manqué de temps et d'argent à la fin du projet. Il en résulte un produit esthétiquement attractif qui n'est pas dépourvu de qualités, mais aux vices de conception inacceptables. Dommage !

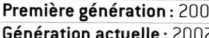

www.gmcanada.com

FICHE D'IDENTITÉ

Version(s) : Base, Red Line
Roues motrices : arrière
Portières : 2
Première génération : 2007
Génération actuelle : 2007
Construction : Wilmington, Delaware, É.-U.
Sacs gonflables : 2, frontaux
Concurrence : Honda S2000 (Red Line), Mazda MX-5, Pontiac Solstice

AU QUOTIDIEN

Prime d'assurance :
25 ans : 3000 à 3200 $
40 ans : 1800 à 2000 $
60 ans : 1600 à 1800 $
Collision frontale : nd
Collision latérale : nd
Ventes du modèle l'an dernier
Au Québec : nm **Au Canada :** nm
Dépréciation (3 ans) : nm
Rappels (2001 à 2006) : nm
Cote de fiabilité : nm

forces
- Gueule d'enfer
- Bonnes aptitudes routières
- Service après-vente Saturn réputé

faiblesses
- Assemblage et finition exécrables
- Plusieurs vices de conception majeurs
- Visibilité dangereuse
- Freinage peu endurant

nouveautés en 2007
- Nouveau modèle

VUE

évolution | 23 300 $ à 30 725 $ | Transport et préparation : 1150 $

OnStar

www.gmcanada.com

FICHE D'IDENTITÉ

Version(s) : 2RM, 2RM V6, 4RM V6, 2RM Red Line, 4RM Red Line, Green Line hybride
Roues motrices : avant, 4
Portières : 4
Première génération : 2002
Génération actuelle : 2002
Construction : Spring Hill, Tennessee, É.-U.
Sacs gonflables : 2, frontaux
Concurrence : Chevrolet Equinox, Ford Escape, Honda CR-V, Hyundai Tucson, Jeep Compass et Patriot, Kia Sportage, Mitsubishi Outlander, Nissan X-Trail, Pontiac Torrent, Subaru Forester, Suzuki Grand Vitara, Toyota RAV4

AU QUOTIDIEN

Prime d'assurance :
25 ans : 2900 à 3100 $
40 ans : 1700 à 1900 $
60 ans : 1500 à 1700 $
Collision frontale : 5/5
Collision latérale : 5/5
Ventes du modèle l'an dernier
Au Québec : 1935 **Au Canada :** 6650
Dépréciation (3 ans) : 53,5 %
Rappels (2001 à 2006) : 2
Cote de fiabilité : 3/5

BIENTÔT CORÉEN !

– **Luc Gagné**

Le Saturn VUE a rarement fait sourciller les passants. Cependant, cet utilitaire a sa chapelle d'admirateurs. Depuis cinq ans, ses ventes au Canada se maintiennent dans la moyenne. De plus, les sceptiques seront confondus en apprenant qu'en 2005 il s'est vendu plus de VUE que de Toyota RAV4.

CARROSSERIE ▶ Ce ne sont sûrement pas les formes anguleuses du VUE qui engendrent ce succès. La mode occupe une place importante dans ce créneau qui vise une clientèle jeune, sensible aux tendances. Les formes profilées adoptées par certains constructeurs pour leurs nouveaux utilitaires compacts font vieillir ce véhicule à... vue d'œil ! Il suffit de le comparer au nouveau Honda CR-V. Heureusement, les retouches apportées l'an dernier à la calandre et aux phares aident à prolonger la vie de ce modèle qui cédera sa place en 2007 à une version vaguement américanisée du Daewoo Windstorm. Cet utilitaire produit par GM-DAT en Corée est déjà commercialisé en Europe sous le nom de Chevrolet Captiva et d'Opel Antara. D'ici là, le VUE restera le seul utilitaire dont la carrosserie est partiellement habillée de panneaux de polymère.

HABITACLE ▶ L'intérieur du VUE est parmi les plus intéressants de ce créneau. Quatre adultes peuvent y prendre place confortablement. À l'arrière, on découvre une banquette haute et beaucoup d'espace pour les pieds et les jambes. À l'avant, les baquets sont amples, mais manquent de fermeté. L'instrumentation du tableau de bord est facile à repérer et à utiliser. Quant aux garnitures de similibois, qu'on les aime ou non, elles contribuent à rehausser un environnement où abonde un plastique noir assombrissant. Le dossier divisé 60/40 de la banquette arrière se replie pour allonger la surface de chargement. On peut également rabattre à plat le dossier du siège du passager avant, par exemple pour transporter une échelle. À l'extrémité arrière de l'aire de char-

forces
- V6 très performant
- Intérieur spacieux et transformable
- Conduite agréable

faiblesses
- Modèle en fin de carrière
- Version quatre cylindres manuelle désolante
- Insonorisation moyenne

nouveautés en 2007
- Nouvelle version Green Line à motorisation hybride, nouvelles jantes d'alliage de 16 et 17 pouces

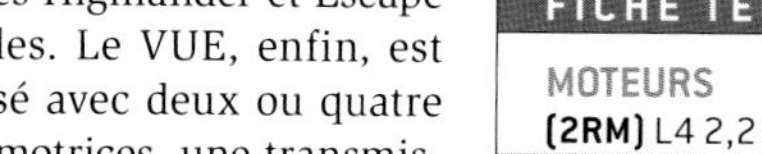

rent des Highlander et Escape hybrides. Le VUE, enfin, est proposé avec deux ou quatre roues motrices, une transmission intégrale «réactive» au temps de réaction plutôt court.

gement, un module de rangement à compartiments, appelé «L'Organisateur», permet de transporter de petits colis ou des sacs de provisions sans qu'ils se renversent en roulant.

MÉCANIQUE ▶ Le VUE partage le quatre cylindres Ecotec de 2,2 litres de la HHR, un moteur quelconque qui permet surtout à GM d'offrir une version bon marché de cet utilitaire. Le V6, par contre, est une révélation. Construit par Honda, ce moteur est souple et performant. Sa consommation est à peine plus élevée que celle de l'Ecotec. En le jumelant à une boîte automatique à cinq vitesses, GM a trouvé la combinaison gagnante pour donner du caractère à un véhicule qui jusqu'ici était bien sage. Cette année, un modèle à groupe propulseur mixte (électrique/carburant) est ajouté à la gamme: le VUE Green Line, nouveau concurrent des Highlander et Escape hybrides.

COMPORTEMENT ▶ Un voyage fait dans la belle région de Manicouagan, entre Tadoussac et Baie-Trinité, nous a permis de découvrir un véhicule fort agréable à conduire. La suspension souple plaira à l'automobiliste moyen pour le confort qu'elle procure. De plus, la surface vitrée importante du VUE et la ligne de caisse plutôt basse procurent un champ de vision important qui facilite les manœuvres de stationnement. La servo-direction à assistance variable électrique laisse un peu à désirer par la mollesse qu'elle engendre dans certaines circonstances. Le conducteur doit «sentir» la route à travers la servo-direction, mais ce nouveau type de système masque parfois ces signaux.

CONCLUSION ▶ D'accord, le Saturn VUE n'est pas extraordinaire en matière d'insonorisation et il commence à paraître vieillot. Mais cela n'enlève rien à son aménagement efficace ni à sa carrosserie résistante à la corrosion et aux chocs. Et puisqu'un nouveau modèle arrivera bientôt, le modèle actuel devrait devenir plus... négociable.

Chevrolet Captiva

FICHE TECHNIQUE

MOTEURS

(2RM) L4 2,2 l DACT 143 ch à 5600 tr/min
couple: 147 lb-pi à 5200 tr/min
Transmission: manuelle à 5 rapports, automatique à 4 rapports en option
0-100 km/h: 11,2 s
Vitesse maximale: 160 km/h
Consommation (100 km): man.: 8,3 l, auto.: 8,6 l (octane: 87)

(2RM V6, 4RM V6, Red Line) V6 3,5 l SACT 250 ch à 5800 tr/min
couple: 242 lb-pi à 4500 tr/min
Transmission: automatique à 5 rapports
0-100 km/h: 7,9 s
Vitesse maximale: 160 km/h
Consommation (100 km): man.: 9,9 l, auto.: 10,5 l (octane: 87)

(Green Line) L4 2,4 l DACT + moteur électrique, 170 ch à 6600 tr/min
couple: 162 lb-pi à 4200 tr/min
Transmission: automatique à 4 rapports
0-100 km/h: nd
Vitesse maximale: nd
Consommation (100 km): nd (octane: 87)

Sécurité active
freins ABS (option dans L4, de série dans V6), antipatinage (2RM seulement)

Suspension avant/arrière
indépendante

Freins avant/arrière
disques/tambours

Direction
à crémaillère, assistée

Pneus
2RM: P215/70R16, 4RM: P235/60R17, Red Line: P245/50R18

DIMENSIONS

Empattement: 2707 mm
Longueur: 4605 mm
Largeur: 1818 mm
Hauteur: 1682 mm, Green Line: 1659 mm
Poids: 2RM: 1493 kg, 2RM V6: 1603 kg, 4RM V6: 1664 kg, Green Line: 1572 kg
Diamètre de braquage: 12,0 m, Green Line: 11,6 m
Coffre: 872 l
Réservoir de carburant: 62,5 l
Capacité de remorquage: L4: 680 kg, V6: 1588 kg

Benoit Charette • Saturn ajoute une corde à son arc en 2007 avec la venue du VUE Green Line, premier véhicule de GM doté du nouveau système hybride plus économique. Il permet (selon GM) une économie de carburant d'environ 20 % selon les conditions de conduite. La version la plus recommandable demeure le V6 qui propose une meilleure finition depuis l'an denier et un moteur mieux adapté aux besoins du véhicule. Le quatre cylindres manque de raffinement et de puissance pour être vraiment intéressant. Le produit se peaufine à petits pas, mais a encore du chemin à parcourir pour jouer dans la cour des grands.

FORTWO

évolution | 16 700 $ à 25 100 $ | Transport et préparation : 1995 $

www.smart.com

SURVIVRE À 6500 KM EN SMART ? EH OUI !

– Nadine Filion

FICHE D'IDENTITÉ

Version(s) : Pure, Pulse, Passion, Grandstyle
Roues motrices : arrière
Portières : 2
Première génération : 2005
Génération actuelle : 2005
Construction : Hambach, France
Sacs gonflables : 2, frontaux
Concurrence : aucun

AU QUOTIDIEN

Prime d'assurance :
25 ans : 2300 à 2500 $
40 ans : 1400 à 1600 $
60 ans : 1100 à 1300 $
Collision frontale : nd
Collision latérale : nd
Ventes du modèle l'an dernier
Au Québec : 860 **Au Canada :** 4080
Dépréciation (3 ans) : nm
Rappels (2001 à 2006) : aucun à ce jour
Cote de fiabilité : nm

Quoi de mieux qu'un voyage de 6500 km sur la côte Ouest américaine pour tester la Smart Fortwo ? La voiture s'est montrée fiable, agréable à piloter et logeable. Sa plus grande qualité ? Sa frugalité (moyenne de 4,66 litres aux 100 km) malgré des pointes à 135 km/h. Tout compte fait, nous n'avons dépensé que 257 $US de diesel pour faire le trajet Vancouver-San Francisco-Los Angeles-Las Vegas-Grand Canyon-Vancouver. Une vraie farce !

CARROSSERIE ► La minivoiture, pas plus longue que la largeur d'un Hummer H2, n'est toujours pas distribuée aux États-Unis. La Smart canadienne n'est donc pas passée inaperçue au sud du 45e parallèle. Surtout lorsque nous nous garions perpendiculairement au trottoir, entre deux énormes VUS. Parmi les commentaires mémorables recueillis en route : « Où avez-vous mis le reste de votre voiture ? » ; « Elle a rétréci au lavage ? »

HABITACLE ► Pour survivre trois semaines à bord de la Smart, il fallait que cette dernière soit confortable. Elle l'est, même si (surprise !) les dossiers ne s'ajustent pas. En revanche, les sièges sont chauffants ; quelle gâterie pour une si petite voiture ! Cela dit, la Smart est étonnamment spacieuse et comporte des rangements très pratiques dans lesquels on a pu y glisser couteau suisse, cartes routières, jumelles, GPS alouette. À bord, on oublie même à quel point elle est minuscule. Deux grands sacs de voyage, deux sacs à dos, une glacière à roulettes et quelques autres objets ont pris place sans problème au-dessus du moteur et derrière les sièges. Et ce, même si nous roulions en version décapotable. Pour manœuvrer le toit sans pépin, ne partez pas sans le manuel d'instructions : vous en aurez besoin…

MÉCANIQUE ► Tout au long de notre aventure, on nous demandait : « Est-ce une hybride ? Une voiture électrique ? » Quelle

forces
- Toute petite consommation de diesel
- Confortable
- Attire tous les regards
- Facile à garer

faiblesses
- Moteur peu puissant
- Sensible au vent
- Ne partez pas sans manuel d'instructions

nouveautés en 2007
- Pas de changement

surprise a-t-on pu lire sur les visages quand nous répondions « La Smart carbure au diesel, tout simplement. » Le tout petit moteur trois cylindres de 0,8 litre développe à peine 42 chevaux et 74 livres-pied. Il est jumelé à une boîte séquentielle qu'on doit apprivoiser. C'est que le passage des six rapports entraîne un phénomène de chaise berçante et qu'il faut s'habituer à des accélérations heurtées et peu dynamiques. De plus, la boîte ne dispose d'aucun mode *Park*. Il faut donc serrer le frein à main à l'arrêt, sinon c'est le plongeon dans le Pacifique !

COMPORTEMENT ▶ Le plus grand défaut de la Smart ? Non, ce n'est pas sa faible puissance. À cela, on s'habitue en développant des techniques de pilotage et on ne tente jamais un dépassement rapide. Et l'on se console à l'idée qu'avec 12 $ de diesel nous parcourrons de 350 à 400 km. Non, le plus grand défaut de la Smart est sa propension à se laisser déporter par le vent. Dans le désert du Nevada, nous devions tenir fermement le volant. Pour le reste, que de bons mots. La tenue de route en virage est rassurante, peut-être en raison de toutes ces aides à la conduite de série : freins ABS, antipatinage, système de stabilité. La direction est stimulante et la suspension est d'un bel équilibre en dépit du court empattement de 1812 millimètres. Et, malgré les efforts qu'on a exigés d'elle au long des 6500 km, elle n'a jamais faibli.

CONCLUSION ▶ Partout, dans la Lombard Street à San Francisco, dans Sunset Boulevard à Hollywood, le long de la Strip à Las Vegas, la Smart a fait une star d'elle-même. D'après les réactions dithyrambiques des Américains, je me demande pourquoi elle n'est pas encore disponible chez eux. Peut-être le sera-t-elle avec l'arrivée de la nouvelle génération, au début de la prochaine année.

FICHE TECHNIQUE

MOTEUR

L3 0,8 l diesel SACT 40,2 ch à 4200 tr/min
couple : 73,8 lb-pi à 1800 tr/min
Transmission : séquentielle à 6 rapports
0-100 km/h : 19,8 s
Vitesse maximale : 135 km/h
Consommation (100 km) : 4,2 l

Sécurité active
freins ABS, assistance au freinage, distribution électronique de force de freinage, antipatinage, contrôle de stabilité électronique

Suspension avant/arrière
indépendante

Freins avant/arrière
disques/tambours

Direction
à crémaillère

Pneus
P135/70R15 (av.), P175/55R15 (arr.)

DIMENSIONS

Empattement : 1812 mm
Longueur : 2500 mm
Largeur : 1515 mm, cabrio : 1537 mm
Hauteur : 1549 mm
Poids : 730 kg, cabrio : 740 kg
Diamètre de braquage : 8,8 m
Coffre : 150 l
Réservoir de carburant : 22 l

opinion

Pascal Boissé • Pour le prix d'une Smart Fortwo, vous pouvez vous procurer une compacte très bien équipée. Opter pour une Smart n'est pas un choix logique. C'est choisir un joli jouet amusant en lieu et place d'un véhicule fonctionnel. Un jouet très sérieusement conçu et construit, soit dit en passant. Malgré les économies de carburant qu'elle permet de réaliser, la Smart est un investissement très difficile à justifier. Et pourtant, son succès chez nous dépasse toutes les attentes de son constructeur, et les ventes ne fléchissent pas. Le fait qu'elle attire la sympathie partout où elle passe et qu'elle soit très amusante à conduire y est sans doute pour quelque chose.

B9 TRIBECA

évolution | 41 995 $ à 52 495 $
Transport et préparation : 1495 $

www.subaru.ca

ILS ONT OUBLIÉ UN TRUC...

– Hugues Gonnot

FICHE D'IDENTITÉ

Version(s) : *5 places :* Base, Limited, et Limited Navigation, *7 places :* Limited DVD/Navigation
Roues motrices : 4
Portières : 4
Première génération : 2006
Génération actuelle : 2006
Construction : Lafayette, Indiana, É.-U.
Sacs gonflables : 6, frontaux, latéraux avant et rideaux latéraux
Concurrence : Buick Rendezvous, Chrysler Pacifica, Ford Freestyle, GMC Acadia, Honda Pilot, Mazda CX-9, Mitsubishi Endeavor, Nissan Murano, Saturn Outlook, Suzuki XL-7, Toyota Highlander

AU QUOTIDIEN

Prime d'assurance :
25 ans : 3100 à 3300 $
40 ans : 2100 à 2300 $
60 ans : 1800 à 2000 $
Collision frontale : 5/5
Collision latérale : 5/5
Ventes du modèle l'an dernier
Au Québec : 217 **Au Canada :** 804
Dépréciation (3 ans) : nm
Rappels (2001 à 2006) : aucun à ce jour
Cote de fiabilité : nm

Oh, un truc tout simple, une petite évidence du genre « un bon design fait vendre ». Voilà très certainement pourquoi il se vend au Canada six fois plus de Nissan Murano, son plus proche concurrent, que de B9 Tribeca. Parce que, pour le reste, cet utilitaire des villes a quelques atouts dans son jeu.

CARROSSERIE ▸ Voilà ce qui arrive quand on veut faire tendance (comme le nom Tribeca l'indique, quartier branché de New York). De la calandre bizarroïde aux feux arrière étranges, de l'empattement qui paraît trop court (regardez ce porte-à-faux arrière) à la forme tordue de la lunette arrière, tout est toujours un brin décalé. Le problème, c'est qu'on a l'impression que les décalages ne sont pas dans le même sens. Ce n'est pas vraiment laid, pas vraiment beau, c'est juste baroque. Passons à la suite, ça s'arrange.

HABITACLE ▸ Les courbures de la planche de bord sont elles aussi très spéciales, mais c'est nettement mieux réalisé qu'à l'extérieur et, surtout, cela dégage une impression d'espace. En contrepartie, certaines commandes ne sont pas particulièrement intuitives, mais l'instrumentation est complète. De plus, on est assis dans un intérieur qui fleure bon la qualité, nettement plus que la Murano en tout cas. À l'avant, on est bien installé. Les sièges sont fermes et soutiennent parfaitement le corps. C'est aussi très ferme à l'arrière, mais, comme la banquette est inclinable et coulissante, on arrive à y trouver son compte. C'est à la troisième rangée que ça se gâte : l'accès est vraiment problématique et l'espace disponible, très limité. Si vous y tenez vraiment, à cette troisième banquette, il y a des choix plus intéressants ailleurs. En revanche, on bénéficie d'un excellent volume de chargement pour la catégorie et les espaces de rangement sont suffisamment nombreux et plutôt bien organisés.

L'irritant majeur se situe en fait au chapitre de l'insonorisation. On aime ou on n'aime pas le bruit des moteurs à plat Subaru, mais

forces
- Moteur alerte
- Excellente tenue de route
- Intérieur joli et bien fini
- Transmission intégrale permanente

faiblesses
- Style baroque
- Troisième banquette gadget
- Insonorisation à améliorer

nouveautés en 2007
- Aménagement 7 places (Limited DVD/Navigation), trois nouvelles teintes de carrosserie, calandre au fini noir, prise audio auxiliaire ajoutée, siège du conducteur avec mémoire à deux positions (Limited), rétroviseur intérieur agrandi, suspension recalibrée

disons qu'une petite couche supplémentaire de matériaux insonores ne ferait pas de mal.

MÉCANIQUE ► Du classique Subaru, c'est-à-dire différent de la majorité. Le seul moteur disponible est un six cylindres à plat. Selon Subaru, cela permet d'abaisser le centre de gravité et d'améliorer la tenue de route. Il s'agit d'un bloc plutôt sophistiqué, puisqu'il bénéficie du calage variable des soupapes (système AVCS) et surtout de la levée variable des soupapes (système AVLS). Les 245 chevaux répondent tous à l'appel. Si la boîte de vitesses automatique à cinq rapports (avec sélection manuelle) ne marquait pas, dans certaines circonstances, un temps d'attente, on serait en présence d'un groupe motopropulseur de premier ordre sur le plan de l'agrément. Car la consommation reste relativement raisonnable pour un engin qui tourne autour des 1,9 tonne: 14 litres aux 100 km.

COMPORTEMENT ► C'est l'une des meilleures surprises du B9 Tribeca. Bien que l'on soit assis haut, le centre de gravité est relativement bas, ce qui limite le roulis, alors que le mouvement des roues est bien contrôlé sur les irrégularités. La suspension est assez ferme, mais préserve malgré tout un bon degré de confort. La direction aussi est ferme mais pas trop lourde et permet de bien sentir la route. Et puis il reste la fameuse transmission intégrale symétrique Subaru. Contrairement à d'autres véhicules, la puissance est ici répartie sur les quatre roues à tout moment. Dans les conditions normales, la répartition est de l'ordre de 45/55 entre l'avant et l'arrière. Mais selon les circonstances déterminées par les capteurs de lacet et d'accélération latérale, le différentiel central, composé d'un embrayage hydraulique à commande électronique, pourra modifier cette répartition.

CONCLUSION ► Pourquoi acheter un B9 Tribeca? Probablement parce que c'est un Subaru. Il s'agit d'un véhicule plutôt homogène, mais qui ne se démarque pas assez de la concurrence.

FICHE TECHNIQUE

MOTEUR

H6 3,0 l DACT 245 ch à 6600 tr/min
couple: 215 lb-pi à 4200 tr/min
Transmission: automatique à 5 rapports avec mode manuel
0-100 km/h: 9,7 s
Vitesse maximale: 200 km/h
Consommation (100 km): 11,4 l (octane: 91)

Sécurité active
freins ABS, répartition électronique de force de freinage, assistance au freinage, antipatinage, contrôle de stabilité électronique

Suspension avant/arrière
indépendante

Freins avant/arrière
disques

Direction
à crémaillère, assistée

Pneus
P255/55R18

DIMENSIONS

Empattement: 2749 mm
Longueur: 4822 mm
Largeur: 1878 mm
Hauteur: 1686 mm
Poids: 5 places: 1885 kg, 5 places Limited: 1891 kg, 5 places Limited/Navi: 1896 kg, 7 places Limited DVD/Navigation: 1925 kg
Diamètre de braquage: 11,4 m
Coffre: 7 places: 1063 l, sièges de 3e rangée abaissés 5 places: 235 l, 2106 l (sièges abaissés)
Réservoir de carburant: 64 l
Capacité de remorquage: 1587 kg

2e opinion

Nadine Filion • À son arrivée sur le marché l'an dernier, le Subaru B9 Tribeca constituait une belle surprise. Comportement sportif avec 245 chevaux sous le capot, suspension ferme à point, habitacle d'un chic... Je ne lui reprochais qu'une boîte automatique mal étagée, qui se cherche trop dans les accélérations. Hélas ! les ventes de Tribeca ne sont pas vraiment au rendez-vous. Est-ce parce que les gens ne se sont pas accoutumés à son allure avant-gardiste, à mon avis réussie (si l'on exclut la calandre en bec pincé) ? Est-ce en raison du prix ? À 42 000 $ pour la version de base, et près de 53 000 $ pour le modèle à sept passagers bien équipé, le premier utilitaire de Subaru n'aurait-il pas eu les yeux plus gros que le ventre ?

FORESTER

www.subaru.ca

FICHE D'IDENTITÉ

Version(s) : 2.5X, 2.5XS, 2.5XS Premium, 2.5XT
Roues motrices : 4
Portières : 4
Première génération : 1998
Génération actuelle : 2003
Construction : Gunma, Japon
Sacs gonflables : 4, frontaux et latéraux
Concurrence : Chevrolet Equinox, Ford Escape, Honda CR-V, Hyundai Tucson, Jeep Compass et Patriot, Kia Sportage, Mitsubishi Outlander, Nissan X-Trail, Pontiac Torrent, Suzuki Grand Vitara, Toyota RAV4

AU QUOTIDIEN

Prime d'assurance :
25 ans : 2500 à 2700 $
40 ans : 1700 à 1900 $
60 ans : 1500 à 1700 $
Collision frontale : 5/5
Collision latérale : 5/5
Ventes du modèle l'an dernier
Au Québec : 651 **Au Canada :** 3614
Dépréciation (3 ans) : 45,4 %
Rappels (2001 à 2006) : 3
Cote de fiabilité : 4/5

UN CHOIX DE RAISON

– **Luc Gagné**

En 2007, l'utilitaire Subaru Forester poursuit son chemin sans grands changements, et c'est bien ainsi. De conception pratique, ce véhicule compact évite les flaflas de la mode pour offrir l'essentiel d'un utilitaire avec, en prime, une des meilleures transmissions intégrales disponibles actuellement.

CARROSSERIE ► Le Forester fait partie de notre paysage routier depuis belle lurette. Le premier « camion » vendu en grande série par Subaru en Amérique est apparu sur notre marché en 1998. Depuis lors, le Forester a subi plusieurs retouches mineures, esthétiques et structurelles, sans être transfiguré pour autant. L'esthétique conservatrice de sa carrosserie lui permet de bien vieillir. Mais on peut penser que la prochaine génération de Forester, en 2009, adoptera des formes plus rondes, qui sont l'apanage des plus récentes nouveautés de ce créneau. Situé au cœur de la gamme des modèles par son prix, le Forester XS se distingue de la version de base par ses roues d'alliage, alors que le XT Turbo, l'émule de l'Impreza WRX, porte fièrement une prise d'air (fonctionnelle) sur le capot. La XT dispose cette année de nouvelles roues d'alliage seyantes que le constructeur s'obstine toutefois à chausser de pneus Yokohama Geolander (des G900A cette année), qui ne sont pas à la hauteur de ses performances.

HABITACLE ► L'aménagement intérieur du Forester reflète le souci du détail du constructeur. La finition est soignée et l'aménagement à l'avant est bien pensé. Les commutateurs du tableau de bord tombent bien sous la main ; pas besoin de commandes redondantes sur le volant. Les sièges baquets sont amples et moulants, nous supportent bien dans les courbes. À l'arrière, par contre, la banquette est difficile d'accès en raison du seuil qui est haut, et le dégagement pour les jambes est limité. Des enfants seront confortables ; des adultes, moins. L'aire à bagages, enfin, est transformable grâce aux dossiers divisés 60/40 de

forces

- Excellent champ de vision
- Moteur pimpant
- Comportement routier agréable
- Roulis latéral très limité

faiblesses

- Dégagement limité pour les jambes à l'arrière
- Performances moyennes des pneus de série (Geolander)

nouveautés en 2007

- Version XT Premium retirée du catalogue, pré-aménagement pour radio satellite Sirius dans XS Premium et XT

de synchronisation qu'elle a gagnés au fil des ans, manque toujours de précision. Elle requiert un maniement trop doux au goût de bien des conducteurs.

la banquette. Une fois ces dossiers repliés, le plancher est plat sur toute la surface.

MÉCANIQUE ▶ Sous le capot, loge le quatre cylindres à plat de 2,5 litres qui équipe à peu près tous les modèles de la marque. En version atmosphérique, ses 173 chevaux lui assurent des accélérations et des reprises satisfaisantes. La version suralimentée, par contre, a de quoi surprendre. Cette mécanique développe autant de puissance que celle d'une WRX, et ça se sent. Dans tous les cas, le moteur est jumelé à une boîte manuelle à cinq vitesses de série, ou à une automatique à quatre vitesses optionnelle. Cette dernière demeure, à notre avis, la plus intéressante des deux, pour la douceur de son fonctionnement et le bon étagement des rapports. La manuelle, malgré les cônes

COMPORTEMENT ▶ Un moteur «boxer» est moins haut qu'un moteur à cylindres verticaux. Son centre de gravité est donc plus bas, ce qui favorise le comportement routier. Ajoutez à cela une suspension indépendante aux quatre roues, ferme à point et dotée d'amortisseurs dont le débattement est bien dosé et progressif, et voilà tout ce qu'il faut pour faire de cet utilitaire, d'allure anodine aux goûts de certains, un excellent véhicule de voyage. Le freinage puissant des XS et XT est assuré par des disques aux quatre roues, alors que les modèles X et Columbia ont un tandem disques/tambours plus conventionnel. De plus, la servo-direction est précise et le niveau d'assistance, bien dosé.

CONCLUSION ▶ Il n'a peut-être pas l'allure futuriste du nouveau CR-V et ne possède pas le V6 hyper puissant (trop) du RAV4, mais le Forester propose l'équipement qu'il faut pour une petite famille québécoise. Parce que, ici, il y a l'hiver. Et dans la neige le Forester est imbattable!

FICHE TECHNIQUE

MOTEURS
(X et XS) H4 2,5 l SACT 173 ch à 6000 tr/min
couple: 166 lb-pi à 4400 tr/min
Transmission: manuelle à 5 rapports, automatique à 4 rapports en option
0-100 km/h: 9,2 s
Vitesse maximale: 185 km/h
Consommation (100 km): man.: 9,1 l, auto.: 9,0 l (octane: 87)

(XT) H4 2,5 l turbo DACT 224 ch à 5600 tr/min
couple: 226 lb-pi à 3600 tr/min
Transmission: manuelle à 5 rapports, automatique à 4 rapports en option
0-100 km/h: 6,8 s
Vitesse maximale: 225 km/h
Consommation (100 km): man.: 9,9 l, auto.: 10,0 l (octane: 91)

Sécurité active
freins ABS, répartition électronique de force de freinage

Suspension avant/arrière
indépendante

Freins avant/arrière
disques/tambours, XS et XT: disques aux 4 roues

Direction
à crémaillère, assistée

Pneus
X et XS: P215/60R16, XT: P215/55R17

DIMENSIONS
Empattement: 2525 mm
Longueur: 4485 mm
Largeur: 1735 mm
Hauteur: 1590 mm, XT: 1585 mm
Poids: X: 1425 kg, XS: 1415 kg, XS Premium: 1445 kg, XT: 1485 kg
Diamètre de braquage: 10,6 m
Coffre: X et XS: 869 l, 1629 l (sièges abaissés), XS Premium et XT: 818 l, 1592 l (sièges abaissés)
Réservoir de carburant: 60 l
Capacité de remorquage: 1087 kg

opinion

Antoine Joubert • Ah! que j'aime ce véhicule! Ses aptitudes sur la route et en hors-piste sont exceptionnelles, son format est pratique et sa qualité d'assemblage impeccable. Pour ajouter au plaisir, Subaru propose depuis trois ans une version XT capable de ridiculiser bien des sportives grâce à son moteur turbo. La Forester, VUS d'un format proche de la voiture, est aussi un excellent moyen de faire taire les écologistes de votre entourage. En revanche, je n'ai jamais craqué pour ses lignes plutôt insipides. Mon sentiment à cet égard a d'ailleurs été renforcé l'an dernier, à la suite des douteuses modifications esthétiques apportées notamment au museau.

IMPREZA

évolution | 23 495 $ à 48 995 $ |
Transport et préparation : 1295 $

www.subaru.ca

POUR RENOUER AVEC L'HIVER !

– Antoine Joubert

FICHE D'IDENTITÉ

Version(s) : 2.5i, 2.5i SE, WRX, WRX STi
Roues motrices : 4
Portières : 4, 5
Première génération : 1993
Génération actuelle : 2002
Construction : Gunma et Yajima, Japon
Sacs gonflables : 4, frontaux et latéraux
Concurrence : Acura CSX, Chevrolet Cobalt et Optra, Ford Focus, Honda Civic, Hyundai Elantra, Kia Spectra, Mazda3, Mitsubishi Lancer, Nissan Sentra, Pontiac G5 et Vibe, Saturn ION, Suzuki Aerio et SX4, Toyota Corolla et Matrix, VW Rabbit et Jetta

AU QUOTIDIEN

Prime d'assurance :
25 ans : 2300 à 2500 $
40 ans : 1500 à 1700 $
60 ans : 1300 à 1500 $
Collision frontale : 4/5
Collision latérale : 4/5
Ventes du modèle l'an dernier
Au Québec : 1912 **Au Canada :** 5617
Dépréciation (3 ans) : 46,8 %
Rappels (2001 à 2006) : 4
Cote de fiabilité : 5/5

Non, je ne suis vraiment pas un adepte de la saison froide, à mes yeux la période morte de l'automobile. L'hiver, la plupart des belles voitures sont en hibernation et les plus ordinaires se font abîmer. Si vous aussi, amateurs de *chars*, éprouvez cette aversion pour l'hiver avec tout ce que cela implique, une Subaru Impreza pourrait toutefois être une excellente médication.

CARROSSERIE ▶ Avec nous depuis 2002, la seconde génération de l'Impreza a subi, depuis lors, deux rafraîchissements esthétiques. Les phares circulaires des premiers modèles ont laissé place en 2004 à un museau plus conventionnel, que plusieurs ne semblent pas avoir apprécié. C'est pourquoi l'édition 2006 est revenue à la charge avec une calandre plus stylisée, qui se veut la nouvelle signature visuelle de la marque. Qu'elle soit livrée en version 2.5i, WRX ou STi, la berline semble toujours avoir plus de muscles que la familiale. Cela s'explique par les ailes élargies, propres à la berline, qui transforment radicalement le caractère de la voiture.

HABITACLE ▶ Des sièges confortables et suffisamment enveloppants, une planche de bord classique et ergonomique, et un éclairage verdâtre plutôt morne sont les principales caractéristiques de l'habitacle de l'Impreza. Construite au Japon, cette voiture montre une qualité d'assemblage et de finition irréprochable, mais souffre d'un manque flagrant d'originalité à bord. Et ce n'est pas une console centrale peinte de couleur argentée qui peut tout changer. Convenable à l'avant, l'espace disponible à l'arrière l'est moins, puisqu'un adulte de taille moyenne s'y sent légèrement à l'étroit. Sachez finalement que si vous êtes un habitué du Costco et du Réno Dépôt, la familiale est votre seule option, la banquette arrière de la berline étant non rabattable.

MÉCANIQUE ▶ Retouché l'an dernier, le moteur quatre cylindres atmosphérique atteint désor-

forces

- Véritable voiture quatre saisons
- Qualité de construction
- Agrément de conduite
- Performances (WRX et STi)

faiblesses

- Habitabilité moyenne
- Freinage (sauf STi)
- Habitacle morne
- Consommation importante

nouveautés en 2007

- WRX : Boîte automatique supprimée, toit ouvrant de série, pré-aménagement pour radio satellite Sirius avec prise audio auxiliaire (aussi dans WRX STi), pommeau de levier de vitesses et volant gainés de cuir dans tous les modèles

IMPREZA

mais une puissance de 173 chevaux. Ce dernier ne permettra à personne de remporter un Grand Prix, mais il propose une plage d'accélération très linéaire et un couple généreux. Qu'il soit jumelé à la boîte manuelle ou automatique, il s'acquitte de sa tâche avec brio sans jamais faiblir. En revanche, le moteur suralimenté de la WRX procure des sensations fortes. Ses 224 chevaux propulsent la voiture de 0 à 100 km/h en un peu plus de 6 secondes, faisant entendre le doux bruit du turbocompresseur. Il faut toutefois savoir que sa consommation d'essence est importante et que seul un carburant à taux d'octane élevé est accepté. La STi, la bombe de Subaru, est pour sa part une voiture hors norme. Authentique bolide de rallye, elle se déplace au moyen d'un moteur turbocompressé développant 293 chevaux et d'une boîte manuelle à six rapports. Sa seule concurrente, la Mitsubishi Lancer Evolution, n'est toujours pas commercialisée de ce côté-ci de la frontière, ce qui fait d'elle une véritable voiture d'exception.

COMPORTEMENT ▶ La traction intégrale à prise constante de l'Impreza est incontestablement une de ses plus grandes forces. Elle lui confère une motricité exceptionnelle sur tout type de surface et une grande agilité routière. Convenablement chaussée l'hiver venu, l'Impreza nous fait retrouver le bonheur de l'hiver et le plaisir de jouer dans la neige. Excepté la STi qui s'adresse aux puristes, la voiture hérite d'une suspension bien calibrée, d'une direction précise et assez ferme, et d'un châssis rigide. Le freinage, qui manque de mordant, reste une des rares faiblesses de l'Impreza.

CONCLUSION ▶ Certes, l'Impreza n'est pas aussi abordable qu'une compacte à rabais, par exemple Cobalt ou Focus. Les taux d'intérêt à 0 % sont inexistants et les «cadeaux» du constructeur sont réduits au minimum. Toutefois, la qualité générale du produit et le dynamisme de son comportement, été comme hiver, font d'elle une voiture à part.

FICHE TECHNIQUE

MOTEURS

(2.5i) H4 2,5 l SACT 173 ch à 6000 tr/min
couple : 166 lb-pi à 4400 tr/min
Transmission : manuelle à 5 rapports,
0-100 km/h : 9,1 s
Vitesse maximale : 195 km/h
Consommation (100 km) : 9,1 l (octane : 87)

(WRX) H4 2,5 l DACT 224 ch à 5600 tr/min
couple : 226 lb-pi à 3600 tr/min
Transmission : manuelle à 5 rapports
0-100 km/h : 6,6 s
Vitesse maximale : 230 km/h
Consommation (100 km) : 10,2 l (octane : 91)

(WRX STi) H4 2,5 l DACT 293 ch à 6000 tr/min
couple : 290 lb-pi à 4400 tr/min
Transmission : manuelle à 6 rapports
0-100 km/h : 4,8 s
Vitesse maximale : 240 km/h
Consommation (100 km) : 11,3 l (octane : 91)

Sécurité active
freins ABS, répartition électronique de force de freinage

Suspension avant/arrière
indépendante

Freins avant/arrière
disques

Direction
à crémaillère, assistée

Pneus
2.5i et 2.5i SE : P205/55R16,
WRX : P215/45R17, WRX STi : P225/45R17

DIMENSIONS

Empattement : 2525 mm
Longueur : 4465 mm
Largeur : 1740 mm
Hauteur : berl. : 1440 mm, fam. : 1485 mm, WRX STi : 1430 mm
Poids : *berl. :* 2.5i : 1368 kg, 2.5i SE : 1383 kg, WRX : 1448 kg, *fam. :* 2.5i : 1393 kg, 2.5i SE : 1408 kg, WRX : 1475 kg, 2.5i SE : 1391 kg, WRX STi : 1520 kg
Diamètre de braquage : 10,8 m, WRX STi : 11,4 m fam. : 10,2 m
Coffre : berl. : 311 l, fam. : 790 l, 1744 l (sièges abaissés)
Réservoir de carburant : 60 l

opinion

Bertrand Godin • Bien des gens souhaitent obtenir le maximum de puissance, mais parfois cela est inutile, par exemple avec la WRX, STi. Oui, elle peut littéralement s'envoler, et sur n'importe quelle surface grâce à sa traction intégrale relativement efficace, mais sa conduite est un peu trop extrême. Subaru a trop cherché la performance en sacrifiant le plaisir de conduire. Par conséquent, la plus sage WRX fera très bien l'affaire. Design plus réservé, puissance plus modeste, mais autant de sensations et, surtout, un plaisir plus complet. La finition intérieure ne gagnera pas de prix et on est loin d'un véhicule familial. Mais, comme petite sportive, la WRX tire son épingle du jeu.

LEGACY / OUTBACK

www.subaru.ca

FICHE D'IDENTITÉ

Version(s) : Legacy : 2.5i, 2.5GT, spec B, Outback : 2.5i, 2.5XT, 3.0R
Roues motrices : 4
Portières : 4
Première génération : 1990
Génération actuelle : 2005
Construction : Gunma, Japon ; Lafayette, É.-U.
Sacs gonflables : 6, frontaux, lat. av., rid. latéraux
Concurrence : Chevrolet Malibu, Chrysler Sebring, Ford Fusion, Honda Accord, Hyundai Sonata, Kia Magentis, Mazda6, Mitsubishi Galant, Nissan Altima, Pontiac G6, Saturn Aura, Toyota Camry, VW Passat

AU QUOTIDIEN

Prime d'assurance :
25 ans : 2700 à 2900 $
40 ans : 1700 à 1900 $
60 ans : 1500 à 1700 $
Collision frontale : 5/5
Collision latérale : 5/5
Ventes du modèle l'an dernier
Au Québec : 2025 **Au Canada :** 5881
Dépréciation (3 ans) : 51,1 %
Rappels (2001 à 2006) : 12
Cote de fiabilité : 4/5

UNE GAMME BIEN ASSORTIE

– Jean-Pierre Bouchard

À une certaine époque, les voitures Subaru souffraient de la comparaison avec d'autres rivales japonaises, mais le constructeur a retroussé ses manches pour élaborer des modèles plus concurrentiels et mieux adaptés aux exigences du marché. L'arrivée des Outback au milieu des années 1990 a contribué à relancer une marque jusqu'alors plutôt discrète.

CARROSSERIE ► Subaru est l'un des rares constructeurs, dans le créneau des voitures intermédiaires populaires, à proposer sur la même plateforme une berline, une familiale et un modèle soi-disant utilitaire. Cet éventail étendu va de la version de base 2.5i à la version haut de gamme 3.0R, en passant par la sportive GT.

HABITACLE ► Subaru convie les passagers à bord de voitures confortables, bien finies, dont la qualité des matériaux suscite peu de critiques négatives. À l'avant, le conducteur profite d'une bonne position de conduite. Le volant télescopique ne fait toutefois pas partie des équipements proposés. À revoir ! Les baquets fermes et confortables offrent un bon soutien latéral ; ceux de la GT sont particulièrement bien conçus. Les commandes sont à portée de main et l'instrumentation est claire et bien disposée. Le dégagement pour la tête est bon. Un irritant : la grille de sélection du levier des vitesses est tarabiscotée. À l'arrière, la banquette peut accueillir confortablement deux personnes. Par contre, du côté des berlines, le dégagement pour la tête des personnes de grande taille suffit à peine. L'espace de chargement des versions familiales et Outback est généreux et leurs banquettes peuvent être rabattues dans une proportion de 60/40, contrairement à la banquette de la berline (allez savoir pourquoi). Cette berline ne dispose que d'une ouverture centrale pour y passer des skis.

MÉCANIQUE ► Subaru se démarque par l'utilisation de moteurs BOXER, dont les cylin-

forces

- Qualité générale de la finition et des matériaux
- Aménagement intérieur et polyvalence
- Agrément de conduite

faiblesses

- Pas de banquette arrière rabattable dans la berline
- Moteur de base de l'Outback un peu juste
- Habitabilité aux places arrière
- Consommation du moteur turbo

nouveautés en 2007

- Norme SAE adoptée nouvelle berline spec B, moteur turbo légèrement modifié, système SI-DRIVE offert avec moteur turbo, nouveaux groupes Tourisme et Limited en option (2.5i), plusieurs changements d'équipements.

LEGACY / OUTBACK

dres opposés à plat contribuent à réduire la hauteur du centre de gravité, favorisant ainsi la tenue de route. Les versions 2.5i tirent leur puissance d'un moteur à quatre cylindres de 2,5 litres, dont les 175 chevaux suffisent à la tâche, mais ce moteur n'est pas un modèle de performance, notamment du côté de l'Outback, plus lourde. Les accélérations manquent parfois de tonus, surtout sous les 2500 tours/minute. Ce moteur est jumelé de série à une boîte manuelle à cinq rapports agréable à utiliser ou, en option, à une boîte automatique à quatre rapports aussi douce qu'efficace. Grâce à l'adjonction d'un turbocompresseur, qui fait passer la puissance à 243 chevaux, les Legacy GT et Outback 2.5XT sont sensiblement plus vivantes. L'Outback peut également recevoir un duo six cylindres de 3,0 litres avec boîte automatique à cinq rapports. Ce moteur développe 245 chevaux, mais consomme un peu moins que le turbo.

COMPORTEMENT ▶ Les Legacy dégagent une forte présence sur la route, que la transmission intégrale de série accentue. L'agrément de conduite est toujours au rendez-vous. L'Outback se distingue par un débattement de suspension supérieur, ce qui favorise une souplesse accrue et, par conséquent, un plus grand confort. La suspension des GT est plus ferme, question d'offrir une tenue de route plus sportive. Les Legacy GT et Outback XT sont dotées de roues de 17 pouces et de freins à disques aux quatre roues renforcés par l'ABS. Le contrôle de stabilité n'est disponible que dans la version haut de gamme 3.0R. Dommage.

CONCLUSION ▶ Subaru a concocté une gamme de berlines et de familiales homogènes et bien adaptées à nos conditions climatiques. Un léger surplus de puissance rendrait les versions de base 2.5i, surtout l'Outback, encore plus agréables à utiliser. Autrement, ces voitures sont bien conçues, solides et confortables dans la plupart des situations.

FICHE TECHNIQUE

MOTEURS

(2.5i) H4 2,5 l SACT 175 ch à 6000 tr/min
couple : 169 lb-pi à 4400 tr/min
Transmission : manuelle à 5 rapports, automatique à 4 rapports séquentielle (option)
0-100 km/h : Legacy : 10,2 s, Outback : 10,8 s
Vitesse maximale : Legacy : 190 km/h, Outback : 185 km/h
Consommation (100 km) : 9,1 l (octane : 87)

(2.5 GT, 2.5 XT) H4 2,5 l DACT 243 ch à 6000 tr/min
couple : 250 lb-pi à 3600 tr/min
Transmission : manuelle à 5 rapports, spec B : manuelle à 6 rapports, séquentielle à 5 rapports
0-100 km/h : Legacy : 6,4 s, Outback : 6,7 s
Vitesse maximale : 210 km/h
Consommation (100 km) : man. : 10,5 l, auto. : 10,7 l (octane : 91)

(3.0R) H6 3,0 l DACT 245 ch à 6600 tr/min
couple : 215 lb-pi à 4200 tr/min
Transmission : séquentielle à 5 rapports
0-100 km/h : 8,1 s
Vitesse maximale : 200 km/h
Consommation (100 km) : 10,4 l (octane : 87)

Sécurité active
freins ABS, répartition électronique de force de freinage, contrôle de stabilité électronique et antipatinage (option dans 3.0R, de série dans spec B)

Suspension avant/arrière
indépendante

Freins avant/arrière
disques

Direction
à crémaillère, assistée

Pneus
Legacy : 2.5i : P205/55R16, 2.5GT : P215/45R17, spec B : P215/45R18, Outback : 2.5i : P225/60R16, 2.5XT et 3.0R : P225/55R17

DIMENSIONS

Empattement : 2670 mm
Longueur : berl. : 4730 mm, fam. : 4795 mm, Outback : 4795 mm
Largeur : Legacy : 1730 mm, Outback : 1770 mm
Hauteur : berl. : 1425 mm, fam. : 1475 mm, Outback : 1565 mm
Poids : 1473 à 1635 kg
Diamètre de braquage : 10,8 m, spec B : 11,6 m
Coffre : berl. : 323 l, fam. : 949 l, Outback : 847 l 909 l (avec toit ouvrant), 1854 l (sièges abaissés)
Réservoir de carburant : 64 l

opinion

Carl Nadeau • Je pourrais facilement vous écrire trois pages sur les qualités de la Legacy. Subaru offre tellement de versions différentes de la Legacy que chacun peut trouver celle qui lui convient, et elles ont toutes la traction intégrale. J'ai eu l'occasion de braver la pire tempête de l'hiver dernier au volant d'une Legacy ; quelle belle journée j'ai passée à me trouver des raisons pour me déplacer ! Finalement, j'ai parcouru plus de 300 kilomètres avec le sourire ! La traction intégrale est merveilleusement efficace et se débrouille très bien en conduite sportive. La Legacy est une réussite en tous points, il ne reste qu'à la rendre un peu plus économe en consommation de carburant et elle sera quasiment parfaite.

AERIO

évolution | 18 995 $ à 20 195 $ |
Transport et préparation : 1095 $

www.suzuki.ca

FICHE D'IDENTITÉ

Version(s) : unique
Roues motrices : avant
Portières : 4
Première génération : 2002
Génération actuelle : 2002
Construction : Kosai, Japon
Sacs gonflables : 4, frontaux et latéraux avant
Concurrence : Chevrolet Cobalt, Ford Focus, Honda Civic, Hyundai Elantra, Kia Spectra, Mazda3, Mitsubishi Lancer, Nissan Sentra, Pontiac G5, Saturn ION, Subaru Impreza, Toyota Corolla, Volkswagen Jetta City

AU QUOTIDIEN

Prime d'assurance :
25 ans : 1900 à 2100 $
40 ans : 1100 à 1300 $
60 ans : 900 à 1100 $
Collision frontale : 4/5
Collision latérale : 5/5
Ventes du modèle l'an dernier
Au Québec : 1448 **Au Canada :** 3009
Dépréciation (3 ans) : 54,4 %
Rappels (2001 à 2006) : 1
Cote de fiabilité : 3/5

TU T'EN VAS

– Benoit Charette

L'Aerio n'a jamais eu droit à toute la reconnaissance qu'elle aurait méritée. La Swift+ prenait toute la place, tant et si bien que l'Aerio est devenue le vilain petit canard de la famille. En 2007, la version Fastback de l'Aerio est remplacée par un nouveau modèle, la SX4, et Suzuki n'entend pas faire la même erreur. Pour l'heure, la version berline reste sur le marché jusqu'au moment où une version à quatre portes de la SX4 prendra sa place, c'est-à-dire dans le courant de l'année 2007.

CARROSSERIE ► Le concept du triangle a inspiré le style de la berline : les phares à motif triangulaire et la calandre peinte de couleur métallique créent un faciès distinctif qui lui donnent une allure unique. Les feux arrière combinés reprennent le motif triangulaire dans un module compact qui maximise la largeur du compartiment à bagages. Ainsi, la berline comporte un volume intérieur plus important que la plupart des modèles de sa catégorie. Cela dit, l'acoustique des portes reste à peaufiner. Chaque fois qu'un occupant claque une portière, le bruit trahit la faible épaisseur de métal entre les passagers et la route.

HABITACLE ► Une bonne note pour les cadrans modernes et différents. La liste des équipements est conforme aux voitures de cette catégorie. Si le lecteur de CD est proposé de série, il faudra débourser un supplément pour les freins ABS, la climatisation, le régulateur de vitesse et le déverrouillage à distance. L'Aerio jouit d'une des meilleures capacités de chargement de sa catégorie, avec une banquette 60/40 très pratique, mais c'est sa largeur réduite qui place tout le monde à l'étroit. Deux adultes assis derrière seront pratiquement épaule à épaule, et leurs jambes seront rivées aux sièges avant.

MÉCANIQUE ► Suzuki prétend que le moteur à quatre cylindres de 2,3 litres développe

forces
- Voiture pratique qui se faufile partout
- Bonnes aptitudes de routière

faiblesses
- Moteur décevant
- Certains détails de finition

nouveautés en 2007
- Version Fastback retirée, seule la berline est désormais disponible

155 chevaux. J'ai conduit la voiture à plusieurs reprises depuis quelques années et j'en arrive chaque fois à la même conclusion: il manque 25 chevaux, cachés quelque part. Les réactions du moteur sont lentes et l'inertie semble paralyser ses capacités à l'arrêt. La boîte automatique est encore un peu rugueuse et le passage des vitesses, saccadé, engendre un désagréable temps mort, de telle sorte que la boîte manuelle est la plus recommandable, puisqu'elle permet de meilleures accélérations, qu'elle est plus progressive et plus plaisante à utiliser.

COMPORTEMENT ▶ Malgré une mécanique qui n'est pas à la hauteur des attentes, l'Aerio nous étonne par ses bonnes aptitudes. La direction est précise, quoiqu'un peu légère sur l'autoroute, quand les vents latéraux font vaciller la caisse. L'amortissement ferme procure une bonne tenue de route, mais il dégrade considérablement le confort. En ville, les moindres irrégularités sont sèchement ressenties. De plus, une meilleure insonorisation aurait été appréciée. Tout compte fait, le comportement est satisfaisant et se compare honorablement avec les concurrents dans cette catégorie.

CONCLUSION ▶ L'Aerio montre des lignes élégantes, mais il y manque encore le souci du détail. Nous déplorons les portières qui sonnent comme de la tôle fêlée quand on les referme, le son du moteur qui manque de raffinement, certains plastiques de bas de gamme. Tous ces éléments font en sorte que ce véhicule accuse encore un retard face à la concurrence. En revanche, sa fiabilité n'est pas mise en question. De toute manière, la SX4 viendra régler, souhaitons-le, une bonne partie de ces problèmes. Surveillez bien les publicités dans les semaines et les mois à venir, il sera sûrement possible d'obtenir certains rabais sur les dernières berlines Aerio. Vous pourriez faire alors une assez bonne affaire.

FICHE TECHNIQUE

MOTEUR
L4 2,3 l DACT 155 ch à 5400 tr/min
couple: 152 lb-pi à 3000 tr/min
Transmission: manuelle à 5 rapports, automatique à 4 rapports en option
0-100 km/h: 10,6 s
Vitesse maximale: 165 km/h
Consommation par 100 km: man. et auto: 8,2 l, (octane: 87)

Sécurité active
freins ABS, distribution électronique de force de freinage

Suspension avant/arrière
indépendante

Freins avant/arrière
disques/tambours

Direction
à crémaillère, assistée

Pneus
P195/55R15

DIMENSIONS
Empattement: 2480 mm
Longueur: 4350 mm
Largeur: 1690 mm
Hauteur: 1545 mm
Poids: 1207 kg, automatique: 1232 kg
Diamètre de braquage: 10,0 m
Coffre: 413 l
Réservoir de carburant: 50 l

opinion

Luc Gagné • Si l'Aerio familiale tire sa révérence, la berline subsiste un an encore. Qu'à cela ne tienne, l'occasion pourrait faire le larron. Après tout, cette voiture, qui n'est pas détestable, sera progressivement soldée. Aussi, cette petite berline de conception japonaise offre un haut niveau de fiabilité. De plus, son aménagement qui a été revu l'an dernier lui a donné un tableau de bord élégant et bien réussi, alors qu'auparavant il était littéralement rébarbatif ! Plutôt docile sur la route, l'Aerio dispose d'un moteur qui n'est pas très gourmand. De plus, c'est une vraie quatre places. Somme toute, une voiture plus attrayante que la Swift+. Donc, à considérer.

GRAND VITARA

www.suzuki.ca

FICHE D'IDENTITÉ

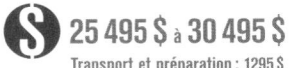

Version(s) : JA, JX, JLX, JLX Cuir
Roues motrices : 4
Portières : 5
Première génération : 1999
Génération actuelle : 2006
Construction : Iwata, Japon
Sacs gonflables : 6, frontaux, avant latéraux et rideaux latéraux
Concurrence : Chevrolet Equinox, Ford Escape, Honda CR-V, Hyundai Tucson, Jeep Patriot et Liberty, Kia Sportage, Mitsubishi Outlander, Nissan X-Trail, Pontiac Torrent, Saturn VUE, Subaru Forester, Toyota RAV4

AU QUOTIDIEN

Prime d'assurance :
25 ans : 2900 à 3100 $
40 ans : 1900 à 2100 $
60 ans : 1400 à 1600 $
Collision frontale : nd
Collision latérale : nd
Ventes du modèle l'an dernier
Au Québec : 764 **Au Canada :** 1826
Dépréciation (3 ans) : 56,8 %
Rappels (2001 à 2006) : 5
Cote de fiabilité : 3/5

PIED DE NEZ À LA CONCURRENCE

– Nadine Filion

Suzuki a attendu sept ans avant de rafraîchir le Grand Vitara, mais il l'a fait si bien que l'utilitaire enfonce littéralement les concurrents.

CARROSSERIE ► D'abord, l'extérieur du Grand Vitara en dit long sur le chemin parcouru depuis le lancement de la précédente génération, en 1998. Le troisième de la filiation abandonne définitivement les lignes carrées pour des lignes contemporaines et, surtout, son prix fait pâlir d'envie la compétition. À 24 495 $, la version de base équipée de la traction intégrale coûte 2000 $ de moins que le Pontiac Torrent à deux roues motrices.

HABITACLE ► Les matériaux de la cabine sont bien choisis et la finition est excellente. La longueur totale augmente de 30 centimètres par rapport à l'ancienne génération (c'est beaucoup !), ce qui crée de l'espace de chargement supplémentaire (690 litres sans rabattre la banquette). Un reproche toutefois (mais qui n'est pas propre au Grand Vitara) : les arches de roues proéminentes à l'arrière gênent les entrées et les sorties. On y salit plus d'un pantalon...

Il y a de quoi tomber de sa chaise en lisant la liste des équipements de série. Elle comprend les coussins gonflables pour tout l'habitacle et les commandes audio au volant pour la version de base. Même avec le revêtement de cuir, les phares antibrouillards et le démarrage sans clé (Smart Pass), la meilleure version du Grand Vitara ne dépasse pas 30 000 $. Dans cette catégorie, seuls les Hyundai Tucson et Kia Sportage peuvent en faire autant.

MÉCANIQUE ► Le V6 de 2,7 litres du Grand Vitara (185 chevaux) est d'abord couplé à une boîte manuelle à cinq vitesses. Il faut ajouter 1300 $ pour la boîte automatique à cinq rapports. Les freins ABS et le système de stabilité sont disponibles pour toutes les versions.

forces

- Lignes extérieures
- Fourchette de prix
- ABS et rideaux gonflables de série
- Traction intégrale ou véritable 4X4

faiblesses

- Boîte automatique
- Accès à l'arrière
- Ne tentez pas de déjouer le système de stabilité

nouveautés en 2007

- Déverrouillage et démarrage sans clé Smart Pass (JX, JLX), sièges chauffants (JLX), quatre modes de quatre roues motrices (JX, JLX)

Alors que d'autres constructeurs favorisent un système réactif, les versions de base du Grand Vitara bénéficient d'une transmission intégrale à prise constante (47 % à l'avant). Le véhicule n'attend donc pas que les conditions routières se corsent ou que les roues patinent pour transférer du couple à l'arrière. Il est toujours fin prêt, comme chez Audi et Subaru. Les purs et durs préféreront sans doute les versions haut de gamme (avec boîte automatique seulement), qui disposent d'un système quatre roues motrices avec gamme basse (4LO) et position « neutre ». Du coup, l'utilitaire compact devient l'un des rares du segment, pourtant fort encombré, à bénéficier de véritables aptitudes pour le hors-piste.

COMPORTEMENT ► Personnellement, je préfère la boîte manuelle à cinq vitesses, même si elle est un brin rugueuse. L'automatique tarde à passer les rapports en montée et je la soupçonne de brider les 185 chevaux du V6. Toutefois, cette dernière boîte consomme moins de carburant que la manuelle, un élément qui n'est pas à négliger avec le prix actuel du litre d'essence. Un dernier conseil : si vous faites du hors-piste, ne tentez pas de déjouer le système de stabilité, conçu pour travailler de concert avec les quatre roues motrices. Si vous le coupez, il ne se relancera de lui-même qu'à la vitesse de croisière de 40 km/h.

CONCLUSION ► Le Grand Vitara est l'un des meilleurs, sinon le meilleur véhicule de sa catégorie et assurément le meilleur produit dans les salles de montre des concessionnaires Suzuki. Le constructeur a un avenir prometteur si cette belle réalisation influence ses prochains modèles.

FICHE TECHNIQUE

MOTEUR
V6 2,7 l DACT 185 ch à 6000 tr/min
couple : 184 lb-pi à 4500 tr/min
Transmission : manuelle à 5 rapports, automatique à 5 rapports (option, de série dans JLX)
0-100 km/h : man. : 9,2 s, auto. : 9,7 s
Vitesse maximale : 180 km/h
Consommation (100 km) : man. : 11,3 l, auto. : 10,9 l (octane : 87)

Sécurité active
freins ABS, répartition électronique de force de freinage, antipatinage, contrôle de stabilité électronique

Suspension avant/arrière
indépendante

Freins avant/arrière
disques/tambours

Direction
à crémaillère, assistée

Pneus
JA et JX : P225/70R16, JLX : P225/65R17

DIMENSIONS
Empattement : 2640 mm
Longueur : 4470 mm
Largeur : 1810 mm
Hauteur : 1695 mm
Poids : man. : 1625 kg, auto. : 1670 kg
Diamètre de braquage : 11,0 m
Coffre : 690 l, 1970 l (sièges abaissés)
Réservoir de carburant : 66 l
Capacité de remorquage : 1360 kg

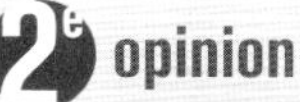

opinion

Pascal Boissé • Même si son format nous amène à comparer le Suzuki Grand Vitara au Honda CRV et au Toyota RAV4, les amateurs de véhicules à quatre roues motrices ne s'y tromperont pas : le Grand Vitara est un authentique 4X4, pur et dur, alors que les autres ne sont que de petits utilitaires à traction intégrale. Au chapitre des aptitudes hors routes, seul le Jeep Liberty peut lui faire face. Ses nouvelles lignes beaucoup plus contemporaines sont très réussies, et la finition de l'intérieur s'est améliorée de façon impressionnante. Bref, le Grand Vitara a beaucoup gagné en raffinement. Son V6 a toujours été doux et agréable, même s'il lui manque un peu de couple. Au quotidien, par contre, sa consommation de carburant se révèle décevante.

SWIFT+

évolution | 13 895 $ à 17 095 $ |
Transport et préparation : 1095 $

www.suzuki.ca

FICHE D'IDENTITÉ

Version(s) : Base, S
Roues motrices : avant
Portières : 4
Première génération : 2004
Génération actuelle : 2004
Construction : Bupyong, Corée du Sud
Sacs gonflables : 4, frontaux et latéraux
Concurrence : Chevrolet Aveo, Honda Fit, Hyundai Accent, Kia Rio, Nissan Versa, Pontiac Wave, Toyota Yaris, Volkswagen Golf City

AU QUOTIDIEN

Prime d'assurance :
25 ans : 1900 à 2100 $
40 ans : 1100 à 1300 $
60 ans : 900 à 1100 $
Collision frontale : 5/5
Collision latérale : 3/5
Ventes du modèle l'an dernier
Au Québec : 1463 **Au Canada :** 2698
Dépréciation (2 ans) : 47 %
Rappels (2001 à 2006) : 1
Cote de fiabilité : 3/5

PLUS DE QUOI ?

– **Antoine Joubert**

La Swift+, jolie et fringante petite voiture qu'elle était il y a tout juste trois ans, est désormais le souffre-douleur de la catégorie des sous-compactes. Les raisons qui expliquent son cas sont nombreuses, dont une mauvaise fiabilité, une consommation importante et des concurrentes aujourd'hui beaucoup plus nombreuses et sérieuses.

CARROSSERIE ► Le style agréable de la Swift+ est l'œuvre des ateliers Italdesign, qui ont signé de grands classiques de l'automobile. Contrairement à sa jumelle, la Chevrolet Aveo, la Swift+ n'est disponible qu'en configuration bi-corps. Elle n'est donc l'objet d'aucune modification esthétique en 2007, puisque chez GM seule la berline est rafraîchie. Chez Suzuki, on distingue la Swift+ par une calandre et des enjoliveurs de roues différents. Tout le reste est identique, même les couleurs de la carrosserie. Comme l'Aveo, on y remarque une qualité médiocre de la peinture et une tôlerie mince, vulnérable aux légers chocs.

HABITACLE ► Spacieuse compte tenu de son format, la Swift+ est une voiture qui propose un habitacle passablement convivial. Bien sûr, l'omniprésence du plastique gris n'a rien pour égayer votre journée, mais la qualité d'assemblage et de finition est en revanche honnête. Lors des journées ensoleillées, la planche de bord a cependant la fâcheuse tendance de se refléter dans le pare-brise, obstruant ainsi le champ de vision. À l'avant, les sièges manquent de supports latéraux, mais sont tout de même d'un confort acceptable. Le conducteur, qui bénéficie d'une meilleure position de conduite que dans la Toyota Yaris, souhaiterait toutefois profiter d'un véritable ajustement vertical de l'assise, puisque le système en place ne sert strictement à rien. En ce qui concerne le volume du coffre, ce n'est évidemment pas très généreux, mais il peut, comme de coutume, être augmenté en rabattant la banquette.

forces

- Prix attractif
- Design sympathique
- Confort honnête
- Conduite silencieuse

faiblesses

- Consommation beaucoup trop élevée
- Roulis excessif
- Boîte manuelle imprécise
- Pneumatiques dangereux
- Fiabilité douteuse

nouveautés en 2007

- Rétroviseurs électriques des deux côtés dans modèle S

SWIFT+

MÉCANIQUE ▶ L'unique moteur, un quatre cylindres de 1,6 litre, a comme seul avantage d'être passablement silencieux en vitesse de croisière. Pour le reste, tout est décourageant. Ce moteur beugle comme un condamné à mort dès qu'on dépasse les 4000 tours/minute et affiche des performances très inférieures à la concurrence. Qui plus est, il est accompagné d'une boîte manuelle dont le levier est d'une imprécision à faire pleurer, ce qui m'amène à conseiller plutôt le choix de l'automatique. Mais, le comble, c'est que le moteur consomme toujours de 9 à 11 litres aux 100 km, selon la saison. Voilà qui est impardonnable pour une voiture prétendument économique.

COMPORTEMENT ▶ Confortable compte tenu de son format, la Swift+ est plus silencieuse que la moyenne. La direction est appréciable pour son court diamètre de braquage qui permet d'effectuer des manœuvres serrées. Toutefois, la suspension molle est responsable d'une tenue de route hasardeuse qui oblige le conducteur à calmer ses ardeurs. Avis aux jeunes: la Swift+ est la dernière voiture à acheter si vous comptez vous lancer dans le tuning! Quant aux savonnettes de marque Khumo qui la chaussent, il n'existe qu'un mot pour les décrire: dangereux. À remplacer au plus vite.

CONCLUSION ▶ L'ère de la bonne vieille Swift des années 1980 et 1990 est bel et bien révolue. À mon avis, la Swift+ entache la réputation d'un constructeur qui est par ailleurs reconnu pour la qualité de ses produits, comme en font foi les récents modèles Grand Vitara et SX4. Certes, le petit prix de la Swift+ attire une clientèle plus nombreuse dans les salles d'exposition, mais ils en paieront ensuite le prix à la pompe. Sous-motorisée, peu fiable et beaucoup trop gourmande, cette voiture ne peut tenir tête à la concurrence.

FICHE TECHNIQUE

MOTEUR
L4 1,6 l DACT 103 ch à 5800 tr/min
couple: 107 lb-pi à 3400 tr/min
Transmission: manuelle à 5 rapports, automatique à 4 rapports (option)
0-100 km/h: 11,4 s
Vitesse maximale: 170 km/h
Consommation (100 km): man.: 7,4 l, auto.: 7,7 l (octane: 87)

Sécurité active
freins ABS et répartition électronique de force de freinage (S)

Suspension avant/arrière
indépendante/essieu rigide

Freins avant/arrière
disques/tambours

Direction
à crémaillère, assistée

Pneus
P185/60R14

DIMENSIONS
Empattement: 2480 mm
Longueur: 3880 mm
Largeur: 1670 mm
Hauteur: 1495 mm
Poids: 1105 kg
Diamètre de braquage: 10,1 m
Coffre: 200 l, 1190 l (sièges abaissés)
Réservoir de carburant: 45 litres

opinion

Pascal Boissé • La Swift+ est un mode de transport minimaliste situé juste au-dessus du scooter dans la hiérarchie des modes de transport motorisés. Cette voiture est sauvée par son design d'origine italienne inspiré, ludique et de bon goût. Mais les matériaux et la finition ne sont pas à la hauteur. Rien n'est solide ou sérieusement construit dans cette voiture jouet. C'est très joli, mais c'est du «jetable après usage». Quelques milliers de dollars de plus vous permettront de vous asseoir dans une compacte qui saura conserver une valeur de revente décente. Si l'on regarde les choses à long terme, la Swift+ n'est pas forcément l'aubaine qu'elle paraît être. En plus, sa fiabilité n'est pas sans tache. Faites vos calculs...

SX4

nouveauté | 15 995 $
Transport et préparation : nd

www.suzuki.ca

LE MICRO-UTILITAIRE

– Nadine Filion

FICHE D'IDENTITÉ

Version(s) : unique
Roues motrices : 4
Portières : 4
Première génération : 2007
Génération actuelle : 2007
Construction : Esztergom, Hongrie
Sacs gonflables : 6, frontaux, latéraux avant et rideaux latéraux
Concurrence : Chevrolet Optra et HHR, Chrysler PT Cruiser, Dodge Caliber, Ford Focus, Kia Spectra5, Mazda3 Sport, Pontiac Vibe, Subaru Impreza, Toyota Matrix, Volkswagen Rabbit

AU QUOTIDIEN

Prime d'assurance :
25 ans : 1900 à 2100 $
40 ans : 1100 à 1300 $
60 ans : 900 à 1100 $
Collision frontale : nd
Collision latérale : nd
Ventes du modèle l'an dernier
Au Québec : nm **Au Canada :** nm
Dépréciation (3 ans) : nm
Rappels (2001 à 2006) : nm
Cote de fiabilité : nm

Pourtant reconnu au Japon comme un des plus prolifiques vendeurs de microvoitures, Suzuki a du mal à faire ses frais chez nous. Il faut bien l'admettre, la Suzuki Aerio ne connaît pas un énorme succès et l'Esteem, avant elle, était aussi anonyme qu'une tranche de pain blanc. L'Aerio a beau être l'une des tractions intégrales les moins coûteuses du marché, ses ventes ne lèvent pas. Tout au plus Suzuki en a-t-il écoulé 4500 unités en 2005. Pourtant, le segment des compactes représente 26 % du marché automobile canadien et Suzuki a bien l'intention de prendre une bonne part de ce marché. Les Honda Civic, Mazda3 et Toyota Corolla se vendent à coup de 50 000, voire 70 000 unités par année... Suzuki devait faire quelque chose et espère que la nouvelle SX4 sera la réponse à ses problèmes.

CARROSSERIE ► Le constructeur nippon y est allé d'un grand coup : pas de refonte intergénérationnelle pour l'Aerio. Non, la compacte disparaîtra purement et simplement du catalogue nord-américain, au fur et à mesure que la nouvelle SX4 prendra la place qui lui revient sur le marché.

S'il faut attendre 2008 pour voir de quoi aura l'air la remplaçante à quatre portes, la version Fastback (à hayon) est remplacée dès cette année par la SX4. La cinq portes est moins longue de 100 millimètres que sa devancière, mais plus large de 25 millimètres. L'empattement s'étire quant à lui de 20 millimètres, à 2500 millimètres.

Pour cette nouvelle SX4, adieu silhouette carrée, bonjour formes arrondies, beaucoup plus agréables à l'œil. La grille a de sympathiques airs de famille avec l'utilitaire Grand Vitara. L'ingénieur responsable de la conception de la SX4, Osamu Honda (!), soutient que la compacte ne partage aucune composante avec l'Aerio. En fait, il s'agit d'un développement commun avec Fiat qui utilise la plateforme de la Swift. Pas notre Swift+ nord-américaine, rejeton

forces

- Belle allure
- Transmission intégrale
- Comportement sportif
- Position de conduite élevée
- Banquette pliable

faiblesses

- Boîte auto. qui coupe l'inspiration
- Contrôle de stabilité dans les versions les mieux équipées seulement
- Sensibilité au vent latéral (150 km/h)
- Pas de version turbo

nouveautés en 2007

- Nouveau modèle

du défunt constructeur coréen Daewoo, mais celle vendue en Europe et en Asie, encensée par la presse là-bas et qui ne nous arrivera qu'à sa seconde génération, en 2011.

HABITACLE ► C'est fou comme les Japonais savent aménager les petits intérieurs. La SX4 n'est pas unique en son genre, mais à son bord les passagers profitent d'un espace confortable, avec beaucoup de dégagement pour la tête. La garde au sol de 175 millimètres procure au pilote une position de conduite élevée qui lui donne l'impression de contrôler ce qui se passe sur la route.

Sur le tableau de bord, les commandes sont faciles à atteindre et à manipuler. Les versions les mieux équipées comprennent notamment les commandes audio au volant. À l'arrière, la banquette s'incline vers l'avant et se relève vers les sièges avant, ce qui dégage un bon volume de chargement.

Côté assemblage, la finition est soignée et la fermeture des portières et du hayon témoigne d'une construction plus solide que pour l'Aerio. Autrement dit, la voiture n'a plus rien d'une boîte de conserve.

MÉCANIQUE ► Surprise: le moteur à quatre cylindres de 2,3 litres de l'Aerio (155 chevaux) cède la place à un moteur de plus petite cylindrée, de 2,0 litres et 143 chevaux, jumelé de série avec une boîte manuelle à cinq vitesses ou, en option, avec une boîte automatique à quatre rapports. Dommage que Suzuki n'ait pas profité de ce renouvellement pour adopter une boîte automatique séquentielle et/ou à cinq rapports. Après tout, la Mazda3, elle, propose les deux.

La SX4 est pourvue d'une direction à assistance hydraulique et de freins à disques aux quatre roues. Si l'ABS est de série dans toutes les versions, seules celles du haut de gamme proposent l'antipatinage. La suspension est indépendante à l'avant, mais elle mise sur une poutre de torsion à l'arrière.

Le plus grand atout de la SX4, c'est son système à traction intégrale (optionnel). Suzuki a créé pour l'occasion un dispositif à trois modes: deux roues motrices avant, à répartition automatique et à couple verrouillé (50/50). Le conducteur n'a qu'à actionner un bouton sur la console centrale pour actionner le système.

La grande différence avec l'ancien système de l'Aerio, c'est la possibilité de commander la répartition de la traction avant de se retrouver dans une situation périlleuse. Et l'Aerio ne proposait la transmission intégrale qu'avec la boîte automatique, alors que la SX4 peut aussi être dotée de la boîte manuelle.

Cela dit, ne cherchez pas une version turbo: l'ingénieur chef a lui-même freiné l'ardeur de ses collègues qui souhaitaient concocter une telle variante survitaminée. Question de coûts, mais aussi d'utilisation optimale des ressources: «J'aurais moi-même eu besoin d'un turbo!» a lancé M. Honda.

COMPORTEMENT ► Malgré 12 chevaux de moins que l'Aerio, la SX4 se montre plus dynamique en piste et elle fait le 0-100 km/h en 10 secondes, soit une seconde de moins

HISTOIRE ▼

Dans les p'tits pots...

Suzuki est un spécialiste des petites voitures, c'est connu. Il ne fait aucun doute d'ailleurs que ses produits d'origine nippone (par opposition aux produits « empruntés » à l'ex-Daewoo) sont ceux qui présentent actuellement le plus d'intérêt. C'était le cas pour l'Esteem (la Baleno en Europe) qui était vendue dans les années 1990, tout comme pour l'Aerio Fastback, que remplace cette année la SX4, une autre réalisation japonaise digne d'intérêt. Par ailleurs, l'attention des passionnés de sport se portera bientôt sur la version gonflée de la SX4 qui a été préparée pour le prochain championnat de Rallye mondial (WRC). Pour la première fois sur la scène sportive mondiale, Suzuki y affrontera les bolides de Citroën, Ford et Subaru.

Esteem 1996

Le prototype SX 2001 préfigurait l'Aerio

Aerio SX Fastback 2003

Liana 2004, la version d'outre-mer de l'Aerio

Le prototype X-Over 2005 préfigurait la SX4

SX4 WRC 2007

SX4

GALERIE

1 • C'est fou comment les Japonais savent aménager les petits intérieurs. La SX4 n'est pas unique en son genre, mais reste qu'à son bord, les passagers profitent d'un espace confortable, avec amplement de dégagement à la tête.
2 • Suzuki cède aux habitudes des Américains et propose un volant avec commutateurs redondants.
3 • L'espace est prévu pour trois personnes, mais à deux, c'est mieux. Page suivante : À l'arrière, l'espace de chargement est favorisé par une banquette qui s'incline vers l'avant, puis qui se relève vers les sièges avant. Voilà qui dégage une bonne surface de chargement.
4 • La sécurité n'est plus seulement l'affaire des grosses voitures. De plus en plus de véhicules compacts et sous-compacts offrent non seulement des coussins latéraux, mais aussi des rideaux gonflables. Il sera bientôt difficile de justifier l'achat d'une voiture de luxe quand plusieurs petites voitures à prix modique présentent un équipement et une sécurité comparables.

1

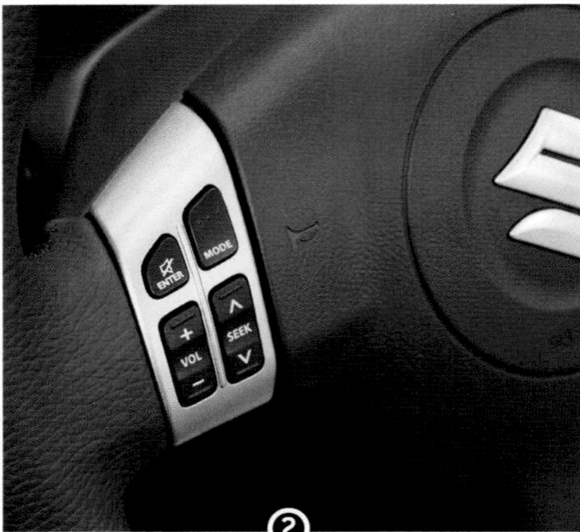

2

3

4

que l'Aerio. Mine de rien, la compacte se fait plus sportive que celle qu'elle remplace grâce, entre autres choses, à la plateforme tirée de la Swift européenne qui lui procure un châssis rigide et bien équilibré, quoique la structure en hauteur soit sensible au vent latéral.

La direction est d'une belle précision et le freinage, très franc. En dépit de la poutre arrière de torsion (ou grâce à elle?), la voiture se comporte avec assurance et fermeté, jusqu'à 150 km/h. La voiture à traction intégrale est plus stable dans les virages, mais le système l'alourdit d'une quarantaine de kilos, ce qui, étonnamment, est loin de lui faire du tort. Sur pavé de céramique mouillée, il permet des démarrages instantanés, sans heurt et en ligne droite; mais sans lui les accélérations se transforment en séances de dérapage.

Autre recommandation: la boîte manuelle à cinq vitesses. Cette dernière se passe presque aussi athlétiquement que les boîtes de Mazda et elle traduit souplement les 143 chevaux du moteur quatre cylindres. Les reprises sont bonnes, à environ 7 secondes.

Quant à la boîte automatique optionnelle, elle handicape les démarrages précipités, fait moins bon étalage de la puissance et annihile les velléités sportives à force de constamment se chercher entre 80 et 100 km/h. Une boîte à cinq rapports aurait grandement profité à la voiture.

CONCLUSION ▶ Ce qui nuisait à l'Aerio, c'était que sa variante à traction intégrale figurait tout en haut de l'échelle, bardée d'équipements, à un prix qui atteignait ou même dépassait celui de la Subaru Impreza.

Mais voilà, en équipant de l'AWD même les SX4 à boîte manuelle, Suzuki propose le véhicule à traction intégrale le moins cher du marché. Avec, de surcroît, une allure jeune et un petit zeste sport qui la rendent fort sympathique.

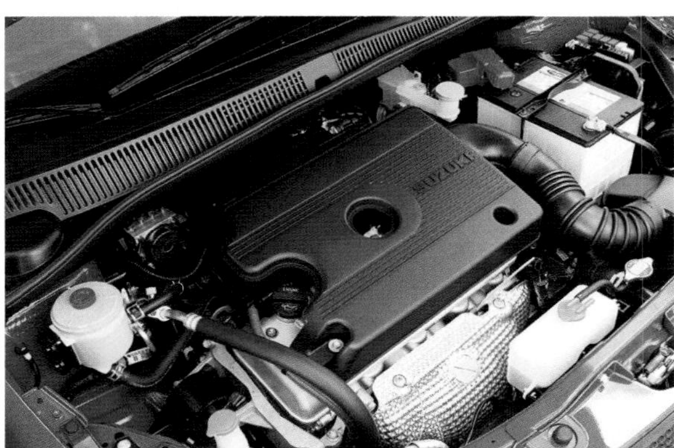

FICHE TECHNIQUE

MOTEUR
L4 2,0 l DACT 143 ch à 5800 tr/min
couple: 136 lb-pi à 3500 tr/min
Transmission: manuelle à 5 rapports, automatique à 4 rapports en option
0-100 km/h: 12,5 s
Vitesse maximale: 165 km/h
Consommation (100 km): man.: 9,0 (octane: 87)

Sécurité active
freins ABS, antipatinage (option), contrôle de stabilité électronique (option)

Suspension avant/arrière
indépendante

Freins avant/arrière
disques

Direction
à crémaillère, assistée

Pneus
P205/60R16

DIMENSIONS
Empattement: 2500 mm
Longueur: 4163 mm
Largeur: 1755 mm
Hauteur: 1605 mm
Poids: man.: 1270 kg, auto.: 1305 kg
Diamètre de braquage: 10,8 m
Coffre: nd
Réservoir de carburant: 45 l

Antoine Joubert • Ce que j'aime chez Suzuki, ce sont les vrais produits Suzuki et non pas les Chevrolet (XL-7) et les Daewoo (Swift+) rebadgés. Le constructeur japonais nous présente cette année la SX4, un modèle très dynamique venant prendre le flambeau de l'Aerio hatchback. Extrêmement bien conçue, joliment tournée, confortable et surtout, pourvue d'une traction intégrale pour environ 20 000 $, cette compacte saura certainement faire de nombreux heureux dans la Belle Province. Il ne lui manque en fait qu'un moteur un peu plus en verve et une boîte automatique étagée différemment pour susciter un peu d'émotion sur la route. Chose certaine, il s'agit actuellement du produit de la marque le mieux adapté à notre marché.

XL-7

nouveauté | 30 000 $ à 40 000 $ |
Transport et préparation : 995 $

www.suzuki.ca

JAPONAISE DE NOM

– **Benoit Charette**

FICHE D'IDENTITÉ

Version(s) : JX, JLX
Roues motrices : avant, 4
Portières : 4
Première génération : 2001
Génération actuelle : 2007
Construction : Ingersoll, Ontario, Canada
Sacs gonflables : 4, frontaux et rideaux latéraux
Concurrence : Buick Rendezvous, Chrysler Pacifica, Ford Freestyle, Honda Pilot, Hyundai Santa Fe, Mazda CX-9, Subaru B9 Tribeca, Toyota Highlander

AU QUOTIDIEN

Prime d'assurance :
25 ans : 2900 à 3100 $
40 ans : 1900 à 2100 $
60 ans : 1400 à 1600 $
Collision frontale : nd
Collision latérale : nd
Ventes du modèle l'an dernier
Au Québec : 386 **Au Canada :** 1044
Dépréciation (3 ans) : 55 %
Rappels (2001 à 2006) : 4
Cote de fiabilité : 3/5

Lors du Salon de l'auto de New York 2006, Suzuki a présenté une nouvelle version de son VUS à sept places, le XL-7 spécifiquement adapté au marché américain. C'est d'ailleurs le plus gros véhicule jamais commercialisé par Suzuki. Le XL-7 repose, en fait, sur une plateforme GM déjà utilisée pour le Chevrolet Equinox. Il ne reste plus grand-chose de japonais, sauf l'entreprise qui en fait la commercialisation. Développé aux États-Unis et construit au Canada, le XL-7 est aussi américain que la tarte aux pommes.

CARROSSERIE ▸ Pour résumer la chose, le nouveau XL-7 n'est rien d'autre qu'un Chevrolet Equinox allongé. La majorité du travail d'ingénierie s'est faite dans la région de Detroit. Suzuki s'est dit que pour plaire à un public nord-américain, à qui le XL-7 est destiné, il valait mieux faire un véhicule qui colle aux valeurs d'ici. La partie avant, jusqu'à la porte du conducteur, ressemble à s'y méprendre à l'Equinox. Seule la partie arrière a des lignes distinctes qui n'accrochent pas tellement l'œil. Pour y loger une troisième rangée de bancs et deux passagers de plus, Suzuki a allongé le véhicule d'un peu plus de 170 millimètres par rapport au Chevrolet Equinox. Plus grand, plus gros et plus large que l'ancienne génération, le XL-7 est disponible en modèle à traction avant ou intégrale.

HABITACLE ▸ Pour prendre une référence bien connue, l'espace intérieur est pratiquement identique (rangée pour rangée) au Honda Pilot. Toutefois, le XL-7 est plus étroit et le dégagement pour les épaules n'est pas aussi généreux. De manière réaliste, il y a de l'espace pour cinq adultes et deux enfants. Pour décrire le reste de l'intérieur, nous pourrions utiliser l'expression « dans la bonne moyenne ». Cela s'applique au confort des sièges, au dessin de la planche de bord, aux espaces de rangement, à la qualité des tissus et du cuir de la version haut de gamme. Le système audio provient

forces
- Espace généreux
- Polyvalence
- Conduite confortable
- Bonne boîte automatique

faiblesses
- Suspension un peu molle
- Direction peu communicative
- Freins spongieux

nouveautés en 2007
- Modèle entièrement redessiné

directement de chez GM et la présentation est sans fioriture. Les dossiers arrière rabattables 50/50 peuvent être escamotés dans le plancher afin de libérer plus d'espace de chargement. Le siège du passager avant est aussi rabattable, ce qui crée assez d'espace pour les objets plus longs, comme les skis ou les planches de surf. Sur le plan de la sécurité, Suzuki a équipé le XL-7 de coussins gonflables avant, côté conducteur et passager, et de coussins latéraux. Le XL-7 possède aussi des freins ABS aux quatre roues avec distribution électronique de la puissance de freinage et un système de contrôle électronique de la stabilité ESP (avec système antipatinage). De plus, un système de surveillance de la pression des pneus s'ajoute à l'équipement de série.

MÉCANIQUE ► Né d'un châssis de VUS à propulsion pour devenir un VUS multisegment, le XL-7 est maintenant un véhicule à traction qui propose une suspension indépendante aux quatre roues ou une transmission intégrale. Le groupe motopropulseur de série est de conception GM. Le moteur Suzuki V6 à DACT de 3,6 litres développe 252 chevaux avec un couple de 243 livres-pied et une transmission automatique à cinq rapports qu'il est possible d'utiliser en mode manuel. Le moteur High Feature (HF) 3,6 litres avec réglage de distribution variable est construit sous licence par Suzuki au Japon. Suzuki ajoute son propre système de gestion électronique et sa transmission à la motorisation GM. Le système à transmission intégrale fonctionne à l'aide d'un module actif de différentiel arrière électronique. Ce module répond aux demandes du calculateur de la transmission intégrale et travaille avec un temps de réponse réduit. Un berceau à quatre supports retient le module du train arrière et est réglé par un contrôle électronique dédié. Un système très similaire à l'Equinox. Suzuki a éliminé au passage toute la quincaillerie de coureur de bois qui caractérisait les anciennes moutures. Ainsi, il n'y a plus de boîte de transfert, le châssis monocoque a remplacé celui à longerons. Dans un marché en pleine explosion qui compte plusieurs nouveaux venus cette année, Suzuki vise simplement à se rapprocher de sa clientèle cible, la famille qui ne va jamais plus loin qu'un sentier de gravier.

COMPORTEMENT ► Ce que les futurs propriétaires perdent en capacité hors-piste, ils le regagnent largement en confort. En troquant son essieu rigide arrière pour une suspension indépendante aux quatre roues, le nouveau XL-7 est beaucoup plus confortable. Toutefois, il y aurait place pour un peu plus de fermeté dans le calibrage des suspensions. Le roulis demeure assez important, alors que la direction est un peu approximative. Avec une bonne réserve de puissance, il est possible d'effacer le 0-100 km/h en à peu près 8 secondes. La transmission automatique à cinq rapports tire le meilleur parti de la mécanique qui est un peu réticente à se mettre en marche, mais qui offre de bonnes montées en régime linéaire, même si les sons émis sous le capot ne sont pas très gracieux. Un petit «polissage» ne serait pas une mauvaise idée. Une fois la vitesse de croisière atteinte, le moteur redevient silencieux,

HISTOIRE ▼

Des apparences parfois trompeuses...

Les prototypes que l'on peut admirer dans les grands salons présentent parfois bien, parfois moins, l'avenir de la marque. Deux voitures-concept de Suzuki le démontrent. Le prototype XL-7 (parfois appelé XL-6 !) dévoilé en 2000 représentait relativement bien le modèle qui suivrait un an plus tard. Par contre, le Concept S de 2002 affiche une carrosserie au style plus audacieux que celle du XL-7 2007, avec un carénage avant enveloppant, des portes ouvrant à contresens et un tableau de bord de vaisseau spatial.

Prototype XL-7 2000

XL-7 2001

XL-7 2007

Concept S 2002

XL-7

GALERIE ▼

1-2 • Pour décrire l'intérieur, nous pourrions utiliser l'expression « dans la bonne moyenne ». Cela concerne le confort des sièges, le dessin de la planche de bord, les espaces de rangement, la qualité des tissus et du cuir dans la version haut de gamme.
3 • Parmi les options, le désormais incontournable centre de divertissement DVD avec contrôle à l'arrière.
4 • À l'arrière de l'espace de chargement, une petite cachette pour enlever les objets gênants du passage.
5 • Le moteur Suzuki V6 à DACT de 3,6 litres développe 250 ch avec un couple de 243 lb-pi et une transmission automatique à cinq rapports qu'il est possible d'utiliser en mode manuel.

❶

❷

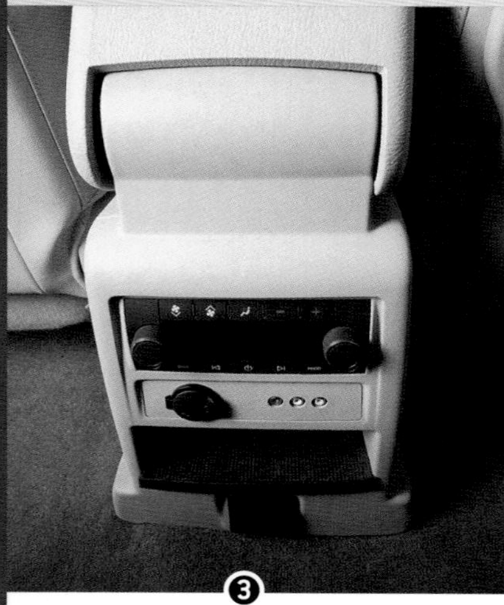

❸

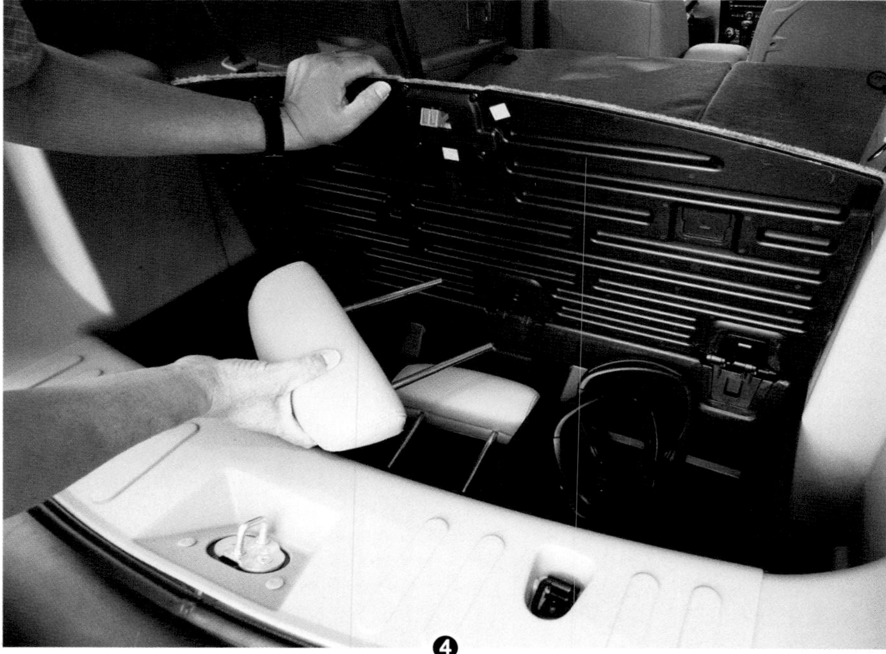

❹

❺

jusqu'au moment où vous voulez faire un dépassement. Comme avec de nombreux véhicules concurrents, on peut changer les vitesses manuellement. Toutefois cet appendice se révèle aussi inutile qu'inefficace. Je me demande d'ailleurs pourquoi un conducteur de véhicule utilitaire aurait besoin de faire des changements de vitesses manuellement. Dans l'ensemble, la conduite est plus confortable que la génération précédente, mais gagnerait à être plus ferme. On sent les gènes de GM qui ont encore quelques boulons de « lousse ».

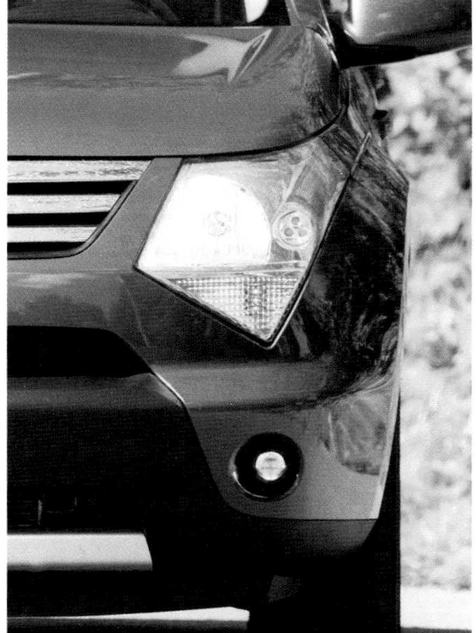

CONCLUSION ► Avec la venue de plusieurs nouveaux joueurs dans le créneau très prometteur des véhicules multisegments, le XL-7 aura de sérieux concurrents. Du Mazda CX-9 au trio GM (Saturn Outlook, Buick Enclave et GMC Acadia), en passant par le nouveau Hyundai Santa Fe, il semble que le véhicule à orientation familiale vit une époque de changement. Il est trop tôt pour situer Suzuki dans cette nouvelle arène. Il est toutefois possible d'affirmer que le XL-7 ne révolutionne pas l'art de conduire. Il y a encore en lui trop de chromosomes de Chevrolet pour en faire un véhicule à part. Est-ce que Suzuki n'avait pas les fonds nécessaires pour développer lui-même ce modèle ? C'est possible. Il ne fait pas de doute que l'orientation plus familiale que tout-terrain privilégiée par Suzuki est la bonne. Je regrette simplement que la conduite ne soit pas plus inspirante. J'ai vraiment l'impression de conduire un véhicule américain et ce n'est pas ce que je recherche chez un japonais. De tous les nouveaux produits qui arriveront sur le marché en 2007, le XL-7 était ma première expérience et je m'attendais à mieux. Il faudra maintenant voir ce que nous réserve la suite pour être capable de porter un jugement définitif.

FICHE TECHNIQUE

MOTEUR
V6 3,6 l DACT 252 ch à 6400 tr/min
couple : 243 lb-pi à 2300 tr/min
Transmission : automatique à 5 rapports
0-100 km/h : nd
Vitesse maximale : nd
Consommation (100 km) : nd (octane : 87)

Sécurité active
freins ABS, répartition électronique de force de freinage, antipatinage, contrôle de stabilité électronique

Suspension avant/arrière
indépendante

Freins avant/arrière
disques

Direction
à crémaillère, assistée

Pneus
JX : P235/65R16, JLX : P235/60R17

DIMENSIONS
Empattement : 2857 mm
Longueur : 4995 mm
Largeur : 1835 mm
Hauteur : 1750 mm
Poids : 2RM : 1763 kg ; 4RM : 1837 kg
Diamètre de braquage : nd
Coffre : nd
Réservoir de carburant : 2RM : 70 l, 4RM : 52 l
Capacité de remorquage : 1588 kg

opinion

Luc Gagné • Avec l'aide de GM, le constructeur nippon a développé un véhicule de taille imposante mieux adapté aux attentes des automobilistes américains. Le XL-7 2007 n'est pas un tout-terrain, bien qu'il puisse avoir une transmission intégrale. C'est plutôt une alternative aux familiales, aux utilitaires et aux fourgonnettes tout à la fois. Très confortable, il a une suspension remarquablement bien ajustée. La finition de ce véhicule est soignée, compte tenu que cette évolution à 7 places du Chevrolet Equinox partage la même ligne d'assemblage canadienne. Le succès de ce modèle reposera toutefois sur une campagne publicitaire efficace. Après tout, je ne suis pas seul à associer Suzuki à petits véhicules.

4RUNNER

39 960 $ à 52 585 $

Transport et préparation : 1390 $

www.toyota.ca

UN VUS SI POLI, SI GENTIL...

– Michel Crépault

FICHE D'IDENTITÉ

Version(s) : SR5 V6, Limited V6, SR5 V8 Sport, Limited V8
Roues motrices : 4
Portières : 4
Première génération : 1985
Génération actuelle : 2003
Construction : Toyota City, Japon
Sacs gonflables : 2, frontaux, (latéraux avant et rideaux latéraux dans Limited)
Concurrence : Chevrolet TrailBlazer, Dodge Durango, Ford Explorer, GMC Envoy, Jeep Grand Cherokee, Kia Sorento, Nissan Pathfinder

AU QUOTIDIEN

Prime d'assurance :
25 ans : 3700 à 3900 $
40 ans : 2300 à 2500 $
60 ans : 1900 à 2100 $
Collision frontale : 4/5
Collision latérale : 5/5
Ventes du modèle l'an dernier
Au Québec : 304 **Au Canada :** 2696
Dépréciation (3 ans) : 51,5 %
Rappels (2001 à 2006) : 1
Cote de fiabilité : 5/5

V6 ou V8, SR5 ou Limited, ensemble Sport ou sans options, 4X4 permanent ou sur demande, le 4Runner est disponible dans une configuration adaptée à vos besoins et à votre budget. Mais il s'agit surtout d'un utilitaire intermédiaire à qui on a appris les bonnes manières.

CARROSSERIE ► Contrairement au Highlander, par exemple, le 4Runner est dopé à la testostérone. Les formes sont viriles, le capot est flanqué d'une grosse trappe d'air et les marchepieds sont utiles avant d'être décoratifs. Au point que la peinture métallisée facultative, pourtant magnifique, atténue cette allure de truand de bonne famille. Le hayon vertical est nanti d'une glace qui s'abaisse au toucher d'un bouton.

HABITACLE ► Les molettes du tableau de bord imitent la corolle d'une jante de roue. Original, certes, mais à décrypter au début. Contrairement aux constructeurs allemands qui dédaignent les porte-gobelets, Toyota en a truffé son 4Runner. Et ils sont profonds, assez pour des seaux de café !

L'aire de chargement est du même acabit, très généreuse, facile d'accès et munie d'un store. Cet espace s'agrandit en un tour de main en soulevant les coussins de la banquette 60/40, puis en rabattant ses dossiers (appuie-tête compris). Le popotin trouvera la cinquième place austère à cause d'un rembourrage dur, mais la tête bénéficie d'un bon dégagement.

MÉCANIQUE ► Au choix, un onctueux V6 de 4,0 litres et un plus gourmand V8 de 4,7 litres. Ce dernier, fort de 260 chevaux et 32 soupapes, équipe aussi le gros Sequoia. Pour sa part, le V6 de 236 chevaux est certifié ULEV (Ultra Low Emissions Vehicles). Les deux engins sont couplés à une boîte automatique à cinq rapports, d'un boîtier de transfert et d'un différentiel central

forces

- Une allure qui en impose
- De l'espace, du confort et du muscle
- Qualité de finition indéniable

faiblesses

- Suspension « généraliste » qui essaie de plaire à tout le monde
- Interrupteurs au design discutable
- Les demi-tours demandent de la place

nouveautés en 2007

- Groupe Sport de série dans SR5 V8

avec les coups, comme un boxeur agile. Cette sensation est exacerbée avec la suspension XREAS optionnelle. Pour passer de H4 à L4 (avec le V6), il convient de s'immobiliser. Même chose pour revenir à H4. On peut passer de quatre roues motrices à deux à n'importe quelle vitesse, mais l'inverse doit se faire en deçà de 100 km/h.

En plus d'être un tout-terrain émérite, le 4Runner adore l'électronique: un système de contrôle de la traction empêche le patinage des roues motrices; un système Auto LSD aide le précédent en gérant les performances du moteur et du freinage quand le patinage survient; un système de contrôle de la stabilité du véhicule (VSC) agit comme le LSD, mais au cours d'un dérapage et non d'un patinage; un système d'aide à la descente renforce le frein moteur dans une forte pente; un système empêche le véhicule de reculer pendant l'intervalle où le pied passe du frein à l'accélérateur.

CONCLUSION ▶ Que l'on rôde autour d'un centre commercial ou d'un lac à truites, le 4Runner insiste pour que tout se passe dans le plus grand confort possible... et abordable. Toyota nous a concocté là un cocon mobile fort séduisant.

Torsen qui se verrouille. Le V8 est doté d'un dispositif 4X4 permanent qui répartit d'ordinaire 60 % du couple vers l'arrière, alors que le V6 utilise un système sur demande. La version la plus huppée peut s'enorgueillir d'une suspension pneumatique à trois modes: normal, HI (on gagne 40 millimètres) et LO (on descend de 20 millimètres).

COMPORTEMENT ▶ Le fait que les quatre principales places offrent chacune une poignée de retenue en dit long sur le «brasse camarade» qui survient dès que le 4Runner s'engage dans un sentier inhospitalier. En fait, même sur une autoroute lisse comme un billard, l'utilitaire a tendance à ballotter comme une Grand Marquis de la belle époque. La suspension molle cherche à charmer l'utilisateur en roulant

FICHE TECHNIQUE

MOTEURS
(V6) V6 4,0 l DACT 236 ch à 5200 tr/min
couple: 266 lb-pi à 4000 tr/min
Transmission: automatique à 5 rapports
0-100 km/h: 9,3 s
Vitesse maximale: 175 km/h
Consommation (100 km): 11,9 l (octane: 87)

(V8) V8 4,7 l DACT 260 ch à 5400 tr/min
couple: 306 lb-pi à 3400 tr/min
Transmission: automatique à 5 rapports
0-100 km/h: 7,9 s
Vitesse maximale: 190 km/h
Consommation (100 km): 13,0 l (octane: 87)

Sécurité active
freins ABS, répartition électronique de force de freinage, assistance au freinage, antipatinage, contrôle de stabilité électronique (V8)

Suspension avant/arrière
indépendante/essieu rigide

Freins avant/arrière
disques

Direction
à crémaillère, assistée

Pneus
SR5 V6: P265/70R16, SR5 V8: P265/65R17, Limited: P265/65R18

DIMENSIONS
Empattement: 2790 mm
Longueur: 4805 mm
Largeur: 1910 mm
Hauteur: 1805 mm
Poids: SR5 V6: 1950 kg, Limited V6: 1975 kg, SR5 V8 Sport: 2043 kg, Limited V8: 2066 kg
Diamètre de braquage: 11,7 m
Coffre: 1195 l
Réservoir de carburant: 87 l
Capacité de remorquage: 2268 kg

2e opinion

Carl Nadeau • Le 4Runner est un utilitaire qui marie parfaitement le confort et un comportement routier digne d'une berline, avec des qualités hors-piste indéniables. Que l'on opte pour le V6 ou le V8, chacun tire sans problème une remorque de bonne dimension, quoique le V8 puisse supporter des charges plus lourdes, surtout grâce à sa suspension mieux adaptée. La consommation d'essence reste élevée, mais les qualités et la fiabilité du véhicule rendent les fréquentes visites à la pompe plus tolérables. L'habitacle est bien conçu, sauf les commandes de la climatisation et celles des vitres électriques qui sont presque cachées sous la poignée de porte.

AVALON

évolution | 39 900 $ à 46 825 $ | Transport et préparation : 1240 $

www.toyota.ca

FICHE D'IDENTITÉ

Version(s) : XLS
Roues motrices : avant
Portières : 4
Première génération : 1994
Génération actuelle : 2005
Construction : Georgetown, Kentucky, É.-U.
Sacs gonflables : 7, frontaux, latéraux avant, rideaux latéraux et au niveau des genoux du conducteur
Concurrence : Buick Lucerne, Chevrolet Impala, Chrysler 300, Dodge Charger, Ford Five Hundred, Hyundai Azera, Kia Amanti, Mercury Grand Marquis, Pontiac Grand Prix

AU QUOTIDIEN

Prime d'assurance :
25 ans : 2500 à 2700 $
40 ans : 1700 à 1900 $
60 ans : 1300 à 1500 $
Collision frontale : 5/5
Collision latérale : 5/5
Ventes du modèle l'an dernier
Au Québec : 311 **Au Canada :** 2115
Dépréciation (3 ans) : 47,4 %
Rappels (2001 à 2006) : 1
Cote de fiabilité : 5/5

FAUSSE MODESTIE

– **Hugues Gonnot**

Pourquoi acheter une Toyota Avalon, alors qu'une Lexus ES 350, pour rester dans la famille, est plus statutaire ? Justement, à cause du statut. L'Avalon est faite pour les gens qui recherchent une berline : elle est grande, mais avant tout discrète. Si la recette fonctionne plutôt bien aux États-Unis, l'Avalon se fait doublement discrète au Canada, à cause de ses ventes.

CARROSSERIE ► Pour sa troisième génération, Toyota a insufflé à l'Avalon un peu plus de personnalité. Bon, ce n'était pas bien difficile... Toyota a voulu ainsi dessiner son véhicule le plus américain. La dernière fois qu'on avait essayé cela, c'était avec la Solara, et on a vu à quoi cela a mené... Mais l'Avalon est plutôt réussie, même si elle possède un côté un peu massif, spécialement le coffre. Malheureusement, cela ne s'est pas fait au profit du volume de chargement, moindre par rapport à l'ancienne génération.

HABITACLE ► Plus longue que ses consœurs Camry et ES 350, l'Avalon propose de meilleures cotes d'habitabilité à tous les niveaux. C'est probablement le point fort du véhicule, celui qui le différencie le mieux dans la famille Toyota. Et, franchement, voilà un habitacle où il fait bon vivre : la position de conduite est impeccable ; les sièges sont confortables (mais ils manquent évidemment de soutien latéral) ; la qualité d'assemblage est excellente même si certains plastiques auraient mérité d'être plus flatteurs ; l'insonorisation est assez bluffante ; et même le similibois est plutôt de belle facture. L'équipement de série est déjà particulièrement complet. Et si vous trouviez la gamme 2006 trop compliquée avec ses deux modèles, elle a été simplifiée en 2007 : on a un modèle (XLS, la Touring disparaît) avec deux groupes d'options. Et c'est tout. Le groupe « Haut de gamme » ajoute une chaîne audio JBL Synthesis avec DSP, changeur de disques, 12 haut-parleurs et caisson de basse, essuie-

forces

- Groupe motopropulseur vivant
- Habitacle très agréable, à l'avant et à l'arrière
- Équipements

faiblesses

- Tenue de route encore un peu « pépère »
- Lignes assez anonymes
- Absence d'une version plus abordable

nouveautés en 2007

- Version Touring retirée du catalogue, capteur de pluie ajouté aux groupes d'options B et C

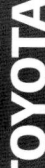

glaces automatiques et volant cuir et bois. L'autre ensemble ajoute la navigation par satellite et les commandes au volant.

MÉCANIQUE ► C'est toujours assez drôle d'imaginer la réaction des gens qui se font larguer au feu rouge par une « voiture de vieux ». Car il faut reconnaître que le passage du 3,0 litres au 3,5 litres a fait du bien à l'Avalon. Ce gain en puissance de 33 % est vraiment perceptible et permet de faire des dépassements en toute quiétude. D'autant que la boîte automatique à cinq rapports réagit avec douceur et célérité, ce qui n'a pas toujours été le cas chez Toyota. Pas sûr que le mode manuel sera souvent utilisé…

COMPORTEMENT ► Si vous vous attendiez à entendre parler ici de suspension sport abaissée, vous n'avez pas bien saisi la philosophie du véhicule. C'est-à-dire, très américaine : les suspensions sont souples (sans l'être exagérément) et la direction un peu trop assistée. On arrive quand même à sentir la route et à placer la voiture sans difficulté. En 2007, Toyota a corrigé l'un des principaux défauts de l'Avalon, c'est-à-dire l'absence d'aides à la conduite dans les équipements de série. Le contrôle de stabilité VSC, le contrôle de traction TRAC et l'assistance au freinage d'urgence sont désormais compris.

CONCLUSION ► Une expression dit : « Pour vivre heureux, vivons cachés. » L'Avalon doit être la berline des gens heureux. Elle ne manque pas de qualités pour les gens plus soucieux de leur confort que de leur image. Pour le prix demandé, elle en offre beaucoup et elle est même plutôt agréable à conduire grâce à un groupe motopropulseur plus vivant qu'avant. Mais les ventes ne décollent pas, à cause d'une recette qui paraît trop américaine pour bien des acheteurs canadiens. Ils trouvent l'ES 350 plus intéressante… à juste titre !

FICHE TECHNIQUE

MOTEUR
V6,3,5 l DACT 268 ch à 6200 tr/min
couple : 248 lb-pi à 4700 tr/min
Transmission : automatique à 5 rapports avec mode manuel
0-100 km/h : 6,6 s
Vitesse maximale : 215 km/h
Consommation (100 km) : 9,0 l (octane : 87)

Sécurité active
freins ABS, répartition électronique de force de freinage, assistance au freinage, antipatinage, contrôle de stabilité électronique

Suspension avant/arrière
indépendante

Freins avant/arrière
disques

Direction
à crémaillère, assistée

Pneus
P215/55R17

Dimensions
Empattement : 2820 mm
Longueur : 5010 mm
Largeur : 1850 mm
Hauteur : 1485 mm
Poids : 1615 kg
Diamètre de braquage : nd
Coffre : 408 l
Réservoir de carburant : 70 l

opinion

Michel Crépault • Toyota n'a jamais péché par excès et la limousine Avalon le prouve. Elle a néanmoins eu besoin de trois générations pour arriver à un résultat satisfaisant, c'est-à-dire une personnalité de grande voiture américaine, mais assemblée avec la minutie japonaise. L'intérieur reprend le charme bourgeois issu de l'union du cuir et du bois, à l'instar de Lexus. La sobriété du tableau de bord indique la direction néoclassique de belle facture qu'empruntent aussi les nouvelles Buick. Toyota répond à la principale critique en équipant l'Avalon d'un contrôle de stabilité, alors que la « sportive » Touring a été supprimée, confirmant le destin calme et rassurant qui attend les futurs acheteurs.

CAMRY

nouveauté | 25 800 $ à 37 425 $ |
Transport et préparation : 1240 $

www.toyota.ca

TOUJOURS MIEUX

– Benoit Charette

FICHE D'IDENTITÉ

Version(s) : LE, SE, LE V6, SE V6, XLE V6, Hybride
Roues motrices : avant
Portières : 4
Première génération : 1983
Génération actuelle : 2007
Construction : Georgetown, Kentucky, É.-U.
Sacs gonflables : 7, frontaux, latéraux avant, rideaux lat. et aux genoux pour le conducteur
Concurrence : Buick Allure, Chevrolet Epica et Malibu, Chrysler Sebring, Ford Fusion, Honda Accord, Hyundai Sonata, Kia Magentis, Mazda6, Mitsubishi Galant, Nissan Altima, Pontiac G6, Saturn Aura, Subaru Legacy, VW Passat

AU QUOTIDIEN

Prime d'assurance :
25 ans : 2500 à 2700 $
40 ans : 1700 à 1900 $
60 ans : 1300 à 1500 $
Collision frontale : 5/5
Collision latérale : 5/5
Ventes du modèle l'an dernier
Au Québec : 3921 **Au Canada :** 18 861
Dépréciation (3 ans) : 44,2 %
Rappels (2001 à 2006) : 4
Cote de fiabilité : nm

Le millésime 2007 est particulièrement important pour la Camry. En octobre 2005, Toyota rachetait 9,8 % du capital de Fuji Heavy Industries à GM. Six mois plus tard, Toyota annonçait un investissement de 230 millions de dollars dans l'usine Subaru de l'Indiana pour produire 100 000 Camry supplémentaires par an, et ce, dès le printemps de 2007. Cette nouvelle production épaulera l'usine de Georgetown, au Kentucky, qui produit déjà 120 000 Camry par année. La berline nippone, dont on a vendu plus de 10 millions d'unités depuis 1980, sera donc construite avec les Subaru B9 Tribeca, Outback ou Legacy. C'est aussi en février 2007 que la Camry fera son entrée dans le dernier bastion de la course américaine, le circuit NASCAR, aux côtés de la Ford Taurus, de la Charger de DaimlerChrysler et de la Monte Carlo de GM. Cela signifie qu'il y aura 70 millions d'amateurs qui verront cette voiture de course en action. Une vitrine qui vaut son pesant d'or.

CARROSSERIE ► Lorsque j'ai demandé à l'un des ingénieurs responsables de la nouvelle Camry, M. Sato, de me décrire ce véhicule, il m'a tout simplement répondu : « Tumara nai », ce qui signifie « ennuyeuse ». Donc, même les gens de Toyota avouent que la Camry n'a rien d'excitant. L'ingénieur, M. Sato, m'a ensuite expliqué que son travail avait consisté à améliorer les lignes et la conduite de la version 2007 pour attirer une nouvelle clientèle, mais sans déplaire aux acheteurs traditionnels. Une tâche difficile et un défi de taille !

Visuellement, en tout cas, la nouvelle génération de Camry se distingue de ses devancières. Difficile de dire si la voiture est jolie, mais on la remarque davantage sur la route. Ses rondeurs s'inspirent des Lexus, mais il n'y a là rien de transcendant. Même si la longueur totale ne change pas, l'empattement augmente de 55 millimètres et la largeur de 25 millimètres pour créer à l'intérieur une meilleure habitabilité. La version SE, qui pour une fois

forces
- Comportement routier amélioré
- Version SE véritablement sportive
- Moteur à six cylindres

faiblesses
- La silhouette manque encore de charme

nouveautés en 2007
- Nouveau modèle

mérite son appellation, possède son propre style qui met en valeur sa personnalité sportive avec l'ensemble de carrosserie complet : calandre exclusive, phares, becquet avant, aileron arrière et roues en aluminium de 17 pouces à six rayons.

HABITACLE ▶ Même si les dimensions de l'ancienne et de la nouvelle Camry sont à peu près semblables, l'aménagement de l'habitacle est différent. Les concepteurs ont dégagé plus d'espace aux endroits importants, par exemple pour les jambes et les épaules. Le tableau de bord a été refait complètement : il est plus bas et enveloppe mieux le conducteur.

Parmi les équipements de série de la Camry, mentionnons le système audio AM/FM/CD à six haut-parleurs, à capacité MP3/WMA et à miniprise pour iPod ; les cadrans à illumination Optitron, apparus chez Lexus il y a quelques années, qui ajoutent une touche d'élégance ; un volant inclinable et télescopique ; glaces et verrous de portières assistés ; régulateur de vitesse ; système d'accueil sans clé ; deux rétroviseurs extérieurs chauffants à télécommande ; et un système d'immobilisation du moteur. Avec tout cela, on a un modèle de base bien garni. De plus, Toyota n'a pas négligé la sécurité et la Camry est dotée de coussins gonflables aux genoux (de série) pour le conducteur et le passager avant, de coussins latéraux et d'autres en rideau. La sécurité active fait appel, de série, à des freins à disques plus gros à l'avant et à un système antiblocage avec dispositif d'assistance au freinage et répartiteur électronique de force de freinage. La version SE possède des sièges avant sport, un pommeau de levier de vitesses gainé de cuir, des garnitures de tableau de bord en aluminium et la compatibilité Bluetooth pour le système audio. Au sommet de l'échelle, la version XLE est d'un luxe comparable à celui des Lexus. Parmi ses caractéristiques de série, il y a le système Smart Key qui remplace la clé de contact par une télécommande portable ; le siège du conducteur à huit réglages assistés ; des sièges arrière à dossiers inclinables ; et un nouveau système de contrôle de la température bizone avec l'ioniseur Plasmacluster désodorisant, qui réduit les particules nocives en suspension dans l'habitacle, comme les microbes et les spores de champignons.

MÉCANIQUE ▶ Les versions LE et SE de base offrent la même mécanique quatre cylindres que l'an dernier, avec une boîte automatique à cinq rapports. La SE à quatre cylindres est toujours la seule Camry disponible avec une boîte manuelle. Vient ensuite le V6 qui propose maintenant une cylindrée de 3,5 litres et de 268 chevaux. Ce moteur est couplé à une boîte-pont automatique à six rapports, une innovation chez Toyota. La Camry peut aussi être pourvue d'un groupe propulseur synergétique (hybride) produisant 187 chevaux net, composé d'un moteur à essence à quatre cylindres de 2,4 litres et de 147 chevaux, et d'un moteur électrique compact de 45 chevaux (total : 192 chevaux). Le tout est couplé à une transmission à variation continue (CVT).

COMPORTEMENT ▶ Au chapitre de la conduite, les ingénieurs de Toyota se sont sur-

HISTOIRE ▼

Couronne pour couronne !

En 1983, Toyota, pour remplacer la Corona, lançait la berline Camry, un nouveau modèle aux formes anguleuses caractéristiques de cette époque. Le nom de la Camry est inspiré de l'expression japonaise Kan-Muri, qui signifie « couronne » – tout comme le mot Corona en espagnol ! Proposée sous forme de berline à quatre portes et de *hatchback* (la Liftback), la Camry acquiert rapidement une grande popularité. C'est le début d'une lignée de grandes générations de berline.

Camry Liftback 1985

Camry LE 1983

Camry 1987

Camry familiale 1989

Camry 1993

Camry familiale 1993

Camry SE V6 coupé 1994

Camry 1999

CAMRY

GALERIE ▼

1-2 • Le style et l'ambiance de la Camry sont différents selon la version. La plus sportive SE est offerte en finition aluminium. La classique et haut de gamme XLE offre un fini bois. Parmi les équipements de série de la Camry, notons le système audio AM/FM/CD à six haut-parleurs à capacité MP3/WMA et mini-prise pratique pour les propriétaires de iPod.

3-4 • Toyota a remplacé la clé traditionnelle par le système Smart Key, une télécommande qu'il vous suffit de garder sur vous pour contrôler la voiture. Rassurez-vous, il y a tout de même une clé si la batterie tombe en panne.

5 • Tout au haut de l'échelle, la version XLE offre un luxe comparable à une Lexus.

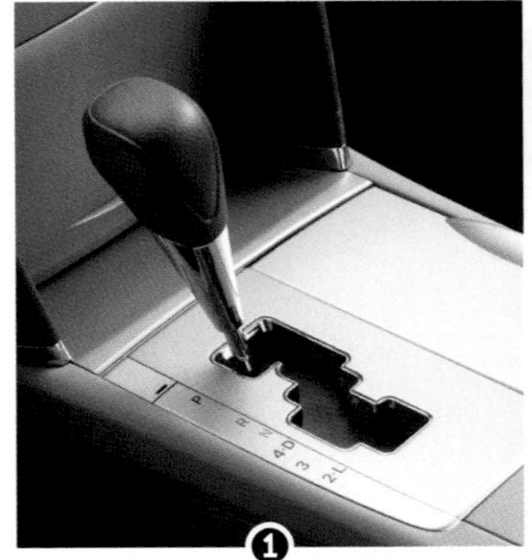

❶

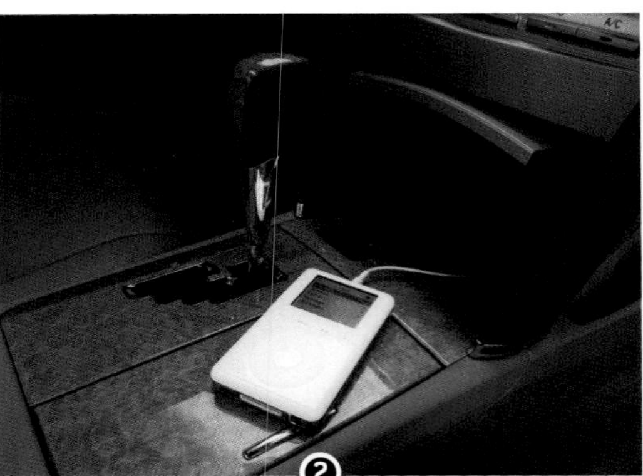

❷

❸

❹

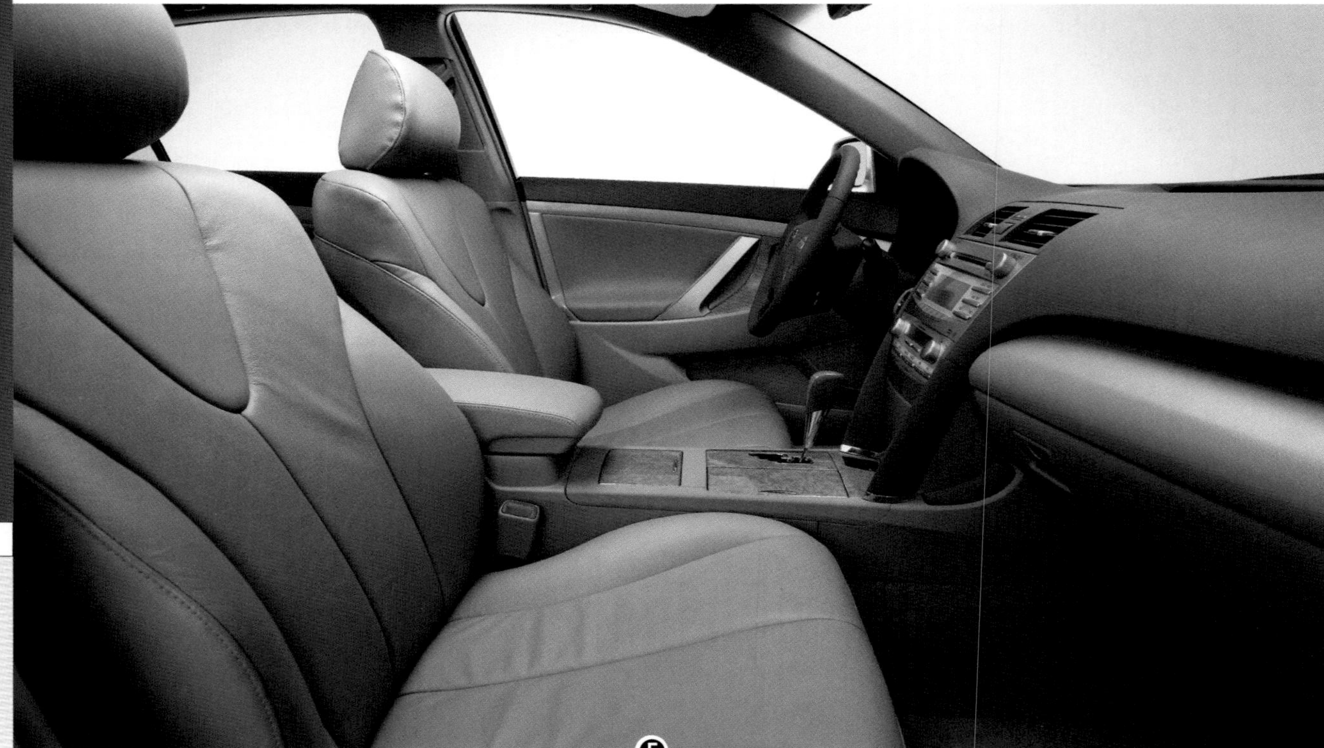

❺

passés. L'expérience au volant, qui était si ennuyeuse chez les anciennes générations, se corse enfin. La suspension est beaucoup plus réactive qu'avant et la rigidité accrue de la caisse donne une nouvelle assurance au véhicule qui ne perd pourtant rien de son confort. Pour la première fois, la version SE mérite véritablement son statut de sportive. Avec 268 chevaux sous le pied droit, une véritable suspension sport et des roues de 17 pouces, je dois avouer que je n'avais jamais pris un aussi vif plaisir au volant de la Camry. Le moteur à quatre cylindres comblera les besoins de ceux qui recherchent un moyen de transport fiable et confortable, et la version hybride met l'accent sur le confort avec une suspension un peu plus souple. En bref, il faudra essayer tous les modèles pour déterminer lequel convient le mieux à votre tempérament au volant.

CONCLUSION ▶ On n'imagine pas à quel point il était difficile pour les dessinateurs et les concepteurs d'améliorer une berline d'une si grande qualité et d'une fiabilité légendaire, mais on peut affirmer que Toyota a brillamment réussi sa mission. Il ne serait pas surprenant que la Camry conserve encore longtemps son titre de berline la plus vendue en Amérique du Nord. Malheureusement pour la concurrence, Toyota a encore haussé la barre dans cette catégorie. Le concepteur M. Sato avait bien expliqué sa mission: l'évolution dans la continuité. Il a réussi de superbe manière.

La Camry 2007 conserve toutes les qualités qui ont fait sa renommée et resserre les boulons un peu partout pour établir de nouvelles normes dans cette catégorie. Plus silencieuse, meilleur confort, plus plaisante à conduire, il faudra maintenant s'attaquer à la silhouette pour vraiment corriger tous les pépins. Heureusement qu'il lui reste encore des choses à corriger, mais ce sont des broutilles.

FICHE TECHNIQUE

MOTEURS

(LE, SE) L4 2,4 l DACT 158 ch à 6000 tr/min
couple: 161 lb-pi à 4000 tr/min
Transmission: manuelle à 5 rapports, automatique à 5 rapports en option (de série dans LE)
0-100 km/h: 9,8 s
Vitesse maximale: 190 km/h
Consommation (100 km): man.: 8,0 l, auto.: 8,2 l (octane: 87)

(LE V6, SE V6, XLE V6) V6 3,5 l DACT 268 ch à 6200 tr/min
couple: 248 lb-pi à 4700 tr/min
Transmission: automatique à 6 rapports avec mode manuel
0-100 km/h: 7,2 s
Vitesse maximale: 220 km/h
Consommation (100 km): 8,9 l (octane: 87)

(Hybride) L4 2,4 l DACT 187 ch à 6000 tr/min
couple: moteur à essence 138 lb-pi à 4400 tr/min
Transmission: automatique à variation continue
0-100 km/h: 8,9 s
Vitesse maximale: 200 km/h
Consommation (100 km): 5,7 l (octane: 87)

Sécurité active
freins ABS, répartition électronique de force de freinage, assistance au freinage, antipatinage et contrôle de stabilité électonique (SE V6, XLE V6, Hybride, en option dans LE V6)

Suspension avant/arrière
indépendante

Freins avant/arrière
disques

Direction
à crémaillère, assistée

Pneus
LE, LE V6, XLE V6 et Hybride: P215/60R16, SE, SE V6: P215/55R17

DIMENSIONS
Empattement: 2775 mm
Longueur: 4805 mm
Largeur: 1820 mm
Hauteur: 1460 mm
Poids: LE: 1500 kg, SE: 1490 kg, LE V6: 1570 kg, SE V6: 1580 kg, XLE V6: 1595 kg, Hybride: 1669 kg
Diamètre de braquage: 11,0 m
Coffre: 425 l, Hybride: 300 l
Réservoir de carburant: 70 l, Hybride: 65 l

opinion

Nadine Filion • Maintenant qu'elle arbore des lignes élégantes, voire sexy, quels prétextes les acheteurs de berlines intermédiaires peuvent-ils fournir pour ne pas acquérir une Toyota Camry ? L'habitacle est de qualité Lexus : irréprochable. Si le « petit » moteur se montre discipliné et de bonne volonté, le V6 de 3,5 litres promet beaucoup d'action. Cette motorisation ultrasouple est couplée à la première séquentielle automatique six rapports de Toyota, aux passages doux et aux rapports bien étagés. La version SE, avec sa suspension plus ferme et sa direction plus incisive, n'a rien d'ennuyeux. Qui aurait cru qu'on aurait un jour envie de rouler à fond de train au volant d'une Toyota Camry ?

COROLLA

évolution | 15 785 $ à 21 900 $ |
Transport et préparation : 1140 $

www.toyota.ca

DORMIR AU VOLANT

– **Pascal Boissé**

FICHE D'IDENTITÉ

Version(s) : CE, Sport, LE
Roues motrices : avant
Portières : 4
Première génération : 1966
Génération actuelle : 2003
Construction : Cambridge, Ontario, Canada
Sacs gonflables : 2, frontaux, (latéraux av. et rideaux lat. en option dans LE)
Concurrence : Chevrolet Cobalt, Ford Focus, Honda Civic, Hyundai Elantra, Kia Spectra, Mazda3, Mitsubishi Lancer, Nissan Sentra, Pontiac G5, Saturn ION, Suzuki Aerio, Subaru Impreza, VW Rabbit et Jetta City

AU QUOTIDIEN

Prime d'assurance :
25 ans : 2100 à 2300 $
40 ans : 1200 à 1400 $
60 ans : 1000 à 1200 $
Collision frontale : 5/5
Collision latérale : 4/5
Ventes du modèle l'an dernier
Au Québec : 14 774 **Au Canada :** 46 533
Dépréciation (3 ans) : 38,6 %
Rappels (2001 à 2006) : aucun à ce jour
Cote de fiabilité : 5/5

La Corolla est une voiture sans histoire. Fiable, pratique et bien construite, certes, mais qui manque tout de même de saveur. De plus, la version sportive XRS disparaît pour l'année-modèle 2007. Il faut aussi savoir que la vie de cette Corolla de neuvième génération a été prolongée d'un an par Toyota qui ne la remplacera pas avant 2009. C'est une bonne nouvelle pour ceux qui comptaient acheter une Corolla cette année: sa valeur de revente, déjà très robuste, sera préservée pour encore douze mois. Pour le reste, la Corolla poursuit sa carrière, mais, sous certains aspects, elle commence à accuser son âge.

CARROSSERIE ► Maintenant que la Corolla XRS est chose du passé, il ne subsiste plus que la très générique berline Corolla, qui semble avoir été dessinée par des chercheurs tentant de trouver un remède durable à l'insomnie chronique. C'est sexy comme un ensemble laveuse-sécheuse et aussi stimulant qu'un rendez-vous chez votre fiscaliste. Mais il faut comprendre que cette brave berline ne prétend plus à rien d'autre que d'être une commodité qui permet d'aller du point A au point B, sans se poser trop de questions. Et le style de sa carrosserie annonce la couleur sans ambiguïté. Bien entendu, Toyota propose toujours, en option, becquets, jupes latérales et ailerons pour épicer votre Corolla et lui donner l'air menaçant d'un Teletubby en colère.

HABITACLE ► Si les proportions de la Corolla paraissent un peu gauches de l'extérieur et que son pavillon semble trop élevé, c'est parce que l'intérieur est très vaste. Les places arrière sont particulièrement généreuses pour la catégorie, et le coffre est du côté favorable de la moyenne. Dans l'ensemble, les matériaux intérieurs sont de bonne qualité et l'assemblage est irréprochable. Le dessin de la planche de bord n'est pas très inspiré, mais les commandes ont l'avantage d'être claires et bien disposées. Bien des gens ont noté que la position de conduite au volant de la Corolla ne

forces
- Fiabilité
- Qualité d'assemblage
- Valeur de revente
- Vaste habitacle
- Moteur sobre

faiblesses
- Position de conduite pas adaptée à toutes les morphologies
- Tenue de route soporifique
- Performances ternes

nouveautés en 2007
- Disparition de la version XRS

La tenue de route, prévisible comme il se doit dans ce type de voiture, est sous-vireuse. Dans les virages, le roulis vous rappelle rapidement à l'ordre si vous manifestez trop d'enthousiasme. Vous l'aviez déjà compris: la Corolla n'est pas une sportive. Si vous recherchez une compacte au comportement plus dynamique, il vaut mieux regarder du côté de la Honda Civic ou de la Mazda3. Comme c'est trop souvent le cas chez Toyota, on

leur permet pas de trouver un réglage confortable du siège. Cela est particulièrement vrai pour ceux qui ont de longues jambes, ce qui est loin d'être mon cas!

MÉCANIQUE ► Il ne reste plus que le vaillant 1,8 litre avec ses 126 chevaux (en baisse de 4 chevaux pour 2007) pour garder le fort. Ses principales qualités sont sa fiabilité et sa frugalité. En effet, ce moteur consomme très peu mais, en contrepartie, il ne faut pas s'attendre à des performances éclatantes.

COMPORTEMENT ► Bien que la direction de la Corolla soit précise, la souplesse de sa suspension et son insonorisation efficace vous privent d'une partie des sensations de la route.

peut déplorer la piètre performance des pneus proposés en équipement de base. On peut aussi regretter la disparition des pneus et des jantes de 16 pouces qui étaient une exclusivité du modèle XRS et qui donnaient un peu plus d'aplomb à la Corolla. Autre disparition remarquée: les freins à disques à l'arrière, eux aussi exclusifs à la XRS.

CONCLUSION ► Avec sa valeur de revente élevée, la Corolla est un investissement rationnel. Sa fiabilité légendaire vous apportera des années de bons et loyaux services. Et, après plusieurs années de ce régime, lorsque vous entendrez parler de «plaisir de conduire» ou de «tenue de route sportive», vous hausserez probablement les épaules avec indifférence.

FICHE TECHNIQUE

MOTEUR
L4 1,8 l DACT 126 ch à 6000 tr/min
couple: 122 lb-pi à 4200 tr/min
Transmission: manuelle à 5 rapports, automatique à 4 rapports (option)
0-100 km/h: 10,5 s
Vitesse maximale: 185 km/h
Consommation par 100 km: man.: 6,2 l, auto.: 6,7 l (octane: 87)

Sécurité active
freins ABS et répartition électronique de force de freinage (Sport et LE)

Suspension avant/arrière
indépendante/semi-indépendante

Freins avant/arrière
disques/tambours

Direction
à crémaillère, assistée

Pneus
CE: P185/65R15, Sport et LE: P195/65R15

DIMENSIONS
Empattement: 2600 mm
Longueur: 4530 mm
Largeur: 1700 mm
Hauteur: CE et LE: 1480 mm, Sport: 1485 mm
Poids: CE: 1145 kg, Sport: 1155 kg, LE: 1185 kg
Diamètre de braquage: 10,7 m
Coffre: 385 l
Réservoir de carburant: 50 l

Jean-Pierre Bouchard • Après quarante ans d'existence, la Corolla a-t-elle vraiment besoin de présentation? Au fil des ans, la berline s'est démarquée par sa fiabilité, son économie de carburant et sa bonne valeur de revente. Au chapitre de l'agrément de conduite, elle s'est toutefois fait surpasser par les Mazda3 et Honda Civic. Au nombre des concurrentes figurent aussi les Hyundai Elantra et Kia Spectra, qui ont réussi des avancées importantes sur le plan de la qualité de conception. Cela dit, la Corolla n'est pas une mauvaise affaire. Elle est toutefois trop conservatrice et sa conduite n'est pas inspirante. De plus, les occupants de grande taille se retrouveront dans une étrange position de conduite.

FJ CRUISER

nouveauté | 29 990 $ à 37 080 $

Transport et préparation : 1390 $

www.toyota.ca

FICHE D'IDENTITÉ

Version(s) : unique
Roues motrices : 4
Portières : 4
Première génération : 2007
Génération actuelle : 2007
Construction : Georgetown, Kentucky, É.-U.
Sacs gonflables : 2, frontaux (latéraux avant et rideaux latéraux en option)
Concurrence : Hummer H3, Jeep Wrangler, Land Rover LR2, Nissan Xterra

AU QUOTIDIEN

Prime d'assurance :
25 ans : 3200 à 3400 $
40 ans : 2200 à 2400 $
60 ans : 1900 à 2100 $
Collision frontale : nd
Collision latérale : nd
Ventes du modèle l'an dernier
Au Québec : nm **Au Canada :** nm
Dépréciation (3 ans) : nm
Rappels (2001 à 2006) : nm
Cote de fiabilité : nm

FUSION DE STYLES DE VIE

– Michel Crépault

Un autre utilitaire? *Yep!* Mais celui-là a de l'histoire. Déjà, en 1935, la compagnie Toyoda (oui, avec un «d») construisait son premier camion, le G1. De 1951 à 1955, Toyota (oui, avec un «t») produisait le BJ, un genre de jeep. Son remplaçant fut le FJ25, lequel débarquait en 1958 en Amérique du Nord sous le nom de Land Cruiser. Cette fois, ce nom vous dit quelque chose! Pas surprenant, puisque Toyota construit encore des Land Cruiser. En fait, la série 120, appelée Prado ailleurs dans le monde, est devenue le Toyota 4Runner et le Lexus GX 470 chez nous. Le FJ Cruiser de notre histoire représente le neuvième modèle de la famille Land Cruiser...

CARROSSERIE ▶ Le FJ Cruiser est un héritier du FJ40, légendaire baroudeur produit pendant vingt-quatre ans et le plus vendu des véhicules Toyota aux États-Unis dans les années 1960. À l'époque, le FJ40 avait déjà un toit blanc.

Akio Nishimura, l'ingénieur en chef du projet FJ Cruiser, rappelle qu'il avait montré le prototype à Detroit en 2003. Toyota n'avait pas alors l'intention de le commercialiser, mais l'enthousiasme du public lui a fait changer d'idée. À partir d'une plateforme modifiée du Prado, on avait l'objectif de créer un véhicule incomparable dans le hors-piste, respectant ainsi le legs du FJ40.

En fait, Nishimura-san a travaillé pendant dix ans au développement du pick-up compact Tacoma. Le comportement 4X4, il connaît. Bien sûr, un châssis rigide était obligatoire, de même qu'une garde au sol élevée. Comme sur le FJ40 original, les portières arrière pivotent à l'envers, de type «suicide». La première fois, j'ai tâtonné du bras pour trouver la poignée intérieure.

Outre le toit blanc, les gros rétroviseurs extérieurs, les phares et les feux arrière ronds, la plaque d'immatriculation placée dans le coin droit et le pare-brise vertical doté de trois essuie-glaces contribuent au

forces
- Extérieur truffé de belles idées
- Intérieur convivial
- Réelles capacités hors route
- Confort routier surprenant

faiblesses
- Difficile de s'en procurer une

nouveautés en 2007
- Nouveau modèle

look à la fois rétro et moderne. Voilà un Tonka pour adultes avec lequel on veut s'amuser !

HABITACLE ► Les sièges avant, très confortables, comptent plusieurs réglages manuels. À l'arrière, on loge des passagers ou de l'équipement en rabattant la banquette. On peut aussi carrément déboulonner les sièges arrière avec l'outil fourni. La lunette du hayon s'ouvre pour vous permettre de pêcher un objet dans l'espace de chargement. La sellerie en tissu est imperméable et le plancher caoutchouté se lave en un tour de main. Amenez-en du barda dégoûtant !

Des six haut-parleurs de série, deux sont logés dans le plafond pour créer une « pluie de décibels ». Une première mondiale. Optionnelle, la sono FJAMMER ajoute deux autres haut-parleurs dans les piliers D pour générer un effet surround. Le sonar de recul est lui aussi facultatif, tout comme le bloc de trois cadrans très cool monté sur le tableau de bord, comprenant un thermomètre extérieur, une boussole et un inclinomètre.

Seuls les sacs gonflables avant sont livrés de série. Pour des coussins latéraux et des rideaux aux glaces, sortez le chéquier. Le FJ Cruiser se décline en un modèle de base et deux versions améliorées selon le kit choisi (régulateur de vitesse, porte-bagages, etc.), avec une panoplie d'accessoires dignes d'Indiana Jones.

MÉCANIQUE ► Si vous choisissez la manuelle à six vitesses pour favoriser la conduite sportive et l'économie de carburant, votre dispositif 4X4 sera permanent. Un différentiel central Torsen répartit le couple entre les essieux, selon la vitesse de rotation des roues, ce qui autorise la permanence du 4X4 sans hériter des effets de cisaillement. Le levier de la boîte de transfert permet de rouler en haute ou basse gamme.

Par contre, avec l'option de la transmission automatique à cinq rapports, l'acheteur obtient une motricité intégrale sur demande. Ce système, identique à celui des Tundra et Tacoma, peut être engagé jusqu'à 100 km/h par le conducteur. Il n'y a donc pas de différentiel central, mais un boîtier de transfert (HI ou LO). L'automatique peut également s'offrir un différentiel arrière à verrouillage qui forcera les deux roues à tourner à la même vitesse : celle qui aura la meilleure adhérence aidera le véhicule à se sortir de l'impasse. Une option populaire auprès des adeptes du hors-piste.

La suspension a été conçue pour réussir deux types d'exploits en apparence contradictoires : assurer le confort des occupants sur l'autoroute, puis le passage de ces mêmes personnes dans des sentiers biscornus. Des barres stabilisatrices aux extrémités veillent à maîtriser les secousses.

Freins ABS, dispositif de contrôle de la stabilité (VSC) et régulateur de traction (TRAC) sont de série. L'option : un TRAC dit « actif » qui utilise les freins pour maximiser la traction. Un outil idéal pour la personne qui recherche le hors-piste, mais qui n'écarte pas un surplus de technologie pour l'aider. Le système, activé à partir d'un bouton du tableau de bord, se désactive dès que la vitesse excède 40 km/h.

Tout cela est animé par un emprunt au 4Runner et au Tacoma : un V6 en aluminium de 4,0 litres à 24 soupapes et système VVT-i.

HISTOIRE ▼

Plus terre-à-terre

Certains organisateurs de safaris d'Afrique ne jurent que par le Land Cruiser pour rouler dans la savane. Cette réputation de robustesse, les gurus du marketing de Toyota tentent de l'adjoindre au FJ Cruiser, prétendant même que ce dernier « descend » du Land Cruiser. Une exagération ?

BJ 1950

Land Cruiser 40 1960

Land Cruiser 50 1967

FJ 45 1975 à 6 roues

Land Cruiser 60 1980

Land Cruiser 78 1999 militaire

Land Cruiser 2005

FJ CRUISER

GALERIE ▼

1 • Avec l'option de la transmission automatique à cinq rapports, l'acheteur obtient une motricité intégrale sur demande.
2 • Le tableau de bord aux couleurs de la carrosserie renforce l'allure « Tonka » du véhicule.
3 • Si vous allez en forêt, les rétroviseurs extérieurs rabattables sont pratiques quand l'espace entre deux arbres est restreint.
4 • Le pneu de secours gêne l'accès à l'espace de chargement par la lunette arrière.
5 • Les sièges avant, très confortables, comptent plusieurs réglages manuels. À l'arrière, on choisit soit des passagers, soit de l'équipement de loisir en rabattant la banquette. On peut aussi carrément déboulonner les places arrière avec l'outil fourni.

❶

❷

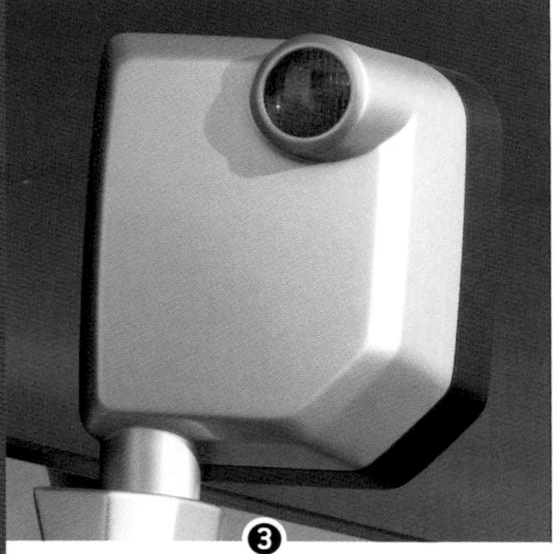

❸

❹

❺

FJ CRUISER

Il développe 239 chevaux et 278 livres-pied de couple à 3800 tours/minute ; il boit raisonnablement et pollue peu.

COMPORTEMENT ► Qu'on se le dise, ce FJ Cruiser, aussi beau soit-il (ma femme l'adore !), n'est pas de la frime. Il a véritablement été conçu pour être brassé. Stephen Beatty, l'un des directeurs de Toyota Canada, affirme « qu'il n'y a rien, mais absolument rien de plus robuste qu'un camion Toyota ». C'est drôle, j'ai l'impression d'entendre des gens de Ford... Il est vrai que, de la part d'un constructeur sur le point de devenir le plus important du monde, l'affirmation a du poids. Et Toyota aime les défis: elle a beau détenir près de 15 % du marché nord-américain des berlines (merci Camry, Corolla et Matrix !), elle ne détient que 5,5 % du marché des camions. La venue du FJ Cruiser devrait l'aider à corriger cette faiblesse.

En tout cas, lors du lancement du véhicule, j'ai escaladé des amas de roches que je n'aurais jamais défiées avec mon propre camion ! J'ai pu entendre et ressentir tout le bataclan électronique cliquer et ronronner pour gagner du terrain, centimètre par centimètre. Croyez-moi sur parole: ce FJ Cruiser a des gènes de chèvre de montagne ! Grâce à ses généreux angles d'approche (34 degrés) et de départ (31 degrés), à ses roues de 17 pouces et à son blindage sous le châssis, il vient à bout de sentiers très inhospitaliers. Solide et têtu, il peut remorquer jusqu'à 2268 kilos (5000 livres).

Mais la plus grande surprise est venue sur l'autoroute. Après m'avoir démontré qu'il pouvait s'écarteler les quatre roues pour gravir à peu près n'importe quoi, je m'attendais à un confort relatif sur le vrai plancher des vaches. Nenni. Le FJ Cruiser avance sur l'asphalte avec la sérénité d'une berline cossue. Même le pare-brise, pourtant aussi aérodynamique qu'un frigo, réprime ses bruits parasites.

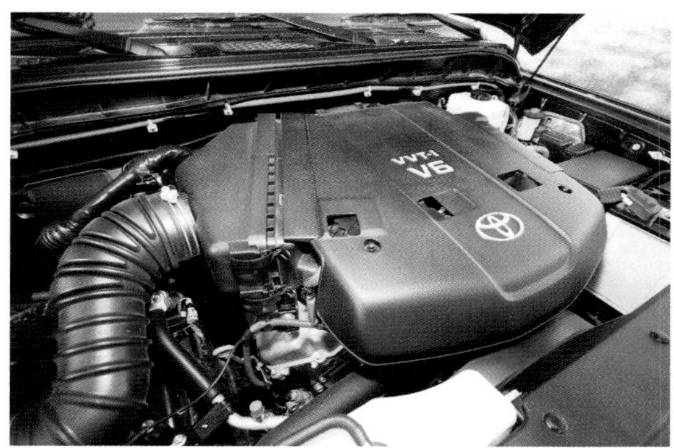

CONCLUSION ► Les 400 premiers FJ Cruiser promis pour le Québec avaient déjà trouvé preneur au moment d'écrire ces lignes. De toute évidence, Toyota a fait mouche.

FICHE TECHNIQUE

MOTEUR
V6 4,0 l DACT 239 ch à 5200 tr/min
couple : 278 lb-pi à 3800 tr/min
Transmission : manuelle à 6 rapports, automatique à 5 rapports en option
0-100 km/h : 8,1 s
Vitesse maximale : 185 km/h
Consommation (100 km) : man. : 12,9 l, auto. : 12,0 l (octane : 91)

Sécurité active
freins ABS, répartition électronique de force de freinage, assistance au freinage, antipatinage, contrôle de stabilité électronique

Suspension avant/arrière
indépendante/essieu rigide

Freins avant/arrière
disques

Direction
à crémaillère, assistée

Pneus
P265/70R17

DIMENSIONS
Empattement : 2690 mm
Longueur : 4670 mm
Largeur : 1905 mm
Hauteur : 1830 mm
Poids : 1946 kg, auto. : 1948 kg
Diamètre de braquage : 12,7 m
Coffre : 790 l, 1890 l (sièges abaissés)
Réservoir de carburant : 72 l
Capacité de remorquage : 2268 kg

2e opinion

Luc Gagné • On achète un Toyota FJ Cruiser pour s'affirmer, c'est évident. Bien qu'il soit un proche parent du tout-terrain 4Runner, sa carrosserie qui lui donne une allure de Hot Wheels grandeur nature ne facilite toutefois pas la vie à son conducteur, pas plus en ville où ces véhicules vont passer l'essentiel de leur existence, qu'en forêt, lieu qu'ils ne visiteront sans doute que rarement. Le FJ Cruiser passe partout, certes, mais sa surface vitrée réduite et ses angles morts démoniaques ne permettent pas toujours de savoir où et sur quoi l'on passe, surtout lorsqu'on recule. Un féru de conduite hors route préférera un Jeep Wrangler à ce 4X4 aux allures hollywoodiennes, c'est sûr.

HIGHLANDER

évolution | 37 855 $ à 53 245 $
Transport et préparation : 1390 $

www.toyota.ca

FICHE D'IDENTITÉ

Version(s) : 4RM V6, 4RM V6 7 passagers, Hybride, Hybride Limited
Roues motrices : avant, 4
Portières : 4
Première génération : 2001
Génération actuelle : 2001
Construction : Georgetown, Kentucky, É.-U.
Sacs gonflables : 2, frontaux (latéraux et rideaux latéraux avant et arrière en option dans 4RM V6)
Concurrence : Buick Rendezvous, Chrysler Pacifica, Ford Freestyle, GMC Acadia, Honda Pilot, Hyundai Santa Fe, Mitsubishi Endeavor, Nissan Murano, Saturn Outlook, Subaru B9 Tribeca

AU QUOTIDIEN

Prime d'assurance :
25 ans : 3200 à 3400 $
40 ans : 2200 à 2400 $
60 ans : 1700 à 1900 $
Collision frontale : 5/5
Collision latérale : 5/5
Ventes du modèle l'an dernier
Au Québec : 608 **Au Canada :** 4621
Dépréciation (3 ans) : 41,4 %
Rappels (2001 à 2006) : 3
Cote de fiabilité : 5/5

MÉLANGE GÉNÉTIQUE

– Benoit Charette

Le Highlander, c'est pour ainsi dire une sorte d'entre-deux : il utilise la plateforme et la mécanique de l'ancienne Camry, mais il est aussi le frère de sang du Lexus RX 350, avec lequel il partage la motorisation hybride. On peut donc considérer le Highlander ou bien comme une version familiale de la Camry, ou bien comme un Lexus RX qui coûterait 15 000 $ de moins.

CARROSSERIE ► Lorsque Toyota a lancé le Highlander en 2001, la firme nippone répondait à un besoin grandissant des consommateurs nord-américains. L'engouement pour les utilitaires était alors à son paroxysme et beaucoup délaissaient la voiture et la fourgonnette au profit des VUS. Le Highlander incarna donc une transition douce vers les utilitaires. À la vérité, il s'agit plutôt d'une familiale aux quatre roues motrices. De par sa conception de base et son châssis monocoque, c'est un « tout-chemin », et non pas un tout-terrain.

HABITACLE ► Tout est d'abord et avant tout fonctionnel dans le Highlander. Du climatiseur au régulateur de vitesse en passant par le lecteur de CD, la version de base est bien équipée. Il faut aller du côté de la version Limited pour voir du cuir et un peu de luxe. Dans l'ensemble, les sièges sont confortables et les commandes, bien disposées. Une seule chose semble agacer un certain nombre de propriétaires que j'ai interrogés : plusieurs ont eu du mal à s'habituer à la boîte automatique dans la console centrale, et ils la trouvent plus gênante que pratique. Mais c'est là la seule critique, et ce n'est pas bien grave. Comme toujours, Toyota a réussi à construire un véhicule irréprochable sur le plan de la finition et de l'assemblage, qui surpasse même certaines voitures américaines qui se vendent 20 000 ou 25 000 $ de plus.

MÉCANIQUE ► Le V6 est proposé en version régulière ou avec la technologie Hybrid Synergy. Le V6 de 3,3 litres produit 215 chevaux, une

forces
- Intérieur bien aménagé
- Tenue de route rassurante
- Excellent rapport qualité/prix

faiblesses
- Troisième rangée uniquement disponible avec la version Limited
- Capacité de remorquage moyenne

nouveautés en 2007
- Aucun changement majeur

puissance tout en souplesse. Le même moteur, avec l'aide d'une génératrice électrique, atteint la puissance de 268 chevaux dans sa version hybride. Disponible en versions à deux ou à quatre roues motrices, le Highlander propose l'approche citadine. Suspension indépendante aux quatre roues avec amortisseurs réglés pour un confort optimal, le bitume étant son territoire de prédilection. Le système quatre roues motrices divise l'adhérence également (50/50) entre les roues avant et arrière. Pour les gens qui se questionnent quant à la pertinence du modèle hybride, disons que la puissance est quelque peu supérieure, et l'économie d'essence aussi, mais pas assez pour justifier son prix plus élevé. Autrement dit, les économies de carburant ne couvrent pas vraiment les frais supplémentaires exigés pour la technologie hybride.

COMPORTEMENT ► Aisance, confort et espace seraient les meilleurs qualificatifs pour décrire en trois mots l'expérience de conduite du Highlander. Un véhicule pratique, bien conçu, qui offre les mêmes avantages que le RX 350, mais qui est moins cher. En ce qui a trait au freinage, le Highlander bénéficie de quatre freins à disques avec ABS et profite aussi du système EBD (Electronic Brake Force Distribution). Si pour vous le confort l'emporte sur le reste, peu de véhicules peuvent égaler le Highlander. Son châssis monocoque lui donne un avantage indéniable. De plus, le grand silence de roulement confère à l'habitacle un calme douillet et la suspension bien calibrée assure une conduite très reposante.

CONCLUSION ► Le Highlander, c'est le gros bon sens. C'est un véhicule bien construit, très agréable à conduire, vendu à un prix réaliste. La version de base, avec les sièges en tissu, propose le meilleur rapport qualité/prix. Avec l'ajout de la transmission quatre roues motrices, vous ferez une très bonne affaire et oublierez peut-être le nom de votre garagiste.

FICHE TECHNIQUE

MOTEURS

(4RM V6) V6 3,3 l DACT 215 ch à 5600 tr/min
couple : 222 lb-pi à 3600 tr/min
Transmission : automatique à 5 rapports
0-100 km/h : 10,5 s
Vitesse maximale : 178 km/h
Consommation (100 km) : 10,9 l (octane : 87)

(Hybride) V6 3,3 l DACT + électrique à aimant permanent 268 ch à 5600 tr/min
couple : 212 lb-pi à 4400 tr/min
Transmission : automatique à variation continue
0-100 km/h : 7,8 s
Vitesse maximale : 180 km/h
Consommation (100 km) : 7,8 l (octane : 87)

Sécurité active
freins ABS, antipatinage, contrôle de stabilité électronique, assistance au freinage, distribution électronique de force de freinage

Suspension avant/arrière
indépendante

Freins avant/arrière
disques

Direction
à crémaillère, assistée

Pneus
P225/70R16, Hybride : P225/65R17

DIMENSIONS

Empattement : 2715 mm
Longueur : 4689 mm, Hybride : 4710 mm
Largeur : 1826 mm
Hauteur : 1735 mm, Hybride : 1745 mm
Poids : 5 pass. : 1760 kg, 7 pass. : 1785 kg, Hybride : 1900 kg, Hybride Limited : 1925 kg
Diamètre de braquage : 11,4 m
Coffre : 5 pass. : 1124 l, 7 pass. : 297 l, 2282 l (sièges abaissés)
Réservoir de carburant : 72,5 l, Hybride : 65 l
Capacité de remorquage : 1587 kg

opinion

Pascal Boissé • Alors que l'on dénigre les VUS en général, le Highlander, avec son profil de familiale, semble immunisé contre la critique. Peut-être parce qu'on se demande s'il s'agit là d'un utilitaire sport ou d'une simple familiale à traction intégrale. Tout comme sa cousine la Camry, c'est un véhicule rationnel, pratique et bien pensé. Il vous donnera des années de bons et loyaux services, sans vous causer le moindre souci, mais sans provoquer chez vous la moindre émotion. Pour la plupart des acheteurs, le Highlander est simplement une alternative intéressante à une fourgonnette. Les plus écolos (et les plus fortunés…) peuvent s'offrir la motorisation hybride.

MATRIX

évolution | 17 200 $ à 21 465 $ |
Transport et préparation : 1140 $

www.toyota.ca

FICHE D'IDENTITÉ

Version(s) : Base, XR
Roues motrices : avant
Portières : 4
Première génération : 2003
Génération actuelle : 2003
Construction : Cambridge, Ontario, Canada
Sacs gonflables : 2, frontaux
Concurrence : Chevrolet Optra et HHR, Chrysler PT Cruiser, Dodge Caliber, Ford Focus, Kia Spectra5, Mazda3 Sport, Pontiac Vibe, Subaru Impreza, Suzuki SX4, Volkswagen Rabbit

AU QUOTIDIEN

Prime d'assurance :
25 ans : 2100 à 2300 $
40 ans : 1400 à 1600 $
60 ans : 1000 à 1200 $
Collision frontale : 5/5
Collision latérale : 5/5
Ventes du modèle l'an dernier
Au Québec : 7529 **Au Canada :** 24 048
Dépréciation (3 ans) : 30,8 %
Rappels (2001 à 2006) : aucun à ce jour
Cote de fiabilité : 5/5

EFFICACE À TOUT POINT DE VUE !

– Antoine Joubert

Ayant abandonné la Corolla familiale au milieu des années quatre-vingt-dix, Toyota a choisi par le fait même de délaisser un segment de véhicules qui allait connaître seulement quelques années plus tard, une remontée importante en termes de popularité. Le succès soudain des Mazda Protegé5, Chrysler PT Cruiser et autres voitures du genre a confirmé au géant japonais qu'on ne pouvait ignorer cette catégorie. Ainsi est donc née la Matrix, une familiale directement dérivée de la Corolla, qui connaît depuis son lancement, un succès enviable.

CARROSSERIE ► C'est en 1983 que Toyota a accouché d'une première familiale (la Tercel) aux formes inhabituelles. À l'époque, elle se distinguait notamment par de longues glaces latérales arrière et par un hayon auquel semblait être greffé un guichet automatique. Aujourd'hui, c'est la Matrix qui reprend ce flambeau. Contrairement à plusieurs familiales plus conventionnelles (Optra, Focus, etc..), la Matrix plaît à tous et particulièrement à la gente féminine qui désire de plus en plus se faire voir à bord d'une voiture au look jeune et dynamique. Proposant des lignes très aguichantes, la Matrix est toutefois plus sobre d'apparence que sa jumelle (la Vibe), faisant fi de ces larges moulures latérales et du porte-bagages, qui alourdissent l'ensemble. Cependant, je dois reconnaître que les jupes de bas de caisse, les jantes d'alliage et cadres de glace peints en noir de la version XR habillent très bien cette voiture qui, en modèle de base, semble un peu dépouillée.

HABITACLE ► Commençons tout de suite en mentionnant que la Matrix propose un volume de chargement très intéressant, même lorsque les sièges sont relevés. Seule la forme descendante du pavillon vers l'arrière pose problème lorsque vient le temps de transporter de gros objets. À l'avant, les occupants ont droit à des sièges un tantinet trop mous et qui manquent visiblement de soutien latéral. Toutefois, ces derniers ne sont pas inconfortables pour autant et contribuent

forces
- Très faible appétit en carburant
- Ligne séduisante
- Polyvalence de l'habitacle
- Fiabilité éprouvée
- Faible dépréciation

faiblesses
- Version de base fade
- Moteur bruyant
- Diamètre de braquage trop grand

nouveautés en 2007
- Version XRS et traction intégrale discontinuées

71 % du carburant utilisé par la Chevrolet Aveo qui m'a suivi tout au long du périple. En fait, on ne peut reprocher à ce moteur que d'être un tantinet trop bruyant. En ce qui concerne la version XRS à moteur de 170 chevaux, elle tire cette année sa révérence. Il en va de même pour la Matrix à traction intégrale qui, avec ses 123 chevaux et sa boîte automatique, était d'une lenteur déconcertante.

tout de même à diminuer votre fatigue lors de longs trajets. La planche de bord, similaire à celle de la Vibe, propose une instrumentation plus *jazzée* qu'à l'habitude (merci Pontiac), les cadrans cerclés de chrome et le faux aluminium brossé n'étant pas dans les mœurs *Toyotaiens!* Quant à l'assemblage effectué par nos voisins ontariens, il est à l'abri de tout reproche. Il faut dire que l'excellente qualité des matériaux contribue à leur faciliter la tâche.

MÉCANIQUE ▶ La Matrix propose un moteur de 1,8 litre de 130 chevaux, qui effectue du bon boulot. Avec lui, les performances sont correctes, la plage de puissance est bien répartie et la consommation de carburant est réduite au minimum. Un trajet Montréal-Québec effectué l'été dernier me l'a d'ailleurs prouvé, puisque la Matrix XR mise à l'essai n'a consommé que

COMPORTEMENT ▶ Un diamètre de braquage trop grand, une sensibilité aux vents latéraux notable et un freinage qui manque de mordant résument les points faibles de la Matrix, au chapitre du comportement. Sur un plan plus positif, on apprécie son confort, sa tenue de route honnête, sa direction précise et sa solidité de construction. La visibilité, en raison d'une importante surface vitrée, est également supérieure à celle de ses deux rivales nord-américaines que sont les PT Cruiser et Chevrolet HHR.

CONCLUSION ▶ La Matrix, c'est tout simplement la petite familiale utilitaire des temps modernes. C'est celle qui permet à une jeune famille d'obtenir à la fois un véhicule polyvalent, fiable et extrêmement économique, tout en s'affichant dans une voiture moins banale qu'une Corolla. Voilà pourquoi cette japonaise est si populaire.

FICHE TECHNIQUE

MOTEUR
L4 1,8 l DACT 126 ch à 6000 tr/min
couple: 122 lb-pi à 4200 tr/min
Transmission: manuelle à 5 rapports, automatique à 4 rapports (option)
0-100 km/h: 10,8 s
Vitesse maximale: 185 km/h
Consommation (100 km): man.: 7,0 l, auto.: 7,3 l (octane: 87)

Sécurité active
freins ABS (option dans XR)

Suspension avant/arrière
indépendante/semi-indépendante

Freins avant/arrière
disques/tambours

Direction
à crémaillère, assistée

Pneus
P205/55R16

DIMENSIONS
Empattement: 2600 mm
Longueur: 4350 mm
Largeur: 1775 mm
Hauteur: 1540 mm
Poids: Base: 1211 kg, XR: 1245 kg
Diamètre de braquage: 10,8 m
Coffre: 428 l, 1506 l (sièges abaissés)
Réservoir de carburant: 50 l
Capacité de remorquage: 680 kg

opinion

Jean-Pierre Bouchard • La Toyota Matrix continue de faire son petit bonhomme de chemin depuis son lancement en 2003. Cette voiture agréable à conduire et polyvalente plaira aux jeunes familles, d'autant qu'elle consomme peu de carburant. Ses formes jolies et dynamiques ne gâchent rien. Au chapitre des performances, le petit moulin de 1,8 litre n'est pas le plus discret, et la position de conduite pose problème pour les personnes qui ont hérité de longues jambes. Cette compacte constitue à mon avis une alternative judicieuse à la Corolla, avec laquelle elle partage d'ailleurs la plupart des composants. J'opterais pourtant pour une Subaru Impreza, pour sa plus grande polyvalence.

PRIUS

évolution | 31 280 $ à 38 710 $ |
Transport et préparation : 1240 $

www.toyota.ca

L'ICÔNE DES HYBRIDES

– Carl Nadeau

FICHE D'IDENTITÉ

Version(s) : unique
Roues motrices : avant
Portières : 4
Première génération : 2000
Génération actuelle : 2004
Construction : Toyota City, Japon
Sacs gonflables : 2, frontaux, (latéraux et rideaux latéraux en option)
Concurrence : Honda Civic Hybrid, Honda Accord Hybrid, Toyota Camry Hybrid

AU QUOTIDIEN

Prime d'assurance :
25 ans : 2100 à 2300 $
40 ans : 1500 à 1700 $
60 ans : 1100 à 1300 $
Collision frontale : 5/5
Collision latérale : 4/5
Ventes du modèle l'an dernier
Au Québec : 324 **Au Canada :** 1956
Dépréciation (3 ans) : 44,4 %
Rappels (2001 à 2006) : 2
Cote de fiabilité : 5/5

La Prius n'est pas la première voiture hybride sur le marché, mais c'est certainement la plus connue. Il semble que la montée en flèche du prix de l'essence donne raison aux acheteurs. Mais, est-ce une voiture vraiment profitable, ou ne l'achète-t-on que pour avoir bonne conscience ?

CARROSSERIE ► L'allure moderne de la Toyota Prius ne fait pas l'unanimité. Pour ma part, je la trouve sympathique et différente des autres voitures, qui sont souvent ternes et semblables. La forme de la carrosserie en goutte d'eau lui permet d'obtenir un coefficient de pénétration de l'air plus bas que la moyenne, ce qui permet d'économiser davantage l'essence. Comme d'habitude chez Toyota, la finition extérieure est sans faille.

HABITACLE ► Vaste et pratique, l'habitacle nous fait penser qu'on est à l'intérieur d'une berline plus grande. Les sièges avant n'offrent pas beaucoup de maintien latéral, mais ils sont confortables, ce qui est important compte tenu de la distance que la Prius peut parcourir sans stopper à la pompe. Le tableau de bord est futuriste, mais c'est le côté pratique qui domine. J'adore l'écran tactile situé au centre qui nous informe sur les différentes fonctions vitales de la voiture. Il est simple d'adapter sa conduite pour favoriser une économie optimale de carburant en consultant l'ordinateur de bord. Par contre, le seul point qui demande une certaine acclimatation est le levier de vitesses miniature placé à la droite du volant. La première fois qu'on démarre le moteur, on se demande bien comment faire pour passer la marche avant, mais, une fois qu'on connaît toutes les fonctions, on apprécie le côté techno de la Prius.

MÉCANIQUE ► Les accélérations sont honnêtes et suffisantes pour un véhicule de cette catégorie, et puis elles se font en douceur, parfois même en silence. Il est agréable de rouler en ville à plus faible vitesse sans solliciter

forces
- Espace intérieur
- Coffre de bonne dimension
- Faible consommation d'essence

faiblesses
- Tenue de route
- Hésitation lors de la recharge des batteries

nouveautés en 2007
- Nouvelle couleur gris magnétique métallisé

fermement l'accélérateur. On roule alors dans un havre de paix, sans utiliser le moteur à essence. La technologie de Toyota qui permet de couper automatiquement le moteur lors des arrêts est parfaitement au point. Je me suis d'ailleurs surpris à me relaxer plus qu'à l'ordinaire aux feux rouges, appréciant ce calme procuré par la Prius. Le seul point agaçant de cette mécanique concerne le régulateur de vitesse: on sent travailler le moteur lorsqu'il recharge les batteries, ce qui se traduit par un sentiment d'hésitation auquel je ne me suis jamais habitué. Quant à la consommation d'essence, alors là, bravo! J'ai fait les essais en roulant lentement et en sollicitant le moins possible le moteur à essence, et les résultats sont spectaculaires. Les cotes de consommation annoncées par Toyota, qui tournent autour de 5 litres aux 100 km, sont réalistes. J'ai ensuite roulé plus rapidement, accéléré avec vigueur chaque fois que c'était possible et manqué à toutes les règles d'économie d'essence, mais malgré cela la consommation de la Prius fut nettement sous la normale. Impressionnant!

COMPORTEMENT ▶ La suspension est souple et confortable, mais le roulis se fait sentir inévitablement, ce qui est désagréable en virage et au milieu des vents forts. Les roues de petites dimensions y sont sûrement pour quelque chose, mais il reste que la suspension aurait besoin d'un peu plus de fermeté, surtout au niveau des barres antiroulis. D'un autre côté, les ingénieurs ont amélioré le système de freinage: son entrée en fonction est plus douce lors de la recharge des batteries et sa répartition est maintenant parfaite.

CONCLUSION ▶ J'ai bien aimé la Prius. On peut l'acheter pour avoir l'air d'un écolo qui se préoccupe de l'environnement ou pour ses véritables qualités, mais il reste que ce type de véhicule deviendra sans doute omniprésent sur les routes dans un proche avenir.

FICHE TECHNIQUE

MOTEUR
L4 1,5 l DACT 76 ch à 5000 tr/min
(puissance nette de 110 ch)
couple: 82 lb-pi à 4200 tr/min
moteur électrique: 67 ch à 1200 tr/min
Transmission: automatique à variation continue
0-100 km/h: 10,3 s
Vitesse maximale: 175 km/h
Consommation (100 km): 4,1 l (octane: 87)

Sécurité active
freins ABS, antipatinage, contrôle de stabilité électronique (option), distribution électronique de force de freinage, assistance au freinage

Suspension avant/arrière
indépendante/semi-indépendante

Freins avant/arrière
disques

Direction
à crémaillère, assistée

Pneus
P185/65R15

DIMENSIONS
Empattement: 2700 mm
Longueur: 4445 mm
Largeur: 1725 mm
Hauteur: 1475 mm
Poids: 1335 kg
Diamètre de braquage: 10,4 m
Coffre: 456 l
Réservoir de carburant: 45 l

opinion

Luc Gagné • Derrière le volant d'une Prius, pour la première fois je ne me sentais pas crétin d'arrêter au service à l'auto du restaurant aux grandes arches jaunes! Parce que ma Prius, elle, arrêtait son moteur lorsque j'immobilisais le véhicule. Une action logique ou plutôt éco-logique! Puis, entre Montréal et Québec sur l'autoroute, j'ai réalisé une faible consommation d'essence (6 litres aux 100 km). J'étais fier jusqu'à ce que je réalise combien je devrais débourser, comme acheteur, pour être éco-logique. C'est cher! Or, une Golf diesel d'occasion consommera aussi peu de carburant et coûtera considérablement moins à l'achat.

RAV4

www.toyota.ca

FICHE D'IDENTITÉ

Version(s) : Base, Limited, V6, Limited V6, Sport V6
Roues motrices : 4
Portières : 4
Première génération : 1997
Génération actuelle : 2006
Construction : Woodstock, Ontario, Canada
Sacs gonflables : 2, frontaux, (latéraux avant et rideaux latéraux en option dans Limited V6)
Concurrence : Chevrolet Equinox, Ford Escape, Honda CR-V, Hyundai Tucson, Kia Sportage, Jeep Patriot et Liberty, Mazda CX-7, Mitsubishi Outlander, Nissan X-Trail, Pontiac Torrent, Saturn VUE, Subaru Forester, Suzuki Grand Vitara

AU QUOTIDIEN

Prime d'assurance :
25 ans : 2400 à 2600 $
40 ans : 1800 à 2000 $
60 ans : 1600 à 2000 $
Collision frontale : 5/5
Collision latérale : 5/5
Ventes du modèle l'an dernier
Au Québec : 1048 **Au Canada :** 6269
Dépréciation (3 ans) : 43,8 %
Rappels (2001 à 2006) : aucun à ce jour
Cote de fiabilité : nm

CHANGEMENT DE CAP

– **Benoit Charette**

Lors de son lancement en 1996, le RAV4 fut le premier VUS développé sur une plateforme de voiture, puis la deuxième génération avait atteint une certaine maturité. Avec la nouvelle cuvée de plus grande dimension, Toyota veut élargir le cercle des acheteurs. Difficile désormais de parler d'un utilitaire compact.

CARROSSERIE ► Le RAV4 2007 est plus long de 405 millimètres par rapport à la précédente génération. Sa largeur augmente de 80 millimètres et son empattement de 170 millimètres, suffisamment pour proposer une troisième banquette en option. Du côté du style, Toyota parle de « clarté vibrante », expression ésotérique qui décrit le mariage du dynamisme et de la performance. Cette nouvelle approche, née avec la Yaris, convient aussi à la nouvelle Camry et la prochaine Corolla. C'est à la fois un style frais et simple, qui a toujours fait défaut chez Toyota. Et c'est assez réussi dans le cas du RAV4.

HABITACLE ► À l'intérieur, l'augmentation de la longueur et de la largeur améliore le confort, avantage l'espace pour les épaules, le dégagement pour les jambes à l'arrière et l'espace entre les passagers. La troisième banquette, rabattable à plat 60/40, s'escamote complètement (avec coussins et appuie-tête) dans le compartiment de charge grâce à un levier facilement accessible depuis la porte arrière, pour former un espace de chargement parfaitement plat. Cette troisième banquette n'est pas très pratique en raison du peu d'espace disponible (ados s'abstenir). Les modèles sans troisième banquette ont un nouveau compartiment de rangement sous le plancher, pratique pour mettre toutes sortes d'objets à l'abri des regards.

MÉCANIQUE ► De série, le RAV4 2007 est propulsé par un moteur quatre cylindres en ligne de 2,4 litres à 16 soupapes et double arbre à cames en tête de 166 chevaux. Le véhicule peut aussi être doté d'un tout nouveau V6 de

forces

- Format bien pensé
- Excellente mécanique
- Finition sans reproche

faiblesses

- Options nombreuses et coûteuses
- Pas de boîte manuelle

nouveautés en 2007

- Nouveau modèle

3,5 litres à 24 soupapes et double arbre à cames en tête qui développe une puissance de 269 chevaux. Le moteur quatre cylindres profite d'une boîte automatique à quatre rapports; et le V6 en ajoute un cinquième. Tous les RAV4 sont équipés de la technologie des quatre roues motrices à contrôle actif du couple. Bref, Toyota veut continuer de plaire aux amateurs de petits utilitaires pas trop gourmands en proposant un modèle de base avec le quatre cylindres, mais en même temps on veut courtiser une clientèle croissante, majoritairement américaine, qui délaisse les gros utilitaires mais qui veut encore des chevaux. En offrant un V6 puissant, un format beaucoup plus généreux et une troisième banquette optionnelle, Toyota pourrait faire un tabac.

COMPORTEMENT ► Sur la route, le RAV4 est nerveux, confortable et, surtout, plus logeable. À l'arrière, Toyota a mis au point une nouvelle suspension à double triangulation et à bras tirés; et, à l'avant, la suspension redessinée est pourvue de jambes de force MacPherson. Tous les modèles RAV4 sont dotés du système de contrôle de la stabilité du véhicule (VSC) avec régulateur de traction (TRAC). Ce système VSC amélioré fonctionne de concert avec le nouveau système de direction assistée électroniquement (EPS) et détecte mieux les pertes de contrôle du véhicule dans n'importe quelle direction. Les RAV4 à moteur V6 disposent aussi de systèmes d'assistance au démarrage en pente (HAC) et d'assistance en descente (DAC).

CONCLUSION ► Disponible en version de base ou Limited, le RAV4 propose une très longue liste d'équipements optionnels. Le prix de base d'un quatre cylindres est de 28 700 $; et un V6 « tout garni » vous soulagera de 38 670 $. C'est assez considérable pour un « petit » utilitaire. À compter de septembre 2008, le RAV4 sera construit à Woodstock, Ontario.

FICHE TECHNIQUE

MOTEURS

(Base, Limited) L4 2,4 l DACT 166 ch à 6000 tr/min
couple : 165 lb-pi à 4000 tr/min
Transmission : automatique à 4 rapports
0-100 km/h : 10,2 s
Vitesse maximale : 180 km/h
Consommation (100 km) : 8,9 l (octane : 87)

(V6, Limited V6, Sport V6) V6 3,5 l DACT 269 ch à 6200 tr/min
couple : 246 lb-pi à 4700 tr/min
Transmission : automatique à 5 rapports
0-100 km/h : 7,7 s
Vitesse maximale : 210 km/h
Consommation (100 km) : 9,5 l (octane : 87)

Sécurité active
freins ABS, répartition électronique de force de freinage, assistance au freinage, antipatinage, contrôle de stabilité électronique, assistance au démarrage en pente, assistance en descente

Suspension avant/arrière
indépendante

Freins avant/arrière
disques

Direction
à crémaillère, assistée

Pneus
P225/65R17, Sport V6 : P235/55R18

DIMENSIONS

Empattement : 2660 mm
Longueur : 4600 mm
Largeur : 1815 mm, Sport V6 : 1855 mm
Hauteur : 1745 mm, Limited V6 : 1755 mm
Poids : Base : 1562 kg, Limited : 1593 kg, V6 : 1658 kg, Limited V6 : 1667 kg, Sport V6 : 1668 kg
Diamètre de braquage : L4 : 11,4 m, V6 : 12 m
Coffre : 1015 l, 2074 l (sièges abaissés), 338 l (avec banquette de 3e rangée)
Réservoir de carburant : 60 l
Capacité de remorquage : L4 : 680 kg, V6 : 1587 kg

opinion

Luc Gagné • Le RAV4 est plus spacieux et plus puissant. Bravo pour le premier gain, mais pour le second, l'intérêt m'apparaît mitigé. Il serait préférable de lui greffer un diesel à rampes communes. Force est d'admettre cependant que sa conduite s'avère fort agréable. La suspension ferme à souhait masque juste assez les défauts du revêtement, alors que le système de freinage offre une action progressive. L'aménagement intérieur adopte une allure moderne et les places arrière sont désormais plus spacieuses. En outre, en plus de gagner de précieux centimètres en dégagement latéral, le RAV4 a conservé son aire de chargement très haute.

SEQUOIA

Transport et préparation : 1390 $

www.toyota.ca

FICHE D'IDENTITÉ

Version(s) : Limited
Roues motrices : 4
Portières : 4
Première génération : 2001
Génération actuelle : 2001
Construction : Indiana, É.-U.
Sacs gonflables : 6, frontaux, latéraux avant et rideaux latéraux
Concurrence : Chevrolet Tahoe, Dodge Durango, Ford Expedition, GMC Yukon, Nissan Armada

AU QUOTIDIEN

Prime d'assurance :
25 ans : 3700 à 3900 $
40 ans : 2300 à 2500 $
60 ans : 1800 à 2000 $
Collision frontale : 5/5
Collision latérale : 5/5
Ventes du modèle l'an dernier
Au Québec : 38 **Au Canada :** 477
Dépréciation (3 ans) : 48,9 %
Rappels (2001 à 2006) : aucun à ce jour
Cote de fiabilité : 5/5

MÛR POUR UN CHANGEMENT

– Benoit Charette

Toyota, qui bat des records de vente mois après mois depuis plus de deux ans, éprouve plus de difficultés avec sa division camion. Au Québec, par exemple, on a vendu 38 Sequoia l'an dernier, comparativement à 55 l'année précédente. En 2007, le Sequoia nous revient sous sa forme originale, lancée en 2001. Une seule différence : la version SR5 disparaît pour faire place à la seule version Limited.

CARROSSERIE ► Construit sur la même plateforme que l'ancien Tundra, le Sequoia n'a jamais brillé par ses lignes. Dans un univers ou les utilitaires attirent les acheteurs d'abord en raison de leur style, le Sequoia fait figure d'enfant pauvre. Comme plusieurs produits Toyota, les lignes sont communes et le véhicule ressemble à un réfrigérateur sur roues. Un peu frustrant de débourser plus de 60 000 $ pour une espèce de gros Highlander.

HABITACLE ► Heureusement, les choses s'améliorent à l'intérieur, et tout dans l'habitacle respire le travail bien fait. L'assemblage et la finition sont sans reproches, le confort difficile à égaler, et le silence qui règne à bord est surprenant pour un camion de cette taille. Toyota a réussi à gommer pratiquement tous les bruits parasites et les passagers baignent dans une oasis de paix. L'esthétique et les couleurs sont très représentatives de la marque, c'est-à-dire sans grande originalité. En 2007, les consommateurs auront droit à deux modèles de la version Limited. La version de base comprend une configuration huit places qui possède une deuxième rangée de sièges rabattables 60/40. Quant à la version de luxe, sa configuration à sept places comporte des sièges capitaines et un bloc central amovible à la seconde rangée, une mémorisation du siège conducteur et des garnitures en similibois. Le système de divertissement DVD avec système audio JBL fait aussi partie des équipements de série.

MÉCANIQUE ► La mécanique du Sequoia est la même depuis son lancement. Elle a reçu

forces

- Habitacle silencieux
- Conduite confortable
- Moteur souple
- Assemblage et finition impeccables

faiblesses

- Lignes anonymes
- Arrière sautillant
- Système quatre roues motrices peu pratique

nouveautés en 2007

- Version SR5 retirée du catalogue

quelques chevaux supplémentaires au fil des ans et en totalise 273 cette année. Mais le V8 de 4,7 litres opère toujours avec une grande douceur. Avec son fidèle partenaire, la boîte automatique à cinq rapports, ce duo est un modèle de bonnes manières. Aussi discret que possible sur la route, il l'est moins au moment de passer à la pompe. Ses 2400 kilos et son moteur V8 peuvent lui faire brûler plus de 16 litres d'essence aux 100 km.

COMPORTEMENT ▶ Je me souviens très bien de mes dix premières minutes au volant, alors que j'avais l'impression d'être à la barre du *Queen Mary II*. Heureusement, cette impression s'est vite estompée et j'ai pu apprécier le confort du Sequoia, qui est au-dessus de la moyenne. J'aimerais cependant revenir sur deux défauts qui m'ont toujours un peu agacé : les pneus de série ont l'avantage d'être confortables, mais ils manquent cruellement de mordant sous la pluie et dans la neige ; et puis les origines de camion du Sequoia trahissent certains de ses comportements sur la route. Par exemple, l'essieu rigide arrière a tendance à sautiller quand la route n'est pas parfaitement lisse. Cela dit, selon votre humeur, le Sequoia peut se transformer en propulsion, en intégrale ou en intégrale à gamme basse. Un commutateur placé sur le tableau de bord permet de choisir le mode désiré, alors qu'un levier au plancher verrouille le différentiel et passe en mode démultiplié. Malgré son poids imposant, le Sequoia est très agile hors route grâce à la garde au sol, au boîtier de transfert à deux rapports, aux plaques de protection du réservoir de carburant et au régulateur de traction actif, baptisé A-Trac, qui fait des merveilles.

CONCLUSION ▶ Malgré ses petits défauts, le Sequoia demeure un de mes camions préférés, mais faites vite, il ne sera plus là très longtemps.

FICHE TECHNIQUE

MOTEUR
V8 4,7 l DACT 273 ch à 5400 tr/min
couple : 314 lb-pi à 3400 tr/min
Transmission : automatique à 5 rapports
0-100 km/h : 8,6 s
Vitesse maximale : 190 km/h
Consommation (100 km) : 14,2 l (octane : 87)

Sécurité active
freins ABS, répartition électronique de force de freinage, assistance au freinage, antipatinage, contrôle de stabilité électronique

Suspension avant/arrière
indépendante/essieu rigide

Freins avant/arrière
disques

Direction
à crémaillère, assistée

Pneus
P265/65R17

DIMENSIONS
Empattement : 3000 mm
Longueur : 5180 mm
Largeur : 2005 mm
Hauteur : 1925 mm
Poids : 2413 kg
Diamètre de braquage : 12,9 m
Coffre : 834 l, 2208 l (sièges abaissés)
Réservoir de carburant : 100 l
Capacité de remorquage : 2812 kg

2e opinion

Luc Gagné • En construisant le Sequoia, Toyota s'était donné comme mission de se faire une petite place au soleil dans le très lucratif marché des gros utilitaires. Six ans plus tard, force est de constater que ce marché, toujours populaire aux États-Unis n'est plus la vache à lait du début du millénaire. Toyota a aussi probablement réalisé que les Américains n'aiment pas seulement ce qui est gros, mais aussi ce qui est exubérant, et le Sequoia, malgré tous les bons ingrédients, manque cruellement de prestance. Toyota n'abandonne pas le produit, mais devrait repenser l'approche, car les chiffres de vente démontrent clairement le manque d'intérêt des acheteurs. Alors c'est la refonte ou l'échafaud.

SIENNA

évolution | 30 800 $ à 50 875 $ |
Transport et préparation : 1390 $

www.toyota.ca

POUR FAMILLE BIEN NANTIE

– Pascal Boissé

FICHE D'IDENTITÉ

Version(s) : CE 7 ou 8 pass., LE 7 ou 8 pass., XLE 7 pass., LE 4RM 7 pass., XLE 4RM 7 pass.
Roues motrices : avant, 4RM
Portières : 4
Première génération : 1998
Génération actuelle : 2004
Construction : Georgetown, Kentucky, É.-U.
Sacs gonflables : 2, frontaux (latéraux et rideaux gonflables dans XLE)
Concurrence : Buick Terraza, Chevrolet Uplander, Chrysler T & C, Dodge Caravan, Ford Freestar, Honda Odyssey, Kia Sedona, Mazda MPV, Pontiac Montana SV6, Saturn Relay

AU QUOTIDIEN

Prime d'assurance :
25 ans : 2000 à 2200 $
40 ans : 1400 à 1600 $
60 ans : 1200 à 1400 $
Collision frontale : 5/5
Collision latérale : 5/5
Ventes du modèle l'an dernier
Au Québec : 2037 **Au Canada :** 13 622
Dépréciation (3 ans) : 44,2 %
Rappels (2001 à 2006) : 2
Cote de fiabilité : 4/5

La Sienna est une fourgonnette qui, sous certains aspects, frise la perfection. Malheureusement, cette perfection n'est pas à la portée de la plupart des jeunes familles qui achètent ce type de véhicule. En effet, le modèle de base à traction coûte plus de 30 000 $, alors que les versions les plus luxueuses, dotées de quatre roues motrices, franchissent allègrement la barre des 50 000 $. Relativement au prix et aux prestations, la seule vraie rivale de la Sienna est la Honda Odyssey. Bien que la Sienna ait été révisée et restylée l'an dernier, le modèle 2007 a aussi droit à une mise à jour, notamment en ce qui concerne sa motorisation.

CARROSSERIE ▶ Les formes dynamiques et profilées de la Sienna masquent habilement sa taille imposante. Sa nouvelle calandre est plus sympathique qu'auparavant et ses grands phares oblongs lui confèrent un regard rieur. Les larges portes coulissantes facilitent l'accès à la troisième rangée de sièges. En plus d'avoir une caisse très solide, la Sienna est dotée d'une multitude de dispositifs de sécurité, dont des rideaux gonflables latéraux qui couvrent les trois rangées de sièges.

HABITACLE ▶ L'intérieur de la Sienna est vaste et lumineux, et tout semble avoir été prévu pour vous faciliter la vie à bord. La console centrale est particulièrement bien conçue, et le reste de l'habitacle est truffé d'astuces et d'espaces de rangement. La banquette située à l'arrière peut se rabattre dans le plancher en deux sections, et deux configurations sont proposées pour les sièges du milieu : deux larges fauteuils capitaine, dont un qui peut coulisser latéralement ; ou une rangée de trois sièges plus étroits, dont la portion centrale peut s'avancer, pour rapprocher un enfant de ses parents, par exemple. Ainsi, la Sienna peut loger sept ou huit occupants selon la configuration. On peut seulement déplorer que le problème du rangement de ces sièges du milieu n'ait pas été mieux résolu : contrairement à la Dodge Caravan ou à la Nissan Quest, qui ont trouvé une

forces
- Groupe motopropulseur
- Fiabilité
- Lignes agréables
- Traction intégrale

faiblesses
- Direction floue
- Pneus dispendieux (4RM)
- Prix corsé

nouveautés en 2007
- Moteur 3,5 litres (novembre)

façon intelligente d'en disposer, la Sienna vous oblige à les démonter pour les entreposer quelque part si vous souhaitez dégager le plancher pour du chargement. Au sommet de la gamme trône la version XLE, qui se distingue par son intérieur tendu de cuir et par quelques touches de similibois, sur le volant notamment.

MÉCANIQUE ► Pour 2007, la cylindrée du moteur V6 que la Sienna partage avec la Camry passe de 3,3 litres à 3,5 litres. Ainsi, sa puissance est portée à 260 chevaux, une augmentation de 30 chevaux par rapport au modèle 2006; et le couple passe de 242 à 251 livres-pied. Ce moteur d'une grande douceur forme un tandem parfait avec la boîte automatique à cinq rapports, onctueuse à souhait. Pour plus d'adhérence en condition hivernale, la Sienna peut être pourvue d'un rouage intégral, mais cela impose l'emploi de pneus spéciaux à mobilité continue, car l'arbre de transmission traverse l'espace habituellement réservé à la roue de secours.

COMPORTEMENT ► Malgré son groupe motopropulseur brillant, la tenue de route de la Sienna m'a déçu. Le sous-virage est prononcé et la mollesse de la suspension peut vous coller la nausée sur de mauvaises routes. On n'oublie jamais que l'on conduit un véhicule au gabarit imposant. De plus, le freinage manque de mordant et la tenue de cap est floue. Ajoutez à cela une direction trop assistée et vous obtenez un véhicule que vous n'aurez jamais de plaisir à conduire. C'est à croire, parfois, qu'en japonais le mot Toyota signifie «rabat-joie»

CONCLUSION ► La Sienna et la Honda Odyssey se partagent ce qu'il est convenu d'appeler le segment des fourgonnettes haut de gamme. Bien qu'elle n'ait pas des aptitudes routières aussi aiguisées que sa rivale de chez Honda, la Sienna propose un aménagement qui paraît plus convivial au quotidien.

FICHE TECHNIQUE

MOTEUR
V6 3,5 l DACT 260 ch à 5600 tr/min
couple : 251 lb-pi à 3600 tr/min
Transmission : automatique à 5 rapports
0-100 km/h : 8,0 s
Vitesse maximale : 190 km/h
Consommation (100 km) : 10,3 l, 4RM : 11,5 l (octane : 87)

Sécurité active
freins ABS, assistance au freinage, distribution électronique de force de freinage, antipatinage (XLE), contrôle de stabilité électronique (XLE)

Suspension avant/arrière
indépendante/essieu rigide

Freins avant/arrière
disques/tambours,
LE, XLE, 4RM : disques aux 4 roues

Direction
à crémaillère, assistée

Pneus
CE et LE : P215/65R16, XLE et 4RM : P225/60R17

DIMENSIONS
Empattement : 3030 mm
Longueur : 5080 mm
Largeur : 1965 mm
Hauteur : 1750 mm
Poids : 7 pass. : 1870 kg, 8 pass. : 1890 kg, 4RM : 1955 kg
Diamètre de braquage : 11,2 m
Coffre : 1240 l, 4220 l (sièges abaissés)
Réservoir de carburant : 79 l
Capacité de remorquage : 1587 kg

opinion

Benoit Charette • Même s'il est possible de trouver une Sienna pour environ 31 000 $, votre déception sera grande lorsque vous prendrez place à bord. Les modèles de base sont aussi dépouillés qu'un passager qui vient de se faire fouiller à l'aéroport. Pour avoir un modèle intéressant, il faut débourser près de 40 000 $. Pour 30 000 $, allez voir les coréennes mieux équipées et plus intéressantes à conduire. Cela dit, la Sienna est d'une qualité irréprochable et est, avec l'Odyssey de Honda, un des véhicules les mieux construits sur le marché. Mais la Sienna est d'un ennui mortel au volant. Avant toute chose, allez donc jeter un œil à une Kia Sedona ou à une Hyundai Entourage.

SOLARA

www.toyota.ca

FICHE D'IDENTITÉ

Version(s) : coupé : SE, Sport, SLE, cabrio. : Sport, SLE
Roues motrices : avant
Portières : 2
Première génération : 1999
Génération actuelle : 2004
Construction : Georgetown, Kentucky, É.-U.
Sacs gonflables : 4, frontaux et latéraux avant (rideaux latéraux dans coupé)
Concurrence : Chevrolet Monte Carlo, Ford Mustang, Honda Accord coupé, Mitsubishi Eclipse, Pontiac G6 coupé et cabrio.

AU QUOTIDIEN

Prime d'assurance :
25 ans : 2500 à 2700 $
40 ans : 1700 à 1900 $
60 ans : 1300 à 1500 $
Collision frontale : 5/5
Collision latérale : 5/5
Ventes du modèle l'an dernier
Au Québec : 358 **Au Canada :** 1517
Dépréciation (3 ans) : 49,9 %
Rappels (2001 à 2006) : 1
Cote de fiabilité : 5/5

PAPPY-MOBILE

– **Michel Crépault**

On peut choisir entre cinq versions de Solara : les coupés SE, SE V6 et SLE V6, et les cabriolets Sport V6 et SLE V6. Tout au début, la Solara attirait surtout les dames, mais, avec ses ajouts plus sportifs, les hommes commencent à s'intéresser à cette Toyota à la fois méconnue et maltraitée.

CARROSSERIE ► Je ne partage pas les critiques de mes confrères quant au look de la Solara. À les entendre, rien de plus disgracieux n'a jamais roulé sur nos routes ! À mes yeux, pourtant, le coupé effilé fend la grisaille quotidienne avec un certain panache. Quant au cabriolet, sa silhouette est originale même si, je le concède, son toit souple pourrait être mieux intégré. Abaissé, il fait ressembler l'auto à une baignoire ; levé, il a l'air d'avoir été déposé à la va-vite, Et puis, si son design est si raté, pourquoi est-ce que je reluque toujours la Solara quand j'en croise une ? Ses dénigreurs me répondront que c'est parce qu'il s'en vend si peu...

Cela dit, pour 2007, les dessinateurs ont légèrement retouché les pare-chocs, les antibrouillards, les feux arrière et l'aileron de couleur assortie. Le coupé Sport V6 peut désormais être équipé de jupes et de roues en alliage de 17 pouces.

HABITACLE ► Les commandes ont été disposées de façon à suggérer une impression d'espace. En fait, l'influence des Lexus est évidente quand on examine les selleries tendues, le similibois lustré, les instruments proprement regroupés. La cabine exhibe de nouveaux cadrans Optitron. Le chargeur de six CD encastré dans le tableau de bord est dorénavant de série, tout comme les rideaux gonflables dans les coupés et la technologie Bluetooth à bord des SLE de haut de gamme. Les Solara peuvent théoriquement transporter cinq personnes. Les coupés s'acquittent de cette tâche en privilégiant l'intimité, mais du côté du cabriolet ce sont plutôt les bagages qui occupent la banquette 60/40.

forces

- Duo original
- Fabrication exemplaire
- Moteurs doux et fiables
- Allure différente (oui, monsieur !)

faiblesses

- Comportement pas très sportif
- Banquette antisociale (cabriolet)
- Visibilité arrière réduite avec la capote relevée

nouveautés en 2007

- Pare-chocs avant et arrière redessinés, nouveaux feux antibrouillards, feux arrière à DEL, volant redessiné, jauge Optitron, capacité de lecture MP3/WMA, système Bluetooth (SLE) de jupes aérodynamiques (cabrio. V6), rideaux gonflables latéraux (coupé)

pièce. Le choix du quatre cylindres rend ces sorties du dimanche particulièrement économiques, alors que le V6, plus gourmand, les enrobe d'une grande sérénité. Des jambes de force MacPherson aux deux extrémités privilégient le confort, et une crémaillère plutôt assistée rend inutile l'huile de coude. Les versions SLE disposent d'aides électroniques sophistiquées, comme le contrôle de la stabilité (VSC) et le régulateur de traction (TRAC), mais je mets ma main au feu que le propriétaire-type de Solara n'y aura jamais recours, du moins volontairement.

MÉCANIQUE ▶ Seul le coupé SE se contente d'un quatre cylindres de 2,4 litres qui produit 155 chevaux. Le V6 de 3,3 litres et 24 soupapes dispense pour sa part 210 chevaux. La transmission séquentielle à cinq rapports est maintenant de série dans toutes les Solara. Le conducteur peut laisser le levier de vitesses en position D, ou alors il passe en position S pour pousser à sa guise le pommeau en direction des symboles « + » ou « - ».

COMPORTEMENT ▶ Malgré les jupes, les jantes et tous les artifices qui tentent de viriliser la Solara, on ne se racontera pas d'histoires : voici une voiture qui affectionne les balades, et non pas les virages négociés à l'emporte-

CONCLUSION ▶ Qu'est-ce qui vous branche ? le coupé ou le cabriolet ? Allez-y, ne soyez pas timide ! Le coupé et le cabriolet sont assemblés de manière exemplaire et leur comportement est délicieux comme un baba au rhum. La Solara existe pour que des gens un brin conservateurs se fassent un brin plaisir avec une Toyota un brin excentrique. Un peu comme s'ils décidaient d'expérimenter l'alpinisme sur le mont Royal. Il n'y a pas de mal à se faire plaisir loin de la délinquance des forces et des formes.

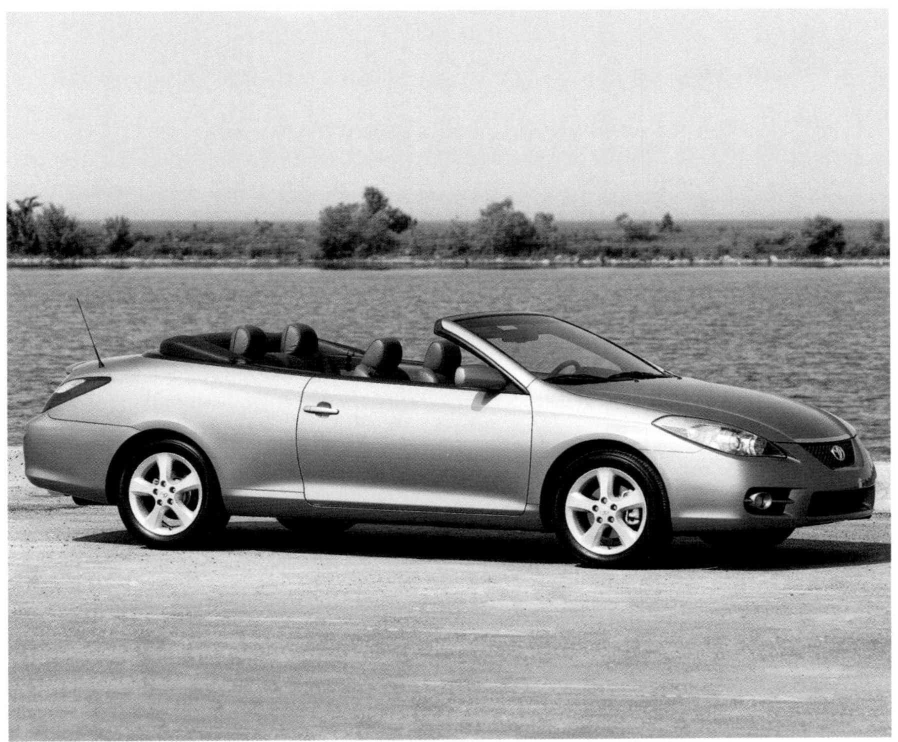

FICHE TECHNIQUE

MOTEURS

(SE) L4 2,4 l DACT 155 ch à 6000 tr/min
couple : 158 lb-pi à 4000 tr/min
Transmission : automatique à 5 rapports avec mode manuel
0-100 km/h : 9,6 s
Vitesse maximale : 178 km/h
Consommation (100 km) : 7,9 l (octane : 87)

(Sport, SLE) V6 3,3 l DACT 210 ch à 5600 tr/min
couple : 220 lb-pi à 3600 tr/min
Transmission : automatique à 5 rapports avec mode manuel
0-100 km/h : 8,2 s
Vitesse maximale : 210 km/h
Consommation (100 km) : coupé : 9,4 l, cabrio. : 9,6 l (octane : 87)

Sécurité active
freins ABS, répartition électronique de force de freinage, assistance au freinage (SLE), antipatinage (SLE), contrôle de stabilité électronique (SLE)

Suspension avant/arrière
indépendante

Freins avant/arrière
disques

Direction
à crémaillère, assistée

Pneus
SE : P215/60R16, Sport et SLE : P215/55R17

DIMENSIONS

Empattement : 2720 mm
Longueur : 4890 mm
Largeur : 1815 mm
Hauteur : coupé : 1425 mm, cabrio. : 1435 mm
Poids : *coupé :* SE : 1465 kg, Sport : 1550 kg, SLE : 1560 kg, *cabrio. :* Sport : 1610 kg, SLE : 1625 kg
Diamètre de braquage : 10,6 m
Coffre : coupé : 390 l, cabrio. : 330 l
Réservoir de carburant : 70 l

2e opinion

Carl Nadeau • Le Solara est une voiture qui nous en offre beaucoup pour notre argent, mais les ingénieurs de Toyota ont oublié d'y mettre l'essentiel qui rend un coupé sport agréable : la passion ! L'équipement est complet dans toutes les versions, le tableau de bord est exemplaire et la chaîne audio est à la hauteur. La voiture propose deux mécaniques : un quatre cylindres efficace qui sirote l'essence ; et un puissant six cylindres qui est lui aussi économe. Seule la transmission automatique est disponible et il faut donner un bon point à celle du quatre cylindres qui est plus intuitive que celle de la Camry, grâce à sa commande à grille qui nous permet de changer nous-mêmes les vitesses. La Solara est tout, sauf un coupé sport.

TACOMA

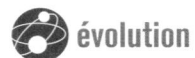

évolution | 22 535 $ à 38 855 $
Transport et préparation : 1390 $

www.toyota.ca

LE FIER-À-BRAS

– Benoit Charette

FICHE D'IDENTITÉ

Version(s) : Cabine Accès 4X2, X-Runner V6, Pre-Runner V6 Cabine Double 4X2, Cabine Accès 4X4 V6, Cabine Double 4X4 V6
Roues motrices : arrière, 4
Portières : 4
Première génération : 1995
Génération actuelle : 2005
Construction : Fremont, Californie ; Georgetown, Kentucky, É.-U.
Sacs gonflables : 2, frontaux
Concurrence : Chevrolet Colorado, Dodge Dakota, Ford Ranger, GMC Canyon, Mazda Série B, Mitsubishi Raider, Nissan Frontier

AU QUOTIDIEN

Prime d'assurance :
25 ans : 2600 à 2800 $
40 ans : 1600 à 1800 $
60 ans : 1300 à 1500 $
Collision frontale : 5/5
Collision latérale : 5/5
Ventes du modèle l'an dernier
Au Québec : 1007 **Au Canada :** 6388
Dépréciation (3 ans) : 45,5 %
Rappels (2001 à 2006) : 4
Cote de fiabilité : 4/5

Alors que beaucoup de camions proposent des modèles susceptibles de plaire à une plus vaste clientèle, Toyota conserve sa recette de camion pur et dur. Cela semble lui réussir, puisque le Tacoma est devenu le camion compact le plus populaire aux États-Unis, et sa réputation, contrairement aux concurrents américains, est internationale.

CARROSSERIE ► La définition de camionnette compacte n'est plus la même qu'il y a vingt ans. L'influence du plus gros marché de la planète (les États-Unis) a été déterminante dans le changement de format de ces camions. Après avoir vu le volume des Dodge Dakota et Nissan Frontier augmenter, le Tacoma a suivi la parade et a présenté une toute nouvelle formule en 2005. Son allure de bagarreur de rue le rend populaire et les ventes au Québec et au Canada ont plus que doublé en à peine un an. Tous les Tacoma sont livrés de série avec une caisse de chargement multiusages de 6 pieds 2 pouces, à l'exception du 4X4 V6 Double Cab avec boîte manuelle, qui a une caisse de 5 pieds 1 pouce. La caisse est fabriquée avec un matériau composite qui la rend beaucoup plus légère et plus durable. Elle résiste à la déformation et aux chocs et ne rouille pas. La caisse du Tacoma est aussi équipée d'un abattant amovible, de compartiments de rangement, d'une prise de courant de 400 watts (115 volts) optionnelle, et d'un rail très polyvalent. Le seul changement notable en 2007 est la disparition du modèle Pre-Runner 4X2.

HABITACLE ► Toyota sait pertinemment que le propriétaire d'une camionnette l'utilise de plus en plus comme seul véhicule, aussi l'intérieur est-il beaucoup plus proche de la berline que du camion. La finition est à la hauteur des attentes et rien ne dépasse. L'habitacle est large et accueillant, et les matériaux de qualité donnent un air haut de gamme à l'ensemble. La version à cabine double est la seule à avoir de véritables places à l'arrière. Les strapontins des autres versions dépannent, mais

forces
- Présentation intérieure soignée
- Excellent moteur V6
- Bon confort au volant

faiblesses
- Direction approximative
- Boîte manuelle imprécise
- Conduite difficile sur mauvais revêtement

nouveautés en 2007
- Modèle Pre-Runner 4X2 Cabine Double éliminé

2,7 litres qui génère 164 chevaux, accouplé de série à une boîte manuelle à cinq vitesses surmultipliée, alors qu'une transmission automatique ECT est optionnelle.

COMPORTEMENT ▶ Au volant, il n'y a aucun doute, vous êtes dans un camion. L'essieu rigide arrière ne manque pas de vous le rappeler à la moindre imperfection de la route. Autre caractéristique propre aux vrais camions: la direction est approximative. Il y a un jeu dans le volant entre le moment où vous le tournez et l'instant où les roues obéissent à la commande. Toutefois, la suspension est calibrée pour procurer un certain confort si la chaussée n'est pas trop abîmée. Le groupe hors-piste pour le 4X4 à cabine Accès comprend un différentiel arrière électronique à verrouillage, des amortisseurs Bilstein et des pneus quatre saisons P265/70R16 à lettrage blanc.

CONCLUSION ▶ Assez confortable pour une utilisation quotidienne et assez robuste pour s'attaquer à la grosse besogne, le Tacoma propose un juste dosage qui le rend très populaire, mais il faut aimer les camions.

sans plus. La position de conduite est bonne, confortable même, avec un bon support pour les conducteurs de tout gabarit. Pour améliorer les capacités de travail ou de loisir du Tacoma, de nombreuses options sont proposées, dont un couvre-caisse rigide ou souple, un coffre à outils, un attelage de remorquage avec faisceau de câblage, un porte-vélos intérieur, etc.

MÉCANIQUE ▶ Les modèles 4X4 sont propulsés par un V6 de 4,0 litres de 245 chevaux. Cette puissance est transmise, au choix, par une boîte manuelle à six vitesses ou par une transmission automatique à cinq rapports à commande électronique (ECT). Le Tacoma 4X2 à cabine Accès est équipé d'un moteur de

FICHE TECHNIQUE

MOTEURS

(Cabine Accès 4X2) L4 2,7 l DACT 236 ch à 5200 tr/min
couple: 266 lb-pi à 4000 tr/min
Transmission: manuelle à 5 rapports, automatique à 4 rapports en option (sauf X-Runner)
0-100 km/h: 11,5 s
Vitesse maximale: 165 km/h
Consommation (100 km): man. et auto.: 9,8 l (octane: 87)

(autres) V6 4,0 l DACT 159 ch à 5200 tr/min
couple: 180 lb-pi à 3800 tr/min
Transmission: manuelle à 6 rapports, automatique à 4 rapports en option (sauf X-Runner)
0-100 km/h: 9,9 s
Vitesse maximale: 175 km/h
Consommation (100 km): 4X2 man.: 12,5 l, 4X4 man.: 13 l, 4X4 auto.: 11,6 l (octane: 87)

Sécurité active
freins ABS, répartition électronique de force de freinage, assistance au freinage

Suspension avant/arrière
indépendante/essieu rigide

Freins avant/arrière
disques/tambours

Direction
à crémaillère, assistée

Pneus
Cabine Accès 4X2: P215/70R15, X-Runner: P255/45R18, 4X4: P245/75R16

DIMENSIONS

Empattement: 3246 à 3570 mm
Longueur: 5286 à 5621 mm
Largeur: 1835 à 1895 mm
Hauteur: 1635 à 1740 mm
Poids: 1567 à 1873 kg
Diamètre de braquage: 12,4 à 14,2 m
Réservoir de carburant: 80 l
Capacité de remorquage: 1587 à 2268 kg

opinion

Pascal Boissé • Difficile de dire si le Tacoma en fait trop ou s'il s'agit du compromis idéal... Si vous cherchez une camionnette compacte et économique, vous trouverez probablement le Tacoma trop gros, trop puissant et trop cher. En revanche, si vous avez besoin d'un pick-up pleine grandeur, mais que le contexte économique vous fait hésiter, le Tacoma vous plaira peut-être. Mais, avant tout, allez essayer un Honda Ridgeline ou un Nissan Frontier. Ce sont des camions très différents du Tacoma, mais qui, chacun à sa manière, possèdent quelque chose de plus que ce dernier. Le Tacoma peut se targuer d'avoir un intérieur dont la finition rendra jalouses plusieurs berlines, mais la position de conduite ne m'a pas plu.

TUNDRA

nouveauté | 28 000 $ à 55 000 $ | Transport et préparation : 1390 $

www.toyota.ca

FICHE D'IDENTITÉ

Version(s) : Base, SR5, Limited
Roues motrices : arrière, 4
Portières : 2, 4
Première génération : 1999
Génération actuelle : 2007
Construction : Indiana, É.-U.
Sacs gonflables : 2, frontaux
Concurrence : Chevrolet Silverado, Dodge Ram, Ford F-150, GMC Sierra, Honda Ridgeline, Nissan Titan

AU QUOTIDIEN

Prime d'assurance :
25 ans : 2600 à 2800 $
40 ans : 1600 à 1800 $
60 ans : 1300 à 1500 $
Collision frontale : nm
Collision latérale : nm
Ventes du modèle l'an dernier
Au Québec : 356 **Au Canada :** 3050
Dépréciation (3 ans) : 52.4 %
Rappels (2000 à 2005) : 3
Cote de fiabilité : 4/5

LA LEXUS DU COW-BOY

– Pascal Boissé

Au début de 2007, Toyota lancera finalement la troisième génération de sa camionnette pleine grandeur. On se souviendra du T-100, premier essai de Toyota dans ce segment juteux, qui fut un cuisant échec commercial. En 2000, le T-100 fut redessiné et rebaptisé Tundra. Le nom avait changé et la calandre était plus imposante, mais la taille du camion n'avait pas augmenté et on lui reprochait toujours de n'être que les sept huitièmes d'un vrai camion. Cette fois, Toyota était déterminé à ne plus répéter les erreurs du passé : une usine fut construite au Texas pour l'assemblage du nouveau Tundra, et il fut décidé que ce camion ne souffrirait plus d'aucun complexe face à ses rivaux. Si l'ancien modèle était un peu petit, le modèle 2007 est un véritable monstre de la route.

CARROSSERIE ▶ Cette fois-ci, ce n'est pas du réchauffé : il s'agit d'un tout nouveau camion, construit sur un nouveau châssis beaucoup plus imposant. Donc, plus question pour le Tundra de se laisser ridiculiser. En plus d'avoir une taille de colosse, ce camion arbore une calandre massive cerclée de chrome et passablement intimidante. Non seulement le « petit » Tundra est-il allé faire un tour au gymnase, mais il s'est aussi arrêté chez le marchand de stéroïdes. La longueur et l'empattement ont été allongés de plus de 250 millimètres, alors que la largeur et la hauteur ont augmenté respectivement de 100 millimètres et de 130 millimètres. Comme c'est la norme chez les Américains, le Tundra 2007 aura trois différentes longueurs de cabine : régulier, Access Cab et Double Cab. En combinant cela avec les trois niveaux de finition et les longueurs de caisse proposées, c'est plus de 30 variations de Tundra qui seront proposées par Toyota.

HABITACLE ▶ Le volume intérieur de l'habitacle profitera de l'augmentation des dimensions extérieures du Tundra. De plus, la qualité des matériaux de finition et la dis-

forces
- Intérieur vaste et de qualité
- Plus de configurations
- Choix de moteurs

faiblesses
- Lignes rebutantes

nouveautés en 2007
- Nouveau modèle

un tout nouveau moteur i-Force de 5,7 litres qui sera jumelé à une boîte automatique à six rapports, nouvelle elle aussi. Ce moteur sera secondé par le i-Force de 4,7 litres, qui était le moteur de choix du Tundra précédent.

COMPORTEMENT ► Il n'avait pas été possible de conduire le Tundra 2007 au moment de mettre sous presse. L'ancien modèle avait une tenue de route plus agile et raffinée que celle de ses compétiteurs, mais cela était en partie attribuable à son gabarit plus humble. Cette fois encore, Toyota nous promet de maintenir la tradition en dotant son nouveau Tundra d'un comportement routier aussi confortable que silencieux. En plus, il devrait maintenant être capable de remorquer jusqu'à 4500 kilos.

CONCLUSION ► Malgré ses ventes anémiques, l'ancien Tundra avait fini par se trouver un créneau bien à lui. Il était, certes, plus petit que ses rivaux, mais, au cours des prochaines années, cette caractéristique aurait pu devenir un atout intéressant. On le remplace maintenant par un camion monstrueux, qui sera probablement trop cher et trop sophistiqué par rapport aux besoins de la clientèle.

position de la planche de bord seront en net progrès. Par ailleurs, l'intérieur du Tundra regorgera de gadgets et d'accessoires, dont une caméra de recul et un système Bluetooth de connexion sans fil pour les téléphones cellulaires. Mais, mis à part ces petits luxes bourgeois appréciés des *gentlemen-farmers,* Toyota a aussi pensé aux vrais travailleurs: les poignées de portière et les contrôles de ventilation ont été conçus pour de grosses mains portant des gants de travail. De même, les appuie-tête sont ajustables et ne gêneront pas ceux qui portent un casque protecteur.

MÉCANIQUE ► Le Tundra proposera trois moteurs: le V6 de 4,0 litres déjà employé par le Tacoma, et deux V8. Le plus gros des deux sera

FICHE TECHNIQUE

MOTEURS
(2RM cabine régulière) V6 4,0 l DACT
245 ch à 5200 tr/min
couple: 283 lb-pi à 3400 tr/min
Transmission: automatique à 5 rapports
0-100 km/h: 10,7 s
Vitesse maximale: 175 km/h
Consommation (100 km): 11,2 l (octane: 87)

(cabine allongée et double Cab) V8 4,7 l DACT
282 ch à 5400 tr/min
couple: 328 lb-pi à 3400 tr/min
Transmission: automatique à 5 rapports
0-100 km/h: 9,4 s
Vitesse maximale: 175 km/h
Consommation (100 km): 2RM: 13,4 l, 4RM: 14,0 l (octane: 87)

(option) V8 5,7 l DACT
couple: nd
Transmission: automatique à 6 rapports
0-100 km/h: nd
Vitesse maximale: nd
Consommation (100 km): nd

Sécurité active
freins ABS

Suspension avant/arrière
indépendante/essieu rigide

Freins avant/arrière
disques/tambours

Direction
à crémaillère, assistée

Pneus
nd

DIMENSIONS
Empattement: 3701 mm
Longueur: 5809 mm
Largeur: 2029 mm
Hauteur: 1941
Poids: nd
Diamètre de braquage: nd
Réservoir de carburant: nd
Capacité de remorquage: jusqu'à 4500 kg

YARIS

évolution | 14 530 $ à 17 560 $
Transport et préparation : 1090 $

www.toyota.ca

UNE VRAIE CITADINE

– Benoit Charette

FICHE D'IDENTITÉ

Version(s) : *hayon :* CE, LE, RS, *berline :* Groupe A, B, C, D, Aero
Roues motrices : avant
Portières : 3, 4, 5
Première génération : 2000 (Echo)
Génération actuelle : 2006
Construction : Nagakasa, Japon
Sacs gonflables : 2, frontaux, (latéraux en option dans berline)
Concurrence : Chevrolet Aveo, Honda Fit, Hyundai Accent, Kia Rio, Nissan Versa, Pontiac Wave, Suzuki Swift+

AU QUOTIDIEN

Prime d'assurance :
25 ans : 2100 à 2300 $
40 ans : 1100 à 1300 $
60 ans : 900 à 1100 $
Collision frontale : nd
Collision latérale : nd
Ventes du modèle l'an dernier
Au Québec : 15 278 (Echo) + 3322 (Yaris)
Au Canada : 26 711 (Echo) + 6177 (Yaris)
Dépréciation (3 ans) : 42,8 %
Rappels (2001 à 2006) : 1
Cote de fiabilité : 5/5

Toyota a bouclé la boucle : tout le monde connaît maintenant l'Oncle Yaris, vu sur le petit écran. En 2007, Toyota ajoute une berline à quatre portes aux modèles à trois et à cinq portes déjà disponibles. Véritable passe-partout, la Yaris aime les espaces de stationnement réduits et se sent chez elle dans la circulation urbaine. Courte et trapue, elle ne néglige pas pour autant le confort. Si votre priorité est de posséder une voiture pratique, économique et bien construite, la Yaris est pour vous.

CARROSSERIE ► La silhouette de la Yaris est sympathique et agréable. Il n'y a rien dans ses lignes, ou presque, qui rappelle l'Echo : le capot est plus rebondi, le profil est rondouillet et la ceinture de caisse, très plongeante. La calandre verticale y ajoute une certaine robustesse, alors que l'arrière présente un joli mélange de rondeurs et de lignes tendues. De quoi, tout compte fait, lui procurer suffisamment de dynamisme et une qualité en net progrès. Pour ceux qui préfèrent des lignes plus classiques, la nouvelle berline ressemble un peu à une Camry qui aurait rétréci au lavage.

HABITACLE ► Tout comme l'Echo, la Yaris propose un intérieur ludique plein de jeunesse et de bonne humeur. Sur le plan de la conception, Toyota a mis l'accent sur les formes géométriques et verticales ; c'est ce qu'on pourrait appeler une approche cartésienne. Rien ne dépasse et la présentation est sans bavure. La console centrale tout en hauteur renferme tout le savoir de la voiture. Les plastiques font encore un peu bon marché, mais les rangements foisonnent avec pas moins de trois boîtes à gants, dont une casée au-dessus du volant, à la place des compteurs toujours placés au centre. Quant à la position de conduite, l'assise est un peu courte pour les personnes de grande taille et les sièges ne reculent pas assez. En revanche, les sièges rabattables 60/40 permettent de dégager un

forces
- Habitabilité
- Espaces de rangement
- Peu gourmande

faiblesses
- Assise un peu courte à l'avant
- Direction un peu floue au centre
- Moteur bruyant en accélération
- Berline décevante

nouveautés en 2007
- Nouvelle version berline

bon volume pour une petite voiture, jusqu'à 1086 litres pour le modèle à hayon. De plus, l'insonorisation est excellente pour une sous-compacte.

MÉCANIQUE ► Une seule mécanique est au menu pour l'ensemble des modèles. Le moteur à quatre cylindres de 1,5 litre développe 106 chevaux et 103 livres-pied de couple. Il s'acquitte bien de sa tâche, car le poids du véhicule est minime, mais cette mécanique n'apprécie guère les fortes accélérations, ce qui explique les sons plutôt désagréables qu'on entend lorsqu'on enfonce l'accélérateur. On choisit entre la boîte manuelle à cinq rapports et la soyeuse boîte automatique à quatre rapports.

COMPORTEMENT ► La Yaris se manie bien sur la route grâce à sa direction directe et précise. Il reste seulement un petit flou au centre qui trouble un peu la communion avec la route. Ce défaut est malheureusement propre à la majorité des véhicules avec direction à assistance électrique. Le châssis accepte facilement les rythmes soutenus et ne dédaigne pas une petite balade sur chemins tortueux. Comme beaucoup de petites voitures légères, la Yaris n'apprécie pas les forts vents. De plus, si vous fréquentez des contrées vallonnées, vous devrez jouer du manche à balai avec cette mécanique qui ne jouit pas de gros poumons. Il faut parfois rétrograder en première ou deuxième pour relancer la machine. Mais, dans l'ensemble, il s'agit d'une expérience amusante.

CONCLUSION ► Ses lignes sont agréables, la vie à bord aussi, et son moteur est efficace. Seul bémol: méfiez-vous des groupes d'options qui font grimper le prix de la voiture. Véhicule idéal et parfaitement fiable pour ceux qui doivent faire la navette entre le boulot et la maison, la Yaris constitue un des bons choix dans cette catégorie.

FICHE TECHNIQUE

MOTEUR
L4 1,5 l DACT 106 ch à 6000 tr/min
couple: 103 lb-pi à 4200 tr/min
Transmission: manuelle à 5 rapports, automatique à 4 rapports en option
0-100 km/h: 11,1 s
Vitesse maximale: 180 km/h
Consommation (100 km): man.: 6,2 l, auto.: 6,3 l (octane: 87)

Sécurité active
freins ABS (option)

Suspension avant/arrière
indépendante/essieu rigide

Freins avant/arrière
disques/tambours

Direction
à crémaillère, assistée

Pneus
CE, LE et Groupe A: P175/65R14, RS, Groupes B, C, D et Aero: P185/60R15

DIMENSIONS
Empattement: berl.: 2550 mm, *hayon:* 2460 mm
Longueur: berl.: 4300 mm, hayon: 3825 mm
Largeur: berl.: 1690 mm, hayon: 1695 mm
Hauteur: berl.: 1440 mm, hayon: 1525 mm
Poids: berl.: 1050 kg, *hayon:* CE: 1043 kg, LE: 1050 kg, RS 2p.: 1052 kg, RS 4p: 1059 kg
Diamètre de braquage: berl.: 10,4 m, hayon: 9,4 m
Coffre: berl.: 365 l, hayon: 228 l
Réservoir de carburant: 42 l

2e opinion

Pascal Boissé • L'année avait pourtant bien commencé: la Yaris battait tous les records de vente de l'Echo, sa devancière, et semblait promise à une brillante carrière. Mais la Honda Fit est venue jouer les trouble-fêtes et la vie de la Yaris ne sera plus jamais la même. Bien qu'elle constitue encore une proposition intéressante dans ce segment, son moteur rugueux, voire rêche, est loin de faire bonne figure face à celui de la Fit. De plus, l'espace à bagage de la version 5 portes paraît maintenant minuscule, sans parler des sièges et du tableau de bord qui ne sont pas au goût de tous. L'insonorisation est cependant en progrès et les multiples espaces de rangement en font une voiture fort pratique.

CAMPAGNA

nouveauté | 43 000 $
Transport et préparation : nd

www.go-t-rex.com

LA THÉORIE DE L'ÉVOLUTION

– Pascal Boissé

FICHE D'IDENTITÉ

Version(s) : unique
Roues motrices : 1
Portières : 0
Première génération : 1999
Génération actuelle : 2007
Construction : Plessisville, Québec
Sacs gonflables : 0
Concurrence : Lotus Elise, une monoplace, un avion de chasse...

AU QUOTIDIEN

Prime d'assurance :
25 ans : nd
40 ans : nd
60 ans : nd
Collision frontale : nd
Collision latérale : nd
Ventes du modèle l'an dernier
Au Québec : nm **Au Canada :** nm
Dépréciation (3 ans) : nm
Rappels (2001 à 2006) : nm
Cote de fiabilité : nm

Pas facile de devenir un constructeur automobile, surtout lorsqu'on souhaite produire quelque chose d'aussi unique qu'un improbable métissage de motocyclette haute performance et de monoplace. De plus, il faut mettre sur pied un réseau de concessionnaires fiables et lutter contre des margoulins et des truands qui tentent de parasiter le succès du T-Rex en fabriquant des contrefaçons de piètre qualité. Tout un programme ! À quelques heures de la date de tombée de ce livre, j'ai eu la chance de rencontrer l'équipe de développement du T-Rex qui peaufinait les derniers détails du modèle 2007 sur le circuit de l'autodrome Saint-Eustache. Pendant que les techniciens s'affairaient sur un prototype à la mise au point de la nouvelle suspension avant et à l'implantation d'un nouveau moteur Kawasaki 1400 centimètres cubes, des propriétaires de T-Rex s'en donnaient à cœur joie sur la piste. Pas question, ici, de faire des cachotteries aux clients: posséder un T-Rex, c'est faire partie d'une petite famille tricotée serré. Les clients fidèles sont consultés et impliqués dans l'évolution du véhicule. Rien de plus normal, dans ces conditions, que l'on fasse la mise au point du prototype sous leurs yeux.

CARROSSERIE ► Inchangé depuis six ans, le style original de la carrosserie du T-Rex, que l'on doit au designer Montréalais Paul Deutschman, a été légèrement altéré au cours de l'année 2006, notamment au chapitre des accessoires d'éclairage. Pour doter le véhicule de feux plus puissants, similaires à ceux d'une automobile, et se conformer à la nouvelle réglementation, de nouveaux phares quadruples et un ensemble de feux arrière ont fait leur apparition. De plus, la suspension avant du modèle 2007 sera remplacée et son empattement s'allongera de plus de 25 centimètres.

HABITACLE ► Il faut être passablement souple pour se glisser à bord d'un T-Rex, et encore plus pour en sortir... La bête atteint à peine plus de un mètre de hauteur, c'est

forces
- Conduite « à l'état pur »
- Superbes performances
- Rapport performance/prix
- Expérience multisensorielle intense

faiblesses
- Usage limité
- Accès difficile à bord

nouveautés en 2007
- Nouveau moteur 1400cc à injection, nouveau tableau de bord, empattement allongé de 25 cm

version électrique de leur véhicule. Baptisé «Silence», ce nouveau bolide devrait faire son apparition en 2008 et réussir des performances, disons, électrisantes.

COMPORTEMENT ▶ L'allongement de l'empattement permettra une meilleure répartition des masses et améliorera l'adhérence du train arrière, ce qui n'est pas un luxe compte tenu de la puissance accrue du nouveau moteur. Quelques tours de piste à bord du prototype 2007 suffisent pour percevoir les bénéfices de ces changements. Le slogan de T-Rex est: «La conduite à l'état pur», et rien n'est plus vrai: comme dans une monoplace, les odeurs des freins et des pneus malmenés sont très présentes. La sonorité plus agressive du moteur 1400 cc ajoute aussi à l'expérience, mais on reste surpris par la douceur de la suspension. La direction est d'une précision chirurgicale et le T-Rex est indulgent lorsqu'on le bouscule.

CONCLUSION ▶ Après avoir vécu des hauts et des bas au cours des dernières années, les dirigeants chez T-Rex sont plus que jamais déterminés à poursuivre l'expansion de la compagnie et l'évolution de leurs produits. Comme quoi, tous les dinosaures ne sont pas voués à l'extinction.

vous dire! Le tableau de bord minimaliste se résume à un bloc d'instruments de moto disposés au-dessus de la colonne de direction. Ici aussi, le modèle 2007 évoluera avec un nouvel indicateur multifonctionnel pourvu de deux cadrans analogiques.

MÉCANIQUE ▶ Pour construire un T-Rex, on doit démanteler complètement une moto pour en prélever les principaux organes mécaniques. En 2007, le T-Rex change de donneur, et c'est maintenant un Kawasaki Ninja ZX-14 qui se fait cannibaliser son monstrueux moteur de 1,4 litre. Avec les 200 chevaux que produit ce nouveau moteur, le T-Rex 2007 gagne 48 chevaux, une augmentation de 32 %. En partenariat avec deux autres entreprises, EBW et Univerco, l'équipe de T-Rex travaille aussi au développement d'une

FICHE TECHNIQUE

MOTEUR
L4 1352 cm³ I DACT 200 ch à 9500 tr/min
couple: 154 lb-pi à 7500 tr/min
Transmission: séquentielle à 6 rapports avec marche arrière
0-100 km/h: 4,0 s
Vitesse maximale: 225 km/h
Consommation par 100 km: nd

Sécurité active
cage de protection tubulaire en acier, casque protecteur

Suspension avant/arrière
indépendante à double triangle asymétrique/bras oscillant

Freins avant/arrière
disques

Direction
à crémaillère

Pneus
Avant: 205/45/ZR16
Arrière: 285/40/ZR17

DIMENSIONS
Empattement: 2540 mm
Longueur: 3500 mm
Largeur: 1981 mm
Hauteur: 1067 mm
Poids: 410 kg
Diamètre de braquage: nd
Coffre: 2 valises latérales optionnelles
Réservoir de carburant: 28 l

2e opinion

Benoit Charrette • Le T-Rex est une expérience quasi mythique. Rien ne vous prépare à l'orgie de puissance qui se dégage du nouveau moteur de 1400 cc. Selon le concepteur, Paul Laprade, même le prototype de la version électrique pourra atteindre 300 km/h. Le plus bizarre, c'est de s'habituer à rouler dans la circulation à la hauteur des pare-chocs des voitures. Oui, c'est très bas, un T-Rex, mais la tenue de route est surprenante de confort. Par contre, le bruit du moteur est envahissant et, s'il est mélodieux aux oreilles des badauds qui voient passer ce véhicule à trois roues, au volant c'est une autre histoire.

EOS

nouveauté | 37 990 $
Transport sans la préparation : 695 $

www.vw.com

CABRIOLET QUATRE SAISONS

– Benoit Charette

La venue de ce nouveau modèle est une date importante pour le constructeur de Wolfsburg qui lance ainsi le premier cabriolet à toit rigide rétractable de son histoire et rejoint ainsi les rares constructeurs généralistes à être présents dans ce segment ô combien porteur des coupés-cabriolets. Dans la mythologie grecque, le lever d'Eos signifie la fin de la nuit, puisque c'est elle qui ouvre à son frère Helios (le soleil), les portes du ciel pour qu'il vienne éclairer la terre. Dans une réalité plus terrestre, la nouvelle Eos, premier coupé-cabriolet fabriqué par Volkswagen, a été présentée au Salon de Francfort en septembre 2005. Le stand avait été décoré de tournesols pour l'occasion. La voiture l'a traversé avec son toit en train de se replier. Wolfgang Bernhard, patron de Volkswagen, était au volant. Une voiture pleine de soleil, utilisable à longueur d'année.

CARROSSERIE ▶ Volkswagen a rassemblé ses meilleurs éléments de sa banque d'organes pour concevoir l'Eos. La voiture repose sur une plateforme de Passat modifiée, avec le même train arrière, mais le train avant provient de la Golf. Par contre, tous les panneaux de carrosserie sont propres à ce modèle. Parlons maintenant de l'élément marquant de l'Eos, son toit. La voiture est équipée du seul toit rigide de l'industrie qui se replie en cinq parties. Pourquoi en cinq parties, me direz-vous ? Pour être plus compact. De ce fait, il ne dénature pas la silhouette de la voiture qui est belle avec ou sans toit. Autre attrait : la vitre coulissante en verre du toit ouvrant, qui permet, quand vous le désirez, de profiter du vent sans vous faire décoiffer. De plus, cette grande vitre laisse passer beaucoup de lumière dans l'habitacle. Voici donc tout à la fois un coupé, un cabriolet et un toit ouvrant.

Le toit rigide se met en place ou se rétracte en 25 secondes, soit en un peu plus de temps que la moyenne. Il est à noter que, en raison des longs montants de toit, le coffre doit s'ouvrir largement à l'arrière. Volkswagen a donc doté la voiture de senseurs : s'il y a un

FICHE D'IDENTITÉ

Version(s) : 2.0T
Roues motrices : avant
Portières : 2
Première génération : 2007
Génération actuelle : 2007
Construction : Setubal, Portugal
Sacs gonflables : 6, frontaux, latéraux avant et rideaux latéraux
Concurrence : Mitsubishi Eclipse Spyder, Pontiac G6 cabriolet, Toyota Solara cabriolet, Volvo C70

AU QUOTIDIEN

Prime d'assurance :
25 ans : 3100 à 3300 $
40 ans : 1900 à 2100 $
60 ans : 1700 à 1900 $
Collision frontale : nd
Collision latérale : nd
Ventes du modèle l'an dernier
Au Québec : nm **Au Canada :** nm
Dépréciation (3 ans) : nm
Rappels (2001 à 2006) : nm
Cote de fiabilité : nm

forces

- Toit polyvalent
- Matériaux et assemblage
- Équipements
- Très attractive
- Tenue de route saine et neutre

faiblesses

- Une certaine lourdeur au démarrage
- Bruits d'air en version coupé
- Manœuvre de toit contraignante (obligation de serrer le frein à main et d'avoir le doigt sur le bouton).

nouveautés en 2007

- Nouveau modèle

obstacle à moins de 40 centimètres de l'arrière de l'auto, on ne peut déployer ni refermer le toit. Parmi les petits désagréments liés à ce toit, on retiendra la capacité du coffre loin d'être exceptionnelle puisqu'elle oscille entre 205 litres (en cabriolet) et 380 litres (en coupé). Tout juste assez pour loger deux sacs de sport souples. Et avec le toit en place, la visibilité diminue de moitié, un inconvénient de taille pour le conducteur.

HABITACLE ▶ À bord, l'Eos ne peut guère renier ses origines, puisqu'à l'exception de certains matériaux (comme de meilleurs plastiques), d'inserts en aluminium et du dessin des aérateurs, la présentation est identique à celle de la Golf. Volant, console centrale, tableau de bord et levier de vitesses sont ainsi issus de la compacte. Volkswagen a toutefois eu la bonne idée de présenter une finition deux tons du meilleur effet. Partout, il n'y a rien qui fasse *cheap*, ou alors, nous ne l'avons pas trouvé. Outre son espace plus que convenable pour les passagers à l'avant, l'espace arrière permet d'accueillir adéquatement deux adultes qui n'auront pas nécessairement les genoux accotés au dossier du siège avant.

L'Eos est disponible en une seule version avec des équipements en option, dont un système de navigation (qui a eu du mal à trouver son chemin en Grèce lors du lancement), une boîte séquentielle DSG et des roues de 18 pouces. Au chapitre de l'ergonomie, les habitués de la marque ne seront pas dépaysés : boutons et commandes sont typiquement Volkswagen et les banquettes fermes mais confortables offrent une assise de première qualité.

MÉCANIQUE ▶ Des trois motorisations développées pour l'Eos, le Canada en recevra une seule : la 2.0T FSI de 200 chevaux (même moteur que celui de la Golf et de la Passat) avec boîte manuelle à six rapports de série et boîte automatique en option. Les Européens profitent d'une mécanique quatre cylindres TDI plus économique et les Américains, d'un V6 3,2 litres plus puissant. Le Canada n'a pas écarté définitivement le V6, mais les modestes prédictions de vente (700 unités) ont incité les dirigeants de Volkswagen Canada à être prudents pour la première année de production. Cela pourrait changer, mais le moteur diesel ne traversera sans doute pas l'Atlantique, ce qui est dommage, car il se débrouille bien à tous les points de vue. Cela dit, VW prépare pour 2008 un nouveau moteur avec injection directe et rampe commune. La poussée d'adrénaline n'est pas aussi forte qu'avec la GTI. À l'essai, le quatre cylindres 2.0 Turbo assure un joli caractère à l'Eos, dont les 1539 kilos ne semblent pas vraiment lui poser de problème. Il lui permet d'accélérer de 0 à 100 km/h en 7,8 secondes (0,4 seconde de plus qu'une Golf GTI), témoignant au passage d'une belle linéarité et d'une souplesse accommodante en conduite urbaine.

COMPORTEMENT ▶ Croyez-le ou non, le Québec n'est pas le seul endroit où les routes sont dégradées. Les petits chemins en lacets qui sillonnent les côtes de la mer Égée sont souvent en piteux état (truffés de nids-de-poule), mais l'Eos s'en est très bien tirée. Sous la rubrique comportement, cette dernière-née de Volkswagen a répondu à mes attentes. La

HISTOIRE ▼

Charmante décapotable

Alors que l'Eos s'attaque à un créneau de pleine croissance, celui des coupés découvrables, les cabriolets « classiques » de Volkswagen offraient un charme particulier qui tend à disparaître. Celui de l'évocation de l'époque révolue des torpédos et autres voitures anciennes décapotables. Le charme, aussi, de décoiffer soi-même sa voiture... Bien entendu, un cabriolet doté d'une capote en toile n'offrira jamais le silence de roulement, ni l'étanchéité parfaite du pavillon rigide escamotable de l'Eos...

Coccinelle 1954 de police (!)

Coccinelle 1981

Cabriolet Karmann Ghia

Golf Cabrio 1979

Golf Cabrio 1993

Cabrio 1998

New Beetle cabriolet 2006

EOS

GALERIE

1 • Il y a certains marchés sur la planète qui pourront choisir en option d'installer un écran derrière l'appuie-tête. Le Canada n'est pas parmi ceux-là.
2 • Comme tous les produits Volswagen, l'Eos profite d'une trappe, dans ce cas-ci verrouillable, permettant l'accès au coffre.
3 • Le style avant-gardiste des phares donne un regard particulier et un brin menaçant à l'EOS.
4 • Avec le toit levé, vous avez 380 litres de volume de chargement dans le coffre et 205 avec le toit en place dans le coffre, juste assez pour loger deux sacs pour le week-end.
5 • Volkswagen a rassemblé les meilleurs éléments de sa banque d'organes pour concevoir l'Eos. La voiture repose sur une plateforme modifiée de la Passat avec le même train arrière. Le train avant provient de la Golf. Tous les panneaux de carrosserie sont uniques à ce modèle.

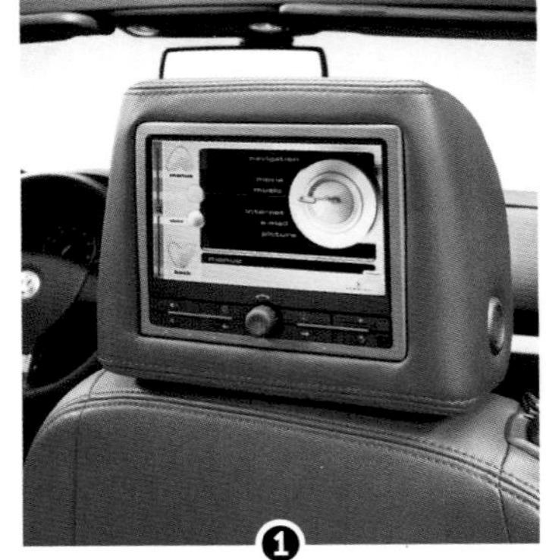

1

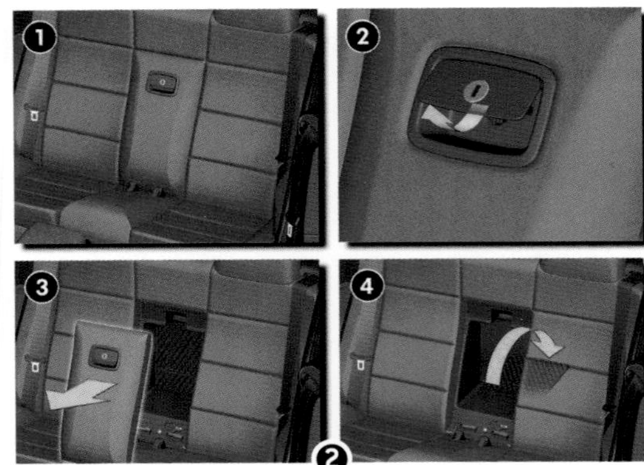

2

3

4

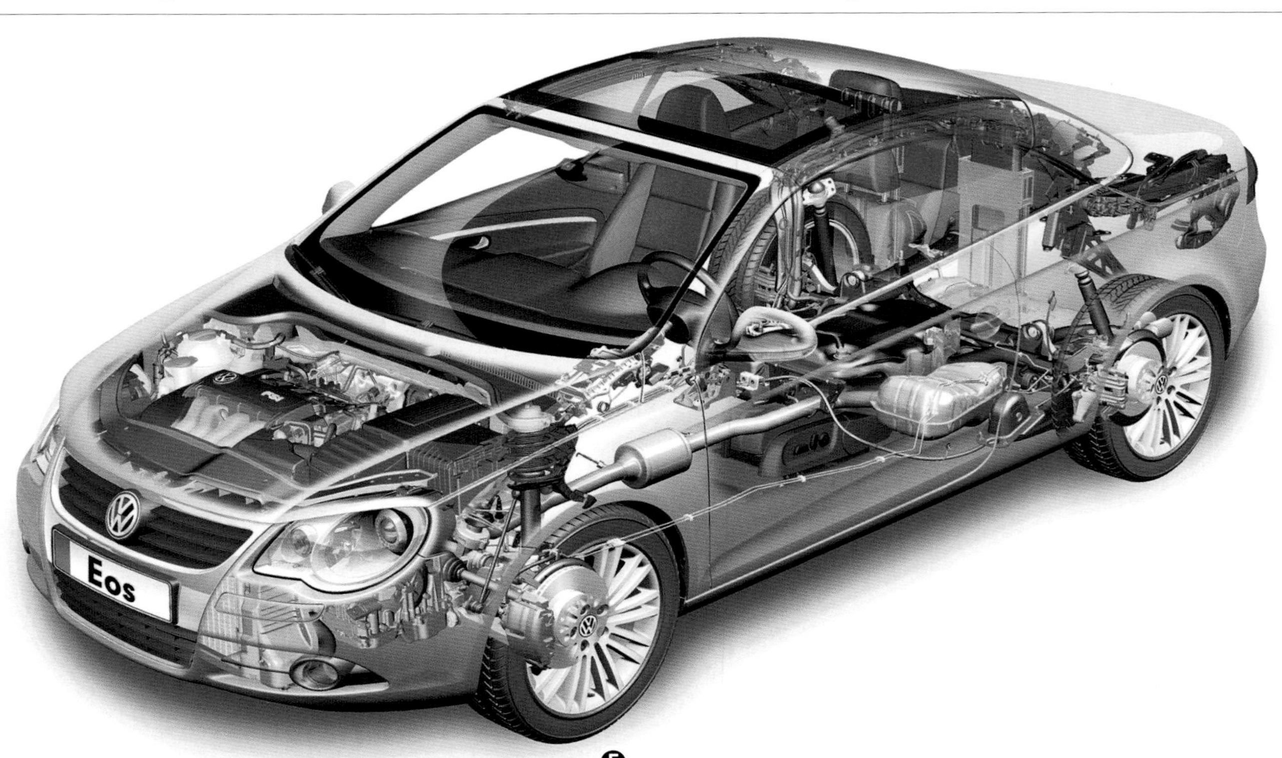

5

direction se veut précise et agréable quelle que soit la vitesse et le freinage est correct, mais manque parfois d'un peu de mordant. Rien à redire concernant l'amortissement puisque celui-ci est ferme tout en ne négligeant pas pour autant le confort des passagers. Il faudra bien réchauffer les pneus avant de pouvoir prendre la motricité en défaut.

Bénéficiant du meilleur de la Golf et de la Passat, l'Eos profite de barres antiroulis plus imposantes et d'un châssis rigide qui permet une conduite agréable, avec ou sans le toit. Pas de bruits de caisse insolites mais un freinage qui manque un peu de mordant, une suspension convenable, un diamètre de braquage réduit, etc. En bref, ce coupé-cabriolet réussit presque un sans-faute. Le seul bémol concerne le moteur, qui met un certain temps à se mettre en branle. À bas régime, ce turbo manque un peu de souffle. Il faut jeter le blâme sur le surplus de poids. Cela représente toutefois un accroc mineur, car le 2.0T FSI reste une mécanique très intéressante qui accomplit un travail superbe, tant chez Volkswagen que chez Audi. Une fois lancé, le moteur supporte très bien le rythme. Quant à la consommation, elle est raisonnable pour ce niveau de performance : de 10 à 12 litres aux 100 km selon le style de conduite adopté.

CONCLUSION ► La Volkswagen Eos a répondu à nos attentes lui permettant de venir jouer les trouble-fêtes parmi les références du marché. Au final, l'Eos a beaucoup plus à offrir pour le prix demandé, sa finition irréprochable et son confort lui permettent de se positionner très favorablement dans un marché où ses concurrentes européennes sont beaucoup plus chères. À 37 990 $ (version de base), l'Eos est plus abordable que la Volvo C70 à 55 000 $ et plus pratique que la Mercedes SLK. Une véritable voiture quatre saisons qui offre aussi de l'espace pour la famille. Une belle réussite !

FICHE TECHNIQUE

MOTEUR
L4 2,0 l turbo DACT 200 ch à 5600 tr/min
couple : 207 lb-pi à 4200 tr/min
Transmission : manuelle à 6 rapports, automatique à 6 rapports avec mode manuel (option)
0-100 km/h : 7,8 s
Vitesse maximale : 209 km/h
Consommation (100 km) : 8,4 l (octane : 91)

Sécurité active
freins ABS, répartition électronique de force de freinage, antipatinage, contrôle de stabilité électronique

Suspension avant/arrière
indépendante

Freins avant/arrière
disques

Direction
à crémaillère, assistée

Pneus
P225/45R17, P235/40R18 (option)

DIMENSIONS
Empattement : 2578 mm
Longueur : 4407 mm
Largeur : 1791 mm
Hauteur : 1443 mm
Poids : 1539 kg
Diamètre de braquage : 10,9 m
Coffre : cabrio. : 205 l, coupé : 380 l
Réservoir de carburant : 55 l

GOLF / JETTA CITY

www.vw.com

MOINS CHÈRE QU'EN 1999 !

– Antoine Joubert

FICHE D'IDENTITÉ

Version(s) : unique
Roues motrices : avant
Portières : 4
Première génération : 1974 (Golf), 1981 (Jetta)
Génération actuelle : 1999
Construction : Curitiba, Brésil
Sacs gonflables : 2, frontaux
Concurrence : Chevrolet Aveo, Honda Fit, Hyundai Accent, Nissan Versa, Pontiac Wave, Suzuki Swift+, Toyota Yaris

AU QUOTIDIEN

Prime d'assurance :
25 ans : 2500 à 2700 $
40 ans : 1600 à 1800 $
60 ans : 1300 à 1500 $
Collision frontale : 5/5
Collision latérale : 4/5
Ventes du modèle l'an dernier (Golf)
Au Québec : 1687 **Au Canada :** 5175
Dépréciation (3 ans) : 50,6 %
Rappels (2001 à 2006) (Golf) : 6
Cote de fiabilité : 2/5

Chez Volkswagen, on nous a souvent répété que la Polo ne viendrait pas en terre nord-américaine, mais aussi que les acheteurs de voitures à rabais ne seraient pas ignorés. Solution facile : les dirigeants ont donc choisi de prolonger la production de la Golf et de nous ramener l'ancienne Jetta pour en faire des modèles d'entrée de gamme, vendus à prix choc. Voilà qui n'est pas bête, mais j'avoue avoir pitié de ceux qui ont acheté récemment une Golf neuve ou qui souhaitent vendre leur Golf ou Jetta usagée de quelques années, à prix normalement déprécié.

CARROSSERIE ► Dans la Golf comme dans la Jetta, il n'y a rien de nouveau sur le plan de l'esthétisme. La Golf n'est disponible qu'en version à quatre portières, tout comme la Jetta qui ne comprend pas de version familiale. Les seules modifications apportées sont en fait un choix de couleurs plus élaboré : il y a désormais six teintes par modèle. Sinon, la qualité de la tôlerie et de la peinture est toujours supérieure à la moyenne, et les lignes des carrosseries sont indémodables. En contrepartie, cela signifie également que Volkswagen persiste à nous proposer des phares et des feux qui grillent souvent, et les enjoliveurs de roues qui sont incontestablement les plus moches de l'industrie.

HABITACLE ► En 1999, lors du lancement de cette génération de Golf et Jetta, j'avais été séduit par la beauté de leur habitacle, par les sièges fermes et bien sculptés, par le magnifique éclairage violacé de la planche de bord et par la qualité générale d'assemblage et de finition. Huit ans plus tard, ma conclusion demeure la même, soit celle d'un habitacle toujours chaleureux et de bonne qualité, mais qui n'est toutefois pas sans défauts. D'abord, ceux qui désirent beaucoup d'espace à l'arrière doivent rebrousser chemin. Le dégagement aux jambes est limité et l'arche du toit de la Jetta pourrait contribuer à l'apparition de plusieurs ecchymoses sur la tête des passagers. Le conducteur doit lui aussi

forces
- Prix alléchant
- Comportement routier
- Finition à l'allemande
- Sièges confortables

faiblesses
- Puissance, sonorité et consommation
- Habitabilité
- Fiabilité
- Les ampoules sont toujours grillées !

nouveautés en 2007
- Retour de l'ancienne génération des Golf et Jetta en gamme simplifiée

COMPORTEMENT ► Au chapitre du comportement, ces deux voitures allemandes nous impressionnent toujours. Stables, solides, bien suspendues et pourvues d'une direction précise, les Golf et Jetta City méritent d'être qualifiées de véritables routières. Elles ne font pas aussi bien que la nouvelle génération, mais se comparent avantageusement à la concurrence par leur prix comparable. Cependant, le niveau sonore est assez important sur l'autoroute en raison d'un régime moteur élevé.

composer avec un dégagement limité à la hauteur des jambes, à cause principalement de l'imposante console centrale. De plus, la largeur des piliers C ne permet pas une bonne visibilité arrière. Heureusement, Volkswagen ne propose plus l'habitacle beige, fort salissant, et offre enfin dans les équipements de série (bravo, nous sommes en 2007) un lecteur CD !

MÉCANIQUE ► Le moteur 2,0 litres de 115 chevaux, le seul désormais disponible, était désuet avant même de franchir le cap du nouveau millénaire. Bruyant, gourmand et peu puissant, il ne fait guère honneur à cette génération de Golf et Jetta. Toutefois, il est très fiable, pour ainsi dire increvable.

CONCLUSION ► Offertes à joli prix, les « nouvelles » City permettent à ceux qui ne veulent pas rouler dans une voiture de poche de s'en tirer à bon compte. Ils bénéficient d'une auto intéressante sous plusieurs rapports, qui s'accompagne d'une garantie sérieuse.

Cependant, il ne faut pas s'attendre à la lune en matière de fiabilité et ne pas oublier que le coût des assurances et de l'essence est plus important que la moyenne.

FICHE TECHNIQUE

MOTEUR
L4 2,0 l SACT 115 ch à 5600 tr/min
couple : 122 lb-pi à 4200 tr/min
Transmission : manuelle à 5 rapports, automatique à 4 rapports en option
0-100 km/h : Golf : 10,4 s, Jetta : 10,6 s
Vitesse maximale : 190 km/h
Consommation (100 km) : man. : 8,4 l, auto. : 8,5 l (octane : 87)

Sécurité active
freins ABS, antipatinage (option), contrôle de stabilité électronique (option)

Suspension avant/arrière
indépendante/semi-indépendante

Freins avant/arrière
disques

Direction
à crémaillère, assistée

Pneus
P195/60R15

DIMENSIONS
Empattement : Golf : 2511 mm, Jetta : 2513 mm
Longueur : Golf : 4189 mm, Jetta : 4376 mm
Largeur : 1735 mm
Hauteur : Golf : 1439 mm, Jetta : 1440 mm
Poids : Golf : 1314 kg, Jetta : 1313 kg
Diamètre de braquage : Golf : 10,9 m, Jetta : 11,0 m
Coffre : Golf : 510 l, Jetta : 400 l
Réservoir de carburant : 55 l

2e opinion

Benoit Charette • La Golf de cinquième génération a repris le nom de Rabbit. Pendant ce temps, la Golf de quatrième génération conserve son nom et hérite d'un appendice : la City. Volkswagen a donc choisi de baisser le prix de sa Golf de base et de la faire concurrencer les sous-compactes. Une stratégie intéressante, car la Golf est plus grande et plus plaisante à conduire que la majorité des petites voitures. Son seul problème est encore et toujours la fiabilité. Je dois tout de même dire qu'elle sera la seule véritable allemande, à prix aussi abordable, à nous procurer un réel plaisir au volant. Je suis très tenté de vous la recommander, car le rapport prix/plaisir est imbattable.

JETTA

évolution | 24 995 $ à 33 100 $
Transport (sans préparation) : 695 $

www.vw.com

L'ÉTALON, LE PERCHERON ET LA MULE ASTHMATIQUE

– Pascal Boissé

FICHE D'IDENTITÉ

Version(s) : 2.5, 2.0T, GLI
Roues motrices : avant
Portières : 4
Première génération : 1981
Génération actuelle : 2006
Construction : Puebla, Mexique, Curitiba, Brésil
Sacs gonflables : 4, frontaux et latéraux (rideaux latéraux en option)
Concurrence : Acura CSX, Chevrolet Malibu, Chrysler Sebring, Ford Fusion, Honda Accord, Hyundai Sonata, Kia Magentis, Mazda6, Mitsu. Galant, Nissan Altima, Pontiac G6, Saturn Aura, Subaru Impreza et Legacy, Toyota Camry

AU QUOTIDIEN

Prime d'assurance :
25 ans : 2500 à 2700 $
40 ans : 1600 à 1800 $
60 ans : 1300 à 1500 $
Collision frontale : 4/5
Collision latérale : 5/5
Ventes du modèle l'an dernier
Au Québec : 4887 **Au Canada :** 18 202
Dépréciation (3 ans) : 43,3 %
Rappels (2001 à 2006) : 7
Cote de fiabilité : nm

Propriétaire d'une Jetta (une vraie, une vieille), j'attendais de pied ferme cette nouvelle version de ma voiture fétiche. Il faut savoir que la Jetta est proposée avec trois motorisations différentes qui transforment radicalement sa personnalité. Mon premier contact avec une version 2.5 m'a suffi pour la détester franchement. Par la suite, des essais routiers des versions diesel (TDI) et turbocompressé (2.0T) m'ont non seulement réconcilié avec la Jetta, mais aussi enthousiasmé.

CARROSSERIE ► La Jetta a toujours été une Golf sur laquelle on greffait maladroitement un coffre. Probablement grâce à ses formes arrondies, qui ont fait sursauter les puristes comme moi, l'intégration du coffre est mieux réussie que jamais. Ce dernier, conformément à la tradition, est toujours aussi caverneux. Avec ses lignes intemporelles, la cinquième génération de Jetta vieillira comme le bon vin. Tout comme pour la Passat, à laquelle elle ressemble à s'y méprendre, seule l'espèce de bavette de chrome qui tient lieu de calandre finira par lasser. Lorsqu'elle est équipée du moteur 2,0T, la Jetta est pourvue de phares bleutés au xénon, et la version sportive GLI a droit à quelques ajouts discrets pour souligner son caractère exclusif.

HABITACLE ► L'habitacle est sobre et bien fini, dans la plus pure tradition germanique. Les matériaux qui garnissent l'intérieur sont d'excellente qualité, mais quelques défauts d'assemblage affectaient nos voitures d'essai. Volkswagen nous avait habitués à mieux, avec des habitacles dont le design et la qualité faisaient l'envie des autres constructeurs. Ici, on est revenu dans la bonne moyenne, sans plus. La combinaison de sièges confortables aux multiples ajustements et d'une colonne de direction télescopique permet une position de conduite impeccable.

MÉCANIQUE ► Le moteur 2,5 litres, point faible de cette voiture, est tout simplement exécrable. Comme tous les cinq cylindres, sa sonorité

forces
- Moteur 2,0 litres brillant
- Design intemporel
- Position de conduite

faiblesses
- Moteur 2,5 litres poussif
- Pneumatiques de base

nouveautés en 2007
- Version GLI en édition limitée, version TDI discontinuée, mais modèle TDI 2006 toujours disponible chez les concessionnaires

nasillarde est aussi désagréable que ses vibrations chaotiques. L'accélérateur, à la progressivité mal calibrée, fait patiner les roues au départ, mais après, plus rien! On croirait avoir affaire à un moteur de 75 chevaux tout au plus. Par respect pour les fidèles de la Jetta, Volkswagen n'avait pas le droit de mettre un moteur aussi lamentable sous le capot. Le TDI, pour sa part, est un classique en son genre: du couple en masse mais un calme olympien. Avec ce moteur, la Jetta dévore les kilomètres en toute sobriété (sauf qu'il n'est plus disponible pour 2007). Mais avec le moteur 2.0T au caractère diamétralement opposé, la Jetta devient fougueuse et espiègle, toujours prête à bondir. En plus de la boîte manuelle à cinq rapports (six rapports dans la 2.0T), la boîte automatique séquentielle DSG est aussi offerte. Bien que cette dernière dispose d'un mode manuel, on préférera toujours le mode piloté dont le fonctionnement est plus fluide.

COMPORTEMENT ▶ La Jetta s'embourgeoise à chaque génération: c'est toujours relativement sportif et engageant, ça inspire confiance, mais c'est moins nerveux qu'avant. Si le tempérament placide de la TDI s'accommode bien des pneus de 15 pouces, les sautes d'humeur de la version 2.5 les font mal paraître. Une partie du plaisir que l'on éprouve à piloter la 2.0T s'explique par sa monte pneumatique supérieure de 17 pouces. La GLI, quant à elle, a droit à des jantes de 18 pouces.

CONCLUSION ▶ En bref, la version TDI est un choix rationnel si l'on tient compte du prix du carburant. C'est une routière solide et paisible. La version 2.0T, elle, est une vraie petite bombe sympathique et agréable à conduire. Coûteuse, certes, mais tellement dynamique qu'on lui pardonne tous ses petits défauts. Quant à la version 2.5, il s'agit d'une voiture à éviter, pour diverses raisons, mais surtout à cause de son moteur désagréable qui vient tout gâcher. Je ne vois aucune raison de recommander ce véhicule, car on en a beaucoup plus, pour beaucoup moins d'argent, chez les concurrents.

FICHE TECHNIQUE

MOTEURS

(2.5) L5 2,5 l DACT 150 ch à 5000 tr/min
couple: 170 lb-pi à 3750 tr/min
Transmission: manuelle à 5 rapports, automatique à 6 rapports avec mode manuel (option)
0-100 km/h: 9,1 s
Vitesse maximale: 208 km/h
Consommation (100 km): 9,0 l (octane: 87)

(2.0T, GLI) L4 2,0 l turbo DACT 200 ch à 5100 tr/min
couple: 207 lb-pi à 1800 tr/min
Transmission: manuelle à 6 rapports, automatique à 6 rapports avec mode manuel (option)
0-100 km/h: 6,9 s
Vitesse maximale: 208 km/h
Consommation (100 km): man.: 8,5 l, auto.: 8,2 l (octane: 91)

Sécurité active
freins ABS, répartition électronique de force de freinage, antipatinage, contrôle de stabilité électronique (option)

Suspension avant/arrière
indépendante/semi-indépendante

Freins avant/arrière
disques

Direction
à crémaillère, assistée

Pneus
2.5: P195/65R15, 2.0T et GLI: P225/45R17

DIMENSIONS

Empattement: 2578 mm
Longueur: 4554 mm
Largeur: 1781 mm
Hauteur: 1459 mm
Poids: 2.5: 1465 kg, 2.0T: 1478 kg, GLI: 1500 kg
Diamètre de braquage: 2.5: 10,9 m, 2.0T/GLI: 10,7 m
Coffre: 500 l
Réservoir de carburant: 55 l

 **opinion**

Jean-Pierre Bouchard • La dernière mouture de Jetta a évolué dans la bonne direction. Au chapitre du design, l'élégante calandre chromée lui donne davantage de prestance. L'allemande compte également sur un moteur de base qui accomplit un travail efficace dans la plupart des situations... sauf avec la boîte automatique, qui tarde parfois à réagir. La consommation de carburant est par ailleurs élevée, et avoisine celle de la Passat 2,0 litres turbo dotée d'une boîte automatique. La Jetta affiche un comportement routier sain mais confortable. Un bémol: la fiabilité de certaines composantes, surtout électriques, qui nuit à la réputation de la marque et mine la confiance des consommateurs.

NEW BEETLE

évolution | 24 490 $ à 32 875 $
Transport (sans préparation) : 695 $

www.vw.com

FICHE D'IDENTITÉ

Version(s) : 2.5
Roues motrices : avant
Portières : 2
Première génération : 1998
Génération actuelle : 1998
Construction : Puebla, Mexique
Sacs gonflables : 4, frontaux et latéraux
Concurrence : Chrysler PT Cruiser, Mini Cooper

AU QUOTIDIEN

Prime d'assurance :
25 ans : 2200 à 2400 $
40 ans : 1300 à 1500 $
60 ans : 1100 à 1300 $
Collision frontale : 4/5
Collision latérale : 5/5
Ventes du modèle l'an dernier
Au Québec : 437 **Au Canada** : 1505
Dépréciation (3 ans) : 51,6 %
Rappels (2001 à 2006) : 5
Cote de fiabilité : 2/5

BESOIN DE CHANGEMENT

– Carl Nadeau

Soyons francs : ce n'est pas parce qu'une voiture a existé pendant plus de soixante-cinq ans (1938-2003) sans changer beaucoup qu'on peut se permettre les mêmes fantaisies de nos jours. On comprendra que la New Beetle est mûre pour une refonte majeure, d'autant plus qu'un vent de renouveau souffle depuis deux ans chez ce constructeur bavarois, ce qui a mis fin à vingt ans de produits douteux, sans parler du piètre service et des garanties aléatoires. Les Jetta et GTI sont devenues agréables à conduire, et en plus elles semblent (tenez-vous bien) fiables désormais ! Le service à la clientèle est maintenant correct et vous n'aurez plus à alerter radio, télé et avocats pour faire effectuer une réparation couverte par la garantie. Le seul problème, c'est que la « New » Beetle n'a pratiquement pas changé depuis dix ans.

CARROSSERIE ► Son allure sympathique lui a assuré le succès dès son lancement en 1998. La nostalgie du passé et les ajouts modernes avaient plu d'emblée. Les panneaux de carrosserie sont solides et de bonne qualité, et les légères retouches de l'an dernier lui ont conservé sa bouille rigolote.

HABITACLE ► Je suis incapable de m'habituer au tableau de bord de deux pieds de long, qui n'a pour seul objectif que de ramasser la poussière. Heureusement, l'esthétique du reste de l'habitacle est plus réussie. Les cadrans sont jolis, l'éclairage mauve est toujours aussi beau et pratique, les matériaux sont d'excellente qualité, mais le compte-tours pourrait être plus grand. Les sièges avant méritent aussi des éloges. Confortables, ils bénéficient de bons ajustements (dont la hauteur) et vous maintiennent en place. Bien adaptés à la forme de l'habitacle, ils ne gênent aucunement la visibilité. Les places arrière sont, quant à elles, presque symboliques, puisque l'importante courbure de la vitre arrière et le faible espace pour les jambes ne permettent pas à des adultes d'y prendre place pour plus

forces
- Châssis rigide
- Voiture spéciale pour femmes excentriques
- Moteurs agréables
- Service et garantie enfin à la hauteur

faiblesses
- Attrait de la nouveauté disparu
- Suspension
- Fiabilité

nouveautés en 2007
- Version TDI discontinuée

NEW BEETLE

de dix minutes. Finalement, il manque aussi un coffre digne de ce nom.

MÉCANIQUE ► L'arrivée l'an dernier du moteur 2,5 litres, successeur de l'exécrable 2,0 litres qui consommait plus d'huile que d'essence, a été un grand soulagement. Souple et d'une sonorité agréable, il procure des accélérations très correctes. Le levier de vitesses se manie du bout des doigts et les rapports de transmission sont bien étagés. Même la boîte automatique fonctionne bien. La version TDI (discontinuée en 2007) était toujours aussi appréciée pour son économie d'essence et sa douceur d'utilisation.

COMPORTEMENT ► Le châssis très rigide de la New Beetle est mal supporté par une suspension qui fait honte à Volkswagen. La voiture a beaucoup de roulis en virage, ce qui la rend inconfortable. Elle a aussi la fâcheuse tendance à sauter sur les cahots, au grand dam des passagers. Je pense que des barres antiroulis plus rigides, des amortisseurs plus fermes et des ressorts plus mous seraient indiqués, mais attendons l'hypothétique refonte pour juger du travail des ingénieurs; je ne fais que commenter. Les freins, quant à eux, sont adéquats et faciles à moduler: la pédale est ferme et l'endurance est bonne.

CONCLUSION ► Au départ, VW espérait vendre chaque année 50 000 exemplaires de la New Beetle. L'an dernier, ils en ont vendu 45 000 (presque dix ans après son arrivée sur le marché), mais je pense tout de même que des changements s'imposent, étant donné que la New Beetle n'atteint pas les nouveaux standards des Jetta, GTI et Passat. La qualité s'est améliorée, certes, mais pas suffisamment pour sabler le champagne. Une refonte majeure, comme celle entrevue avec le prototype Ragster, pourrait donner un second souffle à cette voiture.

FICHE TECHNIQUE

MOTEUR
L5 2,5 l DACT 150 ch à 5600 tr/min
couple: 170 lb-pi à 4200 tr/min
Transmission: manuelle à 5 rapports, automatique à 6 rapports avec mode manuel en option
0-100 km/h: 8,9 s
Vitesse maximale: 200 km/h
Consommation (100 km): man.: 8,8 l, auto.: 8,6 l (octane: 87)

Sécurité active
freins ABS, antipatinage, contrôle de stabilité électronique

Suspension avant/arrière
indépendante/poutre déformante

Freins avant/arrière
disques

Direction
à crémaillère, assistance variable

Pneus
P205/55R16

DIMENSIONS
Empattement: 2509 mm
Longueur: 4091 mm
Largeur: 1742 mm
Hauteur: 1502 mm
Poids: coupé: 1308 kg, cabrio.: 1354 kg
Diamètre de braquage: 10,9 m
Coffre: nd
Réservoir de carburant: 55 l

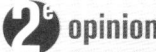

 **opinion**

Benoit Charette • La sympathique New Beetle ne suscite plus le même engouement qu'il y a dix ans. Si le modèle a contribué à rajeunir l'image de VW, il est toutefois difficile de garder une ligne aussi radicale au goût du jour, et depuis deux ans les ventes au Québec ont chuté de moitié, et ce, malgré des retouches stylistiques discrètes faites l'an dernier. Le moteur 2,5 litres est bien, mais pas aussi économique que le diesel dont nous déplorons la disparition. À défaut d'être pratique (les places arrière sont exiguës), la New Beetle est originale et fait encore sourire. Cependant, sous sa forme actuelle, son espérance de vie n'est plus très longue. Volkswagen devra trouver une autre bonne idée pour continuer.

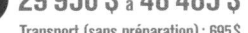

PASSAT

évolution | 29 950 $ à 48 485 $ |
Transport (sans préparation) : 695 $

www.vw.com

FICHE D'IDENTITÉ

Version(s) : 2.0T, 3.6, 3.6 4Motion
Roues motrices : avant, 4
Portières : 4
Première génération : 1990 (Canada)
Génération actuelle : 2006
Construction : Emden, Allemagne
Sacs gonflables : 6, frontaux, latéraux avant et rideaux latéraux (latéraux arrière en option)
Concurrence : Chevrolet Malibu, Chrysler Sebring, Ford Fusion, Honda Accord, Hyundai Sonata, Kia Magentis, Mazda6, Mitsubishi Galant, Nissan Altima, Pontiac G6, Saturn Aura, Subaru Legacy, Toyota Camry

AU QUOTIDIEN

Prime d'assurance :
25 ans : 2700 à 2900 $
40 ans : 1700 à 1900 $
60 ans : 1500 à 1700 $
Collision frontale : 4/5
Collision latérale : 5/5
Ventes du modèle l'an dernier
Au Québec : 1615 **Au Canada :** 5864
Dépréciation (3 ans) : 50,9 %
Rappels (2001 à 2006) : 3
Cote de fiabilité : 3/5

ON VOUDRAIT Y CROIRE

– Pascal Boissé

La berline Passat, entièrement renouvelée l'an dernier, est rejointe en 2007 par la version familiale qui s'était éclipsée pour une année. La Passat est une voiture séduisante sous plusieurs aspects, tant par sa prestance que par le niveau de performance de sa motorisation. Doit-on se laisser envoûter par le chant des sirènes ?

CARROSSERIE ▶ Difficile de savoir si ce sont les designers de la Jetta qui ont plagié la Passat, ou si c'est l'inverse, mais toujours est-il que les deux voitures se ressemblent à s'y méprendre. Les Passat ont toujours fait dans le classicisme, et celle-ci, avec ses lignes épurées, ne fait pas exception. Plus que jamais, elle dégage une impression solennelle de majesté. Malgré ses lignes d'une grande sobriété, les nombreux accents de chrome tapageurs nous prouvent que le charme de la bourgeoisie n'est pas toujours aussi discret qu'on le souhaiterait. La nouvelle familiale, avec son volume considérable, s'affirme plus que jamais comme une concurrente de la Volvo V70.

HABITACLE ▶ En cohérence avec l'extérieur, l'habitacle se caractérise par son ambiance calme et ses lignes sobres et sans artifices. L'ensemble est remarquablement bien dessiné. Les plastiques d'habillage sont de belle facture, mais certains détails d'assemblage, sur notre voiture d'essai, tendraient à démontrer que les contrôleurs de la qualité font certainement des pauses prolongées à l'usine. Le système de chauffage et de climatisation gagnerait à être plus simple et plus intuitif.

MÉCANIQUE ▶ Les versions de base de la Passat sont équipées du moteur 2,0T qui s'acquitte honorablement de sa tâche. Avec ses 200 chevaux, jamais ce moteur quatre cylindres turbocompressé ne montre de signes de faiblesse, et les performances de la voiture sont plus qu'adéquates. Le V6 de 3,6 litres, qui produit 280 chevaux, donne des ailes à la Passat qui

forces
- Comportement routier
- Moteurs énergiques
- Habitacle confortable et spacieux

faiblesses
- Prix abusif (moteur 3,6 litres)
- Fiabilité à long terme
- Finition perfectible

nouveautés en 2007
- Version familiale

semble survoler le paysage. Ce moteur généreux fait tout avec beaucoup de facilité. Mais voilà le hic: Volkswagen demande plus de 15000$ pour passer du 2,0T au 3,6. Ce qui équivaut presque à 10$ par centimètre cube supplémentaire! C'est carrément indécent! Et, si vous avez encore quelques milliers de dollars à investir, vous pouvez aussi vous payer le système 4Motion à traction intégrale. Quant aux boîtes de vitesses, automatiques ou manuelles, elles ont toutes six rapports.

COMPORTEMENT ▶ Peu importe le moteur que l'on choisisse, la Passat reste une superbe routière conçue pour procurer un confort impérial à son conducteur et à ses passagers, et ce, pour de longs trajets. La tenue de route est ferme, mais sait faire preuve de souplesse quand c'est requis. Cette voiture allemande possède l'assurance d'une machine conçue pour parcourir l'Autobahn à haute vitesse. Les phares bi-xénon adaptatifs, asservis à la direction, pivotent pour vous faciliter la tâche et pour vous permettre de voir au fond des courbes. Les accélérations sont franches et le freinage est puissant. C'est impeccable.

CONCLUSION ▶ Il en va de la Passat comme des autres produits de la marque Volkswagen: on aimerait sincèrement croire que la voiture apportera autant de bonheur à son propriétaire, au fil des kilomètres, que l'on peut en retirer d'un essai routier de quelques jours. La Passat est une voiture enthousiasmante, mais des questions subsistent sur sa fiabilité à long terme. Et l'expérience démontre que les concessionnaires Volkswagen ne sont pas toujours à la hauteur des exigences de leur clientèle (sauf quant à la facturation, où ils les outrepassent sans aucune réserve...). Et, tant qu'à parler d'argent, sachez que la berline Passat de base, proposée aux environs de 30000$, est une affaire honnête. Quant à la familiale 4Motion, qui frôle les 50000$, il s'agit d'une farce de mauvais goût, car rien ne permet de justifier un prix aussi fantaisiste, mis à part la cupidité.

FICHE TECHNIQUE

MOTEURS

(2.0T) L4 2,0 l turbo DACT 200 ch à 5500 tr/min
couple: 207 lb-pi à 1800 tr/min
Transmission: manuelle à 6 rapports, auto. à 6 rapports avec mode manuel (option)
0-100 km/h: 7,4 s
Vitesse maximale: 209 km/h
Consommation (100 km): 9,0 l (octane: 91)

(3.6) V6 3,6 l DACT 280 ch à 6200 tr/min
couple: 265 lb-pi à 2750 tr/min
Transmission: automatique à 6 rapports avec mode manuel
0-100 km/h: 6,6 s
Vitesse maximale: 209 km/h
Consommation (100 km): 10,0 l, 4Motion: 10,4 l (octane: 91)

Sécurité active
freins ABS, répartition électronique de force de freinage, assistance au freinage, antipatinage, contrôle de stabilité électronique

Suspension avant/arrière
indépendante

Freins avant/arrière
disques

Direction
à crémaillère, assistée

Pneus
2.0T: P215/55R16, 3.6: P235/45R17

DIMENSIONS

Empattement: 2709 mm
Longueur: berl.: 4780 mm, fam.: 4774 mm
Largeur: 1820 mm
Hauteur: berl.: 1472 mm, fam.: 1517 mm
Poids: *berl.:* 2.0T: 1499 kg, 3.6: 1622 kg, 3.6 4Motion: 1737 kg, *fam.:* 2.0T: 1593 kg, 3.6: 1677 kg, 3.6 4Motion: 1793 kg
Diamètre de braquage: 10,9 m
Coffre: berl.: 400 l, fam.: 1010 l
Réservoir de carburant: 70 l

opinion

Jean-Pierre Bouchard • La configuration familiale de la Passat, lancée pour l'année-modèle 2007, est particulièrement élégante. Au chapitre de la motorisation, le 2,0 litres turbo constitue un choix judicieux au regard du prix, de la puissance et de la consommation d'essence. La boîte automatique fonctionne avec souplesse et les accélérations et les reprises ne manquent pas de tonus. Les matériaux utilisés et l'aménagement intérieur, de leur côté, suscitent peu de critiques. L'équilibre du comportement routier en fait une grande routière. Cette voiture est l'une des meilleures offertes ici par Volkswagen. La fiabilité parfois aléatoire nuit toutefois à la réputation du produit.

RABBIT / GTI

nouveauté | 19 990 $ à 31 395 $ | Transport et préparation : 695 $

www.vw.com

FICHE D'IDENTITÉ

Version(s) : 2.5, GTI
Roues motrices : avant
Portières : 3, 5
Première génération : 1974
Génération actuelle : 2007
Construction : Wolfsburg, Allemagne
Sacs gonflables : 6, frontaux, lat. av. et rideaux lat.
Concurrence : Acura CSX, Chevrolet Cobalt et Optra5, Ford Focus, Honda Civic, Hyundai Elantra et Tiburon, Kia Spectra, Mazda3, Mitsubishi Lancer, Nissan Sentra, Pontiac G5, Saturn ION, Subaru Impreza, Suzuki Aerio et SX4, Toyota Corolla et Matrix

AU QUOTIDIEN

Prime d'assurance :
25 ans : 2500 à 2700 $
40 ans : 1500 à 1700 $
60 ans : 1300 à 1500 $
Collision frontale : 4/5
Collision latérale : 5/5
Ventes du modèle l'an dernier
Au Québec : Golf, GTI : 1742 **Au Canada :** 5316
Dépréciation (3 ans) : 46,2 %
Rappels (2001 à 2006) : 3
Cote de fiabilité : nm

LE RETOUR DE MES AMOURS !

– Antoine Joubert

Le moins qu'on puisse dire, c'est que les amateurs de la Golf de cinquième génération l'ont attendue longtemps. Sur les routes européennes depuis plus de trois ans, elle nous est arrivée dans le courant de l'année 2006, d'abord en GTI et ensuite en version régulière. Mais quelle ne fut pas ma surprise en apprenant le remplacement de son nom par celui qui avait servi lors de son lancement en Amérique du Nord en 1974 ! Cette stratégie que plusieurs contestent ne fait toutefois pas référence au passé, mais permettrait plutôt, selon Volkswagen, d'orchestrer une campagne promotionnelle plus amusante.

CARROSSERIE ▶ Commençons d'abord par deux bonnes nouvelles : d'abord, la Rabbit réintègre le modèle à trois portes au sein de la gamme ; et puis la sportive GTI est maintenant proposée en modèle à cinq portes. On a donc une gamme de modèles plus étendue et beaucoup plus logique qu'auparavant. Cela dit, les jolies lignes de ces deux comparses laissent toujours deviner leurs origines. Sans même lire le nom sur la voiture, ou plutôt sans même voir le lapin, on sait qu'on est en présence d'une Volkswagen. Certains signes ne trompent pas, par exemple les phares ovoïdes, la calandre, la partie arrière tronquée et les piliers C très larges. Contrairement à la Jetta, les stylistes de la Golf ont pris soin de conserver ces moulures latérales qui, pour une raison inexplicable, sont noires sur la Rabbit à trois portes et colorées sur les autres versions. Quant à la GTI, les designers ont compris qu'il fallait ramener le caractère authentique des modèles à succès des années 1980 et 1990. Celle qui avait donc perdu son âme au cours des sept dernières années la retrouve donc en 2007, grâce à des accessoires comme les feux antibrouillards, les jupes latérales, les jantes surdimensionnées et bien sûr cette superbe calandre ceinturée de noir sur laquelle se trouve la traditionnelle bordure rouge et le logo GTI.

forces

- Agrément de conduite relevé
- Performances impressionnantes (GTI)
- Finition impeccable
- Bon rapport équipements/prix
- Une GTI à cinq portes !

faiblesses

- Moteur cinq cylindres gourmand
- Version TDI suspendue
- Coût très élevé des assurances (GTI)
- Fiabilité à prouver

nouveautés en 2007

- Nouveau modèle remplaçant la Golf

HABITACLE ► La Golf, qui coûtait l'an dernier un peu plus de 18 000 $, n'avait pratiquement pas d'équipements de série. Pas de climatiseur ni même de lecteur CD. Cette année, la Rabbit joue plutôt la carte du tout inclus en offrant de série les commandes électriques, la radio CD, la climatisation, le régulateur de vitesse, etc., pour seulement 19 990 $. Franchement surprenante, la richesse de ces équipements m'amène même à parler d'un bon rapport équipements/prix, ce qui n'a jamais été la force de ce constructeur. Outre cette bonne nouvelle, on découvre à bord de la Rabbit une planche de bord similaire à celle de la Jetta. La qualité de finition est splendide, l'assemblage allemand est rigoureux et les matériaux utilisés sont de très bon goût.

Au volant, on apprécie la position de conduite optimale que l'on doit à un siège à hauteur réglable et à un volant télescopique. Les sièges avant sont exemplaires quant au confort et au maintien, évidemment accentués dans la GTI. D'ailleurs, il est amusant de voir réapparaître dans cette sportive les sièges en tissu « Interlagos » à motifs à carreaux, qui me feraient dédaigner la sellerie de cuir optionnelle. Dans la version à trois portes, on se glisse à l'arrière sans trop de problèmes pour aboutir sur une banquette qui, elle aussi, impressionne par son confort. Évidemment, l'accès est tout de même plus facile dans les versions à cinq portes qui, selon Volkswagen, seront plus populaires en raison de leur côté pratique plus manifeste.

MÉCANIQUE ► Avant tout, sachez que pour des raisons de régulation environnementale, il n'y a plus de version TDI, et que son retour n'est pas encore confirmé. Et il n'y a plus de VR6 proposé avec la GTI. Le seul moteur de cette dernière, qui vient donc remplacer le 1.8T, est le 2.0T que Volkswagen et Audi utilisent à profusion. Et pour cause : ses performances sont exceptionnelles, sa souplesse et sa douceur sont incroyables, et sa sonorité est franchement enivrante. Le temps de réaction du turbocompresseur est aussi plus court que chez son prédécesseur, éliminant ainsi ce creux fort désagréable en accélération. De même puissance que le VR6 de l'ancienne GTI, il permet à la voiture d'atteindre le 0-100 km/h en 7,2 secondes, soit plus rapidement que n'importe quelle concurrente. On peut le jumeler à une boîte manuelle ou automatique à six rapports, qui font toutes deux du très bon boulot.

Du côté de la Rabbit on trouve le cinq cylindres de 2,5 litres, aussi proposé dans les Jetta et New Beetle. Ce moteur ne permet pas de grandes performances, mais produit un couple généreux très agréable dans le flot de la circulation. Ce n'est donc pas en théorie qu'il impressionne, mais plutôt dans son utilisation quotidienne, où l'on apprécie au plus haut degré sa configuration originale. Tout de même, on aurait pu espérer de lui une plus faible consommation d'essence (elle est supérieure à celle du moteur de la GTI).

COMPORTEMENT ► Qu'elle se nomme Rabbit ou GTI, cette Volkswagen est une routière de premier plan. Elle peut aussi

HISTOIRE ▼

De Rabbit à Golf... à Rabbit !

C'est la deuxième fois dans l'histoire que les Américains décident de rebaptiser la Golf en utilisant le patronyme Rabbit. À la fin des années 1970, la première Golf était commercialisée ici sous cette appellation, certes plus sympathique. Elle fut néanmoins remplacée par Golf (!) lorsque la seconde génération fit son entrée sur notre continent. Depuis, le nom Golf semblait convenir. On aurait décidé de faire renaître la Rabbit pour donner un sentiment de nouveauté à la nouvelle... Golf!

Golf 1976

Rabbit GTI 1983

Golf 1983

Golf 1992

Golf GTI 1997

Golf GTI 1998

Golf 1999

RABBIT / GTI

GALERIE ▼

1 • On peut jumeler la GTI à une boîte manuelle ou automatique à six rapports, qui font du bon boulot.
2 • Toujours dans la GTI, il est amusant d'y voir réapparaître ces sièges en tissu « Interlagos » à motif à carreaux.
3 • Du côté de la Rabbit se trouve le cinq cylindres de 2,5 litres, également offert dans les Jetta et New Beetle. Ce moteur ne permet pas de grandes performances mais propose en revanche un couple généreux très agréable dans le flot de la circulation.
4 • La direction à assistance électromécanique est une pure merveille, tant pour son retour d'information que sa précision, et la GTI avec son volant sport et ses pédales en aluminium me fait craquer.
5 • En ce qui concerne la GTI, les designers ont compris qu'il fallait ramener le caractère authentique des modèles à succès des années 1980 et 1990. En plus, une version à 5 portes sera disponible en 2007.

1

2

3

4

5

bien se faire apprécier pour sa maniabilité en utilisation quotidienne que pour ses qualités dynamiques sur un circuit routier. D'abord, son châssis est d'une grande rigidité et accepte sans rechigner d'être malmené. La suspension, désormais indépendante aux quatre roues et raffermie de 20 % dans la GTI, est sans conteste l'une des grandes améliorations de cette nouvelle génération.

Très confortable, elle démontre un équilibre, une fermeté et une facilité à encaisser les chocs que l'on retrouve rarement dans une telle voiture. Il en résulte une tenue de route du tonnerre, avec une absence presque totale de roulis. La limite d'adhérence est cependant atteinte plus rapidement dans la Rabbit que dans la GTI, en raison des pneus de 15 pouces de qualité moyenne.

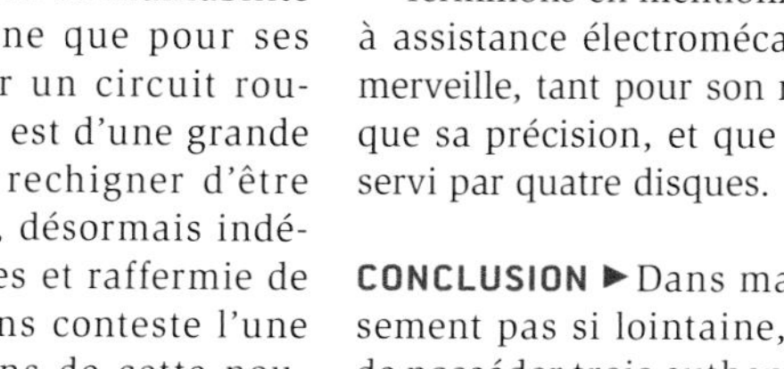

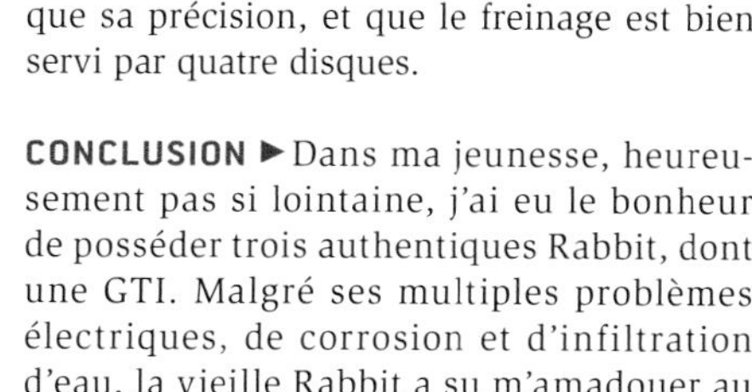

Terminons en mentionnant que la direction à assistance électromécanique est une pure merveille, tant pour son retour d'information que sa précision, et que le freinage est bien servi par quatre disques.

CONCLUSION ► Dans ma jeunesse, heureusement pas si lointaine, j'ai eu le bonheur de posséder trois authentiques Rabbit, dont une GTI. Malgré ses multiples problèmes électriques, de corrosion et d'infiltration d'eau, la vieille Rabbit a su m'amadouer au point de devenir ma voiture fétiche (j'en possède d'ailleurs encore une !). Vous comprendrez donc que le retour du lapin m'a fait grand plaisir. Toutefois, ce sentiment n'égale pas celui qui m'habite lorsque je prends le volant de cette nouvelle venue (Rabbit ou GTI) à peu près parfaite, à des années-lumière de celle qu'elle remplace. Si la quatrième génération a fait fuir les puristes, la cinquième devrait les inciter à rentrer au bercail. Bravo !

FICHE TECHNIQUE

MOTEURS

(2.5) L5 2,5 l DACT, 150 ch à 5600 tr/min
couple : 170 lb-pi à 4200 tr/min
Transmission : manuelle à 5 rapports, automatique à 6 rapports avec mode manuel (option)
0-100 km/h : 9,4 s
Vitesse maximale : 200 km/h
Consommation (100 km) : man. : 9,0 l, auto. : 8,9 l (octane : 87)

(GTI) L4 2,0 l turbo DACT, 200 ch à 5600 tr/min
couple : 207 lb-pi à 4200 tr/min
Transmission : manuelle à 6 rapports, automatique à 6 rapports avec mode manuel (option)
0-100 km/h : man. : 7,2 s, auto : 6,9 s
Vitesse maximale : 209 km/h
Consommation (100 km) : man. : 8,5 l, auto. : 8,2 l (octane : 91)

Sécurité active
freins ABS, répartition électronique de force de freinage, assistance au freinage, antipatinage, contrôle de stabilité électronique (option)

Suspension avant/arrière
indépendante

Freins avant/arrière
disques

Direction
à crémaillère, assistée

Pneus
Rabbit : P195/65R15, GTI : P225/45R17

DIMENSIONS

Empattement : 2578 mm
Longueur : 4210 mm
Largeur : 1759 mm
Hauteur : 1479 mm, GTI : 1484 mm
Poids : Rabbit : 2 portes : 1349 kg, 5 portes : 1393 kg, GTI 3 portes : 1406 kg, GTI 5 portes : nd
Diamètre de braquage : 10,9 m
Coffre : 400 l
Réservoir de carburant : 55 l

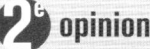

2e opinion

Nadine Filion • Le lapin serait-il devenu trop sage ? Toujours est-il qu'après l'excitation de la GTI, la nouvelle Golf – pardon, la nouvelle Rabbit – se fait un peu trop réservée à mon goût. La suspension n'est pas assez ferme et la direction électromécanique neutralise partiellement les sensations de la route. Le moteur de cinq cylindres tiré de la Jetta procure une puissance souple et correcte, mais on regrette l'absence d'une version diesel. Un bon mot pour les boîtes manuelle et séquentielle à six rapports, qui font toutes deux du très bon boulot. En gros, la Rabbit est respectable sans être exubérante, sauf peut-être du côté du prix : à partir de 19 990 $, elle est actuellement la compacte la plus dispendieuse du marché.

TOUAREG

évolution | 51 525 $ à 75 490 $ |

Transport (sans préparation) : 795 $

www.vw.com

FICHE D'IDENTITÉ

Version(s) : V6, V8
Roues motrices : 4
Portières : 4
Première génération : 2004
Génération actuelle : 2004
Construction : Bratislava, Slovaquie
Sacs gonflables : 6, frontaux, latéraux avant et rideaux latéraux
Concurrence : Acura MDX, Audi Q7, BMW X5, Buick Rainier, Cadillac SRX, Infiniti FX, Land Rover LR3, Lexus RX, Mercedes-Benz Classe M, Porsche Cayenne, Saab 9⁷X, Volvo XC90

AU QUOTIDIEN

Prime d'assurance :
25 ans : 3700 à 3900 $
40 ans : 2300 à 2500 $
60 ans : 1900 à 2100 $
Collision frontale : 5/5
Collision latérale : 5/5
Ventes du modèle l'an dernier
Au Québec : 227 **Au Canada :** 802
Dépréciation (2 ans) : 33,3 %
Rappels (2001 à 2006) : 4
Cote de fiabilité : 1/5

POUR QUELQUES CHEVAUX DE PLUS

– **Benoit Charette**

À sa troisième année sur le marché, le Touareg est l'objet de quelques réajustements. Si la silhouette reste la même, la version V6 développe des chevaux supplémentaires pour faire taire les détracteurs qui accusaient ce moteur de manquer de puissance.

CARROSSERIE ▶ Même au milieu de son espérance de vie, le Touareg n'a rien perdu de son charme. Ses lignes propres et son allure bien plantée en font un véhicule très séduisant, plus proche d'une berline que d'un 4X4 avec ses quatre roues indépendantes, sa caisse autoportante et par conséquent un centre de gravité plus bas qu'un tout-terrain traditionnel. Pourvu de ressorts fermes et d'amortisseurs relativement souples, il a non seulement le physique mais aussi la conduite d'une grande familiale.

HABITACLE ▶ Pour un peu plus de 51 000 $, il est normal que vous ayez droit à du luxe. Dans la plus pure tradition Volkswagen, l'intérieur est propre et sans bavure. Le Touareg V6 offre de série un toit ouvrant électrique, des roues en alliage de 17 pouces, un ordinateur de voyage, des essuie-glaces à intermittence, un rétroviseur intérieur à atténuation automatique, un émetteur HomeLink, des sièges avant chauffants, des antibrouillards, des garnitures de tableau de bord en bois véritable, un volant et un pommeau de levier de vitesses gainés de cuir. Les modèles V8 offrent de série les sièges de cuir chauffants avec mémoire pour le conducteur, un volant et des sièges arrière chauffants, des phares bi-xénon avec lave-phares et des roues en alliage de 18 pouces. Le système de navigation par DVD, la suspension pneumatique intégrale et l'aide au stationnement électronique comptent parmi les équipements optionnels des modèles V6 et V8.

MÉCANIQUE ▶ C'est sur ce plan qu'on observe les principaux changements en 2007. Le six cylindres 3,2 litres de 240 chevaux qui

forces
- Châssis très rigide
- Comportement
- Finition impeccable
- Moteur V6 plus puissant

faiblesses
- Pas de diesel (les moteurs les plus intéressants)
- Fiabilité

nouveautés en 2007
- Nouveau moteur V6 3,6 litres à 280 chevaux de série et augmentation de puissance dans le V8 de 4,2 l (développant maintenant 350 ch) grâce à l'adoption de l'injection directe de carburant FSI

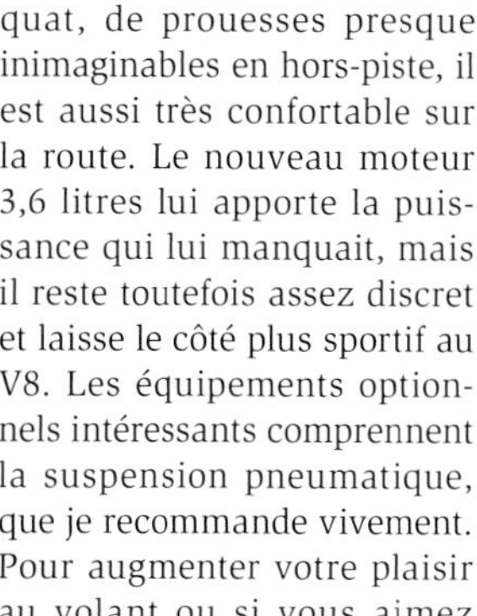

encaissait difficilement le poids du véhicule fait place à un V6 3,6 litres à injection directe FSI développant 280 chevaux et un couple de 264 livres-pied. Même la version V8 a droit à un surplus de puissance grâce à son moteur à injection directe FSI de 350 chevaux et 320 livres-pied de couple (comparativement à 310 chevaux et à 302 livres-pied précédemment). Les deux moteurs demeurent couplés de série à une boîte automatique à six vitesses et à la traction intégrale 4Motion. Par contre, on regrette toujours la disparition du fabuleux V10 turbodiesel.

COMPORTEMENT ▶ Le Touareg possède sans doute le châssis le plus rigide de tous les utilitaires. Capable, avec l'équipement adéquat, de prouesses presque inimaginables en hors-piste, il est aussi très confortable sur la route. Le nouveau moteur 3,6 litres lui apporte la puissance qui lui manquait, mais il reste toutefois assez discret et laisse le côté plus sportif au V8. Les équipements optionnels intéressants comprennent la suspension pneumatique, que je recommande vivement. Pour augmenter votre plaisir au volant ou si vous aimez faire l'école buissonnière, vous pouvez choisir (en plus de la suspension pneumatique) le blocage de différentiel arrière et les barres stabilisatrices qu'on peut désactiver. Sur route, le comportement est impérial. Les quatre roues indépendantes permettent des virages bien à plat et un comportement neutre même à vive allure. La présence de l'ESP se fait très discrète et il est possible de s'amuser ferme avant son intervention.

CONCLUSION ▶ De tous les utilitaires de luxe disponibles sur le marché, le Touareg se classe tout au haut de la liste. C'est un véhicule équilibré, confortable, maintenant doté, grâce au nouveau V6, d'une réserve suffisante de puissance pour rendre sa conduite encore plus agréable.

FICHE TECHNIQUE

MOTEURS

(V6) V6 3,6 l DACT 280 ch à 5600 tr/min
couple : 264 lb-pi à 4200 tr/min
Transmission : automatique à 6 rapports avec mode manuel
0-100 km/h : 8,3 s
Vitesse maximale : 209 km/h
Consommation (100 km) : 12,3 l (octane : 91)

(V8) V8 4,2 l DACT 350 ch à 6000 tr/min
couple : 320 lb-pi à 4600 tr/min
Transmission : automatique à 6 rapports avec mode manuel
0-100 km/h : 7,8 s
Vitesse maximale : 209 km/h
Consommation (100 km) : 14,1 l (octane : 91)

Sécurité active
freins ABS, répartition électronique de force de freinage, assistance au freinage, antipatinage, contrôle de stabilité électronique

Suspension avant/arrière
indépendante

Freins avant/arrière
disques

Direction
à crémaillère, assistance variable Servotronic

Pneus
V6 : P225/45R17, V8 : P235/40R18

DIMENSIONS

Empattement : 2855 mm
Longueur : 4754 mm
Largeur : 1928 mm
Hauteur : 1726 mm
Poids : V6 : 2307 kg, V8 : 2404 kg
Diamètre de braquage : 11,6 m
Coffre : 877 l, 2011 l (sièges abaissés)
Réservoir de carburant : 80 l
Capacité de remorquage : 3500 kg

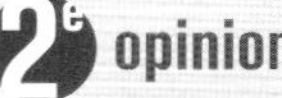

opinion

Carl Nadeau • Le Touareg s'est beaucoup amélioré depuis son lancement. Pas tant du côté de ses capacités qu'au chapitre de la fiabilité. VW a mis le doigt sur la plupart des irritants qui rendaient cet attrayant véhicule impossible à vivre au quotidien. Les ingénieurs ont réduit de près de 400 % les réclamations lors des trois premiers mois d'utilisation et les concessionnaires ont le mandat de donner un meilleur service. Le nouveau moteur V6 est souple, performant et relativement peu gourmand. Les surprenantes capacités hors route du Touareg ne pénalisent en rien le comportement routier de cet utilitaire vraiment sport. À son bord, on se croit au volant d'une voiture de luxe, mais son côté rebelle reste toujours disponible au besoin.

C70

nouveauté | 55 995 $ à 60 245 $ |
Transport et préparation : 1515 $

www.volvocanada.ca

FICHE D'IDENTITÉ

Version(s) : T5
Roues motrices : avant
Portières : 2
Première génération : 1998
Génération actuelle : 2006
Construction : Gand, Belgique
Sacs gonflables : 6, frontaux, latéraux avant et rideaux latéraux
Concurrence : Audi A4 cabrio., BMW Série 3 cabrio., Mercedes-Benz Classe CLK cabrio., Saab 9^3 cabrio., Volkswagen EOS

AU QUOTIDIEN

Prime d'assurance :
25 ans : 4700 à 4900 $
40 ans : 2900 à 3100 $
60 ans : 2400 à 2600 $
Collision frontale : 5/5
Collision latérale : 5/5
Ventes du modèle l'an dernier
Au Québec : 3 **Au Canada :** 7
Dépréciation (3 ans) : nm
Rappels (2001 à 2006) : aucun à ce jour
Cote de fiabilité : nm

ON EFFACE ET ON RECOMMENCE

– Michel Crépault

Dans le sillage du coupé C70 lancé en 1998 (et piloté par Val Kilmer dans le film *The Saint*), une version décapotable avait suivi. Il y avait là deux belles voitures qui, selon moi, n'ont pas eu le succès qu'elles auraient mérité. Volvo a lancé en mai dernier sa seconde génération de C70, mais, au lieu de produire un coupé et un cabriolet, la filiale suédoise de Ford a plutôt créé « deux voitures en une », soit un coupé dont le toit rigide s'escamote pour permettre aux occupants de rouler à ciel ouvert. Cette fois-ci sera-t-elle la bonne ?

CARROSSERIE ► Volvo a fait concourir ses ateliers de Californie, de Suède et d'Espagne, et les Américains ont remporté la palme. « J'ai tout mis là-dedans », dit le dessinateur John Kinsey, qui s'était juré de gagner après avoir perdu le précédent concours dont l'enjeu était la XC90. L'atelier américain de John Kinsey a donc pu concevoir une auto dont les surfaces nettes incorporent les éléments-clés d'une Volvo du XXIe siècle : épaules larges, calandre droite et capot en V. La ligne du toit dessine un arc gracieux jusqu'au coffre. « Je n'ai pas cherché l'inspiration dans les autres styles : on en a assez du style scandinave ! De plus, quand on ne se soucie plus des modes, on devient intemporel », explique Kinsey. Cela dit, la nouvelle C70 reprend *grosso modo* les dimensions de l'ancienne. Elle utilise la plateforme de la S40, mais allongée et étirée de manière à héberger confortablement quatre adultes. C'est cet objectif de transporter quatre personnes dans le plus grand confort qui rend l'utilisation d'un toit rigide escamotable aussi sensationnelle. D'où la complexité de ce système mis au point par le partenaire Pininfarina. La décision d'empiler les trois sections du toit en épousant leur courbure a été dictée par l'obligation d'amincir le « sandwich ». Dans le cas de la C70, les trois sections du toit, après un impressionnant ballet de trente secondes,

forces
- Silhouette aguichante
- Habitacle généreux pour quatre personnes
- Accessoires et options

faiblesses
- Conduite monotone avec l'automatique
- Volume du coffre limité
- Le toit complexe devra faire ses preuves

nouveautés en 2007
- Nouveau modèle

se nichent dans le coffre grâce à l'action de bras et de ressorts d'apparence fragile qui suscitent à la fois l'admiration et un peu de crainte, car on ne peut s'empêcher de mettre en question la durabilité de ce mécanisme complexe, mais Volvo et Pininfarina nous assurent que ce système a été testé de toutes les manières possibles, et qu'il est fiable. On l'espère.

HABITACLE ► L'intérieur de la nouvelle C70 est épuré, agréable et moderne. Le sens du toucher est sollicité par la sellerie des sièges faits ou bien de cuir, ou bien d'une matière synthétique appelée Flextech, qui caresse la peau. La chaîne audio de base est bonne, mais le système DynAudio est incroyable. En cochant cette option de 2250 $, le nombre de haut-parleurs passe de 8 à 12, on ajoute des caissons pour les graves et, surtout, on obtient une sono de 910 watts dont les subtilités acoustiques s'ajustent automatiquement à la configuration du toit, fermé ou ouvert. Par ailleurs, les passagers arrière ne peuvent abaisser eux-mêmes leurs glaces et doivent s'en remettre aux passagers avant. Pour le reste, la banquette est plutôt invitante. Pour en augmenter le dégagement, les dessinateurs ont fortement incliné sa base et l'on se retrouve enfoncé dans son siège, le nez à la hauteur de la ceinture de caisse. Les claustrophobes sont prévenus. On s'en doutait, le toit replié diminue énormément le volume du coffre qui n'atteint que 170 litres (moins que pour le coffre des cabriolets rivaux), soit 59 litres de moins que l'ancienne C70. Un bouton jaune sur le rebord du coffre permet tout de même de soulever les panneaux de quelques centimètres, ce qui est mieux que rien.

MÉCANIQUE ► La C70 utilise un moteur à cinq cylindres en ligne de 2,5 litres, suralimenté par un turbo à basse pression (Volvo en possède un second, plus puissant, dit à haute pression). L'ensemble développe 218 chevaux et 236 livres-pied de couple. Le modèle de base est couplé à une boîte manuelle à six vitesses, mais une transmission Geartronic à cinq rapports avec passages séquentiels est disponible moyennant 1500 $ de plus. J'ai préféré de beaucoup la T5 manuelle, surtout assistée de l'ensemble Sport (4250 $) qui, entre autres choses, raffermit la suspension et remplace les roues de 17 pouces de série par des Pirelli P-Zéro de 18 pouces.

COMPORTEMENT ► Le moteur émet un grognement peu enivrant à basse vitesse, surtout quand on le couple à la boîte automatique. En outre, les performances sont pratiquement annihilées par le délai du turbo, par un gros volant plus mou que précis et par un débattement des roues qui laisse croire que la direction n'est pas réellement connectée au train avant. Vous l'aurez compris : la C70 automatique ne s'intéresse pas à l'adrénaline du pilote. Il s'agit plutôt d'une voiture du dimanche, conçue pour vous faire apprécier le paysage. À bien y penser, je viens sans doute de formuler l'objectif principal de Volvo... Avec le toit relevé, les manœuvres arrière sont quand même faciles grâce à la large

HISTOIRE ▼

Cabriolets de tout temps

Volvo produit des décapotables depuis toujours. Après tout, la première Volvo – la Jakob – en était une ! Les premiers cabriolets de luxe n'apparaîtront dans la gamme toutefois qu'au cours des années 1930. De plus, l'avènement de la P1900 des années 1950 puis, plus près de nous, de la C70 du tournant du siècle, correspond davantage au concept de coupé sport de luxe proposé par la C70 2007. Comme si l'on croisait la P1800 et la C70 des deux générations de Simon Templar !

PV 51 1937

PV 445 1954

P1900 1956

P1800 1963

Prototype P1800 ESC de Coggiola

C70 2002 coupé

C70 2003 cabriolet

C70

GALERIE

1 • Pour en augmenter le dégagement aux places arrière, les concepteurs ont fortement incliné sa base, avec le résultat qu'on se trouve enfoncé dans son siège, le nez à la hauteur de la ceinture de caisse.

2 • C'est bien connu, les Suédois sont des gens pratiques qui utilisent bien l'espace, tels ces petits rangements dans les contre-portes.

3 • Pour ne pas trop vous décoiffer lorsque vous prenez la route à deux au soleil, Volvo offre ce brise-vent qui se dissimule dans le coffre et se déploie pour éviter les tourbillons de vent dans la voiture. Question de rouler plus confortable...

4 • La C70 utilise la plateforme de la S40 mais allongée et étirée de manière à héberger quatre adultes. Comme tous les produits Volvo, l'accent a été mis sur la sécurité des passagers et sur une forte rigidité de sa coque.

1

2

3

4

lunette de verre. Le coupe-vent optionnel condamne les deux places arrière, mais permet de glisser des bagages sur la banquette grâce à la moustiquaire à fermeture éclair. Même sans cet accessoire, la C70 a réussi le « test de la casquette », puisque celle-ci est restée bien rivée à mon crâne même quand je roulais à vive allure, la crinière (ou ce qu'il en reste...) au vent! Côté sécurité, le coussin gonflable logé dans les longues portières est plus épais et se détendra plus lentement pour mieux protéger les occupants en cas de tonneau. Et des arceaux métalliques jailliront à la place des têtières. Malgré l'absence de pilier B, la C70 2007 est deux fois plus rigide que l'ancienne. Quant au pilier A, épaissi pour être plus solide et fortement incliné pour respecter la fluidité des lignes du dessinateur Kinsey, il nuit à la conduite sportive dans les virages, alors qu'il envahit le champ de vision. Mais, comme cette C70 ne nous incite pas vraiment à la vitesse, on ne s'en plaindra pas souvent.

CONCLUSION ► Plusieurs lecteurs de *L'Annuel de l'automobile* cherchaient un cabriolet capable de transporter quatre personnes avec bonheur. Volvo vient de répondre à leur souhait, pour peu que ces amants de la balade relaxante sachent voyager légèrement. Les 110 exemplaires du millésime 2006 avaient déjà trouvé preneurs avant de débarquer au Canada. Depuis juillet, le modèle 2007 est disponible. Volvo a bon espoir de doubler ses ventes par rapport à l'ancienne C70 et devrait à mon avis atteindre cet objectif, à moins encore une fois d'en saboter le marketing.

FICHE TECHNIQUE

MOTEUR
L5 2,5 l DACT 218 ch à 5000 tr/min
couple : 236 lb-pi à 1500 tr/min
Transmission : manuelle à 6 rapports, automatique à 5 rapports avec mode manuel (option)
0-100 km/h : 7,4 s
Vitesse maximale : 210 km/h
Consommation (100 km) : man. : 9,6 l, auto. : 9,4 l (octane : 91)

Sécurité active
freins ABS, répartition électronique de force de freinage, assistance au freinage, antipatinage, contrôle de stabilité électronique

Suspension avant/arrière
indépendante

Freins avant/arrière
disques

Direction
à crémaillère, assistée

Pneus
P235/45R17

DIMENSIONS
Empattement : 2640 mm
Longueur : 4582 mm
Largeur : 1820 mm
Hauteur : 1400 mm
Poids : 1711 kg
Diamètre de braquage : 11,8 m
Coffre : 362 l, 170 l (toit abaissé)
Réservoir de carburant : 62 l

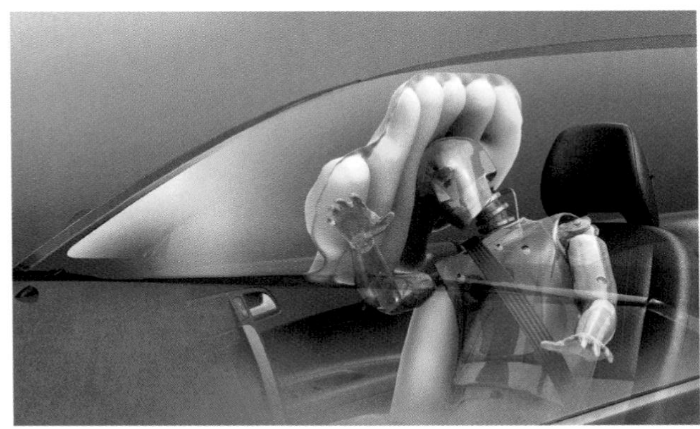

2e opinion

Benoit Charette • Séduisant à l'extérieur, le C70 l'est aussi à l'intérieur. La planche de bord est reprise des S40, avec l'originale console flottante, sobre et pratique. En dépit d'un empattement inférieur à celui de son prédécesseur, le C70 se distingue par son habitabilité et son confort d'assise à l'avant comme à l'arrière, puisque les passagers disposent d'une banquette moelleuse au dossier quelque peu incliné, ce qui favorise les longs trajets.
En conduite, toutefois, la voiture manque singulièrement de caractère. Le moteur cinq cylindres turbo offre de bonnes prestations, mais aucune émotion. Si je dois débourser 55 000 $ pour une voiture, je veux de l'émotion, et cette Volvo ne m'en procure pas. Une voiture pour les retraités.

S40 / V50

évolution | 31 495 $ à 41 495 $
Transport et préparation : 895 $

www.volvocanada.ca

MONDIALE MAIS FIDÈLE

– **Hugues Gonnot**

FICHE D'IDENTITÉ

Version(s) : 2.4i, T5, T5 AWD
Roues motrices : avant, 4
Portières : 4
Première génération : 2000
Génération actuelle : 2005
Construction : Gand, Belgique
Sacs gonflables : 6, frontaux, latéraux avant et rideaux latéraux
Concurrence : Acura TSX, Audi A3 et A4, BMW Série 3, Lexus IS, Mercedes-Benz Classe B et C, Saab 9[3], Volkswagen Jetta

AU QUOTIDIEN

Prime d'assurance :
25 ans : 2700 à 2900 $
40 ans : 1700 à 1900 $
60 ans : 1500 à 1700 $
Collision frontale : 5/5
Collision latérale : 5/5
Ventes du modèle l'an dernier
Au Québec : 1042 **Au Canada :** 3039
Dépréciation (3 ans) : 39,1 %
Rappels (2001 à 2006) : 6
Cote de fiabilité : 3/5

Quand on voit dans quel marasme patauge Saab depuis la reprise par General Motors, on constate à quel point l'intégration de Volvo à la planète Ford fut une réussite. Les S40 et V50 le prouvent. Bien malin en effet celui qui peut deviner qu'elles partagent leur plateforme avec les Mazda3 et Ford Focus européennes. Une vraie plateforme mondiale ! Mais, le meilleur, c'est que les S40 et V50 sont restées de vraies Volvo dans l'âme. Chapeau !

CARROSSERIE ► La S40 ressemble à une petite S60, qui ressemble elle-même à une petite S80. Et la boucle est bouclée. Le style est doux sans être mou, et la familiale V50 est encore plus réussie. Par contre, ses lignes fuyantes limitent l'accès à l'espace de chargement. Celui-ci est assez généreux, mais souffre de deux petits défauts : seul le dossier est rabattable, ce qui empêche d'obtenir un plancher plat, et le cache-bagages, qui comprend un très pratique compartiment, est difficile à enlever pour dégager tout le volume.

HABITACLE ► Pas de doute, on est bien dans une Volvo. Les petites attentions ne manquent pas et les sièges offrent un grand confort. La position de conduite parfaite est facile à trouver, mais l'espace pour les jambes est restreint pour tous les passagers. Tout d'un coup, on se souvient de la filiation avec la Mazda3. Par ailleurs, l'insonorisation est soignée et le confort, tant dans la version de base que dans la plus sportive T5, est d'un excellent niveau. Le design de la planche de bord, avec sa console flottante ultrafine, est original, alors que l'ergonomie est impeccable. Et puis il y a les multiples éléments de sécurité passive. Bref, il s'agit là d'une vraie invitation au voyage. Par contre, les espaces de rangement ne sont pas nombreux. La liste des équipements de base est convenable, mais certains d'entre eux, et des plus intéressants, ne sont disponibles qu'avec des groupes d'options, ce qui gonfle la facture trop rapidement. C'est de l'abus !

MÉCANIQUE ► Le cinq cylindres est une configuration mécanique qui a du mal à s'imposer

forces
- Style
- Tenue de route
- Habitacle accueillant
- Finition
- Sécurité

faiblesses
- Espace
- Options

nouveautés en 2007
- Nouvelles jantes d'alliage, prises audio auxiliaires et système d'accès sans clé

dans l'industrie. Pourtant, les blocs Volvo ne manquent pas d'intérêt. D'une grande souplesse, ils n'aiment pas beaucoup les hauts régimes, que ce soit en turbo ou en atmosphérique. Mieux vaut alors changer de rapport. Bien étagées, les boîtes de vitesses conviennent bien au caractère du moteur. Au volant des versions manuelles, on se rend compte que le levier et l'embrayage sont particulièrement doux, voire mous. Les moteurs bénéficient du système breveté PremAir, qui convertit en oxygène jusqu'à 75 % de l'ozone qui passe par le radiateur. La transmission intégrale à contrôle électronique fait appel à un différentiel central à embrayage multidisque commandé par hydraulique et conçu par Haldex. Ce différentiel réagit en fonction du patinage des roues. Même si son temps de réaction est plus court depuis l'an dernier, il reste cependant moins intéressant qu'un système permanent, à cause de sa nature réactive.

COMPORTEMENT ▸ Les S40 et V50 sont à l'aise sur tout type de tracé. Grâce à une direction assez précise, elles sont faciles à piloter. Même si les valeurs de puissance sont bonnes, c'est en conduite coulée qu'on les apprécie le plus. Côté consommation, c'est une bonne surprise, spécialement avec le moteur turbo qui brûle moins de 11 litres aux 100 km.

CONCLUSION ▸ De par leurs prestations, leurs dimensions et leur prix, les S40 et V50 ne sont pas en mesure de concurrencer les A4, Classe C et autres Série 3. Mais cela n'empêche pas la S40 de tirer son épingle du jeu par sa très grande homogénéité sur tous les plans. Par contre, la facture monte trop vite. Selon vos goûts, il peut être intéressant d'aller jeter un coup d'œil dans la catégorie du dessus. Enfin, la V50 est si réussie qu'on se demande pourquoi on achèterait une S40. Parmi les nouveautés en 2007, mentionnons la console de plafond, le rétroviseur central, les roues Cursa de 16 pouces avec le modèle T5, les roues Zaurak de 17 pouces avec le groupe Sport T5, et le démarrage sans clé.

FICHE TECHNIQUE

MOTEURS

(2.4i) L5 2,4 l DACT 168 ch à 6000 tr/min
couple : 170 lb-pi à 4400 tr/min
Transmission : manuelle à 5 rapports, automatique à 5 rapports avec mode manuel en option
0-100 km/h : 8,8 s
Vitesse maximale : 210 km/h
Consommation (100 km) : man. : 9,2 l, auto. : 8,8 l (octane : 87)

(T5) L5 2,5 l turbo DACT 218 ch à 5000 tr/min
couple : 236 lb-pi à 1500 tr/min
Transmission : manuelle à 6 rapports, automatique à 5 rapports avec mode manuel en option
0-100 km/h : 7,3 s
Vitesse maximale : 210 km/h
Consommation (100 km) : man. : 9,3 l, auto. : 9,0 l, man. 4RM : 9,7 l, auto. 4RM : 9,8 l (octane : 91)

Sécurité active
freins ABS, répartition électronique de force de freinage, assistance au freinage, antipatinage, contrôle de stabilité électronique (option)

Suspension avant/arrière
indépendante

Freins avant/arrière
disques

Direction
à crémaillère, assistée

Pneus
P205/55R16

DIMENSIONS

Empattement : 2640 mm
Longueur : S40 : 4468 mm, V50 : 4514 mm
Largeur : 1770 mm
Hauteur : 1452 mm
Poids : *S40 :* 2.4i : 1368 kg, T5 : 1392 kg, T5 AWD : 1465 kg, *V50 :* 2.4i : 1387 kg, T5 : 1414 kg, T5 AWD : 1480 kg
Diamètre de braquage : 10,6 m
Coffre : S40 : 357 l, V50 : 776 l, 1772 l (sièges abaissés)
Réservoir de carburant : 60 l, AWD : 57 l

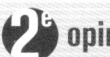

2e opinion

Antoine Joubert • Volvo a choisi de ne pas miser uniquement sur l'image pour attirer la clientèle. Les S40 et V50, qui s'immiscent dans la catégorie très encombrée des compactes sport de luxe, proposent donc une qualité de construction exceptionnelle, une finition intérieure supérieure à la moyenne et un niveau de sécurité passive défiant toute concurrence. La rigidité du châssis et la qualité des composantes mécaniques autorisent un comportement routier surprenant. Toutefois, je suis déçu des piètres performances de la version 2.4i. Un accélérateur moins progressif et plus de couple à bas régime contribueraient certainement à rehausser l'agrément de conduite.

S60 / V70 / XC70

Transport (sans préparation) : 895 $

www.volvocanada.ca

FICHE D'IDENTITÉ

Version(s) : *S60 :* 2.5T, 2.5T AWD, T5, R, *V70 :* 2.4, 2.5T, 2.5T AWD, R, *XC70 :* Cross Country
Roues motrices : avant, 4
Portières : 4
Première génération : 1993 (850)
Génération actuelle : 2001
Construction : Unddevella, Suède
Sacs gonflables : 6, frontaux, latéraux avant et rideaux latéraux
Concurrence : Acura TSX et TL, Audi A4, BMW Série 3, Cadillac CTS, Infiniti G35, Jaguar X-Type, Lexus IS, Mercedes-Benz Classe C, Saab 9^3, Subaru Legacy et Outback, VW Passat

AU QUOTIDIEN

Prime d'assurance (S60 AWD) :
25 ans : 3100 à 3300 $
40 ans : 2100 à 2300 $
60 ans : 1700 à 1900 $
Collision frontale : 5/5
Collision latérale : 5/5
Ventes du modèle l'an dernier
Au Québec : 1923 **Au Canada :** 5462
Dépréciation (3 ans) : 42,2 %
Rappels (2001 à 2006) : 8
Cote de fiabilité : 3/5

LES LIENS DU SANG

– Jean-Pierre Bouchard

La gamme des véhicules Volvo a bien changé depuis le milieu des années 1990. Le constructeur a non seulement conservé une solide réputation en matière de sécurité, mais il a également réussi à concevoir des modèles aux lignes enfin modernes. Aujourd'hui, la firme, sous la gouverne de Ford, propose des véhicules qui n'ont rien perdu de leurs charmes suédois.

CARROSSERIE ► Toutes les voitures de la famille Volvo partagent la même filiation. Au catalogue, quatre versions de la berline S60 (2.5T, 2.5T AWD, T5 et R), et cinq de la familiale V70 (2.4i, 2.5T, 2.5T AWD, R et utilitaire XC). Donc, le choix ne manque pas. L'année-modèle 2007 apporte diverses modifications, esthétiques et techniques, selon le modèle ou le groupe d'options choisi. À titre d'exemple, la berline est pourvue d'une calandre revue et de rétroviseurs latéraux aux indicateurs lumineux intégrés.

HABITACLE ► Les véhicules Volvo sont réputés pour leurs baquets confortables, mais le soutien lombaire pourrait être meilleur et la commande pour le régler, plus facile d'accès. Cela dit, le conducteur jouit d'une excellente position de conduite, de commandes bien disposées et d'une instrumentation claire et facile à consulter. La qualité de la finition et des matériaux suscite peu de critiques. L'habitacle laisse toutefois passer des bruits de roulement. Le dégagement aux places arrière des berlines est limité pour les occupants de grande taille, alors que les sorties sont compliquées par une ouverture étroite sur les familiales. Par ailleurs, les versions de base ne disposent que de l'équipement de série réglementaire pour une voiture de cette catégorie. Les groupes d'options alourdissent très rapidement la facture.

MÉCANIQUE ► Volvo n'utilise que des mécaniques cinq cylindres. La V70 de base se contente d'un moteur de 2,4 litres de

forces
- Confort
- Vaste choix de versions
- Solidité et sécurité

faiblesses
- Valeur de revente
- Coûts de l'entretien
- Moteur de 2,4 litres de base

nouveautés en 2007
- V70 T5 discontinuée, contrôle dynamique de stabilité de série dans V70 2.5T AWD, nouveau groupe Apparence Sport avec phares au bi-xénon, becquet avant redessiné, nouvelle jantes optionnelles dans XC70

168 chevaux, associé à une boîte manuelle à cinq rapports qui n'a pas beaucoup d'intérêt. Ensuite, les berlines de base à transmission intégrale (AWD) et les familiales 2.5 T, 2.5 T AWD et XC70 reçoivent un 2,5 litres de 208 chevaux. Cette mécanique jumelée de série à une boîte automatique à cinq rapports est assurément la mieux adaptée. Le couple de 236 livres-pied développé sur une plage qui varie de 1500 à 4500 tours/minute permet des accélérations progressives et une souplesse dans les reprises. Au moment de l'accélération initiale, le délai de réaction est agaçant. Volvo a abandonné la V70 T5 pour ne conserver que la S60 T5. Cette berline tire sa puissance d'un 2,4 litres turbo de 257 chevaux, couplé à une boîte manuelle à six rapports. Les passionnés de puissance trouveront refuge dans les S60 et V70 R, deux véritables bombes au moteur de 2,5 litres turbo de 300 chevaux, avec transmission intégrale et boîte manuelle à six rapports de série.

COMPORTEMENT ▶ Les Volvo sont réputées pour leur réglage de suspension plus ferme, excepté la XC70, qui bénéficie d'un débattement plus important en raison de sa garde au sol plus élevée. Le compromis de suspension retenu autorise une tenue de route saine en toutes circonstances.

CONCLUSION ▶ La gamme S60 et V70 présente de nombreux avantages quant au comportement routier et à la sécurité, mais les coûts de l'entretien sont élevés et la valeur des véhicules est plus faible après trois ans. En outre, la fiabilité des composants électriques reste précaire, et les nombreuses options proposées pour ces voitures font rapidement gonfler la facture de plusieurs milliers de dollars. Cela dit, l'achat est recommandable et il ne faut pas hésiter à souscrire à la garantie prolongée du constructeur afin de conserver la voiture pendant plusieurs années. Car ce modèle en vaut la peine !

FICHE TECHNIQUE

MOTEURS

(2.4) L5 2,4 l DACT 168 ch à 6000 tr/min
couple : 166 lb-pi à 4500 tr/min
Transmission : manuelle à 5 rapports, automatique à 5 rapports (option)
0-100 km/h : 9,8 s
Vitesse maximale : 210 km/h
Consommation (100 km) : man. : 9,2 l, auto. : 9,4 l (octane : 87)

(2.5T, 2.5T AWD, XC70) L5 2,5 l turbo DACT 208 ch à 5000 tr/min
couple : 236 lb-pi à 1500 tr/min
Transmission : automatique à 5 rapports avec mode manuel
0-100 km/h : 8,8 s
Vitesse maximale : 210 km/h
Consommation (100 km) : 9,7 l, XC70 : 10,8 l (octane : 91)

(T5) L5 2,4 l turbo DACT 257 ch à 5500 tr/min
couple : 258 lb-pi à 2100 tr/min
Transmission : manuelle à 6 rapports, automatique à 5 rapports avec mode manuel (option)
0-100 km/h : 6,8 s
Vitesse maximale : 210 km/h
Consommation (100 km) : man. : 9,6 l, auto. : 9,7 l (octane : 91)

(R) L5 2,5 l turbo DACT 300 ch à 5500 tr/min
couple : 295 lb-pi à 1950 tr/min
Transmission : manuelle à 6 rapports, automatique à 6 rapports avec mode manuel (option)
0-100 km/h : 5,7 s
Vitesse maximale : 250 km/h
Consommation (100 km) : man. : 10,9 l, auto. : 11,2 l (octane : 91)

Sécurité active
freins ABS, répartition électronique de force de freinage, assistance au freinage, antipatinage, contrôle de stabilité électronique

Suspension avant/arrière
indépendante

Freins avant/arrière
disques

Direction
à crémaillère, assistée

Pneus
2.4, 2.5T et 2.5T AWD : P205/55R16, XC70 : P215/65R16, T5 : P235/45R17, R : P235/40R18

DIMENSIONS
Empattement : 2715 à 2763 mm
Longueur : 4576 à 4733 mm
Largeur : 1813 à 1860 mm
Hauteur : 1428 à 1562 mm
Poids : 1455 à 1634 kg
Diamètre de braquage : 10,9 à 13,2 m
Coffre : S60 : 394 l, V70 et XC70 : 1016 à 2022 l
Réservoir de carburant : S60 et V70 2.4 : 70 l, V70 et XC70 : 68
Capacité de remorquage : 1500 kg

opinion

Benoit Charette • Si la V70 et la S60 ont de fort lien de parenté, la XC70, par contre, veut montrer sa robustesse et son plaisir à sortir du bitume. Tous possèdent une chose en commun, le grand confort derrière le volant et l'ambiance générale de qualité. La suite des choses vous appartient, les professionnels vont généralement vers la berline, les mères de famille plus pratiques vont souvent choisir la familiale et la XC est pour ceux qui en veulent un peu plus. Dommage que Volvo ait retiré la V70 T5 du marché, il s'agissait du modèle le plus intéressant à conduire, Un conseil, prenez soin de votre Volvo, car la fiabilité n'est plus ce qu'elle était.

S80

www.volvocanada.ca

COMME UNE VIEILLE ET CONFORTABLE PANTOUFLE

– Nadine Filion

FICHE D'IDENTITÉ

Version(s) : T6, V8
Roues motrices : 4
Portières : 4
Première génération : 1999
Génération actuelle : 2007
Construction : Torslanda, Suède
Sacs gonflables : 6, frontaux, latéraux avant et rideaux latéraux
Concurrence : Acura RL, Audi A6, BMW Série 5, Cadillac STS, Infiniti M, Jaguar S-Type, Lincoln MKS, Mercedes-Benz Classe E, Saab 9[5]

AU QUOTIDIEN

Prime d'assurance :
25 ans : 4100 à 4300 $
40 ans : 3000 à 3200 $
60 ans : 2600 à 2800 $
Collision frontale : 5/5
Collision latérale : 5/5
Ventes du modèle l'an dernier
Au Québec : 130 **Au Canada :** 376
Dépréciation (3 ans) : 41,1 %
Rappels (2001 à 2006) : 5
Cote de fiabilité : 2/5

D'abord, sachez une chose : Volvo écoule annuellement un demi-million de véhicules à travers le monde. C'est peu, par comparaison avec certains géants de l'industrie. Ne soyons donc pas surpris si le constructeur suédois, qui n'a pas les moyens des grands de ce monde, n'arrive pas à suivre le rythme des innovations technologiques des dernières années. La deuxième génération de la Volvo S80 en est un exemple.

CARROSSERIE ► Une chose que Volvo saura toujours faire, c'est miser sur la sécurité. Quatre types d'acier à plus ou moins haute résistance composent le châssis de la S80 et créent des zones de déformation qui devraient permettre à la voiture de conserver ses cinq étoiles à la suite des tests de collisions frontales et latérales.

La S80 a été la première des Volvo, au tournant du millénaire, à arborer le nouveau look qui disait adieu aux boîtes carrées. La berline intermédiaire, qui arrivera en 2007, persiste dans cette veine avec une calandre plus masculine, comme chez le cousin utilitaire XC90. Le capot s'enfle, les portières délaissent la concavité, les phares avant se ramassent et les lignes arrière s'étoffent. L'effet général est élégant, pas trop tapageur.

Une nouvelle plateforme est utilisée pour la S80, première Volvo à y être assemblée. De nouvelles technologies sont aussi embarquées à bord mais, le hic, c'est qu'aucune n'est innovante et que certaines sont déjà dépassées par celles des concurrents. Ainsi, le régulateur de vitesse adaptatif, une première pour la S80, se désactive à une vitesse inférieure à 30 km/h, alors que celui de l'Audi Q7 permet un freinage complet dans les bouchons de circulation. L'avertisseur de collision avec aide au freinage est une bonne idée, et Volvo soutient que, à 70 km/h, une réaction plus prompte réduit le freinage de quatre mètres, mais les dispositifs de Mercedes et de Lexus ont l'avantage de préparer la cabine à un éventuel impact, par exemple en tendant

forces

- Nouvelle génération
- Lignes élégantes
- Un premier V8 pour une berline Volvo
- Traction intégrale efficace et de série
- Suspension active

faiblesses

- Technologie un peu surannée
- Direction qui manque de substance
- Puissance insuffisante du moteur six cylindres en ligne
- Le système BLISS n'est pas au point

nouveautés en 2007

- Modèle entièrement redessiné

par surcroît, difficile à manipuler. Les sièges peuvent être chauffants à l'avant ET à l'arrière, et ils peuvent se ventiler à l'avant grâce à un mécanisme efficace.

Si je n'ai rien à redire à l'espace de chargement, l'insonorisation de l'habitacle aurait pu être meilleure. Je suis aussi déçue de l'absence de toit ouvrant panoramique, comme le proposent de plus en plus de constructeurs de luxe. Volvo suit néanmoins la tendance avec la «clé intelligente» qui, en prime, se prend pour un «communicateur personnel». La télécommande peut vous indiquer si un intrus se trouve dans la voiture grâce à un détecteur de battements cardiaques installé dans l'habitacle. Reste à savoir si cette technologie est vraiment pertinente.

MÉCANIQUE ► Ça y est, Volvo est contaminée par l'Amérique du Nord et par son appétit pour la performance. La S80 devient donc la première berline du constructeur suédois à accueillir un moteur V8 (celui du XC90) de 4,4 litres et de 311 chevaux. L'autre moteur est un nouveau six cylindres en ligne de 3,2 litres, qui a le mérite d'être aussi compact que l'ancien cinq cylindres turbo. Il développe ici 235 chevaux et, comme le V8, il est jumelé à une boîte séquentielle à six rapports. Au Canada, pas de tergiversations : la traction intégrale est de série (100 % de la puissance à l'avant dans des conditions normales), comme le système de stabilité et l'antipatinage. Par contre, et c'est dommage, nous ne disposerons pas au Canada du nouveau moteur diesel D5.

Parmi les équipements optionnels, mentionnons la suspension active (Four-C) qui permet non plus deux, mais bien trois niveaux d'amortissement : Confort, Sport et Avancé. Et puis, surtout, Volvo propose une technologie qui constitue possiblement une première dans les ceintures de sécurité, ce que la S80 ne fait pas. Enfin, le système BLISS (Blind Spot Information), qui permet de scruter les angles morts, n'est pas au point. Dissimulée sous les rétroviseurs, la caméra ne réagit pas systématiquement du côté droit, alors que la pluie gêne son fonctionnement du côté gauche. Le système d'Audi, qui compte sur un radar, est nettement plus efficace.

HABITACLE ► À bord de cette seconde génération de S80, l'espace pour les passagers est à peu près inchangé. Après tout, la voiture est à peine plus large de 27 millimètres et plus haute de 34 millimètres que sa devancière, et, si son empattement s'allonge de 45 millimètres, elle a néanmoins la même longueur totale. Cela dit, le dégagement pour les jambes à l'arrière est peut-être un peu plus important. Tout compte fait, l'habitacle est à la sauce scandinave, c'est-à-dire sobre. Comme dirait la responsable des matériaux, Boel Hermansson, on n'y retrouve «aucune surdécoration».

La console centrale flottante aux commandes ergonomiques et bien disposées dérive de celle lancée avec les S40/V50. Sans être des plus confortables, l'ensemble est agréable et reposant. La simplicité volontaire, vous connaissez ? Comme toujours, les sièges sont extrêmement confortables, mais je leur reproche un ajustement lombaire manuel qui est,

HISTOIRE ▼

Luxe réservé

La grande berline de Volvo n'a jamais suggéré le luxe ostentatoire d'une Mercedes-Benz Classe S, même en version limousine. Depuis la 164 de 1968, elle représente plutôt un statut de prestige discret : un luxe réservé et des chiffres de vente qui n'ont jamais fait mouche.

Berline 164 1968-75

Limousine 264 TE 1975

Familiale 265 GL 1975-82

Berline 760 1982-90

Familiale 960 1990-95

Berline S90 1996

Berline S80 2001

Limousine S80 2004

S80

GALERIE

1 • La console centrale flottante tire son inspiration de celle lancée avec les S40/V50, les commandes sont ergonomiques et bien disposées.
2 • Les cadrans sont un mélange de numérique et d'analogique avec un traitement tout à fait moderne et dépouillé avec d'excellents résultats.
3 • Parmi les options, soulignons la suspension active (Four-C) qui permet non plus deux, mais bien trois niveaux d'amortissement : confort, sport et avancé. Surtout, Volvo propose une technologie qui constitue possiblement une première automobile : la servodirection réglable. Non seulement le dispositif s'ajuste à la vitesse, comme il est de mise, mais le conducteur peut choisir trois degrés d'assistance.
4 • La nouvelle S80 sera le premier modèle Volvo à être doté d'un régulateur de vitesse modulable (Adaptive Cruise Control) avec un système d'alarme en cas de risque de collision et d'une aide au freinage.
5 • L'habitacle est à la sauce « scandinave ». C'est dire qu'on n'y retrouve, « aucune sur-décoration ». Une insonorisation plus poussée aurait toutefois été appréciée.

3

1

2

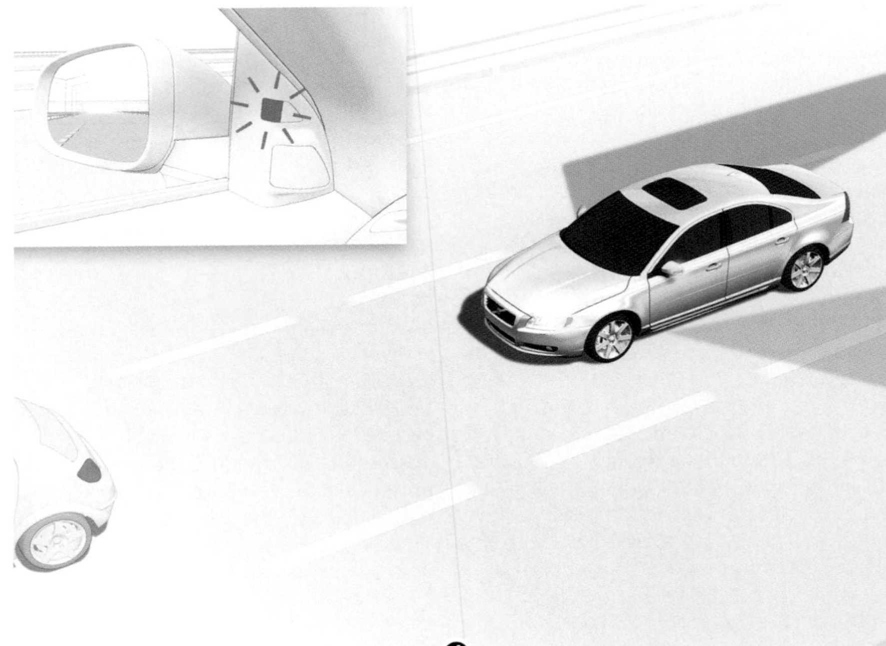

4

5

le monde de l'automobile: la servodirection réglable qui s'ajuste à la vitesse, comme il se doit, mais qui comprend aussi trois degrés d'assistance, au gré du conducteur. Encore faut-il, bien sûr, qu'un tel dispositif fasse une différence…

COMPORTEMENT ► Si vous êtes accro à BMW ou à Audi, oubliez la Volvo S80, surtout dans sa livrée à six cylindres: le moteur n'est pas assez puissant par rapport au poids du véhicule. Résultat: les démarrages manquent de dynamisme et, dans les reprises, les rapports se cherchent trop longuement. Vive la souplesse du V8, qui se traduit par des accélérations plus franches et des rapports qui se passent sans heurt. La tenue de route est rassurante et le freinage convaincant. La suspension Four-C

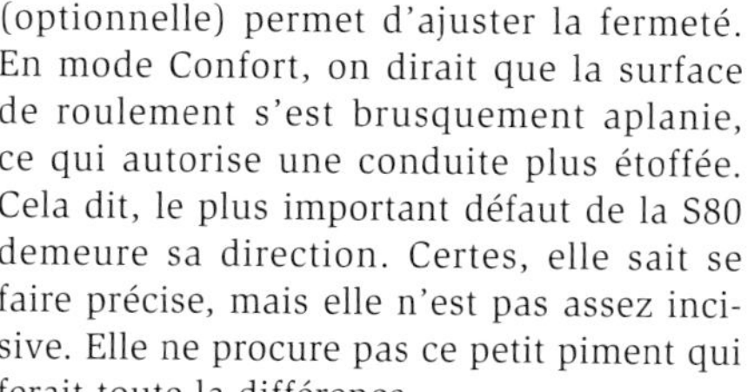

(optionnelle) permet d'ajuster la fermeté. En mode Confort, on dirait que la surface de roulement s'est brusquement aplanie, ce qui autorise une conduite plus étoffée. Cela dit, le plus important défaut de la S80 demeure sa direction. Certes, elle sait se faire précise, mais elle n'est pas assez incisive. Elle ne procure pas ce petit piment qui ferait toute la différence.

CONCLUSION ► Le mot de la fin, c'est un Scandinave qui se l'approprie. Rencontré à bord de l'avion qui nous ramenait du lancement de la S80, ce passionné de l'automobile a dit des produits Volvo qu'ils «sont comme de bonnes vieilles pantoufles». Est-ce un compliment ou une critique? Quoi qu'il en soit, ceux qui aiment les bonnes vieilles pantoufles devraient se satisfaire du caractère simple et fonctionnel de la S80, malgré l'écart technologique qui se creuse entre elle et ses concurrentes.

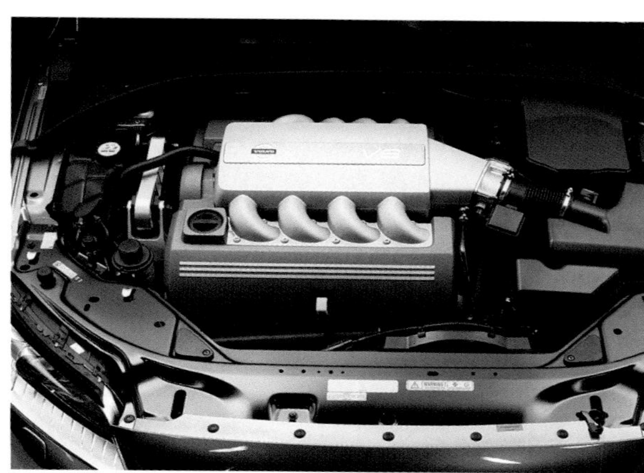

FICHE TECHNIQUE

MOTEURS
(T6) L6 3,2 l DACT 235 ch à 6200 tr/min
couple: 236 lb-pi à 3200 tr/min
Transmission: automatique à 6 rapports avec mode manuel
0-100 km/h: 7,9 s
Vitesse maximale: 240 km/h
Consommation (100 km): 9,8 l (octane: 91)

(V8) V8 4,4 l DACT 315 ch à 5950 tr/min
couple: 325 lb-pi à 3950 tr/min
Transmission: automatique à 6 rapports avec mode manuel
0-100 km/h: 6,5 s
Vitesse maximale: 250 km/h
Consommation (100 km): 11,9 l (octane: 91)

Sécurité active
freins ABS, répartition électronique de force de freinage, assistance au freinage, antipatinage, contrôle de stabilité électronique

Suspension avant/arrière
indépendante

Freins avant/arrière
disques

Direction
à crémaillère, assistée

Pneus
Base: P225/50R17, option: P255/40R18

DIMENSIONS
Empattement: 2836 mm
Longueur: 4850 mm
Largeur: 1860 mm
Hauteur: 1488 mm
Poids: T6: 1581 kg, V8: 1742 kg
Diamètre de braquage: T6: 11,2 m, V8: 12,2 m
Coffre: 480 l
Réservoir de carburant: 70 l

XC90

évolution | 50 995 $ à 67 995 $

Transport (sans préparation) : 895 $

www.volvocanada.ca

FICHE D'IDENTITÉ

Version(s) : 3.2, 3.2 7 pass., V8, V8 7 pass.
Roues motrices : 4
Portières : 4
Première génération : 2003
Génération actuelle : 2003
Construction : Torslanda, Suède
Sacs gonflables : 8, frontaux, latéraux avant et arrière, rideaux latéraux
Concurrence : Acura MDX, Audi Q7, BMW X5, Buick Rainier, Cadillac SRX, Chrysler Aspen, Infiniti FX, Land Rover LR3, Lexus RX, M-B Classe M, Porsche Cayenne, Saab 9[7X], VW Touareg

AU QUOTIDIEN

Prime d'assurance :
25 ans : 3700 à 3900 $
40 ans : 2300 à 2500 $
60 ans : 1900 à 2100 $
Collision frontale : 5/5
Collision latérale : 5/5
Ventes du modèle l'an dernier
Au Québec : 816 **Au Canada :** 2767
Dépréciation (3 ans) : 38,2 %
Rappels (2001 à 2006) : 7
Cote de fiabilité : 2/5

LIBÉRAL ET CONTEMPORAIN

– Jean-Pierre Bouchard

Le XC90 fut en 2003 le premier utilitaire sport de Volvo destiné à concurrencer les Acura MDX, BMW X5, Mercedes-Benz ML et Lexus RX qui connaissaient beaucoup de succès dans ce segment populaire et lucratif. Le XC90 fut par la suite le premier véhicule de toute l'histoire de la marque Volvo à bénéficier d'un moteur V8.

CARROSSERIE ► Les stylistes du XC90 ont eu le trait de crayon heureux en restant fidèles à l'esprit de la marque. L'ensemble est donc sobre et conservateur. L'utilitaire, qui repose toujours sur la plateforme de la S80 de l'ancienne génération, vieillit d'une année avec son lot d'améliorations esthétiques, dont sa calandre au pourtour chromé, ses pare-chocs mieux assortis à la couleur de la carrosserie, ses feux arrière redessinés. Les poignées de porte et les rétroviseurs extérieurs noirs ont enfin été jetés aux oubliettes – excellente nouvelle –, alors que les rappels des clignotants partagent les boîtiers de rétroviseurs. Ces derniers comportent désormais un système de contrôle des angles morts, le système BLIS, qui utilise des caméras intégrées aux rétroviseurs extérieurs pour détecter la présence d'un véhicule dans l'angle mort et signaler au conducteur un danger possible au moyen d'un indicateur monté au rétroviseur. J'en salue ici toute l'ingéniosité.

HABITACLE ► Volvo propose toujours le XC90 en versions à cinq ou à sept passagers. À l'instar des autres véhicules de la marque, l'utilitaire sport a un habitacle convivial. À l'avant, le chauffeur bénéficie d'une excellente position de conduite et les sièges d'un confort exemplaire ne craignent pas les longs trajets, mais on ressent un manque de soutien latéral dans les virages serrés. Cette année, les stylistes ont ajouté des garnitures façon aluminium sur la console centrale. Le groupe d'instruments du XC90 V8 se distingue cette fois par des cadrans inspirés de celui d'une montre. À l'arrière, la banquette procure un

forces

- Disparition du cinq cylindres au profit du six cylindres en ligne
- Finition et assemblage soignés
- Confort de roulement
- Éléments de sécurité, dont le BLIS

faiblesses

- Soutien latéral des sièges avant
- Consommation élevée du V8

nouveautés en 2007

- Moteur à L6 de 3,2 litres, améliorations esthétiques intérieures et extérieures, système BLIS

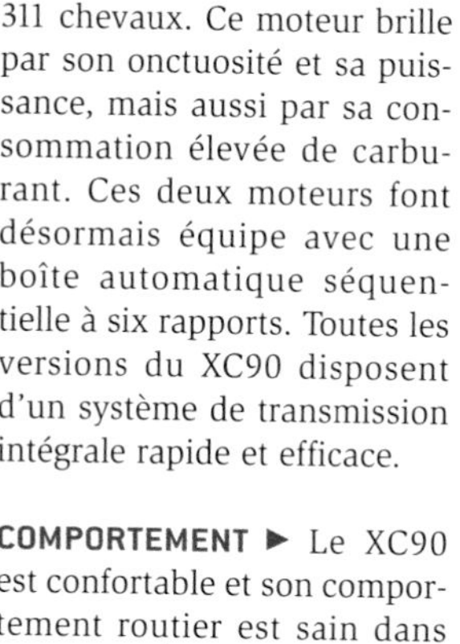

bon confort aux occupants et le dossier peut être rabattu en trois parties pour augmenter l'espace de chargement. L'habitacle étouffe efficacement les bruits de la route mais laisse passer des sifflements éoliens.

MÉCANIQUE ► Cette année, le XC90 peut de nouveau compter sur un moteur à six cylindres pour animer ses roues, mais on abandonne du même coup le moteur à cinq cylindres turbo qui de toute façon manquait de souffle à cause du poids du véhicule. Le moteur à six cylindres en ligne de 3,2 litres, plus sophistiqué que son prédécesseur, produit 235 chevaux, soit 35 de moins que le V6 du Lexus RX 350, par exemple. Quant au V8, il s'agit d'un 4,4 litres compact, développé conjointement avec Yamaha, qui produit 311 chevaux. Ce moteur brille par son onctuosité et sa puissance, mais aussi par sa consommation élevée de carburant. Ces deux moteurs font désormais équipe avec une boîte automatique séquentielle à six rapports. Toutes les versions du XC90 disposent d'un système de transmission intégrale rapide et efficace.

COMPORTEMENT ► Le XC90 est confortable et son comportement routier est sain dans la plupart des situations. À faible vitesse, la direction montre une certaine lourdeur, mais ce n'est rien de grave. Dans l'ensemble, les mouvements de caisse sont bien contrôlés. Au volant du XC90, on ressent une impression de solidité, renforcée par un arsenal de dispositifs de sécurité, dont un système qui prévient le capotage.

CONCLUSION ► Le XC90 allie solidité et sécurité. L'ajout du moteur à six cylindres constitue une bonne nouvelle. Cet utilitaire assemblé à Torslanda, en Suède, affiche néanmoins un prix élevé, surtout lorsqu'on ajoute certains groupes d'options aux versions de base. J'opterais pour ma part pour la familiale XC70, dont la polyvalence et le comportement routier sont comparables.

FICHE TECHNIQUE

MOTEURS

(3.2) L6 3,2 l DACT 235 ch à 6200 tr/min
couple : 236 lb-pi à 3200 tr/min
Transmission : automatique à 6 rapports avec mode manuel
0-100 km/h : 9,1 s
Vitesse maximale : 206 km/h
Consommation (100 km) : 12,3 l (octane : 91)

(V8) V8 4,4 l DACT 311 ch à 5850 tr/min
couple : 325 lb-pi à 3900 tr/min
Transmission : automatique à 6 rapports avec mode manuel
0-100 km/h : 7,2 s
Vitesse maximale : 206 km/h
Consommation (100 km) : 13,4 l (octane : 91)

Sécurité active
freins ABS, répartition électronique de force de freinage, assistance au freinage, antipatinage, contrôle de stabilité électronique

Suspension avant/arrière
indépendante

Freins avant/arrière
disques

Direction
à crémaillère, assistée

Pneus
P235/65R17

DIMENSIONS
Empattement : 2857 mm
Longueur : 4807 mm
Largeur : 1898 mm
Hauteur : 1784 mm
Poids : 3.2 : 1985 kg, V8 : 2036 kg
Diamètre de braquage : 12,5 m
Coffre : 1178 l, 2403 l (sièges abaissés), 7 passagers : 1225 l, 2410 l (sièges abaissés)
Réservoir de carburant : 80 l
Capacité de remorquage : 2250 kg

opinion

Benoit Charette • L'an dernier, Volvo installait pour la première fois un V8 dans un de ses véhicules. Pourquoi ? Parce que 75 % des XC90 sont vendus en Amérique du Nord et que, aux États-Unis, 30 % des VUS possèdent un V8. Volvo devait donc s'adapter au marché. La galaxie Ford n'ayant aucun V8 assez compact pour être placé transversalement sous le capot, Volvo a fait appel à Yamaha. Avec 4,4 litres en V à 60 degrés, ce moteur, qui emprunte beaucoup à la technologie marine, occupe le même espace que le cinq en ligne. C'est aussi le premier moteur V8 à satisfaire les normes U-LEV II grâce à quatre convertisseurs catalytiques. Cela dit, le six cylindres n'est pas mal non plus.

LA REMISE DES CLÉS D'OR

L'Annuel de l'automobile 2007 a répertorié 22 catégories de véhicules disponibles sur le territoire canadien. Pour toutes ces catégories, une question – toujours la même – revient nous hanter : « Quelle auto est la meilleure ? »

L'avantage des catégories, c'est qu'elle regroupe des véhicules tous susceptibles de se retrouver sur la liste d'achat du consommateur justement en quête, par exemple, d'un VUS compact ou d'une bagnole de plus de 100 000 $.

Chaque auteur a réfléchi à ses choix sans en parler aux collègues. Nous avons ensuite tout simplement compilé les résultats. Sans plus attendre, voici la remise des **Clés d'or** de *L'Annuel de l'automobile 2007.*

VOITURES SOUS-COMPACTES
> NISSAN VERSA

« Elle n'est peut-être pas la plus belle, mais c'est certainement la plus homogène et la plus attrayante au plan rapport qualité/prix. » **– Antoine**

« Elle est la plus homogène du segment et elle n'a en fait de sous-compacte que le nom. » **– Hugues**

LA FINALISTE
HONDA FIT

« La Fit pour la polyvalence et le plaisir de conduire. » **– Benoit**

VOITURES COMPACTES
> MAZDA3

« Une valeur sûre pour son agrément de conduite et son style toujours aussi accrocheur. » **– Hugues**

« La Mazda3 reste la reine de la catégorie parce qu'elle fait tout très bien. En plus, elle répond aux aspirations des Québécois. » **– Pascal**

LES FINALISTES : HONDA CIVIC ET SUBARU IMPREZA

« La Civic offre la qualité de construction, la fiabilité, et un bel esthétisme, autant à l'extérieur qu'à l'intérieur. » **– Carl**

« L'Impreza propose le système à quatre roues motrices réellement efficace le plus abordable du marché. » **– Benoit**

VOITURES INTERMÉDIAIRES
SUBARU LEGACY ET OUTBACK <

« Traction AWD permanente, boîte automatique souple, intérieur spacieux et modulable, une garde au sol qui fait fi des petits obstacles. Pourquoi acheter un utilitaire lorsqu'on peut s'offrir une Outback ? ! » **– Luc**

« Compte tenu de nos conditions routières, la Legacy possède une longueur d'avance sur la concurrence. » **– Antoine**

LES FINALISTES : VOLKSWAGEN PASSAT ET MAZDA6

« La Passat : confort, qualité routière et design chic. » **– Jean-Pierre**

« La Mazda6 concilie le charme, la vivacité et le confort. » **– Michel**

VOITURES PLEINE GRANDEUR
CHRYSLER 300, DODGE CHARGER ET DODGE MAGNUM

«La 300 fait encore tourner des têtes dans la rue et ce n'est que l'une de ses nombreuses qualités.» – **Hugues**

«On s'attendait à ce que ça soit un feu de paille, que le style percutant se démode rapidement. Or, trois ans plus tard, l'engouement se maintient.» – **Pascal**

LA FINALISTE: CHEVROLET IMPALA

«L'Impala est une voiture qui en offre beaucoup au chapitre de la performance, de l'habitabilité et du prix.» – **Jean-Pierre**

VOITURES DE LUXE (MOINS DE 50 000 $)
AUDI A3 ET BMW SÉRIE 3

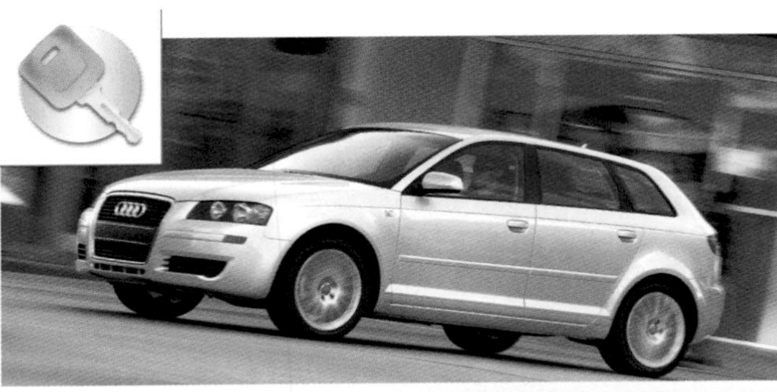

«Quelle polyvalence! Sa boîte DSG et sa transmission quattro font de l'A3 un véhicule désirable en tout temps.» – **Hugues**

«La Série 3 est certainement l'une des meilleures gammes au monde: équilibre, solidité, performances, confort et un plaisir de conduite jamais égalé.» – **Antoine**

LES FINALISTES: INFINITI G35 ET LEXUS IS

«La G35 comble en même temps chez moi le pilote et le père de famille.» – **Bertrand**

«L'IS affiche une gueule sexy, un agrément de conduite assuré et, fort probablement, une fiabilité à toute épreuve.» – **Jean-Pierre**

VOITURES DE LUXE (ENTRE 50 000 $ ET 100 000 $)
>BMW SÉRIE 5

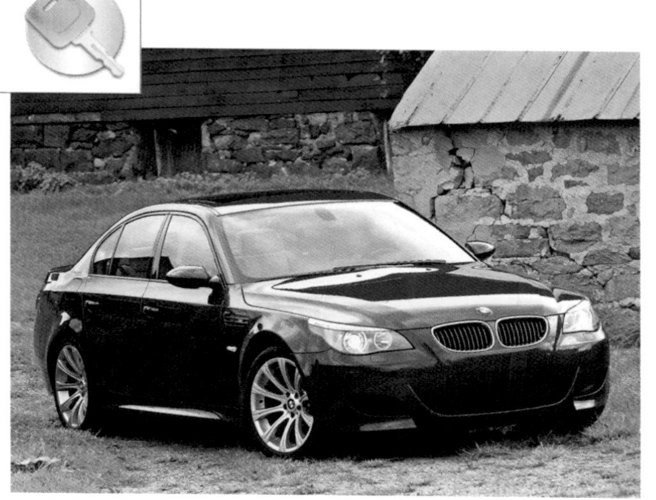

«BMW Série 5 : Une recette inimitable et inimitée depuis 35 ans.» **– Hugues**

«J'aime les autos qui procurent une impression de solidité, même sur nos routes. Or, la Série 5 en mange pour déjeuner ! En la conduisant, on l'apprécie chaque jour davantage.» **– Luc**

LA FINALISTE : AUDI A6

«Ici, les allemandes ont encore le haut du pavé et je choisis l'A6 ; j'ai d'ailleurs un faible pour la familiale.» **– Benoit**

VOITURES DE LUXE (PLUS DE 100 000 $)<
AUDI A8/S8

«Des innovations technologiques qui font la différence au quotidien. Un pur plaisir !» **– Hugues**

«Je n'ai encore rien essayé de mieux que l'A8. En fait, oui, la S8...» **– Benoit**

LES FINALISTES : MERCEDES-BENZ CLASSE S ET MASERATI QUATTROPORTE

«La S est la plus chic des berlines haut de gamme...» **– Jean-Pierre**

«Mon vote va à l'excitante Quattroporte, la «Ferrari à quatre portes», une berline aussi performante que racée !» **– Bertrand**

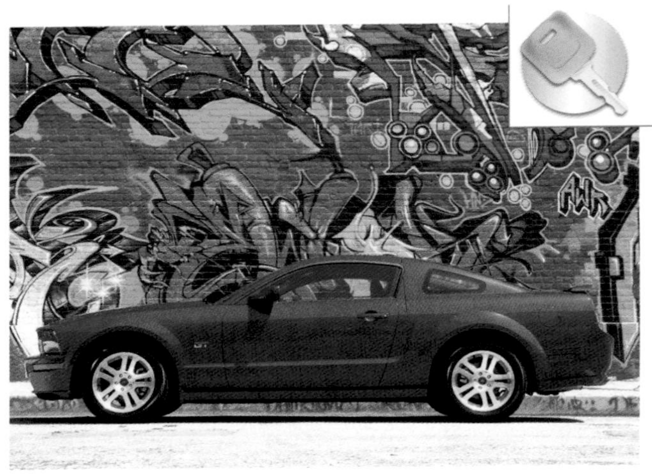

VOITURES SPORT (MOINS DE 50 000 $)
FORD MUSTANG <

«La Mustang n'est pas la plus raffinée mais elle marie le beau, le bon et le pas cher.» – **Pascal**

«Une tonne de dynamite dans un châssis brillamment réussi et à bon prix. Pourquoi celle-ci et pas les autres. M. Ford?» – **Michel**

LA FINALISTE: MAZDA MX-5

«La MX-5 procure du plaisir à l'état pur, en plus d'être un classique qui conserve sa valeur.» – **Carl**

VOITURES SPORT (ENTRE 50 000 ET 100 000 $)
PORSCHE BOXSTER >ET PORSCHE CAYMAN

«La chose la plus près du 7e ciel qu'il m'a été donné de conduire, c'est la Boxster: la définition du bonheur automobile.» – **Benoit**

«Il est donc possible de produire deux véritables sportives de grande qualité, et qui se complètent, à un prix qui n'est pas déraisonnable.» – **Luc**

LA FINALISTE: BMW Z4

«À sa naissance, je n'étais pas un grand partisan de son design. Puis, au fil des ans, sa personnalité distincte s'est imposée.» – **Pascal**

VOITURES SPORT (PLUS DE 100 000 $)
>PORSCHE 911 CARRERA

«Comment naît un mythe? Comment une auto peut-elle transcender les autres? En pilotant une 911, la réponse jaillit.» **– Michel**

«Quand j'étais sur les bancs d'école, je reluquais la 911 en salivant. J'ai eu la bonne fortune de la fréquenter et, depuis, c'est l'amour fou!» **– Bertrand**

LA FINALISTE : BMW SÉRIE 6

«La Série 6 associe des performances indiscutables avec quatre places confortables et un souci d'économie d'essence sur l'autoroute.» **– Carl**

VOITURES SPORT EXOTIQUES
FERRARI F430<

«La F430, c'est le look, le prestige et le muscle d'une fabuleuse grande sportive.» **– Carl**

«J'en veux une! J'en veux une! J'en veux une!» **– Bertrand**

LA FINALISTE : ASTON MARTIN V8 VANTAGE

«La conduite de la V8 Vantage m'a laissé des frissons, son prix est presque abordable et Dieu qu'elle est belle!» **– Benoit**

UTILITAIRES SPORT COMPACTS
SUZUKI GRAND VITARA <

«Voilà un utilitaire beau, bon et qui sait se montrer économique à plus d'un égard.» **– Nadine**

«Dans une catégorie où la lutte est corsée, le Grand Vitara l'emporte grâce à son prix et au plaisir qu'il procure.» **– Benoit**

LES FINALISTES : JEEP LIBERTY ET TOYOTA RAV4

«La qualité de finition du RAV4 n'a d'égale que son agrément de conduite. Et son V6 le transforme en dragster !» **– Hugues**

«Le Liberty et le Grand Vitara sont les deux seuls à ne pas faire Mickey Mouse. De vrais utilitaires utiles… » **– Pascal**

UTILITAIRE DE LUXE COMPACT
>INFINITI FX35/45

«Le duo FX35/45 me propulse en plein XXIe siècle sans m'ôter la convivialité qui rend un véhicule pratique et sympathique.» **– Michel**

«Une silhouette très originale, un confort garanti et une économie d'essence respectable.» **– Bertrand**

LE FINALISTE : BMW X3

«Sans hésiter, le X3. Pourquoi ? C'est une Série 3 haute sur patte…» **– Antoine**

UTILITAIRES SPORT INTERMÉDIAIRES
>HONDA PILOT ET MAZDA CX-7

«Le Pilot est aussi pratique qu'un sac à dos; il est de plus relativement sobre pour un véhicule de sa taille, et fiable.»
– Benoit

«Deux minutes au volant du CX-7 et c'est l'amour! Ce véhicule donne tout son sens à l'expression sport utilitaire.» **– Nadine**

LE FINALISTE: TOYOTA FJ CRUISER

«Dans le genre Tonka pour adulte, difficile de faire mieux, tandis que la qualité Toyota transpire de chaque boulon.» **– Michel**

UTILITAIRES SPORT DE LUXE INTERMÉDIAIRES
VOLVO XC90<

«Je choisis le produit Volvo pour son confort, son allure et son agrément de conduite.» **– Jean-Pierre**

«Pour la puissance de son V8 et le confort de son habitacle qui transforme le concept de la sécurité en salon roulant.» **– Michel**

LES FINALISTES: BMW X5 ET LAND ROVER LR3

«Le X5 fournit un agrément de conduite maximum pour un utilitaire.» **– Hugues**

«Le LR3 est un joujou qu'on s'offre pour une occasion spéciale pour vivre une expérience unique et, au besoin, triompher des pires conditions hors route!» **– Luc**

UTILITAIRES PLEINE GRANDEUR
CHEVROLET TAHOE ET GMC YUKON <

«Le nouveau Chevrolet Tahoe est surprenant à plusieurs points de vue. La ligne est réussie, la conduite réjouit et le prix est très correct.» – **Benoit**

«Le Yukon m'a démontré une belle évolution alignée sur le confort. Même sur un pavé inégal, il reste stoïque.» – **Carl**

LE FINALISTE : FORD EXPEDITION

«Il faut avoir conduit l'Expedition pour comprendre à quel point il est agile. Du jamais vu pour un VUS de cette taille!» – **Antoine**

UTILITAIRE DE LUXE PLEINE GRANDEUR
>AUDI Q7

«Je croyais découvrir un clone du Touareg au lancement du Q7. En fait, Audi a su créer un véhicule équilibré, agréable à conduire et pourvu d'une finition exemplaire.» – **Benoit**

«Pour toute la technologie d'avant-garde qui monte à son bord. Le Q7 est un véritable laboratoire sur roues.» – **Nadine**

LE FINALISTE : MERCEDES-BENZ CLASSE GL

«Cette Classe GL est surprenante à tous les niveaux. Mercedes revient fort!» – **Hugues**

FOURGONNETTES
DODGE CARAVAN
> ET HYUNDAI ENTOURAGE

«On achète une fourgonnette pour avoir de l'espace et des astuces pratiques au quotidien. La Caravan a tout ça.» – **Hugues**

«L'Entourage propose le raffinement et l'équipement des Toyota et Honda à un prix qui se rapproche des américaines.» – **Antoine**

LA FINALISTE : MAZDA5

«Dans les plus petits pots, les meilleurs onguents !» – **Nadine**

FOURGONS
(à l'unanimité) DODGE SPRINTER <

«Le Sprinter est tout simplement dans une classe à part tellement sa conception est plus moderne.» – **Benoit**

«La concurrence a du pain sur la planche !» – **Michel**

LE PALMARÈS

CAMIONNETTES COMPACTES
CHEVROLET COLORADO ET GMC CANYON

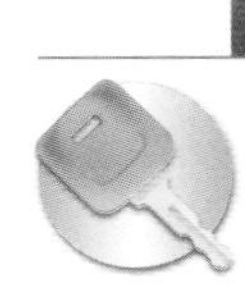

«Dans ce créneau très restreint, il ne se fait rien de mieux.» – **Luc**

«Pour être honnête, il s'agit d'une victoire par acclamation…» – **Benoit**

LE FINALISTE : FORD RANGER

«Le Ford Ranger mérite la palme pour son faible coût d'achat et d'entretien. Ça fait la job pour pas cher.» – **Antoine**

CAMIONNETTES INTERMÉDIAIRES
HONDA RIDGELINE

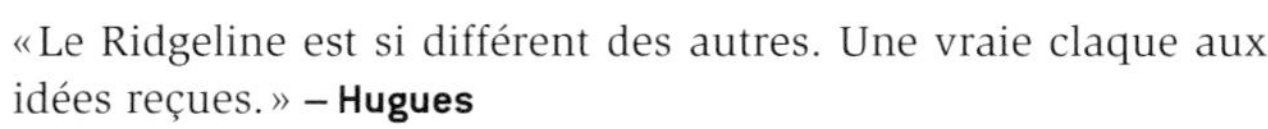

«Le Ridgeline est si différent des autres. Une vraie claque aux idées reçues.» – **Hugues**

«Un produit extrêmement innovateur qui montre à tout le monde ce que devrait être une camionnette !» – **Pascal**

LE FINALISTE : TOYOTA TACOMA

«Le Tacoma m'impressionne pour sa solidité, sa puissance et sa fiabilité.» – **Jean-Pierre**

CAMIONNETTES PLEINE GRANDEUR
FORD F-150

«Une référence dans le segment. Et ce n'est pas un hasard.» – **Hugues**

«Le gros véhicule outil par excellence porte l'écusson ovale bleu. Son rapport qualité/prix, de même que la multiplicité des modèles proposés, en font un champion.» – **Luc**

LES FINALISTES : CHEVROLET SILVERADO ET GMC SIERRA

«GM a fait du très bon boulot avec son nouveau duo Silverado/Sierra. Il mérite au moins une mention d'honneur.» – **Antoine**

Tous les prix 2007

NDLR — Cette liste ayant été compilée à la veille de l'impression de *L'Annuel de l'Automobile 2007*, les prix qu'elle contient sont les plus récents de l'ensemble de cet ouvrage. Toutefois, au moment de mettre sous presse, certains prix 2007 n'avaient pas encore été annoncés. Le cas échéant, en guise de référence, nous avons choisi d'indiquer les prix des modèles 2006 et de les identifier par un astérisque. Dans tous les cas, ces prix ont été obtenus des constructeurs et ils étaient en vigueur le 22 août 2006. Vous trouverez une mise à jour de cette liste de prix dans chaque édition du magazine *AutoMag*, publié à tous les deux mois.

NOTE — Ces prix ne comprennent ni les frais de transport et de préparation du véhicule ni les taxes qui s'appliquent à la vente ou à la location.

ACURA	
CSX Touring	25 400 $ *
CSX Premium	28 100 $ *
CSX Premium Navi	30 600 $ *
NSX	142 000 $ *
RL	69 500 $ *
RSX Premium	27 200 $ *
RSX Premium Cuir	28 800 $ *
RSX Type S.	33 400 $ *
TL	42 000 $ *
TL Dynamic	43 000 $ *
TL Navi	44 800 $ *
TL Dynamic Navi	45 800 $ *
TSX	35 900 $ *
TSX Navi	38 700 $ *

ACURA • Camions	
MDX	51 600 $ *
MDX Touring	54 100 $ *
MDX Tech	57 200 $ *
RDX	41 000 $
RDX Tech	45 000 $

ASTON MARTIN	
Vanquish S	339 950 $
DB9	215 500 $
DB9 Volante	235 000 $
V8 Vantage	139 400 $

AUDI	
A3	32 950 $ *
A3 3.2 quattro S-Line	44 990 $ *
A4 2.0T	35 270 $ *
A4 2.0T quattro	40 750 $ *
A4 1.8T cabriolet	53 520 $ *
A4 3.0 quattro cabriolet	65 940 $ *
A4 2.0T Avant quattro	42 200 $ *
A4 3.2 quattro	47 885 $ *
A4 3.2 Avant quattro	49 335 $ *
A6 3.0L quattro	62 510 $ *
A6 3.0L Avant quattro	66 010 $ *
A6 4.2L quattro	74 940 $ *
A8 4.2 quattro	96 250 $ *
A8 L quattro	100 420 $ *
A8 W12 quattro	170 070 $ *
RS4	94 200 $
S4 quattro	68 950 $ *
S4 Avant quattro familiale	70 400 $ *
S4 Cabriolet quattro	82 100 $ *
S6	ND
TT 1.8T quattro	55 980 $ *
TT 3.2 quattro	60 950 $ *
TT 1.8T Roadster quattro	60 080 $ *
TT 3.2 Roadster quattro	65 450 $ *

AUDI • Camions	
Q7 3.6	env. 55 000 $
Q7 4.2	68 900 $
Q7 4.2 Premium	79 900 $

BENTLEY	
Arnage R	288 990 $
Arnage T	317 990 $
Arnage RL	346 990 $
Azure	403 990 $
Continental GTC	222 990 $
Continental GTC cabriolet	249 990 $
Continental Flying Spur	222 990 $

BMW	
323i	35 200 $ *
325i	40 300 $ *
325xi	42 900 $ *
330i	47 900 $ *
330xi	50 500 $ *
328i coupé	43 600 $
328xi coupé	46 100 $
335i coupé	51 600 $
325Ci cabriolet	55 900 $ *
330Ci cabriolet	64 900 $ *
325xiTouring	44 400 $ *
525i	58 600 $ *
525xi	61 500 $ *
530i	67 800 $ *
530xi	70 700 $ *
530xi Touring	72 800 $ *
550i	78 600 $ *
650i coupé	101 500 $ *
650i cabriolet	111 500 $ *
750i	100 500 $ *
750Li	106 900 $ *
760Li	174 500 $ *
M3 coupé	74 400 $ *
M3 cabriolet	84 500 $ *
M5	115 500 $ *
Z4 3.0i	53 900 $ *
Z4 3.0si	60 900 $ *
M Roadster	69 900 $ *
M Coupé	68 900 $ *

BMW • Camions	
X3 2.5i	44 900 $ *
X3 3.0i	50 200 $ *
X5 3.0i	59 500 $ *
X5 4.4i	72 200 $ *
X5 4.8is	98 200 $ *

BUICK	
Allure CX	26 395 $
Allure CXL	28 750 $
Allure CXS	34 295 $
Lucerne CX	31 210 $
Lucerne CXL V6	33 570 $
Lucerne CXL V8	36 605 $
Lucerne CXS	43 080 $

BUICK • Camions	
Rainier CXL 4RM	48 575 $
Rendezvous CX	28 620 $
Rendezvous CX Plus	29 960 $
Rendezvous CXL	37 550 $
Rendezvous CXL Plus	39 070 $
Terraza CX emp. long	33 025 $
Terraza CXL emp. long	38 325 $

CADILLAC	
CTS 2.8L V6	35 780 $
CTS 3.6L V6	40 135 $
CTS-V	70 670 $
DTS	52 935 $
DTS Performance	64 765 $
STS V6	57 750 $
STS V8	71 275 $
STS-V	98 265 $
XLR cabriolet	98 295 $
XLR-V cabriolet	113 435 $

CADILLAC • Camions	
Escalade 4RM	75 595 $
Escalade EXT 4RM	71 495 $
Escalade ESV 4RM	78 795 $

Abréviations : 4RM : roues motrices • c.l. : caisse longue • cab. all. : cabine allongée • g.c. : grande capacité • t. : tonne • emp. long : empattement long • *Prix 2006

SRX V6	49 495 $
SRX V8	61 495 $

CHEVROLET

Aveo LS	12 950 $
Aveo LT	15 450 $
Aveo5 LS	12 950 $
Aveo5 LT	15 450 $
Cobalt LS coupé	14 795 $
Cobalt LT coupé	17 250 $
Cobalt SS coupé	21 465 $
Cobalt SS Compresseur coupé	24 495 $
Cobalt LS	14 795 $
Cobalt LT	17 250 $
Cobalt SS	21 465 $
Cobalt LTZ	22 815 $
Corvette coupé	68 330 $
Corvette cabriolet	80 430 $
Corvette Z06	90 250 $
Impala LS	24 995 $
Impala LT	26 295 $
Impala LTZ	30 315 $
Impala SS	35 325 $
Malibu LS	19 995 $
Malibu LT	22 895 $
Malibu LTZ	30 075 $
Malibu SS	30 335 $
Malibu Maxx LT	25 695 $
Malibu Maxx LTZ	31 495 $
Malibu Maxx SS	31 755 $
Monte Carlo LS coupé	24 995 $
Monte Carlo LT coupé	28 000 $
Monte Carlo SS Compresseur	35 325 $
Optra5 LS	14 200 $
Optra5 LT	16 925 $
Optra LS familiale	15 200 $
Optra LT familiale	18 125 $

CHEVROLET • Camions

Avalanche LS 1/2t	38 750 $
Avalanche LT 1/2t	39 870 $
Avalanche LS 1/2t 4RM	41 995 $
Avalanche LT 1/2t 4RM	43 115 $
Avalanche LTZ 1/2t 4RM	53 575 $
Colorado LS	20 760 $
Colorado LS cab. all.	22 885 $
Colorado LT	22 500 $
Colorado LT cab. all.	24 545 $
Colorado LT Crew Cab	27 170 $
Colorado LS 4RM	24 565 $
Colorado LS cab. all. 4RM	26 685 $
Colorado LT 4RM	26 195 $
Colorado LT cab. all. 4RM	28 240 $
Colorado LT Crew Cab 4RM	33 570 $
Equinox LS	26 295 $
Equinox LT	29 045 $
Equinox LS 4RM	29 050 $
Equinox LT 4RM	31 745 $
Express LS 1/2t Passagers	33 945 $
Express LT 1/2t Passagers	37 040 $
Express LS1/2t Passagers 4RM	36 905 $
Express LT 1/2t Passagers 4RM	40 000 $
Express LS 3/4t Passagers	34 090 $
Express LT 3/4t Passagers	37 190 $
Express LS 1t Passagers	36 350 $
Express LT 1t Passagers	38 905 $
Express LS 1t Passagers emp. long	39 160 $
Express LT 1t Passagers emp. long	40 790 $
Express 1/2t Cargo	27 453 $
Express 1/2t Cargo 4RM	32 495 $
Express 3/4t Cargo	29 350 $
Express 3/4t Cargo emp. long	30 690 $
Express 1t Cargo	29 830 $
Express 1t Cargo emp. long	30 915 $
HHR LS	18 995 $
HHR LT	21 310 $
Silverado Valeur 1/2t	19 150 $
Silverado 1/2t	24 900 $
Silverado LS 1/2t	29 465 $
Silverado Valeur 1/2t C.L.	19 440 $
Silverado 1/2t C.L.	25 190 $
Silverado LS 1/2t C.L.	29 750 $
Silverado Valeur 1/2t 4RM	22 700 $
Silverado 1/2t 4RM	28 860 $
Silverado LS 1/2t 4RM	33 345 $
Silverado Valeur 1/2t C.L. 4RM	22 990 $
Silverado 1/2t C.L. 4RM	26 150 $
Silverado LS 1/2t C.L. 4RM	33 635 $
Silverado 1/2t cab. all.	28 780 $
Silverado LS 1/2t cab. all.	33 025 $
Silverado LT 1/2t cab. all.	40 020 $
Silverado SS 1/2t cab. all.	42 055 $
Silverado 1/2t cab. all. C.L.	30 930 $
Silverado LS 1/2t cab. all. C.L.	34 305 $
Silverado LT 1/2t cab. all. C.L.	40 310 $
Silverado 1/2t cab. all.4RM	33 195 $
Silverado LS 1/2t cab. all.4RM	36 905 $
Silverado LT 1/2t cab. all.4RM	44 520 $
Silverado 1/2t cab. all. C.L.4RM	34 475 $
Silverado LS 1/2t cab. all. C.L.4RM	38 185 $
Silverado LT 1/2t cab. all. C.L.4RM	44 620 $
Silverado Cheyenne 1/2t Crew Cab	33 975 $
Silverado LS 1/2t Crew Cab	35 610 $
Silverado LT 1/2t Crew Cab	41 415 $
Silverado Cheyenne 1/2t Crew Cab 4RM	37 435 $
Silverado LS 1/2t Crew Cab 4RM	40 015 $
Silverado LT 1/2t Crew Cab 4RM	46 010 $
Silverado LS 1/2t HD Crew Cab	36 960 $
Silverado LT 1/2t HD Crew Cab	43 160 $
Silverado LS 1/2t HD Crew Cab 4RM	41 090 $
Silverado LT 1/2t HD Crew Cab 4RM	47 285 $
Silverado 3/4t HD C.L.	29 095 $
Silverado LS 3/4t HD C.L.	33 490 $
Silverado 3/4t HD C.L.4RM	32 360 $
Silverado LS 3/4t HD C.L.4RM	37 090 $
Silverado 3/4t HD cab. all.	33 570 $
Silverado LS 3/4t HD cab. all.	36 745 $
Silverado LT 3/4t HD cab. all.	43 920 $
Silverado 3/4t HD cab. all. C.L.	33 860 $
Silverado LS 3/4t HD cab. all. C.L.	37 035 $
Silverado LT 3/4t HD cab. all. C.L.	44 210 $
Silverado 3/4t HD cab. all.4RM	36 835 $
Silverado LS 3/4t HD cab. all.4RM	40 345 $
Silverado LT 3/4t HD cab. all.4RM	47 725 $
Silverado 3/4t HD cab. all. C.L.4RM	37 125 $
Silverado LS 3/4t HD cab. all. C.L.4RM	40 635 $
Silverado LT 3/4t HD cab. all. C.L.4RM	48 015 $
Silverado 3/4t HD Crew Cab	33 875 $
Silverado LS 3/4t HD Crew Cab	38 515 $
Silverado LT 3/4t HD Crew Cab	45 810 $
Silverado 3/4t HD Crew Cab C.L.	34 165 $
Silverado LS 3/4t HD Crew Cab C.L.	38 805 $
Silverado LT 3/4t HD Crew Cab C.L.	46 100 $
Silverado 3/4t HD Crew Cab 4RM	37 185 $
Silverado LS 3/4t HD Crew Cab 4RM	42 165 $
Silverado LT 3/4t HD Crew Cab 4RM	49 665 $
Silverado 3/4t HD Crew Cab C.L.4RM	37 475 $
Silverado LS 3/4t HD Crew Cab C.L.4RM	42 455 $
Silverado LT 3/4t HD Crew Cab C.L.4RM	49 955 $
Silverado 1t HD C.L. 4RM	33 975 $
Silverado LS 1t HD C.L. 4RM	38 310 $
Silverado 1t HD cab. all. C.L.	35 465 $
Silverado LS 1t HD cab. all. C.L.	38 285 $
Silverado LT 1t HD cab. all. C.L.	44 895 $
Silverado 1t HD Crew Cab C.L.	35 770 $
Silverado LS 1t HD Crew Cab C.L.	40 015 $
Silverado LT 1t HD Crew Cab C.L.	46 920 $
Silverado 1t HD cab. all. C.L.4RM	38 825 $
Silverado LS 1t HD cab. all. C.L.4RM	41 975 $
Silverado LT 1t HD cab. all. C.L.4RM	48 795 $
Silverado 1t HD Crew Cab C.L.4RM	39 130 $
Silverado LS 1t HD Crew Cab C.L.4RM	43 705 $
Silverado LT 1t HD Crew Cab C.L.4RM	50 820 $
Suburban LS 1/2t	46 935 $
Suburban LT 1/2t	48 385 $
Suburban LS 1/2t 4RM	50 255 $
Suburban LT 1/2t 4RM	51 685 $
Suburban LTZ 1/2t 4RM	63 655 $
Suburban LS 3/4t	47 385 $
Suburban LT 3/4t	48 835 $
Suburban LS 3/4t 4RM	50 575 $
Suburban LT 3/4t 4RM	52 005 $
Tahoe LS	43 955 $
Tahoe LT	45 305 $
Tahoe LS 4RM	47 175 $
Tahoe LT 4RM	48 525 $
Tahoe LTZ 4RM	61 075 $
TrailBlazer LS	32 065 $
TrailBlazer LT	34 000 $
TrailBlazer LS 4RM	39 410 $
TrailBlazer LT 4RM	40 915 $
Uplander LS	23 880 $
Uplander LT1	25 620 $
Uplander LT2	28 795 $
Uplander LS emp. long	27 125 $
Uplander LT1 emp. long	28 280 $
Uplander LT2 emp. long	32 120 $

CHRYSLER

300	30 785 $
300 4RM	35 565 $
300C	44 190 $
300C 4RM	47 235 $
300C SRT8	51 170 $
Crossfire	39 995 $
Crossfire Limited	51 900 $
Crossfire Limited cabriolet	48 050 $
PT Cruiser Classic	19 840 $
PT Cruiser Touring	23 835 $
PT Cruiser GT	30 345 $
PT Cruiser Touring cabriolet.	28 220 $
PT Cruiser GT cabriolet	33 080 $
Sebring 2007	ND
Sebring	24 880 $
Sebring Touring	26 455 $

Abréviations : 4RM : roues motrices • c.l. : caisse longue • cab. all. : cabine allongée • g.c. : grande capacité • t. : tonne • emp. long : empattement long • *Prix 2006

Sebring décapotable	36 115 $
Sebring Touring décapotable	37 825 $

CHRYSLER • Camions	
Aspen Limited	51 670 $
Pacifica	34 440 $
Pacifica Touring	36 740 $
Pacifica Touring 4RM	40 835 $
Pacifica Limited 4RM	45 910 $
Town & Country Touring	42 255 $
Town & Country Limited	45 235 $

DODGE	
Caliber	15 995 $
Caliber RT	20 695 $
Caliber Sxt	17 695 $
Caliber RT 4RM	23 995 $
Charger Se	28 090 $
Charger Rt	38 145 $
Charger Se 4RM	31 960 $
Charger Rt 4RM	40 145 $
Charger Srt8	45 410 $
Magnum	28 800 $
Magnum Rt	38 860 $
Magnum Sxt 4RM	35 840 $
Magnum Rt 4RM	41 640 $
Magnum Srt8	46 590 $
Viper SRT10	128 500 $
Viper SRT10 cabriolet	127 000 $

DODGE • Camions	
Caravan Cargo	24 720 $
Caravan	27 495 $
Caravan SXT	28 420 $
Grand Caravan Cargo	25 930 $
Grand Caravan	29 995 $
Grand Caravan SXT	33 490 $
Dakota Club Cab ST	25 210 $
Dakota Club Cab SLT	28 435 $
Dakota Club Cab ST 4RM	28 780 $
Dakota Club Cab SLT 4RM	32 120 $
Dakota Quad Cab ST	27 765 $
Dakota Quad Cab SLT	30 605 $
Dakota Quad Cab ST 4RM	31 520 $
Dakota Quad Cab SLT 4RM	34 410 $
Durango SLT	42 540 $
Durango Limited	50 245 $
Nitro SE	23 290 $
Nitro SXT	24 785 $
Nitro SE 4RM	26 130 $
Nitro SXT 4RM	27 625 $
Nitro SLT 4RM	29 890 $
Nitro R/T 4RM	32 390 $
Ram 1500 ST	26 395 $
Ram 1500 ST emp. long	26 715 $
Ram 1500 SLT	29 375 $
Ram 1500 SLT emp. long	29 695 $
Ram 1500 ST 4RM	30 725 $
Ram 1500 ST 4RM emp. long	31 340 $
Ram 1500 SLT 4RM	33 035 $
Ram 1500 SLT 4RM emp. long	33 650 $
Ram 1500 Quad Cab ST	29 970 $
Ram 1500 Quad Cab ST emp. long	32 215 $
Ram 1500 Quad Cab ST 4RM	34 230 $
Ram 1500 Quad Cab ST 4RM emp. long	36 100 $
Ram 1500 Quad Cab SLT	33 230 $
Ram 1500 Quad Cab SLT emp. long	34 815 $
Ram 1500 Quad Cab SLT 4RM	36 830 $
Ram 1500 Quad Cab SLT 4RM emp. long	38 700 $
Ram 1500 Quad Cab Laramie	39 805 $
Ram 1500 Quad Cab Laramie 4RM	43 405 $
Ram 1500 Mega Cab SLT	36 385 $
Ram 1500 Mega Cab SLT 4RM	40 370 $
Ram 1500 Mega Cab Laramie	41 275 $
Ram 1500 Mega Cab Laramie 4RM	45 260 $
Ram 2500 ST emp. long	31 940 $
Ram 2500 ST 4RM emp. long	35 260 $
Ram 2500 SLT emp. long	34 565 $
Ram 2500 SLT 4RM emp. long	37 885 $
Ram 2500 Quad Cab ST	35 310 $
Ram 2500 Quad Cab ST emp. long	35 550 $
Ram 2500 Quad Cab ST 4RM	38 595 $
Ram 2500 Quad Cab ST 4RM emp. long	39 120 $
Ram 2500 Quad Cab SLT	37 955 $
Ram 2500 Quad Cab SLT emp. long	38 195 $
Ram 2500 Quad Cab SLT 4RM	41 240 $
Ram 2500 Quad Cab SLT 4RM emp. long	41 765 $
Ram 2500 Quad Cab Laramie	42 240 $
Ram 2500 Quad Cab Laramie emp. long	42 475 $
Ram 2500 Quad Cab Laramie 4RM	45 600 $
Ram 2500 Quad Cab Laramie 4RM emp. long	46 125 $
Ram 2500 Mega Cab SLT	40 280 $
Ram 2500 Mega Cab SLT 4RM	43 855 $
Ram 2500 Mega Cab Laramie	44 705 $
Ram 2500 Mega Cab Laramie 4RM	48 280 $
Ram 3500 ST emp. long	33 610 $
Ram 3500 ST 4RM emp. long	37 400 $
Ram 3500 SLT emp. long	35 740 $
Ram 3500 SLT 4RM emp. long	39 530 $
Ram 3500 Quad Cab ST	44 010 $
Ram 3500 Quad Cab ST emp. long	37 190 $
Ram 3500 Quad Cab ST 4RM	47 955 $
Ram 3500 Quad Cab ST 4RM emp. long	41 230 $
Ram 3500 Quad Cab SLT	46 165 $
Ram 3500 Quad Cab SLT emp. long	39 350 $
Ram 3500 Quad Cab SLT 4RM	50 110 $
Ram 3500 Quad Cab SLT 4RM emp. long	43 385 $
Ram 3500 Quad Cab Laramie	49 080 $
Ram 3500 Quad Cab Laramie emp. long	42 255 $
Ram 3500 Quad Cab Laramie 4RM	53 025 $
Ram 3500 Quad Cab Laramie 4RM emp. long	46 295 $
Ram 3500 Mega Cab SLT	48 235 $
Ram 3500 Mega Cab SLT 4RM	52 380 $
Ram 3500 Mega Cab Laramie	52 660 $
Ram 3500 Mega Cab Laramie 4RM	56 805 $
Ram 3500 châssis	29 025 $
Ram 3500 châssis emp. long	29 280 $
Ram 3500 châssis 4RM	32 670 $
Ram 3500 châssis 4RM emp. long	32 940 $
Ram 3500 Quad Cab châssis	32 970 $
Ram 3500 Quad Cab châssis 4RM	36 630 $
Sprinter 2500 fourgon 118»	39 135 $ *
Sprinter 2500 fourgon 140»	41 625 $ *
Sprinter 2500 fourgon à toit haut 118»	41 605 $ *
Sprinter 2500 fourgon à toit haut 140»	44 090 $ *
Sprinter 2500 fourgon à toit haut 158»	46 760 $ *
Sprinter 2500 passagers 118»	41 300 $ *
Sprinter 2500 passagers 140»	44 555 $ *
Sprinter 2500 passagers à toit haut 140»	47 020 $ *
Sprinter 2500 passagers à toit haut 158»	49 690 $ *
Sprinter 3500 châssis-cabine 140»	39 355 $ *
Sprinter 3500 châssis-cabine 158»	40 125 $ *
Sprinter 3500 fourgon 140»	43 315 $ *
Sprinter 3500 fourgon à toit haut 140»	45 785 $ *
Sprinter 3500 fourgon à toit haut 158»	48 445 $ *

FERRARI	
F430 F1	269 258 $ *
F430 F1 Spider	309 258 $ *
612 Scaglietti F1	364 860 $ *
Superamerica	400 000 $ *

FORD	
Five Hundred SEL	29 699$
Five Hundred SEL 4RM	32 099$
Five Hundred Limited	35 499$
Five Hundred Limited 4RM	37 899$
Focus ZX3 S hatchback 3p	14 799$
Focus ZX3 SE hatchback 3p	15 899$
Focus ZX5 SES hatchback 5p	18 799$
Focus ZX4 S	14 799$
Focus ZX4 SE	15 899$
Focus ZX4 SES	18 799$
Focus ZX4 ST	19 999$
Focus ZXW SE familiale	17 099$
Focus ZXW SES familiale	19 599$
Freestyle SEL	32 799$
Freestyle SEL 4RM	35 199$
Freestyle Limited	38 799$
Freestyle Limited 4RM	41 199$
Fusion SE	22 999$
Fusion SE V6	25 999$
Fusion SEL	25 299$
Fusion SEL V6	28 299$
GT	183 995 $ *
Mustang	23 999$
Mustang cabriolet	27 999$
Mustang GT	33 499$
Mustang GT cabriolet	37 599$
Shelby GT500	51 999$
Shelby GT500 cabriolet	56 099$
Taurus SE	25 199$
Taurus SEL	28 799$

FORD • Camions	
E-150 Commercial Cargo	29 099 $ *
E-150 Super Duty Extended Wagon XLT	40 899 $ *
Escape XLS	22 999$
Escape XLS 4RM	28 399$
Escape XLT V6	28 599$
Escape XLT V6 4RM	31 399$
Escape Limited V6 4RM	36 499$
Escape Hybrid	33 599$
Escape Hybrid 4RM	36 399$
Expedition XLT	46 799$
Expedition Eddie Bauer	54 699$
Expedition Eddie Bauer MAX	57 199$
Expedition Limited	57 699$
Expedition Limited MAX	60 199$
Explorer XLT V6	40 499$
Explorer XLT V8	41 999$
Explorer Eddie Bauer V6	46 599$
Explorer Eddie Bauer V8	48 099$
Explorer Limited V8	51 999$
Explorer Sport Trac XLT 4.0L	30 599$

Abréviations : 4RM : roues motrices • c.l. : caisse longue • cab. all. : cabine allongée • g.c. : grande capacité • t. : tonne • emp. long : empattement long • *Prix 2006

Explorer Sport Trac XLT 4.6L 4RM	35 199$
Explorer Sport Trac Limited 4.0L	33 699$
Explorer Sport Trac Limited 4.6L 4RM	38 299$
F-150 XL	22 499$
F-150 STX	23 899$
F-150 XLT	25 299$
F-150 XL 4RM	28 999$
F-150 XLT 4RM	31 799$
F-150 SuperCab XL emp. long	29 099$
F-150 SuperCab STX	30 499$
F-150 SuperCab XLT	32 299$
F-150 SuperCab XL emp. Long 4RM	33 299$
F-150 SuperCab XLT 4RM	36 499$
F-150 SuperCrew XLT	33 599$
F-150 SuperCrew XLT 4RM	37 899$
F-150 SuperCrew Lariat	40 999$
F-150 SuperCrew Lariat King Ranch 4RM	49 199$
F-250 XL	28 299$
F-250 XL 4RM	31 699$
F-250 SuperCab XL	31 399$
F-250 SuperCab XL 4RM	34 799$
F-250 Crew Cab XL	32 899$
F-250 Crew Cab XL 4RM	36 199$
F-350 XL SRW	29 799$
F-350 XL SRW 4RM	33 499$
F-350 Super Cab XL SRW	32 399$
F-350 Super Cab XL SRW 4RM	36 099$
F-350 Crew Cab XL SRW	34 099$
F-350 Crew Cab XL SRW 4RM	37 799$
Freestar S	23 299$
Freestar SE	25 999$
Freestar Sport	30 599$
Freestar SEL	33 099$
Freestar Limited	37 799$
Ranger XL 2.3L boîte 6'	18 299$
Ranger XL boîte 7'	19 199$
Ranger SuperCab XL	20 399$
Ranger SuperCab XL 4RM	24 999$
Ranger SuperCab XLT	22 899$
Ranger SuperCab XLT 4RM	27 299$
Ranger SuperCab Sport	21 299$
Ranger SuperCab Sport 4RM	27 299$
Ranger SuperCab STX	21 899$

GMC

Acadia	ND
Canyon SL	20 860 $
Canyon SLE	22 600 $
Canyon SL cab. all.	22 985 $
Canyon SLE cab. all.	24 645 $
Canyon SLE Crew Cab	27 270 $
Canyon SL 4RM	24 760 $
Canyon SLE 4RM	26 390 $
Canyon SL cab. all. 4RM	26 880 $
Canyon SLE cab. all. 4RM	28 435 $
Canyon SLE Crew Cab 4RM	33 765 $
Envoy SLE	32 655 $
Envoy SLT	39 630 $
Envoy Denali	44 715 $
Envoy SLE 4RM	39 960 $
Envoy SLT 4RM	46 110 $
Envoy Denali 4RM	51 700 $
Savana SL 1/2t Passagers	33 945 $
Savana SLE 1/2t Passagers	37 040 $
Savana SL 1/2t Passagers 4RM	36 905 $
Savana SLE 1/2t Passagers 4RM	40 000 $
Savana SL 3/4t Passagers	34 090 $
Savana SLE 3/4t Passagers	37 190 $
Savana SL 1t Passagers	36 350 $
Savana SLE 1t Passagers	38 905 $
Savana SL 1t Passagers emp. long	39 160 $
Savana SLE 1t Passagers emp. long	40 790 $
Savana 1/2t Cargo	27 435 $
Savana 1/2t Cargo 4RM	32 495 $
Savana 3/4t Cargo	29 350 $
Savana 3/4t Cargo emp. long	30 690 $
Savana 1t Cargo	29 830 $
Savana 1t Cargo emp. long	30 915 $
Sierra Valeur 1/2t	19 150 $
Sierra SL 1/2t	24 900 $
Sierra SLE 1/2t	29 465 $
Sierra Valeur 1/2t C.L.	19 440 $
Sierra SL 1/2t C.L.	25 190 $
Sierra SLE 1/2t C.L.	29 750 $
Sierra Valeur 1/2t 4RM	22 700 $
Sierra SL 1/2t 4RM	28 860 $
Sierra SLE 1/2t 4RM	33 345 $
Sierra Valeur 1/2t C.L. 4RM	22 990 $
Sierra SL 1/2t C.L. 4RM	29 150 $
Sierra SLE 1/2t C.L. 4RM	33 635 $
Sierra SL 1/2t cab. all.	28 780 $
Sierra SLE 1/2t cab. all.	33 025 $
Sierra SLT 1/2t cab. all.	40 020 $
Sierra SL 1/2t cab. all. C.L.	30 930 $
Sierra SLE 1/2t cab. all. C.L.	34 305 $
Sierra SLT 1/2t cab. all. C.L.	40 310 $
Sierra SL 1/2t cab. all.4RM	33 195 $
Sierra SLE 1/2t cab. all.4RM	36 905 $
Sierra SLT 1/2t cab. all.4RM	44 520 $
Sierra SL 1/2t cab. all. C.L.4RM	34 475 $
Sierra SLE 1/2t cab. all. C.L.4RM	38 185 $
Sierra SLT 1/2t cab. all. C.L.4RM	44 620 $
Sierra Classic 1/2t Crew Cab	33 975 $
Sierra SLE 1/2t Crew Cab	35 610 $
Sierra SLT 1/2t Crew Cab	41 415 $
Sierra Classic 1/2t Crew Cab 4RM	37 435 $
Sierra SLE 1/2t Crew Cab 4RM	40 015 $
Sierra SLT 1/2t Crew Cab 4RM	46 010 $
Sierra Denali 1/2t Crew Cab 4RM	55 395 $
Sierra SLE 1/2t HD Crew Cab	36 960 $
Sierra SLT 1/2t HD Crew Cab	43 160 $
Sierra SLE 1/2t HD Crew Cab 4RM	41 090 $
Sierra SLT 1/2t HD Crew Cab 4RM	47 285 $
Sierra SL 3/4t HD C.L.	29 095 $
Sierra SLE 3/4t HD C.L.	33 490 $
Sierra SL 3/4t HD cab. all.	33 570 $
Sierra SLE 3/4t HD cab. all.	36 745 $
Sierra SLT 3/4t HD cab. all.	43 920 $
Sierra SL 3/4t HD cab. all. C.L.	33 860 $
Sierra SLE 3/4t HD cab. all. C.L.	37 035 $
Sierra SLT 3/4t HD cab. all. C.L.	44 210 $
Sierra SL 3/4t HD Crew Cab	33 875 $
Sierra SLE 3/4t HD Crew Cab	38 515 $
Sierra SLT 3/4t HD Crew Cab	45 810 $
Sierra SL 3/4t HD Crew Cab C.L.	34 165 $
Sierra SLE 3/4t HD Crew Cab C.L.	38 805 $
Sierra SLT 3/4t HD Crew Cab C.L.	46 100 $
Sierra SL 3/4t HD C.L. 4RM	32 360 $
Sierra SLE 3/4t HD C.L. 4RM	37 090 $
Sierra SL 3/4t HD cab. all.4RM	36 835 $
Sierra SLE 3/4t HD cab. all.4RM	40 345 $
Sierra SLT 3/4t HD cab. all.4RM	47 725 $
Sierra SL 3/4t HD cab. all. C.L.4RM	37 125 $
Sierra SLE 3/4t HD cab. all. C.L.4RM	40 635 $
Sierra SLT 3/4t HD cab. all. C.L.4RM	48 015 $
Sierra SL 3/4t HD Crew Cab 4RM	37 185 $
Sierra SLE 3/4t HD Crew Cab 4RM	42 165 $
Sierra SLT 3/4t HD Crew Cab 4RM	49 665 $
Sierra SL 3/4t HD Crew Cab C.L.4RM	37 475 $
Sierra SLE 3/4t HD Crew Cab C.L.4RM	42 455 $
Sierra SLT 3/4t HD Crew Cab C.L.4RM	49 955 $
Sierra SL 1t HD cab. all. C.L.	35 465 $
Sierra SLE 1t HD cab. all. C.L.	38 285 $
Sierra SLT 1t HD cab. all. C.L.	44 895 $
Sierra SL 1t HD Crew Cab C.L.	35 770 $
Sierra SLE 1t HD Crew Cab C.L.	40 015 $
Sierra SLT 1t HD Crew Cab C.L.	46 920 $
Sierra SL 1t HD C.L. 4RM	33 975 $
Sierra SLE 1t HD C.L. 4RM	38 310 $
Sierra SL 1t HD cab. all. C.L.4RM	38 825 $
Sierra SLE 1t HD cab. all. C.L.4RM	41 975 $
Sierra SLT 1t HD cab. all. C.L.4RM	48 795 $
Sierra SL 1t HD Crew Cab C.L.4RM	39 130 $
Sierra SLE 1t HD Crew Cab C.L.4RM	43 705 $
Sierra SLT 1t HD Crew Cab C.L.4RM	50 820 $
Yukon SLE	44 615 $
Yukon SLT	50 775 $
Yukon SLE 4RM	48 030 $
Yukon SLT 4RM	54 360 $
Yukon XL SLE 1/2t	47 595 $
Yukon XL SLT 1/2t	53 755 $
Yukon XL SLE 1/2t 4RM	51 110 $
Yukon XL SLT 1/2t 4RM	57 440 $
Yukon XL SLE 3/4t	48 045 $
Yukon XL SLT 3/4t	54 205 $
Yukon XL SLE 3/4t 4RM	51 285 $
Yukon XL SLT 3/4t 4RM	57 615 $
Yukon Denali 4RM	63 500 $
Yukon XL Denali 4RM	66 170 $

HONDA

Accord DX-G	24 800 $ *
Accord SE	26 300 $ *
Accord EX-L	29 500 $ *
Accord SE V6	30 400 $ *
Accord EX V6	34 100 $ *
Accord coupé LX-G	26 300 $ *
Accord coupé EX-L	29 500 $ *
Accord coupé EX V6	34 000 $ *
Accord Hybrid	37 990 $ *
Civic Hybrid	25 950 $ *
Civic DX	16 980 $ *
Civic DX-G	19 080 $ *
Civic LX	20 430 $ *
Civic EX	23 430 $ *
Civic coupé DX	17 180 $ *
Civic coupé DX-G	19 330 $ *
Civic coupé LX	20 780 $ *
Civic coupé EX	22 680 $ *
Civic coupé Si	26 080 $ *
Fit DX	14 980 $
Fit LX	17 180 $
Fit Sport	19 480 $
Insight	26 000 $ *
S2000	50 300 $ *

Abréviations : 4RM : roues motrices • c.l. : caisse longue • cab. all. : cabine allongée • g.c. : grande capacité • t. : tonne • emp. long : empattement long • *Prix 2006

HONDA • Camions	
CR-V SE	29 300 $ *
CR-V EX	30 800 $ *
CR-V EX-L	34 200 $ *
Element	24 200 $ *
Element Y	27 200 $ *
Element Y 4RM	29 500 $ *
Odyssey LX	33 200 $ *
Odyssey EX	36 400 $ *
Odyssey Touring	47 600 $ *
Pilot LX	39 400 $ *
Pilot EX	41 900 $ *
Pilot EX-L	44 500 $ *
Ridgeline LX	35 200 $ *
Ridgeline EX-L	39 700 $ *

HUMMER	
H2 SUV	67 180 $
H2 SUT	67 085 $
H3 SUV	39 995 $
H3X	53 420 $

HYUNDAI	
Accent GL	14 295 $
Accent GL Confort	15 595 $
Accent GLS	16 995 $
Accent 3p GS	13 495 $
Accent 3p GS Confort	15 195 $
Accent 3p GS Sport	16 195 $
Accent 3p GS Luxe	16 695 $
Accent 5p	14 245 $ *
Accent 5p Confort	15 545 $ *
Azera	34 495 $ *
Azera Haut de gamme	37 495 $ *
Elantra GL	14 995 $ *
Elantra VE	17 450 $ *
Elantra SE	20 580 $ *
Elantra 5p. GL	15 395 $ *
Elantra 5p. VE	17 850 $ *
Elantra 5p. GT	19 980 $ *
Tiburon	20 675 $ *
Tiburon SE	23 275 $ *
Tiburon Tuscani	28 475 $ *
Sonata GL	21 995 $ *
Sonata GL V6	25 995 $ *
Sonata GLS	27 595 $ *
Sonata GLS Premium	28 995 $ *

HYUNDAI • Camions	
Entourage GL	29 995 $
Entourage GL Confort	31 995 $
Entourage GLS	35 695 $
Entourage GLS Premium	37 195 $
Santa Fe GL 2.7L	25 995 $
Santa Fe GL 3.3L	28 295 $
Santa Fe GL 3.3L Premium	31 295 $
Santa Fe GL 3.3L 4RM	30 095 $
Santa Fe GL 3.3L 4RM Premium	33 095 $
Santa Fe GLS 3.3L 4RM	35 995 $
Tucson GL	21 195 $
Tucson GL V6	26 395 $
Tucson GL V6 4RM	28 695 $
Tucson GLS V6 4RM	30 795 $

INFINITI	
G35	39 900 $ *
G35 Privilège	43 290 $ *
G35 Privilège Aero	45 190 $ *
G35 M6	45 190 $ *
G35x 4RM	42 890 $ *
G35x 4RM Privilège	46 190 $ *
G35 coupé	46 800 $ *
G35 coupé Sport	50 200 $ *
M35 Luxury	56 400 $
M35 Technology	62 900 $
M35x 4RM Luxury	59 900 $
M35x Technology & Entertainment	66 700 $
M45 Luxury	66 000 $
M45 Luxury Ultra Premium	72 200 $
M45 Sport	73 400 $
Q45 Premium	88 400 $ *

INFINITI • Camions	
FX35	53 200 $ *
FX35 Technologie	61 100 $ *
FX45	60 800 $ *
FX45 Technologie	68 700 $ *
QX56	77 900 $ *

JAGUAR	
S-TYPE 3.0	62 795 $ *
S-TYPE 4.2	72 995 $ *
S-TYPE VDP	76 495 $ *
S-TYPE R	84 995 $ *
Super V8	125 650 $ *
Vanden Plas	96 000 $ *
X-Type 3.0	41 995 $ *
X-Type Sport	46 995 $ *
X-Type VDP	49 795 $ *
X-Type Sportwagon	47 995 $ *
XJ8	87 500 $ *
XJR	105 000 $ *
XK	103 000 $
XK cabriolet	113 000 $
XKR	117 000 $
XKR cabriolet	127 000 $

JEEP	
Compass	17 995 $
Compass 4RM	19 995 $
Compass North	20 255 $
Compass North 4RM	22 255 $
Compass Limited	22 355 $
Compass Limited 4RM	24 355 $

JEEP • Camions	
Commander	41 480 $
Commander Limited	51 815 $
Grand Cherokee Laredo	40 285 $
Grand Cherokee Limited	50 345 $
Grand Cherokee Overland	53 770 $
Grand Cherokee SRT8	49 570 $
Liberty Sport	29 815 $
Liberty Limited	33 560 $
Wrangler X	19 995 $
Wrangler Sahara	26 445 $
Wrangler Rubicon	28 150 $
Wrangler Unlimited X	24 505 $
Wrangler Unlimited Sahara	28 190 $
Wrangler Unlimited Rubicon	29 895 $

KIA	
Amanti	30 995 $ *
Amanti Cuir	32 995 $ *
Amanti Luxury	35 995 $ *
Magentis LX	21 895 $
Magentis LX Premium	24 895 $
Magentis LX V6	23 995 $
Magentis LX V6 Luxe	27 795 $
Rio5 EX	13 595 $ *
Rio5 EX Commodité	15 295 $ *
Spectra LX	15 995 $ *
Spectra LX Commmodité	17 895 $ *
Spectra EX	20 895 $ *
Spectra5 EX	16 975 $ *
Spectra5 EX Commodité	19 095 $ *
Spectra5 EX Sport	21 175 $ *

KIA • Camions	
Sedona LX	29 495 $ *
Sedona EX	31 895 $ *
Sorento LX	27 895 $ *
Sorento LX 4RM	30 895 $ *
Sorento LX 4RM Premium	36 695 $ *
Sorento EX 4RM	34 625 $ *
Sorento EX 4RM Luxe	38 695 $ *
Sportage LX	21 695 $
Sportage LX Commodité	23 895 $
Sportage LX Commodité 4RM	25 895 $
Sportage LX V6	27 235 $
Sportage LX V6 4RM	29 235 $
Sportage LX V6 Luxe 4RM	30 935 $

LAMBORGHINI	
Gallardo	US 175 000 $ *
Gallardo SE	US 193 370 $ *
Murciélago	US 288 000 $ *
Murciélago Roadster	US 319 100 $ *

LAND ROVER	
Freelander SE	35 900 $ *
Freelander SE3	39 500 $ *
LR3 V6	53 900 $ *
LR3 SE	61 900 $ *
LR3 HSE	67 900 $ *
Range Rover Sport HSE	77 800 $ *
Range Rover Sport Compresseur	93 800 $ *
Range Rover HSE	99 900 $ *
Range Rover Compresseur	118 900 $ *

LEXUS	
ES 330	39 900 $ *
ES 330 Appearance	44 300 $ *
ES 330 Luxury	47 200 $ *
ES 330 Ultra Luxury	49 850 $ *
ES 350	42 900 $ *
IS 250	36 300 $ *
IS 250 4RM	41 900 $ *
IS 350	48 900 $ *
GS 300	64 300 $ *
GS 300 Touring	67 100 $ *
GS 300 Premium	74 600 $ *
GS 300 4RM	66 700 $ *
GS 300 4RM Touring	69 500 $ *

Abréviations : 4RM : roues motrices • c.l. : caisse longue • cab. all. : cabine allongée • g.c. : grande capacité • t. : tonne • emp. long : empattement long • *Prix 2006

GS 300 4RM Premium	77 000 $ *
GS 430	74 700 $ *
GS 430 Touring	77 100 $ *
GS 430 Premium	88 000 $ *
LS 430	85 700 $ *
LS 430 Premium	91 200 $ *
LS 430 Ultra Premium	106 200 $ *
SC 430	92 650 $ *
SC 430 Pebble Beach	93 850 $ *

LEXUS • Camions

GX 470	68 100 $ *
GX 470 Ultra Premium	74 400 $ *
LX 470	101 400 $ *
RX 330 Cuir	50 500 $ *
RX 330 Luxe	53 450 $ *
RX 330 Premium	56 250 $ *
RX 330 Ultra Premium	63 800 $ *
RX 350	51 550 $
RX 350 Luxe	54 500 $
RX 350 Premium	56 550 $
RX 350 Ultra Premium	64 050 $
RX 400h Premium	62 200 $ *
RX 400h Premium Ultra	69 700 $ *

LINCOLN

LS Sport	50 599 $ *
LS Ultimate	55 899 $ *
MKZ	37 499 $
MKZ AWD	39 599 $
Town Car Signature Limited	58 499 $
Town Car Signature Limited Designer Series	60 299 $
Town Car Signature L	65 499 $

LINCOLN • Camions

Mark LT 4RM Supercrew 5.5 L	54 499 $
Mark LT 4RM Supercrew 6.5 L	54 499 $
Navigator Ultimate	72 999 $

LOTUS

Elise	58 550 $

MASERATI

GranSport	143 500 $ *
GranSport Spider	146 900 $ *
Quattroporte	139 000 $ *
Quattroporte Sport GT	ND
Quattroporte Executive GT	ND

MAYBACH

57	332 500 $ *
57S	ND
62	382 500 $ *

MAZDA

Mazda3 GX	16 795 $
Mazda3 GS	19 995 $
Mazda3 GT	22 845 $
Mazda3 Sport GS	20 995 $
Mazda3 Sport GT	23 395 $
Mazda5 GS	19 995 $
Mazda5 GT	22 895 $
Mazda6 GS	24 395 $
Mazda6 GT	30 295 $
Mazda6 GS V6	27 095 $
Mazda6 GT V6	33 195 $
Mazda6 Sport GS	26 295 $
Mazda6 Sport GT	30 295 $
Mazda6 Sport GS V6	28 595 $
Mazda6 Sport GT V6	33 795 $
Mazda6 Sport GS V6 familiale	27 895 $
Mazda6 Sport GT V6 familiale	33 995 $
Mazdaspeed3	ND
Mazdaspeed6	35 995 $
Mazdaspeed6 Cuir	38 795 $
MX-5 GX	28 095 $
MX-5 GS	31 195 $
MX-5 GT	34 195 $
MX-5 PRHT	ND
RX-8 GS	37 195 $
RX-8 GT	40 395 $

MAZDA • Camions

CX-7 GS	31 995 $
CX-7 GT	35 195 $
CX-9	ND
MPV GX	27 895 $ *
MPV GS	30 595 $ *
MPV GT	37 495 $ *
Série B SX 2.3L	17 995 $
Série B Dual Sport 3.0 L cab. all.	22 695 $
Série B Dual Sport 4.0 L cab. all.	27 495 $
Série B SE 4.0 L 4RM cab. all.	27 495 $
Tribute GX	24 595 $ *
Tribute GX V6	26 795 $ *
Tribute GS V6	29 895 $ *
Tribute 4RM GX	27 395 $ *
Tribute 4RM GX V6	30 395 $ *
Tribute 4RM GS V6	32 595 $ *
Tribute 4RM GT V6	35 595 $ *

MERCEDES-BENZ

B200	31 400 $
B200 Turbo	35 400 $
C230	38 400 $
C280	42 800 $
C280 4MATIC	45 400 $
C350	51 000 $
C350 4MATIC	53 600 $
CL500	139 950 $ *
CL55 AMG	171 700 $ *
CL600	194 200 $ *
CL65 AMG	254 500 $ *
CLK350	67 800 $
CLK550	82 000 $
CLK350 cabriolet	76 700 $
CLK550 cabriolet	90 900 $
CLS500	93 200 $
CLS63 AMG	128 000 $
E320 BlueTech	67 800 $
E350 4MATIC	74 500 $
E550 4MATIC	85 000 $
E63 AMG	119 800 $
E350 4MATIC familiale	77 300 $
S550	118 500 $
S600	182 000 $
E65 AMG	228 000 $
SL500R	133 500 $
SL600	180 000 $
SL55 AMG	176 500 $
SL65 AMG	248 000 $
SLK280	60 500 $
SLK350	67 000 $
SLK55 AMG	85 500 $
SLR	US 450 000 $ *

MERCEDES-BENZ • Camions

G500	111 900 $ *
G55 AMG	152 450 $ *
GL450	76 500 $
ML320 CDI	59 800 $
ML350	58 300 $
ML500	72 800 $
ML63 AMG	96 800 $
R350	64 400 $ *
R500	75 950 $ *

MERCURY

Grand Marquis LS Ultimate	43 099$

MINI

Cooper Classic	23 500 $ *
Cooper	25 900 $ *
Cooper S	30 600 $ *
Cooper cabriolet	31 600 $ *
Cooper S cabriolet	36 600 $ *

MITSUBISHI

Eclipse GS	25 998 $
Eclipse GT	29 798 $
Eclipse GT Premium	33 998 $
Eclipse Spyder GS	31 998 $
Eclipse Spyder GT Premium	36 998 $
Galant DE	23 948 $ *
Galant ES	25 068 $ *
Galant LS	28 208 $ *
Galant GTS	33 348 $ *
Lancer ES	15 998 $ *
Lancer O•Z Rally	21 378 $ *
Lancer Ralliart	22 788 $ *
Lancer Sportback LS	21 598 $ *
Lancer Sportback Ralliart	24 998 $ *

MITSUBISHI • Camions

Endeavor LS	34 298 $ *
Endeavor 4RM LS	37 298 $ *
Endeavor 4RM XLS	38 898 $ *
Endeavor 4RM Limited	43 848 $ *
Montero Limited	48 548 $ *
Outlander LS	23 998 $ *
Outlander LS 4RM	26 668 $ *
Outlander SE 4RM	31 390 $ *
Outlander Limited 4RM	33 580 $ *

NISSAN

350Z Performance	45 998 $ *
350Z Roadster	53 498 $ *
Altima 2.5 S	24 698 $ *
Altima 3.5 S	27 598 $ *
Altima 3.5 SE	29 698 $ *
Altima 3.5 SE-R	35 998 $ *
Maxima SE 5 pl.	36 998 $
Maxima SE 4 pl.	42 498 $
Maxima SL	41 498 $
Sentra 2007	env. 16 500 $ *

Abréviations : 4RM : roues motrices • c.l. : caisse longue • cab. all. : cabine allongée • g.c. : grande capacité • t. : tonne • emp. long : empattement long • *Prix 2006

Sentra 1.8	16 698 $ *
Sentra 1.8 Special Edition	17 198 $ *
Sentra 1.8 S	18 498 $ *
Sentra SE-R	21 698 $ *
Sentra SE-R Spec V	22 198 $ *
Versa hatchback 1.8 S	14 498 $
Versa hatchback 1.8 SL	17 098 $

NISSAN • Camions

Armada SE	53 898 $ *
Armada LE	58 898 $ *
Frontier XE King Cab	24 298 $ *
Frontier SE V6 King Cab	26 598 $ *
Frontier SE V6 Crew Cab	30 598 $ *
Frontier SE V6 King Cab 4RM	29 598 $ *
Frontier NISMO King Cab 4RM	32 998 $ *
Frontier LE V6 King Cab 4RM	35 298 $ *
Frontier SE V6 Crew Cab 4RM	32 598 $ *
Frontier LE V6 Crew Cab 4RM	38 198 $ *
Frontier NISMO Crew Cab 4RM	39 098 $ *
Murano SL	38 798 $ *
Murano SL 4RM	40 798 $ *
Murano SE 4RM	48 398 $ *
Pathfinder XE	37 498 $ *
Pathfinder SE	41 198 $ *
Pathfinder SE Tout-terrain	42 198 $ *
Pathfinder LE	47 298 $ *
Quest 3.5 S	32 498 $
Quest 3.5 SL	36 998 $
Quest 3.5 SE	46 998 $
Titan King Cab XE	32 398 $ *
Titan King Cab SE	35 698 $ *
Titan King Cab SE 4RM	39 698 $ *
Titan King Cab LE 4RM	45 398 $ *
Titan Crew Cab XE 4RM	38 998 $ *
Titan Crew Cab SE 4RM	44 498 $ *
Titan Crew Cab LE 4RM	49 398 $ *
Xterra S	33 598 $ *
Xterra Tout-terrain	35 798 $ *
Xterra SE	37 598 $ *
X-Trail XE	26 098 $ *
X-Trail SE	28 598 $ *
X-Trail XE 4RM	27 498 $ *
X-Trail SE 4RM	29 998 $ *
X-Trail LE 4RM	33 798 $ *

PANOZ

Esperante	129 500 $

PONTIAC

G5 coupé	15 225 $
G5 SE coupé	17 680 $
G5 GT coupé	21 465 $
G5	15 225 $
G5 SE	17 680 $
G5 GT	21 465 $
G6	22 995 $
G6 SE	23 695 $
G6 GT	28 695 $
G6 GTP	32 725 $
G6 GT coupé	28 695 $
G6 GTP coupé	32 725 $
G6 GT cabriolet	35 725 $
Grand Prix	25 995 $
Grand Prix GT	29 995 $
Grand Prix GXP	36 525 $
Solstice	26 495 $
Solstice GXP	ND
Vibe	19 950 $
Wave	12 950 $
Wave SE	15 450 $
Wave hatchback	12 950 $
Wave SE hatchback	15 450 $

PONTIAC • Camions

Montana SV6	24 550 $
Montana SV6 Niveau 1	25 620 $
Montana SV6 Niveau 2	28 645 $
Montana SV6 emp. long	27 435 $
Montana SV6 Niveau 1 emp. long	28 280 $
Montana SV6 Niveau 2 emp. long	31 970 $
Torrent	26 770 $
Torrent Sport	29 460 $
Torrent 4RM	29 490 $
Torrent Sport 4RM	32 170 $

PORSCHE

Boxster	63 600 $
Boxster S	77 300 $
Cayman	69 600 $
Cayman S	83 300 $
911 Carrera	100 700 $
911 Carrera 4	108 700 $
911 Carrera S	114 800 $
911 Carrera cabriolet	114 800 $
911 Carrera 4S	122 800 $
911 Carrera 4 cabriolet	122 800 $
911 Carrera S cabriolet	128 900 $
911 Carrera 4S cabriolet	136 900 $
911 GT3	147 300 $
911 Targa 4	119 100 $
911 Targa 4S	133 200 $
911 Turbo	170 700 $

PORSCHE • Camions

Cayenne V6	60 100 $ *
Cayenne S	80 100 $ *
Cayenne Titanium	89 800 $
Cayenne Turbo	126 900 $ *
Cayenne Turbo S	157 000 $ *

ROLLS-ROYCE

Phantom	US 320 000 $ *

SAAB

9-2X	25 900 $ *
9-3	34 900 $ *
9-3 Aero Sport	41 900 $ *
9-3 SportCombi	36 400 $ *
9-3 SportCombi Aero	43 400 $ *
9-3 cabriolet	54 900 $ *
9-3 cabriolet Aero	59 000 $ *
9-5	43 000 $ *
9-5 SportCombi	44 500 $ *

SAAB • Camions

9-7X	48 900 $
9-7X V8	51 410 $

SALEEN

S281	54 143 $
S281 cabriolet	59 143 $
S281 Supercharged	63 793 $
S281 Supercharged cabriolet	68 793 $

SALEEN • Camions

S331 3 soupapes	env. 55 000 $
S331 Compresseur	env. 66 000 $

SATURN

Aura XE	24 990 $
Aura XR	30 985 $
Ion.1	13 995 $
Ion.2	15 500 $
Ion.3	18 945 $
Ion.1 coupé	13 995 $
Ion.2 coupé	16 195 $
Ion.3 coupé	18 945 $
Ion Red Line	22 995 $
Ion Red Line Competitive	26 270 $
Sky	31 665 $
Sky Red Line	ND

SATURN • Camions

Outlook	ND
Relay emp. long	27 770 $
Relay Valeur emp. long	29 395 $
Relay De Luxe emp. long	31 565 $
VUE	23 300 $
VUE V6	28 225 $
VUE V6 4RM	30 725 $
VUE Green Line	28 795 $

SMART

fortwo pure	16 700 $ *
fortwo pulse	18 700 $ *
fortwo passion	19 650 $ *
fortwo grandstyle	23 300 $ *
fortwo cabriolet pure	19 700 $ *
fortwo cabriolet pulse	21 700 $ *
fortwo cabriolet passion	22 650 $ *
fortwo cabriolet grandstyle	25 100 $ *

SUBARU

Impreza 2.5i	22 695 $
Impreza 2.5i Édition spéciale	24 195 $
Impreza WRX	35 495 $
Impreza WRX STI	48 995 $
Impreza 2.5i Sport familiale	23 495 $
Impreza 2.5i Édition spéciale familiale	24 995 $
Impreza WRX Sport familiale	35 495 $
Legacy 2,5i	28 495 $ *
Legacy 2.5i Édition Spéciale	29 194 $ *
Legacy 2.5i Limited	35 395 $ *
Legacy 2.5 GT	36 795 $ *
Legacy 2.5 GT Limited	40 295 $ *
Legacy 2.5 GT Spec B	ND
Legacy 2.5i familiale	29 495 $ *
Legacy 2.5i Édition Spéciale familiale	30 194 $ *
Legacy 2.5i Limited familiale	36 895 $ *
Legacy 2.5GT Limited familiale	41 795 $ *
Outback 2.5i	32 995 $ *
Outback 2.5i Édition Spéciale	33 694 $ *
Outback 2.5i Limited	38 995 $ *
Outback 2.5XT	42 895 $ *
Outback 3.0R	38 995 $ *

Abréviations : 4RM : roues motrices • c.l. : caisse longue • cab. all. : cabine allongée • g.c. : grande capacité • t. : tonne • emp. long : empattement long • *Prix 2006

Outback 3.0R VDC	45 995 $ *

SUBARU • Camions

B9 Tribeca	41 995 $ *
B9 Tribeca Limited	45 195 $ *
B9 Tribeca 7-pass.	44 295 $ *
B9 Tribeca 7-pass. Limited	47 995 $ *
Baja Sport	29 995 $ *
Forester 2.5X	26 995 $
Forester Édition Columbia	ND
Forester 2.5XS	31 295 $
Forester 2.5XS De Luxe	34 995 $
Forester 2.5XT	37 795 $

SUZUKI

Aerio	18 995 $
Swift+	13 895 $
Swift+ S	15 995 $
SX4	15 995 $
SX4 JX	18 195 $
SX4 JX 4RM	19 995 $
SX4 JLX 4RM	21 495 $

SUZUKI • Camions

Grand Vitara JA	25 495 $
Grand Vitara JX	26 895 $
Grand Vitara JLX	29 495 $
Grand Vitara JLX L	30 495 $
XL7	ND

T-REX VÉHICULES

T-Rex	49 995 $

TOYOTA

Avalon XLS	39 900 $ *
Avalon Touring	41 800 $ *
Camry LE	25 800 $
Camry LE V6	29 400 $
Camry SE	26 605 $
Camry SE V6	32 010 $
Camry XLE	37 425 $
Camry Hybrid	31 900 $
Corolla CE	15 715 $ *
Corolla Édition Spéciale	18 855 $ *
Corolla Sport	20 615 $ *
Corolla LE	21 830 $ *
Corolla XRS	24 445 $ *
Matrix	17 200 $ *
Matrix TRD	21 075 $ *
Matrix XR	21 465 $ *
Matrix XRS	25 835 $ *
Matrix 4RM	22 860 $ *
Matrix XR 4RM	24 825 $ *
Prius	30 730 $ *
Solara SE	29 200 $
Solara Sport V6	33 400 $
Solara SLE V6	36 975 $
Solara Sport V6 cabriolet	36 500 $
Solara SLE V6 cabriolet	39 900 $
Yaris	14 530 $
Yaris Groupe B	15 430 $
Yaris Groupe C	16 625 $
Yaris Groupe D	17 555 $
Yaris Aero	17 560 $
Yaris Hatchback CE 3p	13 580 $ *
Yaris Hatchback LE 3p	14 175 $ *
Yaris Hatchback RS 3p	16 880 $ *
Yaris Hatchback LE 5p	14 910 $ *
Yaris Hatchback RS 5p	17 615 $ *

TOYOTA • Camions

4Runner SR5 V6	39 960 $ *
4Runner Limited V6	49 950 $ *
4Runner SR5 V8	42 840 $ *
4Runner Limited V8	52 585 $ *
FJ Cruiser	29 990 $
FJ Cruiser gamme moyenne	33 440 $
FJ Cruiser haut de gamme	35 985 $
Highlander V6 4RM 5 pass.	37 855 $ *
Highlander V6 4RM 7 pass.	38 905 $ *
Highlander V6 4RM Limited 7 pass.	46 730 $ *
Highlander Hybrid 5 pass.	44 205 $ *
Highlander Hybrid 7 pass.	53 145 $ *
RAV4	28 700 $ *
RAV4 Limited	32 595 $ *
RAV4 V6	31 200 $ *
RAV4 V6 Sport	32 900 $ *
RAV4 V6 Limited	36 370 $ *
Sequoia SR5	58 210 $ *
Sequoia Limited	66 100 $ *
Sienna CE	30 800 $ *
Sienna LE	36 255 $ *
Sienna XLE	44 630 $ *
Sienna 4RM CE	36 700 $ *
Sienna 4RM LE	40 665 $ *
Sienna 4RM XLE Limited	50 875 $ *
Tacoma Access Cab	22,535 $ *
Tacoma Access Cab SR5	25,495 $ *
Tacoma Access Cab V6 4RM	29,240 $ *
Tacoma Access Cab V6 4RM SR5 Power Pack	31,325 $ *
Tacoma Access Cab V6 4RM Offroad	34,050 $ *
Tacoma Doublecab V6 4RM	31,990 $ *
Tacoma Doublecab V6 4RM SR5 Power Pack	33,280 $ *
Tacoma Doublecab V6 4RM Sport	36,070 $ *
Tacoma Prerunner Double Cab	31 535 $ *
Tacoma Prerunner Double Cab Sport	35 520 $ *
Tundra V6	26 010 $ *
Tundra Double Cab V8	36 940 $ *
Tundra Yamaha TRD SE	ND
Tundra 4RM V8	31 080 $ *
Tundra 4RM Access Cab V8	38 380 $ *
Tundra 4RM Access Cab V8 Offroad	40 325 $ *
Tundra 4RM Limited V8	43 120 $ *
Tundra 4RM Double Cab V8	40 380 $ *
Tundra 4RM Double Cab V8 Offroad	43 505 $ *
Tundra 4RM Double Cab V8 Limited	48 015 $ *

VOLKSWAGEN

Eos	36 900 $
Golf CL 2.0L	18 530 $ *
Golf GL 2.0L	20 460 $ *
Golf GL 1.9 TDI	22 520 $ *
Golf GLS 2.0L	23 240 $ *
Golf GLS 1.9 TDI	24 950 $ *
GTI 1.8T	27 630 $ *
Jetta 2.5L	24 975 $ *
Jetta 1.9L TDI	26 650 $ *
Jetta 2.0T	27 700 $ *
Jetta GLS 1.9 TDI familiale	27 780 $ *
New Beetle 2.5L	24 490 $ *
New Beetle TDI	26 130 $ *
New Beetle 2,5L cabriolet	29 880 $ *
Passat 2.0T	29 950 $ *
Passat 3.6 VR6	42 090 $ *
Passat 3.6 VR6 4Motion	44 990 $ *
Phaeton 4,2L	99 210 $ *
Phaeton 6,0L	136 990 $ *
Rabbit 3p	19 990 $ *
Rabbit 5p	20 990 $ *

VOLKSWAGEN • Camions

Touareg V6	51 525 $
Touareg V8	63 800 $ *

VOLVO

C70	55 995 $ *
C70 Premium	57 995 $ *
C70 Sport	60 245 $ *
S40 2.4i	31 120 $ *
S40 T5	37 120 $ *
V50 2.4i	32 620 $ *
V50 T5	38 620 $ *
S60 2.5T	40 620 $ *
S60 2.5T 4RM	45 620 $ *
S60 T5	47 620 $ *
S60 R	60 620 $ *
S80 4RM	54 995 $ *
V70 2.4i	39 120 $ *
V70 2.5T	42 120 $ *
V70 2.5T 4RM	47 120 $ *
V70 T5	49 120 $ *
V70 R	61 620 $ *
XC70	47 120 $ *

VOLVO • Camions

XC90 2.5T 5p.	49 995 $ *
XC90 2.5T 7p.	54 245 $ *
XC90 V8	67 295 $ *

Abréviations : 4RM : roues motrices • c.l. : caisse longue • cab. all. : cabine allongée • g.c. : grande capacité • t. : tonne • emp. long : empattement long • *Prix 2006

Véhicules d'occasion :

prix de 2002 à 2006

Plutôt que d'opter pour un véhicule neuf, certains consommateurs préfèrent acquérir un véhicule d'occasion, dont le prix est généralement moins élevé. Ainsi, nous croyions qu'il était indispensable de mettre à votre disposition, un supplément qui permettrait de vous guider afin de faire une bonne transaction.

Comme le prix d'un véhicule d'occasion varie en fonction de nombreux facteurs, notamment l'année de construction, l'équipement, le kilométrage parcouru, la région d'acquisition, la condition générale et, ultimement, la mécanique, il est nécessaire que vous fassiez preuve de gros bon sens dans vos démarches et dans l'utilisation de la présente section.

Cet ouvrage en est un de référence et n'a comme seule prétention de vous aider dans votre processus d'achat ou de vente. Qu'il s'agisse d'une automobile, d'une fourgonnette, d'une camionnette ou d'un véhicule utilitaire sport, vous y trouverez les prix pour la plupart des modèles disponibles sur le marché depuis les cinq dernières années, de 2002 à 2006.

Les prix indiqués sont approximatifs. Ils sont établis en fonction du fait que le véhicule n'a jamais été accidenté, est en bonne condition et qu'il compte une utilisation moyenne de 20 000 kilomètres par année.

Bonne route !

Description	R.m.	Tr.	L	Prix
ACURA				
2003 CL				**80 000 km**
2p coupé base	2	A	3.2	19 300
2p coupé Type S	2	M	3.2	20 300
2p coupé Type S	2	A	3.2	20 800
2002 CL				**100 000 km**
2p coupé base	2	A	3.2	16 500
2p coupé Type S	2	A	3.2	17 800
2006 CSX				**20 000 km**
4p berline Touring	2	M	2.0	22 400
4p berline Touring	2	A	2.0	23 500
4p berline Premium (cuir)	2	M	2.0	24 700
4p berline Premium (cuir)	2	A	2.0	25 800
4p berline Navi	2	M	2.0	26 800
4p berline Navi	2	A	2.0	27 900
2005 EL				**40 000 km**
4p berline Touring		M	1.7	18 200
4p berline Touring	2	A	1.7	19 300
4p berline Touring Aero	2	M	1.7	19 300
4p berline Touring Aero	2	A	1.7	20 300
4p berline Premium (cuir)	2	M	1.7	19 700
4p berline Premium (cuir)	2	A	1.7	20 700
4p berline Premium Aero (cuir)	2	M	1.7	20 700
4p berline Premium Aero (cuir)	2	A	1.7	21 700
2004 EL				**60 000 km**
4p berline Touring	2	M	1.7	16 300
4p berline Touring	2	A	1.7	17 200
4p berline Touring Aero	2	M	1.7	17 500
4p berline Touring Aero	2	A	1.7	18 400
4p berline Premium (cuir)	2	M	1.7	18 100
4p berline Premium (cuir)	2	A	1.7	18 900
4p berline Premium Aero (cuir)	2	M	1.7	19 200
4p berline Premium Aero (cuir)	2	A	1.7	20 100
2003 EL				**80 000 km**
4p berline Touring	2	M	1.7	14 500
4p berline Touring	2	A	1.7	15 400
4p berline Touring Aero	2	M	1.7	15 700
4p berline Touring Aero	2	A	1.7	16 600
4p berline Premium (cuir)	2	M	1.7	16 300
4p berline Premium (cuir)	2	A	1.7	17 100
4p berline Premium Aero (cuir)	2	M	1.7	17 400
4p berline Premium Aero (cuir)	2	A	1.7	18 300
2002 EL				**100 000 km**
4p berline Touring	2	M	1.7	12 000
4p berline Touring	2	A	1.7	13 000
4p berline Premium (cuir)	2	M	1.7	13 900
4p berline Premium (cuir)	2	A	1.7	14 700
4p berline Limited (cuir)	2	M	1.7	14 300
4p berline Limited (cuir)	2	A	1.7	15 300
2006 MDX				**20 000 km**
4p base	A	A	3.5	43 700
4p Touring	A	A	3.5	45 800
4p Ens.Technologique	A	A	3.5	48 400
2005 MDX				**40 000 km**
4p base	A	A	3.5	37 000
4p ens. Technologique	A	A	3.5	42 000
2004 MDX				**60 000 km**
4p base	A	A	3.5	30 800
4p ens. Technologique	A	A	3.5	35 600
2003 MDX				**80 000 km**
4p base	A	A	3.5	26 700
2002 MDX				**100 000 km**
4p base	A	A	3.5	24 700
2006 RL				**20 000 km**
4p berline 3,5 l	A	A	3.5	53 900
2005 RL				**40 000 km**
4p berline 3,5 l	A	A	3.5	45 600
2004 RL				**60 000 km**
4p berline 3,5 l	2	A	3.5	31 000
2003 RL				**80 000 km**
4p berline 3,5 l	2	A	3.5	26 000
2002 RL				**100 000 km**
4p berline 3,5 l	2	A	3.5	23 300
2006 RSX				**20 000 km**
2p coupé Premium	2	M	2.0	24 300
2p coupé Premium	2	A	2.0	25 400
2p coupé Premium (cuir)	2	M	2.0	25 700
2p coupé Premium (cuir)	2	A	2.0	26 800
2p coupé Type-S (cuir)	2	M	2.0	29 600
2005 RSX				**40 000 km**
2p coupé base	2	M	2.0	20 700
2p coupé base	2	A	2.0	21 800
2p coupé Premium	2	M	2.0	22 500
2p coupé Premium	2	A	2.0	23 600
2p coupé Premium (cuir)	2	M	2.0	23 900
2p coupé Premium (cuir)	2	A	2.0	25 000
2p coupé Type-S (cuir)	2	M	2.0	27 000
2004 RSX				**60 000 km**
2p coupé base	2	M	2.0	17 800
2p coupé base	2	A	2.0	18 700
2p coupé base Aero	2	M	2.0	19 000
2p coupé base Aero	2	A	2.0	20 000
2p coupé Premium (cuir)	2	M	2.0	20 500
2p coupé Premium (cuir)	2	A	2.0	21 400
2p coupé Premium Aero (cuir)	2	M	2.0	21 700
2p coupé Premium Aero (cuir)	2	A	2.0	22 700
2p coupé Type-S (cuir)	2	M	2.0	23 200
2p coupé Type-S Aero (cuir)	2	M	2.0	24 200
2003 RSX				**80 000 km**
2p coupé base	2	M	2.0	16 400
2p coupé base	2	A	2.0	17 300
2p coupé Premium (cuir)	2	M	2.0	19 100
2p coupé Premium (cuir)	2	A	2.0	20 100
2p coupé Type-S (cuir)	2	M	2.0	21 400
2002 RSX				**100 000 km**
2p coupé base	2	M	2.0	14 200
2p coupé base	2	A	2.0	15 100
2p coupé Premium (cuir)	2	M	2.0	17 000
2p coupé Premium (cuir)	2	A	2.0	17 900
2p coupé Type-S (cuir)	2	M	2.0	18 500
2006 TL				**20 000 km**
4p berline 3,2 l	2	A	3.2	34 400
4p berline 3,2 l ensemble NAVI	2	A	3.2	36 700
4p berline 3,2 l ens Dynamic	2	M	3.2	35 200
4p ber 3,2 l ens Dynamic/NAVI	2	M	3.2	37 600
2005 TL				**40 000 km**
4p berline 3,2 l	2	A	3.2	29 000
4p berline 3,2 l ensemble NAVI	2	A	3.2	32 000
4p berline 3,2 l ens Dynamic	2	M	3.2	29 900
4p ber 3,2 l ens Dynamic/NAVI	2	M	3.2	32 900
2004 TL				**60 000 km**
4p berline 3,2 l	2	A	3.2	24 900
4p berline 3,2 l ens Dynamic	2	M	3.2	25 800
4p berline 3,2 l ensemble NAVI	2	A	3.2	27 800
2003 TL				**80 000 km**
4p berline 3,2 l	2	A	3.2	20 300
4p berline 3,2 l Type S	2	A	3.2	23 600
4p berline 3,2 l Type S A-Spec	2	A	3.2	24 600
2002 TL				**100 000 km**
4p berline 3,2 l	2	A	3.2	16 200
4p berline 3,2 l Type S	2	A	3.2	18 300
2006 TSX				**20 000 km**
4p berline 2,4 l	2	M	2.4	31 000
4p berline 2,4 l	2	A	2.4	32 200
4p berline 2,4 l ensemble NAVI	2	M	2.4	33 500
4p berline 2,4 l ensemble NAVI	2	A	2.4	34 600
2005 TSX				**40 000 km**
4p berline 2,4 l	2	M	2.4	26 400
4p berline 2,4 l	2	A	2.4	27 500
4p berline 2,4 l ensemble NAVI	2	M	2.4	29 400
4p berline 2,4 l ensemble NAVI	2	A	2.4	30 500
2004 TSX				**60 000 km**
4p berline 2,4 l	2	M	2.4	23 900
4p berline 2,4 l	2	A	2.4	23 900
AUDI				
2006 A3				**20 000 km**
4p hayon Front Trak 2.0 T	2	M	2.0	26 800
4p hayon Front Trak 2.0 T Sport	2	M	2.0	29 000
4p hayon Front Trak 2.0 T Prem	2	M	2.0	29 200
4p hayon Quattro 3.2 S-Line cuir	A	A	3.2	35 500
2006 A4				**20 000 km**
4p berline Front Trak 2.0 T	2	M	2.0	28 000
4p berline Quattro 2.0 T (cuir)	A	M	2.0	32 000
4p berline Quattro 3.2 (cuir)	A	M	3.2	38 100
4p familiale Quattro 2.0 T (cuir)	A	M	2.0	33 200
4p familiale Quattro 3.2 (cuir)	A	M	3.2	39 300
4p familiale S4 Quattro	A	M	4.2	53 900
2p déc Front Track 1.8 T (cuir)	2	A	1.8	42 800
2p déc Front Track 1.8 T S-Line	2	A	1.8	44 900
2p décapotable Quattro 3.0 (cuir)	A	A	3.0	53 200
2p déce Quattro 3.0 S-Line	A	A	3.0	55 300
2p décapotable S4 Quattro	A	A	4.2	64 900
2005 A4				**40 000 km**
4p berline Front Trak 1.8 T	2	A	1.8	22 500
4p berline Quattro 1.8 T (cuir)	A	M	1.8	26 100
4p berline Quattro 3.0 (cuir)	A	M	3.0	31 300
4p berline S4 Quattro	A	M	4.2	46 800
4p familiale Front Trak 1.8 T	2	A	1.8	23 900
4p familiale Quattro 1.8 T (cuir)	A	M	1.8	27 400
4p familiale Quattro 3.0 (cuir)	A	M	3.0	32 600
4p familiale S4 Quattro	A	M	4.2	48 100
2p déc Front Trak 1.8 T (cuir)	2	A	1.8	37 700
2p déc Front Trak 1.8 T S-Line	2	A	1.8	39 700
2p décapotable Quattro 3.0 (cuir)	A	A	3.0	47 500
2p déc Quattro 3.0 S-Line	A	A	3.0	49 500
2p décapotable S4 Quattro	A	M	4.2	58 700
2004 A4				**60 000 km**
4p berline Front Trak 1.8 T	2	A	1.8	18 200
4p berline Quattro 1.8 T (cuir)	A	M	1.8	21 700
4p berline Quattro 3.0 (cuir)	A	M	3.0	26 900
4p berline S4 Quattro	A	M	4.2	43 900
4p familiale Front Trak 1.8 T	2	A	1.8	19 500
4p familiale Quattro 1.8 T (cuir)	A	M	1.8	23 000
4p familiale Quattro 3.0 (cuir)	A	M	3.0	28 200
4p familiale S4 Quattro	A	M	4.2	45 300
2p déc Front Trak 1.8 T (cuir)	2	A	1.8	33 500
2p déc Front Trak 3.0 (cuir)	2	A	3.0	40 600
2p décapotable Quattro 3.0 (cuir)	A	A	3.0	43 300
2p décapotable S4 Quattro	A	M	4.2	56 500
2003 A4				**80 000 km**
4p berline Front Trak 1.8 T	2	A	1.8	17 000
4p berline Quattro 1.8 T (cuir)	A	M	1.8	20 100
4p berline Quattro 3.0 (cuir)	A	M	3.0	24 900
4p familiale Front Trak 1.8 T	2	A	1.8	18 000
4p familiale Quattro 1.8 T (cuir)	A	M	1.8	21 400
4p familiale Quattro 3.0 (cuir)	A	M	3.0	26 200
2p cabriolet Front Trak 1.8 T (cuir)	2	A	1.8	31 700
2p cabriolet Front Trak 3.0 (cuir)	2	A	3.0	36 700
2002 A4				**100 000 km**
4p berline Front Trak 1.8 T	2	A	1.8	16 400
4p berline Quattro 1.8 T	A	M	1.8	19 400
4p berline Quattro 3.0	A	M	3.0	24 500
4p berline S4 Quattro bi-turbo	A	M	2.7	28 400
4p berline S4 Quattro bi-turbo	A	A	2.7	28 400
4p familiale Quattro 1.8 T	A	M	1.8	20 700
4p familiale Quattro 3.0	A	M	3.0	24 800
2006 A6				**20 000 km**
4p berline Quattro	A	A	3.2	48 300
4p ber Quattro ens. Premium toit	A	A	3.2	51 400
4p berline Quattro	A	A	4.2	57 200
4p berline Quattro S-Line	A	A	4.2	58 500
4p familiale Avant Quattro	A	A	3.2	51 200
2005 A6				**40 000 km**
4p berline Quattro	A	A	3.2	38 000
4p berline Quattro	A	A	4.2	46 500
4p berline Quattro S-Line	A	A	4.2	49 500
4p familiale All Road turbo	A	M	2.7	37 200
4p familiale All Road turbo	A	A	2.7	38 300
2004 A6				**60 000 km**
4p berline Front Trak	2	A	3.0	27 400
4p berline Quattro	A	A	3.0	30 100
4p berline Quattro turbo	A	M	2.7	36 100
4p berline Quattro turbo	A	A	2.7	36 100
4p berline Quattro turbo S-Line	A	A	2.7	38 200
4p berline Quattro	A	A	4.2	43 200
4p berline RS6 Quattro	A	A	4.2	70 800
4p familiale S6 Quattro	A	A	4.2	54 700
4p familiale All Road turbo	A	M	2.7	33 600
4p familiale All Road turbo	A	A	2.7	34 700
2003 A6				**80 000 km**
4p berline Front Trak	2	A	3.0	23 100
4p berline Quattro	A	A	3.0	25 500
4p berline Quattro turbo	A	M	2.7	30 000

Abréviations : R.m. : roues motrices (2, 4, A) • Tr : Transmission (A, M) • L : capacité du moteur en litres

Description	R.m.	Tr.	L	Prix
4p berline Quattro turbo	A	A	2.7	30 000
4p berline Quattro	A	A	4.2	33 200
4p familiale S6 Quattro	A	A	4.2	45 200
4p familiale All Road turbo	A	M	2.7	29 000
4p familiale All Road turbo	A	A	2.7	30 000

2002 A6 — 100 000 km

Description	R.m.	Tr.	L	Prix
4p berline Front Trak	2	A	3.0	21 600
4p berline Quattro	A	A	3.0	24 600
4p berline Quattro turbo	A	M	2.7	28 700
4p berline Quattro turbo	A	A	2.7	28 700
4p berline Quattro (cuir)	A	A	4.2	36 500
4p familiale S6 Quattro	A	A	4.2	41 200
4p familiale Avant Quattro	A	A	3.0	26 100
4p familiale All Road turbo (cuir)	A	M	2.7	28 700
4p familiale All Road turbo (cuir)	A	A	2.7	29 800

2006 A8 — 20 000 km

Description	R.m.	Tr.	L	Prix
4p berline Quattro	A	A	4.2	73 000
4p berline L Quattro	A	A	4.2	76 600
4p berline W12 Quattro	A	A	6.0	128 600

2005 A8 — 40 000 km

Description	R.m.	Tr.	L	Prix
4p berline Quattro	A	A	4.2	60 700
4p berline L Quattro	A	A	4.2	65 300
4p berline W12 Quattro	A	A	6.0	108 300

2004 A8 — 60 000 km

Description	R.m.	Tr.	L	Prix
4p berline L Quattro	A	A	4.2	57 000

2003 A8 — 80 000 km

Description	R.m.	Tr.	L	Prix
4p berline Quattro	A	A	4.2	43 400
4p berline all. Quattro	A	A	4.2	50 900
4p berline S8 Quattro	A	A	4.2	51 500

2002 A8 — 100 000 km

Description	R.m.	Tr.	L	Prix
4p berline Quattro	A	A	4.2	38 700
4p berline all. Quattro	A	A	4.2	46 900
4p berline S8 Quattro	A	A	4.2	46 400

2006 TT — 20 000 km

Description	R.m.	Tr.	L	Prix
2p coupé Quattro turbo	A	M	1.8	44 000
2p coupé Quattro	A	A	3.2	48 300
2p décapotable Quattro turbo	A	M	1.8	47 600
2p décapotable Quattro	A	A	3.2	51 400

2005 TT — 40 000 km

Description	R.m.	Tr.	L	Prix
2p coupé Quattro turbo	A	M	1.8	40 600
2p coupé Quattro	A	A	3.2	45 100
2p décapotable Quattro turbo	A	M	1.8	44 300
2p décapotable Quattro	A	A	3.2	48 400

2004 TT — 60 000 km

Description	R.m.	Tr.	L	Prix
2p coupé Front Trac turbo	2	A	1.8	33 400
2p décapotable Front Trac turbo	2	A	1.8	36 000
2p coupé Quattro turbo	A	M	1.8	38 500
2p coupé Quattro	A	A	3.2	43 100
2p décapotable Quattro turbo	A	M	1.8	42 300
2p décapotable Quattro	A	A	3.2	46 500

2003 TT — 80 000 km

Description	R.m.	Tr.	L	Prix
2p coupé Front Trac turbo	2	A	1.8	30 400
2p décapotable Front Trac turbo	2	A	1.8	33 100
2p coupé Quattro turbo (5 vit.)	A	M	1.8	36 100
2p décapotable Quattro turbo	A	M	1.8	39 000

2002 TT — 100 000 km

Description	R.m.	Tr.	L	Prix
2p décapotable Front Trac turbo	2	M	1.8	29 100
2p coupé Quattro turbo (5 vit.)	A	M	1.8	29 000
2p coupé Quattro turbo (6 vit.)	A	M	1.8	33 100
2p coupé Quattro t ALMS 6 vit.	A	M	1.8	36 500
2p décapotable Quattro turbo	A	M	1.8	36 000

BMW

2006 SÉRIE 3 — 20 000 km

Description	R.m.	Tr.	L	Prix
2p coupé 325Ci	2	M	2.5	33 900
2p coupé 325Ci M Sport Edition	2	M	2.5	39 700
2p coupé 330Ci	2	M	3.0	40 200
2p coupé 330Ci (Séquentielle)	2	A	3.0	41 600
2p coupé M3 (cuir)	2	M	3.2	56 800
2p coupé M3 (cuir) (Séquentielle)	2	A	3.2	61 000
4p berline 323i	2	M	2.5	28 800
4p berline 325i	2	M	3.0	31 500
4p berline 330i	2	M	3.0	38 000
2p décapotable 325Ci	2	M	2.5	44 000
2p déc 325Ci Exclusive Ed	2	M	2.5	48 000
2p décapotable 330Ci (cuir)	2	M	3.0	52 600
2p déc 330Ci (cuir) (Séq)	2	A	3.0	54 000
2p déc 330Ci (cuir) M Perform.	2	M	3.0	55 200
2p décapotable M3 (cuir)	2	M	3.2	65 400
2p déc M3 (cuir) (Séquentielle)	2	A	3.2	69 600
4p berline 325xi	A	M	3.0	34 100
4p berline 330xi	A	M	3.0	40 500
4p familiale 325xiT	A	M	3.0	35 400

2005 SÉRIE 3 — 40 000 km

Description	R.m.	Tr.	L	Prix
2p coupé 325Ci	2	M	2.5	28 100
2p coupé 330Ci (M5)	2	M	3.0	34 700
2p coupé 330Ci (M6)	2	M	3.0	36 200
2p coupé 330Ci M Perfor (M5)	2	M	3.0	40 900
2p coupé M3 (cuir)	2	M	3.2	52 500
2p coupé M3 (cuir) (Séquentielle)	2	A	3.2	55 500
4p berline 320i	2	M	2.2	21 000
4p berline 325i	2	M	2.5	25 500
4p berline 330i (M5)	2	M	3.0	32 300
4p berline 330i (M6)	2	M	3.0	33 900
4p berline 330i M Perfor (M5)	2	M	3.0	38 600
4p familiale 325iT	2	M	2.5	26 900
2p décapotable 325Ci	2	M	2.5	38 700
2p décapotable 330Ci (cuir) (M5)	2	M	3.0	47 800
2p décapotable 330Ci (cuir) (M6)	2	M	3.0	49 400
2p déc 330Ci (cuir) M Perfor (M5)	2	M	3.0	53 100
2p décapotable M3 (cuir)	2	M	3.2	57 600
2p décapotable M3 (cuir) (Séq)	2	A	3.2	60 600
4p berline 325xi	A	M	2.5	28 200
4p berline 330xi	A	M	3.0	35 000
4p familiale 325xiT	A	M	2.5	29 600

2004 SÉRIE 3 — 60 000 km

Description	R.m.	Tr.	L	Prix
2p coupé 325Ci	2	M	2.5	24 100
2p coupé 330Ci	2	M	3.0	29 900
2p coupé M3 (cuir)	2	M	3.2	48 100
4p berline 320i	2	M	2.2	16 600
4p berline 325i	2	M	2.5	20 700
4p berline 330i	2	M	3.0	27 500
4p familiale 325iT	2	M	2.5	22 100
2p décapotable 325Ci	2	M	2.5	33 900
2p décapotable 330Ci (cuir)	2	M	3.0	43 000
2p décapotable M3 (cuir)	2	M	3.2	55 200
4p berline 325xi	A	M	2.5	23 400
4p berline 330xi	A	M	3.0	30 300
4p familiale 325xiT	A	M	2.5	24 800

2003 SÉRIE 3 — 80 000 km

Description	R.m.	Tr.	L	Prix
2p coupé 325Ci	2	M	2.5	20 300
2p coupé 330Ci	2	M	3.0	26 400
2p coupé M3 (cuir)	2	M	3.2	41 400
4p berline 320i	2	M	2.2	14 700
4p berline 325i	2	M	2.5	18 400
4p berline 330i	2	M	3.0	24 800
4p familiale 325iT	2	M	2.5	19 600
2p décapotable 325Ci	2	M	2.5	30 100
2p décapotable 330Ci (cuir)	2	M	3.0	38 500
2p décapotable M3 (cuir)	2	M	3.2	49 800
4p berline 325xi	A	M	2.5	21 100
4p berline 330xi	A	M	3.0	27 400
4p familiale 325xiT	A	M	2.5	22 300

2002 SÉRIE 3 — 100 000 km

Description	R.m.	Tr.	L	Prix
2p coupé 325Ci	2	M	2.5	18 500
2p coupé 330Ci	2	M	3.0	25 100
2p coupé M3 (cuir)	2	M	3.2	39 700
4p berline 320i	2	M	2.2	12 400
4p berline 325i (cuir)	2	M	2.5	16 400
4p berline 330i	2	M	3.0	23 300
4p familiale 325iT	2	M	2.5	17 800
2p décapotable 325Ci	2	M	2.5	29 000
2p décapotable 330Ci	2	M	3.0	38 200
2p décapotable M3 (cuir)	2	M	3.2	47 200
4p berline 325xi	A	M	2.5	19 300
4p berline 330xi	A	M	3.0	26 200
4p familiale 325xiT	A	M	2.5	20 700

2006 SÉRIE 5 — 20 000 km

Description	R.m.	Tr.	L	Prix
4p berline 525i	2	M	3.0	45 700
4p berline 525i	2	A	3.0	45 700
4p berline 525xi	A	M	3.0	48 100
4p berline 525xi	A	A	3.0	48 100
4p berline 530i	2	M	3.0	53 600
4p berline 530i	2	A	3.0	53 600
4p berline 530i Séquentielle	2	M	3.0	53 000
4p berline 530xi	A	M	3.0	54 100
4p berline 530xi	A	A	3.0	54 100
4p berline 550i	2	M	4.8	60 900
4p berline 550i	2	A	4.8	60 900
4p berline M5	2	A	5.0	79 900
4p familiale 530xi Touring	A	M	3.0	55 900
4p familiale 530xi Touring	A	A	3.0	55 900

2005 SÉRIE 5 — 40 000 km

Description	R.m.	Tr.	L	Prix
4p berline 530i	2	M	3.0	46 200
4p berline 530i	2	A	3.0	44 600
4p berline 530i Steptronic	2	A	3.0	45 900
4p berline 545i	2	M	4.4	52 800
4p berline 545i	2	A	4.4	52 800
4p berline 545i Steptronic	2	A	4.4	52 800

2004 SÉRIE 5 — 60 000 km

Description	R.m.	Tr.	L	Prix
4p berline 530i	2	M	3.0	40 100
4p berline 530i	2	A	3.0	38 200
4p berline 530i Steptronic	2	A	3.0	39 400
4p berline 545i	2	M	4.4	47 300
4p berline 545i	2	A	4.4	46 400
4p berline 545i Steptronic	2	A	4.4	46 400

2003 SÉRIE 5 — 80 000 km

Description	R.m.	Tr.	L	Prix
4p berline 525i	2	M	2.5	25 200
4p berline 525iA	2	A	2.5	26 200
4p berline 530i	2	M	3.0	32 200
4p berline 530iA	2	A	3.0	33 400
4p berline 540i	2	M	4.4	39 600
4p berline 540iA	2	A	4.4	39 600
4p berline M5	2	A	5.0	57 400
4p familiale 540i touring	2	A	4.4	41 500

2002 SÉRIE 5 — 100 000 km

Description	R.m.	Tr.	L	Prix
4p berline 525i	2	M	2.5	24 300
4p berline 525iA	2	A	2.5	25 500
4p berline 530i (cuir)	2	M	3.0	32 700
4p berline 530iA (cuir)	2	A	3.0	33 800
4p berline 540i (cuir)	2	M	4.4	40 700
4p berline 540iA (cuir)	2	A	4.4	40 700
4p berline M5 (cuir)	2	A	5.0	56 200
4p familiale 525i touring	2	M	2.5	26 600
4p familiale 525iA touring	2	A	2.5	27 700
4p familiale 540i touring (cuir)	2	A	4.4	42 800

2006 SÉRIE 6 — 20 000 km

Description	R.m.	Tr.	L	Prix
2p coupé 650i	2	M	4.8	83 100
2p coupé 650i Steptronic	2	A	4.8	83 100
2p coupé M6	2	A	5.0	99 700
2p décapotable 650i	2	M	4.4	89 700
2p décapotable 650i Steptronic	2	A	4.4	89 700

2005 SÉRIE 6 — 40 000 km

Description	R.m.	Tr.	L	Prix
2p coupé 645Ci	2	M	4.4	71 400
2p coupé 645Ci	2	A	4.4	71 400
2p décapotable 645Ci	2	M	4.4	78 500
2p décapotable 645Ci	2	A	4.4	78 500

2004 SÉRIE 6 — 60 000 km

Description	R.m.	Tr.	L	Prix
2p coupé 645Ci	2	M	4.4	67 200
2p coupé 645Ci	2	A	4.4	67 200
2p décapotable 645Ci	2	M	4.4	74 300
2p décapotable 645Ci	2	A	4.4	74 300

2006 SÉRIE 7 — 20 000 km

Description	R.m.	Tr.	L	Prix
4p berline 750i	2	A	4.8	77 600
4p berline 750i Executive pkg	2	A	4.8	85 500
4p berline 750Li	2	A	4.8	83 100
4p berline 750Li Executive pkg	2	A	4.8	89 000
4p berline 760Li	2	A	6.0	132 500

2005 SÉRIE 7 — 40 000 km

Description	R.m.	Tr.	L	Prix
4p berline 745i	2	A	4.8	67 200
4p berline 745Li	2	A	4.8	73 000
4p berline 760Li	2	A	6.0	117 700

2004 SÉRIE 7 — 60 000 km

Description	R.m.	Tr.	L	Prix
4p berline 745i	2	A	4.4	56 900
4p berline 745Li	2	A	4.4	60 700
4p berline 760Li	2	A	6.0	105 000

2003 SÉRIE 7 — 80 000 km

Description	R.m.	Tr.	L	Prix
4p berline 745i	2	A	4.4	48 300
4p berline 745Li	2	A	4.4	51 600
4p berline 760Li	2	A	6.0	94 800

2002 SÉRIE 7 — 100 000 km

Description	R.m.	Tr.	L	Prix
4p berline 745i	2	A	4.4	44 500
4p berline 745Li	2	A	4.4	47 100

2006 SÉRIE X3 — 20 000 km

Description	R.m.	Tr.	L	Prix
4p X3 2.5i	A	M	2.5	35 100
4p X3 3.0i	A	M	3.0	38 700

2005 SÉRIE X3 — 40 000 km

Description	R.m.	Tr.	L	Prix
4p X3 2.5i	A	M	2.5	31 800
4p X3 2.5i	A	A	2.5	32 600
4p X3 3.0i	A	M	3.0	35 300
4p X3 3.0i	A	A	3.0	35 300

2004 SÉRIE X3 — 60 000 km

Description	R.m.	Tr.	L	Prix
4p X3 2.5i	A	M	2.5	28 300
4p X3 3.0i	A	M	3.0	31 800

2006 SÉRIE X5 — 20 000 km

Description	R.m.	Tr.	L	Prix
4p X5 3.0i	A	M	3.0	46 100
4p X5 3.0i	A	A	3.0	46 100
4p X5 3.0i Executive (cuir-toit)	A	A	3.0	52 200
4p X5 4.4i (cuir)	A	A	4.4	56 300
4p X5 4.4i Executive (cuir-toit)	A	A	4.4	61 300
4p X5 4.8is (cuir)	A	A	4.8	75 700

2005 SÉRIE X5 — 40 000 km

Description	R.m.	Tr.	L	Prix
4p X5 3.0i	A	M	3.0	38 000
4p X5 3.0i	A	A	3.0	38 000
4p X5 4.4i (cuir)	A	A	4.4	46 400
4p X5 4.8is (cuir)	A	A	4.8	62 300

2004 SÉRIE X5 — 60 000 km

Description	R.m.	Tr.	L	Prix
4p X5 3.0i	A	A	3.0	33 600
4p X5 4.4i (cuir)	A	A	4.4	42 100
4p X5 4.8is (cuir)	A	A	4.8	53 400

2003 SÉRIE X5 — 80 000 km

Description	R.m.	Tr.	L	Prix
4p X5	A	A	3.0	29 600
4p X5 (cuir)	A	A	4.4	36 200
4p X5 Sport (cuir)	A	A	4.6	44 600

2002 SÉRIE X5 — 100 000 km

Description	R.m.	Tr.	L	Prix
4p X5	A	A	3.0	26 600
4p X5 Premium	A	A	3.0	29 500
4p X5 Sport	A	A	3.0	29 200
4p X5 (cuir)	A	A	4.4	32 500
4p X5 Sport (cuir)	A	A	4.4	34 400
4p X5 Sport (cuir)	A	A	4.6	39 500

2002 SÉRIE Z3 — 100 000 km

Description	R.m.	Tr.	L	Prix
2p décapotable Z3 2.5i	2	M	2.5	24 900
2p décapotable Z3 3.0i (cuir)	2	M	3.0	31 400
2p décapotable M base (cuir)	2	M	3.2	38 500
2p coupé M base (cuir)	2	M	3.2	40 100

2006 SÉRIE Z4 — 20 000 km

Description	R.m.	Tr.	L	Prix
2p décapotable Z4 3.0i	2	M	3.0	44 400
2p décapotable Z4 3.0Si (cuir)	2	M	3.0	49 400
2p décapotable M Roadster	2	M	3.2	56 000
2p coupé M	2	M	3.2	55 000

2005 SÉRIE Z4 — 40 000 km

Description	R.m.	Tr.	L	Prix
2p décapotable Z4 2.5i (M5)	2	M	2.5	40 400
2p décapotable Z4 3.0i (M5) (cuir)	2	M	3.0	44 900
2p décapotable Z4 3.0i (M6) (cuir)	2	M	3.0	46 200

2004 SÉRIE Z4 — 60 000 km

Description	R.m.	Tr.	L	Prix
2p décapotable Z4 2.5i	2	M	2.5	39 600
2p décapotable Z4 3.0i (cuir)	2	M	3.0	43 400

2003 SÉRIE Z4 — 80 000 km

Description	R.m.	Tr.	L	Prix
2p décapotable Z4 2.5i	2	M	2.5	37 400
2p décapotable Z4 3.0i (cuir)	2	M	3.0	40 900

BUICK

2006 ALLURE — 20 000 km

Description	R.m.	Tr.	L	Prix
4p berline CX	2	A	3.8	20 400
4p berline CXL	2	A	3.8	22 400
4p berline CXS (cuir)	2	A	3.6	26 400

2005 ALLURE — 40 000 km

Description	R.m.	Tr.	L	Prix
4p berline CX	2	A	3.8	18 200
4p berline CXL	2	A	3.8	20 700
4p berline CXS (cuir)	2	A	3.6	23 500

2005 CENTURY — 40 000 km

Description	R.m.	Tr.	L	Prix
4p berline Custom	2	A	3.1	18 800
4p berline Special Edition	2	A	3.1	19 900

2004 CENTURY — 60 000 km

Description	R.m.	Tr.	L	Prix
4p berline Custom	2	A	3.1	15 000
4p berline Limited	2	A	3.1	15 700

2003 CENTURY — 80 000 km

Description	R.m.	Tr.	L	Prix
4p berline Custom	2	A	3.1	12 600

2002 CENTURY — 100 000 km

Description	R.m.	Tr.	L	Prix
4p berline Custom	2	A	3.1	9500
4p berline Limited	2	A	3.1	11 300

2005 LESABRE — 40 000 km

Description	R.m.	Tr.	L	Prix
4p berline Custom	2	A	3.8	23 500
4p berline Limited	2	A	3.8	27 800

2004 LESABRE — 60 000 km

Description	R.m.	Tr.	L	Prix
4p berline Custom	2	A	3.8	19 000
4p berline Limited	2	A	3.8	23 700

2003 LESABRE — 80 000 km

Description	R.m.	Tr.	L	Prix
4p berline Custom	2	A	3.8	16 700
4p berline Limited	2	A	3.8	20 400

2002 LESABRE — 100 000 km

Description	R.m.	Tr.	L	Prix
4p berline Custom	2	A	3.8	14 900
4p berline Limited	2	A	3.8	19 000

2006 LUCERNE — 20 000 km

Description	R.m.	Tr.	L	Prix
4p berline CX	2	A	3.8	24 200
4p berline CXL (cuir)	2	A	3.8	26 200
4p berline CXL V8 (cuir)	2	A	4.6	27 800
4p berline CXS (cuir)	2	A	4.6	32 600

2005 PARK AVENUE — 40 000 km

Description	R.m.	Tr.	L	Prix
4p berline base	2	A	3.8	31 000
4p berline Ultra	2	A	3.8	34 900

2004 PARK AVENUE — 60 000 km

Description	R.m.	Tr.	L	Prix
4p berline base	2	A	3.8	23 500
4p berline Ultra	2	A	3.8	27 200

2003 PARK AVENUE — 80 000 km

Description	R.m.	Tr.	L	Prix
4p berline base	2	A	3.8	19 100
4p berline Ultra	2	A	3.8	22 900

2002 PARK AVENUE — 100 000 km

Description	R.m.	Tr.	L	Prix
4p berline base	2	A	3.8	16 800
4p berline Ultra	2	A	3.8	20 400

Abréviations : R.m. : roues motrices (2, 4, A) • Tr : Transmission (A, M) • L : capacité du moteur en litres

2006 RAINIER 20 000 km

Description	R.m.	Tr.	L	Prix
4p CXL	A	A	4.2	38 100
4p CXL V8	A	A	5.3	39 900

2005 RAINIER 40 000 km

Description	R.m.	Tr.	L	Prix
4p CXL	A	A	4.2	32 100
4p CXL V8	A	A	5.3	34 000

2004 RAINIER 60 000 km

Description	R.m.	Tr.	L	Prix
4p CXL	A	A	4.2	28 700
4p CXL V8	A	A	5.3	31 200

2004 REGAL 60 000 km

Description	R.m.	Tr.	L	Prix
4p berline LS	2	A	3.8	16 400
4p berline LS Premium	2	A	3.8	19 700
4p berline GS (cuir)	2	A	3.8	19 800
4p berline GS Premium (cuir)	2	A	3.8	21 300

2003 REGAL 80 000 km

Description	R.m.	Tr.	L	Prix
4p berline LS	2	A	3.8	12 600
4p berline LS Premium	2	A	3.8	15 100
4p berline GS (cuir)	2	A	3.8	15 400
4p berline GS Premium (cuir)	2	A	3.8	16 700

2002 REGAL 100 000 km

Description	R.m.	Tr.	L	Prix
4p berline LS	2	A	3.8	11 600
4p berline LS Premium	2	A	3.8	13 900
4p berline GS (cuir)	2	A	3.8	14 400
4p berline GS Premium (cuir)	2	A	3.8	15 600

2006 RENDEZVOUS 20 000 km

Description	R.m.	Tr.	L	Prix
4p CX	2	A	3.5	22 900
4p CX Plus	2	A	3.5	24 000
4p CXL (cuir)	2	A	3.5	29 800
4p CXL 3,6 l (cuir)	2	A	3.6	31 400
4p CXL Plus (cuir)	2	A	3.6	32 500
4p CX	A	A	3.5	26 200
4p CX Plus	A	A	3.5	27 300
4p CXL (cuir)	A	A	3.5	30 600
4p CXL 3,6 l (cuir)	A	A	3.6	33 000
4p CXL Plus (cuir)	A	A	3.6	33 800

2005 RENDEZVOUS 40 000 km

Description	R.m.	Tr.	L	Prix
4p CX	2	A	3.4	19 800
4p CX Plus	2	A	3.4	21 000
4p CXL (cuir)	2	A	3.4	23 400
4p CXL Plus (cuir)	2	A	3.4	23 600
4p Ultra (cuir)	2	A	3.6	26 700
4p CX	A	A	3.4	23 400
4p CX Plus	A	A	3.4	24 600
4p CXL (cuir)	A	A	3.4	24 700
4p CXL Plus (cuir)	A	A	3.4	25 800
4p Ultra (cuir)	A	A	3.6	28 200

2004 RENDEZVOUS 60 000 km

Description	R.m.	Tr.	L	Prix
4p CX	2	A	3.4	14 100
4p CX Plus	2	A	3.4	15 100
4p CXL (cuir)	2	A	3.4	17 000
4p CXL Plus (cuir)	2	A	3.4	17 200
4p CX	A	A	3.4	17 600
4p CX Plus	A	A	3.4	17 900
4p CXL (cuir)	A	A	3.4	18 300
4p CXL (cuir)	A	A	3.6	20 600
4p CXL Plus (cuir)	A	A	3.4	19 400
4p CXL Plus (cuir)	A	A	3.6	21 600
4p Ultra (cuir)	A	A	3.6	21 600

2003 RENDEZVOUS 80 000 km

Description	R.m.	Tr.	L	Prix
4p CX	2	A	3.4	11 700
4p CX Plus	2	A	3.4	12 800
4p CXL (cuir)	2	A	3.4	14 400
4p CXL Plus (cuir)	2	A	3.4	14 900
4p CX	A	A	3.4	14 900
4p CX Plus	A	A	3.4	16 000
4p CXL (cuir)	A	A	3.4	16 800
4p CXL Plus (cuir)	A	A	3.4	16 400

2002 RENDEZVOUS 100 000 km

Description	R.m.	Tr.	L	Prix
4p CX Value	2	A	3.4	10 300
4p CX Security	2	A	3.4	10 900
4p CX Versatility	2	A	3.4	11 600
4p CX Luxury	2	A	3.4	12 900
4p CX Value	A	A	3.4	12 600
4p CX Security	A	A	3.4	14 100
4p CXL Security (cuir)	A	A	3.4	14 900
4p CXL Versatility (cuir)	A	A	3.4	15 100
4p CXL Luxury (cuir)	A	A	3.4	15 200

2006 TERRAZA 20 000 km

Description	R.m.	Tr.	L	Prix
4p CX	2	A	3.5	23 700
4p CXL (cuir)	2	A	3.9	27 500
4p CX	A	A	3.5	27 300
4p CXL (cuir)	A	A	3.5	30 800

2005 TERRAZA 40 000 km

Description	R.m.	Tr.	L	Prix
4p CX	2	A	3.5	19 400
4p CXL (cuir)	2	A	3.5	23 700
4p CX	A	A	3.5	24 000
4p CXL (cuir)	A	A	3.5	27 600

CADILLAC

2006 CTS 20 000 km

Description	R.m.	Tr.	L	Prix
4p berline 2,8 l	2	M	2.8	26 100
4p berline 3,6 l	2	M	3.6	29 500
4p berline CTS-V	2	M	6.0	50 700

2005 CTS 40 000 km

Description	R.m.	Tr.	L	Prix
4p berline 2,8 l	2	M	2.8	21 700
4p berline 3,6 l	2	M	3.6	25 700
4p berline CTS-V	2	M	5.7	41 300

2004 CTS 60 000 km

Description	R.m.	Tr.	L	Prix
4p berline base	2	M	3.2	19 300
4p berline Deluxe	2	M	3.6	24 500
4p berline Sport	2	M	3.6	26 500
4p berline CTS-V	2	M	5.7	36 300

2003 CTS 80 000 km

Description	R.m.	Tr.	L	Prix
4p berline base	2	M	3.2	17 500
4p berline Deluxe	2	M	3.2	21 100
4p berline Sport	2	M	3.2	22 900

2005 DEVILLE 40 000 km

Description	R.m.	Tr.	L	Prix
4p berline base	2	A	4.6	33 300
4p berline DHS	2	A	4.6	41 100
4p berline DTS	2	A	4.6	43 000

2004 DEVILLE 60 000 km

Description	R.m.	Tr.	L	Prix
4p berline base	2	A	4.6	27 900
4p berline DHS	2	A	4.6	35 700
4p berline DTS	2	A	4.6	37 500

2003 DEVILLE 80 000 km

Description	R.m.	Tr.	L	Prix
4p berline base	2	A	4.6	20 600
4p berline DHS	2	A	4.6	24 700
4p berline DTS	2	A	4.6	25 900

2002 DEVILLE 100 000 km

Description	R.m.	Tr.	L	Prix
4p berline base	2	A	4.6	17 800
4p berline DHS (cuir)	2	A	4.6	23 800
4p berline DTS (cuir)	2	A	4.6	25 300

2006 DTS 20 000 km

Description	R.m.	Tr.	L	Prix
4p berline Deluxe	2	A	4.6	41 900
4p berline Performance	2	A	4.6	50 900

2002 ELDORADO 100 000 km

Description	R.m.	Tr.	L	Prix
2p coupé Touring	2	A	4.6	20 900
2p coupé Collector's SÉRIEs	2	A	4.6	23 900

2006 ESCALADE 20 000 km

Description	R.m.	Tr.	L	Prix
4p base	A	A	6.0	60 500
4p ESV	A	A	6.0	63 000
4p ESV Platinum	A	A	6.0	76 000
4p EXT	A	A	6.0	55 000

2005 ESCALADE 40 000 km

Description	R.m.	Tr.	L	Prix
4p base	A	A	6.0	48 300
4p ESV	A	A	6.0	50 900
4p ESV Platinum	A	A	6.0	62 300
4p EXT	A	A	6.0	42 400

2004 ESCALADE 60 000 km

Description	R.m.	Tr.	L	Prix
4p base	A	A	6.0	43 400
4p ESV	A	A	6.0	45 900
4p EXT	A	A	6.0	37 600

2003 ESCALADE 80 000 km

Description	R.m.	Tr.	L	Prix
4p base	A	A	6.0	34 700
4p ESV	A	A	6.0	37 700
4p EXT	A	A	6.0	28 800

2002 ESCALADE 100 000 km

Description	R.m.	Tr.	L	Prix
4p base	A	A	6.0	32 800
4p EXT	A	A	6.0	26 700

2004 SEVILLE 60 000 km

Description	R.m.	Tr.	L	Prix
4p berline SLS	2	A	4.6	32 900
4p berline STS	2	A	4.6	37 600

2003 SEVILLE 80 000 km

Description	R.m.	Tr.	L	Prix
4p berline SLS	2	A	4.6	24 300
4p berline STS	2	A	4.6	27 300

2002 SEVILLE 100 000 km

Description	R.m.	Tr.	L	Prix
4p berline SLS	2	A	4.6	19 100
4p berline STS	2	A	4.6	20 900

2006 SRX 20 000 km

Description	R.m.	Tr.	L	Prix
4p V6	2	A	3.6	35 500
4p V8	2	A	4.6	46 200
4p V6 Tr.Intégrale	A	A	3.6	38 200
4p V8 Tr.Intégrale	A	A	4.6	48 100

2005 SRX 40 000 km

Description	R.m.	Tr.	L	Prix
4p V6	2	A	3.6	28 300
4p V8	2	A	4.6	35 800
4p V6 Tr.Intégrale	A	A	3.6	31 400
4p V8 Tr.Intégrale	A	A	4.6	37 300

2004 SRX 60 000 km

Description	R.m.	Tr.	L	Prix
4p V6	2	A	3.6	24 400
4p V8	2	A	4.6	32 200
4p V6 Tr.Intégrale	A	A	3.6	27 600
4p V8 Tr.Intégrale	A	A	4.6	33 700

2006 STS 20 000 km

Description	R.m.	Tr.	L	Prix
4p berline V6	2	A	3.6	42 500
4p berline V6 Tr.Intégrale	A	A	3.6	45 900
4p berline V8	2	A	4.6	53 700
4p berline V8 Tr.Intégrale	A	A	4.6	56 200
4p berline STS-V	2	A	4.4	76 200

2005 STS 40 000 km

Description	R.m.	Tr.	L	Prix
4p berline V6	2	A	3.6	38 100
4p berline V8	2	A	4.6	47 500

2006 XLR 5000 km

Description	R.m.	Tr.	L	Prix
2p décapotable base	2	A	4.6	81 400
2p décapotable XLR-V	2	A	4.4	91 400

2005 XLR 10 000 km

Description	R.m.	Tr.	L	Prix
2p décapotable base	2	A	4.6	77 900

2004 XLR 15 000 km

Description	R.m.	Tr.	L	Prix
2p décapotable base	2	A	4.6	72 800

CHEVROLET

2005 ASTRO 40 000 km

Description	R.m.	Tr.	L	Prix
3p allongé base	2	A	4.3	15 900
3p allongé LS	2	A	4.3	17 300
3p allongé LT	2	A	4.3	21 300
3p allongé base	A	A	4.3	18 600
3p allongé LS	A	A	4.3	20 000
3p allongé LT	A	A	4.3	23 000

2004 ASTRO 60 000 km

Description	R.m.	Tr.	L	Prix
3p allongé base	2	A	4.3	12 400
3p allongé LS	2	A	4.3	13 800
3p allongé LT	2	A	4.3	17 800
3p allongé base	A	A	4.3	15 100
3p allongé LS	A	A	4.3	16 500
3p allongé LT	A	A	4.3	19 500

2003 ASTRO 80 000 km

Description	R.m.	Tr.	L	Prix
3p allongé base	2	A	4.3	10 800
3p allongé LS	2	A	4.3	12 200
3p allongé LT	2	A	4.3	13 800
3p allongé base	A	A	4.3	12 500
3p allongé LS	A	A	4.3	12 700
3p allongé LT	A	A	4.3	15 300

2002 ASTRO 100 000 km

Description	R.m.	Tr.	L	Prix
3p allongé base	2	A	4.3	10 300
3p allongé LS	2	A	4.3	11 400
3p allongé LT	2	A	4.3	13 800
3p allongé base	A	A	4.3	13 000
3p allongé LS	A	A	4.3	14 000
3p allongé LT	A	A	4.3	15 400

2006 AVALANCHE 20 000 km

Description	R.m.	Tr.	L	Prix
4p 1500 LS	2	A	5.3	28 900
4p 1500 LS FFV	2	A	5.3	29 400
4p 1500 Z66	2	A	5.3	29 900
4p 1500 Z66 FFV	2	A	5.3	30 400
4p 1500 LT (cuir)	2	A	5.3	33 200
4p 1500 LT (cuir) FFV	2	A	5.3	33 700
4p 1500 LS	A	A	5.3	32 000
4p 1500 LS FFV	A	A	5.3	32 500
4p 1500 Z71	A	A	5.3	33 100
4p 1500 Z71 FFV	A	A	5.3	33 600
4p 1500 LT (cuir)	A	A	5.3	35 300
4p 1500 LT (cuir) FFV	A	A	5.3	35 800
4p 2500 LS	A	A	8.1	33 800
4p 2500 LT (cuir)	A	A	8.1	36 900

2005 AVALANCHE 40 000 km

Description	R.m.	Tr.	L	Prix
4p 1500 LS	2	A	5.3	21 200
4p 1500 LS FFV	2	A	5.3	21 700
4p 1500 Z66	2	A	5.3	23 100
4p 1500 Z66 FFV	2	A	5.3	23 600
4p 1500 LT (cuir)	2	A	5.3	25 700
4p 1500 LT (cuir) FFV	2	A	5.3	26 200
4p 1500 LS	A	A	5.3	24 100
4p 1500 LS FFV	A	A	5.3	24 700
4p 1500 Z71	A	A	5.3	25 000
4p 1500 Z71 FFV	A	A	5.3	25 600
4p 1500 LT (cuir)	A	A	5.3	27 700
4p 1500 LT (cuir) FFV	A	A	5.3	28 300
4p 2500 LS	A	A	8.1	25 500
4p 2500 LT (cuir)	A	A	8.1	29 400

2004 AVALANCHE 60 000 km

Description	R.m.	Tr.	L	Prix
4p 1500 base	2	A	5.3	18 400
4p 1500 base	A	A	5.3	21 300
4p 2500 base	A	A	8.1	22 200

2003 AVALANCHE 80 000 km

Description	R.m.	Tr.	L	Prix
4p 1500 base	2	A	5.3	16 500
4p 2500 base	2	A	8.1	18 900
4p 1500 base	A	A	5.3	19 500
4p 2500 base	A	A	8.1	20 300

2002 AVALANCHE 100 000 km

Description	R.m.	Tr.	L	Prix
4p 1500 base	2	A	5.3	14 400
4p 2500 base	2	A	8.1	16 600
4p 1500 base	A	A	5.3	17 200
4p 2500 base	A	A	8.1	17 900

2006 AVEO 20 000 km

Description	R.m.	Tr.	L	Prix
4p hayon Aveo 5 LS	2	M	1.6	8200
4p hayon Aveo 5 LT	2	M	1.6	9400
4p berline LS	2	M	1.6	8100
4p berline LT	2	M	1.6	9200

2005 AVEO 40 000 km

Description	R.m.	Tr.	L	Prix
4p hayon Aveo 5 LS	2	M	1.6	7500
4p hayon Aveo 5 LT	2	M	1.6	8400
4p berline LS	2	M	1.6	7300
4p berline LT	2	M	1.6	8000

2004 AVEO 60 000 km

Description	R.m.	Tr.	L	Prix
4p hayon Aveo 5 base	2	M	1.6	6100
4p hayon Aveo 5 LS	2	M	1.6	6700
4p berline base	2	M	1.6	5900
4p berline LS	2	M	1.6	6400

2005 BLAZER S10 40 000 km

Description	R.m.	Tr.	L	Prix
2p LS ZE5	4	M	4.3	13 000
2p LS YC3	4	M	4.3	15 300

2004 BLAZER S10 60 000 km

Description	R.m.	Tr.	L	Prix
2p LS ZE5	4	M	4.3	14 000
2p LS YC3	4	M	4.3	16 300
4p LS	4	A	4.3	17 800

2003 BLAZER S10 80 000 km

Description	R.m.	Tr.	L	Prix
2p LS ZE5	4	M	4.3	12 000
2p LS YC3	4	M	4.3	13 200
4p LS	4	A	4.3	13 600

2002 BLAZER S10 100 000 km

Description	R.m.	Tr.	L	Prix
2p LS ZE5	4	M	4.3	9300
2p LS YC3	4	M	4.3	11 000
4p LS	4	A	4.3	11 600

2006 1500 SILVERADO 20 000 km

Description	R.m.	Tr.	L	Prix
cab. rég. Ensemble Valeur	2	M	4.3	13 900
cab. rég. base	2	M	4.3	17 500
cab. rég. base	2	M	4.8	18 500
cab. rég. base	2	A	5.3	21 300
cab. rég. Ensemble Valeur	2	M	4.3	14 000
cab. rég. LS	2	A	4.8	22 100
cab. rég. LS	2	A	5.3	23 100
cab. all. base	2	A	4.3	21 500
cab. all. LS	2	A	4.8	25 200
cab. all. LS Hybrid	2	A	5.3	25 200
cab. all. LT (cuir)	2	A	5.3	31 200
crew cab. Cheyenne Edition	2	A	4.8	25 400
crew cab. LS	2	A	5.3	27 400
crew cab. LT (cuir)	2	A	5.3	32 400
crew cab. LS HD	2	A	6.0	28 500
crew cab. LT (cuir) HD	2	A	6.0	33 800
cab. rég. Ensemble Valeur	4	M	4.3	16 900
cab. rég. base	4	M	4.3	21 900
cab. rég. base	4	A	4.8	23 500
cab. rég. Ensemble Valeur	4	M	4.3	16 700
cab. rég. LS	4	A	4.8	25 500
cab. all. base	4	A	4.8	25 300
cab. all. LS	4	A	4.8	28 500
cab. all. LS Hybrid	4	A	5.3	28 500
cab. all. LT (cuir)	4	A	5.3	35 100
cab. all. SS (cuir)	4	A	6.0	33 000
crew cab. Cheyenne Edition	4	A	4.8	29 100
crew cab. LS	4	A	5.3	31 200
crew cab. LT (cuir)	4	A	5.3	36 400
crew cab. LS HD	4	A	6.0	31 300
crew cab. LT HD (cuir)	4	A	6.0	37 500

2005 1500 SILVERADO 40 000 km

Description	R.m.	Tr.	L	Prix
cab. rég. base	2	M	4.3	11 400
cab. rég. LS	2	A	4.8	17 600
cab. all. base	2	A	4.3	16 900
cab. all. LS	2	A	4.8	19 600
cab. all. LS Hybrid	2	A	5.3	23 600
cab. all. LT (cuir)	2	A	5.3	23 600
crew cab. LS	2	A	5.3	21 300
crew cab. LT (cuir)	2	A	5.3	25 400
crew cab. LS HD	2	A	6.0	18 500
crew cab. LT (cuir) HD	2	A	6.0	26 800
cab. rég. base	4	M	4.3	14 800
cab. rég. LS	4	A	4.8	19 900
cab. all. base	4	A	4.8	19 700
cab. all. LS	4	A	4.8	21 900
cab. all. LS Hybrid	4	A	5.3	27 100
cab. all. LT (cuir)	4	A	5.3	27 400
cab. all. SS (cuir)	4	A	6.0	34 500
crew cab. LS	4	A	5.3	24 100
crew cab. LT (cuir)	4	A	5.3	29 400

Abréviations : R.m. : roues motrices (2, 4, A) • Tr : Transmission (A, M) • L : capacité du moteur en litres

Description	R.m.	Tr.	L	Prix
crew cab. LS HD	4	A	6.0	25 100
crew cab. LT HD (cuir)	4	A	6.0	30 200

2004 1500 SILVERADO — 60 000 km

Description	R.m.	Tr.	L	Prix
cab. rég. base	2	M	4.3	9500
cab. rég. LS	2	A	4.8	15 300
cab. all. base	2	A	4.3	14 600
cab. all. LS	2	A	4.8	18 300
cab. all. LT (cuir)	2	A	5.3	21 500
crew cab. LS	2	A	5.3	20 200
crew cab. LT (cuir)	2	A	5.3	23 700
cab. rég. base	4	M	4.3	12 500
cab. rég. LS	4	A	4.8	18 500
cab. all. base	4	A	4.8	18 300
cab. all. LS	4	A	4.8	19 600
cab. all. LT (cuir)	4	A	5.3	25 200
cab. all. SS (cuir)	4	A	6.0	31 400
crew cab. LS	4	A	5.3	22 400
crew cab. LT (cuir)	4	A	5.3	28 400

2003 1500 SILVERADO — 80 000 km

Description	R.m.	Tr.	L	Prix
cab. rég. base	2	M	4.3	7000
cab. rég. LS	2	A	4.8	12 200
cab. all. base	2	A	4.3	11 700
cab. all. LS	2	A	4.8	15 100
cab. all. LT	2	A	5.3	17 400
crew cab. LS HD	2	A	6.0	16 200
crew cab. LT HD	2	A	6.0	19 900
cab. rég. base	4	M	4.3	9800
cab. rég. LS	4	A	4.8	15 100
cab. all. base	4	A	4.8	15 100
cab. all. LS	4	A	4.8	15 900
cab. all. LT	4	A	5.3	20 500
crew cab. LS HD	4	A	6.0	18 300
crew cab. LT HD	4	A	6.0	22 000

2002 1500 SILVERADO — 100 000 km

Description	R.m.	Tr.	L	Prix
cab. rég. base	2	M	4.3	6000
cab. rég. LS	2	A	4.8	10 900
cab. all. base	2	A	4.3	10 800
cab. all. LS	2	A	4.8	14 100
cab. all. LT	2	A	5.3	19 100
crew cab. LS HD	2	A	6.0	17 100
crew cab. LT HD	2	A	6.0	21 100
cab. rég. base	4	M	4.3	8800
cab. rég. LS	4	A	4.8	14 300
cab. all. base	4	A	4.8	14 700
cab. all. LS	4	A	4.8	16 400
cab. all. LT	4	A	5.3	19 600
crew cab. LS HD	4	A	6.0	17 900
crew cab. LT HD	4	A	6.0	18 000

2006 2500 SILVERADO — 20 000 km

Description	R.m.	Tr.	L	Prix
cab. rég. base HD	2	M	6.0	21 800
cab. rég. LS HD	2	M	6.0	25 500
cab. rég. LS HD Diesel	2	A	6.6	33 800
cab. all. base HD	2	M	6.0	25 600
crew cab. base HD	2	M	6.0	25 900
crew cab. base HD	2	M	8.1	27 400
cab. rég. base HD benne all.	4	M	6.0	24 600
cab. all. base HD	4	A	6.0	29 800
cab. all. LS HD	4	M	6.0	31 500
cab. all. LT HD (cuir)	4	A	6.0	37 800
crew cab. base HD	4	M	6.0	28 800
crew cab. LS HD	4	M	6.0	33 000
crew cab. LT HD (cuir)	4	A	6.0	39 500

2005 2500 SILVERADO — 40 000 km

Description	R.m.	Tr.	L	Prix
cab. rég. base HD	2	M	6.0	13 700
cab. rég. LS HD	2	M	6.0	18 500
cab. all. base HD	2	M	6.0	18 500
cab. all. LS HD	2	M	6.0	20 200
cab. all. LT HD (cuir)	2	A	6.0	23 400
crew cab. base HD	2	M	6.0	18 800
crew cab. LS HD	2	M	6.0	21 900
crew cab. LT HD (cuir)	2	A	6.0	26 100
cab. rég. base HD benne all.	4	M	6.0	17 500
cab. rég. LS HD benne all.	4	M	6.0	20 600
cab. all. base HD	4	M	6.0	20 300
cab. all. LS HD	4	M	6.0	22 400
cab. all. LT HD (cuir)	4	A	6.0	27 700
crew cab. base HD	4	M	6.0	20 700
crew cab. LS HD	4	M	6.0	23 100
crew cab. LT HD (cuir)	4	A	6.0	29 600

2004 2500 SILVERADO — 60 000 km

Description	R.m.	Tr.	L	Prix
cab. rég. base benne all.	2	M	6.0	12 100
cab. rég. LS benne all.	2	M	6.0	16 100
cab. rég. base HD	2	M	6.0	12 600
cab. rég. LS HD	2	M	6.0	16 400
cab. all. base HD	2	M	6.0	16 400
cab. all. LS HD	2	M	6.0	19 200
cab. all. LT HD (cuir)	2	A	6.0	23 400
crew cab. LS	2	A	6.0	21 000
crew cab. LT (cuir)	2	A	6.0	24 300
crew cab. base HD	2	M	6.0	16 800
crew cab. LS HD	2	M	6.0	20 800
crew cab. LT HD (cuir)	2	A	6.0	25 000
cab. all. base	4	A	6.0	20 000
cab. all. LS	4	A	6.0	21 200
cab. all. LT (cuir)	4	A	6.0	26 700
cab. rég. base HD benne all.	4	M	6.0	15 500
cab. rég. LS HD benne all.	4	M	6.0	19 600
cab. all. base HD	4	M	6.0	19 300
cab. all. LS HD	4	M	6.0	21 400
cab. all. LT HD (cuir)	4	A	6.0	26 700
crew cab. LS	4	A	6.0	22 600
crew cab. LT (cuir)	4	A	6.0	27 900
crew cab. base HD	4	M	6.0	19 700
crew cab. LS HD	4	M	6.0	22 000
crew cab. LT HD (cuir)	4	A	6.0	27 500

2003 2500 SILVERADO — 80 000 km

Description	R.m.	Tr.	L	Prix
cab. rég. base benne all.	2	M	6.0	9500
cab. rég. LS benne all.	2	M	6.0	14 000
cab. rég. base HD	2	M	6.0	10 900
cab. rég. LS HD	2	M	6.0	14 300
cab. all. base HD	2	M	6.0	14 400
cab. all. LS HD	2	M	6.0	17 000
cab. all. LT HD (cuir)	2	A	6.0	22 500
crew cab. base HD	2	M	6.0	14 400
crew cab. LS HD	2	M	6.0	18 000
crew cab. LT HD (cuir)	2	A	6.0	23 600
cab. all. base	4	A	6.0	17 700
cab. all. LS	4	A	6.0	20 700
cab. all. LT (cuir)	4	A	6.0	25 600
cab. rég. base HD benne all.	4	M	6.0	13 600
cab. rég. LS HD benne all.	4	M	6.0	17 300
cab. all. base HD	4	M	6.0	17 100
cab. all. LS HD	4	M	6.0	19 800
cab. all. LT HD (cuir)	4	A	6.0	25 500
crew cab. base HD	4	M	6.0	17 100
crew cab. LS HD	4	M	6.0	21 000
crew cab. LT HD (cuir)	4	A	6.0	26 800

2002 2500 SILVERADO — 100 000 km

Description	R.m.	Tr.	L	Prix
cab. rég. base benne all.	2	M	6.0	8600
cab. rég. LS benne all.	2	M	6.0	11 500
cab. rég. base HD	2	M	6.0	8600
cab. rég. LS HD	2	M	6.0	11 800
cab. all. base HD	2	M	6.0	12 400
cab. all. LS HD	2	M	6.0	14 700
cab. all. LT HD (cuir)	2	A	6.0	19 500
crew cab. base HD	2	M	6.0	11 900
crew cab. LS HD	2	M	6.0	15 300
crew cab. LT HD (cuir)	2	A	6.0	19 100
cab. all. base	4	A	6.0	16 000
cab. all. LS	4	A	6.0	18 800
cab. all. LT (cuir)	4	A	6.0	20 900
cab. rég. base HD benne all.	4	M	6.0	11 500
cab. rég. LS HD benne all.	4	M	6.0	15 000
cab. all. base HD	4	M	6.0	15 200
cab. all. LS HD	4	M	6.0	17 800
cab. all. LT HD (cuir)	4	A	6.0	20 800
crew cab. base HD	4	M	6.0	14 900
crew cab. LS HD	4	M	6.0	18 600
crew cab. LT HD (cuir)	4	A	6.0	21 500

2006 3500 SILVERADO — 20 000 km

Description	R.m.	Tr.	L	Prix
cab. all. base benne all.	2	M	6.0	26 900
cab. all. LS benne all.	2	M	6.0	29 400
cab. all. LT (cuir) benne all.	2	A	6.0	35 000
crew cab. base benne all.	2	M	6.0	27 200
crew cab. LS benne all.	2	M	6.0	30 800
crew cab. LT (cuir) benne all.	2	A	6.0	36 800
cab. rég. base benne all.	4	M	6.0	25 700
cab. rég. LS benne all.	4	M	6.0	29 500
cab. all. base benne all.	4	M	6.0	29 900
cab. all. LS benne all.	4	M	6.0	32 600
cab. all. LT (cuir) benne all.	4	A	6.0	38 500
crew cab. base benne all.	4	M	6.0	30 100
crew cab. LS benne all.	4	M	6.0	34 100
crew cab. LT (cuir) benne all.	4	A	6.0	40 200

2005 3500 SILVERADO — 40 000 km

Description	R.m.	Tr.	L	Prix
cab. all. base benne all.	2	M	6.0	16 800
cab. all. LS benne all.	2	M	6.0	19 300
cab. all. LT (cuir) benne all.	2	A	6.0	25 000
crew cab. base benne all.	2	M	6.0	17 200
crew cab. LS benne all.	2	M	6.0	20 800
crew cab. LT (cuir) benne all.	2	A	6.0	26 800
cab. rég. base benne all.	4	M	6.0	15 700
cab. rég. LS benne all.	4	M	6.0	19 500
cab. all. base benne all.	4	M	6.0	19 800
cab. all. LS benne all.	4	M	6.0	22 500
cab. all. LT (cuir) benne all.	4	A	6.0	28 400
crew cab. base benne all.	4	M	6.0	20 100
crew cab. LS benne all.	4	M	6.0	24 100
crew cab. LT (cuir) benne all.	4	A	6.0	30 200

2004 3500 SILVERADO — 60 000 km

Description	R.m.	Tr.	L	Prix
cab. all. base benne all.	2	M	6.0	15 100
cab. all. LS benne all.	2	M	6.0	17 500
cab. all. LT (cuir) benne all.	2	A	6.0	23 200
crew cab. base benne all.	2	M	6.0	15 400
crew cab. LS benne all.	2	M	6.0	19 100
crew cab. LT (cuir) benne all.	2	A	6.0	25 100
cab. rég. base benne all.	4	M	6.0	14 000
cab. rég. LS benne all.	4	M	6.0	17 700
cab. all. base benne all.	4	M	6.0	18 100
cab. all. LS benne all.	4	M	6.0	20 700
cab. all. LT (cuir) benne all.	4	A	6.0	26 600
crew cab. base benne all.	4	M	6.0	18 300
crew cab. LS benne all.	4	M	6.0	22 300
crew cab. LT (cuir) benne all.	4	A	6.0	28 500

2003 3500 SILVERADO — 80 000 km

Description	R.m.	Tr.	L	Prix
cab. all. base benne all.	2	M	6.0	13 900
cab. all. LS benne all.	2	M	6.0	16 100
cab. all. LT (cuir) benne all.	2	A	6.0	20 200
crew cab. base benne all.	2	M	6.0	13 900
crew cab. LS benne all.	2	M	6.0	17 300
crew cab. LT (cuir) benne all.	2	A	6.0	21 600
cab. rég. base benne all.	4	M	6.0	12 900
cab. rég. LS benne all.	4	M	6.0	16 200
cab. all. base benne all.	4	M	6.0	16 700
cab. all. LS benne all.	4	M	6.0	18 200
cab. all. LT (cuir) benne all.	4	A	6.0	23 400
crew cab. base benne all.	4	M	6.0	16 700
crew cab. LS benne all.	4	M	6.0	19 200
crew cab. LT (cuir) benne all.	4	A	6.0	23 700

2002 3500 SILVERADO — 100 000 km

Description	R.m.	Tr.	L	Prix
cab. all. base benne all.	2	M	6.0	13 700
cab. all. LS benne all.	2	M	6.0	15 400
cab. all. LT (cuir) benne all.	2	A	6.0	18 900
crew cab. base benne all.	2	M	6.0	12 900
crew cab. LS benne all.	2	M	6.0	16 000
crew cab. LT (cuir) benne all.	2	A	6.0	19 700
cab. rég. base benne all.	4	M	6.0	12 300
cab. rég. LS benne all.	4	M	6.0	15 400
cab. all. base benne all.	4	M	6.0	16 300
cab. all. LS benne all.	4	M	6.0	18 600
cab. all. LT (cuir) benne all.	4	A	6.0	22 300
crew cab. base benne all.	4	M	6.0	15 900
crew cab. LS benne all.	4	M	6.0	18 200
crew cab. LT (cuir) benne all.	4	A	6.0	23 100

2002 CAMARO — 100 000 km

Description	R.m.	Tr.	L	Prix
2p coupé base	2	M	3.8	10 800
2p coupé Sport	2	M	3.8	12 500
2p coupé Z28	2	M	5.7	12 500
2p coupé Sport Z28	2	M	5.7	14 200
2p coupé SS Z28	2	M	5.7	17 100
2p décapotable base	2	A	3.8	16 400
2p décapotable Z28	2	M	5.7	17 700
2p décapotable Sport Z28	2	M	5.7	19 300
2p décapotable SS Z28	2	M	5.7	21 400

2005 CAVALIER — 40 000 km

Description	R.m.	Tr.	L	Prix
2p coupé VL	2	M	2.2	9900
2p coupé Sport Z	2	M	2.2	11 300
2p coupé VLX	2	M	2.2	12 800
2p coupé Z24	2	M	2.2	14 100
4p berline VL	2	M	2.2	9900
4p berline VLX	2	M	2.2	12 600
4p berline Z24	2	M	2.2	13 900

2004 CAVALIER — 60 000 km

Description	R.m.	Tr.	L	Prix
2p coupé VL	2	M	2.2	7100
2p coupé Sport Z	2	M	2.2	9000
2p coupé VLX	2	M	2.2	10 200
2p coupé Z24	2	M	2.2	11 600
4p berline VL	2	M	2.2	7100
4p berline VLX	2	M	2.2	10 000
4p berline Z24	2	M	2.2	11 400

2003 CAVALIER — 80 000 km

Description	R.m.	Tr.	L	Prix
2p coupé VL	2	M	2.2	6200
2p coupé Sport Z	2	M	2.2	7500
2p coupé VLX	2	M	2.2	8400
2p coupé Z24	2	M	2.2	9300
4p berline VL	2	M	2.2	5900
4p berline VLX	2	M	2.2	8300
4p berline Z24	2	M	2.2	9100

2002 CAVALIER — 100 000 km

Description	R.m.	Tr.	L	Prix
2p coupé VL	2	M	2.2	5500
2p coupé VLX	2	M	2.2	7200
2p coupé Z24	2	M	2.2	9200
4p berline VL	2	M	2.2	4100
4p berline VLX	2	M	2.2	6900
4p berline LS	2	A	2.2	9400
4p berline Z24	2	M	2.2	9100

2006 COBALT — 20 000 km

Description	R.m.	Tr.	L	Prix
2p coupé LS	2	M	2.2	12 400
2p coupé LT	2	M	2.2	15 900
2p coupé SS	2	M	2.4	18 000
2p coupé SS Supercharged	2	M	2.0	20 100
4p berline LS	2	M	2.2	12 400
4p berline LT	2	M	2.2	15 900
4p berline LTZ	2	A	2.2	18 200
4p berline SS	2	M	2.4	18 000

2005 COBALT — 40 000 km

Description	R.m.	Tr.	L	Prix
2p coupé base	2	M	2.2	10 100
2p coupé LS	2	M	2.2	14 000
2p coupé SS Supercharged	2	M	2.0	18 100
4p berline base	2	M	2.2	10 100
4p berline LS	2	M	2.2	14 000
4p berline LT (cuir)	2	A	2.2	16 400

2006 COLORADO — 20 000 km

Description	R.m.	Tr.	L	Prix
cab. rég. base	2	M	2.8	14 900
cab. rég. LS	2	M	2.8	17 300
cab. all. base	2	M	2.8	16 700
cab. all. LS	2	M	2.8	19 000
crew cab. LS	2	M	2.8	21 300
cab. rég. base	4	M	2.8	18 200
cab. rég. LS	4	M	2.8	20 500
cab. all. base	4	M	2.8	20 000
cab. all. LS	4	M	2.8	22 200
crew cab. LS	4	M	2.8	24 600

2005 COLORADO — 40 000 km

Description	R.m.	Tr.	L	Prix
cab. rég. base	2	M	2.8	11 200
cab. rég. LS	2	M	2.8	14 200
cab. all. base	2	M	2.8	13 100
cab. all. LS	2	M	2.8	16 000
crew cab. LS	2	M	2.8	18 400
cab. rég. base	4	M	2.8	14 600
cab. rég. LS	4	M	2.8	17 500
cab. all. base	4	M	2.8	16 600
cab. all. LS	4	M	2.8	19 400
crew cab. LS	4	M	2.8	21 900

2004 COLORADO — 60 000 km

Description	R.m.	Tr.	L	Prix
cab. rég. base	2	M	2.8	9800
cab. rég. LS	2	M	2.8	12 600
cab. all. base	2	M	2.8	11 700
cab. all. LS	2	M	2.8	14 500
crew cab. LS	2	M	2.8	16 100
cab. rég. base	4	M	2.8	13 300
cab. rég. LS	4	M	2.8	16 000
cab. all. base	4	M	2.8	15 200
cab. all. LS	4	M	2.8	17 800
crew cab. LS	4	M	2.8	19 600

2006 CORVETTE — 20 000 km

Description	R.m.	Tr.	L	Prix
2p coupé base	2	M	6.0	56 400
2p coupé Z06	2	M	7.0	75 400
2p décapotable base	2	M	6.0	66 800

2005 CORVETTE — 40 000 km

Description	R.m.	Tr.	L	Prix
2p coupé base	2	M	6.0	49 500
2p coupé base	2	A	6.0	49 500
2p décapotable base	2	M	6.0	60 500
2p décapotable base	2	A	6.0	60 500

2004 CORVETTE — 60 000 km

Description	R.m.	Tr.	L	Prix
2p coupé base	2	M	5.7	45 900
2p coupé base	2	A	5.7	47 500
2p coupé Z06 toit rigide	2	M	5.7	52 700
2p décapotable base	2	M	5.7	51 300
2p décapotable base	2	A	5.7	52 900

2003 CORVETTE — 80 000 km

Description	R.m.	Tr.	L	Prix
2p coupé base	2	M	5.7	39 800
2p coupé base	2	A	5.7	41 100
2p coupé Z06 toit rigide	2	M	5.7	46 100
2p décapotable base	2	M	5.7	44 900
2p décapotable base	2	A	5.7	46 100

2002 CORVETTE — 100 000 km

Description	R.m.	Tr.	L	Prix
2p coupé base	2	M	5.7	33 100
2p coupé base	2	A	5.7	34 100
2p coupé Z06 toit rigide	2	M	5.7	40 700
2p décapotable base	2	M	5.7	39 700
2p décapotable base	2	A	5.7	40 700

2006 EPICA — 20 000 km

Description	R.m.	Tr.	L	Prix
4p berline LTZ	2	A	2.5	20 100

2005 EPICA — 40 000 km

Description	R.m.	Tr.	L	Prix
4p berline LS	2	A	2.5	15 800
4p berline LT (cuir)	2	A	2.5	18 200

2004 EPICA — 60 000 km

Description	R.m.	Tr.	L	Prix
4p berline LS	2	A	2.5	14 300
4p berline LT (cuir)	2	A	2.5	16 300

2006 EQUINOX — 20 000 km

Description	R.m.	Tr.	L	Prix
4p LS	2	A	3.4	19 600
4p LT	2	A	3.4	21 500
4p LS	A	A	3.4	21 900
4p LT	A	A	3.4	23 800

2005 EQUINOX — 40 000 km

Description	R.m.	Tr.	L	Prix
4p LS	2	A	3.4	17 800
4p LT	2	A	3.4	19 600
4p LS	A	A	3.4	20 100
4p LT	A	A	3.4	21 500

2006 G10 — 20 000 km

Description	R.m.	Tr.	L	Prix
3p Express base	2	A	4.3	24 400
3p Express LS	2	A	4.3	26 200

Abréviations : R.m. : roues motrices (2, 4, A) • Tr : Transmission (A, M) • L : capacité du moteur en litres

Description	R.m.	Tr.	L	Prix
3p Express base	A	A	5.3	28 700
3p Express LS	A	A	5.3	30 500
2005 G10				**40 000 km**
3p Express base	2	A	4.3	19 800
3p Express LS	2	A	4.3	21 700
3p Express base	A	A	5.3	24 400
3p Express LS	A	A	5.3	26 400
2004 G10				**60 000 km**
3p Express base	2	A	4.3	17 300
3p Express LS	2	A	4.3	19 300
3p Express base	A	A	5.3	22 000
3p Express LS	A	A	5.3	23 900
2003 G10				**80 000 km**
3p Express base	2	A	4.3	11 300
3p Express LS	2	A	4.3	12 700
3p Express base	A	A	5.3	14 900
3p Express LS	A	A	5.3	16 400
2002 G10				**100 000 km**
3p Express base	2	A	4.3	11 100
3p Express LS	2	A	4.3	12 900
3p Express LT	2	A	5.0	23 700
2006 G20				**20 000 km**
3p Express base	2	A	4.8	25 900
3p Express LS	2	A	4.8	27 700
2005 G20				**40 000 km**
3p Express base	2	A	6.0	23 000
3p Express LS	2	A	6.0	24 900
2004 G20				**60 000 km**
3p Express base	2	A	6.0	19 000
3p Express LS	2	A	6.0	21 000
2003 G20				**80 000 km**
3p Express base	2	A	6.0	14 700
3p Express LS	2	A	6.0	16 200
3p allongé Express base	2	A	6.0	16 200
3p allongé Express LS	2	A	6.0	17 600
2002 G20				**100 000 km**
3p Express base	2	A	5.7	14 600
3p Express LS	2	A	5.7	16 700
3p allongé Express base	2	A	5.7	16 600
3p allongé Express LS	2	A	5.7	18 500
2006 G30				**20 000 km**
3p Express base	2	A	6.0	27 800
3p allongé Express base	2	A	6.0	30 200
3p Express LS	2	A	6.0	29 200
3p allongé Express LS	2	A	6.0	31 500
2005 G30				**40 000 km**
3p Express base	2	A	6.0	24 100
3p allongé Express base	2	A	6.0	26 700
3p Express LS	2	A	6.0	25 600
3p allongé Express LS	2	A	6.0	28 100
2004 G30				**60 000 km**
3p Express base	2	A	6.0	19 900
3p allongé Express base	2	A	6.0	22 400
3p Express LS	2	A	6.0	21 800
3p allongé Express LS	2	A	6.0	24 400
2003 G30				**80 000 km**
3p Express base	2	A	6.0	13 900
3p allongé Express base	2	A	6.0	15 200
3p Express LS	2	A	6.0	15 300
3p allongé Express LS	2	A	6.0	16 700
2002 G30				**100 000 km**
3p Express base	2	A	5.7	12 700
3p allongé Express base	2	A	5.7	14 400
3p Express LS	2	A	5.7	14 500
3p allongé Express LS	2	A	5.7	16 000
2006 HHR				**20 000 km**
4p LS	2	M	2.2	15 500
4p LT	2	M	2.4	17 300
2006 IMPALA				**20 000 km**
4p berline LS	2	A	3.5	17 600
4p berline LT	2	A	3.5	18 900
4p berline LTZ	2	A	3.9	22 000
4p berline SS	2	A	5.3	24 500
2005 IMPALA				**40 000 km**
4p berline base	2	A	3.4	13 700
4p berline base	2	A	3.8	15 000
4p berline LS	2	A	3.8	17 300
4p berline SS	2	A	3.8	23 500
2004 IMPALA				**60 000 km**
4p berline base	2	A	3.4	11 000
4p berline base	2	A	3.8	12 200
4p berline LS	2	A	3.8	14 400

Description	R.m.	Tr.	L	Prix
4p berline SS	2	A	3.8	19 400
2003 IMPALA				**80 000 km**
4p berline base	2	A	3.4	9600
4p berline base	2	A	3.8	9700
4p berline LS	2	A	3.8	12 500
2002 IMPALA				**100 000 km**
4p berline base	2	A	3.4	8400
4p berline base	2	A	3.8	9900
4p berline LS	2	A	3.8	10 400
2006 MALIBU				**20 000 km**
4p berline LS	2	A	2.2	14 100
4p berline LT	2	A	2.2	16 100
4p berline LT V6	2	A	3.5	17 700
4p berline LTZ (cuir)	2	A	3.5	20 600
4p berline SS	2	A	3.9	20 600
4p hayon MAXX LT	2	A	3.5	18 700
4p hayon MAXX LTZ (cuir)	2	A	3.5	21 900
4p hayon MAXX SS	2	A	3.9	21 900
2005 MALIBU				**40 000 km**
4p berline base	2	A	2.2	13 000
4p berline LS	2	A	3.5	15 400
4p berline LT (cuir)	2	A	3.5	18 300
4p hayon MAXX LS	2	A	3.5	16 700
4p hayon MAXX LT (cuir)	2	A	3.5	19 400
2004 MALIBU				**60 000 km**
4p berline base	2	A	2.2	11 400
4p berline LS	2	A	3.5	13 700
4p berline LT (cuir)	2	A	3.5	16 200
4p hayon MAXX LS	2	A	3.5	15 000
4p hayon MAXX LT (cuir)	2	A	3.5	17 000
2003 MALIBU				**80 000 km**
4p berline base	2	A	3.1	8800
4p berline LS	2	A	3.1	9900
2002 MALIBU				**100 000 km**
4p berline base	2	A	3.1	7200
4p berline LS	2	A	3.1	8500
2006 MONTE CARLO				**20 000 km**
2p coupé LS	2	A	3.5	17 100
2p coupé LT	2	A	3.5	18 400
2p coupé LTZ	2	A	3.9	21 400
2p coupé SS	2	A	5.3	23 300
2005 MONTE CARLO				**40 000 km**
2p coupé LS	2	A	3.4	14 800
2p coupé LT	2	A	3.8	17 600
2p coupé Supercharged SS	2	A	3.8	19 900
2004 MONTE CARLO				**60 000 km**
2p coupé LS	2	A	3.4	13 200
2p coupé SS	2	A	3.8	15 900
2p coupé Supercharged SS	2	A	3.8	18 300
2003 MONTE CARLO				**80 000 km**
2p coupé LS	2	A	3.4	10 100
2p coupé SS	2	A	3.8	11 400
2002 MONTE CARLO				**100 000 km**
2p coupé LS	2	A	3.4	9100
2p coupé SS	2	A	3.8	10 400
2006 OPTRA				**20 000 km**
4p hayon Optra 5 LS	2	M	2.0	10 700
4p hayon Optra 5 LT	2	M	2.0	12 600
4p familiale LS	2	M	2.0	11 600
4p familiale LT	2	M	2.0	13 500
2005 OPTRA				**40 000 km**
4p hayon Optra 5 base	2	M	2.0	8800
4p hayon Optra 5 LS	2	M	2.0	10 900
4p berline base	2	M	2.0	8900
4p berline LS	2	M	2.0	10 600
4p familiale base	2	M	2.0	9700
4p familiale LS	2	M	2.0	11 600
2004 OPTRA				**60 000 km**
4p hayon Optra 5 base	2	M	2.0	8300
4p hayon Optra 5 LS	2	M	2.0	9900
4p berline base	2	M	2.0	8400
4p berline LS	2	M	2.0	9600
2003 S10				**80 000 km**
cab. rég. base	2	M	2.2	7700
cab. rég. base benne allongée	2	A	2.2	9200
cab. rég. LS	2	M	2.2	8000
cab. rég. LS benne allongée	2	A	2.2	9400
cab. all. base	2	M	2.2	9200
cab. all. LS	2	M	2.2	10 000
cab. all. base	4	M	4.3	13 300
cab. all. LS	4	M	4.3	13 200
crew cab. LS	4	A	4.3	15 300

Description	R.m.	Tr.	L	Prix
2002 S10				**100 000 km**
cab. rég. base	2	M	2.2	4600
cab. rég. LS	2	M	2.2	5400
cab. all. base	2	M	2.2	6700
cab. all. LS	2	M	2.2	7500
cab. all. base	4	M	4.3	11 100
cab. all. LS	4	M	4.3	11 200
crew cab. LS	4	A	4.3	13 600
2006 SSR				**20 000 km**
2p base	2	M	6.0	45 000
2p base	2	A	6.0	44 000
2005 SSR				**40 000 km**
2p base	2	M	6.0	40 000
2p base	2	A	6.0	39 000
2004 SSR				**60 000 km**
2p base	2	A	5.3	36 700
2003 SSR				**80 000 km**
2p base	2	A	5.3	32 700
2006 SUBURBAN				**20 000 km**
4p 1500 LS	2	A	5.3	34 900
4p 1500 LT (cuir)	2	A	5.3	41 100
4p 2500 LS	2	A	6.0	36 000
4p 2500 LS	2	A	8.1	37 500
4p 2500 LT (cuir)	2	A	6.0	41 700
4p 2500 LT (cuir)	2	A	8.1	43 200
4p 1500 LS	A	A	5.3	37 600
4p 1500 LT (cuir)	A	A	5.3	43 800
4p 1500 Off Road Z71 (cuir)	A	A	5.3	42 800
4p 1500 LTZ (cuir)	A	A	6.0	48 000
4p 2500 LS	A	A	6.0	38 900
4p 2500 LS	A	A	8.1	40 400
4p 2500 LT (cuir)	A	A	6.0	44 500
4p 2500 LT (cuir)	A	A	8.1	46 000
2005 SUBURBAN				**40 000 km**
4p 1500 LS	2	A	5.3	32 700
4p 1500 LT (cuir)	2	A	5.3	39 500
4p 2500 LS	2	A	6.0	34 400
4p 2500 LT (cuir)	2	A	6.0	40 600
4p 1500 LS	A	A	5.3	35 700
4p 1500 LT (cuir)	A	A	5.3	42 400
4p 1500 Off Road (cuir)	A	A	5.3	41 000
4p 2500 LS	A	A	6.0	37 600
4p 2500 LT (cuir)	A	A	6.0	43 600
2004 SUBURBAN				**60 000 km**
4p 1500 LS	2	A	5.3	26 800
4p 1500 LT (cuir)	2	A	5.3	33 800
4p 2500 LS	2	A	6.0	28 500
4p 2500 LS	2	A	8.1	30 000
4p 2500 LT (cuir)	2	A	6.0	35 400
4p 2500 LT (cuir)	2	A	8.1	36 900
4p 1500 LS	A	A	5.3	29 800
4p 1500 LT (cuir)	A	A	5.3	36 800
4p 1500 Off Road (cuir)	A	A	5.3	35 200
4p 2500 LS	A	A	6.0	31 600
4p 2500 LS	A	A	8.1	33 200
4p 2500 LT (cuir)	A	A	6.0	38 400
4p 2500 LT (cuir)	A	A	8.1	39 900
2003 SUBURBAN				**80 000 km**
4p 1500 LS	2	A	5.3	24 300
4p 1500 LT (cuir)	2	A	5.3	30 000
4p 2500 LS	2	A	6.0	26 000
4p 2500 LT (cuir)	2	A	6.0	31 500
4p 1500 LS	A	A	5.3	27 100
4p 1500 LT (cuir)	A	A	5.3	32 900
4p 1500 Off Road (cuir)	A	A	5.3	31 800
4p 2500 LS	A	A	6.0	29 000
4p 2500 LT (cuir)	A	A	6.0	34 400
2002 SUBURBAN				**100 000 km**
4p 1500 FFV	2	A	5.3	11 600
4p 1500 LS	2	A	5.3	20 200
4p 1500 LT (cuir)	2	A	5.3	24 600
4p 2500 LS	2	A	6.0	21 800
4p 2500 LT (cuir)	2	A	6.0	26 000
4p 1500 LS FFV	A	A	5.3	15 100
4p 1500 LT (cuir) FFV	A	A	5.3	27 000
4p 1500 LS	A	A	5.3	23 300
4p 1500 LT (cuir)	A	A	5.3	27 800
4p 1500 BPH pkg. (cuir)	A	A	5.3	26 900
4p 2500 LS	A	A	6.0	25 200
4p 2500 LT (cuir)	A	A	6.0	29 200
2006 TAHOE				**20 000 km**
4p LS	2	A	4.8	32 000
4p LS	2	A	5.3	33 000
4p LT (cuir)	2	A	5.3	39 200
4p LS	A	A	5.3	35 700
4p LT (cuir)	A	A	5.3	41 900
4p LT Off Road (cuir)	A	A	5.3	40 900

Description	R.m.	Tr.	L	Prix
2005 TAHOE				**40 000 km**
4p LS	2	A	4.8	28 600
4p LT (cuir)	2	A	5.3	36 300
4p LS	A	A	4.8	31 600
4p LT (cuir)	A	A	5.3	39 300
4p LT Off Road (cuir)	A	A	5.3	37 900
2004 TAHOE				**60 000 km**
4p LS	2	A	4.8	23 900
4p LT (cuir)	2	A	5.3	32 000
4p LS	A	A	4.8	26 900
4p LT (cuir)	A	A	5.3	34 900
4p LT Off Road (cuir)	A	A	5.3	33 400
2003 TAHOE				**80 000 km**
4p LS	2	A	4.8	21 000
4p LT (cuir)	2	A	5.3	27 800
4p LS	A	A	4.8	23 800
4p LT (cuir)	A	A	5.3	30 700
4p LT Off Road (cuir)	A	A	5.3	29 400
2002 TAHOE				**100 000 km**
4p LS	2	A	4.8	17 300
4p LT (cuir)	2	A	5.3	23 000
4p LS	A	A	4.8	20 500
4p LT (cuir)	A	A	5.3	26 000
4p LT FFV (cuir)	A	A	5.3	24 900
2004 TRACKER				**60 000 km**
4p base	4	A	2.5	13 800
4p ZR2	4	A	2.5	15 400
4p LT	4	A	2.5	15 600
2003 TRACKER				**80 000 km**
2p toit souple LX	4	M	2.0	8100
2p toit souple base	4	M	2.0	8900
2p toit souple ZR2	4	M	2.0	9900
4p LX	4	M	2.0	9000
4p base	4	M	2.0	9000
4p base	4	A	2.5	10 900
4p LXT	4	M	2.0	10 000
4p ZR2	4	A	2.5	12 700
4p LT	4	A	2.5	13 000
2002 TRACKER				**100 000 km**
2p toit souple LX	4	M	1.6	7300
2p toit souple LX	4	M	2.0	6300
2p toit souple base	4	M	1.6	6400
2p toit souple base	4	M	2.0	6800
2p toit souple ZR2	4	M	2.0	7600
4p LX	4	M	2.0	7000
4p base	4	M	2.0	7700
2006 TRAILBLAZER				**20 000 km**
4p LS	2	A	4.2	22 400
4p LT	2	A	4.2	24 200
4p SS	2	A	6.0	34 800
4p LS	A	A	4.2	30 100
4p LT	A	A	4.2	31 900
4p SS	A	A	6.0	42 800
2005 TRAILBLAZER				**40 000 km**
4p LS (ISV)	2	A	4.2	18 000
4p LS	2	A	4.2	24 000
4p LT	2	A	4.2	25 900
4p LS	A	A	4.2	27 000
4p LT	A	A	4.2	28 900
2004 TRAILBLAZER				**60 000 km**
4p LS	A	A	4.2	19 900
4p LT	A	A	4.2	22 400
4p Edition North Face (cuir)	A	A	4.2	27 300
2003 TRAILBLAZER				**80 000 km**
4p LS	2	A	4.2	15 300
4p LT	2	A	4.2	17 800
4p LTZ (cuir)	2	A	4.2	21 000
4p LS	A	A	4.2	18 400
4p LT	A	A	4.2	20 700
4p LTZ (cuir)	A	A	4.2	23 400
2002 TRAILBLAZER				**100 000 km**
4p LS	2	A	4.2	11 300
4p LT	2	A	4.2	13 800
4p LTZ (cuir)	2	A	4.2	16 900
4p LS	A	A	4.2	14 400
4p LT	A	A	4.2	16 700
4p LTZ (cuir)	A	A	4.2	19 400
2006 TRAILBLAZER EXT				**20 000 km**
4p LS	2	A	4.2	23 500
4p LT	2	A	4.2	24 900
4p LS	A	A	4.2	31 200
4p LT	A	A	4.2	32 600
2005 TRAILBLAZER EXT				**40 000 km**
4p LS	2	A	4.2	26 200
4p LT	2	A	4.2	27 700
4p LS	A	A	4.2	29 200

Abréviations : R.m. : roues motrices (2, 4, A) • Tr : Transmission (A, M) • L : capacité du moteur en litres

Description	R.m.	Tr.	L	Prix
4p LT	A	A	4.2	30 700

2004 TRAILBLAZER EXT 60 000 km

Description	R.m.	Tr.	L	Prix
4p LS	2	A	4.2	18 800
4p LT	2	A	4.2	20 700
4p Édition North Face (cuir)	2	A	4.2	25 600
4p LS	A	A	4.2	22 100
4p LT	A	A	4.2	23 700
S Édition North Face (cuir)	A	A	4.2	28 700

2003 TRAILBLAZER EXT 80 000 km

Description	R.m.	Tr.	L	Prix
4p LT	2	A	4.2	20 100
4p LT	A	A	4.2	23 000

2002 TRAILBLAZER EXT 100 000 km

Description	R.m.	Tr.	L	Prix
4p LT	2	A	4.2	16 700
4p LT	A	A	4.2	19 700

2006 UPLANDER 20 000 km

Description	R.m.	Tr.	L	Prix
4p LS	2	A	3.5	16 900
4p LT 1	2	A	3.5	18 400
4p LT 2	2	A	3.5	20 700
4p allongé LS	2	A	3.5	19 600
4p allongé LT 1	2	A	3.5	20 600
4p allongé LT 2	2	A	3.5	23 500
4p allongé LT 2 (3,91)	2	A	3.9	24 000
4p allongé LT 2 tr.intégrale	A	A	3.5	27 100

2005 UPLANDER 40 000 km

Description	R.m.	Tr.	L	Prix
4p Value	2	A	3.5	11 900
4p LS	2	A	3.5	13 400
4p LT	2	A	3.5	17 100
4p allongé Value	2	A	3.5	14 300
4p allongé LS	2	A	3.5	15 300
4p allongé LT	2	A	3.5	18 700
4p allongé LT tr.intégrale	A	A	3.5	21 900

2005 VENTURE 40 000 km

Description	R.m.	Tr.	L	Prix
4p allongé Value Plus	2	A	3.4	15 800
4p allongé base	2	A	3.4	17 200
4p allongé LS	2	A	3.4	17 500
4p allongé LT	2	A	3.4	19 400

2004 VENTURE 60 000 km

Description	R.m.	Tr.	L	Prix
4p Value	2	A	3.4	11 900
4p Value Plus	2	A	3.4	13 000
4p base	2	A	3.4	14 300
4p Sport	2	A	3.4	15 700
4p LS	2	A	3.4	16 700
4p allongé Value Plus	2	A	3.4	15 300
4p allongé base	2	A	3.4	16 600
4p allongé Sport	2	A	3.4	16 400
4p allongé LS	2	A	3.4	17 400
4p allongé LT	2	A	3.4	18 300
4p allongé LS	A	A	3.4	18 900
4p allongé LT	A	A	3.4	19 800

2003 VENTURE 80 000 km

Description	R.m.	Tr.	L	Prix
4p Value	2	A	3.4	9500
4p Value Plus	2	A	3.4	10 600
4p base	2	A	3.4	11 700
4p LS	2	A	3.4	12 000
4p allongé Value Plus	2	A	3.4	12 100
4p allongé base	2	A	3.4	13 900
4p allongé LS	2	A	3.4	15 000
4p allongé LT	2	A	3.4	14 500
4p allongé Warner Bros. Ed (cuir)	2	A	3.4	15 300
4p allongé LS	A	A	3.4	14 900
4p allongé LT	A	A	3.4	16 900
4p allongé Warner Bros. Ed (cuir)	A	A	3.4	16 700

2002 VENTURE 100 000 km

Description	R.m.	Tr.	L	Prix
4p Value	2	A	3.4	8400
4p base	2	A	3.4	10 000
4p LS	2	A	3.4	11 500
4p allongé base	2	A	3.4	11 900
4p allongé LS	2	A	3.4	11 800
4p allongé LT	2	A	3.4	11 500
4p allongé Warner Bros. Ed (cuir)	2	A	3.4	12 800
4p allongé LS	A	A	3.4	13 600
4p allongé LT	A	A	3.4	14 300
4p allongé Warner Bros. Ed (cuir)	A	A	3.4	15 200

CHRYSLER

2006 300 20 000 km

Description	R.m.	Tr.	L	Prix
4p berline 300	2	A	3.5	22 100
4p berline 300 Touring (cuir)	2	A	3.5	24 100
4p berline 300 Limited (cuir)	2	A	3.5	27 100
4p berline 300C (cuir)	2	A	5.7	31 900
4p berline 300C SRT8	2	A	6.1	37 600
4p berline 300	A	A	3.5	25 800
4p berline 300 Touring (cuir)	A	A	3.5	26 600
4p berline 300 Limited (cuir)	A	A	3.5	29 600
4p berline 300C (cuir)	A	A	5.7	34 000

2005 300 40 000 km

Description	R.m.	Tr.	L	Prix
4p berline 300 base	2	A	3.5	19 500
4p berline 300 Touring (cuir)	2	A	3.5	21 300
4p berline 300 Limited (cuir)	2	A	3.5	25 000
4p berline 300C (cuir)	2	A	5.7	29 600
4p berline 300 base	A	A	3.5	23 100
4p berline 300 Touring (cuir)	A	A	3.5	24 400
4p berline 300 Limited (cuir)	A	A	3.5	28 100
4p berline 300C (cuir)	A	A	5.7	31 700

2004 300 60 000 km

Description	R.m.	Tr.	L	Prix
4p berline 300M base	2	A	3.5	18 200
4p berline 300M Special	2	A	3.5	20 300

2003 300 80 000 km

Description	R.m.	Tr.	L	Prix
4p berline 300M base	2	A	3.5	15 800
4p berline 300M Special	2	A	3.5	17 500

2002 300 100 000 km

Description	R.m.	Tr.	L	Prix
4p berline 300M base	2	A	3.5	14 500
4p berline 300M Special	2	A	3.5	16 700

2004 CONCORDE 60 000 km

Description	R.m.	Tr.	L	Prix
4p berline LX	2	A	2.7	12 300
4p berline LXi (cuir)	2	A	3.5	13 800
4p berline Limited (cuir)	2	A	3.5	17 200

2003 CONCORDE 80 000 km

Description	R.m.	Tr.	L	Prix
4p berline LX	2	A	2.7	9600
4p berline LXi (cuir)	2	A	3.5	10 600
4p berline Limited (cuir)	2	A	3.5	12 400

2002 CONCORDE 100 000 km

Description	R.m.	Tr.	L	Prix
4p berline LX	2	A	2.7	8600
4p berline LXi (cuir)	2	A	3.5	10 000
4p berline Limited (cuir)	2	A	3.5	11 000

2006 CROSSFIRE 5000 km

Description	R.m.	Tr.	L	Prix
2p coupé base	2	M	3.2	29 700
2p coupé Limited (cuir)	2	M	3.2	36 300
2p coupé SRT6 (cuir)	2	A	3.2	47 600
2p décapotable Limited (cuir)	2	M	3.2	39 600
2p décapotable SRT6 (cuir)	2	A	3.2	50 900

2005 CROSSFIRE 10 000 km

Description	R.m.	Tr.	L	Prix
2p coupé base	2	M	3.2	23 300
2p coupé Limited (cuir)	2	M	3.2	30 300
2p coupé SRT6 (cuir)	2	A	3.2	41 500
2p décapotable Limited (cuir)	2	M	3.2	33 900
2p décapotable SRT6 (cuir)	2	A	3.2	45 000

2004 CROSSFIRE 15 000 km

Description	R.m.	Tr.	L	Prix
2p coupé base	2	M	3.2	27 300

2004 INTREPID 60 000 km

Description	R.m.	Tr.	L	Prix
4p berline SE	2	A	2.7	8100
4p berline ES	2	A	3.5	9500
4p berline SXT	2	A	3.5	9800

2003 INTREPID 80 000 km

Description	R.m.	Tr.	L	Prix
4p berline SE	2	A	2.7	7000
4p berline ES	2	A	3.5	8100
4p berline SXT	2	A	3.5	8600

2002 INTREPID 100 000 km

Description	R.m.	Tr.	L	Prix
4p berline SE	2	A	2.7	6500
4p berline ES	2	A	3.5	7800
4p berline SXT	2	A	3.5	7900
4p berline R/T	2	A	3.5	8900

2002 NEON 100 000 km

Description	R.m.	Tr.	L	Prix
4p berline LE	2	M	2.0	5200
4p berline LX	2	M	2.0	6900
4p berline R/T	2	M	2.0	8000

2006 PACIFICA 20 000 km

Description	R.m.	Tr.	L	Prix
4p base	2	A	3.5	28 000
4p Touring	2	A	3.5	29 700
4p Touring (cuir)	A	A	3.5	32 900
4p Limited (cuir)	A	A	3.5	36 800

2005 PACIFICA 40 000 km

Description	R.m.	Tr.	L	Prix
4p base	2	A	3.8	18 800
4p Touring	2	A	3.5	21 400
4p Touring (cuir)	A	A	3.5	24 800
4p Limited (cuir)	A	A	3.5	27 200

2004 PACIFICA 60 000 km

Description	R.m.	Tr.	L	Prix
4p base	2	A	3.5	17 300
4p base (cuir)	2	A	3.5	20 400
4p base	A	A	3.5	19 600
4p base (cuir)	A	A	3.5	21 300

2006 PT CRUISER 20 000 km

Description	R.m.	Tr.	L	Prix
4p base	2	M	2.4	16 400
4p base turbo	2	A	2.4	18 700
4p Classic	2	M	2.4	17 400
4p Classic turbo	2	A	2.4	19 700
4p Touring	2	M	2.4	21 100
4p Touring turbo	2	A	2.4	22 900
4p GT turbo	2	M	2.4	24 900
2p décapotable Touring	2	M	2.4	21 300
2p décapotable Touring turbo	2	A	2.4	22 800
2p décapotable GT turbo	2	M	2.4	25 100

2005 PT CRUISER 40 000 km

Description	R.m.	Tr.	L	Prix
4p base	2	M	2.4	11 300
4p base turbo	2	A	2.4	13 700
4p Classic	2	M	2.4	12 100
4p Classic turbo	2	A	2.4	18 700
4p Touring	2	M	2.4	16 300
4p Touring turbo	2	A	2.4	18 700
4p GT turbo	2	M	2.4	19 400
2p décapotable Touring	2	M	2.4	19 900
2p décapotable Touring turbo	2	A	2.4	21 800
2p décapotable GT turbo	2	M	2.4	23 100

2004 PT CRUISER 60 000 km

Description	R.m.	Tr.	L	Prix
4p Classic	2	M	2.4	11 900
4p Touring	2	M	2.4	12 500
4p Limited	2	M	2.4	15 000
4p GT turbo	2	M	2.4	14 900
4p Dream Cruiser 3 turbo (cuir)	2	M	2.4	15 600

2003 PT CRUISER 80 000 km

Description	R.m.	Tr.	L	Prix
4p Classic	2	M	2.4	8600
4p Touring	2	M	2.4	10 800
4p Limited	2	M	2.4	12 300
4p GT turbo	2	M	2.4	12 300
4p Dream Cruiser 2 turbo	2	M	2.4	13 800

2002 PT CRUISER 100 000 km

Description	R.m.	Tr.	L	Prix
4p base	2	M	2.4	8100
4p Touring	2	M	2.4	10 400
4p Limited	2	M	2.4	10 700
4p Dream Cruiser 1	2	M	2.4	11 000

2006 SEBRING 20 000 km

Description	R.m.	Tr.	L	Prix
4p berline berline	2	A	2.4	18 700
4p berline Touring	2	A	2.7	20 200
2p décapotable base	2	A	2.7	27 100
2p décapotable Touring (cuir)	2	A	2.7	29 600
2p décapotable Limited (cuir)	2	A	2.7	31 100

2005 SEBRING 40 000 km

Description	R.m.	Tr.	L	Prix
4p berline base	2	A	2.4	12 500
4p berline Touring	2	A	2.7	14 100
4p berline Limited (cuir)	2	A	2.7	16 600
2p décapotable base	2	A	2.7	21 700
2p décapotable GTC	2	A	2.7	22 300
2p décapotable Touring (cuir)	2	A	2.7	23 200
2p décapotable Limited (cuir)	2	A	2.7	26 100

2004 SEBRING 60 000 km

Description	R.m.	Tr.	L	Prix
4p berline base	2	A	2.4	9200
4p berline LX	2	A	2.4	9000
4p berline LX	2	A	2.7	10 300
4p berline LX Plus	2	A	2.7	10 200
4p berline LXi (cuir)	2	A	2.7	12 300
4p berline Touring	2	A	2.7	10 100
4p berline Limited (cuir)	2	A	2.7	12 600
2p décapotable base	2	A	2.7	16 500
2p décapotable LX	2	A	2.7	16 400
2p décapotable GTC	2	M	2.7	16 800
2p décapotable GTC	2	A	2.7	16 800
2p décapotable LXi (cuir)	2	A	2.7	17 500
2p décapotable Touring (cuir)	2	A	2.7	18 100
2p décapotable Limited (cuir)	2	A	2.7	19 600

2003 SEBRING 80 000 km

Description	R.m.	Tr.	L	Prix
4p berline LX	2	A	2.4	6600
4p berline LX	2	A	2.7	7700
4p berline LX Plus	2	A	2.7	8700
4p berline LXi	2	A	2.7	10 000
2p décapotable LX	2	A	2.7	12 300
2p décapotable GTC	2	M	2.7	12 300
2p décapotable GTC	2	A	2.7	12 200
2p décapotable LXi	2	A	2.7	12 600
2p décapotable Limited	2	A	2.7	14 700

2002 SEBRING 100 000 km

Description	R.m.	Tr.	L	Prix
4p berline LX	2	A	2.4	5300
4p berline LX	2	A	2.7	6300
4p berline LXi	2	A	2.7	8700
2p décapotable LX	2	A	2.7	11 700
2p décapotable LXi	2	A	2.7	12 400
2p décapotable Limited	2	A	2.7	13 600

2006 TOWN & COUNTRY 20 000 km

Description	R.m.	Tr.	L	Prix
4p Touring	2	A	3.8	33 200
4p Limited	2	A	3.8	35 700

2005 TOWN & COUNTRY 40 000 km

Description	R.m.	Tr.	L	Prix
4p Touring	2	A	3.8	22 700
4p Limited	2	A	3.8	24 900

2004 TOWN & COUNTRY 60 000 km

Description	R.m.	Tr.	L	Prix
4p Touring	2	A	3.8	19 600
4p Limited	2	A	3.8	20 600
4p Limited	A	A	3.8	22 600

2003 TOWN & COUNTRY 80 000 km

Description	R.m.	Tr.	L	Prix
4p LXi	2	A	3.8	13 500
4p Limited	2	A	3.8	15 600
4p Limited	A	A	3.8	17 400

2002 TOWN & COUNTRY 100 000 km

Description	R.m.	Tr.	L	Prix
4p LXi	2	A	3.8	10 100
4p Limited	2	A	3.8	13 000
4p Limited	A	A	3.8	14 700

DAEWOO

2002 LANOS 100 000 km

Description	R.m.	Tr.	L	Prix
2p hayon S	2	M	1.5	3500
4p berline S	2	M	1.6	4000

2002 LEGANZA 100 000 km

Description	R.m.	Tr.	L	Prix
4p berline SX	2	M	2.2	6100
4p berline SX	2	A	2.2	7200
4p berline CDX (cuir)	2	A	2.2	8100

2002 NUBIRA 100 000 km

Description	R.m.	Tr.	L	Prix
4p berline SE	2	M	2.0	4200
4p berline SX	2	M	2.0	6000
4p familiale SX	2	M	2.0	6100

DODGE

2006 CARAVAN 20 000 km

Description	R.m.	Tr.	L	Prix
4p base	2	A	3.3	21 100
4p SE	2	A	3.3	21 300
4p SXT	2	A	3.3	22 500

2005 CARAVAN 40 000 km

Description	R.m.	Tr.	L	Prix
4p base (28C)	2	A	3.3	12 300
4p base (25C) FFV	2	A	3.3	12 500
4p SE	2	A	3.3	12 600
4p SXT (28H)	2	A	3.3	13 700

2004 CARAVAN 60 000 km

Description	R.m.	Tr.	L	Prix
4p base (28C)	2	A	3.3	11 500
4p Édition Anniversaire (28P)	2	A	3.3	12 300
4p SXT (28H)	2	A	3.3	13 100

2003 CARAVAN 80 000 km

Description	R.m.	Tr.	L	Prix
4p SE	2	A	3.3	8800
4p SE FFV	2	A	3.3	9200
4p Sport (28F)	2	A	3.3	11 400
4p Sport (28H)	2	A	3.3	11 900
4p Sport FFV	2	A	3.3	11 400

2002 CARAVAN 100 000 km

Description	R.m.	Tr.	L	Prix
4p SE	2	A	3.3	8600
4p SE FFV	2	A	3.3	9100
4p Sport (28F)	2	A	3.3	10 200
4p Sport (28H)	2	A	3.3	11 000
4p Sport FFV	2	A	3.3	10 500

2006 GRAND CARAVAN 20 000 km

Description	R.m.	Tr.	L	Prix
4p base	2	A	3.3	23 200
4p SE	2	A	3.3	23 400
4p SE gr. équip.populaire	2	A	3.3	25 400
4p SXT	2	A	3.8	27 100
4p SXT Premium (cuir)	2	A	3.8	30 600

2005 GRAND CARAVAN 40 000 km

Description	R.m.	Tr.	L	Prix
4p base	2	A	3.3	14 400
4p SE	2	A	3.3	14 600
4p SE (28G PLUS)	2	A	3.3	16 200
4p SXT	2	A	3.8	18 300

2004 GRAND CARAVAN 60 000 km

Description	R.m.	Tr.	L	Prix
4p base (28C)	2	A	3.3	12 200
4p Édition Anniversaire (28P)	2	A	3.3	12 800
4p SXT (29K)	2	A	3.8	14 800

2003 GRAND CARAVAN 80 000 km

Description	R.m.	Tr.	L	Prix
4p Sport (25F)	2	A	3.3	9600
4p Sport (28F) FFV	2	A	3.3	9700
4p Sport (28H)	2	A	3.3	11 000
4p Sport (29H) FFV	2	A	3.8	11 200
4p Sport (29K)	2	A	3.8	13 600
4p ES (29S)	2	A	3.8	17 000
4p Sport (29H)	A	A	3.8	15 800
4p ES (29S)	A	A	3.8	18 500

2002 GRAND CARAVAN 100 000 km

Description	R.m.	Tr.	L	Prix
4p Sport (28F)	2	A	3.3	8400
4p Sport (28H)	2	A	3.3	9600
4p Sport (28K)	2	A	3.3	12 300
4p ES (29P)	2	A	3.3	15 500
4p ES (29S)	2	A	3.8	17 100
4p Sport (29H)	A	A	3.8	16 600
4p ES (29S)	A	A	3.8	18 100

2006 CHARGER 20 000 km

Description	R.m.	Tr.	L	Prix
4p berline SE	2	A	2.7	22 700
4p berline SXT	2	A	3.5	25 100
4p berline R/T	2	A	5.7	31 200
4p berline R/T Daytona	2	A	5.7	33 700
4p berline SRT8	2	A	6.1	35 700

2006 DAKOTA 20 000 km

Description	R.m.	Tr.	L	Prix
club cab. ST	2	M	3.7	17 200

Abréviations : R.m. : roues motrices (2, 4, A) • Tr : Transmission (A, M) • L : capacité du moteur en litres

Description	R.m.	Tr.	L	Prix
club cab. ST plus	2	M	3.7	17 700
club cab. SLT	2	M	3.7	19 100
club cab. SLT plus	2	M	3.7	20 400
Quad cab. ST	2	M	3.7	19 300
Quad cab. ST plus	2	M	3.7	19 800
Quad cab. SLT	2	M	3.7	21 100
Quad cab. SLT plus	2	M	3.7	22 400
club cab. ST	4	M	3.7	20 200
club cab. ST plus	4	M	3.7	20 700
club cab. SLT	4	M	3.7	22 100
club cab. SLT plus	4	M	3.7	23 600
Quad cab. ST	4	M	3.7	22 400
Quad cab. ST plus	4	M	3.7	22 900
Quad cab. SLT	4	M	3.7	24 200
Quad cab. SLT plus	4	M	3.7	25 700

2005 DAKOTA 40 000 km

Description	R.m.	Tr.	L	Prix
club cab. ST	2	M	3.7	12 800
club cab. ST plus	2	M	3.7	13 400
club cab. SLT	2	M	3.7	14 800
club cab. SLT plus	2	M	3.7	16 300
club cab. Laramie (cuir)	2	A	4.7	21 100
Quad cab. ST	2	M	3.7	15 000
Quad cab. ST plus	2	M	3.7	15 700
Quad cab. SLT	2	M	3.7	17 000
Quad cab. SLT plus	2	M	3.7	18 400
Quad cab. Laramie (cuir)	2	A	4.7	23 400
club cab. ST	4	M	3.7	16 000
club cab. ST plus	4	M	3.7	16 600
club cab. SLT	4	M	3.7	18 100
club cab. SLT plus	4	M	3.7	20 400
club cab. Laramie (cuir)	4	A	4.7	24 400
Quad cab. ST	4	M	3.7	18 500
Quad cab. ST plus	4	M	3.7	19 700
Quad cab. SLT	4	M	3.7	21 000
Quad cab. SLT plus	4	M	3.7	22 600
Quad cab. Laramie (cuir)	4	A	4.7	26 800

2004 DAKOTA 60 000 km

Description	R.m.	Tr.	L	Prix
cab. rég. Sport	2	M	3.7	10 400
cab. rég. Sport plus	2	M	3.7	12 100
cab. rég. SLT	2	M	3.7	10 700
cab. rég. SLT plus	2	M	3.7	12 000
club cab. SXT	2	M	3.7	12 600
club cab. Sport	2	M	3.7	12 200
club cab. Sport plus	2	M	3.7	13 900
club cab. SLT	2	M	3.7	12 900
club cab. SLT plus	2	M	3.7	14 100
Quad cab. Sport	2	M	3.7	14 100
Quad cab. Sport plus	2	M	3.7	15 800
Quad cab. SLT	2	M	3.7	14 800
Quad cab. SLT plus	2	M	3.7	16 100
cab. rég. Sport	4	M	3.7	14 200
cab. rég. Sport plus	4	M	3.7	15 900
cab. rég. SLT	4	M	3.7	14 500
cab. rég. SLT plus	4	M	3.7	15 700
club cab. SXT	4	M	3.7	16 200
club cab. Sport	4	M	3.7	15 700
club cab. Sport plus	4	M	3.7	17 400
club cab. SLT	4	M	3.7	16 600
club cab. SLT plus	4	M	3.7	17 800
Quad cab. Sport	4	M	3.7	17 500
Quad cab. Sport plus	4	M	3.7	18 700
Quad cab. SLT	4	M	3.7	17 800
Quad cab. SLT plus	4	M	3.7	18 800

2003 DAKOTA 80 000 km

Description	R.m.	Tr.	L	Prix
cab. rég. Sport	2	M	3.9	8300
cab. rég. Sport R/T	2	A	5.9	12 400
cab. rég. Sport plus	2	M	3.9	9700
cab. rég. SLT	2	M	3.9	8600
cab. rég. SLT plus	2	M	3.9	9600
club cab. SXT	2	M	3.9	10 300
club cab. Sport	2	M	3.9	9900
club cab. Sport plus	2	M	3.9	11 600
club cab. SLT	2	M	3.9	10 500
club cab. SLT plus	2	M	3.9	11 800
club cab. R/T	2	A	5.9	13 900
Quad cab. Sport	2	M	3.9	11 300
Quad cab. Sport plus	2	M	3.9	12 900
Quad cab. SLT	2	M	3.9	12 000
Quad cab. SLT plus	2	M	3.9	13 100
cab. rég. Sport	4	M	3.9	11 800
cab. rég. Sport plus	4	M	3.9	13 200
cab. rég. SLT	4	M	3.9	12 000
cab. rég. SLT plus	4	M	3.9	13 000
club cab. SXT	4	M	3.9	13 500
club cab. Sport	4	M	3.9	13 000
club cab. Sport plus	4	M	3.9	14 500
club cab. SLT	4	M	3.9	13 800
club cab. SLT plus	4	M	3.9	14 700
Quad cab. Sport	4	M	3.9	14 400
Quad cab. Sport plus	4	M	3.9	15 600
Quad cab. SLT	4	M	3.9	15 100
Quad cab. SLT plus	4	M	3.9	16 100

2002 DAKOTA 100 000 km

Description	R.m.	Tr.	L	Prix
cab. rég. Sport	2	M	3.9	6100
cab. rég. Sport R/T	2	A	5.9	8200
cab. rég. Sport plus	2	M	3.9	7800
cab. rég. Sport plus R/T	2	A	5.9	10 000
cab. rég. SLT	2	M	3.9	6500
cab. rég. SLT plus	2	M	3.9	7700
club cab. SXT	2	M	3.9	8600
club cab. Sport	2	M	3.9	7900
club cab. Sport R/T	2	A	5.9	10 000
club cab. Sport plus	2	M	3.9	9800
club cab. Sport plus R/T	2	A	5.9	11 800
club cab. SLT	2	M	3.9	8600
club cab. SLT plus	2	M	3.9	10 000
Quad cab. Sport	2	M	3.9	9500
Quad cab. Sport plus	2	M	3.9	11 200
Quad cab. SLT	2	M	3.9	10 100
Quad cab. SLT plus	2	M	3.9	11 500
cab. rég. Sport	4	M	3.9	9900
cab. rég. Sport plus	4	M	3.9	11 800
cab. rég. SLT	4	M	3.9	10 100
cab. rég. SLT plus	4	M	3.9	11 600
club cab. SXT	4	M	3.9	12 000
club cab. Sport	4	M	3.9	11 300
club cab. Sport plus	4	M	3.9	13 300
club cab. SLT	4	M	3.9	12 200
club cab. SLT plus	4	M	3.9	13 300
Quad cab. Sport	4	M	3.9	12 800
Quad cab. Sport plus	4	M	3.9	14 500
Quad cab. SLT	4	M	3.9	13 400
Quad cab. SLT plus	4	M	3.9	14 800

2006 DURANGO 20 000 km

Description	R.m.	Tr.	L	Prix
4p SLT	4	A	4.7	30 800
4p SLT	4	A	5.7	31 500
4p Adventurer	4	A	4.7	32 500
4p SLT plus (cuir)	4	A	4.7	32 500
4p Limited	4	A	5.7	36 600

2005 DURANGO 40 000 km

Description	R.m.	Tr.	L	Prix
4p SLT	4	A	4.7	21 900
4p Adventurer	4	A	4.7	22 900
4p SLT plus (cuir)	4	A	4.7	24 500
4p Limited	4	A	5.7	27 300

2004 DURANGO 60 000 km

Description	R.m.	Tr.	L	Prix
4p SLT	4	A	4.7	19 000
4p SLT plus (cuir)	4	A	4.7	21 300
4p Limited	4	A	4.7	24 400

2003 DURANGO 80 000 km

Description	R.m.	Tr.	L	Prix
4p SXT	4	A	4.7	13 900
4p SLT	4	A	4.7	14 700
4p SLT plus (cuir)	4	A	4.7	17 200
4p R/T (cuir)	A	A	5.9	19 100

2002 DURANGO 100 000 km

Description	R.m.	Tr.	L	Prix
4p SXT	4	A	4.7	11 900
4p SLT	4	A	4.7	14 000
4p SLT plus (cuir)	4	A	4.7	16 600
4p R/T (cuir)	A	A	5.9	18 300

2006 MAGNUM 20 000 km

Description	R.m.	Tr.	L	Prix
4p familiale SE	2	A	2.7	23 100
4p familiale SXT	2	A	3.5	26 200
4p familiale RT (cuir)	2	A	5.7	31 000
4p familiale SRT8	2	A	6.1	37 700
4p familiale SXT	A	A	3.5	28 700
4p familiale RT (cuir)	A	A	5.7	33 300

2005 MAGNUM 40 000 km

Description	R.m.	Tr.	L	Prix
4p familiale SE	2	A	2.7	19 600
4p familiale SXT	2	A	3.5	22 200
4p familiale RT (cuir)	2	A	5.7	26 800
4p familiale SXT	A	A	3.5	25 200
4p familiale RT (cuir)	A	A	5.7	29 200

2006 RAM 1500 20 000 km

Description	R.m.	Tr.	L	Prix
cab. rég. ST	2	M	3.7	17 900
cab. rég. SLT	2	M	4.7	20 400
cab. rég. Laramie (cuir)	2	A	4.7	24 900
cab. rég. SRT-10 (cuir)	2	M	8.3	47 500
quad cab. ST	2	M	3.7	20 800
quad cab. SLT	2	M	4.7	23 600
quad cab. Laramie (cuir)	2	A	4.7	27 900
quad cab. SRT-10 (cuir)	2	A	8.3	52 600
mega cab. SLT	2	A	5.7	26 000
mega cab. Laramie (cuir)	2	A	5.7	30 000
cab. rég. ST	4	M	4.7	21 600
cab. rég. SLT	4	M	4.7	23 500
cab. rég. Laramie (cuir)	4	A	4.7	28 000
quad cab. ST	4	M	4.7	24 400
quad cab. SLT	4	M	4.7	26 600
quad cab. Laramie (cuir)	4	A	4.7	31 000
mega cab. SLT	4	A	5.7	29 200
mega cab. Laramie (cuir)	4	A	5.7	33 700

2005 RAM 1500 40 000 km

Description	R.m.	Tr.	L	Prix
cab. rég. ST	2	M	3.7	11 100
cab. rég. ST	2	M	4.7	11 700
cab. rég. SLT	2	M	4.7	13 800
cab. rég. Laramie (cuir)	2	A	4.7	19 000
cab. rég. SRT-10 (cuir)	2	M	8.3	40 500
quad cab. ST	2	M	3.7	14 300
quad cab. SLT	2	M	4.7	17 200
quad cab. Laramie (cuir)	2	A	4.7	22 900
quad cab. SRT-10 (cuir)	2	A	8.3	47 500
cab. rég. ST	4	M	4.7	14 900
cab. rég. SLT	4	M	4.7	17 000
cab. rég. Laramie (cuir)	4	A	4.7	22 300
quad cab. ST	4	M	4.7	18 000
quad cab. SLT	4	M	4.7	20 300
quad cab. Laramie (cuir)	4	A	4.7	25 700

2004 RAM 1500 60 000 km

Description	R.m.	Tr.	L	Prix
cab. rég. ST	2	M	3.7	10 300
cab. rég. ST	2	M	4.7	10 900
cab. rég. SLT	2	M	4.7	13 000
cab. rég. Laramie (cuir)	2	A	4.7	18 200
cab. rég. SRT-10 (cuir)	2	M	8.3	38 200
quad cab. ST	2	M	3.7	13 200
quad cab. SLT	2	M	4.7	16 200
quad cab. Laramie (cuir)	2	A	4.7	22 000
cab. rég. ST	4	M	4.7	14 000
cab. rég. SLT	4	M	4.7	16 100
cab. rég. Laramie (cuir)	4	A	4.7	21 500
quad cab. ST	4	M	4.7	16 900
quad cab. SLT	4	M	4.7	19 300
quad cab. Laramie (cuir)	4	A	4.7	24 700

2003 RAM 1500 80 000 km

Description	R.m.	Tr.	L	Prix
cab. rég. ST	2	M	3.7	6900
cab. rég. ST	2	M	4.7	7500
cab. rég. SLT	2	M	4.7	9400
cab. rég. Laramie (cuir)	2	A	4.7	14 200
quad cab. ST	2	M	3.7	9600
quad cab. ST	2	M	4.7	10 200
quad cab. SLT	2	M	4.7	12 200
quad cab. Laramie (cuir)	2	A	4.7	17 500
cab. rég. ST	4	M	4.7	10 300
cab. rég. SLT	4	M	4.7	12 200
cab. rég. Laramie (cuir)	4	A	4.7	17 200
quad cab. ST	4	M	4.7	12 800
quad cab. SLT	4	M	4.7	14 900
quad cab. Laramie (cuir)	4	A	4.7	20 000

2002 RAM 1500 100 000 km

Description	R.m.	Tr.	L	Prix
cab. rég. ST	2	M	3.7	6600
cab. rég. ST	2	M	4.7	7200
cab. rég. SLT	2	M	3.7	8500
cab. rég. SLT	2	M	4.7	9100
quad cab. ST	2	M	4.7	9800
quad cab. SLT	2	M	4.7	12 000
cab. rég. ST	4	M	4.7	10 200
cab. rég. SLT	4	M	4.7	12 100
quad cab. ST	4	M	4.7	12 700
quad cab. SLT	4	M	4.7	14 900

2006 RAM 2500 20 000 km

Description	R.m.	Tr.	L	Prix
cab. rég. ST	2	M	5.7	23 300
cab. rég. SLT	2	M	5.7	25 500
cab. rég. Laramie (cuir)	2	A	5.7	28 100
quad cab. ST	2	M	5.7	26 000
quad cab. SLT	2	M	5.7	28 200
quad cab. Laramie (cuir)	2	M	5.7	30 700
mega cab. SLT	2	A	5.7	28 200
mega cab. Laramie (cuir)	2	A	5.7	33 700
cab. rég. ST	4	M	5.7	26 100
cab. rég. SLT	4	M	5.7	28 300
cab. rég. Laramie (cuir)	4	M	5.7	30 900
quad cab. ST	4	M	5.7	28 800
quad cab. SLT	4	M	5.7	31 000
quad cab. Laramie (cuir)	4	M	5.7	33 400
mega cab. SLT	4	A	5.7	33 100
mega cab. Laramie (cuir)	4	A	5.7	36 700

2005 RAM 2500 40 000 km

Description	R.m.	Tr.	L	Prix
cab. rég. ST	2	M	5.7	16 500
cab. rég. SLT	2	M	5.7	19 000
cab. rég. Laramie (cuir)	2	A	5.7	23 000
quad cab. ST	2	M	5.7	19 500
quad cab. SLT	2	M	5.7	21 900
quad cab. Laramie (cuir)	2	M	5.7	25 900
cab. rég. ST	4	M	5.7	19 600
cab. rég. SLT	4	M	5.7	22 000
cab. rég. Laramie (cuir)	4	M	5.7	25 700
quad cab. ST	4	M	5.7	22 500
quad cab. SLT	4	M	5.7	24 400
quad cab. Laramie (cuir)	4	M	5.7	29 000

2004 RAM 2500 60 000 km

Description	R.m.	Tr.	L	Prix
cab. rég. ST	2	M	5.7	15 600
cab. rég. SLT	2	M	5.7	18 000
cab. rég. Laramie (cuir)	2	A	5.7	22 100
quad cab. ST	2	M	5.7	18 300
quad cab. SLT	2	M	5.7	20 800
quad cab. Laramie (cuir)	2	M	5.7	24 800
cab. rég. ST	4	M	5.7	18 600
cab. rég. SLT	4	M	5.7	21 100
cab. rég. Laramie (cuir)	4	M	5.7	24 800
quad cab. ST	4	M	5.7	21 300
quad cab. SLT	4	M	5.7	23 800
quad cab. Laramie (cuir)	4	M	5.7	28 000

2003 RAM 2500 80 000 km

Description	R.m.	Tr.	L	Prix
cab. rég. ST	2	M	5.7	12 000
cab. rég. SLT	2	M	5.7	14 300
cab. rég. Laramie (cuir)	2	M	5.7	18 100
quad cab. ST	2	M	5.7	14 600
quad cab. SLT	2	M	5.7	16 800
quad cab. Laramie (cuir)	2	M	5.7	20 600
cab. rég. ST	4	M	5.7	14 800
cab. rég. SLT	4	M	5.7	17 100
cab. rég. Laramie (cuir)	4	M	5.7	20 600
quad cab. ST	4	M	5.7	17 400
quad cab. SLT	4	M	5.7	19 600
quad cab. Laramie (cuir)	4	M	5.7	23 600

2002 RAM 2500 100 000 km

Description	R.m.	Tr.	L	Prix
cab. rég. ST	2	M	5.9	10 900
cab. rég. SLT	2	M	5.9	13 800
quad cab. ST	2	M	5.9	13 600
quad cab. SLT	2	M	5.9	16 500
cab. rég. ST	4	M	5.9	13 900
cab. rég. SLT	4	M	5.9	16 800
quad cab. ST	4	M	5.9	16 500
quad cab. SLT	4	M	5.9	19 400

2006 RAM 3500 20 000 km

Description	R.m.	Tr.	L	Prix
cab. rég. ST	2	M	5.7	24 300
cab. rég. ST TDiesel	2	M	5.9	30 100
cab. rég. SLT	2	M	5.7	26 100
cab. rég. SLT TDiesel	2	M	5.9	31 900
cab. rég. Laramie (cuir)	2	M	5.7	28 700
cab. rég. Laramie (cuir) TDiesel	2	M	5.9	34 500
quad cab. ST TDiesel	2	M	5.9	32 900
quad cab. SLT TDiesel	2	M	5.9	34 700
quad cab. Laramie (cuir) TDiesel	2	M	5.9	37 100
mega cab. SLT TDiesel	2	M	5.9	35 300
mega cab. Laramie (cuir) TDiesel	2	M	5.9	39 300
cab. rég. ST	4	M	5.7	27 500
cab. rég. ST TDiesel	4	M	5.9	33 300
cab. rég. SLT	4	M	5.7	29 300
cab. rég. SLT TDiesel	4	M	5.9	35 100
cab. rég. Laramie (cuir)	4	M	5.7	31 900
quad cab. ST TDiesel	4	M	5.9	36 200
quad cab. SLT TDiesel	4	M	5.9	38 000
quad cab. Laramie (cuir) TDiesel	4	M	5.9	40 400
mega cab. SLT TDiesel	4	M	5.9	38 700
mega cab. Laramie (cuir) TDiesel	4	M	5.9	42 700

2005 RAM 3500 40 000 km

Description	R.m.	Tr.	L	Prix
cab. rég. ST RD	2	M	5.7	17 600
cab. rég. SLT RD	2	M	5.7	19 600
cab. rég. Laramie (cuir) RD	2	M	5.7	23 400
quad cab. ST HO TD	2	M	5.9	26 900
quad cab. SLT HO TD	2	M	5.9	28 900
quad cab. Laramie (cuir) HO TD	2	M	5.9	33 300
cab. rég. ST RD	4	M	5.7	21 000
cab. rég. SLT RD	4	M	5.7	23 000
cab. rég. Laramie (cuir) RD	4	M	5.7	27 000
quad cab. ST HO TD	4	M	5.9	30 400
quad cab. SLT HO TD	4	M	5.9	32 400
quad cab. Laramie (cuir) HO TD	4	M	5.9	36 600

2004 RAM 3500 60 000 km

Description	R.m.	Tr.	L	Prix
cab. rég. ST RD	2	M	5.7	16 800
cab. rég. SLT RD	2	M	5.7	18 800
cab. rég. Laramie (cuir) RD	2	M	5.7	22 700
quad cab. ST HO TD	2	M	5.9	25 800
quad cab. SLT HO TD	2	M	5.9	27 800
quad cab. Laramie (cuir) HO TD	2	M	5.9	32 300
cab. rég. ST RD	4	M	5.7	20 300
cab. rég. SLT RD	4	M	5.7	22 300
cab. rég. Laramie (cuir) RD	4	M	5.7	26 300
quad cab. ST HO TD	4	M	5.9	29 300
quad cab. ST RD benne allongée	4	M	5.7	23 400
quad cab. SLT HO TD	4	M	5.9	31 400
quad cab. SLT RD benne allongée	4	M	5.7	25 400
quad cab. Laramie (cuir) HO TD	4	M	5.9	35 500
quad cab. Laramie (cuir) b. all.	4	M	5.7	30 000

2003 RAM 3500 80 000 km

Description	R.m.	Tr.	L	Prix
cab. rég. ST RD	2	M	5.7	13 000
cab. rég. SLT RD	2	M	5.7	14 800
cab. rég. Laramie (cuir) RD	2	M	5.7	18 400
quad cab. ST TD	2	M	5.9	19 400
quad cab. ST RD benne allongée	2	M	5.7	15 600
quad cab. SLT TD	2	M	5.9	21 200
quad cab. SLT RD benne allongée	2	M	5.7	17 400
quad cab. Laramie (cuir) TD	2	M	5.9	25 200
quad cab. Laramie (cuir) RD b. all.	2	M	5.7	21 300
cab. rég. ST RD	4	M	5.7	16 000
cab. rég. SLT RD	4	M	5.7	17 800
cab. rég. Laramie (cuir) RD	4	M	5.7	21 500
quad cab. ST TD	4	M	5.9	22 600
quad cab. ST RD benne allongée	4	M	5.7	18 800
quad cab. SLT TD	4	M	5.9	24 300
quad cab. SLT RD benne allongée	4	M	5.7	20 500
quad cab. Laramie (cuir) TD	4	M	5.9	28 100
quad cab. Laramie (cuir) b. all.	4	M	5.7	24 700

Abréviations : R.m. : roues motrices (2, 4, A) • Tr : Transmission (A, M) • L : capacité du moteur en litres

2002 RAM 3500 — 100 000 km

Description	R.m.	Tr.	L	Prix
cab. rég. ST	2	M	5.9	12 100
cab. rég. SLT	2	M	5.9	14 300
quad cab. ST	2	M	5.9	15 000
quad cab. SLT	2	M	5.9	17 200
cab. rég. ST	4	M	5.9	15 400
cab. rég. SLT	4	M	5.9	17 600
quad cab. ST	4	M	5.9	18 500
quad cab. SLT	4	M	5.9	20 700

2005 SX 2.0 — 40 000 km

Description	R.m.	Tr.	L	Prix
4p berline base	2	M	2.0	8100
4p berline Sport	2	M	2.0	10 500
4p berline SRT-4	2	M	2.4	17 900

2004 SX 2.0 — 60 000 km

Description	R.m.	Tr.	L	Prix
4p berline base	2	M	2.0	6000
4p berline Sport	2	M	2.0	8200
4p berline R/T	2	M	2.0	10 200
4p berline SRT-4	2	M	2.4	15 800

2003 SX 2.0 — 80 000 km

Description	R.m.	Tr.	L	Prix
4p berline base	2	M	2.0	5100
4p berline Sport	2	M	2.0	7400
4p berline R/T	2	M	2.0	9000

2006 VIPER — 5000 km

Description	R.m.	Tr.	L	Prix
2p décapotable SRT 10	2	M	8.3	106 700
2p coupé SRT 10	2	M	8.3	107 900

2005 VIPER — 10 000 km

Description	R.m.	Tr.	L	Prix
2p décapotable SRT 10	2	M	8.3	95 500

2004 VIPER — 15 000 km

Description	R.m.	Tr.	L	Prix
2p décapotable SRT 10	2	M	8.3	87 600

2003 VIPER — 20 000 km

Description	R.m.	Tr.	L	Prix
2p décapotable SRT 10	2	M	8.3	80 900

2002 VIPER — 25 000 km

Description	R.m.	Tr.	L	Prix
2p coupé GTS	2	M	8.0	75 000
2p coupé GTS ACR	2	M	8.0	77 600
2p décapotable R/T 10	2	M	8.0	71 600

FORD

2006 CROWN VICTORIA — 20 000 km

Description	R.m.	Tr.	L	Prix
4p berline base	2	A	4.6	26 000
4p berline LX	2	A	4.6	28 700

2005 CROWN VICTORIA — 40 000 km

Description	R.m.	Tr.	L	Prix
4p berline base	2	A	4.6	19 400
4p berline LX	2	A	4.6	21 800

2004 CROWN VICTORIA — 60 000 km

Description	R.m.	Tr.	L	Prix
4p berline base	2	A	4.6	14 900
4p berline LX	2	A	4.6	17 400

2003 CROWN VICTORIA — 80 000 km

Description	R.m.	Tr.	L	Prix
4p berline base	2	A	4.6	12 700
4p berline LX	2	A	4.6	14 800

2002 CROWN VICTORIA — 100 000 km

Description	R.m.	Tr.	L	Prix
4p berline base	2	A	4.6	10 900
4p berline LX	2	A	4.6	13 200

2006 ESCAPE — 20 000 km

Description	R.m.	Tr.	L	Prix
4p XLS	2	M	2.3	18 300
4p XLS	2	A	2.3	20 500
4p XLT	2	A	3.0	22 900
4p XLT Sport	2	A	3.0	23 900
4p Hybrid	2	A	2.3	27 100
4p XLS	A	A	2.3	22 900
4p XLT	A	A	3.0	25 300
4p XLT Sport	A	A	3.0	26 300
4p Limited (cuir)	A	A	3.0	29 600
4p Hybrid	A	A	2.3	29 500

2005 ESCAPE — 40 000 km

Description	R.m.	Tr.	L	Prix
4p XLS	2	M	2.3	16 100
4p XLS	2	A	2.3	18 500
4p XLT	2	A	3.0	20 400
4p XLT Sport	2	A	3.0	21 100
4p XLT No Boundaries Pkg.	2	A	3.0	20 900
4p Hybrid	2	A	2.3	23 800
4p XLS	A	A	2.3	20 400
4p XLT	A	A	3.0	22 700
4p XLT Sport	A	A	3.0	23 600
4p XLT No Boundaries Pkg.	A	A	3.0	23 800
4p Limited (cuir)	A	A	3.0	27 400
4p Hybrid	A	A	2.3	27 100

2004 ESCAPE — 60 000 km

Description	R.m.	Tr.	L	Prix
4p XLS	2	M	2.0	14 900
4p XLS Sport	2	M	2.0	15 700
4p XLS	2	A	3.0	16 300
4p XLS Sport	2	A	3.0	17 100
4p XLT	2	A	3.0	18 900
4p XLT Sport	2	A	3.0	19 200
4p XLT No Boundaries Pkg.	2	A	3.0	19 400
4p XLS	A	A	3.0	18 800
4p XLS Sport	A	A	3.0	19 600
4p XLT	A	A	3.0	20 000
4p XLT Sport	A	A	3.0	20 700
4p XLT No Boundaries Pkg.	A	A	3.0	20 900
4p Limited (cuir)	A	A	3.0	22 500

2003 ESCAPE — 80 000 km

Description	R.m.	Tr.	L	Prix
4p XLS	2	M	2.0	12 900
4p XLS Sport	2	M	2.0	14 700
4p XLS	2	A	3.0	15 800
4p XLS Sport	2	A	3.0	16 300
4p XLS	A	A	3.0	18 300
4p XLS Sport	A	A	3.0	18 800
4p XLT	A	A	3.0	18 700
4p XLT Sport	A	A	3.0	19 500
4p XLT (cuir)	A	A	3.0	19 100
4p Limited (cuir)	A	A	3.0	20 600

2002 ESCAPE — 100 000 km

Description	R.m.	Tr.	L	Prix
4p XLS	2	M	2.0	11 900
4p XLS	2	A	3.0	14 700
4p XLS	A	M	2.0	14 300
4p XLS	A	A	3.0	17 100
4p XLT	A	A	3.0	17 000

2005 EXCURSION — 40 000 km

Description	R.m.	Tr.	L	Prix
4p XLT (cuir)	2	A	6.8	31 900
4p XLT	4	A	5.4	34 500
4p XLT	4	A	6.8	35 500
4p XLT TD	4	A	6.0	40 300
4p Eddie Bauer (cuir)	4	A	6.8	39 300
4p Eddie Bauer TD (cuir)	4	A	6.0	44 100
4p Limited (cuir)	4	A	6.8	39 500
4p Limited TD (cuir)	4	A	6.0	45 100

2004 EXCURSION — 60 000 km

Description	R.m.	Tr.	L	Prix
4p XLT	2	A	5.4	26 000
4p XLT	2	A	6.8	27 900
4p XLT TD	2	A	6.0	32 100
4p XLT	4	A	5.4	28 800
4p XLT	4	A	6.8	29 800
4p XLT TD	4	A	6.0	32 700
4p Eddie Bauer (cuir)	4	A	6.8	33 000
4p Eddie Bauer TD (cuir)	4	A	6.0	36 400
4p Limited (cuir)	4	A	6.8	33 300
4p Limited TD (cuir)	4	A	6.0	36 000

2003 EXCURSION — 80 000 km

Description	R.m.	Tr.	L	Prix
4p XLT	2	A	5.4	23 500
4p XLT	2	A	6.8	25 200
4p XLT TD	2	A	6.0	30 800
4p XLT TD	2	A	7.3	29 100
4p XLT	4	A	5.4	26 200
4p XLT	4	A	6.8	27 100
4p XLT TD	4	A	6.0	31 300
4p XLT TD	4	A	7.3	30 300
4p Eddie Bauer (cuir)	4	A	6.8	28 800
4p Eddie Bauer TD (cuir)	4	A	6.0	32 200
4p Eddie Bauer TD (cuir)	4	A	7.3	31 900
4p Limited (cuir)	4	A	6.8	30 500
4p Limited TD (cuir)	4	A	6.0	32 500
4p Limited TD (cuir)	4	A	7.3	33 600

2002 EXCURSION — 100 000 km

Description	R.m.	Tr.	L	Prix
4p XLT	2	A	5.4	20 200
4p XLT	2	A	6.8	21 300
4p XLT TD	2	A	7.3	21 700
4p XLT	4	A	5.4	22 300
4p XLT	4	A	6.8	23 200
4p XLT TD	4	A	7.3	25 000
4p Limited (cuir)	4	A	6.8	24 700
4p Limited TD (cuir)	4	A	7.3	28 500

2006 EXPEDITION — 20 000 km

Description	R.m.	Tr.	L	Prix
4p XLT	A	A	5.4	37 200
4p XLT Sport	A	A	5.4	37 600
4p Eddie Bauer (cuir)	A	A	5.4	42 900
4p Limited (cuir)	A	A	5.4	45 500
4p King Ranch (cuir)	A	A	5.4	48 400

2005 EXPEDITION — 40 000 km

Description	R.m.	Tr.	L	Prix
4p XLT	A	A	5.4	30 000
4p XLT Sport	A	A	5.4	30 500
4p Eddie Bauer (cuir)	A	A	5.4	35 400
4p Limited (cuir)	A	A	5.4	37 200

2004 EXPEDITION — 60 000 km

Description	R.m.	Tr.	L	Prix
4p XLT	A	A	4.6	24 200
4p XLT Sport	A	A	4.6	25 400
4p XLT	A	A	5.4	25 900
4p XLT Sport	A	A	5.4	26 300
4p Eddie Bauer (cuir)	A	A	5.4	28 500

2003 EXPEDITION — 80 000 km

Description	R.m.	Tr.	L	Prix
4p XLT	A	A	4.6	22 100
4p Eddie Bauer (cuir)	A	A	5.4	26 000

2002 EXPEDITION — 100 000 km

Description	R.m.	Tr.	L	Prix
4p XLT	A	A	4.6	15 700
4p Eddie Bauer (cuir)	A	A	5.4	21 400

2006 EXPLORER — 20 000 km

Description	R.m.	Tr.	L	Prix
4p XLT	A	A	4.0	29 900
4p XLT	A	A	4.6	31 400
4p Eddie Bauer (cuir)	A	A	4.0	32 200
4p Eddie Bauer (cuir)	A	A	4.6	36 800
4p Limited (cuir)	A	A	4.6	37 600

2005 EXPLORER — 40 000 km

Description	R.m.	Tr.	L	Prix
4p Sport Trac gr. commodité	2	A	4.0	15 300
4p Sport Trac gr. confort	2	A	4.0	17 600
4p Sport Trac gr. Adrénalin	2	A	4.0	19 400
4p Sport Trac gr. commodité	4	A	4.0	18 800
4p Sport Trac gr. confort	4	A	4.0	21 100
4p Sport Trac gr. Adrénalin	4	A	4.0	23 000
4p XLS	A	A	4.0	23 200
4p XLT	A	A	4.0	23 600
4p XLT	A	A	4.6	24 500
4p Eddie Bauer (cuir)	A	A	4.0	27 200
4p Eddie Bauer (cuir)	A	A	4.6	28 100
4p Limited (cuir)	A	A	4.6	28 600

2004 EXPLORER — 60 000 km

Description	R.m.	Tr.	L	Prix
4p Sport Trac	2	A	4.0	13 400
4p Sport Trac (gr. confort)	2	A	4.0	15 400
4p Sport Trac	4	A	4.0	16 900
4p Sport Trac (gr. confort)	4	A	4.0	18 900
4p XLS	A	A	4.0	19 500
4p XLT	A	A	4.0	20 400
4p XLT	A	A	4.6	21 300
4p NBX	A	A	4.0	21 100
4p NBX	A	A	4.6	22 000
4p Eddie Bauer (cuir)	A	A	4.0	22 100
4p Eddie Bauer (cuir)	A	A	4.6	24 200
4p Limited (cuir)	A	A	4.6	24 900

2003 EXPLORER — 80 000 km

Description	R.m.	Tr.	L	Prix
4p Sport Trac	2	A	4.0	11 400
4p Sport Trac (gr. confort)	2	A	4.0	13 300
2p Sport (gr. confort)	4	A	4.0	15 000
4p Sport Trac	4	A	4.0	14 800
4p Sport Trac (gr. confort)	4	A	4.0	16 700
2p Sport	4	A	4.0	13 700
4p XLS	A	A	4.0	17 900
4p XLT	A	A	4.0	18 000
4p NBX	A	A	4.0	18 300
4p Eddie Bauer (cuir)	A	A	4.0	19 600
4p XLT	A	A	4.6	18 300
4p NBX	A	A	4.6	19 400
4p Eddie Bauer (cuir)	A	A	4.6	19 900
4p Limited (cuir)	A	A	4.6	20 200

2002 EXPLORER — 100 000 km

Description	R.m.	Tr.	L	Prix
4p Sport Trac	2	M	4.0	7300
4p Sport Trac (gr. commodité)	2	A	4.0	9100
4p Sport Trac (gr. confort)	2	A	4.0	10 800
4p Sport Trac	4	M	4.0	10 700
4p Sport Trac (gr. commodité)	4	A	4.0	12 500
4p Sport Trac (gr. confort)	4	A	4.0	14 200
2p Sport	4	M	4.0	9000
2p Sport (gr. commodité)	4	A	4.0	11 600
2p Sport (gr. confort)	4	A	4.0	12 600
4p XLS	A	A	4.0	15 200
4p XLT	A	A	4.0	15 900
4p Eddie Bauer	A	A	4.0	16 100
4p XLT	A	A	4.6	15 200
4p Eddie Bauer	A	A	4.6	17 200
4p Limited	A	A	4.6	17 700

2006 F-150 — 20 000 km

Description	R.m.	Tr.	L	Prix
cab. rég. XL Styleside	2	M	4.2	17 700
cab. rég. STX Styleside	2	M	4.2	18 500
cab. rég. XLT Styleside	2	M	4.2	19 900
cab. rég. STX Flareside	2	A	4.2	19 900
cab. rég. XLT Flareside	2	A	4.2	21 900
super cab. XL Styleside benne 6.5'	2	A	4.6	23 300
super cab. XL Styleside benne 8'	2	A	5.4	24 800
s cab. STX Styleside benne 5.5'	2	A	4.6	24 100
s cab. STX Styleside benne 6.5'	2	A	4.6	24 100
s cab. XLT Styleside benne 5.5'	2	A	4.6	25 900
s cab. XLT Styleside benne 6.5'	2	A	4.6	25 900
s cab. XLT Styleside benne 8'	2	A	5.4	27 500
s cab. Lariat Styleside benne 5.5'	2	A	5.4	30 800
s cab. Lariat Styleside benne 6.5'	2	A	5.4	30 800
s cab. Lariat Harley-Davidson 6.5'	2	A	5.4	34 800
s cab. STX Flareside benne 6.5'	2	A	4.6	24 800
s cab. XLT Flareside benne 6.5'	2	A	4.6	26 600
S Crew Cab XLT Style benne 5.5'	2	A	4.6	27 200
S Crew Cab Lariat Style ben 5.5'	2	A	5.4	32 500
S Crew C Lariat K Ranch ben 5.5'	2	A	5.4	35 800
S Crew Cab XLT Style ben 6.5'	2	A	4.6	27 200
S Crew Cab Lariat Style ben 6.5'	2	A	5.4	32 500
S Crew Cab Lariat K R ben 6.5'	2	A	5.4	35 500
cab. rég. XL Styleside	4	A	4.6	23 100
cab. rég. STX Styleside	4	A	4.6	23 900
cab. rég. FX4 Styleside	4	A	5.4	27 900
cab. rég. STX Flareside	4	A	4.6	24 600
cab. rég. XLT Flareside	4	A	4.6	25 900
cab. rég. FX4 Flareside	4	A	5.4	28 900
s cab. XL Styleside benne 6.5'	4	A	4.6	26 700
s cab. XL Styleside benne 8'	4	A	5.4	28 300
s cab. STX Styleside benne 5.5'	4	A	4.6	27 500
s cab. STX Styleside benne 6.5'	4	A	4.6	27 500
s cab. XLT Styleside benne 5.5'	4	A	4.6	29 400
s cab. XLT Styleside benne 5.5'	4	A	5.4	30 300
s cab. XLT Styleside benne 6.5'	4	A	4.6	29 200
s cab. XLT Styleside benne 8'	4	A	5.4	30 800
s cab. FX4 Styleside benne 5.5'	4	A	5.4	31 900
s cab. FX4 Styleside benne 6.5'	4	A	5.4	31 900
s cab. Lariat Styleside benne 5.5'	4	A	5.4	34 200
s cab. Lariat Styleside benne 6.5'	4	A	5.4	34 200
s cab. Lariat Harley-Davidson 6.5'	4	A	5.4	38 200
s cab. STX Flareside benne 6.5'	4	A	4.6	28 300
s cab. XLT Flareside benne 6.5'	4	A	4.6	29 900
s cab. FX4 Flareside benne 6.5'	4	A	5.4	33 000
s Crew Cab XLT Style ben 5.5'	4	A	4.6	30 600
s Crew Cab FX4 Style ben 5.5'	4	A	5.4	33 300
s Crew Cab Lariat Style ben 5.5'	4	A	5.4	36 000
s Crew Cab Lariat K R ben 5.5'	4	A	5.4	39 000
s Crew Cab XLT Style ben 6.5'	4	A	4.6	30 600
s Crew Cab FX4 Style ben 6.5'	4	A	5.4	33 300
S Crew Cab Lariat Style ben 6.5'	4	A	5.4	36 000
S Crew Cab Lariat K R ben 6.5'	4	A	5.4	39 000

2005 F-150 — 40 000 km

Description	R.m.	Tr.	L	Prix
cab. rég. XL Styleside	2	M	4.2	11 400
cab. rég. STX Styleside	2	M	4.2	12 200
cab. rég. XLT Styleside	2	M	4.2	13 700
cab. rég. STX Flareside	2	A	4.2	14 400
cab. rég. XLT Flareside	2	A	4.2	15 900
s cab. XL Styleside benne 6.5'	2	A	4.6	17 100
s cab. XL Styleside benne 8'	2	A	5.4	18 800
s cab. STX Styleside benne 5.5'	2	A	4.6	18 000
s cab. STX Styleside benne 6.5'	2	A	4.6	18 000
s cab. XLT Styleside benne 5.5'	2	A	4.6	19 700
s cab. XLT Styleside benne 6.5'	2	A	4.6	19 700
s cab. XLT Styleside benne 8'	2	A	5.4	21 500
s cab. Lariat Styleside benne 5.5'	2	A	5.4	25 000
s cab. Lariat Styleside benne 6.5'	2	A	5.4	25 000
s cab. STX Flareside benne 6.5'	2	A	4.6	18 800
s cab. XLT Flareside benne 6.5'	2	A	4.6	20 600
Super Crew Cab XLT Styleside	2	A	4.6	21 300
S Crew Cab Lariat Styleside	2	A	5.4	27 000
S Crew Cab Lariat K R Styleside	2	A	5.4	30 600
cab. rég. XL Styleside	4	A	4.6	17 100
cab. rég. STX Styleside	4	A	4.6	18 000
cab. rég. XLT Styleside	4	A	4.6	19 300
cab. rég. FX4 Styleside	4	A	5.4	22 200
cab. rég. STX Flareside	4	A	4.6	18 800
cab. rég. XLT Flareside	4	A	4.6	20 100
cab. rég. FX4 Flareside	4	A	5.4	23 300
s cab. XL Styleside benne 6.5'	4	A	4.6	20 900
s cab. XL Styleside benne 8'	4	A	5.4	22 500
s cab. STX Styleside benne 5.5'	4	A	4.6	21 700
s cab. STX Styleside benne 6.5'	4	A	4.6	21 700
s cab. XLT Styleside benne 5.5'	4	A	4.6	23 500
s cab. XLT Styleside benne 6.5'	4	A	4.6	23 300
s cab. XLT Styleside benne 8'	4	A	5.4	25 100
s cab. FX4 Styleside benne 5.5'	4	A	5.4	26 300
s cab. FX4 Styleside benne 6.5'	4	A	5.4	26 300
s cab. Lariat Styleside benne 5.5'	4	A	5.4	28 800
s cab. Lariat Styleside benne 6.5'	4	A	5.4	28 800
s cab. STX Flareside benne 6.5'	4	A	4.6	22 500
s cab. XLT Flareside benne 6.5'	4	A	4.6	24 100
s cab. FX4 Flareside benne 6.5'	4	A	5.4	27 400
Super Crew Cab XLT Styleside	4	A	4.6	24 900
Super Crew Cab FX4 Styleside	4	A	5.4	27 800
Super Crew Cab Lariat Styleside	4	A	5.4	30 700
S Crew Cab Lariat K R Styleside	4	A	5.4	32 700

2004 F-150 — 60 000 km

Description	R.m.	Tr.	L	Prix
cab. rég. XL Styleside	2	A	4.6	12 300
cab. rég. STX Styleside	2	A	4.6	13 400
cab. rég. XLT Styleside	2	A	4.6	14 600
cab. rég. STX Flareside	2	A	4.6	14 200
cab. rég. XLT Flareside	2	A	4.6	15 400
s cab. XL Styleside benne 6.5'	2	A	4.6	15 400
s cab. XL Styleside benne 8'	2	A	5.4	17 000
s cab. STX Styleside benne 5.5'	2	A	4.6	16 500
s cab. STX Styleside benne 6.5'	2	A	4.6	16 500
s cab. XLT Styleside benne 5.5'	2	A	4.6	18 100
s cab. XLT Styleside benne 6.5'	2	A	4.6	18 100
s cab. XLT Styleside benne 8'	2	A	5.4	19 900
s cab. Lariat Styleside benne 5.5'	2	A	5.4	23 200
s cab. Lariat Styleside benne 6.5'	2	A	5.4	23 200
s cab. Lariat Styleside benne 8'	2	A	5.4	24 100
s cab. STX Flareside benne 6.5'	2	A	4.6	17 300
s cab. XLT Flareside benne 6.5'	2	A	4.6	18 900
Super Crew Cab XLT Styleside	2	A	4.6	19 600
Super Crew Cab Lariat Styleside	2	A	5.4	25 200
cab. rég. XL Styleside	4	A	4.6	16 000
cab. rég. STX Styleside	4	A	4.6	17 100
cab. rég. XLT Styleside	4	A	4.6	18 300
cab. rég. FX4 Styleside	4	A	5.4	20 600
cab. rég. STX Flareside	4	A	4.6	17 900
cab. rég. XLT Flareside	4	A	4.6	19 100
cab. rég. FX4 Flareside	4	A	5.4	21 700

Abréviations : R.m. : roues motrices (2, 4, A) • Tr : Transmission (A, M) • L : capacité du moteur en litres

Description	R.m.	Tr.	L	Prix
s cab. XL Styleside benne 6.5'	4	A	4.6	19 100
s cab. XL Styleside benne 8'	4	A	5.4	20 700
s cab. STX Styleside benne 5.5'	4	A	4.6	20 200
s cab. STX Styleside benne 6.5'	4	A	4.6	20 200
s cab. XLT Styleside benne 5.5'	4	A	4.6	21 800
s cab. XLT Styleside benne 6.5'	4	A	4.6	21 800
s cab. XLT Styleside benne 8'	4	A	5.4	23 600
s cab. FX4 Styleside benne 5.5'	4	A	5.4	24 100
s cab. FX4 Styleside benne 6.5'	4	A	5.4	24 100
s cab. Lariat Styleside benne 5.5'	4	A	5.4	26 900
s cab. Lariat Styleside benne 6.5'	4	A	5.4	26 900
s cab. Lariat Styleside benne 8'	4	A	5.4	27 800
s cab. STX Flareside benne 6.5'	4	A	4.6	21 000
s cab. XLT Flareside benne 6.5'	4	A	4.6	22 600
s cab. FX4 Flareside benne 6.5'	4	A	5.4	25 200
Super Crew Cab XLT Styleside	4	A	4.6	23 300
Super Crew Cab FX4 Styleside	4	A	5.4	25 600
Super Crew Cab Lariat Styleside	4	A	5.4	28 900

2004 F-150 HERITAGE — 60 000 km

Description	R.m.	Tr.	L	Prix
cab. rég. XL	2	M	4.2	9800
cab. rég. XL benne allongée GPL	2	A	5.4	19 700
cab. rég. XLT	2	M	4.2	13 300
cab. rég. XL Flareside	2	M	4.2	10 600
cab. rég. XLT Flareside	2	M	4.2	14 200
cab. rég. SVT Lightning Flareside	2	A	5.4	27 700
super cab. XL	2	M	4.2	13 000
super cab. XLT	2	M	4.2	16 600
super cab. XL Flareside	2	M	4.2	15 100
super cab. XLT Flareside	2	M	4.2	18 600
cab. rég. XL	4	M	4.2	13 300
cab. rég. XLT	4	M	4.2	16 900
cab. rég. XL Flareside	4	M	4.2	14 100
cab. rég. XLT Flareside	4	M	4.2	17 700
super cab. XL	4	A	4.6	18 400
super cab. XLT	4	A	4.6	21 900
super cab. XL Flareside	4	A	4.6	19 200
super cab. XLT Flareside	4	A	4.6	22 700

2003 F-150 — 80 000 km

Description	R.m.	Tr.	L	Prix
cab. rég. XL	2	M	4.2	6700
cab. rég. XLT	2	M	4.2	9900
cab. rég. XL Flareside	2	M	4.2	7400
cab. rég. XLT Flareside	2	M	4.2	10 600
cab. rég. SVT Lightning Flareside	2	A	5.4	22 900
super cab. XL	2	M	4.2	9600
super cab. XLT	2	M	4.2	12 700
super cab. Lariat (cuir)	2	A	4.6	16 000
super cab. XL Flareside	2	M	4.2	10 300
super cab. XLT Flareside	2	M	4.2	13 500
super cab. Lariat Flareside (cuir)	2	A	4.6	16 800
Super Crew Cab XLT	2	A	4.6	16 300
Super Crew Cab Lariat (cuir)	2	A	4.6	18 200
Super Crew Cab K R édition	2	A	4.6	21 800
Super Crew Cab H Davidson SC	2	A	5.4	29 900
cab. rég. XL	4	M	4.2	9900
cab. rég. XLT	4	M	4.2	13 100
cab. rég. XL Flareside	4	M	4.2	10 500
cab. rég. XLT Flareside	4	M	4.2	13 800
super cab. XL	4	M	4.6	13 200
super cab. XLT	4	M	4.6	16 400
super cab. Lariat (cuir)	4	M	4.6	19 200
super cab. XL Flareside	4	M	4.6	14 000
super cab. XLT Flareside	4	M	4.6	17 200
super cab. Lariat Flareside (cuir)	4	A	4.6	20 000
Super Crew Cab XLT	4	A	4.6	19 500
Super Crew Cab Lariat (cuir)	4	A	4.6	21 400
Super Crew Cab FX4	4	A	4.6	22 500
Super Crew Cab K Ranch éd	4	A	4.6	24 300

2002 F-150 — 100 000 km

Description	R.m.	Tr.	L	Prix
cab. rég. XL	2	M	4.2	6400
cab. rég. XLT	2	M	4.2	10 000
cab. rég. XL Flareside	2	M	4.2	7200
cab. rég. XLT Flareside	2	M	4.2	10 800
cab. rég. SVT Lightning Flareside	2	A	5.4	24 600
super cab. XL	2	M	4.2	9700
super cab. XLT	2	M	4.2	12 700
super cab. Lariat (cuir)	2	A	4.6	16 700
super cab. XL Flareside	2	M	4.2	10 600
super cab. XLT Flareside	2	M	4.2	13 500
super cab. Lariat Flareside (cuir)	2	A	4.6	18 200
Super Crew Cab XLT	2	A	4.6	16 500
Super Crew Cab Lariat (cuir)	2	A	4.6	18 100
Super Crew Cab K Ranch édition	2	A	4.6	21 200
Super Crew Cab H Davidson SC	2	A	5.4	30 000
cab. rég. XL	4	M	4.2	9700
cab. rég. XLT	4	M	4.2	13 200
cab. rég. XL Flareside	4	M	4.2	10 500
cab. rég. XLT Flareside	4	M	4.2	14 000
super cab. XL	4	M	4.6	13 400
super cab. XLT	4	M	4.6	16 900
super cab. Lariat (cuir)	4	M	4.6	20 700
super cab. XL Flareside	4	M	4.6	14 200
super cab. XLT Flareside	4	M	4.6	17 600
super cab. Lariat Flareside (cuir)	4	A	4.6	21 500
Super Crew Cab XLT	4	A	4.6	19 500
Super Crew Cab Lariat (cuir)	4	A	4.6	22 200
Super Crew Cab FX4	4	A	4.6	22 900

Description	R.m.	Tr.	L	Prix
Super Crew Cab K Ranch édition	4	A	4.6	25 200

2006 F-250 — 20 000 km

Description	R.m.	Tr.	L	Prix
cab. rég. XL HD	2	M	5.4	20 700
cab. rég. XLT HD	2	M	5.4	24 300
super cab. XL HD	2	M	5.4	23 100
super cab. XLT HD	2	M	5.4	27 300
super cab. Lariat HD (cuir)	2	M	5.4	30 400
crew cab. XL HD	2	M	5.4	24 200
crew cab. XLT HD	2	M	5.4	28 500
crew cab. Lariat HD (cuir)	2	M	5.4	32 200
crew cab. XL HD benne all.	2	M	5.4	24 700
crew cab. XLT HD benne all.	2	M	5.4	28 900
crew cab. Lariat HD ben all. cuir	2	M	5.4	32 700
cab. rég. XL HD	4	M	5.4	23 400
cab. rég. XLT HD	4	M	5.4	27 300
super cab. XL HD	4	M	5.4	26 000
super cab. XLT HD	4	M	5.4	30 300
super cab. Lariat HD (cuir)	4	M	5.4	33 300
crew cab. XL HD	4	M	5.4	27 000
crew cab. XLT HD	4	M	5.4	31 400
crew cab. Lariat HD (cuir)	4	M	5.4	35 100

2005 F-250 — 40 000 km

Description	R.m.	Tr.	L	Prix
cab. rég. XL HD	2	M	5.4	14 300
cab. rég. XLT HD	2	M	5.4	18 500
super cab. XL HD	2	M	5.4	16 900
super cab. XLT HD	2	M	5.4	21 200
super cab. Lariat HD (cuir)	2	M	5.4	25 100
crew cab. XL HD	2	M	5.4	18 400
crew cab. XLT HD	2	M	5.4	23 000
crew cab. Lariat HD (cuir)	2	M	5.4	27 000
cab. rég. XL HD	4	M	5.4	17 400
cab. rég. XLT HD	4	M	5.4	21 600
super cab. XL HD	4	M	5.4	20 100
super cab. XLT HD	4	M	5.4	24 500
super cab. Lariat HD (cuir)	4	M	5.4	28 200
crew cab. XL HD	4	M	5.4	21 400
crew cab. XLT HD	4	M	5.4	26 100
crew cab. Lariat HD (cuir)	4	M	5.4	30 200

2004 F-250 — 60 000 km

Description	R.m.	Tr.	L	Prix
cab. rég. XL HD	2	M	5.4	12 100
cab. rég. XLT HD	2	M	5.4	16 000
super cab. XL HD	2	M	5.4	14 600
super cab. XLT HD	2	M	5.4	18 800
super cab. Lariat HD (cuir)	2	M	5.4	21 500
crew cab. XL HD	2	M	5.4	16 400
crew cab. XLT HD	2	M	5.4	20 800
crew cab. Lariat HD (cuir)	2	M	5.4	23 700
cab. rég. XL HD	4	M	5.4	15 200
cab. rég. XLT HD	4	M	5.4	19 200
super cab. XL HD	4	M	5.4	17 800
super cab. XLT HD	4	M	5.4	22 000
super cab. Lariat HD (cuir)	4	M	5.4	24 600
super cab. XLT HD benne all.	4	M	5.4	22 600
crew cab. XL HD	4	M	5.4	19 500
crew cab. XLT HD	4	M	5.4	24 000
crew cab. Lariat HD (cuir)	4	M	5.4	26 900

2003 F-250 — 80 000 km

Description	R.m.	Tr.	L	Prix
cab. rég. XL HD	2	M	5.4	10 000
cab. rég. XLT HD	2	M	5.4	13 700
super cab. XL HD	2	M	5.4	12 400
super cab. XLT HD	2	M	5.4	16 200
super cab. Lariat HD (cuir)	2	M	5.4	18 700
crew cab. XL HD	2	M	5.4	14 000
crew cab. XLT HD	2	M	5.4	17 800
crew cab. Lariat HD (cuir)	2	M	5.4	20 500
cab. rég. XL HD	4	M	5.4	12 900
cab. rég. XLT HD	4	M	5.4	16 600
super cab. XL HD	4	M	5.4	15 300
super cab. XLT HD	4	M	5.4	19 300
super cab. Lariat HD (cuir)	4	M	5.4	21 600
crew cab. XL HD	4	M	5.4	16 800
crew cab. XLT HD	4	M	5.4	20 700
crew cab. Lariat HD (cuir)	4	M	5.4	23 400

2002 F-250 — 100 000 km

Description	R.m.	Tr.	L	Prix
cab. rég. XL HD	2	M	5.4	8700
cab. rég. XLT HD	2	M	5.4	12 400
super cab. XL HD	2	M	5.4	11 200
super cab. XLT HD	2	A	5.4	16 300
super cab. Lariat HD (cuir)	2	M	5.4	17 500
crew cab. XL HD	2	M	5.4	12 900
crew cab. XLT HD	2	M	5.4	16 800
crew cab. Lariat HD (cuir)	2	M	5.4	19 500
cab. rég. XL HD	4	M	5.4	11 700
cab. rég. XLT HD	4	M	5.4	15 500
super cab. XL HD	4	M	5.4	14 300
super cab. XLT HD	4	M	5.4	18 200
super cab. Lariat HD (cuir)	4	M	5.4	20 700
crew cab. XL HD	4	M	5.4	16 000
crew cab. XLT HD	4	M	5.4	19 900
crew cab. Lariat HD (cuir)	4	M	5.4	22 600

2006 F-350 — 20 000 km

Description	R.m.	Tr.	L	Prix
cab. rég. XL HD	2	M	5.4	21 500
cab. rég. XL RD HD	2	M	5.4	22 800
cab. rég. XLT HD	2	M	5.4	25 400
cab. rég. XLT RD HD	2	M	5.4	26 100
super cab. XL HD	2	M	5.4	23 700
super cab. XL RD HD benne all.	2	M	5.4	25 500
super cab. XLT HD	2	M	5.4	27 800
super cab. XLT RD HD benne all.	2	M	5.4	29 000
super cab. Lariat HD (cuir)	2	M	5.4	31 600
s cab. Lariat RD HD ben all. cuir	2	M	5.4	32 600
crew cab. XL HD	2	M	5.4	25 100
crew cab. XL RD HD D	2	M	6.0	31 800
crew cab. XLT HD	2	M	5.4	29 100
crew cab. XLT RD HD D	2	M	6.0	35 600
crew cab. Lariat HD (cuir)	2	M	5.4	33 200
crew cab. Lariat RD HD (cuir) D	2	M	6.0	39 400
cab. rég. XL HD	4	M	5.4	24 600
cab. rég. XL RD HD	4	M	5.4	25 900
cab. rég. XLT HD	4	M	5.4	28 500
cab. rég. XLT RD HD	4	M	5.4	29 200
super cab. XL HD	4	M	5.4	26 700
super cab. XL RD HD benne all.	4	M	5.4	28 500
super cab. XLT HD	4	M	5.4	30 800
super cab. XLT RD HD benne all.	4	M	5.4	32 200
super cab. Lariat HD (cuir)	4	M	5.4	34 600
s cab. Lariat HD benne all. cuir D	4	A	6.0	42 700
s cab. Lariat RD HD ben all. cuir	4	M	5.4	35 600
crew cab. XL HD	4	M	5.4	28 200
crew cab. XL RD HD D	4	M	6.0	34 900
crew cab. XLT HD	4	M	5.4	32 300
crew cab. XLT RD HD D	4	M	6.0	38 800
crew cab. Lariat HD (cuir)	4	M	5.4	36 200
crew cab. Lariat RD HD (cuir) D	4	M	6.0	42 500

2005 F-350 — 40 000 km

Description	R.m.	Tr.	L	Prix
cab. rég. XL HD	2	M	5.4	15 100
cab. rég. XL RD HD	2	M	5.4	16 600
cab. rég. XLT HD	2	M	5.4	19 300
cab. rég. XLT RD HD	2	M	5.4	20 300
super cab. XL HD	2	M	5.4	17 700
super cab. XL RD HD benne all.	2	M	5.4	19 700
super cab. XLT HD	2	M	5.4	22 100
super cab. XLT RD HD benne all.	2	M	5.4	23 600
super cab. Lariat HD (cuir)	2	M	5.4	26 300
s cab. Lariat RD HD ben all. cuir	2	M	5.4	27 400
crew cab. XL HD	2	M	5.4	18 700
crew cab. XL RD HD D	2	M	6.0	26 500
crew cab. XLT HD	2	M	5.4	23 400
crew cab. XLT RD HD D	2	M	6.0	30 700
crew cab. Lariat HD (cuir)	2	M	5.4	27 900
crew cab. Lariat RD HD (cuir) D	2	M	6.0	34 800
cab. rég. XL HD	4	M	5.4	18 500
cab. rég. XL RD HD	4	M	5.4	19 900
cab. rég. XLT HD	4	M	5.4	22 800
cab. rég. XLT RD HD	4	M	5.4	23 700
super cab. XL HD	4	M	5.4	21 000
super cab. XL RD HD benne all.	4	M	5.4	23 000
super cab. XLT HD	4	M	5.4	25 500
super cab. XLT RD HD benne all.	4	M	5.4	27 000
super cab. Lariat HD (cuir)	4	M	5.4	29 600
s cab. Lariat RD HD ben all. cuir	4	M	5.4	30 800
crew cab. XL HD	4	M	5.4	22 100
crew cab. XL RD HD D	4	M	6.0	29 800
crew cab. XLT HD	4	M	5.4	26 800
crew cab. XLT RD HD D	4	M	6.0	34 100
crew cab. Lariat HD (cuir)	4	M	5.4	31 200
crew cab. Lariat RD HD (cuir) D	4	M	6.0	38 100

2004 F-350 — 60 000 km

Description	R.m.	Tr.	L	Prix
cab. rég. XL HD	2	M	5.4	13 000
cab. rég. XL RD HD	2	M	5.4	14 100
cab. rég. XLT HD	2	M	5.4	17 000
cab. rég. XLT RD HD	2	M	5.4	17 800
super cab. XL HD	2	M	5.4	15 500
super cab. XL RD HD benne all.	2	M	5.4	17 200
super cab. XLT HD	2	M	5.4	19 700
super cab. XLT RD HD benne all.	2	M	5.4	21 100
super cab. Lariat HD (cuir)	2	M	5.4	22 400
s cab. Lariat RD HD ben all. cuir	2	M	5.4	23 800
crew cab. XL HD	2	M	5.4	16 900
crew cab. XL RD HD D	2	M	6.0	24 000
crew cab. XLT HD	2	M	5.4	21 300
crew cab. XLT RD HD D	2	M	6.0	28 200
crew cab. Lariat HD (cuir)	2	M	5.4	24 200
crew cab. Lariat RD HD (cuir) D	2	M	6.0	31 100
cab. rég. XL HD	4	M	5.4	16 300
cab. rég. XL RD HD	4	M	5.4	17 400
cab. rég. XLT HD	4	M	5.4	20 400
cab. rég. XLT RD HD	4	M	5.4	21 300
super cab. XL HD	4	M	5.4	18 900
super cab. XL RD HD benne all.	4	M	5.4	20 500
super cab. XLT HD	4	M	5.4	23 100
super cab. XLT RD HD benne all.	4	M	5.4	24 600
super cab. Lariat HD (cuir)	4	M	5.4	25 700
s cab. Lariat RD HD ben all. cuir	4	M	5.4	27 100
crew cab. XL HD	4	M	5.4	20 200
crew cab. XL RD HD D	4	M	6.0	27 300
crew cab. XLT HD	4	M	5.4	24 700
crew cab. XLT RD HD D	4	M	6.0	31 600
crew cab. Lariat HD (cuir)	4	M	5.4	27 600
crew cab. Lariat RD HD (cuir) D	4	M	6.0	34 400

2003 F-350 — 80 000 km

Description	R.m.	Tr.	L	Prix
cab. rég. XL HD	2	M	5.4	10 700
cab. rég. XL RD HD	2	M	5.4	11 800
cab. rég. XLT HD	2	M	5.4	14 500
cab. rég. XLT RD HD	2	M	5.4	15 200
super cab. XL HD	2	M	5.4	13 100
super cab. XL RD HD benne all.	2	M	5.4	14 700
super cab. XLT HD	2	M	5.4	17 000
super cab. XLT RD HD benne all.	2	M	5.4	18 300
super cab. Lariat HD (cuir)	2	M	5.4	19 500
s cab. Lariat RD HD ben all. cuir	2	M	5.4	20 700
crew cab. XL HD	2	M	5.4	14 400
crew cab. XL RD HD	2	M	6.8	16 000
crew cab. XLT HD	2	M	5.4	18 200
crew cab. XLT RD HD D	2	M	6.0	24 500
crew cab. Lariat HD (cuir)	2	M	5.4	20 800
crew cab. Lariat RD HD (cuir)	2	M	6.8	22 300
cab. rég. XL HD	4	M	5.4	13 900
cab. rég. XL RD HD	4	M	5.4	14 800
cab. rég. XLT HD	4	M	5.4	17 600
cab. rég. XLT RD HD	4	M	5.4	18 400
super cab. XL HD	4	M	5.4	16 100
super cab. XL RD HD benne all.	4	M	5.4	17 700
super cab. XLT HD	4	M	5.4	20 100
super cab. XLT RD HD benne all.	4	M	5.4	21 400
super cab. Lariat HD (cuir)	4	M	5.4	22 500
s cab. Lariat RD HD ben all. cuir	4	M	5.4	23 800
crew cab. XL HD	4	M	5.4	17 400
crew cab. XL RD HD	4	M	6.8	19 100
crew cab. XLT HD	4	M	5.4	21 300
crew cab. XLT RD HD D	4	M	6.0	27 600
crew cab. Lariat HD (cuir)	4	M	5.4	23 900
crew cab. Lariat RD HD (cuir)	4	M	6.8	25 300

2002 F-350 — 100 000 km

Description	R.m.	Tr.	L	Prix
cab. rég. XL HD	2	M	5.4	9100
cab. rég. XL RD HD	2	M	5.4	10 300
cab. rég. XLT HD	2	M	5.4	12 800
cab. rég. XLT RD HD	2	M	5.4	13 700
super cab. XL HD	2	M	5.4	11 700
super cab. XL RD HD benne all.	2	M	5.4	13 300
super cab. XLT HD	2	M	5.4	15 600
super cab. XLT RD HD benne all	2	M	5.4	17 000
super cab. Lariat HD (cuir)	2	M	5.4	18 000
s cab. Lariat RD HD ben all. cuir	2	M	5.4	19 400
crew cab. XL HD	2	M	5.4	12 900
crew cab. XL RD HD	2	M	6.8	14 800
crew cab. XLT HD	2	M	5.4	16 900
crew cab. XLT RD HD	2	M	6.8	18 400
crew cab. Lariat HD (cuir)	2	M	5.4	19 600
crew cab. Lariat RD HD (cuir)	2	M	6.8	21 100
cab. rég. XL HD	4	M	5.4	12 500
cab. rég. XL RD HD	4	M	5.4	13 500
cab. rég. XLT HD	4	M	5.4	16 300
cab. rég. XLT RD HD	4	M	5.4	17 100
super cab. XL HD	4	M	5.4	14 900
super cab. XL RD HD benne all.	4	M	5.4	16 600
super cab. XLT HD	4	M	5.4	18 900
super cab. XLT RD HD benne all.	4	M	5.4	20 300
super cab. Lariat HD (cuir)	4	M	5.4	21 300
s cab. Lariat RD HD ben all. cuir	4	M	5.4	22 600
crew cab. XL HD	4	M	5.4	16 300
crew cab. XL RD HD	4	M	6.8	18 000
crew cab. XLT HD	4	M	5.4	20 200
crew cab. XLT RD HD	4	M	6.8	21 800
crew cab. Lariat HD (cuir)	4	M	5.4	22 800
crew cab. Lariat RD HD (cuir)	4	M	6.8	24 400

2006 FIVE HUNDRED — 20 000 km

Description	R.m.	Tr.	L	Prix
4p berline SE	2	A	3.0	21 900
4p berline SEL	2	A	3.0	24 000
4p berline Limited (cuir)	2	A	3.0	26 700
4p berline SE	A	A	3.0	24 200
4p berline SEL	A	A	3.0	26 300
4p berline Limited (cuir)	A	A	3.0	27 900

2005 FIVE HUNDRED — 40 000 km

Description	R.m.	Tr.	L	Prix
4p berline SE	2	A	3.0	17 800
4p berline SEL	2	A	3.0	20 000
4p berline Limited (cuir)	2	A	3.0	22 500
4p berline SE	A	A	3.0	20 300
4p berline SEL	A	A	3.0	22 300
4p berline Limited (cuir)	A	A	3.0	24 800

2006 FOCUS — 20 000 km

Description	R.m.	Tr.	L	Prix
2p hayon ZX3 S	2	M	2.0	12 800
2p hayon ZX3 SE	2	M	2.0	14 300
2p hayon ZX3 SE GFX	2	M	2.0	15 500
4p hayon ZX5 SES	2	M	2.0	16 400
4p berline ZX4 S	2	M	2.0	12 200
4p berline ZX4 SE	2	M	2.0	13 700
4p berline ZX4 SE GFX	2	M	2.0	14 800
4p berline ZX4 SES	2	M	2.0	16 400
4p berline ZX4 ST	2	M	2.3	17 400
4p familiale ZXW SE	2	M	2.0	14 500
4p familiale ZXW SE Sport	2	M	2.0	15 100
4p familiale ZXW SES	2	M	2.0	17 100

Abréviations : R.m. : roues motrices (2, 4, A) • Tr : Transmission (A, M) • L : capacité du moteur en litres

Description	R.m.	Tr.	L	Prix

2005 FOCUS 40 000 km

Description	R.m.	Tr.	L	Prix
2p hayon ZX3 S	2	M	2.0	9400
2p hayon ZX3 SE	2	M	2.0	10 900
2p hayon ZX3 SE Sport	2	M	2.0	11 600
4p hayon ZX5 SES	2	M	2.0	12 800
4p berline ZX4 S	2	M	2.0	8700
4p berline ZX4 SE	2	M	2.0	10 200
4p berline ZX4 SE Sport	2	M	2.0	11 100
4p berline ZX4 SES	2	M	2.0	13 000
4p berline ZX4 ST	2	M	2.3	13 900
4p familiale ZXW SE	2	M	2.0	11 200
4p familiale ZXW SE Sport	2	M	2.0	11 800
4p familiale ZXW SES	2	M	2.0	13 600

2004 FOCUS 60 000 km

Description	R.m.	Tr.	L	Prix
2p hayon ZX3	2	M	2.0	8300
2p hayon ZX3 (air)	2	M	2.0	9200
2p hayon SVT	2	M	2.0	13 600
4p hayon ZX5	2	M	2.0	11 700
4p hayon SVT	2	M	2.0	14 700
4p berline LX	2	M	2.0	7100
4p berline SE	2	M	2.0	8800
4p berline SE DOHC	2	M	2.0	11 100
4p berline ZTS	2	M	2.0	11 700
4p familiale SE	2	M	2.0	9700
4p familiale SE DOHC	2	M	2.0	11 000
4p familiale ZTW	2	M	2.0	11 300

2003 FOCUS 80 000 km

Description	R.m.	Tr.	L	Prix
2p hayon ZX3	2	M	2.0	7500
2p hayon SVT	2	M	2.0	13 100
4p hayon ZX5	2	M	2.0	10 700
4p hayon SVT	2	M	2.0	13 700
4p berline LX	2	M	2.0	6300
4p berline SE	2	M	2.0	8000
4p berline SE DOHC	2	M	2.0	10 200
4p berline ZTS	2	M	2.0	10 700
4p familiale SE	2	M	2.0	8900
4p familiale SE DOHC	2	M	2.0	11 000
4p familiale ZTW	2	M	2.0	10 700

2002 FOCUS 100 000 km

Description	R.m.	Tr.	L	Prix
2p hayon ZX3	2	M	2.0	6100
2p hayon SVT	2	M	2.0	10 900
4p hayon ZX5	2	M	2.0	9200
4p berline LX	2	M	2.0	4900
4p berline SE	2	M	2.0	6600
4p berline SE DOHC	2	M	2.0	7900
4p berline ZTS	2	M	2.0	9200
4p familiale SE	2	M	2.0	7500
4p familiale SE DOHC	2	M	2.0	8600
4p familiale ZTW	2	M	2.0	9300

2006 FREESTAR 20 000 km

Description	R.m.	Tr.	L	Prix
4p S	2	A	4.2	20 800
4p SE	2	A	4.2	21 900
4p Sport	2	A	4.2	25 800
4p SEL	2	A	4.2	27 300
4p Limited (cuir)	2	A	4.2	31 100

2005 FREESTAR 40 000 km

Description	R.m.	Tr.	L	Prix
4p S	2	A	4.2	16 500
4p SE	2	A	4.2	18 000
4p Sport	2	A	4.2	19 800
4p SEL	2	A	4.2	20 200
4p Limited (cuir)	2	A	4.2	20 900

2004 FREESTAR 60 000 km

Description	R.m.	Tr.	L	Prix
4p base	2	A	4.2	14 200
4p SE	2	A	4.2	16 000
4p Sport	2	A	4.2	17 500
4p SEL	2	A	4.2	19 200
4p Limited (cuir)	2	A	4.2	20 200

2006 FREESTYLE 20 000 km

Description	R.m.	Tr.	L	Prix
4p familiale SE	2	A	3.0	25 100
4p familiale SEL	2	A	3.0	26 400
4p familiale SE	A	A	3.0	27 400
4p familiale SEL	A	A	3.0	28 700
4p familiale Limited (cuir)	A	A	3.0	32 500

2005 FREESTYLE 40 000 km

Description	R.m.	Tr.	L	Prix
4p familiale SE	2	A	3.0	20 700
4p familiale SEL	2	A	3.0	22 100
4p familiale Limited (cuir)	2	A	3.0	24 200
4p familiale SE	A	A	3.0	22 700
4p familiale SEL	A	A	3.0	23 700
4p familiale Limited (cuir)	A	A	3.0	25 400

2006 FUSION 20 000 km

Description	R.m.	Tr.	L	Prix
4p berline SE	2	M	2.3	20 000
4p berline SE V6	2	A	3.0	22 600
4p berline SEL	2	M	2.3	22 000
4p berline SEL V6	2	A	3.0	24 600

2006 MUSTANG 20 000 km

Description	R.m.	Tr.	L	Prix
2p coupé V6	2	M	4.0	17 400
2p coupé GT	2	M	4.6	24 900
2p décapotable V6	2	M	4.0	20 700
2p décapotable GT	2	M	4.6	28 300

2005 MUSTANG 40 000 km

Description	R.m.	Tr.	L	Prix
2p coupé V6	2	M	4.0	12 900
2p coupé GT	2	M	4.6	18 000
2p décapotable V6	2	M	4.0	17 000
2p décapotable GT	2	M	4.6	22 100

2004 MUSTANG 60 000 km

Description	R.m.	Tr.	L	Prix
2p coupé base	2	M	3.8	10 900
2p coupé GT	2	M	4.6	18 500
2p coupé Mach 1	2	M	4.6	22 300
2p coupé SVT Cobra	2	M	4.6	26 500
2p décapotable base	2	M	3.8	15 100
2p décapotable GT	2	M	4.6	20 300
2p décapotable SVT Cobra	2	M	4.6	27 300

2003 MUSTANG 80 000 km

Description	R.m.	Tr.	L	Prix
2p coupé base	2	M	3.8	9700
2p coupé GT	2	M	4.6	17 100
2p coupé Mach 1	2	M	4.6	20 100
2p coupé SVT Cobra	2	M	4.6	22 400
2p coupé SVT 10e anniv (cuir)	2	A	4.6	24 400
2p décapotable base	2	M	3.8	14 100
2p décapotable GT	2	M	4.6	20 100
2p décapotable SVT Cobra	2	M	4.6	24 300

2002 MUSTANG 100 000 km

Description	R.m.	Tr.	L	Prix
2p coupé base	2	M	3.8	10 200
2p coupé GT	2	M	4.6	15 800
2p décapotable base	2	M	3.8	14 500
2p décapotable GT	2	M	4.6	17 800

2006 RANGER 20 000 km

Description	R.m.	Tr.	L	Prix
cab. rég. XL	2	M	2.3	11 900
cab. rég. XL	2	M	3.0	12 700
cab. rég. SXT	2	M	3.0	14 300
cab. rég. XL benne allongée	2	M	3.0	13 400
cab. rég. XL benne allongée	2	A	4.0	15 200
cab. rég. Sport	2	M	3.0	14 100
cab. rég. XLT	2	M	3.0	15 000
cab. rég. XLT benne allongée	2	M	3.0	15 400
cab. rég. XLT benne allongée	2	A	4.0	17 200
super cab. XL	2	M	3.0	14 500
super cab. XL	2	A	4.0	16 300
super cab. Sport	2	M	3.0	15 300
super cab. Sport	2	M	4.0	16 000
super cab. SXT	2	M	3.0	15 700
super cab. SXT	2	M	4.0	16 300
super cab. XLT	2	M	3.0	16 400
super cab. XLT	2	M	4.0	17 000
cab. rég. XLT	4	M	4.0	18 700
cab. rég. XLT benne allongée	4	M	4.0	19 000
super cab. XL	4	M	4.0	18 400
super cab. Sport	4	M	4.0	20 200
super cab. XLT	4	M	4.0	20 300
super cab. FX4/Off-Road	4	M	4.0	20 700
super cab. FX4 Level II	4	M	4.0	22 300

2005 RANGER 40 000 km

Description	R.m.	Tr.	L	Prix
cab. rég. XL	2	M	2.3	8100
cab. rég. XL	2	M	3.0	9000
cab. rég. SXT	2	M	3.0	10 800
cab. rég. XL benne allongée	2	M	3.0	9800
cab. rég. XL benne allongée	2	A	4.0	11 700
cab. rég. Edge	2	M	3.0	10 500
cab. rég. XLT	2	M	3.0	11 500
cab. rég. XLT benne allongée	2	M	3.0	11 900
cab. rég. XLT benne allongée	2	A	4.0	13 800
super cab. XL	2	M	3.0	10 900
super cab. XL	2	A	4.0	12 900
super cab. Edge	2	M	3.0	12 000
super cab. Edge	2	M	4.0	12 700
super cab. SXT	2	M	3.0	12 500
super cab. SXT	2	M	4.0	13 100
super cab. XLT	2	M	3.0	13 000
super cab. XLT	2	M	4.0	13 700
cab. rég. XLT	4	M	4.0	15 500
cab. rég. XLT benne allongée	4	M	4.0	15 800
super cab. XL	4	M	4.0	15 100
super cab. Edge	4	M	4.0	17 100
super cab. XLT	4	M	4.0	17 200
super cab. FX4/Off-Road	4	M	4.0	17 700
super cab. FX4 Level II	4	M	4.0	19 400

2004 RANGER 60 000 km

Description	R.m.	Tr.	L	Prix
cab. rég. XL	2	M	2.3	6700
cab. rég. XL	2	M	3.0	7600
cab. rég. XL benne all	2	M	3.0	8300
cab. rég. Edge	2	M	3.0	9000
cab. rég. XLT	2	M	3.0	10 000
cab. rég. XLT benne all	2	M	3.0	10 400
cab. rég. XLT benne all	2	A	4.0	13 600
super cab. XL	2	M	3.0	9600
super cab. Edge	2	M	3.0	10 700
super cab. Edge Plus	2	M	4.0	13 400
super cab. XLT	2	M	3.0	11 700
super cab. XLT Premium	2	A	4.0	15 300
super cab. Tremor	2	A	3.0	14 400
cab. rég. XLT	4	M	4.0	14 100
cab. rég. XLT Off-Road	4	A	4.0	16 200
cab. rég. XLT benne all	4	M	4.0	14 400
super cab. Edge	4	M	4.0	15 700
super cab. XLT	4	M	4.0	15 800
super cab. XLT Plus	4	A	4.0	18 200
s cab. XLT FX4/Off-Road	4	M	4.0	16 100
super cab. XLT Premium	4	A	4.0	18 500
super cab. XLT FX4	4	M	4.0	18 000
super cab. Tremor	4	A	4.0	18 600

2003 RANGER 80 000 km

Description	R.m.	Tr.	L	Prix
cab. rég. XL	2	M	2.3	5500
cab. rég. XL	2	M	3.0	6400
cab. rég. Edge	2	M	3.0	7900
cab. rég. XLT	2	M	3.0	8900
super cab. XL	2	M	3.0	8400
super cab. Edge	2	M	3.0	9500
super cab. XLT	2	M	3.0	10 500
cab. rég. XLT	4	M	4.0	12 900
super cab. Edge	4	M	4.0	14 600
super cab. XLT	4	M	4.0	14 600

2002 RANGER 100 000 km

Description	R.m.	Tr.	L	Prix
cab. rég. XL	2	M	2.3	4300
cab. rég. XL	2	M	3.0	5200
cab. rég. Edge	2	M	3.0	6600
cab. rég. XLT	2	M	3.0	7600
super cab. XL	2	M	3.0	7300
super cab. Edge	2	M	3.0	8400
super cab. XLT	2	M	3.0	9400
cab. rég. XLT	4	M	4.0	10 700
super cab. Edge	4	M	4.0	12 500
super cab. XLT	4	M	4.0	12 500

2006 TAURUS 20 000 km

Description	R.m.	Tr.	L	Prix
4p berline SE	2	A	3.0	17 400
4p berline SE Premium	2	A	3.0	18 900
4p berline SEL	2	A	3.0	20 400
4p berline SEL Premium (cuir)	2	A	3.0	22 700

2005 TAURUS 40 000 km

Description	R.m.	Tr.	L	Prix
4p berline SE	2	A	3.0	12 500
4p berline SE Premium	2	A	3.0	14 200
4p berline SE FFV	2	A	3.0	14 100
4p berline SEL	2	A	3.0	15 800
4p berline SEL Premium (cuir)	2	A	3.0	17 700
4p berline SEL DOHC	2	A	3.0	16 800
4p berline SEL DOHC Prem cuir	2	A	3.0	18 600
4p familiale SE	2	A	3.0	13 800
4p familiale SE Premium	2	A	3.0	15 400
4p familiale SE FFV	2	A	3.0	15 400
4p familiale SEL	2	A	3.0	16 800
4p familiale SEL Premium (cuir)	2	A	3.0	18 200
4p familiale SEL DOHC	2	A	3.0	17 500
4p fam SEL DOHC Premium cuir	2	A	3.0	19 400

2004 TAURUS 60 000 km

Description	R.m.	Tr.	L	Prix
4p berline LX	2	A	3.0	10 500
4p berline SE	2	A	3.0	12 100
4p berline SE DOHC	2	A	3.0	13 500
4p berline SEL	2	A	3.0	13 700
4p berline SEL DOHC	2	A	3.0	14 700
4p familiale SE	2	A	3.0	13 600
4p familiale SE DOHC	2	A	3.0	15 100
4p familiale SEL	2	A	3.0	14 700
4p familiale SEL Luxury	2	A	3.0	15 700
4p familiale SEL DOHC	2	A	3.0	16 600

2003 TAURUS 80 000 km

Description	R.m.	Tr.	L	Prix
4p berline LX	2	A	3.0	8100
4p berline LX FFV	2	A	3.0	9600
4p berline SE	2	A	3.0	9600
4p berline SE DOHC	2	A	3.0	10 700
4p berline SEL	2	A	3.0	10 800
4p berline SEL DOHC	2	A	3.0	12 200
4p familiale SE	2	A	3.0	10 400
4p familiale SE DOHC	2	A	3.0	11 800
4p familiale SEL	2	A	3.0	11 800
4p familiale SEL DOHC	2	A	3.0	13 400

2002 TAURUS 100 000 km

Description	R.m.	Tr.	L	Prix
4p berline LX	2	A	3.0	6100
4p berline LX FFV	2	A	3.0	7600
4p berline SE	2	A	3.0	7500
4p berline SE DOHC	2	A	3.0	9000
4p berline SEL	2	A	3.0	8700
4p berline SEL DOHC	2	A	3.0	10 200
4p familiale SE	2	A	3.0	8500
4p familiale SE DOHC	2	A	3.0	10 000
4p familiale SEL	2	A	3.0	9800
4p familiale SEL DOHC	2	A	3.0	10 500

2005 THUNDERBIRD 40 000 km

Description	R.m.	Tr.	L	Prix
2p décapotable base (toit dur)	2	A	3.9	35 900

2004 THUNDERBIRD 60 000 km

Description	R.m.	Tr.	L	Prix
2p décapotable base	2	A	3.9	31 200
2p décapotable base (toit dur)	2	A	3.9	33 300

2003 THUNDERBIRD 80 000 km

Description	R.m.	Tr.	L	Prix
2p décapotable base	2	A	3.9	24 200
2p décapotable base (toit dur)	2	A	3.9	26 000

2002 THUNDERBIRD 100 000 km

Description	R.m.	Tr.	L	Prix
2p décapotable base	2	A	3.9	21 000
2p décapotable base (toit dur)	2	A	3.9	23 300

2003 WINDSTAR 80 000 km

Description	R.m.	Tr.	L	Prix
4p LX plus	2	A	3.8	9000
4p LX	2	A	3.8	10 700
4p Sport	2	A	3.8	11 700
4p SEL	2	A	3.8	11 900
4p Limited (cuir)	2	A	3.8	12 300

2002 WINDSTAR 100 000 km

Description	R.m.	Tr.	L	Prix
4p LX	2	A	3.8	7200
4p Sport	2	A	3.8	10 300
4p SEL	2	A	3.8	10 500
4p Limited (cuir)	2	A	3.8	11 100

GMC

2006 1500 SIERRA 20 000 km

Description	R.m.	Tr.	L	Prix
cab. rég. Ens. Valeur	2	M	4.3	15 400
cab. rég. SL	2	M	4.3	17 900
cab. rég. SLE	2	A	4.8	23 500
cab. all. SL	2	A	4.3	22 900
cab. all. SLE	2	A	4.8	26 400
cab. all. SLE Hybrid	2	A	5.3	27 600
cab. all. SLT (cuir)	2	A	5.3	32 300
crew cab Wrangler	2	A	4.8	25 000
crew cab SLT (cuir)	2	A	5.3	34 000
crew cab SLT (cuir) HD	2	A	6.0	35 400
cab. rég. Ens. Valeur	2	M	4.3	16 400
cab. rég. SL	4	M	4.3	20 900
cab. rég. SLE	4	A	4.8	26 800
cab. all. SL	4	A	4.8	26 600
cab. all. SLE	4	A	4.8	29 700
cab. all. SLE Hybrid	4	A	5.3	31 100
cab. all. SLT (cuir)	A	A	5.3	36 000
crew cab Wrangler	A	A	4.8	27 800
crew cab SLE	A	A	5.3	32 800
crew cab SLE HD	A	A	6.0	33 700
crew cab SLT (cuir)	A	A	5.3	37 900
crew cab SLT (cuir) HD	A	A	6.0	38 900
crew cab Denali (cuir)	A	A	6.0	44 300

2005 1500 SIERRA 40 000 km

Description	R.m.	Tr.	L	Prix
cab. rég. SL	2	M	4.3	10 900
cab. rég. SLE	2	A	4.8	16 800
cab. all. SL	2	A	4.3	16 100
cab. all. SLE	2	A	4.8	19 800
cab. all. SLE Hybrid	2	A	5.3	19 800
cab. all. SLT (cuir)	2	A	5.3	22 800
crew cab SLE	2	A	5.3	20 600
crew cab SLT (cuir)	2	A	5.3	24 600
crew cab SLE HD	2	A	6.0	21 700
crew cab SLT (cuir) HD	2	A	6.0	26 100
cab. rég. SL	4	M	4.3	14 100
cab. rég. SLE	4	A	4.8	18 100
cab. all. SL	4	A	4.8	17 900
cab. all. SLE	4	A	4.8	21 200
cab. all. SLE Hybrid	4	A	5.3	21 200
cab. all. SLT (cuir)	A	A	5.3	26 600
crew cab SLE	A	A	5.3	23 400
crew cab SLT (cuir)	A	A	5.3	28 500
crew cab SLE HD	A	A	6.0	24 400
crew cab SLT (cuir) HD	A	A	6.0	28 700
crew cab Denali (cuir)	A	A	6.0	34 200

2004 1500 SIERRA 60 000 km

Description	R.m.	Tr.	L	Prix
cab. rég. SL	2	M	4.3	10 400
cab. rég. SLE	2	A	4.8	16 200
cab. all. SL	2	A	4.3	15 500
cab. all. SLE	2	A	4.8	19 100
cab. all. SLT (cuir)	2	A	5.3	22 400
crew cab SLE	2	A	5.3	20 700
crew cab SLT	2	A	5.3	25 700
cab. rég. SL	4	M	4.3	13 300
cab. rég. SLE	4	A	4.8	19 400
cab. all. SL	4	A	4.8	19 200
cab. all. SLE	4	A	4.8	20 400
cab. all. SLT (cuir)	A	A	5.3	26 100
crew cab SLE	A	A	5.3	22 400
crew cab SLT	A	A	5.3	29 400
cab. all. Denali (cuir)	A	A	6.0	37 300

2003 1500 SIERRA 80 000 km

Description	R.m.	Tr.	L	Prix
cab. rég. SL	2	M	4.3	6900
cab. rég. SLE	2	A	4.8	12 200
cab. all. SL	2	A	4.3	11 700
cab. all. SLE	2	A	4.8	15 000
cab. all. SLT (cuir)	2	A	5.3	18 700
crew cab. SLE HD	2	A	6.0	18 300
crew cab. SLT (cuir) HD	2	A	6.0	23 000
cab. rég. SL	4	M	4.3	9700
cab. rég. SLE	4	A	4.8	15 200
cab. all. SL	4	A	4.8	15 100
cab. all. SLE	4	A	4.8	16 100

Abréviations : R.m. : roues motrices (2, 4, A) • Tr : Transmission (A, M) • L : capacité du moteur en litres

Description	R.m.	Tr.	L	Prix
cab. all. SLT (cuir)	A	A	5.3	21 900
cab. all. Denali (cuir)	A	A	6.0	26 600
crew cab. SLE HD	4	A	6.0	19 600
crew cab. SLT (cuir) HD	4	A	6.0	24 300

2002 1500 SIERRA 100 000 km

Description	R.m.	Tr.	L	Prix
cab. rég. SL	2	M	4.3	6100
cab. rég. SLE	2	A	4.8	11 400
cab. all. SL	2	A	4.3	11 200
cab. all. SLE	2	A	4.8	14 500
cab. all. SLT (cuir)	2	A	5.3	17 400
crew cab. SLE	2	A	6.0	17 500
crew cab. SLT (cuir)	2	A	6.0	19 400
cab. rég. SL	4	M	4.3	9200
cab. rég. SLE	4	A	4.8	14 700
cab. all. SL	4	A	4.8	15 000
cab. all. SLE	4	A	4.8	17 800
cab. all. SLT (cuir)	A	A	5.3	20 800
cab. all. Denali (cuir)	A	A	6.0	24 900
crew cab. SLE	4	A	6.0	19 100
crew cab. SLT (cuir)	4	A	6.0	22 900

2006 2500 SIERRA 20 000 km

Description	R.m.	Tr.	L	Prix
cab. rég. SL HD	2	M	6.0	20 900
cab. rég. SLE HD	2	M	6.0	24 600
cab. all. SL HD	2	M	6.0	24 600
cab. all. SLE HD	2	M	6.0	27 300
cab. all. SLT HD (cuir)	2	A	6.0	33 300
crew cab. SL HD	2	M	6.0	24 900
crew cab. SLE HD	2	M	6.0	28 800
crew cab. SLT HD (cuir)	2	A	6.0	34 900
cab. rég. SL HD	4	M	6.0	23 700
cab. rég. SLE HD	4	M	6.0	27 700
cab. all. SL HD	4	M	6.0	27 400
cab. all. SLE HD	4	M	6.0	30 300
cab. all. SLT HD (cuir)	4	A	6.0	36 500
crew cab. SL HD	4	M	6.0	27 800
crew cab. SLE HD	4	M	6.0	31 900
crew cab. SLT HD (cuir)	4	A	6.0	38 200

2005 2500 SIERRA 40 000 km

Description	R.m.	Tr.	L	Prix
cab. rég. SL HD	2	M	6.0	14 700
cab. rég. SLE HD	2	M	6.0	18 500
cab. all. SL HD	2	M	6.0	18 500
cab. all. SLE HD	2	M	6.0	20 200
cab. all. SLT HD (cuir)	2	A	6.0	25 400
crew cab. SL HD	2	M	6.0	18 700
crew cab. SLE HD	2	M	6.0	21 700
crew cab. SLT HD (cuir)	2	A	6.0	27 100
cab. rég. SL HD	4	M	6.0	17 500
cab. rég. SLE HD	4	M	6.0	20 600
cab. all. SL HD	4	M	6.0	20 300
cab. all. SLE HD	4	M	6.0	23 300
cab. all. SLT HD (cuir)	4	A	6.0	28 700
crew cab. SL HD	4	M	6.0	20 700
crew cab. SLE HD	4	M	6.0	24 000
crew cab. SLT HD (cuir)	4	A	6.0	29 400

2004 2500 SIERRA 60 000 km

Description	R.m.	Tr.	L	Prix
cab. rég. SL benne all.	2	M	6.0	14 200
cab. rég. SLE benne all.	2	M	6.0	18 200
crew cab. SLT	2	A	6.0	22 000
crew cab. SLE (cuir)	2	A	6.0	26 300
cab. rég. SL HD	2	M	6.0	14 600
cab. rég. SLE HD	2	M	6.0	18 400
cab. all. SL HD	2	M	6.0	18 400
cab. all. SLE HD	2	M	6.0	20 200
cab. all. SLT HD (cuir)	2	A	6.0	25 500
crew cab. SL HD	2	M	6.0	18 800
crew cab. SLE HD	2	M	6.0	21 800
crew cab. SLT HD (cuir)	2	A	6.0	27 100
cab. all. SL benne all.	4	A	6.0	21 100
cab. all. SLE benne all.	4	A	6.0	23 300
cab. all. SLT benne all. (cuir)	A	A	6.0	28 800
crew cab. SLE	4	A	6.0	24 600
crew cab. SLT (cuir)	4	A	6.0	29 900
cab. rég. SL HD	4	M	6.0	17 600
cab. rég. SLE HD	4	M	6.0	20 700
cab. all. SL HD	4	M	6.0	20 400
cab. all. SLE HD	4	M	6.0	23 400
cab. all. SLT HD (cuir)	4	A	6.0	28 800
crew cab. SL HD	4	M	6.0	20 800
crew cab. SLE HD	4	M	6.0	24 000
crew cab. SLT HD (cuir)	4	A	6.0	30 500

2003 2500 SIERRA 80 000 km

Description	R.m.	Tr.	L	Prix
cab. rég. SL benne all.	2	M	6.0	11 200
cab. rég. SLE benne all.	2	M	6.0	14 900
cab. rég. SL HD	2	M	6.0	10 600
cab. rég. SLE HD	2	M	6.0	15 200
cab. all. SL HD	2	M	6.0	15 300
cab. all. SLE HD	2	M	6.0	16 900
cab. all. SLT HD (cuir)	2	A	6.0	20 700
crew cab. SL HD	2	M	6.0	14 300
crew cab. SLE HD	2	M	6.0	18 100
crew cab. SLT HD (cuir)	2	A	6.0	21 900
cab. all. SL benne all.	4	A	6.0	17 800
cab. all. SLE benne all.	4	A	6.0	19 800
cab. all. SLT benne all. (cuir)	4	A	6.0	25 900

Description	R.m.	Tr.	L	Prix
cab. rég. SL HD	4	M	6.0	13 400
cab. rég. SLE HD	4	M	6.0	17 200
cab. all. SL HD	4	M	6.0	17 000
cab. all. SLE HD	4	M	6.0	18 000
cab. all. SLT HD (cuir)	4	A	6.0	23 900
crew cab. SL HD	4	M	6.0	17 100
crew cab. SLE HD	4	M	6.0	19 200
crew cab. SLT HD (cuir)	4	A	6.0	25 300

2002 2500 SIERRA 100 000 km

Description	R.m.	Tr.	L	Prix
cab. rég. SL benne all.	2	M	6.0	8900
cab. rég. SLE benne all.	2	M	6.0	12 300
cab. rég. SL HD	2	M	6.0	9300
cab. rég. SLE HD	2	M	6.0	12 600
cab. all. SL HD	2	M	6.0	13 100
cab. all. SLE HD	2	M	6.0	15 500
cab. all. SLT HD (cuir)	2	A	6.0	19 300
crew cab. SL HD	2	M	6.0	12 600
crew cab. SLE HD	2	M	6.0	16 100
crew cab. SLT HD (cuir)	2	A	6.0	19 000
cab. all. SL benne all.	4	A	6.0	16 700
cab. all. SLE benne all.	4	A	6.0	19 600
cab. all. SLT benne all. (cuir)	A	A	6.0	21 700
cab. rég. SL HD	4	M	6.0	12 200
cab. rég. SLE HD	4	M	6.0	15 800
cab. all. SL HD	4	M	6.0	15 900
cab. all. SLE HD	4	M	6.0	18 600
cab. all. SLT HD (cuir)	4	A	6.0	21 600
crew cab. SL HD	4	M	6.0	15 600
crew cab. SLE HD	4	M	6.0	19 400
crew cab. SLT HD (cuir)	4	A	6.0	22 300

2006 3500 SIERRA 20 000 km

Description	R.m.	Tr.	L	Prix
cab. all. SL	2	M	6.0	26 200
cab. all. SLE	2	M	6.0	28 600
cab. all. SLT (cuir)	2	A	6.0	34 100
crew cab. SL	2	M	6.0	26 500
crew cab. SLE	2	M	6.0	30 100
crew cab. SLT (cuir)	2	A	6.0	35 900
cab. rég. SL	4	M	6.0	25 100
cab. rég. SLE	4	M	6.0	28 700
cab. all. SL	4	M	6.0	29 100
cab. all. SLE	4	M	6.0	31 700
cab. all. SLT (cuir)	4	A	6.0	37 400
crew cab. SL	4	M	6.0	29 400
crew cab. SLE	4	M	6.0	33 200
crew cab. SLT (cuir)	4	A	6.0	39 200

2005 3500 SIERRA 40 000 km

Description	R.m.	Tr.	L	Prix
cab. all. SL	2	M	6.0	19 100
cab. all. SLE	2	M	6.0	21 500
cab. all. SLT (cuir)	2	A	6.0	25 200
crew cab. SL	2	M	6.0	19 400
crew cab. SLE	2	M	6.0	23 100
crew cab. SLT (cuir)	2	A	6.0	29 000
cab. rég. SL	4	M	6.0	17 900
cab. rég. SLE	4	M	6.0	21 600
cab. all. SL	4	M	6.0	22 000
cab. all. SLE	4	M	6.0	22 800
cab. all. SLT (cuir)	4	A	6.0	29 700
crew cab. SL	4	M	6.0	22 400
crew cab. SLE	4	M	6.0	24 300
crew cab. SLT (cuir)	4	A	6.0	29 500

2004 3500 SIERRA 60 000 km

Description	R.m.	Tr.	L	Prix
cab. all. SL	2	M	6.0	19 100
cab. all. SLE	2	M	6.0	21 400
cab. all. SLT (cuir)	2	A	6.0	25 100
crew cab. SL	2	M	6.0	19 300
crew cab. SLE	2	M	6.0	23 000
crew cab. SLT (cuir)	2	A	6.0	27 000
cab. rég. SL	4	M	6.0	17 900
cab. rég. SLE	4	M	6.0	21 600
cab. all. SL	4	M	6.0	22 000
cab. all. SLE	4	M	6.0	22 700
cab. all. SLT (cuir)	4	A	6.0	28 500
crew cab. SL	4	M	6.0	22 300
crew cab. SLE	4	M	6.0	24 300
crew cab. SLT (cuir)	4	A	6.0	29 400

2003 3500 SIERRA 80 000 km

Description	R.m.	Tr.	L	Prix
cab. all. SL	2	M	6.0	15 900
cab. all. SLE	2	M	6.0	18 200
cab. all. SLT (cuir)	2	A	6.0	22 500
crew cab. SL	2	M	6.0	15 900
crew cab. SLE	2	M	6.0	19 300
crew cab. SLT (cuir)	2	A	6.0	22 900
cab. rég. SL	4	M	6.0	14 700
cab. rég. SLE	4	M	6.0	18 200
cab. all. SL	4	M	6.0	18 700
cab. all. SLE	4	M	6.0	19 400
cab. all. SLT (cuir)	4	A	6.0	24 800
crew cab. SL	4	M	6.0	18 700
crew cab. SLE	4	M	6.0	20 400
crew cab. SLT (cuir)	4	A	6.0	25 200

2002 3500 SIERRA 100 000 km

Description	R.m.	Tr.	L	Prix
cab. all. SL	2	M	6.0	14 700
cab. all. SLE	2	M	6.0	16 800

Description	R.m.	Tr.	L	Prix
cab. all. SLT (cuir)	2	A	6.0	19 400
crew cab. SL	2	M	6.0	14 300
crew cab. SLE	2	M	6.0	17 500
crew cab. SLT (cuir)	2	A	6.0	20 100
cab. rég. SL	4	M	6.0	13 700
cab. rég. SLE	4	M	6.0	16 900
cab. all. SL	4	M	6.0	17 700
cab. all. SLE	4	M	6.0	20 000
cab. all. SLT (cuir)	4	A	6.0	23 800
crew cab. SL	4	M	6.0	17 300
crew cab. SLE	4	M	6.0	18 700
crew cab. SLT (cuir)	4	A	6.0	23 500

2006 CANYON 20 000 km

Description	R.m.	Tr.	L	Prix
cab. rég. SL	2	M	2.8	14 100
cab. rég. SLE	2	M	2.8	16 400
cab. all. SL	2	M	2.8	15 900
cab. all. SLE	2	M	2.8	18 100
crew cab. SLE	2	M	2.8	20 300
cab. rég. SL	4	M	2.8	17 300
cab. rég. SLE	4	M	2.8	19 600
cab. all. SL	4	M	2.8	19 100
cab. all. SLE	4	M	2.8	21 300
crew cab. SLE	4	M	2.8	23 600

2005 CANYON 40 000 km

Description	R.m.	Tr.	L	Prix
cab. rég. SL	2	M	2.8	11 300
cab. rég. SLE	2	M	2.8	13 800
cab. all. SL	2	M	2.8	13 300
cab. all. SLE	2	M	2.8	15 700
crew cab. SLE	2	M	2.8	18 100
cab. rég. SL	4	M	2.8	14 800
cab. rég. SLE	4	M	2.8	17 300
cab. all. SL	4	M	2.8	16 700
cab. all. SLE	4	M	2.8	19 100
crew cab. SLE	4	M	2.8	21 600

2004 CANYON 60 000 km

Description	R.m.	Tr.	L	Prix
cab. rég. SL	2	M	2.8	10 600
cab. rég. SLE	2	M	2.8	12 900
cab. all. SL	2	M	2.8	12 500
cab. all. SLE	2	M	2.8	14 800
crew cab. SLE	2	M	2.8	16 400
cab. rég. SL	4	M	2.8	14 100
cab. rég. SLE	4	M	2.8	16 400
cab. all. SL	4	M	2.8	16 000
cab. all. SLE	4	M	2.8	18 200
crew cab. SLE	4	M	2.8	20 000

2006 ENVOY 20 000 km

Description	R.m.	Tr.	L	Prix
4p SLE	2	A	4.2	24 000
4p SLT (cuir)	2	A	4.2	29 400
4p Denali (cuir)	2	A	5.3	34 300
4p SLE	4	A	4.2	32 400
4p SLT (cuir)	4	A	4.2	37 500
4p Denali (cuir)	4	A	5.3	42 400

2005 ENVOY 40 000 km

Description	R.m.	Tr.	L	Prix
4p VL	2	A	4.2	15 500
4p SLE	2	A	4.2	25 500
4p SLT (cuir)	2	A	4.2	30 700
4p Denali (cuir)	2	A	5.3	34 700
4p SLE	4	A	4.2	28 600
4p SLT (cuir)	4	A	4.2	33 700
4p Denali (cuir)	4	A	5.3	36 700

2004 ENVOY 60 000 km

Description	R.m.	Tr.	L	Prix
4p SLE	2	A	4.2	18 300
4p SLT (cuir)	2	A	4.2	23 900
4p SLE	4	A	4.2	21 500
4p SLT (cuir)	4	A	4.2	26 400

2003 ENVOY 80 000 km

Description	R.m.	Tr.	L	Prix
4p SLE	2	A	4.2	16 500
4p SLT (cuir)	2	A	4.2	21 800
4p SLE	4	A	4.2	19 400
4p SLT (cuir)	4	A	4.2	23 800

2002 ENVOY 100 000 km

Description	R.m.	Tr.	L	Prix
4p SLE	2	A	4.2	15 600
4p SLT (cuir)	2	A	4.2	19 500
4p SLE	4	A	4.2	18 600
4p SLT (cuir)	4	A	4.2	21 500

2006 ENVOY XL 20 000 km

Description	R.m.	Tr.	L	Prix
4p SLE	2	A	4.2	25 100
4p SLT (cuir)	2	A	4.2	30 600
4P Denali	2	A	5.3	35 500
4p SLE	4	A	4.2	33 500
4p SLT (cuir)	4	A	4.2	38 600
4p Denali	4	A	5.3	43 500

2005 ENVOY XL 40 000 km

Description	R.m.	Tr.	L	Prix
4p SLE	2	A	4.2	26 400
4p SLT (cuir)	2	A	4.2	32 400
4P Denali	2	A	5.3	36 100
4p SLE	4	A	4.2	30 200
4p SLT (cuir)	4	A	4.2	35 400
4p Denali	4	A	5.3	38 300

2004 ENVOY XL 60 000 km

Description	R.m.	Tr.	L	Prix
4p SLE	2	A	4.2	22 100
4p SLT (cuir)	2	A	4.2	27 400
4p SLE	4	A	4.2	25 100
4p SLT (cuir)	4	A	4.2	29 500

2003 ENVOY XL 80 000 km

Description	R.m.	Tr.	L	Prix
4p SLE	2	A	4.2	20 800
4p SLT (cuir)	2	A	4.2	25 600
4p SLE	4	A	4.2	23 700
4p SLT (cuir)	4	A	4.2	27 400

2002 ENVOY XL 100 000 km

Description	R.m.	Tr.	L	Prix
4p SLE	2	A	4.2	19 100
4p SLE	4	A	4.2	22 000

2005 ENVOY XUV 40 000 km

Description	R.m.	Tr.	L	Prix
4p SLE	2	A	4.2	27 100
4p SLT (cuir)	2	A	4.2	31 700
4p SLE	4	A	4.2	30 100
4p SLT (cuir)	4	A	4.2	33 700

2004 ENVOY XUV 60 000 km

Description	R.m.	Tr.	L	Prix
4p SLE	2	A	4.2	23 100
4p SLT (cuir)	2	A	4.2	28 400
4p SLE	4	A	4.2	26 100
4p SLT (cuir)	4	A	4.2	30 500

2006 G1500 SAVANA 20 000 km

Description	R.m.	Tr.	L	Prix
3p SL	2	A	4.3	23 900
3p SLE	2	A	4.3	25 700
3p SL	A	A	5.3	28 100
3p SLE	A	A	5.3	29 900

2005 G1500 SAVANA 40 000 km

Description	R.m.	Tr.	L	Prix
3p SL	2	A	4.3	20 300
3p SLE	2	A	4.3	22 300
3p SL	A	A	5.3	23 900
3p SLE	A	A	5.3	25 900

2004 G1500 SAVANA 60 000 km

Description	R.m.	Tr.	L	Prix
3p SL	2	A	4.3	16 600
3p SLE	2	A	4.3	18 600
3p SL	A	A	5.3	21 300
3p SLE	A	A	5.3	23 200

2003 G1500 SAVANA 80 000 km

Description	R.m.	Tr.	L	Prix
3p SL	2	A	4.3	11 400
3p SLE	2	A	4.3	12 900
3p SL	A	A	5.3	15 000
3p SLE	A	A	5.3	16 500

2002 G1500 SAVANA 100 000 km

Description	R.m.	Tr.	L	Prix
3p SL	2	A	4.3	10 100
3p SLE	2	A	4.3	11 900
3p SLT	2	A	5.0	22 700

2006 G2500 SAVANA 20 000 km

Description	R.m.	Tr.	L	Prix
3p SL	2	A	4.8	26 600
3p SL	2	A	6.0	27 800
3p SLE	2	A	4.8	28 400
3p SLE	2	A	6.0	29 600

2005 G2500 SAVANA 40 000 km

Description	R.m.	Tr.	L	Prix
3p SL	2	A	6.0	24 000
3p SLE	2	A	6.0	25 900

2004 G2500 SAVANA 60 000 km

Description	R.m.	Tr.	L	Prix
3p SL	2	A	6.0	20 300
3p SLE	2	A	6.0	22 300

2003 G2500 SAVANA 80 000 km

Description	R.m.	Tr.	L	Prix
3p SL	2	A	6.0	13 800
3p SLE	2	A	6.0	15 300

2002 G2500 SAVANA 100 000 km

Description	R.m.	Tr.	L	Prix
3p SL	2	A	5.7	12 700
3p allongé SL	2	A	5.7	14 400
3p SLE	2	A	5.7	14 500
3p allongé SLE	2	A	5.7	16 000

2006 G3500 SAVANA 20 000 km

Description	R.m.	Tr.	L	Prix
3p SL	2	A	6.0	27 700
3p allongé SL	2	A	6.0	30 000
3p SLE	2	A	6.0	29 000
3p allongé SLE	2	A	6.0	31 400

2005 G3500 SAVANA 40 000 km

Description	R.m.	Tr.	L	Prix
3p SL	2	A	6.0	24 400
3p allongé SL	2	A	6.0	27 000
3p SLE	2	A	6.0	25 900
3p allongé SLE	2	A	6.0	28 500

2004 G3500 SAVANA 60 000 km

Description	R.m.	Tr.	L	Prix
3p SL	2	A	6.0	20 600
3p allongé SL	2	A	6.0	23 100
3p SLE	2	A	6.0	22 500
3p allongé SLE	2	A	6.0	25 100

Abréviations : R.m. : roues motrices (2, 4, A) • Tr : Transmission (A, M) • L : capacité du moteur en litres

2003 G3500 SAVANA — 80 000 km

Description	R.m.	Tr.	L	Prix
3p SL	2	A	6.0	14 000
3p allongé SL	2	A	6.0	15 300
3p SLE	2	A	6.0	15 500
3p allongé SLE	2	A	6.0	16 900

2002 G3500 SAVANA — 100 000 km

Description	R.m.	Tr.	L	Prix
3p SL	2	A	5.7	12 800
3p allongé SL	2	A	5.7	14 500
3p SLE	2	A	5.7	14 600
3p allongé SLE	2	A	5.7	16 100

2005 JIMMY S15 — 40 000 km

Description	R.m.	Tr.	L	Prix
2p SLS base	4	M	4.3	14 200
2p SLS	4	M	4.3	15 300

2004 JIMMY S15 — 60 000 km

Description	R.m.	Tr.	L	Prix
2p SLS base	4	M	4.3	14 100
2p SLS	4	M	4.3	16 000
4p SLS	4	A	4.3	17 900

2003 JIMMY S15 — 80 000 km

Description	R.m.	Tr.	L	Prix
2p SLS base	4	M	4.3	13 000
2p SLS	4	M	4.3	14 100
4p SLS	4	A	4.3	14 700

2002 JIMMY S15 — 100 000 km

Description	R.m.	Tr.	L	Prix
2p SLS base	4	M	4.3	12 200
2p SLS	4	M	4.3	13 900
4p SLS	4	A	4.3	14 500

2005 SAFARI — 40 000 km

Description	R.m.	Tr.	L	Prix
3p allongé SL	2	A	4.3	16 000
3p allongé SLE	2	A	4.3	17 400
3p allongé SLT	2	A	4.3	20 400
3p allongé SL	A	A	4.3	18 700
3p allongé SLE	A	A	4.3	19 100
3p allongé SLT	A	A	4.3	23 100

2004 SAFARI — 60 000 km

Description	R.m.	Tr.	L	Prix
3p allongé SL	2	A	4.3	13 100
3p allongé SLE	2	A	4.3	14 500
3p allongé SLT	2	A	4.3	17 500
3p allongé SL	A	A	4.3	15 800
3p allongé SLE	A	A	4.3	17 200
3p allongé SLT	A	A	4.3	20 200

2003 SAFARI — 80 000 km

Description	R.m.	Tr.	L	Prix
3p allongé SL	2	A	4.3	11 500
3p allongé SLE	2	A	4.3	12 800
3p allongé SLT	2	A	4.3	14 500
3p allongé SL	A	A	4.3	14 000
3p allongé SLE	A	A	4.3	13 300
3p allongé SLT	A	A	4.3	16 000

2002 SAFARI — 100 000 km

Description	R.m.	Tr.	L	Prix
3p allongé SL	2	A	4.3	11 300
3p allongé SLE	2	A	4.3	12 400
3p allongé SLT	2	A	4.3	14 800
3p allongé SL	A	A	4.3	14 000
3p allongé SLE	A	A	4.3	15 000
3p allongé SLT	A	A	4.3	16 500

2003 SONOMA — 80 000 km

Description	R.m.	Tr.	L	Prix
cab. rég. SL	2	M	2.2	8000
cab. rég. SLS	2	M	2.2	8300
cab. all. SL	2	M	2.2	9500
cab. all. SLS	2	M	2.2	10 300
cab. all. SL	4	M	4.3	12 700
cab. all. SLS	4	M	4.3	13 200
crew cab. SLS	4	A	4.3	15 700

2002 SONOMA — 100 000 km

Description	R.m.	Tr.	L	Prix
cab. rég. SL	2	M	2.2	5900
cab. rég. SLS	2	M	2.2	6400
cab. all. SL	2	M	2.2	7800
cab. all. SLS	2	M	2.2	8600
cab. all. SL	4	M	4.3	11 100
cab. all. SLS	4	M	4.3	11 900
crew cab. SLS	4	A	4.3	15 100

2006 YUKON — 20 000 km

Description	R.m.	Tr.	L	Prix
4p SLE	2	A	4.8	34 500
4p SLE	2	A	5.3	35 500
4p SLT (cuir)	2	A	5.3	41 500
4p SLE	4	A	5.3	38 300
4p SLT (cuir)	4	A	5.3	44 300
4p Denali (cuir)	A	A	6.0	52 100

2005 YUKON — 40 000 km

Description	R.m.	Tr.	L	Prix
4p SLE	2	A	4.8	33 600
4p SLE	2	A	5.3	34 600
4p SLT (cuir)	2	A	5.3	40 900
4p SLE	4	A	4.8	36 500
4p SLE	4	A	5.3	37 500
4p SLT (cuir)	4	A	5.3	43 800
4p Denali (cuir)	A	A	6.0	52 400

2004 YUKON — 60 000 km

Description	R.m.	Tr.	L	Prix
4p SLE	2	A	4.8	26 900
4p SLT (cuir)	2	A	5.3	34 500
4p SLE	4	A	4.8	29 800
4p SLT (cuir)	4	A	5.3	37 500
4p Denali (cuir)	A	A	6.0	46 300

2003 YUKON — 80 000 km

Description	R.m.	Tr.	L	Prix
4p SLE	2	A	4.8	25 700
4p SLT (cuir)	2	A	5.3	32 500
4p SLE	4	A	4.8	28 600
4p SLT (cuir)	4	A	5.3	35 400
4p Denali (cuir)	A	A	6.0	44 100

2002 YUKON — 100 000 km

Description	R.m.	Tr.	L	Prix
4p SLE	2	A	4.8	20 200
4p SLT (cuir)	2	A	5.3	25 500
4p SLE	4	A	4.8	23 300
4p SLT (cuir)	4	A	5.3	28 700
4p Denali (cuir)	A	A	6.0	36 500

2006 YUKON XL — 20 000 km

Description	R.m.	Tr.	L	Prix
4p SLE 1500	2	A	5.3	38 200
4p SLT 1500 (cuir)	2	A	5.3	44 200
4p SLE 2500	2	A	6.0	39 200
4p SLE 2500	2	A	8.1	40 700
4p SLT 2500 (cuir)	2	A	6.0	44 900
4p SLT 2500 (cuir)	2	A	8.1	46 400
4p SLE 1500	4	A	5.3	41 000
4p SLT 1500 (cuir)	4	A	5.3	47 000
4p Denali (cuir)	A	A	6.0	54 500
4p SLE 2500	4	A	6.0	41 900
4p SLE 2500	4	A	8.1	43 500
4p SLT 2500 (cuir)	4	A	6.0	47 700
4p SLT 2500 (cuir)	4	A	8.1	49 200

2005 YUKON XL — 40 000 km

Description	R.m.	Tr.	L	Prix
4p SLE 1500	2	A	5.3	36 000
4p SLT 1500 (cuir)	2	A	5.3	42 300
4p SLE 2500	2	A	6.0	37 500
4p SLE 2500	2	A	8.1	39 000
4p SLT 2500 (cuir)	2	A	6.0	43 500
4p SLT 2500 (cuir)	2	A	8.1	45 000
4p SLE 1500	4	A	5.3	38 900
4p SLT 1500 (cuir)	4	A	5.3	45 200
4p Denali (cuir)	A	A	6.0	53 200
4p SLE 2500	4	A	6.0	40 400
4p SLE 2500	4	A	8.1	42 000
4p SLT 2500 (cuir)	4	A	6.0	46 400
4p SLT 2500 (cuir)	4	A	8.1	47 900

2004 YUKON XL — 60 000 km

Description	R.m.	Tr.	L	Prix
4p SLE 1500	2	A	5.3	29 300
4p SLT 1500 (cuir)	2	A	5.3	35 900
4p SLE 2500	2	A	6.0	30 800
4p SLT 2500 (cuir)	2	A	6.0	37 400
4p SLE 1500	4	A	5.3	32 200
4p SLT 1500 (cuir)	4	A	5.3	38 800
4p Denali (cuir)	4	A	6.0	47 000
4p SLE 2500	4	A	6.0	33 700
4p SLT 2500 (cuir)	4	A	6.0	40 300

2003 YUKON XL — 80 000 km

Description	R.m.	Tr.	L	Prix
4p SLE 1500	2	A	5.3	29 000
4p SLT 1500 (cuir)	2	A	5.3	34 500
4p SLE 2500	2	A	6.0	30 500
4p SLT 2500 (cuir)	2	A	6.0	36 200
4p SLE 1500	4	A	5.3	31 900
4p SLT 1500 (cuir)	4	A	5.3	37 400
4p Denali (cuir)	A	A	6.0	45 300
4p SLE 2500	4	A	6.0	33 400
4p SLT 2500 (cuir)	4	A	6.0	39 100

2002 YUKON XL — 100 000 km

Description	R.m.	Tr.	L	Prix
4p SLE 1500	2	A	5.3	22 400
4p SLT 1500 (cuir)	2	A	5.3	26 700
4p SLE 2500	2	A	6.0	23 800
4p SLT 2500 (cuir)	2	A	6.0	28 000
4p SLE 1500	4	A	5.3	25 500
4p SLT 1500 (cuir)	4	A	5.3	29 700
4p Denali (cuir)	A	A	6.0	36 700
4p SLE 2500	4	A	6.0	27 000
4p SLT 2500 (cuir)	4	A	6.0	31 100

HONDA

2006 ACCORD — 20 000 km

Description	R.m.	Tr.	L	Prix
2p coupé LX-G	2	M	2.4	22 600
2p coupé LX-G	2	A	2.4	23 600
2p coupé EX-L (cuir)	2	M	2.4	25 300
2p coupé EX-L (cuir)	2	A	2.4	26 300
2p coupé EX V6 (cuir)	2	A	3.0	29 100
2p coupé EX V6 (cuir)	2	M	3.0	29 800
4p berline DX-G	2	M	2.4	21 300
4p berline DX-G	2	A	2.4	22 300
4p berline SE	2	M	2.4	22 600
4p berline SE	2	A	2.4	23 600
4p berline SE V6	2	A	3.0	26 000
4p berline EX-L (cuir)	2	M	2.4	25 300
4p berline EX-L (cuir)	2	A	2.4	26 300
4p berline EX V6 (cuir)	2	A	3.0	29 100
4p berline EX V6 NAVI (cuir)	2	A	3.0	31 300
4p berline Hybrid (cuir)	2	A	3.0	32 300
4p berline Hybrid NAVI (cuir)	2	A	3.0	33 300

2005 ACCORD — 40 000 km

Description	R.m.	Tr.	L	Prix
2p coupé LX-G	2	M	2.4	19 900
2p coupé LX-G	2	A	2.4	20 900
2p coupé EX-L (cuir)	2	M	2.4	23 100
2p coupé EX-L (cuir)	2	A	2.4	24 100
2p coupé EX V6 (cuir)	2	M	3.0	25 900
2p coupé EX V6 (cuir)	2	A	3.0	25 400
4p berline DX	2	M	2.4	18 600
4p berline DX	2	A	2.4	19 600
4p berline LX-G	2	M	2.4	19 700
4p berline LX-G	2	A	2.4	20 700
4p berline LX V6	2	A	3.0	23 300
4p berline EX-L (cuir)	2	M	2.4	22 900
4p berline EX-L (cuir)	2	A	2.4	23 900
4p berline EX V6 (cuir)	2	A	3.0	25 600
4p berline Hybrid	2	A	3.0	27 000

2004 ACCORD — 60 000 km

Description	R.m.	Tr.	L	Prix
2p coupé LX-G	2	M	2.4	17 000
2p coupé LX-G	2	A	2.4	17 900
2p coupé EX-L (cuir)	2	M	2.4	20 200
2p coupé EX-L (cuir)	2	A	2.4	21 100
2p coupé EX V6 (cuir)	2	M	3.0	23 000
2p coupé EX V6 (cuir)	2	A	3.0	22 100
4p berline DX	2	M	2.4	15 700
4p berline DX	2	A	2.4	16 700
4p berline LX-G	2	M	2.4	16 800
4p berline LX-G	2	A	2.4	17 800
4p berline LX V6	2	A	3.0	19 900
4p berline EX-L (cuir)	2	M	2.4	20 000
4p berline EX-L (cuir)	2	A	2.4	20 300
4p berline EX V6 (cuir)	2	A	3.0	21 700

2003 ACCORD — 80 000 km

Description	R.m.	Tr.	L	Prix
2p coupé LX-G	2	M	2.4	15 500
2p coupé LX-G	2	A	2.4	16 400
2p coupé EX-L (cuir)	2	M	2.4	18 600
2p coupé EX-L (cuir)	2	A	2.4	19 500
2p coupé EX V6 (cuir)	2	M	3.0	19 900
2p coupé EX V6 (cuir)	2	A	3.0	20 900
4p berline DX	2	M	2.4	14 300
4p berline DX	2	A	2.4	15 200
4p berline LX-G	2	M	2.4	15 300
4p berline LX-G	2	A	2.4	16 200
4p berline LX V6	2	A	3.0	18 900
4p berline EX-L (cuir)	2	M	2.4	18 400
4p berline EX-L (cuir)	2	A	2.4	19 300
4p berline EX V6 (cuir)	2	A	3.0	20 500

2002 ACCORD — 100 000 km

Description	R.m.	Tr.	L	Prix
2p coupé SE	2	M	2.3	14 100
2p coupé SE	2	A	2.3	15 000
2p coupé EX-L	2	M	2.3	16 300
2p coupé EX-L	2	A	2.3	16 600
2p coupé EX V6 (cuir)	2	A	3.0	17 000
4p berline LX	2	M	2.3	12 400
4p berline LX	2	A	2.3	13 300
4p berline SE	2	M	2.3	14 100
4p berline SE	2	A	2.3	15 000
4p berline SE V6	2	A	3.0	16 600
4p berline EX-L (cuir)	2	M	2.3	16 300
4p berline EX-L (cuir)	2	A	2.3	16 600
4p berline EX V6 (cuir)	2	A	3.0	17 000

2006 CIVIC — 20 000 km

Description	R.m.	Tr.	L	Prix
2p coupé DX	2	M	1.8	15 500
2p coupé DX	2	A	1.8	16 500
2p coupé DX-G	2	M	1.8	16 700
2p coupé DX-G	2	A	1.8	17 700
2p coupé LX	2	M	1.8	18 500
2p coupé LX	2	A	1.8	19 500
2p coupé EX	2	M	1.8	19 800
2p coupé EX	2	A	1.8	20 900
2p coupé Si	2	M	2.0	22 900
4p berline DX	2	M	1.8	15 300
4p berline DX	2	A	1.8	16 300
4p berline DX-G	2	M	1.8	16 600
4p berline DX-G	2	A	1.8	17 600
4p berline LX	2	M	1.8	18 300
4p berline LX	2	A	1.8	19 300
4p berline EX	2	M	1.8	19 500
4p berline EX	2	A	1.8	20 500
4p berline Hybrid	2	A	1.3	22 500

2005 CIVIC — 40 000 km

Description	R.m.	Tr.	L	Prix
2p coupé DX	2	M	1.7	13 100
2p coupé DX	2	A	1.7	14 100
2p coupé SE	2	M	1.7	14 100
2p coupé SE	2	A	1.7	15 100
2p coupé LX	2	M	1.7	15 500
2p coupé LX	2	A	1.7	16 500
2p coupé Reverb	2	M	1.7	15 800
2p coupé Reverb	2	A	1.7	16 800
2p coupé Si-G	2	M	1.7	17 200
2p coupé Si-G	2	A	1.7	18 200
4p berline DX	2	M	1.7	13 100
4p berline DX	2	A	1.7	14 100
4p berline SE	2	M	1.7	14 100
4p berline SE	2	A	1.7	15 100
4p berline LX-G	2	M	1.7	15 800
4p berline LX-G	2	A	1.7	16 800
4p berline Si	2	M	1.7	17 300
4p berline Si	2	A	1.7	17 400
4p berline Hybrid	2	A	1.3	19 800

2004 CIVIC — 60 000 km

Description	R.m.	Tr.	L	Prix
2p coupé DX	2	M	1.7	11 800
2p coupé DX	2	A	1.7	12 700
2p coupé SE	2	M	1.7	12 400
2p coupé SE	2	A	1.7	13 400
2p coupé LX	2	M	1.7	13 900
2p coupé LX	2	A	1.7	14 800
2p coupé Si	2	M	1.7	15 200
2p coupé Si	2	A	1.7	16 100
2p coupé Si-G	2	M	1.7	16 600
2p coupé Si-G	2	A	1.7	16 900
2p hayon SiR	2	M	2.0	17 500
4p berline DX	2	M	1.7	11 800
4p berline DX	2	A	1.7	12 700
4p berline DX-G	2	M	1.7	13 200
4p berline DX-G	2	A	1.7	14 100
4p berline SE	2	M	1.7	12 300
4p berline SE	2	A	1.7	13 300
4p berline LX	2	M	1.7	14 800
4p berline LX	2	A	1.7	15 800
4p berline Si	2	M	1.7	15 900
4p berline Si	2	A	1.7	16 800
4p berline Hybrid	2	M	1.3	18 400
4p berline Hybrid	2	A	1.3	19 200

2003 CIVIC — 80 000 km

Description	R.m.	Tr.	L	Prix
2p coupé DX	2	M	1.7	10 700
2p coupé DX	2	A	1.7	11 600
2p coupé LX	2	M	1.7	12 800
2p coupé LX	2	A	1.7	13 800
2p coupé Si	2	M	1.7	14 100
2p coupé Si	2	A	1.7	15 000
2p coupé Si-G	2	M	1.7	15 500
2p coupé Si-G	2	A	1.7	16 100
2p hayon SiR	2	M	2.0	16 500
4p berline DX	2	M	1.7	10 700
4p berline DX	2	A	1.7	11 600
4p berline DX-G	2	M	1.7	12 100
4p berline DX-G	2	A	1.7	13 000
4p berline LX	2	M	1.7	13 800
4p berline LX	2	A	1.7	14 700
4p berline Sport-LX	2	M	1.7	14 800
4p berline Sport-LX	2	A	1.7	15 700
4p berline Hybrid	2	A	1.3	16 900

2002 CIVIC — 100 000 km

Description	R.m.	Tr.	L	Prix
2p coupé DX	2	M	1.7	9100
2p coupé DX	2	A	1.7	9800
2p coupé LX	2	M	1.7	10 900
2p coupé LX	2	A	1.7	11 800
2p coupé Si	2	M	1.7	11 700
2p coupé Si	2	A	1.7	12 600
2p coupé Si-G	2	M	1.7	13 100
2p coupé Si-G	2	A	1.7	13 500
2p coupé Si Veloz	2	M	1.7	13 600
2p hayon SiR	2	M	2.0	14 500
4p berline DX	2	M	1.7	9100
4p berline DX	2	A	1.7	9800
4p berline DX-G	2	M	1.7	10 300
4p berline DX-G	2	A	1.7	11 200
4p berline LX-G	2	M	1.7	11 000
4p berline LX-G	2	A	1.7	11 900
4p berline Sport-LX	2	M	1.7	11 500
4p berline Sport-LX	2	A	1.7	12 200

2006 CR-V — 20 000 km

Description	R.m.	Tr.	L	Prix
4p SE	A	M	2.4	26 700
4p SE	A	A	2.4	27 700
4p EX	A	M	2.4	27 900
4p EX	A	A	2.4	28 900
4p EX-L (cuir)	A	A	2.4	29 700

2005 CR-V — 40 000 km

Description	R.m.	Tr.	L	Prix
4p LX	A	M	2.4	23 700
4p LX	A	A	2.4	24 700
4p EX	A	M	2.4	25 600
4p EX	A	A	2.4	26 300
4p EX-L (cuir)	A	A	2.4	27 200

2004 CR-V — 60 000 km

Description	R.m.	Tr.	L	Prix
4p LX	A	M	2.4	21 200
4p LX	A	A	2.4	22 100
4p EX	A	M	2.4	22 800
4p EX	A	A	2.4	23 400
4p EX (cuir)	A	A	2.4	24 600

2003 CR-V — 80 000 km

Description	R.m.	Tr.	L	Prix
4p LX	A	M	2.4	19 300
4p LX	A	A	2.4	20 200

Abréviations : R.m. : roues motrices (2, 4, A) • Tr : Transmission (A, M) • L : capacité du moteur en litres

Description	R.m.	Tr.	L	Prix
4p EX	A	M	2.4	20 900
4p EX	A	A	2.4	21 500
4p EX (cuir)	A	A	2.4	22 500

2002 CR-V — 100 000 km

Description	R.m.	Tr.	L	Prix
4p LX	A	M	2.4	17 000
4p LX	A	A	2.4	17 800
4p EX	A	M	2.4	18 400
4p EX	A	A	2.4	19 000
4p EX-L (cuir)	A	A	2.4	19 900

2006 ELEMENT — 20 000 km

Description	R.m.	Tr.	L	Prix
4p base	2	M	2.4	22 700
4p base	2	A	2.4	23 700
4p Y-Package	2	M	2.4	25 300
4p Y-Package	2	A	2.4	26 300
4p Y-Package AWD	A	M	2.4	27 100
4p Y-Package AWD	A	A	2.4	28 100

2005 ELEMENT — 40 000 km

Description	R.m.	Tr.	L	Prix
4p base	2	M	2.4	19 800
4p base	2	A	2.4	20 800
4p Y-Package	2	M	2.4	22 000
4p Y-Package	2	A	2.4	23 000
4p Y-Package AWD	A	M	2.4	23 900
4p Y-Package AWD	A	A	2.4	24 900

2004 ELEMENT — 60 000 km

Description	R.m.	Tr.	L	Prix
4p base	2	M	2.4	18 600
4p base	2	A	2.4	19 600
4p Y-Package	2	M	2.4	20 400
4p Y-Package	2	A	2.4	21 300
4p Y-Package AWD	A	M	2.4	22 300
4p Y-Package AWD	A	A	2.4	23 200

2003 ELEMENT — 80 000 km

Description	R.m.	Tr.	L	Prix
4p base	2	M	2.4	16 500
4p base	2	A	2.4	17 500
4p Y-Package	2	M	2.4	18 100
4p Y-Package	2	A	2.4	18 800
4p Y-Package AWD	A	A	2.4	20 900

2006 INSIGHT — 20 000 km

Description	R.m.	Tr.	L	Prix
2p hayon base	2	M	1.0	21 400

2005 INSIGHT — 40 000 km

Description	R.m.	Tr.	L	Prix
2p hayon base	2	M	1.0	17 700

2004 INSIGHT — 60 000 km

Description	R.m.	Tr.	L	Prix
2p hayon base	2	M	1.0	16 600

2003 INSIGHT — 80 000 km

Description	R.m.	Tr.	L	Prix
2p hayon base	2	M	1.0	14 500

2002 INSIGHT — 100 000 km

Description	R.m.	Tr.	L	Prix
2p hayon base	2	M	1.0	13 600

2006 ODYSSEY — 20 000 km

Description	R.m.	Tr.	L	Prix
4p LX	2	A	3.5	30 700
4p EX	2	A	3.5	33 400
4p EX-L (cuir)	2	A	3.5	36 000
4p EX-L RES (cuir+DVD)	2	A	3.5	38 000
4p EX Touring (cuir)	2	A	3.5	40 600

2005 ODYSSEY — 40 000 km

Description	R.m.	Tr.	L	Prix
4p LX	2	A	3.5	26 100
4p EX	2	A	3.5	29 000
4p EX-L (cuir)	2	A	3.5	30 700
4p EX-L RES (cuir+DVD)	2	A	3.5	32 300
4p EX Touring (cuir)	2	A	3.5	35 900

2004 ODYSSEY — 60 000 km

Description	R.m.	Tr.	L	Prix
4p LX	2	A	3.5	22 300
4p EX	2	A	3.5	25 000
4p EX-L (cuir)	2	A	3.5	25 900
4p EX-L (cuir+DVD)	2	A	3.5	26 300

2003 ODYSSEY — 80 000 km

Description	R.m.	Tr.	L	Prix
4p LX	2	A	3.5	18 800
4p EX	2	A	3.5	21 200
4p EX-L (cuir)	2	A	3.5	21 800
4p EX-L (cuir+DVD)	2	A	3.5	22 000

2002 ODYSSEY — 100 000 km

Description	R.m.	Tr.	L	Prix
4p LX	2	A	3.5	15 900
4p EX	2	A	3.5	18 400
4p EX-L (cuir)	2	A	3.5	19 500
4p EX-L (cuir+DVD)	2	A	3.5	19 700

2006 PILOT — 20 000 km

Description	R.m.	Tr.	L	Prix
4p LX	A	A	3.5	34 300
4p EX	A	A	3.5	36 400
4p EX-L (cuir/toit)	A	A	3.5	38 600
4 EX-L RES (DVD)	A	A	3.5	40 400
4p EX-L NAVI	A	A	3.5	40 900

2005 PILOT — 40 000 km

Description	R.m.	Tr.	L	Prix
4p LX	A	A	3.5	29 000
4p EX	A	A	3.5	31 300
4p EX-L (cuir)	A	A	3.5	32 300
4p EX-L RES (cuir+DVD)	A	A	3.5	33 000

2004 PILOT — 60 000 km

Description	R.m.	Tr.	L	Prix
4p Granite	A	A	3.5	24 200
4p EX	A	A	3.5	26 200
4p EX-L (cuir)	A	A	3.5	27 400
4p EX-L +DVD (cuir)	A	A	3.5	27 800

2003 PILOT — 80 000 km

Description	R.m.	Tr.	L	Prix
4p EX	A	A	3.5	23 400
4p EX-L (cuir)	A	A	3.5	25 200

2006 RIDGELINE — 20 000 km

Description	R.m.	Tr.	L	Prix
4p LX	4	A	3.5	30 800
4p EX-L (cuir)	4	A	3.5	34 500
4p EX-L (toit/cuir)	4	A	3.5	35 600
4p EX-L NAVI	4	A	3.5	37 600

2006 S-2000 — 20 000 km

Description	R.m.	Tr.	L	Prix
2p décapotable base	2	M	2.2	43 100

2005 S-2000 — 40 000 km

Description	R.m.	Tr.	L	Prix
2p décapotable base	2	M	2.2	35 900

2004 S-2000 — 60 000 km

Description	R.m.	Tr.	L	Prix
2p décapotable base	2	M	2.2	33 000

2003 S-2000 — 80 000 km

Description	R.m.	Tr.	L	Prix
2p décapotable base	2	M	2.0	29 000

2002 S-2000 — 100 000 km

Description	R.m.	Tr.	L	Prix
2p décapotable base	2	M	2.0	26 100

HUMMER

2006 HUMMER — 10 000 km

Description	R.m.	Tr.	L	Prix
4p H2 SUV	A	A	6.0	51 900
4p H2 SUV Édition Spéciale	A	A	6.0	52 500
4p H2 SUV Adventure	A	A	6.0	54 900
4p H2 SUV LUX	A	A	6.0	56 100
4p H2 SUT	A	A	6.0	51 800
4p H2 SUT Adventure	A	A	6.0	54 800
4p H2 SUT LUX	A	A	6.0	56 100
4p H3 SUV	A	M	3.5	29 700
4p H3 SUV Adventure	A	M	3.5	30 800
4p H3 SUV LUX	A	M	3.5	33 400

2005 HUMMER — 20 000 km

Description	R.m.	Tr.	L	Prix
4p H2 SUV	A	A	6.0	48 400
4p H2 SUV Adventure	A	A	6.0	51 700
4p H2 SUV LUX	A	A	6.0	53 000
4p H2 SUT	A	A	6.0	49 600
4p H2 SUT Adventure	A	A	6.0	52 900
4p H2 SUT LUX	A	A	6.0	54 200

2004 HUMMER — 30 000 km

Description	R.m.	Tr.	L	Prix
4p H2 base	A	A	6.0	41 000
4p H2 LUX (cuir)	A	A	6.0	46 600
4p H2 Outdoor (cuir)	A	A	6.0	47 100

2003 HUMMER — 40 000 km

Description	R.m.	Tr.	L	Prix
4p H2	A	A	6.0	38 400

HYUNDAI

2006 ACCENT — 20 000 km

Description	R.m.	Tr.	L	Prix
2p hayon GS	2	M	1.6	9200
2p hayon GS gr. confort	2	M	1.6	10 500
2p hayon GSi	2	M	1.6	10 700
4p hayon Accent5	2	M	1.6	10 300
4p hayon Accent5 gr. confort	2	M	1.6	11 400
4p berline GL	2	M	1.6	10 100
4p berline GL gr. confort	2	M	1.6	11 100
4p berline GLS	2	M	1.6	12 200

2005 ACCENT — 40 000 km

Description	R.m.	Tr.	L	Prix
2p hayon GS	2	M	1.6	6200
2p hayon GS gr. confort	2	M	1.6	7000
2p hayon GSi	2	M	1.6	7200
4p hayon Accent5	2	M	1.6	7400
4p hayon Accent5 gr. confort	2	M	1.6	7900
4p berline GL	2	M	1.6	7100
4p berline GL gr. confort	2	M	1.6	7700

2004 ACCENT — 60 000 km

Description	R.m.	Tr.	L	Prix
2p hayon GS	2	M	1.6	5500
2p hayon GS gr. confort	2	M	1.6	6600
2p hayon GSi	2	M	1.6	6800
4p berline GL	2	M	1.6	6700
4p berline GL gr. confort	2	M	1.6	7100

2003 ACCENT — 80 000 km

Description	R.m.	Tr.	L	Prix
2p hayon GS	2	M	1.5	5000
2p hayon GSi	2	M	1.6	6300
4p berline GL	2	M	1.6	6100

2002 ACCENT — 100 000 km

Description	R.m.	Tr.	L	Prix
2p hayon GS	2	M	1.5	4600
2p hayon GSi	2	M	1.6	6000
4p berline GL	2	M	1.6	6000

2006 AZERA — 20 000 km

Description	R.m.	Tr.	L	Prix
4p berline base	2	A	3.8	29 000
4p berline Premium	2	A	3.8	31 500

2006 ELANTRA — 20 000 km

Description	R.m.	Tr.	L	Prix
4p berline GL	2	M	2.0	11 000
4p berline VE	2	M	2.0	13 000
4p berline SE	2	A	2.0	15 600
4p hayon GL	2	M	2.0	11 300
4p hayon VE	2	M	2.0	13 300
4p hayon GT	2	M	2.0	15 100

2005 ELANTRA — 40 000 km

Description	R.m.	Tr.	L	Prix
4p berline GL	2	M	2.0	8300
4p berline VE	2	M	2.0	10 200
4p berline SE	2	A	2.0	13 300
4p hayon GL	2	M	2.0	8700
4p hayon VE	2	M	2.0	10 600
4p hayon GT	2	M	2.0	12 400

2004 ELANTRA — 60 000 km

Description	R.m.	Tr.	L	Prix
4p berline GL	2	M	2.0	7400
4p berline VE	2	M	2.0	9100
4p hayon GT	2	M	2.0	9900
4p hayon GT premium (cuir)	2	M	2.0	10 500

2003 ELANTRA — 80 000 km

Description	R.m.	Tr.	L	Prix
4p berline GL	2	M	2.0	7000
4p berline VE	2	M	2.0	8800
4p hayon GT	2	M	2.0	10 100
4p hayon GT premium (cuir)	2	M	2.0	11 400

2002 ELANTRA — 100 000 km

Description	R.m.	Tr.	L	Prix
4p berline GL	2	M	2.0	6200
4p berline VE	2	M	2.0	8000
4p hayon GT	2	M	2.0	8700
4p hayon GT premium (cuir)	2	M	2.0	9500

2006 SANTA FE — 20 000 km

Description	R.m.	Tr.	L	Prix
4p GL	2	M	2.4	16 400
4p GL (a/c)	2	M	2.4	17 900
4p GL V6	2	A	2.7	19 900
4p GL	A	A	2.7	22 100
4p GLS (cuir)	A	A	2.7	23 900
4p GLS 3,5 l (cuir)	A	A	3.5	25 600

2005 SANTA FE — 40 000 km

Description	R.m.	Tr.	L	Prix
4p GL	2	M	2.4	14 000
4p GL (a/c)	2	M	2.4	15 600
4p GL V6	2	A	2.7	17 700
4p GL	A	A	2.7	19 300
4p GLS (cuir)	A	A	2.7	20 000
4p GLS 3,5 l (cuir)	A	A	3.5	21 100

2004 SANTA FE — 60 000 km

Description	R.m.	Tr.	L	Prix
4p GL	2	M	2.4	13 000
4p GL V6	2	A	2.7	16 100
4p GL	A	A	2.7	17 000
4p GLS (cuir)	A	A	2.7	17 400
4p GLS 3,5 l (cuir)	A	A	3.5	18 100

2003 SANTA FE — 80 000 km

Description	R.m.	Tr.	L	Prix
4p GL	2	M	2.4	12 000
4p GL V6	2	A	2.7	14 200
4p GL	A	A	2.7	15 100
4p GLS (cuir)	A	A	2.7	15 500

2002 SANTA FE — 100 000 km

Description	R.m.	Tr.	L	Prix
4p GL	2	M	2.4	10 500
4p GL V6	2	A	2.7	12 700
4p GL	A	A	2.7	13 800
4p GLS (cuir)	A	A	2.7	14 600

2006 SONATA — 20 000 km

Description	R.m.	Tr.	L	Prix
4p berline GL	2	M	2.4	16 600
4p berline GL	2	A	2.4	17 400
4p berline GL (ABS - toit)	2	A	2.4	18 600
4p berline GL V6	2	A	3.3	19 200
4p berline GL V6 (toit)	2	A	3.3	19 700
4p berline GLS V6 (cuir)	2	A	3.3	20 200
4p berline GLS V6 Luxe	2	A	3.3	20 600

2005 SONATA — 40 000 km

Description	R.m.	Tr.	L	Prix
4p berline GL	2	A	2.4	13 700
4p berline VE	2	A	2.4	14 700
4p berline VE V6	2	A	2.7	15 600
4p berline GL V6	2	A	2.7	15 000
4p berline GLX (cuir)	2	A	2.7	15 600

2004 SONATA — 60 000 km

Description	R.m.	Tr.	L	Prix
4p berline GL	2	A	2.4	13 200
4p berline GL V6	2	A	2.7	14 500
4p berline GLX (cuir)	2	A	2.7	14 900

2003 SONATA — 80 000 km

Description	R.m.	Tr.	L	Prix
4p berline GL	2	A	2.4	11 300
4p berline GL V6	2	A	2.7	12 300
4p berline GLX (cuir)	2	A	2.7	12 900

2002 SONATA — 100 000 km

Description	R.m.	Tr.	L	Prix
4p berline GL	2	A	2.4	8600
4p berline GL V6	2	A	2.7	10 000
4p berline GLX (cuir)	2	A	2.7	11 300
4p berline GLX (cuir+ABS)	2	A	2.7	11 400

2006 TIBURON — 20 000 km

Description	R.m.	Tr.	L	Prix
2p hayon base	2	M	2.0	15 800
2p hayon SE (cuir)	2	M	2.0	18 000
2p hayon SE (cuir)	2	A	2.0	18 900
2p hayon Tuscani (cuir)	2	M	2.7	21 400
2p hayon Tuscani (cuir)	2	A	2.7	21 000

2005 TIBURON — 40 000 km

Description	R.m.	Tr.	L	Prix
2p hayon base	2	M	2.0	12 700
2p hayon SE	2	M	2.0	14 700
2p hayon Tuscani (cuir)	2	M	2.7	16 500
2p hayon Tuscani (cuir)	2	A	2.7	16 900

2004 TIBURON — 60 000 km

Description	R.m.	Tr.	L	Prix
2p hayon base	2	M	2.0	10 900
2p hayon SE	2	M	2.0	13 100
2p hayon Tuscani (cuir)	2	M	2.7	14 700
2p hayon Tuscani (cuir)	2	A	2.7	14 800
2p hayon Tuscani 6 vit. (cuir)	2	M	2.7	15 300

2003 TIBURON — 80 000 km

Description	R.m.	Tr.	L	Prix
2p hayon base	2	M	2.0	9700
2p hayon SE	2	M	2.0	11 900
2p hayon SE (cuir)	2	M	2.0	13 000
2p hayon Tuscani	2	M	2.7	14 600
2p hayon GT (cuir)	2	M	2.7	13 700
2p hayon GT 6 vit. (cuir)	2	M	2.7	14 500
2p hayon GS-R (cuir)	2	M	2.7	14 600

2006 TUCSON — 20 000 km

Description	R.m.	Tr.	L	Prix
4p GL	2	M	2.0	16 100
4p GL (a/c)	2	M	2.0	17 400
4p GL (a/c)	2	A	2.0	18 400
4p GL V6	2	A	2.7	19 900
4p GL V6 (cuir)	2	A	2.7	20 900
4p GL AWD	A	M	2.0	19 400
4p GL V6 AWD	A	A	2.7	21 800
4p GLS V6 (cuir) AWD	A	A	2.7	23 200

2005 TUCSON — 40 000 km

Description	R.m.	Tr.	L	Prix
4p GL	2	M	2.0	12 900
4p GL (a/c)	2	M	2.0	14 200
4p GL (a/c)	2	A	2.0	15 100
4p GL V6	2	A	2.7	16 100
4p GL AWD	A	A	2.7	16 900
4p GLS (cuir) AWD	A	A	2.7	17 700

2005 XG350 — 40 000 km

Description	R.m.	Tr.	L	Prix
4p berline base	2	A	3.5	20 400

2004 XG350 — 60 000 km

Description	R.m.	Tr.	L	Prix
4p berline base	2	A	3.5	16 600

2003 XG350 — 80 000 km

Description	R.m.	Tr.	L	Prix
4p berline base	2	A	3.5	13 800

2002 XG350 — 100 000 km

Description	R.m.	Tr.	L	Prix
4p berline base	2	A	3.5	10 800

INFINITI

2006 FX — 20 000 km

Description	R.m.	Tr.	L	Prix
4p FX35	A	A	3.5	43 200
4p FX35 Tech. Pkg	A	A	3.5	49 800
4p FX45	A	A	4.5	49 600
4p FX45 Tech. Pkg	A	A	4.5	54 700

2005 FX — 40 000 km

Description	R.m.	Tr.	L	Prix
4p FX35	A	A	3.5	36 100
4p FX35 Tech. Pkg	A	A	3.5	43 300
4p FX45	A	A	4.5	43 100
4p FX45 Tech. Pkg	A	A	4.5	45 300

2004 FX — 60 000 km

Description	R.m.	Tr.	L	Prix
4p FX35	A	A	3.5	32 100
4p FX35 Touring	A	A	3.5	39 100
4p FX45	A	A	4.5	39 100
4p FX45 H Teck Pkg	A	A	4.5	41 600

2003 FX — 80 000 km

Description	R.m.	Tr.	L	Prix
4p FX35	A	A	3.5	28 500
4p FX35 Touring	A	A	3.5	35 300
4p FX45	A	A	4.5	35 200
4p FX45 H Teck Pkg	A	A	4.5	37 000

2002 G20 — 100 000 km

Description	R.m.	Tr.	L	Prix
4p berline Sport	2	M	2.0	13 900
4p berline Sport	2	A	2.0	15 100
4p berline Luxury (cuir)	2	A	2.0	13 900

2006 G35 — 20 000 km

Description	R.m.	Tr.	L	Prix
2p coupé base	2	A	3.5	36 200
2p coupé Performance	2	A	3.5	37 200
2p coupé Sport M6	2	M	3.5	38 200

Abréviations : R.m. : roues motrices (2, 4, A) • Tr : Transmission (A, M) • L : capacité du moteur en litres

Description	R.m.	Tr.	L	Prix
2p coupé Sport	2	A	3.5	38 200
4p berline Luxury	2	A	3.5	30 500
4p berline Premium	2	A	3.5	33 300
4p berline Premium Aero	2	A	3.5	34 900
4p berline Premium Aero M6	2	M	3.5	34 900
4p berline G35x Luxury	A	A	3.5	32 900
4p berline G35x Premium	A	A	3.5	35 700

2005 G35 — 40 000 km

Description	R.m.	Tr.	L	Prix
2p coupé base	2	A	3.5	30 400
2p coupé Sport M6	2	M	3.5	32 500
4p berline Luxury	2	A	3.5	25 200
4p berline Premium	2	A	3.5	27 800
4p berline Premium Aero	2	A	3.5	28 800
4p berline Premium Aero M6	2	M	3.5	28 800
4p berline G35x Luxury	A	A	3.5	27 800
4p berline G35x Premium	A	A	3.5	30 400

2004 G35 — 60 000 km

Description	R.m.	Tr.	L	Prix
2p coupé base M6	2	M	3.5	27 000
2p coupé base	2	A	3.5	24 700
2p coupé Performance	2	A	3.5	26 100
4p berline Luxury	2	A	3.5	20 400
4p berline Premium	2	A	3.5	22 700
4p berline Premium Aero M6	2	M	3.5	23 300
4p berline Premium Aero	2	A	3.5	24 100
4p berline G35x Luxury	A	A	3.5	22 900
4p berline G35x Premium	A	A	3.5	24 300

2003 G35 — 80 000 km

Description	R.m.	Tr.	L	Prix
2p coupé base M6	2	M	3.5	24 200
2p coupé base	2	A	3.5	22 200
2p coupé Performance	2	A	3.5	23 200
4p berline Luxury	2	A	3.5	18 100
4p berline Premium	2	A	3.5	21 100
4p berline Premium Aero M6	2	M	3.5	21 600
4p berline Premium Aero	2	A	3.5	21 700

2004 I35 — 60 000 km

Description	R.m.	Tr.	L	Prix
4p berline Luxury	2	A	3.5	25 200
4p berline Sport	2	A	3.5	26 500

2003 I35 — 80 000 km

Description	R.m.	Tr.	L	Prix
4p berline Luxury	2	A	3.5	22 400
4p berline Sport	2	A	3.5	23 700

2002 I35 — 100 000 km

Description	R.m.	Tr.	L	Prix
4p berline Luxury	2	A	3.5	19 900
4p berline Sport	2	A	3.5	21 400

2006 M — 20 000 km

Description	R.m.	Tr.	L	Prix
4p berline M35	2	A	3.5	43 400
4p berline M35 Technology	2	A	3.5	48 900
4p berline M35x	A	A	3.5	46 400
4p berline M35x Premium	A	A	3.5	51 500
4p berline M45	2	A	4.5	51 500
4p berline M45 Ultra Premium	2	A	4.5	55 500
4p berline M45 Sport	2	A	4.5	56 500

2004 M45 — 60 000 km

Description	R.m.	Tr.	L	Prix
4p berline Sport	2	A	4.5	38 900

2003 M45 — 80 000 km

Description	R.m.	Tr.	L	Prix
4p berline Sport	2	A	4.5	35 600

2005 Q45 — 40 000 km

Description	R.m.	Tr.	L	Prix
4p berline Premium	2	A	4.5	57 600

2004 Q45 — 60 000 km

Description	R.m.	Tr.	L	Prix
4p berline Sport	2	A	4.5	42 100
4p berline Premium	2	A	4.5	46 900

2003 Q45 — 80 000 km

Description	R.m.	Tr.	L	Prix
4p berline Luxury	2	A	4.5	38 300
4p berline Premium	2	A	4.5	43 100

2002 Q45 — 100 000 km

Description	R.m.	Tr.	L	Prix
4p berline Luxury	2	A	4.5	32 900
4p berline Premium	2	A	4.5	34 800

2003 QX4 — 80 000 km

Description	R.m.	Tr.	L	Prix
4p base	A	A	3.5	25 700

2002 QX4 — 100 000 km

Description	R.m.	Tr.	L	Prix
4p base	A	A	3.5	22 400
4p Platinum Edition	A	A	3.5	25 700

2006 QX56 — 20 000 km

Description	R.m.	Tr.	L	Prix
4p 7 pass. base	A	A	5.6	60 100
4p 8 pass. base	A	A	5.6	60 100

2005 QX56 — 40 000 km

Description	R.m.	Tr.	L	Prix
4p 7 pass. base	A	A	5.6	53 600
4p 8 pass. base	A	A	5.6	53 600

2004 QX56 — 60 000 km

Description	R.m.	Tr.	L	Prix
4p base	A	A	5.6	47 300

ISUZU

2003 RODEO — 80 000 km

Description	R.m.	Tr.	L	Prix
4p S	4	M	3.2	13 900
4p SE	4	A	3.2	16 200
4p LS	4	M	3.2	16 800
4p LSE (cuir)	4	A	3.2	17 500

2002 RODEO — 100 000 km

Description	R.m.	Tr.	L	Prix
4p S	4	M	3.2	12 200
4p SE	4	A	3.2	14 500
4p LS	4	M	3.2	15 200
4p LSE (cuir)	4	A	3.2	16 000

2002 TROOPER — 100 000 km

Description	R.m.	Tr.	L	Prix
4p S	4	M	3.5	14 800
4p LS	4	A	3.5	16 200
4p Limited (cuir)	A	A	3.5	17 100

JAGUAR

2006 S-TYPE — 20 000 km

Description	R.m.	Tr.	L	Prix
4p berline S-Type	2	A	3.0	49 800
4p berline S-Type	2	A	4.2	59 000
4p berline S-Type VDP Edition	2	A	4.2	62 000
4p berline S-Type R (navi)	2	A	4.2	70 600

2005 S-TYPE — 40 000 km

Description	R.m.	Tr.	L	Prix
4p berline S-Type	2	A	3.0	42 400
4p berline S-Type Sport	2	A	3.0	44 300
4p berline S-Type	2	A	4.2	49 300
4p berline S-Type Sport	2	A	4.2	50 800
4p berline S-Type VDP Edition	2	A	4.2	51 600
4p berline S-Type R	2	A	4.2	55 800

2004 S-TYPE — 60 000 km

Description	R.m.	Tr.	L	Prix
4p berline S-Type	2	M	3.0	28 800
4p berline S-Type Sport	2	M	3.0	30 600
4p berline S-Type	2	A	4.2	34 700
4p berline S-Type Sport	2	A	4.2	36 500
4p berline S-Type R	2	A	4.2	42 000

2003 S-TYPE — 80 000 km

Description	R.m.	Tr.	L	Prix
4p berline S-Type	2	M	3.0	22 800
4p berline S-Type Sport	2	M	3.0	25 600
4p berline S-Type	2	A	4.2	28 500
4p berline S-Type Sport	2	A	4.2	31 000
4p berline S-Type R	2	A	4.2	37 000

2002 S-TYPE — 100 000 km

Description	R.m.	Tr.	L	Prix
4p berline S-Type	2	A	3.0	20 600
4p berline S-Type Sport	2	A	3.0	23 400
4p berline S-Type	2	A	4.0	24 400
4p berline S-Type Sport	2	A	4.0	25 900

2006 X-TYPE — 20 000 km

Description	R.m.	Tr.	L	Prix
4p berline X-Type 3,0 l	A	M	3.0	34 600
4p berline X-Type 3,0 l	A	A	3.0	35 900
4p berline X-Type 3,0 l Luxury	A	A	3.0	42 000
4p berline X-Type 3,0 l Sport	A	A	3.0	44 500
4p familiale X-Type 3,0 l	A	A	3.0	39 900
4p familiale X-Type 3,0 l Luxury	A	A	3.0	44 400

2005 X-TYPE — 40 000 km

Description	R.m.	Tr.	L	Prix
4p berline X-Type 3,0 l	A	M	3.0	26 700
4p berline X-Type 3,0 l	A	A	3.0	26 700
4p berline X-Type 3,0 l Sport	A	M	3.0	29 500
4p berline X-Type 3,0 l Sport	A	A	3.0	29 500
4p berline X-Type VDP Edition	A	A	3.0	30 300
4p familiale X-Type 3,0 l	A	A	3.0	28 600
4p familiale X-Type 3,0 l Sport	A	M	3.0	28 700
4p familiale X-Type 3,0 l Sport	A	A	3.0	28 700

2004 X-TYPE — 60 000 km

Description	R.m.	Tr.	L	Prix
4p berline X-Type 2,5 l	A	M	2.5	19 600
4p berline X-Type 2,5 l	A	A	2.5	21 000
4p berline X-Type 3,0 l	A	M	3.0	23 000
4p berline X-Type 3,0 l	A	A	3.0	23 000
4p berline X-Type 3,0 l Sport	A	M	3.0	27 600
4p berline X-Type 3,0 l Sport	A	A	3.0	27 600
4p familiale X-Type 2,5 l	A	M	2.5	22 000
4p familiale X-Type 2,5 l	A	A	2.5	23 000
4p familiale X-Type 3,0 l	A	M	3.0	25 000
4p familiale X-Type 3,0 l	A	A	3.0	25 000
4p familiale X-Type 3,0 l Sport	A	M	3.0	27 900
4p familiale X-Type 3,0 l Sport	A	A	3.0	27 900

2003 X-TYPE — 80 000 km

Description	R.m.	Tr.	L	Prix
4p berline X-Type 2,5 l	A	M	2.5	18 000
4p berline X-Type 2,5 l	A	A	2.5	19 300
4p berline X-Type 2,5 l Sport	A	M	2.5	19 700
4p berline X-Type 2,5 l Sport	A	A	2.5	21 100
4p berline X-Type 3,0 l	A	M	3.0	21 200
4p berline X-Type 3,0 l	A	A	3.0	21 200
4p berline X-Type 3,0 l Sport	A	M	3.0	21 800
4p berline X-Type 3,0 l Sport	A	A	3.0	21 800

2002 X-TYPE — 100 000 km

Description	R.m.	Tr.	L	Prix
4p berline X-Type 2,5 l	A	M	2.5	16 700
4p berline X-Type 2,5 l	A	A	2.5	17 900
4p berline X-Type 2,5 l Sport	A	M	2.5	17 400
4p berline X-Type 2,5 l Sport	A	A	2.5	18 900
4p berline X-Type 3,0 l	A	M	3.0	18 900
4p berline X-Type 3,0 l	A	A	3.0	18 900
4p berline X-Type 3,0 l Sport	A	M	3.0	19 700
4p berline X-Type 3,0 l Sport	A	A	3.0	19 700

2006 XJ — 20 000 km

Description	R.m.	Tr.	L	Prix
4p berline XJ8	2	A	4.2	68 600
4p berline XJ8 L	2	A	4.2	71 600
4p berline XJ8 Vanden Plas	2	A	4.2	75 800
4p berline XJR	2	A	4.2	80 300
4p berline XJR Super V8	2	A	4.2	97 600
4p berline XJR Super V8 Portfolio	2	A	4.2	121 200

2005 XJ — 40 000 km

Description	R.m.	Tr.	L	Prix
4p berline XJ8	2	A	4.2	59 700
4p berline XJ8 Vanden Plas	2	A	4.2	67 500
4p berline XJR	2	A	4.2	69 600
4p berline XJR Super V8	2	A	4.2	82 600

2004 XJ — 60 000 km

Description	R.m.	Tr.	L	Prix
4p berline XJ8	2	A	4.2	46 000
4p berline XJ8 Vanden Plas	2	A	4.2	51 600
4p berline XJR	2	A	4.2	53 000

2003 XJ — 80 000 km

Description	R.m.	Tr.	L	Prix
4p berline XJ8	2	A	4.0	31 100
4p berline XJ8	2	A	4.0	32 100
4p berline XJ8	2	A	4.0	35 100
4p berline XJ8 Vanden Plas	2	A	4.0	36 100
4p berline XJR	2	A	4.0	37 200
4p berline XJR	2	A	4.0	39 700

2002 XJ — 100 000 km

Description	R.m.	Tr.	L	Prix
4p berline XJ8	2	A	4.0	28 200
4p berline XJ8 Vanden Plas	2	A	4.0	34 100
4p berline XJ8 V-Plas superch	2	A	4.0	36 700
4p berline XJR	2	A	4.0	35 500

2006 XK — 20 000 km

Description	R.m.	Tr.	L	Prix
2p coupé XK8	2	A	4.2	76 700
2p coupé XKR	2	A	4.2	85 700
2p décapotable XK8	2	A	4.2	83 200
2p décapotable XKR	2	A	4.2	92 200

2005 XK — 40 000 km

Description	R.m.	Tr.	L	Prix
2p coupé XK8	2	A	4.2	66 200
2p coupé XKR	2	A	4.2	76 000
2p décapotable XK8	2	A	4.2	73 300
2p décapotable XKR	2	A	4.2	77 900

2004 XK — 60 000 km

Description	R.m.	Tr.	L	Prix
2p coupé XK8	2	A	4.2	50 600
2p coupé XKR	2	A	4.2	60 400
2p décapotable XK8	2	A	4.2	57 600
2p décapotable XKR	2	A	4.2	61 500

2003 XK — 80 000 km

Description	R.m.	Tr.	L	Prix
2p coupé XK8	2	A	4.2	43 900
2p coupé XKR	2	A	4.2	52 500
2p décapotable XK8	2	A	4.2	50 800
2p décapotable XKR	2	A	4.2	53 600

2002 XK — 100 000 km

Description	R.m.	Tr.	L	Prix
2p coupé XK8	2	A	4.0	41 800
2p coupé XKR	2	A	4.0	50 300
2p décapotable XK8	2	A	4.0	47 300
2p décapotable XKR	2	A	4.0	49 700

JEEP

2006 GRAND CHEROKEE — 20 000 km

Description	R.m.	Tr.	L	Prix
4p Laredo	4	A	3.7	30 600
4p Laredo	4	A	4.7	31 700
4p Limited (cuir)	4	A	4.7	38 800
4p Limited (cuir)	4	A	5.7	39 600
4p Overland	4	A	5.7	41 200
4p SRT8	4	A	6.1	38 400

2005 GRAND CHEROKEE — 40 000 km

Description	R.m.	Tr.	L	Prix
4p Laredo	4	A	3.7	24 400
4p Laredo	4	A	4.7	25 500
4p Limited (cuir)	A	A	4.7	27 600
4p Limited (cuir)	A	A	5.7	28 300

2004 GRAND CHEROKEE — 60 000 km

Description	R.m.	Tr.	L	Prix
4p Laredo	4	A	4.0	20 900
4p Laredo	4	A	4.7	22 400
4p Laredo Rocky Mountain	4	A	4.0	21 600
4p Laredo Rocky Mountain	4	A	4.7	22 900
4p Laredo Columbia	4	A	4.0	22 300
4p Laredo Columbia HO	4	A	4.7	24 300
4p Limited (cuir)	A	A	4.0	24 700
4p Limited (cuir)	A	A	4.7	24 600
4p Limited (cuir) HO	A	A	4.7	25 000
4p Overland	A	A	4.7	25 500

2003 GRAND CHEROKEE — 80 000 km

Description	R.m.	Tr.	L	Prix
4p Laredo	4	A	4.0	17 400
4p Laredo	4	A	4.7	18 900
4p Limited (cuir)	A	A	4.0	21 100
4p Limited (cuir)	A	A	4.7	21 300
4p Limited (cuir) HO	A	A	4.7	22 100
4p Overland	A	A	4.7	22 400

2002 GRAND CHEROKEE — 100 000 km

Description	R.m.	Tr.	L	Prix
4p Laredo	4	A	4.0	15 900
4p Laredo	4	A	4.7	17 400
4p Limited (cuir)	A	A	4.0	19 400
4p Limited (cuir)	A	A	4.7	20 100
4p Limited (cuir) HO	A	A	4.7	20 100
4p Overland	A	A	4.7	20 500

2006 COMMANDER — 20 000 km

Description	R.m.	Tr.	L	Prix
4p base	4	A	3.7	34 300
4p base	4	A	4.7	35 400
4p Limited (cuir)	4	A	4.7	41 300
4p Limited (cuir)	4	A	5.7	42 500

2006 LIBERTY — 20 000 km

Description	R.m.	Tr.	L	Prix
4p Sport	4	M	3.7	25 300
4p Sport	4	A	3.7	26 300
4p Sport turbo diesel	4	A	2.8	28 200
4p Renegade	4	M	3.7	27 300
4p Renegade	4	A	3.7	28 200
4p Limited (ensemble 28F)	4	A	3.7	28 500
4p Limited (ens.28G cuir)	4	A	3.7	30 700
4p Limited turbo diesel	4	A	2.8	29 800

2005 LIBERTY — 40 000 km

Description	R.m.	Tr.	L	Prix
4p Sport	4	A	2.4	21 600
4p Sport	4	M	3.7	22 400
4p Sport	4	A	3.7	23 400
4p Sport turbo diesel	4	A	2.8	27 200
4p Renegade	4	M	3.7	24 200
4p Renegade	4	A	3.7	25 200
4p Limited (ensemble 28F)	4	A	3.7	25 500
4p Limited (ens.28G cuir)	4	A	3.7	26 600
4p Limited turbo diesel	4	A	2.8	28 100

2004 LIBERTY — 60 000 km

Description	R.m.	Tr.	L	Prix
4p Sport	4	M	2.4	19 400
4p Sport	4	M	3.7	20 100
4p Sport	4	A	3.7	21 100
4p Columbia	4	M	3.7	22 200
4p Columbia	4	A	3.7	22 200
4p Limited 28F	4	A	3.7	22 200
4p Limited 28G (cuir)	4	A	3.7	23 900
4p Renegade	4	M	3.7	22 800
4p Renegade	4	A	3.7	23 100

2003 LIBERTY — 80 000 km

Description	R.m.	Tr.	L	Prix
4p Sport	4	A	2.4	17 600
4p Sport	4	M	3.7	18 400
4p Sport	4	A	3.7	19 300
4p Limited	4	A	3.7	19 900
4p Renegade	4	M	3.7	20 400
4p Renegade	4	A	3.7	20 500

2002 LIBERTY — 100 000 km

Description	R.m.	Tr.	L	Prix
4p Sport	4	A	2.4	14 700
4p Sport	4	M	3.7	15 400
4p Sport	4	A	3.7	16 300
4p Limited	4	A	3.7	17 100
4p Renegade	4	M	3.7	17 800
4p Renegade	4	A	3.7	18 200

2006 TJ — 20 000 km

Description	R.m.	Tr.	L	Prix
2p SE	4	M	2.4	18 200
2p Sport	4	M	4.0	21 300
2p Rubicon	4	M	4.0	24 500
2p allongé Unlimited	4	M	4.0	22 700
2p allongé Unlimited Rubicon	4	M	4.0	25 300

2005 TJ — 40 000 km

Description	R.m.	Tr.	L	Prix
2p SE	2	M	2.4	12 200
2p Sport	4	M	4.0	15 200
2p Rubicon	4	M	4.0	17 200
2p allongé Unlimited	4	M	4.0	17 100
2p allongé Unlimited Rubicon	4	M	4.0	18 100

2004 TJ — 60 000 km

Description	R.m.	Tr.	L	Prix
2p SE	4	M	2.4	10 200
2p Sport	4	M	4.0	13 200
2p Sahara	4	M	4.0	14 800
2p Rubicon	4	M	4.0	14 600
2p allongé Unlimited	4	A	4.0	14 600

2003 TJ — 80 000 km

Description	R.m.	Tr.	L	Prix
2p SE	4	M	2.4	9200
2p Sport	4	M	4.0	12 600
2p Sahara	4	M	4.0	13 800
2p Rubicon	4	M	4.0	14 200

2002 TJ — 100 000 km

Description	R.m.	Tr.	L	Prix
2p SE	4	M	2.5	8900
2p Sport	4	M	4.0	11 900
2p Sahara	4	M	4.0	12 600

Abréviations : R.m. : roues motrices (2, 4, A) • Tr : Transmission (A, M) • L : capacité du moteur en litres

KIA

Description	R.m.	Tr.	L	Prix
2006 AMANTI				**20 000 km**
4p berline base	2	A	3.5	25 200
4p berline Groupe Cuir	2	A	3.5	26 600
4p berline Groupe Luxe	2	A	3.5	28 800
2005 AMANTI				**40 000 km**
4p berline base	2	A	3.5	21 300
2004 AMANTI				**60 000 km**
4p berline base	2	A	3.5	17 900
2006 MAGENTIS				**20 000 km**
4p berline LX	2	M	2.4	17 200
4p berline LX	2	A	2.4	18 000
4p berline LX V6	2	A	2.7	19 400
4p berline EX V6 (cuir)	2	A	2.7	21 600
2005 MAGENTIS				**40 000 km**
4p berline LX Éd Anniversaire	2	M	2.4	13 700
4p berline LX Éd Anniversaire	2	A	2.4	14 600
4p berline LX V6	2	A	2.7	15 200
4p berline EX V6 (cuir)	2	A	2.7	16 700
2004 MAGENTIS				**60 000 km**
4p berline LX	2	A	2.4	12 300
4p berline LX V6	2	A	2.7	13 700
4p berline SE V6 (cuir)	2	A	2.7	14 500
2003 MAGENTIS				**80 000 km**
4p berline LX	2	A	2.4	9900
4p berline LX V6	2	A	2.7	11 400
4p berline SE V6 (cuir)	2	A	2.7	12 300
2002 MAGENTIS				**100 000 km**
4p berline LX	2	A	2.4	7700
4p berline LX V6	2	A	2.7	9700
4p berline LX V6 (ABS)	2	A	2.7	10 000
4p berline SE V6 (cuir)	2	A	2.7	10 500
2006 RIO				**20 000 km**
4p berline EX	2	M	1.6	9500
4p berline EX Commodité (a/c)	2	M	1.6	10 900
4p hayon Rio5 EX	2	M	1.6	9800
4p hayon Rio5 EX Comm (a/c)	2	M	1.6	11 200
4p hayon Rio5 EX Sport	2	M	1.6	11 700
2005 RIO				**40 000 km**
4p berline S	2	M	1.6	7200
4p berline RS	2	M	1.6	8300
4p berline Édition Anniversaire	2	M	1.6	9700
4p berline LS	2	A	1.6	10 600
4p hayon RXV	2	M	1.6	10 400
2004 RIO				**60 000 km**
4p berline S	2	M	1.6	5400
4p berline RS	2	M	1.6	6200
4p berline LS	2	A	1.6	8300
4p hayon RXV	2	M	1.6	8300
2003 RIO				**80 000 km**
4p berline S	2	M	1.6	4600
4p berline RS	2	M	1.6	5500
4p berline LS	2	A	1.6	7800
4p hayon RXV	2	M	1.6	7100
2002 RIO				**100 000 km**
4p berline base	2	M	1.5	4100
4p berline RS	2	M	1.5	5000
4p hayon RXV	2	M	1.5	5900
2006 SEDONA				**20 000 km**
4p LX	2	A	3.8	24 800
4p EX	2	A	3.8	26 800
4p EX Gr. Électrique	2	A	3.8	27 900
4p EX Gr. Luxe (cuir)	2	A	3.8	29 900
2005 SEDONA				**40 000 km**
4p LX	2	A	3.5	15 300
4p EX	2	A	3.5	16 800
4p EX (cuir)	2	A	3.5	18 100
2004 SEDONA				**60 000 km**
4p LX	2	A	3.5	13 500
4p LXE	2	A	3.5	15 100
4p EX	2	A	3.5	15 800
4p EX (cuir)	2	A	3.5	16 400
2003 SEDONA				**80 000 km**
4p LX	2	A	3.5	12 000
4p EX	2	A	3.5	14 400
2002 SEDONA				**100 000 km**
4p LX	2	A	3.5	10 500
4p EX	2	A	3.5	12 900
2006 SORENTO				**20 000 km**
4p LX	2	M	3.5	22 300
4p LX gr. Sécurité (abs)	2	A	3.5	24 300
4p LX	4	M	3.5	24 300
4p LX	4	A	3.5	25 400
4p LX Premium (cuir)	A	A	3.5	28 200
4p EX	4	A	3.5	27 100
4p EX Luxe (cuir)	A	A	3.5	29 600
2005 SORENTO				**40 000 km**
4p LX	4	M	3.5	20 500
4p LX	4	A	3.5	21 700
4p EX	A	A	3.5	23 000
4p EX Luxe (cuir)	A	A	3.5	23 800
2004 SORENTO				**60 000 km**
4p LX	4	M	3.5	18 400
4p LX	4	A	3.5	19 200
4p EX	A	A	3.5	20 200
4p EX (cuir)	A	A	3.5	20 900
2003 SORENTO				**80 000 km**
4p LX	4	A	3.5	16 700
4p EX	A	A	3.5	18 000
4p EX (cuir)	A	A	3.5	18 400
2006 SPECTRA				**20 000 km**
4p berline LX	2	M	2.0	11 400
4p berline LX Commodité (a/c)	2	M	2.0	13 000
4p berline EX (abs)	2	A	2.0	15 500
5p hayon Spectra5	2	M	2.0	12 200
5p hayon Spectra5 EX Commod	2	M	2.0	14 000
5p hayon Spectra5 EX Sport	2	M	2.0	15 800
2005 SPECTRA				**40 000 km**
4p berline LX	2	M	2.0	8600
4p berline LX Commodité (a/c)	2	M	2.0	10 400
4p berline EX (ABS)	2	M	2.0	12 200
5p hayon Spectra5	2	M	2.0	9700
5p hayon Spectra5 SX (a/c)	2	M	2.0	12 200
5p hayon Spectra5 SX (ABS/toit)	2	M	2.0	13 700
2004 SPECTRA				**60 000 km**
4p berline RS	2	M	1.8	7000
4p berline LS	2	M	1.8	8800
4p hayon GSX	2	M	1.8	9700
2003 SPECTRA				**80 000 km**
4p berline RS	2	M	1.8	6400
4p berline LS	2	M	1.8	8200
4p hayon GSX	2	M	1.8	9100
2002 SPECTRA				**100 000 km**
4p berline base	2	M	1.8	5200
4p berline LS	2	M	1.8	6900
4p hayon GSX	2	M	1.8	7800
2006 SPORTAGE				**20 000 km**
4p LX	2	M	2.0	16 200
4p LX Commodité	2	M	2.0	17 900
4p LX Commodité	2	A	2.0	18 800
4p LX-V6	2	A	2.7	20 500
4p LX commodité	4	M	2.0	19 600
4p LX-V6	4	A	2.7	21 600
4p LX-V6 Luxe (cuir)	4	A	2.7	22 700
2005 SPORTAGE				**40 000 km**
4p LX	2	M	2.0	12 000
4p LX Commodité	2	M	2.0	13 500
4p LX Commodité	2	A	2.0	14 300
4p LX-V6	2	A	2.7	16 200
4p LX Commodité	4	M	2.0	15 100
4p LX-V6	4	A	2.7	16 800
4p EX-V6 (cuir)	4	A	2.7	18 200
2002 SPORTAGE				**100 000 km**
4p base	4	M	2.0	7800
4p EX	4	M	2.0	8800

LAND ROVER

Description	R.m.	Tr.	L	Prix
2004 DISCOVERY				**60 000 km**
4p 5 pass. S	4	A	4.6	23 600
4p 7 pass. S	4	A	4.6	25 000
4p 5 pass. SE (cuir)	4	A	4.6	25 700
4p 7 pass. SE (cuir)	4	A	4.6	26 500
4p 5 pass. HSE (cuir)	4	A	4.6	27 200
4p 7 pass. HSE (cuir)	4	A	4.6	28 400
2003 DISCOVERY				**80 000 km**
4p 5 pass. S	4	A	4.6	19 500
4p 7 pass. S	4	A	4.6	20 900
4p 5 pass. SE (cuir)	4	A	4.6	23 200
4p 7 pass. SE (cuir)	4	A	4.6	23 300
4p 5 pass. HSE (cuir)	4	A	4.6	23 800
4p 7 pass. HSE (cuir)	4	A	4.6	24 500
2002 DISCOVERY				**100 000 km**
4p 5 pass. SÉRIE II SD	4	A	4.0	17 600
4p 7 pass. SÉRIE II SD	4	A	4.0	18 800
4p 5 pass. SÉRIE II SE (cuir)	4	A	4.0	19 800
4p 7 pass. SÉRIE II SE (cuir)	4	A	4.0	20 100
2005 FREELANDER				**40 000 km**
2p SE3 (cuir)	A	A	2.5	22 500
4p SE	A	A	2.5	19 600
2004 FREELANDER				**60 000 km**
2p SE3	A	A	2.5	17 500
4p SE	A	A	2.5	15 700
4p HSE (cuir)	A	A	2.5	17 800
2003 FREELANDER				**80 000 km**
2p SE3	A	A	2.5	14 500
4p S	A	A	2.5	13 500
4p SE (cuir)	A	A	2.5	15 200
4p HSE (cuir)	A	A	2.5	17 200
2002 FREELANDER				**100 000 km**
4p S	A	A	2.5	13 200
4p SE (cuir)	A	A	2.5	15 300
4p HSE (cuir)	A	A	2.5	16 300
2006 LR3				**20 000 km**
4p SE	4	A	4.0	43 500
4p SE Luxury (cuir)	4	A	4.0	47 500
4P SE V8	4	A	4.4	50 200
4p HSE V8	4	A	4.4	55 200
2005 LR3				**40 000 km**
4p SE	4	A	4.4	42 500
4p HSE	4	A	4.4	50 100
2006 RANGE ROVER				**20 000 km**
4p Sport HSE	4	A	4.4	64 000
4p Sport Supercharged	4	A	4.2	76 800
4p HSE	4	A	4.4	81 900
4p Supercharged	4	A	4.2	97 000
2005 RANGE ROVER				**40 000 km**
4p HSE	4	A	4.4	66 200
4p Westminster Edition	4	A	4.4	70 600
2004 RANGE ROVER				**60 000 km**
4p HSE	4	A	4.4	55 100
4p Westminster Edition	4	A	4.4	59 200
2003 RANGE ROVER				**80 000 km**
4p HSE	4	A	4.4	48 900
2002 RANGE ROVER				**100 000 km**
4p HSE	4	A	4.6	40 700

LEXUS

Description	R.m.	Tr.	L	Prix
2006 ES				**20 000 km**
4p berline ES 330	2	A	3.3	34 400
4p berline ES 330 Premium	2	A	3.3	41 500
2005 ES				**40 000 km**
4p berline ES 330	2	A	3.3	30 000
4p berline ES 330 Prem Luxury	2	A	3.3	37 100
2004 ES				**60 000 km**
4p berline ES 330	2	A	3.3	29 200
2003 ES				**80 000 km**
4p berline ES 300	2	A	3.0	24 100
2002 ES				**100 000 km**
4p berline ES 300	2	A	3.0	22 300
2006 GS				**20 000 km**
4p berline GS 300	2	A	3.0	49 900
4p berline GS 300 Touring	2	A	3.0	52 300
4p berline GS 300 Premium	2	A	3.0	58 600
4p berline GS 300 AWD	A	A	3.0	51 900
4p berline GS 300 AWD Touring	A	A	3.0	54 300
4p berline GS 300 AWD Premium	A	A	3.0	59 300
4p berline GS 430	2	A	4.3	57 300
4p berline GS 430 Touring	2	A	4.3	59 400
4p berline GS 430 Premium	2	A	4.3	68 500
2005 GS				**40 000 km**
4p berline GS 300	2	A	3.0	39 700
4p berline GS 430	2	A	4.3	44 100
2004 GS				**60 000 km**
4p berline GS 300	2	A	3.0	35 600
4p berline GS 430	2	A	4.3	38 600
2003 GS				**80 000 km**
4p berline GS 300	2	A	3.0	33 700
4p berline GS 430	2	A	4.3	34 500
2002 GS				**100 000 km**
4p berline GS 300	2	A	3.0	31 000
4p berline GS 430	2	A	4.3	32 000
2006 GX				**20 000 km**
4p GX 470	A	A	4.7	54 000
4p GX 470 Ultra Premium	A	A	4.7	58 000
2005 GX				**40 000 km**
4p GX 470	A	A	4.7	45 400
2004 GX				**60 000 km**
4p GX 470	A	A	4.7	43 200
2006 IS				**20 000 km**
4p berline IS 250	2	M	2.5	29 200
4p berline IS 250	2	A	2.5	30 200
4p berline IS 250 AWD	A	A	2.5	32 600
4p berline IS 350	2	A	3.5	38 500
2005 IS				**40 000 km**
4p berline IS 300	2	M	3.0	25 400
4p berline IS 300	2	A	3.0	26 900
4p fam IS 300 Sport Cross (cuir)	2	A	3.0	27 700
2004 IS				**60 000 km**
4p berline IS 300	2	M	3.0	21 200
4p berline IS 300	2	A	3.0	22 700
4p fam IS 300 Sport Cross (cuir)	2	A	3.0	25 100
2003 IS				**80 000 km**
4p berline IS 300	2	M	3.0	19 600
4p berline IS 300	2	A	3.0	21 000
4p fam IS 300 Sport Cross (cuir)	2	A	3.0	22 200
2002 IS				**100 000 km**
4p berline IS 300	2	M	3.0	17 900
4p berline IS 300	2	A	3.0	19 400
4p fam IS 300 Sport Cross (cuir)	2	A	3.0	21 500
2006 LS				**20 000 km**
4p berline LS 430	2	A	4.3	67 600
2005 LS				**40 000 km**
4p berline LS 430	2	A	4.3	55 800
2004 LS				**60 000 km**
4p berline LS 430	2	A	4.3	46 500
2003 LS				**80 000 km**
4p berline LS 430	2	A	4.3	40 000
2002 LS				**100 000 km**
4p berline LS 430	2	A	4.3	38 400
2006 LX				**20 000 km**
4p LX 470	A	A	4.7	79 200
2005 LX				**40 000 km**
4p LX 470	A	A	4.7	66 600
2004 LX				**60 000 km**
4p LX 470	A	A	4.7	57 200
2003 LX				**80 000 km**
4p LX 470	A	A	4.7	47 400
2002 LX				**100 000 km**
4p LX 470	A	A	4.7	42 700
2006 RX				**20 000 km**
4p RX 330	A	A	3.3	39 400
4p RX 330 Premium	A	A	3.3	44 200
4p RX 330 Ultra (navigation)	A	A	3.3	49 200
4p RX 400h Hybrid	A	A	3.3	48 100
4p RX 400h Hybrid Ultra (navi.)	A	A	3.3	54 400
2005 RX				**40 000 km**
4p RX 330	A	A	3.3	31 300
2004 RX				**60 000 km**
4p RX 330	A	A	3.3	28 400
2003 RX				**80 000 km**
4p RX 300	A	A	3.0	26 700
2002 RX				**100 000 km**
4p RX 300	A	A	3.0	24 800
2006 SC				**20 000 km**
2p décapotable SC 430	2	A	4.3	74 600
2p déc SC 430 Pebble Beach Éd.	2	A	4.3	75 600
2005 SC				**40 000 km**
2p décapotable SC 430	2	A	4.3	65 600
2004 SC				**60 000 km**
2p décapotable SC 430	2	A	4.3	54 600
2003 SC				**80 000 km**
2p décapotable SC 430	2	A	4.3	47 300
2002 SC				**100 000 km**
2p décapotable SC 430	2	A	4.3	44 000

Abréviations : R.m. : roues motrices (2, 4, A) • Tr : Transmission (A, M) • L : capacité du moteur en litres

LINCOLN

2005 AVIATOR — 40 000 km

Description	R.m.	Tr.	L	Prix
4p Luxury	A	A	4.6	37 200
4p Ultimate	A	A	4.6	40 800

2004 AVIATOR — 60 000 km

Description	R.m.	Tr.	L	Prix
4p Ultimate	A	A	4.6	32 300

2003 AVIATOR — 80 000 km

Description	R.m.	Tr.	L	Prix
4p Premium	A	A	4.6	29 500

2002 CONTINENTAL — 100 000 km

Description	R.m.	Tr.	L	Prix
4p berline base	2	A	4.6	19 600

2006 LS — 20 000 km

Description	R.m.	Tr.	L	Prix
4p berline V8 Sport	2	A	3.9	38 900
4p berline V8 Ultimate	2	A	3.9	42 700

2005 LS — 40 000 km

Description	R.m.	Tr.	L	Prix
4p berline V6 Luxury	2	A	3.0	25 800
4p berline V6 Sport	2	A	3.0	30 000
4p berline V8 Sport	2	A	3.9	31 000
4p berline V8 Ultimate	2	A	3.9	33 300

2004 LS — 60 000 km

Description	R.m.	Tr.	L	Prix
4p berline V6 Luxury	2	A	3.0	22 300
4p berline V6 Sport	2	A	3.0	26 800
4p berline V8 Sport	2	A	3.9	27 600
4p berline V8 Ultimate	2	A	3.9	28 600

2003 LS — 80 000 km

Description	R.m.	Tr.	L	Prix
4p berline V6 base	2	A	3.0	18 800
4p berline V6 Convenience	2	A	3.0	20 600
4p berline V6 Sport	2	A	3.0	22 100
4p berline V6 Premium	2	A	3.0	22 700
4p berline V8 Convenience	2	A	3.9	21 900
4p berline V8 Sport	2	A	3.9	23 400
4p berline V8 Premium	2	A	3.9	23 400

2002 LS — 100 000 km

Description	R.m.	Tr.	L	Prix
4p berline V6	2	M	3.0	16 800
4p berline V6	2	A	3.0	17 600
4p berline V8	2	A	3.9	20 100

2006 MARK LT — 20 000 km

Description	R.m.	Tr.	L	Prix
4p base	2	A	5.4	40 000
4p base	4	A	5.4	41 900

2006 NAVIGATOR — 20 000 km

Description	R.m.	Tr.	L	Prix
4p Ultimate	4	A	5.4	59 000

2005 NAVIGATOR — 40 000 km

Description	R.m.	Tr.	L	Prix
4p Ultimate	4	A	5.4	43 200

2004 NAVIGATOR — 60 000 km

Description	R.m.	Tr.	L	Prix
4p Ultimate	4	A	5.4	37 800

2003 NAVIGATOR — 80 000 km

Description	R.m.	Tr.	L	Prix
4p Premium	4	A	5.4	33 600

2002 NAVIGATOR — 100 000 km

Description	R.m.	Tr.	L	Prix
4p base	4	A	5.4	29 300

2006 TOWN CAR — 20 000 km

Description	R.m.	Tr.	L	Prix
4p berline Executive	2	A	4.6	43 900
4p berline Executive L	2	A	4.6	46 300
4p berline Signature Limited	2	A	4.6	45 100
4p berline Designer SÉRIEs	2	A	4.6	45 600
4p berline Signature L	2	A	4.6	47 700

2005 TOWN CAR — 40 000 km

Description	R.m.	Tr.	L	Prix
4p berline Executive	2	A	4.6	30 700
4p berline Executive L	2	A	4.6	32 800
4p berline Signature Limited	2	A	4.6	32 400
4p berline Signature L	2	A	4.6	33 800

2004 TOWN CAR — 60 000 km

Description	R.m.	Tr.	L	Prix
4p berline Executive	2	A	4.6	25 300
4p berline Executive L	2	A	4.6	27 900
4p berline Ultimate	2	A	4.6	27 100
4p berline Ultimate L	2	A	4.6	28 200

2003 TOWN CAR — 80 000 km

Description	R.m.	Tr.	L	Prix
4p berline Executive	2	A	4.6	21 700
4p berline Executive L	2	A	4.6	26 100
4p berline Signature	2	A	4.6	22 100
4p berline Cartier	2	A	4.6	25 700
4p berline Cartier L	2	A	4.6	26 500

2002 TOWN CAR — 100 000 km

Description	R.m.	Tr.	L	Prix
4p berline Executive	2	A	4.6	17 700
4p berline Executive L	2	A	4.6	23 000
4p berline Signature	2	A	4.6	19 400
4p berline Cartier	2	A	4.6	20 600
4p berline Cartier L	2	A	4.6	23 100

2006 ZEPHYR — 20 000 km

Description	R.m.	Tr.	L	Prix
4p berline base	2	A	3.0	31 100

MAZDA

2006 3 — 20 000 km

Description	R.m.	Tr.	L	Prix
4p berline GX	2	M	2.0	13 500
4p berline GS	2	M	2.0	14 800
4p berline GT	2	M	2.3	17 700
4p hayon GS Sport	2	M	2.3	16 600
4p hayon GT Sport	2	M	2.3	17 700

2005 3 — 40 000 km

Description	R.m.	Tr.	L	Prix
4p berline GX	2	M	2.0	11 800
4p berline GS	2	M	2.0	13 200
4p berline GT	2	M	2.3	16 000
4p hayon GS Sport	2	M	2.3	15 000
4p hayon GT Sport	2	M	2.3	15 900

2004 3 — 60 000 km

Description	R.m.	Tr.	L	Prix
4p berline GX	2	M	2.0	10 700
4p berline GS	2	M	2.0	12 100
4p berline GT	2	M	2.3	15 100
4p hayon GS Sport	2	M	2.3	14 100
4p hayon GT Sport	2	M	2.3	15 000

2006 5 — 20 000 km

Description	R.m.	Tr.	L	Prix
4p GS	2	M	2.3	16 800
4p GT	2	M	2.3	18 900

2006 6 — 20 000 km

Description	R.m.	Tr.	L	Prix
4p berline GS-I4	2	M	2.3	19 700
4p berline GS-I4 gr. Sport	2	M	2.3	21 100
4p berline GT-I4 (cuir)	2	M	2.3	24 900
4p berline GS-V6	2	M	3.0	21 500
4p berline GS-V6 gr. Sport	2	M	3.0	22 900
4p berline GT-V6 (cuir)	2	M	3.0	27 200
4p berline Mazda Speed 6	A	M	2.3	30 000
4p hayon GS-I4 Sport	2	M	2.3	21 200
4p hayon GS-I4 Sport gr.GFX	2	M	2.3	22 200
4p hayon GT-I4 Sport (cuir)	2	M	2.3	25 500
4p hayon GS-V6 Sport	2	M	3.0	23 800
4p hayon GS-V6 Sport gr.GFX	2	M	3.0	25 500
4p hayon GT-V6 Sport (cuir)	2	M	3.0	27 400
4p familiale GS-V6	2	M	3.0	22 500
4p familiale GS-V6 gr.Sport	2	M	3.0	23 300
4p familiale GS-V6 gr.GFX	2	M	3.0	24 800
4p familiale GT-V6 (cuir)	2	M	3.0	26 100
4p familiale GT-V6 gr.GFX	2	M	3.0	27 900

2005 6 — 40 000 km

Description	R.m.	Tr.	L	Prix
4p berline GS-I4	2	M	2.3	17 700
4p berline GS-I4 gr. Sport	2	M	2.3	19 100
4p berline GT-I4 (cuir)	2	M	2.3	23 100
4p berline GS-V6	2	M	3.0	19 600
4p berline GS-V6 gr. Sport	2	M	3.0	21 000
4p berline GT-V6 (cuir)	2	M	3.0	25 100
4p hayon GS-I4 Sport	2	M	2.3	19 200
4p hayon GS-I4 Sport gr.GFX	2	M	2.3	20 300
4p hayon GT-I4 Sport (cuir)	2	M	2.3	23 300
4p hayon GS-V6 Sport	2	M	3.0	21 900
4p hayon GS-V6 Sport gr.GFX	2	M	3.0	22 800
4p hayon GT-V6 Sport (cuir)	2	M	3.0	25 300
4p familiale GS-V6	2	M	3.0	20 600
4p familiale GS-V6 gr.Sport	2	M	3.0	21 400
4p familiale GS-V6 gr.GFX	2	M	3.0	23 000
4p familiale GT-V6 (cuir)	2	M	3.0	24 000
4p familiale GT-V6 gr.GFX	2	M	3.0	25 600

2004 6 — 60 000 km

Description	R.m.	Tr.	L	Prix
4p berline GS-I4	2	M	2.3	16 000
4p berline GS-I4 Gr. Sport	2	M	2.3	16 800
4p berline GT-I4 (cuir)	2	M	2.3	19 600
4p berline GT-I4 (cuir) Gr. GFX	2	M	2.3	20 300
4p berline GS-V6	2	M	3.0	19 700
4p berline GS-V6 Gr. GFX	2	M	3.0	20 300
4p berline GT-V6 (cuir)	2	M	3.0	22 300
4p berline GT-V6 (cuir) Gr. GFX	2	M	3.0	23 400
4p hayon GS-I4 Sport	2	M	2.3	17 100
4p hayon GS-I4 Sport Gr. GFX	2	M	2.3	18 100
4p hayon GT-I4 Sport (cuir)	2	M	2.3	21 300
4p hayon GS-V6 Sport	2	M	3.0	20 100
4p hayon GS-V6 Sport Gr. GFX	2	M	3.0	21 300
4p hayon GT-V6 Sport (cuir)	2	M	3.0	23 300
4p familiale GS-V6	2	M	3.0	18 100
4p familiale GS-V6 Gr. Sport	2	M	3.0	19 900
4p familiale GS-V6 Gr. GFX	2	M	3.0	21 400
4p familiale GT-V6 (cuir)	2	M	3.0	22 000
4p familiale GT-V6 (cuir) Gr. GFX	2	M	3.0	23 500

2002 626 — 100 000 km

Description	R.m.	Tr.	L	Prix
4p berline LX	2	M	2.0	12 600
4p berline LX-V6	2	M	2.5	14 400
4p berline ES-V6 (cuir)	2	M	2.5	15 900

2006 B2300 — 20 000 km

Description	R.m.	Tr.	L	Prix
cab. rég. SX	2	M	2.3	14 800

2005 B2300 — 40 000 km

Description	R.m.	Tr.	L	Prix
cab. rég. SX	2	M	2.3	12 700

2004 B2300 — 60 000 km

Description	R.m.	Tr.	L	Prix
cab. rég. SX	2	M	2.3	9900

2003 B2300 — 80 000 km

Description	R.m.	Tr.	L	Prix
cab. rég. SX	2	M	2.3	9400

2002 B2300 — 100 000 km

Description	R.m.	Tr.	L	Prix
cab. rég. SX	2	M	2.3	7200

2006 B3000 — 20 000 km

Description	R.m.	Tr.	L	Prix
cab. Plus Dual Sport	2	M	3.0	18 400

2005 B3000 — 40 000 km

Description	R.m.	Tr.	L	Prix
cab. rég. SX	2	M	3.0	12 600
cab. Plus Dual Sport	2	M	3.0	15 400

2004 B3000 — 60 000 km

Description	R.m.	Tr.	L	Prix
cab. rég. SX	2	M	3.0	9900
cab. Plus Dual Sport	2	M	3.0	13 500

2003 B3000 — 80 000 km

Description	R.m.	Tr.	L	Prix
cab. rég. SX	2	M	3.0	8800
cab. rég. SX Dual Sport	2	M	3.0	10 800
cab. Plus SX	2	M	3.0	11 600
cab. Plus SX Dual Sport	2	M	3.0	13 000
cab. Plus SE	2	M	3.0	14 100

2002 B3000 — 100 000 km

Description	R.m.	Tr.	L	Prix
cab. rég. SX	2	M	3.0	7600
cab. Plus SX	2	M	3.0	10 500
cab. Plus SX Dual Sport	2	M	3.0	11 700
cab. Plus SE	2	M	3.0	11 600

2006 B4000 — 20 000 km

Description	R.m.	Tr.	L	Prix
cab. Plus DS Dual Sport	2	A	4.0	21 600
cab. Plus SE	4	M	4.0	22 100

2005 B4000 — 40 000 km

Description	R.m.	Tr.	L	Prix
cab. Plus SX Dual Sport	2	M	4.0	17 700
cab. Plus SE	4	M	4.0	20 400

2004 B4000 — 60 000 km

Description	R.m.	Tr.	L	Prix
cab. Plus SX Dual Sport	2	M	4.0	14 400
cab. Plus SE	4	M	4.0	18 100

2003 B4000 — 80 000 km

Description	R.m.	Tr.	L	Prix
cab. Plus SE	2	M	4.0	14 100
cab. Plus SX Dual Sport	2	M	4.0	12 500
cab. Plus SE	4	M	4.0	16 300

2002 B4000 — 100 000 km

Description	R.m.	Tr.	L	Prix
cab. Plus SE	2	M	4.0	11 400
cab. Plus SX Dual Sport	2	M	4.0	10 500
cab. Plus SE	4	M	4.0	14 300

2002 MILLENIA — 100 000 km

Description	R.m.	Tr.	L	Prix
4p berline S	2	A	2.3	17 700

2006 MPV — 20 000 km

Description	R.m.	Tr.	L	Prix
4p GX	2	A	3.0	22 000
4p GS	2	A	3.0	24 300
4p GS groupe Sport	2	A	3.0	26 600
4p GT (cuir)	2	A	3.0	27 700

2005 MPV — 40 000 km

Description	R.m.	Tr.	L	Prix
4p GX	2	A	3.0	17 300
4p GS	2	A	3.0	19 300
4p GS groupe Sport	2	A	3.0	20 400
4p GT (cuir)	2	A	3.0	21 300

2004 MPV — 60 000 km

Description	R.m.	Tr.	L	Prix
4p GX	2	A	3.0	16 000
4p GS	2	A	3.0	17 500
4p GS groupe Sport	2	A	3.0	18 400
4p GT (cuir)	2	A	3.0	18 500

2003 MPV — 80 000 km

Description	R.m.	Tr.	L	Prix
4p DX	2	A	3.0	13 900
4p LX	2	A	3.0	15 500
4p ES (cuir)	2	A	3.0	16 600

2002 MPV — 100 000 km

Description	R.m.	Tr.	L	Prix
4p DX	2	A	3.0	13 100
4p LX	2	A	3.0	14 800
4p ES (cuir)	2	A	3.0	16 000

2006 MX-5 — 20 000 km

Description	R.m.	Tr.	L	Prix
2p décapotable GX	2	M	2.0	23 900
2p décapotable GX	2	A	2.0	24 900
2p décapotable GS	2	M	2.0	25 800
2p décapotable GT (cuir - a/c)	2	M	2.0	28 700
2p décapotable GT (cuir - a/c)	2	A	2.0	29 800
2p déc 3e Génération Édition	2	M	2.0	28 900

2005 MX-5 MIATA — 40 000 km

Description	R.m.	Tr.	L	Prix
2p décapotable GX	2	M	1.8	21 200
2p décapotable GX	2	A	1.8	22 200
2p décapotable GS	2	M	1.8	23 200
2p décapotable GT (cuir)	2	M	1.8	25 500
2p décapotable GT (cuir)	2	A	1.8	25 500
2p décapotable Mazda Speed	2	M	1.8	25 700

2004 MX-5 MIATA — 60 000 km

Description	R.m.	Tr.	L	Prix
2p décapotable GX	2	M	1.8	19 000
2p décapotable GX	2	A	1.8	20 000
2p décapotable GS	2	M	1.8	21 000
2p décapotable GT (cuir)	2	M	1.8	22 600
2p décapotable GT (cuir)	2	A	1.8	23 300
2 décapotable Mazda Speed	2	M	1.8	23 500

2003 MX-5 MIATA — 80 000 km

Description	R.m.	Tr.	L	Prix
2p décapotable base (5 vit.)	2	M	1.8	17 100
2p décapotable base (6 vit.)	2	M	1.8	17 100
2p décapotable base	2	A	1.8	18 100
2p décapotable SE (6 vit.)	2	M	1.8	19 700

2002 MX-5 MIATA — 100 000 km

Description	R.m.	Tr.	L	Prix
2p décapotable base (5 vit.)	2	M	1.8	16 300
2p décapotable base (6 vit.)	2	M	1.8	16 300
2p décapotable base	2	A	1.8	17 300
2p décapotable Édition Spéciale	2	M	1.8	19 100

2003 PROTEGE — 80 000 km

Description	R.m.	Tr.	L	Prix
4p berline SE	2	M	1.6	7900
4p berline LX	2	M	2.0	8700
4p berline ES	2	M	2.0	10 200
4p berline ES-GT	2	M	2.0	11 400
4p berline Mazda Speed (MP00)	2	M	2.0	12 300
4p berline Mazda Speed (TB00)	2	M	2.0	13 000
4p hayon Protegé 5 ES	2	M	2.0	10 800
4p hayon Protegé 5 SE (cuir)	2	M	2.0	12 200

2002 PROTEGE — 100 000 km

Description	R.m.	Tr.	L	Prix
4p berline SE	2	M	1.6	6100
4p berline LX	2	M	2.0	6800
4p berline ES	2	M	2.0	7400
4p berline ES-GT	2	M	2.0	9000
4p hayon Protegé 5 ES	2	M	2.0	8800

2006 RX-8 — 20 000 km

Description	R.m.	Tr.	L	Prix
4p coupé GS	2	M	1.3	29 200
4p coupé GS	2	A	1.3	29 200
4p coupé GT (cuir)	2	M	1.3	31 300
4p coupé GT (cuir)	2	A	1.3	31 300
4p coupé Édition Spéciale (toit)	2	M	1.3	32 300

2005 RX-8 — 40 000 km

Description	R.m.	Tr.	L	Prix
4p coupé GS	2	M	1.3	25 600
4p coupé GS	2	A	1.3	25 600
4p coupé GT (cuir)	2	M	1.3	27 700
4p coupé GT (cuir)	2	A	1.3	27 700

2004 RX-8 — 60 000 km

Description	R.m.	Tr.	L	Prix
4p coupé GS	2	M	1.3	21 800
4p coupé GS	2	A	1.3	21 800
4p coupé GT (cuir)	2	M	1.3	23 900
4p coupé GT (cuir)	2	A	1.3	24 100

2006 TRIBUTE — 20 000 km

Description	R.m.	Tr.	L	Prix
4p GX	2	M	2.3	20 800
4p GX V6	2	A	3.0	22 700
4p GS V6	2	A	3.0	25 400
4p GX	A	M	2.3	23 200
4p GX V6	A	A	3.0	25 800
4p GS V6	A	A	3.0	27 800
4p GT V6 (cuir)	A	A	3.0	30 400

2005 TRIBUTE — 40 000 km

Description	R.m.	Tr.	L	Prix
4p GX	2	M	2.3	17 600
4p GX V6	2	A	3.0	19 600
4p GS V6	2	A	3.0	22 200
4p GX	A	M	2.3	20 100
4p GX V6	A	A	3.0	22 100
4p GS V6	A	A	3.0	22 700
4p GT V6 (cuir)	A	A	3.0	24 200

2004 TRIBUTE — 60 000 km

Description	R.m.	Tr.	L	Prix
4p DX	2	M	2.0	15 800
4p DX V6	2	A	3.0	17 600
4p LX V6	2	A	3.0	20 400
4p DX	A	M	2.0	18 300
4p DX V6	A	A	3.0	20 100
4p LX V6	A	A	3.0	20 500
4p ES V6 (cuir)	A	A	3.0	21 300

2003 TRIBUTE — 80 000 km

Description	R.m.	Tr.	L	Prix
4p DX	2	M	2.0	14 100
4p DX V6	2	A	3.0	15 900
4p LX V6	2	A	3.0	18 700
4p DX	A	M	2.0	16 600
4p DX V6	A	A	3.0	18 400
4p LX V6	A	A	3.0	18 800
4p ES V6 (cuir)	A	A	3.0	19 300

2002 TRIBUTE — 100 000 km

Description	R.m.	Tr.	L	Prix
4p DX	2	M	2.0	12 000
4p DX V6	2	A	3.0	13 900
4p LX V6	2	A	3.0	16 700
4p DX	A	M	2.0	14 400
4p DX V6	A	A	3.0	16 300
4p LX V6	A	A	3.0	18 400

Abréviations : R.m. : roues motrices (2, 4, A) • Tr : Transmission (A, M) • L : capacité du moteur en litres

Description	R.m.	Tr.	L	Prix
4p ES V6 (cuir)	A	A	3.0	18 600

MERCEDES

2006 CLASSE B — 20 000 km

Description	R.m.	Tr.	L	Prix
4p hayon B200	2	M	2.0	26 300
4p hayon B200 Turbo	2	M	2.0	29 200

2006 CLASSE C — 20 000 km

Description	R.m.	Tr.	L	Prix
2p coupé C230 Sport	2	M	2.5	26 600
4p berline C230	2	M	2.5	27 900
4p berline C230 Sport	2	M	2.5	32 900
4p berline C280	2	A	3.0	31 600
4p berline C280 Elegance	2	A	3.0	35 600
4p berline C350 Sport	2	M	3.5	40 800
4p berline C55 AMG	2	A	5.5	53 300
4p berline C280 4MATIC	A	A	3.0	34 100
4p berline C280 4MATIC Eleg	A	A	3.0	37 100
4p berline C350 4MATIC	A	A	3.5	42 600

2005 CLASSE C — 40 000 km

Description	R.m.	Tr.	L	Prix
2p coupé C230 Kompressor Sp	2	M	1.8	21 000
2p coupé C320 Sport	2	M	3.2	24 700
4p berline C230 Classic	2	M	1.8	22 300
4p berline C230 Sport	2	M	1.8	27 600
4p berline C240 Classic	2	A	2.6	26 200
4p berline C240 Elegance	2	A	2.6	30 600
4p berline C320 Sport	2	M	3.2	35 900
4p berline C55 AMG	2	A	5.5	48 200
4p berline C240 4MATIC Classic	A	A	2.6	29 000
4p berline C240 4MATIC Eleg	A	A	2.6	31 200
4p berline C320 4MATIC base	A	A	3.2	35 100
4p familiale C240 Classic	2	A	2.6	28 400
4p familiale C240 Elegance	2	A	2.6	30 600
4p fam C240 4MATIC Classic	A	A	2.6	31 100
4p fam C240 4MATIC Elegance	A	A	2.6	31 600

2004 CLASSE C — 60 000 km

Description	R.m.	Tr.	L	Prix
2p coupé C230 Kompressor Sp	2	M	1.8	17 500
2p coupé C320 Sport	2	M	3.2	22 200
4p berline C230 Classic	2	M	1.8	19 300
4p berline C230 Sport (cuir)	2	M	1.8	24 000
4p berline C240 Classic	2	A	2.6	22 900
4p berline C240 Elegance (cuir)	2	A	2.6	27 200
4p berline C320 base (cuir)	2	M	3.2	27 800
4p berline C320 Sport (cuir)	2	M	3.2	29 300
4p berline C32 AMG (cuir)	2	A	3.2	41 100
4p berline C240 4MATIC Classic	A	A	2.6	25 600
4p ber C240 4MATIC Elegance c)	A	A	2.6	30 000
4p ber C320 4MATIC base (cuir)	A	A	3.2	31 900
4p familiale C240 Classic	2	A	2.6	25 000
4p familiale C240 Elegance (cuir)	2	A	2.6	29 300
4p familiale C320 base (cuir)	2	A	3.2	31 200
4p familiale C240 4MATIC Clas	A	A	2.6	27 700
4p fam C240 4MATIC Ele (cuir)	A	A	2.6	28 300
4p fam C320 4MATIC base (cuir)	A	A	3.2	34 000

2003 CLASSE C — 80 000 km

Description	R.m.	Tr.	L	Prix
2p coupé C230 Kompressor Sp	2	M	1.8	16 100
2p coupé C320 Sport	2	M	3.2	18 800
4p berline C230 Kompressor cuir	2	M	1.8	20 300
4p berline C240 Classic	2	M	2.6	17 800
4p berline C240 Elegance (cuir)	2	M	2.6	22 400
4p berline C320 base (cuir)	2	M	3.2	26 100
4p berline C320 Sport (cuir)	2	M	3.2	26 000
4p berline C32 AMG (cuir)	2	A	3.2	36 900
4p berline C240 4MATIC Classic	A	A	2.6	21 800
4p berline C240 4MATIC Ele (cuir)	A	A	2.6	26 500
4p ber C320 4MATIC base (cuir)	A	A	3.2	28 300
4p ber C320 4MATIC Sport (cuir)	A	A	3.2	29 300
4p familiale C240 Classic	2	M	2.6	19 800
4p familiale C240 Elegance (cuir)	2	M	2.6	24 500
4p familiale C320 base (cuir)	2	M	3.2	26 300
4p fam C240 4MATIC Classic	A	A	2.6	23 900
4p fam C240 4MATIC Ele (cuir)	A	A	2.6	25 000
4p fam C320 4MATIC base (cuir)	A	A	3.2	30 400

2002 CLASSE C — 100 000 km

Description	R.m.	Tr.	L	Prix
2p coupé C230	2	M	2.3	15 300
4p berline C240 Classic	2	M	2.6	15 800
4p berline C240 Elegance (cuir)	2	M	2.6	20 300
4p berline C240 Sport (cuir)	2	M	2.6	23 600
4p berline C320 base (cuir)	2	A	3.2	24 000
4p berline C320 Sport (cuir)	2	A	3.2	28 100
4p berline C32 AMG (cuir)	2	A	3.2	33 500
4p familiale C320 base (cuir)	2	A	3.2	26 000
4p familiale C320 Sport (cuir)	2	A	3.2	30 100

2006 CLASSE CLK — 20 000 km

Description	R.m.	Tr.	L	Prix
2p coupé CLK 350	2	A	3.5	51 800
2p coupé CLK 500	2	A	5.0	62 400
2p décapotable CLK 350	2	A	3.5	60 700
2p décapotable CLK 500	2	A	5.0	67 400
2p décapotable CLK 55 AMG	2	A	5.5	81 600

2005 CLASSE CLK — 40 000 km

Description	R.m.	Tr.	L	Prix
2p coupé CLK 320	2	A	3.2	42 300
2p coupé CLK 500	2	A	5.0	53 600
2p coupé CLK 55 AMG	2	A	5.5	62 900
2p décapotable CLK 320	2	A	3.2	50 800
2p décapotable CLK 500	2	A	5.0	57 700
2p décapotable CLK 55 AMG	2	A	5.5	69 100

2004 CLASSE CLK — 60 000 km

Description	R.m.	Tr.	L	Prix
2p coupé CLK 320	2	A	3.2	35 000
2p coupé CLK 500	2	A	5.0	46 800
2p coupé CLK 55 AMG	2	A	5.5	55 600
2p décapotable CLK 320	2	A	3.2	44 000
2p décapotable CLK 500	2	A	5.0	50 600
2p décapotable CLK 55 AMG	2	A	5.5	55 600

2003 CLASSE CLK — 80 000 km

Description	R.m.	Tr.	L	Prix
2p coupé CLK 320	2	A	3.2	29 300
2p coupé CLK 500	2	A	5.0	40 800
2p coupé CLK 55 AMG	2	A	5.5	47 000
2p décapotable CLK 320	2	A	3.2	37 800
2p décapotable CLK 430	2	A	4.3	41 900

2002 CLASSE CLK — 100 000 km

Description	R.m.	Tr.	L	Prix
2p coupé CLK 320	2	A	3.2	28 200
2p coupé CLK 430	2	A	4.3	38 000
2p coupé CLK 55 AMG	2	A	5.5	47 500
2p décapotable CLK 320	2	A	3.2	37 300
2p décapotable CLK 430	2	A	4.3	42 200
2p décapotable CLK 55 AMG	2	A	5.5	52 200

2006 CLASSE CLS — 20 000 km

Description	R.m.	Tr.	L	Prix
4p berline CLS 500	2	A	5.0	74 200
4p ber CLS 500 ens.Sport AMG	2	A	5.0	80 100
4p berline CLS 55 AMG	2	A	5.5	91 900

2006 CLASSE E — 20 000 km

Description	R.m.	Tr.	L	Prix
4p berline E350	2	A	3.5	57 400
4p berline E320 CDI	2	A	3.2	58 400
4p berline E500	2	A	5.0	65 100
4p berline E55 AMG	2	A	5.5	81 900
4p berline E350 4MATIC	A	A	3.5	60 800
4p berline E500 4MATIC	A	A	5.0	68 400
4p familiale E350 4MATIC	A	A	3.5	61 800
4p familiale E500 4MATIC	A	A	5.0	71 500
4p familiale E55 AMG	2	A	5.5	85 100

2005 CLASSE E — 40 000 km

Description	R.m.	Tr.	L	Prix
4p berline E320	2	A	3.2	44 700
4p berline E320 CDI	2	A	3.2	46 000
4p berline E500	2	A	5.0	52 900
4p berline E55 AMG	2	A	5.5	67 900
4p berline E320 4Matic	A	A	3.2	48 300
4p berline E500 4Matic	A	A	5.0	55 800
4p familiale E320 4Matic	A	A	3.2	49 400
4p familiale E500 4Matic	A	A	5.0	57 700

2004 CLASSE E — 60 000 km

Description	R.m.	Tr.	L	Prix
4p berline E320	2	A	3.2	36 700
4p berline E500	2	A	5.0	46 900
4p berline E55 AMG	2	A	5.5	59 900
4p berline E320 4Matic	A	A	3.2	41 200
4p berline E500 4Matic	A	A	5.0	48 400
4p familiale E320 4Matic	A	A	3.2	42 100
4p familiale E500 4Matic	A	A	5.0	50 500

2003 CLASSE E — 80 000 km

Description	R.m.	Tr.	L	Prix
4p berline E320	2	A	3.2	30 400
4p berline E500	2	A	5.0	36 900
4p berline E55 AMG	2	A	5.5	54 000

2002 CLASSE E — 100 000 km

Description	R.m.	Tr.	L	Prix
4p berline E320	2	A	3.2	25 800
4p berline E430	2	A	4.3	32 700
4p berline E55 AMG	2	A	5.5	38 800
4p berline E320 4Matic	A	A	3.2	29 200
4p berline E430 4Matic	A	A	4.3	32 300
4p familiale E320	2	A	3.2	26 500
4p familiale E320 4Matic	A	A	3.2	30 200

2005 CLASSE G — 40 000 km

Description	R.m.	Tr.	L	Prix
4p G500	A	A	5.0	72 400
4p G55 AMG	A	A	5.5	92 100

2004 CLASSE G — 60 000 km

Description	R.m.	Tr.	L	Prix
4p G500	A	A	5.0	61 700
4p G55 AMG	A	A	5.5	72 400

2003 CLASSE G — 80 000 km

Description	R.m.	Tr.	L	Prix
4p G500	A	A	5.0	57 000
4p G55 AMG	A	A	5.5	63 200

2002 CLASSE G — 100 000 km

Description	R.m.	Tr.	L	Prix
4p G500	A	A	5.0	51 400

2006 CLASSE M — 20 000 km

Description	R.m.	Tr.	L	Prix
4p ML350	A	A	3.5	42 100
4p ML350 Premium (cuir+toit)	A	A	3.5	49 700
4p ML500 (cuir)	A	A	5.0	52 200
4p ML500 Premium (cuir+toit)	A	A	5.0	54 600

2005 CLASSE M — 40 000 km

Description	R.m.	Tr.	L	Prix
4p ML350 Classic	A	A	3.7	27 300
4p ML350 Elegance (cuir)	A	A	3.7	31 200
4p ML350 SE (cuir)	A	A	3.7	31 700
4p ML500 (cuir)	A	A	5.0	32 900
4p ML500 SE (cuir)	A	A	5.0	33 400

2004 CLASSE M — 60 000 km

Description	R.m.	Tr.	L	Prix
4p ML350 Classic	A	A	3.7	22 900
4p ML350 Elegance (cuir)	A	A	3.7	27 800
4p ML500 (cuir)	A	A	5.0	29 400

2003 CLASSE M — 80 000 km

Description	R.m.	Tr.	L	Prix
4p ML320 Classic	A	A	3.2	21 700
4p ML320 Elegance (cuir)	A	A	3.2	25 800
4p ML350 Classic	A	A	3.7	22 700
4p ML350 Elegance (cuir)	A	A	3.7	25 100
4p ML500 (cuir)	A	A	5.0	28 100

2002 CLASSE M — 100 000 km

Description	R.m.	Tr.	L	Prix
4p ML320 Classic	A	A	3.2	20 600
4p ML320 Elegance (cuir)	A	A	3.2	23 600
4p ML500 (cuir)	A	A	5.0	24 600
4p ML55 AMG (cuir)	A	A	5.5	31 500

2006 CLASSE R — 20 000 km

Description	R.m.	Tr.	L	Prix
4p R350	A	A	3.5	54 600
4p R350 Premium	A	A	3.5	59 300
4p R500	A	A	5.0	62 000
4p R500 Premium	A	A	5.0	65 600

2006 CLASSE S — 20 000 km

Description	R.m.	Tr.	L	Prix
2p coupé CL500	2	A	5.0	110 300
2p coupé CL600	2	A	5.5	146 800
2p coupé CL55 AMG	2	A	5.5	136 900
2p coupé CL65 AMG	2	A	6.0	194 500
4p berline S500	2	A	5.0	97 400
4p berline S55 AMG	2	A	5.5	130 700
4p berline S600	2	A	5.5	143 700
4p berline S65 AMG	2	A	6.0	172 100
4p berline S430 4MATIC	A	A	4.3	81 800
4p berline S430 4MATIC all	A	A	4.3	87 500
4p berline S500 4MATIC	A	A	5.0	101 000

2005 CLASSE S — 40 000 km

Description	R.m.	Tr.	L	Prix
2p coupé CL500	2	A	5.0	94 900
2p coupé CL600	2	A	5.8	134 700
2p coupé CL55 AMG	2	A	5.5	117 900
4p berline S500	2	A	5.0	80 400
4p berline S600	2	A	5.5	130 600
4p berline S55 AMG	2	A	5.4	110 600
4p berline S430	A	A	4.3	63 800
4p berline S430 allongée	A	A	4.3	69 800
4p berline S500	A	A	5.0	84 400

2004 CLASSE S — 60 000 km

Description	R.m.	Tr.	L	Prix
2p coupé CL500	2	A	5.0	78 400
2p coupé CL600	2	A	5.8	115 200
2p coupé CL55 AMG	2	A	5.5	100 900
4p berline S430	2	A	4.3	44 100
4p berline S430 allongée	2	A	4.3	50 200
4p berline S500	2	A	5.0	64 300
4p berline S600	2	A	5.5	111 500
4p berline S55 AMG	2	A	5.4	99 200
4p berline S430	A	A	4.3	47 900
4p berline S430 allongée	A	A	4.3	54 000
4p berline S500	A	A	5.0	68 100

2003 CLASSE S — 80 000 km

Description	R.m.	Tr.	L	Prix
2p coupé CL500	2	A	5.0	63 800
2p coupé CL600	2	A	5.8	98 400
2p coupé CL55 AMG	2	A	5.5	82 100
4p berline S430	2	A	4.3	31 800
4p berline S430 allongée	2	A	4.3	37 400
4p berline S500	2	A	5.0	50 400
4p berline S600	2	A	5.5	95 000
4p berline S55 AMG	2	A	5.4	75 500
4p berline S430	A	A	4.3	35 300
4p berline S430 allongée	A	A	4.3	40 900
4p berline S500	A	A	5.0	41 000

2002 CLASSE S — 100 000 km

Description	R.m.	Tr.	L	Prix
2p coupé CL500	2	A	5.0	61 400
2p coupé CL600	2	A	5.8	88 400
2p coupé CL55 AMG	2	A	5.5	68 700
4p berline S430	2	A	4.3	29 000
4p berline S430 allongée	2	A	4.3	34 700
4p berline S500	2	A	5.0	47 800
4p berline S600	2	A	5.8	85 200
4p berline S55	2	A	5.5	68 500

2006 CLASSE SL — 20 000 km

Description	R.m.	Tr.	L	Prix
2p décapotable SL500	2	A	5.0	104 800
2p décapotable SL600	2	A	5.5	140 500
2p décapotable SL55 AMG	2	A	5.5	133 100
2p décapotable SL65 AMG	2	A	6.0	200 400

2005 CLASSE SL — 40 000 km

Description	R.m.	Tr.	L	Prix
2p décapotable SL500	2	A	5.0	88 600
2p décapotable SL600	2	A	5.5	124 800
2p décapotable SL55 AMG	2	A	5.5	116 800
2p décapotable SL65 AMG	2	A	6.0	187 200

2004 CLASSE SL — 60 000 km

Description	R.m.	Tr.	L	Prix
2p décapotable SL500	2	A	5.0	72 300
2p décapotable SL600	2	A	5.5	101 100
2p décapotable SL55 AMG	2	A	5.5	99 500

2003 CLASSE SL — 80 000 km

Description	R.m.	Tr.	L	Prix
2p décapotable SL500	2	A	5.0	62 300
2p décapotable SL55 AMG	2	A	5.5	77 700

2002 CLASSE SL — 100 000 km

Description	R.m.	Tr.	L	Prix
2p décapotable SL500	2	A	5.0	44 000
2p décapotable SL600	2	A	6.0	70 400

2006 CLASSE SLK — 20 000 km

Description	R.m.	Tr.	L	Prix
2p décapotable SLK280	2	M	3.0	48 000
2p décapotable SLK280	2	A	3.0	49 200
2p décapotable SLK350	2	M	3.5	52 500
2p décapotable SLK350	2	A	3.5	53 800
2p décapotable SLK55 AMG	2	A	5.5	62 200

2005 CLASSE SLK — 40 000 km

Description	R.m.	Tr.	L	Prix
2p décapotable SLK350	2	M	3.5	46 500
2p décapotable SLK350	2	A	3.5	47 900
2p décapotable SLK55 AMG	2	A	5.5	53 300

2004 CLASSE SLK — 60 000 km

Description	R.m.	Tr.	L	Prix
2p décapotable SLK230	2	M	2.3	35 000
2p décapotable SLK230	2	A	2.3	36 400
2p décapotable SLK320	2	M	3.2	40 500
2p décapotable SLK320	2	A	3.2	41 800
2p décapotable SLK32 AMG	2	A	3.2	44 700

2003 CLASSE SLK — 80 000 km

Description	R.m.	Tr.	L	Prix
2p décapotable SLK230	2	M	2.3	31 400
2p décapotable SLK230	2	A	2.3	32 800
2p décapotable SLK320	2	M	3.2	36 900
2p décapotable SLK320	2	A	3.2	38 200
2p décapotable SLK32 AMG	2	A	3.2	41 100

2002 CLASSE SLK — 100 000 km

Description	R.m.	Tr.	L	Prix
2p décapotable SLK230	2	M	2.3	28 200
2p décapotable SLK230	2	A	2.3	29 600
2p décapotable SLK320	2	M	3.2	33 700
2p décapotable SLK320	2	A	3.2	35 000
2p décapotable SLK32 AMG	2	A	3.2	38 200

MERCURY

2002 COUGAR — 100 000 km

Description	R.m.	Tr.	L	Prix
2p coupé base	2	M	2.5	8800

2006 GRAND MARQUIS — 20 000 km

Description	R.m.	Tr.	L	Prix
4p berline GS	2	A	4.6	27 100
4p berline LS Premium	2	A	4.6	29 500
4p berline LS Premium Ed. Lim	2	A	4.6	30 800
4p berline LSE (cuir)	2	A	4.6	31 200
4p berline LS Ultimate	2	A	4.6	31 600

2005 GRAND MARQUIS — 40 000 km

Description	R.m.	Tr.	L	Prix
4p berline GS	2	A	4.6	20 900
4p berline LS Premium	2	A	4.6	23 300
4p berline LS Ultimate	2	A	4.6	24 500
4p berline LSE (cuir)	2	A	4.6	25 000

2004 GRAND MARQUIS — 60 000 km

Description	R.m.	Tr.	L	Prix
4p berline GS	2	A	4.6	16 600
4p berline LS Premium	2	A	4.6	19 100
4p berline LS Ultimate	2	A	4.6	19 900
4p berline LSE (cuir)	2	A	4.6	20 500

2003 GRAND MARQUIS — 80 000 km

Description	R.m.	Tr.	L	Prix
4p berline GS	2	A	4.6	15 300
4p berline LS Premium	2	A	4.6	17 700
4p berline LS Ultimate	2	A	4.6	18 500
4p berline LS (cuir)	2	A	4.6	18 800

2002 GRAND MARQUIS — 100 000 km

Description	R.m.	Tr.	L	Prix
4p berline GS	2	A	4.6	12 700
4p berline LS Premium	2	A	4.6	15 100
4p berline LS Ultimate	2	A	4.6	15 900
4p berline LS (cuir)	2	A	4.6	16 500

2004 MARAUDER — 60 000 km

Description	R.m.	Tr.	L	Prix
4p berline base	2	A	4.6	22 400

2003 MARAUDER — 80 000 km

Description	R.m.	Tr.	L	Prix
4p berline base	2	A	4.6	20 000

MINI

2006 COOPER — 20 000 km

Description	R.m.	Tr.	L	Prix
2p hayon Classic	2	M	1.6	20 300
2p hayon base	2	M	1.6	22 300
2p hayon S	2	M	1.6	26 400
2p décapotable base	2	M	1.6	27 300
2p décapotable S	2	M	1.6	31 700

2005 COOPER — 40 000 km

Description	R.m.	Tr.	L	Prix
2p hayon Classic	2	M	1.6	19 300
2p hayon base	2	M	1.6	21 400
2p hayon S	2	M	1.6	25 700

Abréviations : R.m. : roues motrices (2, 4, A) • Tr : Transmission (A, M) • L : capacité du moteur en litres

Description	R.m.	Tr.	L	Prix
2p décapotable base	2	M	1.6	26 000
2p décapotable S	2	M	1.6	30 500
2004 COOPER				**60 000 km**
2p hayon Classic	2	M	1.6	17 100
2p hayon base	2	M	1.6	19 600
2p hayon S	2	M	1.6	23 400
2003 COOPER				**80 000 km**
2p hayon base	2	M	1.6	15 400
2p hayon S	2	M	1.6	19 500
2002 COOPER				**100 000 km**
2p hayon base	2	M	1.6	15 000
2p hayon S	2	M	1.6	18 900
MITSUBISHI				
2004 DIAMANTE				**60 000 km**
4p berline ES	2	A	3.5	18 200
4p berline LS (cuir)	2	A	3.5	21 000
4p berline VR-X (cuir)	2	A	3.5	20 600
2006 ECLIPSE				**20 000 km**
2p hayon GS	2	M	2.4	18 600
2p hayon GS Ens.Soleil & Son	2	M	2.4	21 100
2p hayon GT	2	M	3.8	24 400
2p hayon GT Premuim	2	M	3.8	27 900
2005 ECLIPSE				**40 000 km**
2p hayon RS	2	M	2.4	14 300
2p hayon GS	2	M	2.4	18 000
2p hayon GT	2	M	3.0	20 600
2p hayon GT Premuim	2	M	3.0	22 900
2p décapotable GS Spyder	2	M	2.4	23 300
2p déc GT Premium Spyder	2	M	3.0	25 500
2004 ECLIPSE				**60 000 km**
2p hayon RS	2	M	2.4	12 500
2p hayon GS	2	M	2.4	16 200
2p hayon GT	2	M	3.0	18 900
2p hayon GT Premuim	2	M	3.0	21 100
2p décapotable GS Spyder	2	M	2.4	21 500
2p déc GT Premium Spyder	2	M	3.0	22 500
2003 ECLIPSE				**80 000 km**
2p hayon RS	2	M	2.4	10 600
2p hayon GS	2	M	2.4	14 300
2p hayon GT	2	M	3.0	17 500
2p hayon GT Premuim	2	M	3.0	19 100
2p décapotable GS Spyder	2	M	2.4	19 600
2p déc GT Premium Spyder	2	M	3.0	21 600
2006 ENDEAVOR				**20 000 km**
4p LS	2	A	3.8	25 800
4p LS	A	A	3.8	28 300
4p Limited (cuir)	A	A	3.8	31 100
2005 ENDEAVOR				**40 000 km**
4p LS	2	A	3.8	21 200
4p LS	A	A	3.8	24 300
4p XLS	A	A	3.8	25 500
4p Limited (cuir)	A	A	3.8	27 300
2004 ENDEAVOR				**60 000 km**
4p LS	2	A	3.8	18 700
4p XLS	2	A	3.8	21 000
4p LS	A	A	3.8	21 500
4p XLS	A	A	3.8	23 000
4p Limited (cuir)	A	A	3.8	24 100
2006 GALANT				**20 000 km**
4p berline DE	2	A	2.4	17 700
4p berline ES	2	A	2.4	19 100
4p berline LS V6	2	A	3.8	21 200
4p berline GTS V6 (cuir)	2	A	3.8	23 500
2005 GALANT				**40 000 km**
4p berline DE	2	A	2.4	15 600
4p berline ES	2	A	2.4	16 500
4p berline LS	2	A	3.8	18 300
4p berline GTS (cuir)	2	A	3.8	19 200
2004 GALANT				**60 000 km**
4p berline DE	2	A	2.4	12 800
4p berline ES	2	A	2.4	13 700
4p berline LS	2	A	3.8	14 500
4p berline GTS (cuir)	2	A	3.8	15 400
2003 GALANT				**80 000 km**
4p berline DE	2	A	2.4	10 200
4p berline ES	2	A	2.4	11 000
4p berline ES V6	2	A	3.0	13 100
4p berline LS V6	2	A	3.0	13 900
4p berline GTZ	2	A	3.0	14 400
2006 LANCER				**20 000 km**
4p berline ES	2	M	2.0	11 900
4p berline O-Z rally	2	M	2.0	16 300
4p berline Ralliart	2	M	2.4	17 500
4p familiale Sportback LS	2	A	2.4	16 500
4p familiale Sportback Ralliart	2	A	2.4	19 000
2005 LANCER				**40 000 km**
4p berline ES	2	M	2.0	8400
4p berline O-Z rally	2	M	2.0	11 800
4p berline Ralliart	2	M	2.4	12 100
2004 LANCER				**60 000 km**
4p berline ES	2	M	2.0	6800
4p berline LS	2	A	2.0	10 600
4p berline O-Z rally	2	M	2.0	10 500
4p berline Ralliart	2	M	2.4	11 400
4p familiale LS	2	A	2.4	10 700
4p familiale Ralliart	2	A	2.4	11 800
2003 LANCER				**80 000 km**
4p berline ES	2	M	2.0	5700
4p berline LS	2	A	2.0	8000
4p berline O-Z rally	2	M	2.0	7700
2006 MONTERO				**20 000 km**
4p Limited (cuir)	A	A	3.8	38 400
2005 MONTERO				**40 000 km**
4p Limited (cuir)	A	A	3.8	33 400
2004 MONTERO				**60 000 km**
4p Limited	A	A	3.8	29 100
2003 MONTERO				**80 000 km**
4p XLS	A	A	3.8	22 600
4p Limited	A	A	3.8	24 800
2003 MONTERO SPORT				**80 000 km**
4p ES	4	A	3.0	15 900
4p LS	4	A	3.0	17 600
4p XLS	4	A	3.5	19 000
4p Limited	4	A	3.5	20 400
2006 OUTLANDER				**20 000 km**
4p LS	2	M	2.4	19 100
4p LS	A	M	2.4	21 500
4p SE	A	A	2.4	23 900
4p Limited (cuir)	A	A	2.4	25 200
2005 OUTLANDER				**40 000 km**
4p LS	2	M	2.4	15 000
4p LS	A	M	2.4	17 400
4p XLS	A	A	2.4	18 800
4p Limited (cuir)	A	A	2.4	19 200
2004 OUTLANDER				**60 000 km**
4p LS	2	A	2.4	12 700
4p LS	A	A	2.4	14 300
4p XLS	A	A	2.4	15 200
2003 OUTLANDER				**80 000 km**
4p LS	2	A	2.4	11 600
4p LS	A	A	2.4	13 200
4p XLS	A	A	2.4	14 000
NISSAN				
2006 350Z				**20 000 km**
2p hayon Performance M6	2	M	3.5	36 800
2p hayon Performance A5	2	A	3.5	36 800
2p décapotable Roadster M6	2	M	3.5	42 700
2p décapotable Roadster A5	2	A	3.5	42 800
2005 350Z				**40 000 km**
2p hayon Performance	2	M	3.5	32 500
2p hayon Touring	2	A	3.5	32 500
2p hayon 35e Anniversaire Ed	2	M	3.5	35 500
2p hayon 35e Anniversaire Ed	2	A	3.5	35 500
2p décapotable Roadster	2	M	3.5	38 900
2p décapotable Roadster	2	A	3.5	38 900
2p déc Roadster Grand Touring	2	M	3.5	40 900
2004 350Z				**60 000 km**
2p hayon Performance	2	M	3.5	29 000
2p hayon Touring	2	A	3.5	29 000
2p hayon Track Pack	2	M	3.5	30 500
2p décapotable Roadster	2	M	3.5	35 600
2p décapotable Roadster	2	A	3.5	35 600
2003 350Z				**80 000 km**
2p hayon Performance	2	M	3.5	27 200
2p hayon Touring	2	A	3.5	27 200
2p hayon Track Pack	2	M	3.5	28 600
2006 ALTIMA				**20 000 km**
4p berline S	2	M	2.5	21 000
4p berline S Édition Spéciale	2	A	2.5	22 700
4p berline SL (toit+cuir)	2	A	2.5	25 700
4p berline S	2	A	3.5	23 500
4p berline SE	2	M	3.5	25 200
4p berline SE-R (cuir)	2	M	3.5	29 500
2005 ALTIMA				**40 000 km**
4p berline S	2	M	2.5	19 700
4p berline S Extra	2	M	2.5	20 100
4p berline SL (cuir)	2	A	2.5	23 000
4p berline S	2	A	3.5	22 600
4p berline SE	2	M	3.5	23 100
4p berline SE-R (cuir)	2	M	3.5	25 100
2004 ALTIMA				**60 000 km**
4p berline S	2	M	2.5	16 300
4p berline S	2	A	2.5	17 200
4p berline S Extra	2	M	2.5	16 700
4p berline S Extra	2	A	2.5	17 700
4p berline SL (cuir)	2	A	2.5	18 100
4p berline SE	2	M	3.5	17 800
4p berline SE	2	A	3.5	18 600
2003 ALTIMA				**80 000 km**
4p berline S	2	M	2.5	14 400
4p berline SL (cuir)	2	A	2.5	16 100
4p berline SE	2	M	3.5	15 800
2002 ALTIMA				**100 000 km**
4p berline S	2	M	2.5	12 400
4p berline SL (cuir)	2	A	2.5	14 000
4p berline SE	2	M	3.5	13 900
2006 ARMADA				**20 000 km**
4p SE	4	A	5.6	42 400
4p 7 pass. LE (cuir)	4	A	5.6	46 200
4p 8 pass. LE (cuir)	4	A	5.6	48 300
2005 ARMADA				**40 000 km**
4p SE	4	A	5.6	35 300
4p 7 pass. LE (cuir)	4	A	5.6	38 600
4p 8 pass. LE (cuir)	4	A	5.6	40 100
2004 ARMADA				**60 000 km**
4p SE	4	A	5.6	31 900
4p 7 pass. LE (cuir)	4	A	5.6	35 200
4p 8 pass. LE (cuir)	4	A	5.6	35 200
2006 FRONTIER				**20 000 km**
King cab. XE	2	M	2.5	18 100
King cab. SE-V6	2	M	4.0	20 000
crew cab. SE-V6	2	A	4.0	23 400
King cab. SE-V6	4	M	4.0	22 600
King cab. LE-V6	4	A	4.0	27 300
King cab. NISMO	4	M	4.0	25 400
crew cab. SE-V6	4	M	4.0	25 100
crew cab. LE-V6	4	A	4.0	29 800
crew cab. NISMO	4	A	4.0	30 500
2005 FRONTIER				**40 000 km**
King cab. XE	2	M	2.5	13 400
King cab. SE-V6	2	M	4.0	15 900
King cab. LE-V6	2	A	4.0	20 100
crew cab. SE-V6	2	A	4.0	19 300
crew cab. LE-V6	2	A	4.0	23 300
King cab. SE-V6	4	M	4.0	18 400
King cab. LE-V6	4	A	4.0	23 300
King cab. NISMO	4	M	4.0	20 400
crew cab. SE-V6	4	M	4.0	20 900
crew cab. LE-V6	4	A	4.0	23 600
crew cab. NISMO	4	A	4.0	24 400
2004 FRONTIER				**60 000 km**
King cab. XE	2	M	2.4	11 100
King cab. XE-V6	2	M	3.3	12 500
crew cab. XE-V6	2	M	3.3	15 100
King cab. XE-V6	4	M	3.3	15 000
crew cab. XE-V6	4	M	3.3	15 800
crew cab. SE-V6	4	A	3.3	18 000
crew cab. SC-V6	4	A	3.3	21 200
2003 FRONTIER				**80 000 km**
King cab. XE	2	M	2.4	9600
King cab. XE-V6	2	M	3.3	10 500
crew cab. XE-V6	2	M	3.3	13 200
King cab. XE-V6	4	M	3.3	13 200
crew cab. XE-V6	4	M	3.3	14 500
crew cab. SE-V6	4	A	3.3	16 000
crew cab. SC-V6	4	A	3.3	19 100
2002 FRONTIER				**100 000 km**
King cab. XE	2	M	2.4	8000
King cab. XE-V6	2	M	3.3	9000
crew cab. XE-V6	2	M	3.3	11 100
crew cab. SE	2	A	3.3	13 900
King cab. XE-V6	4	M	3.3	11 800
crew cab. XE-V6	4	M	3.3	13 800
crew cab. SE-V6	4	A	3.3	15 200
crew cab. SC-V6	4	A	3.3	17 200
2006 MAXIMA				**20 000 km**
4p berline SE 5 places	2	M	3.5	26 900
4p berline SE 5 places (cuir)	2	M	3.5	30 400
4p berline SE 4 places (cuir)	2	M	3.5	30 400
4p berline SL (cuir)	2	A	3.5	31 100
2005 MAXIMA				**40 000 km**
4p berline SE 5 places	2	M	3.5	21 100
4p berline SE 5 places	2	A	3.5	22 400
4p berline SE 5 places (cuir)	2	M	3.5	23 800
4p berline SE 5 places (cuir)	2	A	3.5	25 400
4p berline SE 4 places (cuir)	2	M	3.5	25 200
4p berline SE 4 places (cuir)	2	A	3.5	26 200
4p berline SL (cuir)	2	A	3.5	25 300
2004 MAXIMA				**60 000 km**
4p berline SE 5 places	2	M	3.5	18 700
4p berline SE 5 places	2	A	3.5	19 900
4p berline SE 5 places (cuir)	2	M	3.5	21 400
4p berline SE 5 places (cuir)	2	A	3.5	22 700
4p berline SE 4 places (cuir)	2	M	3.5	22 700
4p berline SE 4 places (cuir)	2	A	3.5	23 700
4p berline SL (cuir)	2	A	3.5	22 700
2003 MAXIMA				**80 000 km**
4p berline GXE	2	A	3.5	16 700
4p berline SE	2	M	3.5	18 300
4p berline SE	2	A	3.5	18 900
4p berline GLE (cuir)	2	A	3.5	19 700
2002 MAXIMA				**100 000 km**
4p berline GXE	2	A	3.5	13 700
4p berline SE	2	M	3.5	14 800
4p berline SE	2	A	3.5	15 800
4p berline GLE (cuir)	2	A	3.5	16 900
2006 MURANO				**20 000 km**
4p SL	2	A	3.5	31 700
4p SL	A	A	3.5	33 400
4p SE (cuir)	A	A	3.5	37 300
2005 MURANO				**40 000 km**
4p SL	2	A	3.5	28 100
4p SL	A	A	3.5	29 900
4p SE (cuir)	A	A	3.5	32 000
2004 MURANO				**60 000 km**
4p SL	2	A	3.5	24 700
4p SE (cuir)	2	A	3.5	27 900
4p SL	A	A	3.5	26 900
4p SE (cuir)	A	A	3.5	28 300
2003 MURANO				**80 000 km**
4p SL	A	A	3.5	22 900
4p SE (cuir)	A	A	3.5	25 500
2006 PATHFINDER				**20 000 km**
4p S	4	A	4.0	30 600
4p SE	4	A	4.0	33 800
4p SE Premium	4	A	4.0	35 700
4p SE Off-Road	4	A	4.0	34 300
4p SE Off-Road (cuir)	4	A	4.0	36 300
4p LE (cuir)	A	A	4.0	37 200
2005 PATHFINDER				**40 000 km**
4p S	4	A	4.0	21 900
4p SE	4	A	4.0	25 000
4p SE Premium	4	A	4.0	26 300
4p SE Off-Road	4	A	4.0	25 900
4p SE Off-Road (cuir)	4	A	4.0	26 300
4p LE (cuir)	A	A	4.0	27 100
2004 PATHFINDER				**60 000 km**
4p Chinook	4	M	3.5	19 400
4p Chinook	4	A	3.5	21 800
4p SE	4	M	3.5	23 900
4p SE	4	A	3.5	25 300
4p LE (cuir)	A	A	3.5	25 900
2003 PATHFINDER				**80 000 km**
4p Chilkoot	4	M	3.5	18 400
4p Chilkoot	4	A	3.5	20 400
4p SE	4	M	3.5	22 500
4p SE	4	A	3.5	23 000
4p LE (cuir)	A	A	3.5	23 400
2002 PATHFINDER				**100 000 km**
4p XE	4	M	3.5	15 400
4p XE	4	A	3.5	16 400
4p SE	4	M	3.5	18 000
4p SE	4	A	3.5	18 300
4p Chilkoot	4	M	3.5	14 900
4p Chilkoot	4	A	3.5	16 400
4p LE (cuir)	A	A	3.5	18 600
2006 QUEST				**20 000 km**
4p S	2	A	3.5	23 900
4p S Édition Spéciale	2	A	3.5	25 400
4p SL	2	A	3.5	26 900
4p SL Édition Spéciale	2	A	3.5	27 900
4p SE (cuir)	2	A	3.5	32 100
2005 QUEST				**40 000 km**
4p S	2	A	3.5	19 500
4p S Power pkg.	2	A	3.5	20 800
4p SL	2	A	3.5	23 800
4p SL Skyview	2	A	3.5	24 700
4p SL (cuir) + NAVI	2	A	3.5	26 100
4p SE (cuir)	2	A	3.5	27 300

Abréviations : R.m. : roues motrices (2, 4, A) • Tr : Transmission (A, M) • L : capacité du moteur en litres

Description	R.m.	Tr.	L	Prix
2004 QUEST				**60 000 km**
4p S	2	A	3.5	16 100
4p SL	2	A	3.5	19 500
4p SL Skyview	2	A	3.5	20 500
4p SL (cuir) + NAVI	2	A	3.5	21 900
4p SE (cuir)	2	A	3.5	21 300
2006 SENTRA				**20 000 km**
4p berline 1.8	2	M	1.8	12 500
4p berline 1.8 Édition Spéciale	2	M	1.8	12 900
4p berline 1.8S	2	M	1.8	14 000
4p berline 1.8S ens. Sécurité	2	M	1.8	15 000
4p berline SE-R	2	A	2.5	16 200
4p berline SE-R ens. Sécurité	2	A	2.5	17 200
4p berline SE-R Sport	2	A	2.5	18 700
4p berline SE-R Spec V	2	M	2.5	16 600
4p berline SE-R Spec V Brembo	2	M	2.5	19 100
4p berline SE-R Spec V Sport	2	M	2.5	19 200
2005 SENTRA				**40 000 km**
4p berline 1.8	2	M	1.8	8600
4p berline 1.8 Édition Spéciale	2	M	1.8	9900
4p berline 1.8S	2	M	1.8	11 100
4p berline 1.8S ens. Sécurité	2	M	1.8	12 100
4p berline SE-R	2	A	2.5	13 500
4p berline SE-R ens. Sécurité	2	A	2.5	13 800
4p berline SE-R Sport	2	A	2.5	14 200
4p berline SE-R Spec V	2	M	2.5	13 500
4p berline SE-R Spec V Brembo	2	M	2.5	14 200
4p berline SE-R Spec V Sport	2	M	2.5	14 200
2004 SENTRA				**60 000 km**
4p berline 1.8	2	M	1.8	8400
4p berline 1.8 Plus	2	M	1.8	9500
4p berline 1.8S	2	M	1.8	10 600
4p berline SE-R	2	A	2.5	12 900
4p berline SE-R Sport	2	A	2.5	13 100
4p berline SE-R Spec V	2	M	2.5	12 700
4p berline SE-R Spec V Brembo	2	M	2.5	13 300
4p berline SE-R Spec V sport	2	M	2.5	13 400
2003 SENTRA				**80 000 km**
4p berline XE	2	M	1.8	7200
4p berline XE Plus	2	M	1.8	8300
4p berline GXE	2	M	1.8	9400
4p berline SE-R	2	M	2.5	11 200
4p berline SE-R Sport	2	M	2.5	11 200
4p berline SE-R Spec V	2	M	2.5	10 900
4p berline SE-R Spec V sport	2	M	2.5	11 600
2002 SENTRA				**100 000 km**
4p berline XE	2	M	1.8	5800
4p berline XE Plus	2	M	1.8	6800
4p berline GXE	2	M	1.8	7900
4p berline SE-R	2	M	2.5	8300
4p berline SE-R Spec V	2	M	2.5	8900
4p berline SE-R Spec V sport	2	M	2.5	9400
2006 TITAN				**20 000 km**
King cab. XE	2	A	5.6	24 500
King cab. SE	2	A	5.6	27 300
King cab. SE Ens.Remorquage	2	A	5.6	29 000
King cab. SE	4	A	5.6	30 700
King cab. SE Ens.Remorquage	4	A	5.6	31 300
King cab. SE Off-Road/Ens.Remo.	4	A	5.6	32 800
King cab. LE (cuir)	4	A	5.6	33 700
Crew Cab XE	4	A	5.6	30 100
Crew Cab XE Off-Road	4	A	5.6	30 800
Crew Cab SE	4	A	5.6	33 100
Crew Cab SE Off-Road	4	A	5.6	34 600
Crew Cab LE (cuir)	4	A	5.6	36 000
2005 TITAN				**40 000 km**
King cab. XE	2	A	5.6	18 700
King cab. SE	2	A	5.6	22 400
King cab. SE Polyvalence	2	A	5.6	24 800
King cab. SE	4	A	5.6	26 000
King cab. SE Polyvalence	4	A	5.6	26 900
King cab. SE Off-Road/Poly	4	A	5.6	28 100
King cab. LE (cuir)	4	A	5.6	28 800
Crew Cab XE	4	A	5.6	24 500
Crew Cab SE	4	A	5.6	27 700
Crew Cab SE Off-Road	4	A	5.6	28 900
Crew Cab LE (cuir)	4	A	5.6	30 100
2004 TITAN				**60 000 km**
King cab. XE	2	A	5.6	17 300
King cab. SE	2	A	5.6	21 000
King cab. SE	4	A	5.6	24 000
King cab. LE (cuir)	4	A	5.6	27 000
Crew Cab XE	4	A	5.6	23 100
Crew Cab SE	4	A	5.6	25 700
Crew Cab LE (cuir)	4	A	5.6	28 900
2006 X-TRAIL				**20 000 km**
4p XE	2	A	2.5	20 300
4p SE	2	A	2.5	22 400
4p XE	A	M	2.5	21 500
4p XE	A	A	2.5	22 400

Description	R.m.	Tr.	L	Prix
4p SE	A	M	2.5	23 000
4p SE	A	A	2.5	23 900
4p LE (cuir)	A	A	2.5	25 400
2005 X-TRAIL				**40 000 km**
4p XE	2	A	2.5	15 800
4p SE	2	A	2.5	18 000
4p XE	A	M	2.5	17 000
4p XE	A	A	2.5	17 900
4p SE	A	M	2.5	18 700
4p SE	A	A	2.5	19 000
4p LE (cuir)	A	A	2.5	20 500
2006 XTERRA				**20 000 km**
4p S	4	M	4.0	26 500
4p Tout-Terrain	4	M	4.0	28 400
4p SE	4	A	4.0	29 300
2005 XTERRA				**40 000 km**
4p S	4	M	4.0	21 700
4p Tout-Terrain	4	M	4.0	23 700
4p SE	4	A	4.0	25 000
2004 XTERRA				**60 000 km**
4p XE	4	M	3.3	16 700
4p SE	4	A	3.3	19 800
4p SE-SC	4	M	3.3	19 800
2003 XTERRA				**80 000 km**
4p XE	4	M	3.3	15 100
4p SE	4	A	3.3	18 200
4p SE-SC	4	M	3.3	18 200
2002 XTERRA				**100 000 km**
4p XE	4	M	3.3	14 000
4p SE	4	A	3.3	16 800
4p SE-SC	4	M	3.3	16 800
OLDSMOBILE				
2004 ALERO				**60 000 km**
2p coupé GX	2	M	2.2	11 500
2p coupé GL	2	M	2.2	13 300
2p coupé GL	2	A	3.4	14 600
4p berline GX	2	M	2.2	11 500
4p berline GL	2	M	2.2	13 300
4p berline GL	2	A	3.4	14 700
2003 ALERO				**80 000 km**
2p coupé GX	2	M	2.2	9100
2p coupé GL	2	M	2.2	10 600
2p coupé GL	2	A	3.4	11 700
2p coupé GLS (cuir)	2	A	3.4	12 600
4p berline GX	2	M	2.2	8900
4p berline GL	2	M	2.2	10 300
4p berline GL	2	A	3.4	11 500
4p berline GLS (cuir)	2	A	3.4	12 600
2002 ALERO				**100 000 km**
2p coupé GX	2	M	2.2	8700
2p coupé GL	2	M	2.2	10 000
2p coupé GL	2	A	3.4	11 100
2p coupé GLS (cuir)	2	A	3.4	11 700
4p berline GX	2	M	2.2	8400
4p berline GL	2	M	2.2	9800
4p berline GL	2	A	3.4	10 900
4p berline GLS (cuir)	2	A	3.4	11 700
2003 AURORA				**80 000 km**
4p berline 4.0	2	A	4.0	16 300
2002 AURORA				**100 000 km**
4p berline base	2	A	3.5	12 400
4p berline base	2	A	4.0	13 900
2004 BRAVADA				**60 000 km**
4p base	A	A	4.2	24 500
2003 BRAVADA				**80 000 km**
4p base	A	A	4.2	22 500
2002 BRAVADA				**100 000 km**
4p base	A	A	4.2	20 000
2002 INTRIGUE				**100 000 km**
4p berline GX	2	A	3.5	9700
4p berline GL	2	A	3.5	10 600
4p berline GLS (cuir)	2	A	3.5	11 900
2004 SILHOUETTE				**60 000 km**
4p GL	2	A	3.4	14 400
4p GLS (cuir)	2	A	3.4	17 000
4p Édition Première (cuir)	2	A	3.4	17 300
4p GLS (cuir)	A	A	3.4	17 400
4p Édition Première (cuir)	A	A	3.4	17 600
2003 SILHOUETTE				**80 000 km**
4p GL	2	A	3.4	11 700
4p GLS (cuir)	2	A	3.4	14 200
4p Édition Première (cuir)	2	A	3.4	14 800
4p GLS (cuir)	A	A	3.4	14 900

Description	R.m.	Tr.	L	Prix
4p Édition Première (cuir)	A	A	3.4	15 900
2002 SILHOUETTE				**100 000 km**
4p GL	2	A	3.4	11 300
4p GLS (cuir)	2	A	3.4	14 800
4p Édition Première (cuir)	2	A	3.4	15 200
4p GLS (cuir)	A	A	3.4	15 200
4p Édition Première (cuir)	A	A	3.4	15 800
PONTIAC				
2005 AZTEK				**40 000 km**
4p base	2	A	3.4	15 000
4p GT	2	A	3.4	18 900
4p base	A	A	3.4	17 800
4p GT	A	A	3.4	19 100
2004 AZTEK				**60 000 km**
4p base	2	A	3.4	10 000
4p GT	2	A	3.4	13 200
4p base	A	A	3.4	12 800
4p GT	A	A	3.4	13 700
2003 AZTEK				**80 000 km**
4p base	2	A	3.4	10 200
4p GT	2	A	3.4	12 900
4p base	A	A	3.4	12 900
4p GT	A	A	3.4	13 600
2002 AZTEK				**100 000 km**
4p base	2	A	3.4	8900
4p GT	2	A	3.4	12 100
4p base	A	A	3.4	11 600
4p GT	A	A	3.4	12 700
2005 BONNEVILLE				**40 000 km**
4p berline SE	2	A	3.8	21 000
4p berline SLE	2	A	3.8	23 700
4p berline GXP (cuir)	2	A	4.6	25 900
2004 BONNEVILLE				**60 000 km**
4p berline SE	2	A	3.8	17 500
4p berline SLE	2	A	3.8	20 500
4p berline GXP (cuir)	2	A	4.6	22 600
2003 BONNEVILLE				**80 000 km**
4p berline SE	2	A	3.8	16 300
4p berline SLE	2	A	3.8	18 000
4p berline SSEi (cuir)	2	A	3.8	20 600
2002 BONNEVILLE				**100 000 km**
4p berline SE	2	A	3.8	11 800
4p berline SLE	2	A	3.8	14 600
4p berline SSEi (cuir)	2	A	3.8	17 100
2002 FIREBIRD				**100 000 km**
2p coupé base	2	M	3.8	9800
2p coupé Formula	2	M	5.7	13 600
2p coupé Trans Am (cuir)	2	M	5.7	16 300
2p coupé Trans Am Ram Air cuir	2	M	5.7	16 800
2p coupé Trans Am Collector Ed	2	A	5.7	16 300
2p décapotable base	2	A	3.8	15 500
2p décapotable Trans Am (cuir)	2	M	5.7	17 700
2p déc Trans Am Ram Air (cuir)	2	M	5.7	19 900
2p déc Trans Am Collector Ed	2	A	5.7	19 300
2006 G6				**20 000 km**
2p coupe GT	2	A	3.5	22 800
2p coupe GTP	2	M	3.9	24 100
2p coupe GTP	2	A	3.9	24 400
4p berline base	2	A	2.4	18 800
4p berline base V6	2	A	3.5	19 900
4p berline GT	2	A	3.5	22 800
4p berline GTP	2	M	3.9	24 100
4p berline GTP	2	A	3.9	24 400
2p décapotable GT	2	A	3.5	27 000
2p décapotable GTP	2	A	3.9	28 000
2005 G6				**40 000 km**
4p berline base	2	A	3.5	18 600
4p berline GT	2	A	3.5	20 700
2005 GRAND AM				**40 000 km**
2p coupé GT	2	A	3.4	17 200
4p berline SE1	2	A	3.4	14 400
2004 GRAND AM				**60 000 km**
2p coupé GT	2	A	3.4	13 500
4p berline SE	2	M	2.2	9100
4p berline SE1	2	M	2.2	11 200
4p berline SE1	2	A	3.4	12 700
4p berline GT	2	A	3.4	13 500
2003 GRAND AM				**80 000 km**
2p coupé GT	2	A	3.4	12 000
2p coupé GT1 (cuir)	2	A	3.4	12 300
4p berline SE	2	M	2.2	7300
4p berline SE1	2	M	2.2	9100
4p berline SE1	2	A	3.4	11 000
4p berline GT	2	A	3.4	12 000

Description	R.m.	Tr.	L	Prix
4p berline GT1 (cuir)	2	A	3.4	12 300
2002 GRAND AM				**100 000 km**
2p coupé SE	2	M	2.2	5400
2p coupé SE1	2	M	2.2	6900
2p coupé SE1	2	A	3.4	8700
2p coupé GT	2	A	3.4	10 100
2p coupé GT1 (cuir)	2	A	3.4	11 000
4p berline SE	2	M	2.2	5400
4p berline SE1	2	M	2.2	6900
4p berline SE1	2	A	3.4	8700
4p berline GT	2	A	3.4	10 100
4p berline GT1 (cuir)	2	A	3.4	11 000
2006 GRAND PRIX				**20 000 km**
4p berline base	2	A	3.8	21 000
4p berline GT	2	A	3.8	24 400
4p berline GXP V8	2	A	5.3	28 300
2005 GRAND PRIX				**40 000 km**
4p berline base	2	A	3.8	19 200
4p berline GT	2	A	3.8	21 800
4p berline GTP (cuir)	2	A	3.8	22 900
4p berline GXP V8	2	A	5.3	23 600
2004 GRAND PRIX				**60 000 km**
4p berline GT1	2	A	3.8	15 500
4p berline GT2	2	A	3.8	18 000
4p berline GTP (cuir)	2	A	3.8	19 300
2003 GRAND PRIX				**80 000 km**
4p berline SE	2	A	3.1	12 500
4p berline GT	2	A	3.8	14 000
4p berline GTP (cuir)	2	A	3.8	15 100
2002 GRAND PRIX				**100 000 km**
2p coupé GT	2	A	3.8	10 800
2p coupé GT 40e ann.	2	A	3.8	13 200
2p coupé GTP (cuir)	2	A	3.8	13 600
2p coupé GTP 40e ann. (cuir)	2	A	3.8	14 400
4p berline SE	2	A	3.1	9100
4p berline GT	2	A	3.8	10 800
4p berline GT 40e ann.	2	A	3.8	13 200
4p berline GTP (cuir)	2	A	3.8	13 600
4p berline GTP 40e ann. (cuir)	2	A	3.8	14 400
2005 MONTANA				**40 000 km**
4p allongé base	2	A	3.4	20 600
4p allongé SE	2	A	3.4	22 800
4p allongé GT	2	A	3.4	23 700
2004 MONTANA				**60 000 km**
4p base	2	A	3.4	12 800
4p allongé base	2	A	3.4	15 900
4p SE	2	A	3.4	15 900
4p allongé SE	2	A	3.4	17 600
4p GT	2	A	3.4	17 900
4p allongé GT	2	A	3.4	18 800
4p allongé SE	A	A	3.4	19 300
4p allongé GT	A	A	3.4	20 400
2003 MONTANA				**80 000 km**
4p base	2	A	3.4	9100
4p allongé base	2	A	3.4	11 900
4p SE	2	A	3.4	11 900
4p allongé SE	2	A	3.4	14 000
4p GT	2	A	3.4	14 400
4p allongé GT	2	A	3.4	16 600
4p allongé Vision	2	A	3.4	17 500
4p allongé Thunder	2	A	3.4	17 000
4p allongé SE	A	A	3.4	16 900
4p allongé GT	A	A	3.4	17 500
4p allongé Vision	A	A	3.4	17 700
4p allongé Thunder	A	A	3.4	17 400
2002 MONTANA				**100 000 km**
4p base	2	A	3.4	8800
4p allongé base	2	A	3.4	10 600
4p SE	2	A	3.4	11 400
4p allongé SE	2	A	3.4	13 000
4p GT	2	A	3.4	13 900
4p allongé GT	2	A	3.4	15 700
4p allongé Vision	2	A	3.4	16 600
4p allongé Thunder (cuir)	2	A	3.4	17 100
4p allongé SE	A	A	3.4	15 900
4p allongé GT	A	A	3.4	16 900
4p allongé Vision	A	A	3.4	16 900
4p allongé Thunder (cuir)	A	A	3.4	17 200
2006 MONTANA SV6				**20 000 km**
4p groupe 1SA	2	A	3.5	18 700
4p groupe 1SB	2	A	3.5	19 500
4p groupe 1SC	2	A	3.5	21 800
4p allongé groupe 1SA	2	A	3.5	21 100
4p allongé groupe 1SB	2	A	3.5	21 700
4p allongé groupe 1SC	2	A	3.5	24 500
4p allongé Trac. intégrale	A	A	3.5	27 300
2005 MONTANA SV6				**40 000 km**
4p groupe 1SA	2	A	3.5	14 600

Abréviations : R.m. : roues motrices (2, 4, A) • Tr : Transmission (A, M) • L : capacité du moteur en litres

Description	R.m.	Tr.	L	Prix
4p groupe 1SB	2	A	3.5	15 400
4p groupe 1SC	2	A	3.5	18 300
4p allongé groupe 1SA	2	A	3.5	16 700
4p allongé groupe 1SB	2	A	3.5	17 400
4p allongé groupe 1SC	2	A	3.5	20 000
4p allongé Trac. intégrale	A	A	3.5	23 300

2006 PURSUIT — 20 000 km

Description	R.m.	Tr.	L	Prix
2p coupé base	2	M	2.2	12 100
2p coupé SE	2	M	2.2	16 200
2p coupé GT	2	M	2.4	17 300
4p berline base	2	M	2.2	12 300
4p berline SE	2	M	2.2	16 200
4p berline GT	2	M	2.4	17 300

2005 PURSUIT — 40 000 km

Description	R.m.	Tr.	L	Prix
4p berline base	2	M	2.2	11 700
4p berline SE	2	M	2.2	15 700

2006 SOLSTICE — 20 000 km

Description	R.m.	Tr.	L	Prix
2p décapotable base	2	M	2.4	21 600

2005 SUNFIRE — 40 000 km

Description	R.m.	Tr.	L	Prix
2p coupé SL	2	M	2.2	9500
2p coupé Sporttec	2	M	2.2	11 400
2p coupé GT	2	M	2.2	12 200
4p berline SL	2	M	2.2	9500
4p berline SLX	2	M	2.2	11 900

2004 SUNFIRE — 60 000 km

Description	R.m.	Tr.	L	Prix
2p coupé SL	2	M	2.2	7800
2p coupé GT	2	M	2.2	9300
4p berline SL	2	M	2.2	7800
4p berline SLX	2	M	2.2	9100

2003 SUNFIRE — 80 000 km

Description	R.m.	Tr.	L	Prix
2p coupé SL	2	M	2.2	7200
2p coupé GT	2	M	2.2	9500
4p berline SL	2	M	2.2	6700
4p berline SLX	2	M	2.2	8800

2002 SUNFIRE — 100 000 km

Description	R.m.	Tr.	L	Prix
2p coupé SL	2	M	2.2	4800
2p coupé SLX	2	M	2.2	7400
2p coupé GT	2	M	2.2	9900
4p berline SL	2	M	2.2	4300
4p berline SLX	2	M	2.2	7300
4p berline GTX	2	A	2.2	9400

2006 TORRENT — 20 000 km

Description	R.m.	Tr.	L	Prix
4p base	2	A	3.4	21 700
4p Sport	2	A	3.4	23 600
4p base	A	A	3.4	23 900
4p Sport	A	A	3.4	25 600

2006 VIBE — 20 000 km

Description	R.m.	Tr.	L	Prix
4p hayon base	2	M	1.8	16 900
4p hayon GT	2	M	1.8	21 900
4p hayon base (tr.intégrale)	A	A	1.8	20 300

2005 VIBE — 40 000 km

Description	R.m.	Tr.	L	Prix
4p hayon base	2	M	1.8	16 500
4p hayon GT	2	M	1.8	20 600
4p hayon base (tr.intégrale)	A	A	1.8	19 200

2004 VIBE — 60 000 km

Description	R.m.	Tr.	L	Prix
4p hayon base	2	M	1.8	15 600
4p hayon GT	2	M	1.8	19 400
4p hayon base (tr.intégrale)	A	A	1.8	19 400

2003 VIBE — 80 000 km

Description	R.m.	Tr.	L	Prix
4p hayon base	2	M	1.8	14 600
4p hayon GT	2	M	1.8	18 200
4p hayon base (tr.intégrale)	A	A	1.8	18 100

2006 WAVE — 20 000 km

Description	R.m.	Tr.	L	Prix
4p berline base	2	M	1.6	8300
4p berline Uplevel	2	M	1.6	9400
4p hayon Wave 5 base	2	M	1.6	8400
4p hayon Wave 5 Uplevel	2	M	1.6	9600

2005 WAVE — 40 000 km

Description	R.m.	Tr.	L	Prix
4p berline base	2	M	1.6	7600
4p berline Uplevel	2	M	1.6	8300
4p hayon Wave 5 base	2	M	1.6	7900
4p hayon Wave 5 Uplevel	2	M	1.6	8700

PORSCHE

2006 911 — 20 000 km

Description	R.m.	Tr.	L	Prix
2p coupé Carrera	2	M	3.6	88 300
2p coupé Carrera S	2	M	3.8	101 100
2p coupé Carrera 4	A	M	3.6	94 500
2p coupé Carrera 4S	A	M	3.8	108 500
2p décapotable Carrera	2	M	3.6	101 100
2p décapotable Carrera S	2	M	3.8	113 900
2p décapotable Carrera 4	A	M	3.6	109 300
2p décapotable Carrera 4S	A	M	3.8	121 300

2005 911 — 40 000 km

Description	R.m.	Tr.	L	Prix
2p coupé Carrera	2	M	3.6	72 400
2p coupé Carrera S	2	M	3.8	80 300
2p coupé Targa	2	M	3.6	80 400
2p coupé GT2 Turbo	2	M	3.6	200 400
2p coupé GT3	2	M	3.6	96 600
2p coupé Carrera 4S	A	M	3.6	81 400
2p coupé Turbo	A	M	3.6	137 900
2p coupé Turbo S	A	M	3.6	140 200
2p décapotable Carrera	2	M	3.6	85 300
2p décapotable Carrera S	2	M	3.8	83 300
2p décapotable Carrera 4S	A	M	3.6	89 500
2p décapotable Turbo	A	M	3.6	131 000
2p décapotable Turbo S	A	M	3.6	143 300

2004 911 — 60 000 km

Description	R.m.	Tr.	L	Prix
2p coupé Carrera	2	M	3.6	50 400
2p coupé Targa	2	M	3.6	59 300
2p coupé Carrera 40e ann.	2	A	3.6	73 600
2p coupé GT2 Turbo	2	M	3.6	189 300
2p coupé GT3 Turbo	2	M	3.6	80 500
2p décapotable Carrera	2	M	3.6	67 700
2p coupé Carrera 4S	A	M	3.6	69 700
2p coupé Turbo	A	M	3.6	106 800
2p décapotable Carrera 4	A	M	3.6	66 100
2p décapotable Carrera C4S	A	M	3.6	78 400
2p décapotable Turbo	A	M	3.6	119 900

2003 911 — 80 000 km

Description	R.m.	Tr.	L	Prix
2p coupé Carrera	2	M	3.6	42 700
2p coupé Targa	2	M	3.6	50 900
2p décapotable Carrera	2	M	3.6	50 600
2p coupé Carrera 4S	A	M	3.6	50 500
2p coupé Turbo	A	M	3.6	86 200
2p décapotable Carrera 4	A	M	3.6	53 400
2p coupé GT2 Turbo	2	M	3.6	148 800

2002 911 — 100 000 km

Description	R.m.	Tr.	L	Prix
2p coupé Carrera	2	M	3.6	38 900
2p coupé Targa	2	M	3.6	44 900
2p décapotable Carrera	2	M	3.6	48 300
2p coupé Carrera 4S	A	M	3.6	51 500
2p coupé Turbo	A	M	3.6	93 800
2p décapotable Carrera 4	A	M	3.6	55 800
2p coupé GT2 Turbo	2	M	3.6	162 500

2006 BOXSTER — 20 000 km

Description	R.m.	Tr.	L	Prix
2p décapotable base	2	M	2.7	51 600
2p décapotable base	2	A	2.7	55 500
2p décapotable S	2	M	3.2	63 000
2p décapotable S	2	A	3.2	66 900

2005 BOXSTER — 40 000 km

Description	R.m.	Tr.	L	Prix
2p décapotable base	2	M	2.7	41 100
2p décapotable base	2	A	2.7	44 200
2p décapotable S	2	M	3.2	49 000
2p décapotable S	2	A	3.2	52 100

2004 BOXSTER — 60 000 km

Description	R.m.	Tr.	L	Prix
2p décapotable base	2	M	2.7	35 900
2p décapotable base	2	A	2.7	40 000
2p décapotable S	2	M	3.2	46 900
2p décapotable S	2	A	3.2	50 000
2p décapotable S Ann Edition	2	M	3.2	51 500
2p décapotable S Ann Edition	2	A	3.2	54 500

2003 BOXSTER — 80 000 km

Description	R.m.	Tr.	L	Prix
2p décapotable base	2	M	2.7	35 000
2p décapotable base	2	A	2.7	39 100
2p décapotable S	2	M	3.2	41 300
2p décapotable S	2	A	3.2	44 400

2002 BOXSTER — 100 000 km

Description	R.m.	Tr.	L	Prix
2p décapotable base	2	M	2.7	34 800
2p décapotable base	2	A	2.7	38 700
2p décapotable S	2	M	3.2	40 700
2p décapotable S	2	A	3.2	44 700

2006 CAYENNE — 20 000 km

Description	R.m.	Tr.	L	Prix
4p V6	A	M	3.2	48 000
4p V6	A	A	3.2	51 600
4p S	A	A	4.5	64 800
4p Turbo	A	A	4.5	103 100
4p Turbo S	A	A	4.5	122 500

2005 CAYENNE — 40 000 km

Description	R.m.	Tr.	L	Prix
4p V6	A	A	3.2	35 600
4p S	A	A	4.5	53 500
4p Turbo	A	A	4.5	81 400

2004 CAYENNE — 60 000 km

Description	R.m.	Tr.	L	Prix
4p V6	A	A	3.2	30 300
4p S	A	A	4.5	51 000
4p Turbo	A	A	4.5	74 300

2003 CAYENNE — 80 000 km

Description	R.m.	Tr.	L	Prix
4p S	A	A	4.5	47 700
4p Turbo	A	A	4.5	67 100

2006 CAYMAN — 20 000 km

Description	R.m.	Tr.	L	Prix
2p coupé S	2	M	3.4	73 000
2p coupé S	2	A	3.4	76 900

SAAB

2006 SÉRIE 9-2X — 20 000 km

Description	R.m.	Tr.	L	Prix
4p familiale Linear	A	M	2.5	20 300
4p familiale Linear Premium (cuir)	A	M	2.5	23 200

2005 SÉRIE 9-2X — 40 000 km

Description	R.m.	Tr.	L	Prix
4p familiale Linear	A	M	2.5	18 800
4p familiale Linear Premium	A	M	2.5	21 400
4p familiale Aero	A	M	2.0	24 900

2006 SÉRIE 9-3 — 20 000 km

Description	R.m.	Tr.	L	Prix
4p berline Sport	2	M	2.0	27 900
4p berline Sport	2	A	2.0	29 200
4p berline Sport Aero	2	M	2.8	34 000
4p berline Sport Aero	2	A	2.8	35 300
4p familiale Combi Sport	2	M	2.0	29 200
4p familiale Combi Sport	2	A	2.0	30 500
4p familiale Combi Sport Aero	2	M	2.8	35 300
4p familiale Combi Sport Aero	2	A	2.8	36 600
2p décapotable base	2	M	2.0	43 700
2p décapotable base	2	A	2.0	45 600
2p décapotable Aero	2	M	2.8	46 900
2p décapotable Aero	2	A	2.8	48 200

2005 SÉRIE 9-3 — 40 000 km

Description	R.m.	Tr.	L	Prix
4p berline Linear	2	M	2.0	24 000
4p berline Linear	2	A	2.0	25 400
4p berline Arc (5 vitesses)	2	M	2.0	28 600
4p berline Arc	2	A	2.0	29 900
4p berline Aero (5 vitesses)	2	M	2.0	30 400
4p berline Aero (6 vitesses)	2	M	2.0	31 700
4p berline Aero	2	A	2.0	31 700
2p décapotable Arc (5 vitesses)	2	M	2.0	38 900
2p décapotable Arc	2	A	2.0	40 300
2p décapotable Aero (5 vitesses)	2	M	2.0	40 800
2p décapotable Aero (6 vitesses)	2	M	2.0	41 800
2p décapotable Aero	2	A	2.0	41 800

2004 SÉRIE 9-3 — 60 000 km

Description	R.m.	Tr.	L	Prix
4p berline Linear	2	M	2.0	19 500
4p berline Linear	2	A	2.0	20 800
4p berline Arc (5 vitesses)	2	M	2.0	24 900
4p berline Arc Aero (6 vitesses)	2	M	2.0	27 600
4p berline Arc	2	A	2.0	26 300
2p décapotable Arc (5 vitesses)	2	M	2.0	35 100
2p déc Arc Aero (6 vitesses)	2	M	2.0	37 500
2p décapotable Arc	2	A	2.0	36 200

2003 SÉRIE 9-3 — 80 000 km

Description	R.m.	Tr.	L	Prix
4p berline Linear	2	M	2.0	18 800
4p berline Linear	2	A	2.0	20 000
4p berline Arc	2	M	2.0	24 000
4p berline Arc	2	A	2.0	25 000
4p berline Vector	2	M	2.0	27 000
4p berline Vector	2	A	2.0	28 000
2p décapotable SE	2	M	2.0	32 100
2p décapotable SE	2	A	2.0	33 100

2002 SÉRIE 9-3 — 100 000 km

Description	R.m.	Tr.	L	Prix
2p hayon Viggen turbo (cuir)	2	M	2.3	28 800
4p hayon base	2	M	2.0	12 500
4p hayon base	2	A	2.0	13 800
4p hayon SE turbo Anniversaire	2	M	2.0	16 600
4p hayon SE turbo Anniversaire	2	A	2.0	17 800
4p hayon Viggen turbo (cuir)	2	M	2.3	26 200
2p décapotable base	2	M	2.0	26 800
2p décapotable base	2	A	2.0	28 000
2p décapotable SE	2	M	2.0	31 000
2p décapotable SE	2	A	2.0	32 900
2p décapotable Viggen turbo cuir	2	M	2.3	35 400

2006 SÉRIE 9-5 — 20 000 km

Description	R.m.	Tr.	L	Prix
4p berline turbo	2	M	2.3	34 000
4p berline turbo	2	A	2.3	35 300
4p familiale Combi Sport turbo	2	M	2.3	35 300
4p familiale Combi Sport turbo	2	A	2.3	36 600

2005 SÉRIE 9-5 — 40 000 km

Description	R.m.	Tr.	L	Prix
4p berline Arc turbo	2	M	2.3	28 500
4p berline Arc turbo	2	A	2.3	29 900
4p berline Aero turbo	2	M	2.3	30 800
4p berline Aero turbo	2	A	2.3	32 200
4p familiale Linear turbo	2	M	2.3	26 700
4p familiale Linear turbo	2	A	2.3	28 100
4p familiale Arc turbo	2	M	2.3	29 400
4p familiale Arc turbo	2	A	2.3	30 800
4p familiale Aero turbo	2	M	2.3	31 700
4p familiale Aero turbo	2	A	2.3	33 100

2004 SÉRIE 9-5 — 60 000 km

Description	R.m.	Tr.	L	Prix
4p berline Arc turbo	2	M	2.3	24 800
4p berline Arc turbo	2	A	2.3	26 200
4p berline Aero turbo	2	M	2.3	27 100
4p berline Aero turbo	2	A	2.3	28 500
4p familiale Linear turbo	2	M	2.3	23 000
4p familiale Linear turbo	2	A	2.3	24 400
4p familiale Arc turbo	2	M	2.3	25 700
4p familiale Arc turbo	2	A	2.3	27 100
4p familiale Aero turbo	2	M	2.3	28 000
4p familiale Aero turbo	2	A	2.3	29 400

2003 SÉRIE 9-5 — 80 000 km

Description	R.m.	Tr.	L	Prix
4p berline Linear turbo	2	M	2.3	19 900
4p berline Linear turbo	2	A	2.3	21 300
4p berline Aero turbo (cuir)	2	M	2.3	24 000
4p berline Aero turbo (cuir)	2	A	2.3	25 300
4p familiale Linear turbo	2	M	2.3	21 300
4p familiale Linear turbo	2	A	2.3	22 600
4p familiale Aero turbo (cuir)	2	M	2.3	24 300
4p familiale Aero turbo (cuir)	2	A	2.3	25 800

2002 SÉRIE 9-5 — 100 000 km

Description	R.m.	Tr.	L	Prix
4p berline Linear turbo	2	M	2.3	19 000
4p berline Linear turbo	2	A	2.3	20 200
4p berline Arc (cuir)	2	A	3.0	24 100
4p berline Aero turbo (cuir)	2	M	2.3	25 700
4p berline Aero turbo (cuir)	2	A	2.3	26 900
4p familiale Linear turbo	2	M	2.3	20 300
4p familiale Linear turbo	2	A	2.3	21 600
4p familiale Arc (cuir)	2	A	3.0	24 400
4p familiale Aero turbo (cuir)	2	M	2.3	27 000
4p familiale Aero turbo (cuir)	2	A	2.3	28 200

2006 SÉRIE 9-7 X — 20 000 km

Description	R.m.	Tr.	L	Prix
4p base	4	A	4.2	41 600
4p V8	4	A	5.3	43 800

2005 SÉRIE 9-7 X — 40 000 km

Description	R.m.	Tr.	L	Prix
4p Linear	4	A	4.2	35 300
4p Arc	4	A	5.3	37 300

SATURN

2006 ION — 20 000 km

Description	R.m.	Tr.	L	Prix
4p coupé Quad niveau 1	2	M	2.2	10 400
4p coupé Quad niveau 1	2	A	2.2	11 500
4p coupé Quad niveau 2	2	M	2.2	13 900
4p coupé Quad niveau 2	2	A	2.2	14 900
4p coupé Quad niveau 3	2	M	2.4	14 700
4p coupé Quad niveau 3	2	A	2.4	15 100
4p coupé Quad Red Line	2	M	2.0	18 200
4p berline niveau 1	2	M	2.2	10 400
4p berline niveau 1	2	A	2.2	11 500
4p berline niveau 2	2	M	2.2	12 300
4p berline niveau 2	2	A	2.2	13 400
4p berline niveau 3	2	M	2.4	14 700
4p berline niveau 3	2	A	2.4	15 100

2005 ION — 40 000 km

Description	R.m.	Tr.	L	Prix
4p coupé Quad niveau 2	2	M	2.2	10 400
4p coupé Quad niveau 2	2	A	2.2	11 600
4p coupé Quad niveau 3	2	M	2.2	14 000
4p coupé Quad niveau 3	2	A	2.2	15 100
4p coupé Quad Red Line	2	M	2.0	17 700
4p berline niveau 1	2	M	2.2	9100
4p berline niveau 1	2	A	2.2	10 200
4p berline niveau 2	2	M	2.2	11 200
4p berline niveau 2	2	A	2.2	12 400
4p berline niveau 3	2	M	2.2	13 200
4p berline niveau 3	2	A	2.2	14 300

2004 ION — 60 000 km

Description	R.m.	Tr.	L	Prix
4p coupé Quad niveau 2	2	M	2.2	9200
4p coupé Quad niveau 2 CVT	2	A	2.2	10 300
4p coupé Quad niveau 2	2	A	2.2	10 300
4p coupé Quad niveau 3	2	M	2.2	12 200
4p coupé Quad niveau 3 CVT	2	A	2.2	12 800
4p coupé Quad niveau 3	2	A	2.2	12 800
4p coupé Quad Red Line	2	M	2.0	15 200
4p berline niveau 1	2	M	2.2	6800
4p berline niveau 1	2	A	2.2	7900
4p berline niveau 2	2	M	2.2	9000
4p berline niveau 2	2	A	2.2	10 100
4p berline niveau 3	2	M	2.2	11 200
4p berline niveau 3	2	A	2.2	12 100

2003 ION — 80 000 km

Description	R.m.	Tr.	L	Prix
4p coupé Quad niveau 2	2	M	2.2	8700
4p coupé Quad niveau 2	2	A	2.2	9700
4p coupé Quad niveau 3	2	M	2.2	11 000
4p coupé Quad niveau 3	2	A	2.2	11 300
4p berline niveau 1	2	M	2.2	6400
4p berline niveau 1	2	A	2.2	7300
4p berline niveau 2	2	M	2.2	8500
4p berline niveau 2	2	A	2.2	9400
4p berline niveau 3	2	M	2.2	10 400
4p berline niveau 3	2	A	2.2	10 800

2006 RELAY — 20 000 km

Description	R.m.	Tr.	L	Prix
4p base niveau 2	2	A	3.5	21 000
4p Valeur Plus	2	A	3.5	22 400
4p De Luxe niv. 3	2	A	3.5	24 200
4p De Luxe niv. 3 3,9 l	2	A	3.9	24 600
4p De Luxe niv. 3 tr.intégrale	A	A	3.9	27 300

2005 RELAY — 40 000 km

Description	R.m.	Tr.	L	Prix
4p base niveau 2	2	A	3.5	18 100
4p De Luxe niveau 3	2	A	3.5	21 400
4p De Luxe niveau 3 tr.intégrale	A	A	3.5	23 500

Abréviations : R.m. : roues motrices (2, 4, A) • Tr : Transmission (A, M) • L : capacité du moteur en litres

Description	R.m.	Tr.	L	Prix
2005 SÉRIE L				**40 000 km**
4p berline L300 niveau 2	2	A	3.0	16 000
2004 SÉRIE L				**60 000 km**
4p berline L300 niveau 1	2	A	2.2	13 100
4p berline L300 niveau 2	2	A	3.0	14 500
4p berline L300 niveau 3	2	A	3.0	15 400
4p familiale LW300 niveau 1	2	A	2.2	14 900
4p familiale LW300 niveau 2	2	A	3.0	15 200
4p familiale LW300 niveau 3	2	A	3.0	15 700
2003 SÉRIE L				**80 000 km**
4p berline L200	2	M	2.2	11 500
4p berline L200	2	A	2.2	12 500
4p berline L300	2	A	3.0	14 100
4p familiale LW200	2	M	2.2	13 100
4p familiale LW200	2	A	2.2	14 100
4p familiale LW300	2	A	3.0	14 600
2002 SÉRIE L				**100 000 km**
4p berline L100	2	M	2.2	9000
4p berline L100	2	A	2.2	10 000
4p berline L200	2	M	2.2	10 900
4p berline L200	2	A	2.2	11 900
4p berline L300	2	A	3.0	12 600
4p familiale LW200	2	M	2.2	12 200
4p familiale LW200	2	A	2.2	12 400
4p familiale LW300	2	A	3.0	13 700
2002 SÉRIE S				**100 000 km**
3p coupé SC1	2	M	1.9	6200
3p coupé SC1	2	A	1.9	7100
3p coupé SC2	2	M	1.9	7800
3p coupé SC2	2	A	1.9	8100
4p berline SL	2	M	1.9	3900
4p berline SL1	2	M	1.9	4700
4p berline SL1	2	A	1.9	5700
4p berline SL2	2	M	1.9	7400
4p berline SL2	2	A	1.9	7800
2006 VUE				**20 000 km**
4p base	2	M	2.2	18 100
4p base	2	A	2.2	19 200
4p base V6	2	A	3.5	21 800
4p Red Line	2	A	3.5	24 400
4p base V6	A	A	3.5	23 600
4p Red Line	A	A	3.5	26 400
2005 VUE				**40 000 km**
4p base	2	M	2.2	13 100
4p base	2	A	2.2	14 300
4p base V6	2	A	3.5	17 500
4p Red Line	2	A	3.5	18 200
4p base	A	A	2.2	16 300
4p base V6	A	A	3.5	17 700
4p Red Line	A	A	3.5	19 500
2004 VUE				**60 000 km**
4p base	2	M	2.2	11 700
4p base	2	A	2.2	13 400
4p base V6	2	A	3.5	17 100
4p Red Line	2	A	3.5	17 500
4p base	A	A	2.2	15 000
4p base V6	A	A	3.5	17 300
4p Red Line	A	A	3.5	18 500
2003 VUE				**80 000 km**
4p base	2	M	2.2	10 400
4p base	2	A	2.2	11 500
4p base V6	2	A	3.0	13 900
4p base	A	A	2.2	13 200
4p base V6	A	A	3.0	14 900
2002 VUE				**100 000 km**
4p base	2	M	2.2	10 000
4p base	2	A	2.2	11 000
4p base	A	A	2.2	12 600
4p base V6	A	A	3.0	13 700
SMART				
2006 FORTWO				**20 000 km**
2p coupé Pure	2	A	0.8	15 200
2p coupé Pulse	2	A	0.8	17 000
2p coupé Passion	2	A	0.8	17 900
2p cabriolet Pure	2	A	0.8	17 900
2p cabriolet Pulse	2	A	0.8	19 700
2p cabriolet Passion	2	A	0.8	20 600
2005 FORTWO				**40 000 km**
2p coupé Pure	2	A	0.8	14 600
2p coupé Pulse	2	A	0.8	16 300
2p coupé Passion	2	A	0.8	17 000
2p cabriolet Pure	2	A	0.8	17 300
2p cabriolet Pulse	2	A	0.8	19 300
2p cabriolet Passion	2	A	0.8	20 000

Description	R.m.	Tr.	L	Prix
SUBARU				
2006 B9 TRIBECA				**20 000 km**
4p 5 pass. base	4	A	3.0	34 100
4p 5 pass. Limited	4	A	3.0	36 800
4p 7 pass. base	4	A	3.0	36 000
4p 7 pass. Limited	4	A	3.0	37 700
4p 7 pass. DVD + Navigation	4	A	3.0	40 700
2006 FORESTER				**20 000 km**
4p X	A	M	2.5	21 200
4p XS	A	M	2.5	24 000
4p XS Premium (cuir+toit)	A	M	2.5	26 400
4p XT turbo	A	M	2.5	27 100
4p XT turbo Premium (cuir)	A	M	2.5	28 400
2005 FORESTER				**40 000 km**
4p X	A	M	2.5	17 100
4p X SE	A	M	2.5	17 700
4p XS	A	M	2.5	20 300
4p XS turbo L.L. Bean (cuir)	A	A	2.5	22 600
4p XT turbo	A	M	2.5	22 400
2004 FORESTER				**60 000 km**
4p X	A	M	2.5	15 300
4p XS	A	M	2.5	18 500
4p XT turbo	A	M	2.5	20 800
2003 FORESTER				**80 000 km**
4p X	A	M	2.5	14 200
4p XS	A	M	2.5	17 100
2002 FORESTER				**100 000 km**
4p L	A	M	2.5	12 500
4p S	A	M	2.5	15 500
4p Sport	A	M	2.5	16 200
4p S Limited (cuir)	A	M	2.5	16 900
2006 IMPREZA				**20 000 km**
4p berline 2.5 i	A	M	2.5	17 400
4p berline WRX turbo	A	M	2.5	25 900
4p berline WRX turbo (toit ouv)	A	M	2.5	26 800
4p berline WRX STi turbo	A	M	2.5	36 900
4p familiale 2.5 i Sport	A	M	2.5	17 400
4p familiale WRX turbo	A	M	2.5	25 900
4p familiale WRX turbo (t-ouv)	A	M	2.5	26 800
4p familiale Outback Sport	A	M	2.5	21 100
2005 IMPREZA				**40 000 km**
4p berline 2.5 RS	A	M	2.5	16 500
4p berline 2.5 RS Sport Package	A	M	2.5	20 900
4p berline WRX turbo	A	M	2.0	25 400
4p berline WRX turbo (t-ouv)	A	M	2.0	26 100
4p berline WRX STi turbo	A	M	2.5	34 900
4p familiale 2.5 RS	A	M	2.5	16 500
4p familiale WRX turbo	A	M	2.0	25 200
4p familiale WRX turbo (t-ouv)	A	M	2.0	26 100
4p familiale Outback Sport	A	M	2.5	20 500
2004 IMPREZA				**60 000 km**
4p berline 2.5 TS	A	M	2.5	15 500
4p berline 2.5 RS	A	M	2.5	19 500
4p berline WRX turbo	A	M	2.0	24 200
4p berline WRX turbo (t-ouv)	A	M	2.0	25 100
4p berline WRX STi turbo	A	M	2.5	30 100
4p familiale 2.5 TS	A	M	2.5	15 800
4p familiale WRX turbo	A	M	2.0	25 100
4p familiale WRX turbo (t-ouv)	A	M	2.0	25 500
4p familiale Outback Sport	A	M	2.5	19 500
2003 IMPREZA				**80 000 km**
4p berline 2.5 RS	A	M	2.5	16 900
4p berline WRX turbo	A	M	2.0	19 300
4p familiale 2.5 TS	A	M	2.5	14 800
4p familiale WRX turbo	A	M	2.0	19 500
4p familiale Outback Sport	A	M	2.5	14 600
2002 IMPREZA				**100 000 km**
4p berline 2.5 RS	A	M	2.5	15 700
4p berline WRX turbo	A	M	2.0	18 900
4p familiale 2.5 TS	A	M	2.5	12 900
4p familiale WRX turbo	A	M	2.0	18 600
4p familiale Outback Sport	A	M	2.5	15 800
2006 LEGACY				**20 000 km**
4p berline 2.5 i	A	M	2.5	21 400
4p berline 2.5 i Spe Ed (toit)	A	M	2.5	22 000
4p berline 2.5 i Limited (cuir)	A	A	2.5	27 200
4p berline 2.5 GT	A	M	2.5	28 400
4p berline 2.5 GT Limited (cuir)	A	M	2.5	30 400
4p familiale 2.5 i	A	M	2.5	22 300
4p familiale 2.5 i Spe Ed (toit)	A	M	2.5	22 900
4p familiale 2.5 i Limited (cuir)	A	M	2.5	28 500
4p familiale 2.5 GT Limited (cuir)	A	M	2.5	32 200
4p familiale Outback 2.5 i	A	M	2.5	25 200
4p fam Outback 2.5i Spe Ed. (toit)	A	M	2.5	25 800
4p familiale Outback Limited cuir	A	A	2.5	30 300
4p familiale Outback 2.5 XT	A	M	2.5	33 100
4p familiale Outback 3.0 R	A	A	3.0	29 800
4p fam Outback 3.0 R VDC (cuir)	A	A	3.0	34 700

Description	R.m.	Tr.	L	Prix
4p Baja Sport	A	M	2.5	22 700
2005 LEGACY				**40 000 km**
4p berline 2.5 i	A	M	2.5	21 900
4p berline 2.5 i Limited (cuir)	A	A	2.5	28 400
4p berline 2.5 GT	A	M	2.5	29 100
4p berline 2.5 GT Limited (cuir)	A	M	2.5	31 700
4p familiale 2.5 i	A	M	2.5	22 800
4p familiale 2.5 i Limited (cuir)	A	M	2.5	29 800
4p familiale 2.5 GT	A	M	2.5	30 500
4p familiale 2.5 GT Limited (cuir)	A	M	2.5	34 000
4p familiale Outback 2.5 i	A	M	2.5	26 400
4p familiale Outback Limited cuir	A	A	2.5	31 400
4p familiale Outback 2.5 XT	A	M	2.5	34 000
4p familiale Outback 3.0 R	A	A	3.0	31 400
4p fam Outback 3.0 R VDC (cuir)	A	A	3.0	33 500
4p Baja Sport	A	M	2.5	23 900
2004 LEGACY				**60 000 km**
4p berline L	A	A	2.5	20 200
4p berline L Premium	A	A	2.5	20 700
4p berline GT	A	M	2.5	22 200
4p berline GT Premium (cuir)	A	M	2.5	24 400
4p berline H6-3.0 (cuir)	A	A	3.0	27 500
4p familiale L	A	M	2.5	19 700
4p familiale L Premium	A	M	2.5	20 300
4p familiale GT Premium (cuir)	A	A	2.5	25 200
4p familiale Outback	A	M	2.5	23 500
4p familiale Outback Premium	A	M	2.5	24 100
4p familiale Outback Limited cuir	A	A	2.5	28 100
4p familiale Outback H6-3.0 Ann.	A	A	3.0	27 200
4p familiale Outback H6-3.0 cuir	A	A	3.0	28 400
4p fam Outback H6-3.0 VDC cuir	A	A	3.0	30 600
4p Baja	A	M	2.5	26 800
2003 LEGACY				**80 000 km**
4p berline L	A	A	2.5	18 600
4p berline L Special Edition	A	A	2.5	19 100
4p berline GT	A	M	2.5	20 500
4p berline GT Premium (cuir)	A	M	2.5	23 200
4p berline H6-3.0 (cuir)	A	A	3.0	25 800
4p familiale L	A	M	2.5	18 100
4p familiale L Special Edition	A	M	2.5	18 700
4p familiale GT Premium (cuir)	A	A	2.5	23 600
4p familiale Outback	A	M	2.5	21 100
4p familiale Outback Limited cuir	A	A	2.5	24 900
4p familiale Outback H6-3.0 Ann.	A	A	3.0	23 900
4p familiale Outback H6-3.0 cuir	A	A	3.0	25 200
4p fam Outback H6-3.0 VDC cuir	A	A	3.0	26 900
4p Baja	A	M	2.5	23 700
2002 LEGACY				**100 000 km**
4p berline L	A	A	2.5	14 000
4p berline GT	A	M	2.5	16 200
4p berline GT Limited (cuir)	A	A	2.5	18 500
4p ber Outback H6-3.0 VDC cuir	A	A	3.0	20 500
4p familiale Brighton	A	M	2.5	14 000
4p familiale L	A	M	2.5	13 900
4p familiale GT	A	A	2.5	17 600
4p familiale Outback	A	M	2.5	17 100
4p familiale Outback Limited cuir	A	A	2.5	21 400
4p familiale Outback H6-3.0 cuir	A	A	3.0	22 800
4p fam Outback H6-3.0 VDC cuir	A	A	3.0	23 600
SUZUKI				
2006 AERIO				**20 000 km**
4p berline base	2	M	2.3	14 100
5p hayon SE Fastback	2	M	2.3	11 100
5p hayon SX Fastback	2	M	2.3	15 000
5p hayon SX Fastback (tr. int.)	A	A	2.3	16 800
2005 AERIO				**40 000 km**
4p berline base	2	M	2.3	11 200
5p hayon SE Fastback	2	A	2.3	11 600
5p hayon SX Fastback	2	M	2.3	12 800
5p hayon SX Fastback	A	A	2.3	14 600
2004 AERIO				**60 000 km**
4p berline GL	2	M	2.3	7600
4p berline GLX	2	M	2.3	10 600
5p hayon S Fastback	2	M	2.3	8000
5p hayon SX Fastback	2	M	2.3	10 900
4p berline GLX	A	A	2.3	12 200
5p hayon S Fastback	A	A	2.3	10 400
5p hayon SX Fastback	A	A	2.0	12 700
2003 AERIO				**80 000 km**
4p berline GL	2	M	2.0	6100
4p berline GLX	2	M	2.0	8900
5p hayon S Fastback	2	M	2.0	6400
5p hayon SX Fastback	2	M	2.0	9600
5p hayon S Fastback	A	A	2.0	9600
5p hayon SX Fastback	A	A	2.0	10 900
2002 AERIO				**100 000 km**
4p berline GL	2	M	2.0	6400
4p berline GLX	2	A	2.0	8800
4p berline SX	2	M	2.0	9300
4p berline SX	2	A	2.0	9700

Description	R.m.	Tr.	L	Prix
5p hayon GL Fastback	2	M	2.0	6400
5p hayon GLX Fastback	2	A	2.0	8800
5p hayon SX Fastback	2	M	2.0	9300
5p hayon SX Fastback	2	A	2.0	9700
2002 ESTEEM				**100 000 km**
4p familiale GL Custom	2	M	1.8	5600
4p familiale GLX Deluxe	2	A	1.8	7700
2006 SWIFT PLUS				**20 000 km**
4p hayon base	2	M	1.6	9100
4p hayon S	2	M	1.6	10 800
2005 SWIFT PLUS				**40 000 km**
4p hayon base	2	M	1.6	8100
4p hayon S (A/C)	2	M	1.6	9600
4p hayon SX (A/C)	2	M	1.6	10 400
2004 SWIFT PLUS				**60 000 km**
4p hayon base	2	M	1.6	6100
4p hayon S	2	M	1.6	8000
2006 VERONA				**20 000 km**
4p berline GL	2	A	2.5	16 300
4p berline GLX (cuir)	2	A	2.5	19 100
2005 VERONA				**40 000 km**
4p berline GL	2	A	2.5	15 600
4p berline GLX (cuir)	2	A	2.5	18 800
2004 VERONA				**60 000 km**
4p berline GL	2	A	2.5	12 400
4p berline GLX	2	A	2.5	15 200
2006 VITARA/GR VITARA				**20 000 km**
4p Grand Vitara JA	4	M	2.7	18 500
4p Grand Vitara JX	4	M	2.7	20 100
4p Grand Vitara JLX	4	A	2.7	21 800
4p Grand Vitara JLX (cuir)	4	A	2.7	22 500
2005 VITARA/GR VITARA				**40 000 km**
4p Grand Vitara JX	4	M	2.5	16 100
4p Grand Vitara JX	4	A	2.5	17 200
4p Grand Vitara JLX	4	A	2.5	18 800
2004 VITARA/GR VITARA				**60 000 km**
4p Vitara JX	4	M	2.0	7800
4p Grand Vitara JX	4	M	2.5	10 500
4p Grand Vitara JLX	4	A	2.5	13 100
2003 VITARA/GR VITARA				**80 000 km**
2p toit souple Vitara JX	4	M	2.0	7000
4p Vitara JX Deluxe	4	M	2.0	8100
4p Vitara JLX Deluxe	4	A	2.0	10 900
4p Grand Vitara JX Deluxe	4	M	2.5	10 300
4p Grand Vitara JLX S Deluxe	4	A	2.5	12 600
2002 VITARA/GR VITARA				**100 000 km**
2p toit souple Vitara JA base	4	M	1.6	5300
2p toit souple Vitara JX	4	M	2.0	6300
4p Vitara JX Deluxe	4	M	2.0	7400
4p Vitara JX Deluxe (ABS)	4	A	2.0	10 000
4p Grand Vitara JX Deluxe	4	M	2.5	10 100
4p Grand Vitara JLX S Deluxe	4	A	2.5	12 900
4p Grand Vitara Limited	4	A	2.5	15 100
2006 XL-7				**20 000 km**
4p 5 pass. JX	4	A	2.7	24 100
4p 5 pass. JLX	4	A	2.7	25 200
4p 7 pass. JX PLUS	4	A	2.7	24 500
4p 7 pass. JLX PLUS	4	A	2.7	25 900
4p 7 pass. JLX PLUS (cuir)	4	A	2.7	26 800
2005 XL-7				**40 000 km**
4p 5 pass. JX	4	A	2.7	18 500
4p 5 pass. JLX	4	A	2.7	19 700
4p 7 pass. JLX PLUS	4	A	2.7	20 900
2004 XL-7				**60 000 km**
4p 5 pass. JX	4	M	2.7	12 800
4p 5 pass. JX	4	A	2.7	13 800
4p 5 pass. JLX	4	A	2.7	14 200
4p 7 pass. JLX	4	A	2.7	14 900
4p 7 pass. Limited	4	A	2.7	16 100
2003 XL-7				**80 000 km**
4p 5 pass. JX Deluxe	4	M	2.7	11 200
4p 5 pass. JX Deluxe	4	A	2.7	13 200
4p 5 pass. JLX Super Deluxe	4	A	2.7	13 300
4p 7 pass. JLX Super Deluxe	4	A	2.7	13 200
2002 XL-7				**100 000 km**
4p 5 pass. JX Deluxe	4	M	2.7	9300
4p 5 pass. JX Deluxe	4	A	2.7	10 700
4p 5 pass. JLX Super Deluxe	4	A	2.7	12 100
4p 7 pass. JX Deluxe	4	M	2.7	11 600
4p 7 pass. JX Deluxe	4	A	2.7	11 700
4p 7 pass. JLX Super Deluxe	4	A	2.7	12 300
4p 7 pass. Touring	4	A	2.7	13 400
4p 7 pass. Limited (cuir)	4	A	2.7	13 800

Abréviations : R.m. : roues motrices (2, 4, A) • Tr : Transmission (A, M) • L : capacité du moteur en litres

TOYOTA

2006 4RUNNER — 20 000 km

Description	R.m.	Tr.	L	Prix
4p SR-5 V6	4	A	4.0	36 400
4p SR-5 V6 Sport	4	A	4.0	39 600
4p SR-5 V8	4	A	4.7	38 800
4p SR-5 V8 Sport	4	A	4.7	40 900
4p Limited V6 (cuir)	A	A	4.0	43 600
4p Limited V8 (cuir)	A	A	4.7	45 700

2005 4RUNNER — 40 000 km

Description	R.m.	Tr.	L	Prix
4p SR-5 V6	4	A	4.0	28 800
4p SR-5 V6 Sport	4	A	4.0	33 200
4p SR-5 V8	4	A	4.7	30 800
4p SR-5 V8 Sport	4	A	4.7	33 900
4p Limited V6 (cuir)	A	A	4.0	35 800
4p Limited V8 (cuir)	A	A	4.7	37 700

2004 4RUNNER — 60 000 km

Description	R.m.	Tr.	L	Prix
4p SR-5 V6	4	A	4.0	25 200
4p SR-5 V6 Sport	4	A	4.0	28 600
4p SR-5 V8	4	A	4.7	26 500
4p SR-5 V8 Sport	4	A	4.7	29 100
4p Limited V6 (cuir)	A	A	4.0	29 700
4p Limited V6 Groupe B (cuir)	A	A	4.0	29 200
4p Limited V8 (cuir)	A	A	4.7	30 300
4p Limited V8 Groupe B (cuir)	A	A	4.7	29 500

2003 4RUNNER — 80 000 km

Description	R.m.	Tr.	L	Prix
4p SR-5 V6	4	A	4.0	21 500
4p SR-5 V8	A	A	4.7	22 800
4p Limited V6 (cuir)	4	A	4.0	23 900
4p Limited V8 (cuir)	A	A	4.7	24 400

2002 4RUNNER — 100 000 km

Description	R.m.	Tr.	L	Prix
4p Badlands	4	A	3.4	18 000
4p SR-5	4	A	3.4	19 600
4p Limited (cuir)	4	A	3.4	21 300

2006 AVALON — 20 000 km

Description	R.m.	Tr.	L	Prix
4p berline XLS	2	A	3.5	35 000
4p berline XLS gr.B (rég.traction)	2	A	3.5	38 000
4p berline XLS gr.C (Navi)	2	A	3.5	40 400
4p berline Touring	2	A	3.5	36 600

2005 AVALON — 40 000 km

Description	R.m.	Tr.	L	Prix
4p berline XLS	2	A	3.5	29 900
4p berline Touring	2	A	3.5	31 100

2004 AVALON — 60 000 km

Description	R.m.	Tr.	L	Prix
4p berline XLS	2	A	3.0	28 300

2003 AVALON — 80 000 km

Description	R.m.	Tr.	L	Prix
4p berline XLS	2	A	3.0	25 000

2002 AVALON — 100 000 km

Description	R.m.	Tr.	L	Prix
4p berline XL	2	A	3.0	19 100
4p berline XLS	2	A	3.0	22 200

2006 CAMRY — 20 000 km

Description	R.m.	Tr.	L	Prix
4p berline LE	2	A	2.4	19 200
4p ber LE groupe B (toit/jantes)	2	A	2.4	21 300
4p berline LE V6	2	A	3.0	21 300
4p berline LE V6 groupe B (toit)	2	A	3.0	22 800
4p berline SE	2	M	2.4	19 700
4p berline SE	2	A	2.4	20 800
4p berline SE groupe B (cuir)	2	M	2.4	22 100
4p berline SE groupe B (cuir)	2	A	2.4	22 800
4p berline SE V6 (cuir)	2	A	3.3	25 000
4p berline XLE V6	2	A	3.0	25 400
4p berline XLE V6 groupe B cuir	2	A	3.0	27 600

2005 CAMRY — 40 000 km

Description	R.m.	Tr.	L	Prix
4p berline LE	2	A	2.4	15 200
4p berline LE groupe B (toit)	2	A	2.4	17 300
4p berline LE V6	2	A	3.0	17 400
4p berline LE V6 groupe B (toit)	2	A	3.0	19 000
4p berline SE	2	M	2.4	15 700
4p berline SE	2	A	2.4	16 900
4p berline SE groupe B (cuir)	2	M	2.4	18 200
4p berline SE groupe B (cuir)	2	A	2.4	18 900
4p berline SE V6 (cuir)	2	A	3.3	19 900
4p berline XLE V6	2	A	3.0	20 400
4p berline XLE V6 groupe B cuir	2	A	3.0	22 900

2004 CAMRY — 60 000 km

Description	R.m.	Tr.	L	Prix
4p berline LE	2	A	2.4	14 500
4p berline LE V6	2	A	3.0	16 500
4p berline SE	2	M	2.4	15 000
4p berline SE	2	A	2.4	16 000
4p berline SE V6	2	A	3.3	17 300
4p berline XLE	2	A	2.4	17 000
4p berline XLE V6	2	A	3.0	18 200

2003 CAMRY — 80 000 km

Description	R.m.	Tr.	L	Prix
4p berline LE	2	A	2.4	14 200
4p berline LE V6	2	A	3.0	15 700
4p berline SE	2	M	2.4	14 300
4p berline SE	2	A	2.4	15 200
4p berline SE V6	2	A	3.0	16 500
4p berline XLE	2	A	2.4	16 500
4p berline XLE V6	2	A	3.0	17 800

2002 CAMRY — 100 000 km

Description	R.m.	Tr.	L	Prix
4p berline LE	2	M	2.4	11 600
4p berline LE V6	2	A	3.0	14 300
4p berline SE V6	2	A	3.0	15 500
4p berline XLE	2	A	2.4	15 600
4p berline XLE V6	2	A	3.0	16 000

2005 CELICA — 40 000 km

Description	R.m.	Tr.	L	Prix
2p hayon GT	2	M	1.8	15 800
2p hayon GT	2	A	1.8	16 700
2p hayon GT Groupe B (cuir)	2	M	1.8	18 300
2p hayon GT Groupe B (cuir)	2	A	1.8	19 200
2p hayon GT Groupe Sport	2	M	1.8	19 800
2p hayon GT Groupe Sport	2	A	1.8	20 400
2p hayon GT-S (cuir)	2	M	1.8	22 600
2p hayon GT-S (cuir)	2	A	1.8	22 800
2p hayon GT-S Gr Sport (cuir)	2	M	1.8	22 900
2p hayon GT-S Gr Sport (cuir)	2	A	1.8	24 100

2004 CELICA — 60 000 km

Description	R.m.	Tr.	L	Prix
2p hayon GT	2	M	1.8	15 100
2p hayon GT	2	A	1.8	16 000
2p hayon GT Groupe D	2	M	1.8	18 700
2p hayon GT Groupe D	2	A	1.8	19 600
2p hayon GT Tsunami	2	M	1.8	19 000
2p hayon GT Tsunami	2	A	1.8	19 500
2p hayon GT-S (cuir)	2	M	1.8	19 800
2p hayon GT-S (cuir)	2	A	1.8	20 400
2p hayon GT-S Tsunami (cuir)	2	M	1.8	20 000
2p hayon GT-S Tsunami (cuir)	2	A	1.8	20 200

2003 CELICA — 80 000 km

Description	R.m.	Tr.	L	Prix
2p hayon GT	2	M	1.8	14 300
2p hayon GT	2	A	1.8	15 100
2p hayon GT-S (cuir)	2	M	1.8	17 600
2p hayon GT-S (cuir)	2	A	1.8	18 100

2002 CELICA — 100 000 km

Description	R.m.	Tr.	L	Prix
2p hayon GT	2	M	1.8	14 700
2p hayon GT	2	A	1.8	15 600
2p hayon GT-S	2	M	1.8	18 000
2p hayon GT-S	2	A	1.8	18 500

2006 COROLLA — 20 000 km

Description	R.m.	Tr.	L	Prix
4p berline CE	2	M	1.8	14 300
4p berline CE groupe B (a/c)	2	M	1.8	16 000
4p berline CE groupe C (gr.élect.)	2	M	1.8	16 800
4p berline CE édition spéciale	2	M	1.8	16 900
4p berline Sport	2	M	1.8	17 900
4p berline Sport groupe sport	2	M	1.8	19 700
4p berline LE	2	A	1.8	18 900
4p berline LE groupe B (cuir)	2	A	1.8	21 100
4p berline XRS	2	M	1.8	20 600

2005 COROLLA — 40 000 km

Description	R.m.	Tr.	L	Prix
4p berline CE	2	M	1.8	12 700
4p berline CE groupe B	2	M	1.8	14 500
4p berline CE groupe C	2	M	1.8	15 400
4p berline CE édition spéciale	2	M	1.8	15 400
4p berline Sport	2	M	1.8	16 800
4p berline Sport groupe B	2	M	1.8	18 500
4p berline LE	2	A	1.8	16 500
4p berline XRS	2	M	1.8	18 300

2004 COROLLA — 60 000 km

Description	R.m.	Tr.	L	Prix
4p berline CE	2	M	1.8	12 300
4p berline CE groupe B	2	M	1.8	14 200
4p berline CE groupe C	2	M	1.8	15 100
4p berline Sport	2	M	1.8	16 100
4p berline Sport groupe B	2	M	1.8	16 800
4p berline LE	2	M	1.8	14 500
4p berline LE groupe B (cuir)	2	M	1.8	16 300

2003 COROLLA — 80 000 km

Description	R.m.	Tr.	L	Prix
4p berline CE	2	M	1.8	11 000
4p berline CE groupe B	2	M	1.8	12 900
4p berline Sport	2	M	1.8	15 000
4p berline Sport groupe B	2	M	1.8	15 700
4p berline LE	2	M	1.8	14 000
4p berline LE groupe B	2	M	1.8	15 400

2002 COROLLA — 100 000 km

Description	R.m.	Tr.	L	Prix
4p berline CE	2	M	1.8	8300
4p berline CE Plus	2	M	1.8	9500
4p berline Sport	2	M	1.8	10 900
4p berline LE	2	A	1.8	11 400

2005 ECHO — 40 000 km

Description	R.m.	Tr.	L	Prix
2p hayon CE	2	M	1.5	10 300
2p hayon LE	2	M	1.5	11 300
4p hayon LE	2	M	1.5	11 900
4p hayon RS	2	M	1.5	13 400
4p berline base	2	M	1.5	11 300
4p berline Groupe B	2	M	1.5	11 900
4p berline Groupe C	2	M	1.5	12 700

2004 ECHO — 60 000 km

Description	R.m.	Tr.	L	Prix
2p hayon CE	2	M	1.5	9300
2p hayon LE	2	M	1.5	10 200
4p hayon LE	2	M	1.5	10 800
4p hayon RS	2	M	1.5	12 000
4p berline base	2	M	1.5	10 300
4p berline Groupe B	2	M	1.5	10 900
4p berline Groupe C (ABS)	2	M	1.5	11 500

2003 ECHO — 80 000 km

Description	R.m.	Tr.	L	Prix
2p coupé base	2	M	1.5	8500
2p coupé Groupe Style	2	M	1.5	9700
4p berline base	2	M	1.5	8800
4p berline Groupe Style	2	M	1.5	9800

2002 ECHO — 100 000 km

Description	R.m.	Tr.	L	Prix
2p coupé base	2	M	1.5	7500
2p coupé Groupe Style	2	M	1.5	8500
4p berline base	2	M	1.5	7800
4p berline Groupe Style	2	M	1.5	8700

2006 HIGHLANDER — 20 000 km

Description	R.m.	Tr.	L	Prix
4p V6	A	A	3.3	29 500
4p V6 Groupe B (cuir)	A	A	3.3	31 400
4p V6 7 passagers	A	A	3.3	30 400
4p V6 7 pass. Groupe B (cuir)	A	A	3.3	32 900
4p Limited (cuir)	A	A	3.3	35 500
4p Hybrid	A	A	3.3	33 000
4p Hybrid 7 passagers	A	A	3.3	38 800

2005 HIGHLANDER — 40 000 km

Description	R.m.	Tr.	L	Prix
4p base	2	A	2.4	22 100
4p V6	A	A	3.3	25 800
4p V6 Groupe B (cuir)	A	A	3.3	27 000
4p V6 7 passagers	A	A	3.3	26 700
4p V6 7 pass. Groupe B (cuir)	A	A	3.3	27 200
4p Limited (cuir)	A	A	3.3	29 400

2004 HIGHLANDER — 60 000 km

Description	R.m.	Tr.	L	Prix
4p base	2	A	2.4	20 100
4p V6	A	A	3.3	23 800
4p V6 Groupe B (cuir)	A	A	3.3	25 300
4p V6 7 passagers	A	A	3.3	24 700
4p V6 7 pass. Groupe B (cuir)	A	A	3.3	25 700
4p Limited (cuir)	A	A	3.3	26 600

2003 HIGHLANDER — 80 000 km

Description	R.m.	Tr.	L	Prix
4p base	2	A	2.4	18 500
4p base	A	A	2.4	20 500
4p base	A	A	3.0	22 200
4p Limited (cuir)	A	A	3.0	23 800

2002 HIGHLANDER — 100 000 km

Description	R.m.	Tr.	L	Prix
4p base	2	A	2.4	17 200
4p base	A	A	3.0	20 400
4p Limited (cuir)	A	A	3.0	22 400

2006 MATRIX — 20 000 km

Description	R.m.	Tr.	L	Prix
4p hayon base	2	M	1.8	13 700
4p hayon base Gr.B (a/c)	2	M	1.8	16 000
4p hayon Édition TRD	2	M	1.8	16 900
4p hayon XR	2	M	1.8	17 300
4p hayon XR Gr.B (abs/toit)	2	M	1.8	19 100
4p hayon XRS	2	M	1.8	21 000
4p hayon base	A	A	1.8	18 500
4p hayon XR	A	A	1.8	20 200
4p hayon XR Groupe B (toit)	A	A	1.8	21 200

2005 MATRIX — 40 000 km

Description	R.m.	Tr.	L	Prix
4p hayon base	2	M	1.8	12 700
4p hayon base Groupe B	2	M	1.8	15 000
4p hayon Édition TRD	2	M	1.8	16 000
4p hayon XR	2	M	1.8	16 600
4p hayon XR Groupe B	2	M	1.8	18 500
4p hayon XRS	2	M	1.8	20 200
4p hayon base	A	A	1.8	17 800
4p hayon XR	A	A	1.8	19 200
4p hayon XR Groupe B	A	A	1.8	20 200

2004 MATRIX — 60 000 km

Description	R.m.	Tr.	L	Prix
4p hayon base	2	M	1.8	11 900
4p hayon XR	2	M	1.8	15 300
4p hayon XRS	2	M	1.8	18 000
4p hayon base	A	A	1.8	16 300
4p hayon XR	A	A	1.8	17 700

2003 MATRIX — 80 000 km

Description	R.m.	Tr.	L	Prix
4p hayon base	2	M	1.8	11 600
4p hayon XR	2	M	1.8	14 800
4p hayon XRS	2	M	1.8	17 100
4p hayon base	A	A	1.8	14 300
4p hayon XR	A	A	1.8	16 800

2006 PRIUS — 20 000 km

Description	R.m.	Tr.	L	Prix
4p hayon base	2	A	1.5	26 700
4p hayon Groupe B	2	A	1.5	30 300
4p hayon Groupe C (navigation)	2	A	1.5	32 700

2005 PRIUS — 40 000 km

Description	R.m.	Tr.	L	Prix
4p hayon base	2	A	1.5	22 100
4p hayon Groupe B	2	A	1.5	24 100
4p hayon Groupe C (navigation)	2	A	1.5	24 900

2004 PRIUS — 60 000 km

Description	R.m.	Tr.	L	Prix
4p hayon base	2	A	1.5	18 900

2003 PRIUS — 80 000 km

Description	R.m.	Tr.	L	Prix
4p berline base	2	A	1.5	17 400

2002 PRIUS — 100 000 km

Description	R.m.	Tr.	L	Prix
4p berline base	2	A	1.5	16 200

2006 RAV4 — 20 000 km

Description	R.m.	Tr.	L	Prix
4p base 2,4 l	A	A	2.4	25 600
4p Limited 2,4 l	A	A	2.4	29 100
4p base V6	A	M	3.5	27 900
4p Sport V6	A	A	3.5	29 500
4p Limited V6	A	M	3.5	31 400
4p Limited Groupe B (cuir)	A	A	3.5	33 500

2005 RAV4 — 40 000 km

Description	R.m.	Tr.	L	Prix
4p base	A	M	2.4	19 200
4p Édition Chili	A	M	2.4	22 400
4p Limited (cuir)	A	M	2.4	25 000

2004 RAV4 — 60 000 km

Description	R.m.	Tr.	L	Prix
4p base	A	M	2.4	17 400
4p Édition Chili	A	M	2.4	20 400
4p Limited (cuir)	A	M	2.4	22 700

2003 RAV4 — 80 000 km

Description	R.m.	Tr.	L	Prix
4p base	A	M	2.0	14 900
4p Édition Chili	A	M	2.0	19 000
4p Limited (cuir)	A	M	2.0	20 700

2002 RAV4 — 100 000 km

Description	R.m.	Tr.	L	Prix
4p base	A	M	2.0	12 500
4p Groupe B (a/c)	A	M	2.0	15 100
4p Groupe E	A	M	2.0	17 600
4p Groupe D (cuir)	A	M	2.0	18 000

2006 SEQUOIA — 20 000 km

Description	R.m.	Tr.	L	Prix
4p SR-5	4	A	4.7	51 600
4p Limited (cuir)	4	A	4.7	57 700

2005 SEQUOIA — 40 000 km

Description	R.m.	Tr.	L	Prix
4p SR-5	4	A	4.7	48 000
4p Limited (cuir)	4	A	4.7	51 200

2004 SEQUOIA — 60 000 km

Description	R.m.	Tr.	L	Prix
4p SR-5	4	A	4.7	39 200
4p Limited (cuir)	4	A	4.7	41 600

2003 SEQUOIA — 80 000 km

Description	R.m.	Tr.	L	Prix
4p SR-5	4	A	4.7	34 000
4p Limited (cuir)	4	A	4.7	38 300

2002 SEQUOIA — 100 000 km

Description	R.m.	Tr.	L	Prix
4p SR-5	4	A	4.7	29 100
4p Limited (cuir)	4	A	4.7	32 900

2006 SIENNA — 20 000 km

Description	R.m.	Tr.	L	Prix
4p 7 pass. CE	2	A	3.3	27 100
4p 8 pass. CE	2	A	3.3	28 100
4p 7 pass. LE	2	A	3.3	31 700
4p 7 pass. LE (cuir)	2	A	3.3	34 000
4p 8 pass. LE	2	A	3.3	32 000
4p 7 pass. XLE (cuir)	2	A	3.3	38 700
4p 7 pass. XLE Limited (cuir)	2	A	3.3	41 000
4p 7 pass. CE	A	A	3.3	32 000
4p 7 pass. LE	A	A	3.3	35 400
4p 7 pass. XLE (cuir)	A	A	3.3	43 400

2005 SIENNA — 40 000 km

Description	R.m.	Tr.	L	Prix
4p 7 pass. CE	2	A	3.3	23 600
4p 8 pass. CE	2	A	3.3	24 700
4p 7 pass. LE	2	A	3.3	28 500
4p 7 pass. LE (cuir)	2	A	3.3	31 100
4p 8 pass. LE	2	A	3.3	28 900
4p 7 pass. XLE (cuir)	2	A	3.3	33 300
4p 7 pass. XLE Limited (cuir)	2	A	3.3	35 300
4p 7 pass. CE	A	A	3.3	29 000
4p 7 pass. LE	A	A	3.3	32 500
4p 7 pass. XLE (cuir)	A	A	3.3	35 100

2004 SIENNA — 60 000 km

Description	R.m.	Tr.	L	Prix
4p 7 pass. CE	2	A	3.3	22 100
4p 8 pass. CE	2	A	3.3	23 000
4p 7 pass. LE	2	A	3.3	26 400
4p 8 pass. LE	2	A	3.3	26 800
4p 7 pass. XLE (cuir)	2	A	3.3	28 800
4p 7 pass. LE	A	A	3.3	28 200
4p 7 pass. XLE (cuir)	A	A	3.3	29 600
4p 7 pass. XLE Limited (cuir)	A	A	3.3	31 100

2003 SIENNA — 80 000 km

Description	R.m.	Tr.	L	Prix
4p CE	2	A	3.0	17 500
4p CE Plus	2	A	3.0	19 200

Abréviations : R.m. : roues motrices (2, 4, A) • Tr : Transmission (A, M) • L : capacité du moteur en litres